고등학교

독서 자습서

이삼형 교과서편

이 책의 구성 및 특징

학습의 기본 다지기

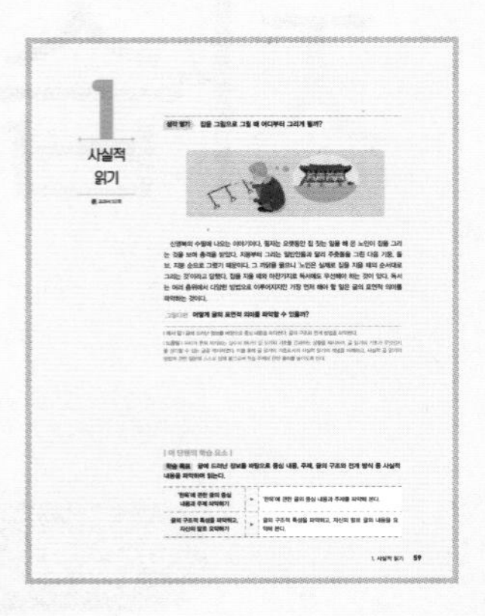

소단원 생각 열기

- 교과서의 소단원 도입 활동인 '생각 열기'의 내용을 확인하고, 학습 목표와 핵심 원리를 이해하도록 하였습니다.

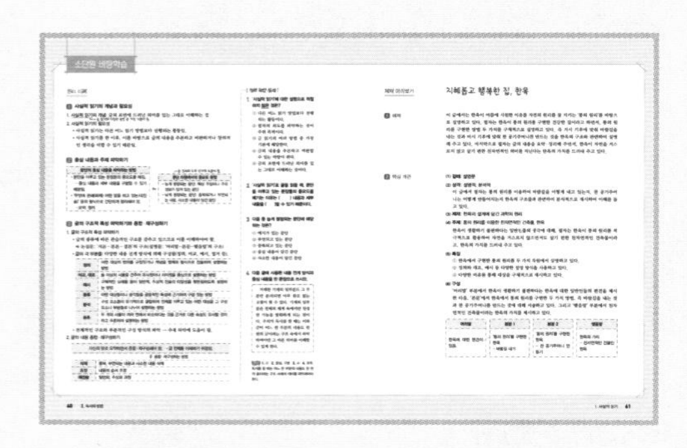

소단원 바탕학습

- **원리 이해:** 단원의 주요 개념과 읽기 이론을 확인하도록 하였고, 확인 문제를 통해 이를 확인하도록 하였습니다.
- **제재 미리보기:** 소단원 제재 학습을 본격적으로 들어가기 앞서 제재 글의 개괄적인 내용을 한눈에 확인할 수 있도록 하였습니다.

실력 다지기

소단원 제재 글 분석 및 확인 문제

- 교과서의 제재 글을 깊이 있게 이해할 수 있도록 행간주와 구성 단계별 내용 정리, 보충 자료 등을 제시하였습니다.
- 지문의 핵심 내용을 정리하고, 학습한 내용을 잘 이해했는지 바로 확인할 수 있는 문제를 제시하였습니다.

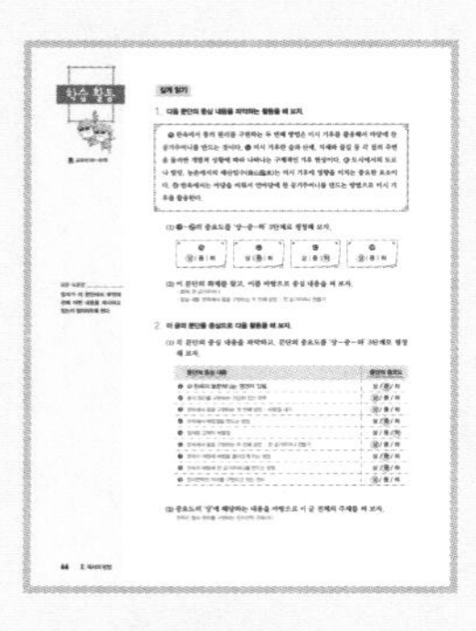

학습 활동 풀이

- 학습 활동 문제는 시험 문제로 꼭 출제됩니다. 학습 활동 문제를 이해하기 위한 예시 답과 도움글을 상세히 제시하였습니다.

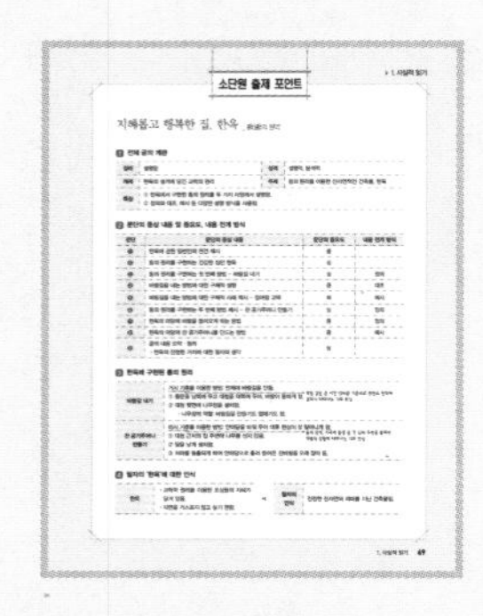

소단원 출제 포인트

- 지금까지 학습한 소단원 내용을 시험에 출제될 만한 핵심 내용으로 구성하여 시험 직전에 활용할 수 있게 하였습니다.

· 자습서+평가집을 한 권에!
· 지문 분석은 상세하게, 문제는 단계별로 탄탄하게!
· 시험 직전 '실력 완성 문제, 1등급 완성 문제'로 내신 완벽 대비!

실력 완성하기

내신 적중 문제

- 소단원에서 꼭 알아야 할 다양한 유형의 핵심 문제를 풀어 봄으로써 자신의 실력을 완성할 수 있도록 하였습니다.
- 서술형 문제의 비중을 높여 학교 시험에서 비중이 높아진 서술형·논술형 문제를 완벽하게 대비할 수 있도록 하였습니다.

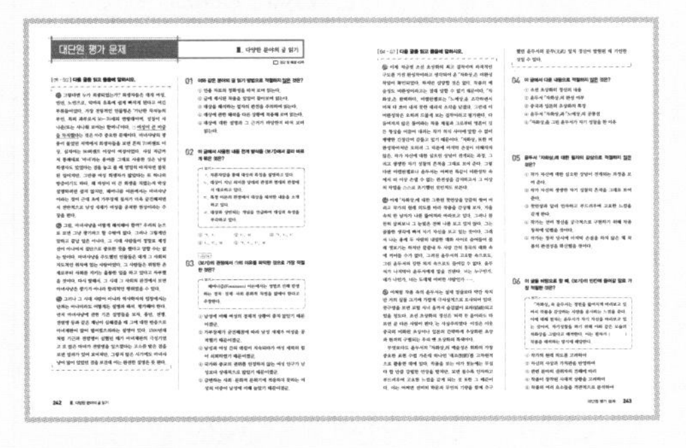

대단원 평가 문제

- 각 소단원에서 배운 학습 내용을 종합적으로 묻는 문제들로 구성하였습니다. 학교 시험에 꼭 나올 만한 문제를 통해 대단원의 내용을 정확히 이해하였는지 확인하고, 실력을 완성하도록 하였습니다.

중간·기말 고사 직전 대비 문제 은행

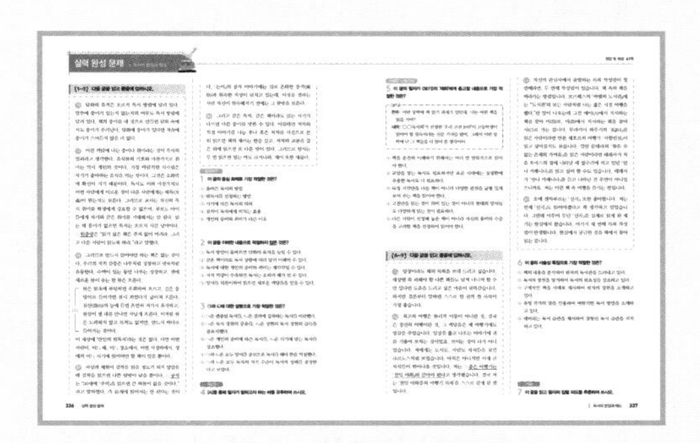

실력 완성 문제

- 학교 시험에 자주 나오는 지문을 선별하고, 출제될 만한 핵심 문제들을 선별하여, 시험 직전에 한번 더 풀어 보고 실력을 점검할 수 있도록 하였습니다.

1등급 완성 문제

- 학교 시험에 자주 나오는 지문을 엄선하여 다빈출 유형의 문제와 고난도 문제로 구성하였습니다. 시험 직전에 풀어 보고 1등급을 맞을 수 있도록 하였습니다.

정답 및 해설

- 오답 풀이를 상세하게 정리하여 틀린 문제를 다시 틀리지 않게 하고, 꼼꼼한 학습에 도움이 되도록 하였습니다.
- 서술형 문제에 대한 평가 기준을 제시하여 중점적으로 기술해야 할 점이 무엇인지 알 수 있도록 하였습니다.

이 책의 차례

I. 독서의 본질과 태도

II. 독서의 방법

III. 다양한 분야의 글 읽기

1. 인문 · 예술 분야의 글 읽기

2. 사회 · 문화 분야의 글 읽기

3. 과학 · 기술 분야의 글 읽기

IV. 다양한 특성의 글 읽기

1. 다양한 시대의 글 읽기

2. 다양한 지역의 글 읽기

3. 다양한 매체 자료 읽기

중간·기말 고사 대비 문제 은행

정답 및 해설

I.

독서의 본질과 태도

자료 · 정보 활용 역량 — 공동체 · 대인 관계 역량 — 자기 성찰 · 계발 역량

대단원 소개

독서는 인간이 삶을 살아가는 데 필요한 가치 있는 지식과 경험을 학습하게 하여, 건전한 세계관과 바람직한 자아를 형성하게 해 주는 활동이다. 따라서 이러한 독서의 가치를 이해하며 올바르게 독서하는 것은 청소년기의 학생들에게 매우 의미 있는 활동이라 할 수 있다.

이 단원에서는 이러한 청소년기의 올바른 독서 활동을 위해 독서 목적이나 글의 가치 등을 고려한 좋은 글을 선택하는 방법과 학생들 스스로 독서 계획을 세워 자발적으로 독서를 실천하여 의미 있는 독서 활동을 수행할 수 있게 하였다. 이를 통해 보다 주체적인 독서 활동을 할 수 있는 능력을 키워 보자.

교과서 10쪽

독서는 왜 하며, 어떻게 해야 할까?

책은 마음의 양식이다. 어떤 음식을 어떻게 먹었느냐에 따라 신체적인 성장이 달라지듯이 어떤 책을 어떻게 읽었느냐에 따라 정신세계의 폭과 깊이가 달라진다. 따라서 좋은 책을 바르게 많이 읽은 사람은 지적, 정서적으로 충일한 인격으로 성장하고, 그런 사람이 많은 사회는 곧 문화적으로 성숙한 사회가 된다.

이 단원에서는 왜 독서를 해야 하며 어떤 글을 선택해서 읽어야 하는지에 관해 살펴본 다음, 각자 스스로 독서 계획을 세워서 다른 사람과 더불어 독서 활동을 실천하는 활동을 한다.

소단원	학습 목표	읽기 제재
1. 독서의 가치와 글의 선택	• 독서의 목적이나 글의 가치 등을 고려하여 좋은 글을 선택하여 읽는다.	[제재 1] 독서론(린위탕) [제재 2] 어떤 책부터 읽으면 좋을까요(정혜윤)
2. 독서의 생활화 + 한 권 읽기	• 장기적인 독서 계획을 세워 자발적으로 독서를 실천함으로써 건전한 독서 문화를 형성한다. • 의미 있는 독서 활동에 참여함으로써 타인과 교류하고 다양한 삶의 방식과 세계관을 이해하는 태도를 지닌다.	

1 독서의 가치와 글의 선택

교과서 12쪽

생각 열기 독서를 즐겼던 선조들이 타임머신을 타고 현대의 도서관에 온다면 어떤 반응을 보일까?

우리 선조들 중에는 책 읽는 것을 즐기는 분이 많았다. 그중에서 이덕무는 '책만 보는 바보'라는 뜻의 '간서치'라 불리기를 좋아할 정도로 책 읽기를 즐겼고, 김득신은 『사기』의 「백이전」을 수만 번도 더 읽었다고 할 정도로 독서를 생활화했다. 그런데 이들이 타임머신을 타고 현대로 와서 도서관에 간다면 어떤 반응을 보일까? 아마도 그들은 책이 너무 많아서 어떤 책을 읽어야 할지 몰라 당황하게 될 것이다.

그렇다면 **수많은 책 중에서 어떤 책을 골라 읽어야 할까?**

| 예시 답 | 자신의 독서 목적에 맞는 책을 골라 읽는다, 자신이 좋아하는 작가의 책을 찾아 읽는다, 자신의 관심이나 수준에 맞는 책을 찾아 읽는다 등

| 도움말 | 책 읽기를 즐기는 이가 수많은 책 중에서 읽을 책을 골라야 하는 상황을 제시하였다. 이를 통해 독서의 즐거움과 가치를 이해하고, 도서 선택의 방법에 관한 질문에 스스로 답해 봄으로써 학습 주제에 관한 흥미를 높이도록 한다.

| 이 단원의 학습 요소 |

학습 목표 독서의 목적이나 글의 가치를 고려하여 좋은 글을 선택하여 읽는다.

독서의 가치와 도서 선택법 이해하기	▶	제재 글을 읽으면서 독서의 가치를 알고, 도서 선택법을 이해해 본다.
독서 목적과 글의 가치를 고려하여 읽을 책 선택하기	▶	독서 목적과 글의 가치를 고려하여 자신이 읽을 책을 선택해 본다.

소단원 바탕학습

원리 이해

1 독서의 의미와 가치

1. 글의 의미: 시·공간적으로 떨어진 필자와 독자가 의사소통하는 수단이자 매개물
(매개물: 둘 사이에서 양편의 관계를 맺어 주는 물건)

2. 독서의 의미

의사소통 행위로서의 독서	글을 매개로 하여 필자와 독자가 만나서 대화를 하는 의사소통 행위라 할 수 있음. (매개: 둘 사이에서 양편의 관계를 맺어 줌.)
사회적이고 역사적인 행위로서의 독서	개인과 개인, 집단과 집단, 지역과 지역, 시대와 시대가 만나서 서로의 지식과 문화를 주고받는 사회적이고 역사적인 행위임.

→ 개인적이고 사회적인 소통을 통해서 개인이 성장하고 사회가 발전함.

3. 독서의 가치

개인적 차원	• 세상에 관한 지식을 획득하고, 논리적이고 창의적인 사고력을 갖추게 됨. • 인간의 삶을 이해하고, 풍부한 정서와 바람직한 가치관을 형성하게 됨.
사회적 차원	• 공동체의 사고와 문화를 공유함으로써 집단의 정체성을 확보할 수 있음. • 시·공간의 제약을 뛰어넘어 각 공동체의 문명을 주고받음으로써 인류 전체의 문명과 문화를 발전시킬 수 있음.

2 독서의 목적에 알맞은 글 골라 읽기

독서의 목적에 따라 알맞은 글을 골라 읽어야 함. 독서의 목적은 다양하지만 크게 실용적인 목적과 교양 및 여가를 위한 목적으로 나눌 수 있음.

실용적 목적 (실질적인 쓸모)	• 특징: 문제 해결, 관계 형성 및 유지, 학업 성취를 위한 독서 등 읽을 글의 범위가 제한적임. • 글의 선택 방법: 독서의 목적에 부합하는 양질의 책을 골라 읽어야 함.
교양 및 여가를 위한 목적	• 특징: 읽을 글의 범위에 제한이 없음. • 글의 선택 방법: 자신의 흥미와 수준에 적합하면서도 가치 있는 내용을 담고 있는 책을 골라 읽어야 함.

3 읽을 가치가 있는 좋은 글 골라 읽기

1. 좋은 글의 요건

• 바람직한 가치를 담고 있으면서도 개인의 생각의 폭을 넓혀 주는 글
• 독자의 관심이나 취향, 그리고 수준에 부합하는 글

2. 좋은 글을 선택하는 방법

• 제목, 목차, 머리말, 표지, 필자 정보, 도서 평(비평문, 독후감 등) 등을 참고함.
• 내용이 가치 있는 글인지, 자신의 관심과 수준, 취향에 부합하는 글인지 판단함.

| 원리 확인 문제 |

1. 다음 빈칸에 알맞은 단어를 쓰시오.

> 독서의 사전적 의미는 글을 읽는 행위이다. 이때, 글은 시·공간적으로 떨어진 필자와 독자가 (　　　)하는 수단이자 매개물이다.

2. 독서의 가치를 개인적 차원에서 이해한 내용으로 적절하지 않은 것은?

① 독서는 풍부한 정서를 함양하는 수단이다.
② 독서는 지식과 정보를 획득하는 수단이다.
③ 독서를 통해 논리적이고 창의적인 사고력을 기를 수 있다.
④ 독서를 통해 인간과 사회에 대한 이해의 폭을 넓힐 수 있다.
⑤ 독서는 인류의 문명과 문화를 계승·발전시키는 데 기여할 수 있다.

3. 다음 빈칸에 들어갈 단어를 바르게 묶은 것은?

> (　　) 목적의 독서는 읽어야 할 글의 범위가 제한적이나, (　　)을/를 목적으로 하는 독서는 읽어야 할 글의 범위가 매우 넓다.

① 교양 – 여가　② 실용 – 교양
③ 정서 – 여가　④ 지식 – 실용
⑤ 개인 – 실용

4. 좋은 글을 선택하기 위한 고려 사항으로 적절하지 않은 것은?

① 내용이 가치 있는 글인가?
② 독서의 목적에 맞는 글인가?
③ 자신의 수준에 적합한 글인가?
④ 자신의 관심과 취향에 부합하는 글인가?
⑤ 필자에 관한 정보를 정확하게 알 수 있는 글인가?

정답 **1.** 의사소통 **2.** ⑤ **3.** ② **4.** ⑤

제재 미리보기

독서론

1 해제

이 글은 독서의 가치와 효용성, 그리고 독서의 목적 등에 관한 사색을 통해 좋은 책을 골라 읽는 방법을 제시하고 있다. 필자는 독서 행위는 의무감이 아닌 즐거움으로 이루어져야 하며, 좋아하는 작가의 발견은 독서의 효과를 늘어나게 하는 가장 의미 있는 일이라는 점을 강조하고 있다.

2 핵심 정리

(1) **갈래**: 수필(중수필)

(2) **성격**: 논리적, 유추적, 비유적, 예시적, 인용적
이 글에서 필자는 유추의 방식을 활용하여 독서의 본질에 관한 자신의 생각을 논리적으로 전개함으로써 설득력을 높이고 있다. 또한 구체적인 사례와 비유를 통해 독자의 이해를 돕고 있으며, 권위 있는 인물의 말을 인용하여 필자의 주장에 대한 신뢰감을 주고 있다.

(3) **제재**: 책을 읽는 즐거움(독서의 가치)

(4) **주제**: 독서의 목적과 좋은 글의 선택
이 글에서 필자는 독서의 가치와 효용에 대한 인식을 바탕으로 독서의 목적과 좋은 글을 선택하여 읽는 방법을 깨우쳐 주고 있다.

(5) **특징**: ① 유추의 방식을 통해 글을 논리적으로 전개하고 있다.
② 비유와 예시, 인용을 통해 독자의 이해를 돕고 있다.

(6) **구성**
'처음'에서는 독서의 가치에 대한 인식을 바탕으로 독서의 효용에 대해 서술하고, '중간 1, 2'에서는 독서의 목적과 좋은 글을 선택해서 읽는 방법을 제시하였다. '중간 3'에서는 좋아하는 작가의 발견이 지니는 의미에 관해 서술하고 있다.

처음	중간 1	중간 2	중간 3
독서의 가치와 효용	독서의 목적 – 인물에게 매력과 품격을 주는 것	좋은 책을 골라 읽는 방법	좋아하는 작가의 발견이 지니는 의미

어떤 책부터 읽으면 좋을까요

1 해제

이 글은 자신에게 적합하고 가치 있는 책을 선택할 수 있는 능력을 기르는 데 도움이 되는 내용을 서술하고 있다. 필자는 구체적으로 책 목록 작성법을 세 가지로 정리하여 독자들에게 알려 주고 있다.

2 핵심 정리

(1) **갈래**: 수필(중수필)

(2) **성격**: 체험적, 예시적
이 글에서 필자는 여행 및 독서 경험을 바탕으로 자신의 관심사와 관련된 책 목록을 작성하는 과정을 서술하고 있는데, 책 목록과 그 내용에 대한 구체적인 예를 제시하여 이해를 돕고 있다.

(3) **제재**: 자신만의 책 목록을 갖게 된 과정

(4) **주제**: 필자가 생각하는 책 목록 작성법 세 가지
이 글에서 필자는 자신의 독서 경험을 바탕으로 자신만의 책 목록을 작성하게 된 과정을 서술하면서, 자신의 관심사가 반영된 책 목록을 작성하는 방법을 세 가지로 정리하여 독자들에게 알려 주고 있다.

(5) **특징**: ① 구체적인 경험을 제시하여 신뢰감을 주고 있다.
② 예시와 인용의 방법을 통해 독자의 이해를 돕고 있다.

(6) **구성**
'처음'에서는 책 목록을 작성하게 된 계기를 밝힌 후, '중간'에서는 책 목록 작성법을 구체적으로 서술하고 있다. '끝'에서는 '중간'에서 설명한 책 목록 작성법 세 가지를 요약하면서 글을 끝맺고 있다.

처음	중간	끝
책 목록을 작성하게 된 계기	책 목록 작성법 – ① 관심 있는 주제별로 책 읽기 ② 책 속 책을 따라 여행하기 ③ 궁금한 것을 책에서 찾아보기	책 목록 작성법 세 가지를 요약함.

제재 1

교과서 14~18쪽

독서론 _ 린위탕/지경자 옮김

소단원 포인트

- '독서의 가치'와 관련된 글의 중심 화제 파악하기
- 글의 전개 및 표현 방법 파악하기
- 글에 나타난 필자의 사고 과정 이해하기

필자 소개

린위탕(林語堂, 1895~1976): 중국의 소설가이자 문명 비평가. 주요 저서로 『나의 국토, 나의 국민』, 『생활의 발견』 등이 있다.

처음 **가** 책을 읽는 즐거움은 예로부터 교양 있는 생활의 매력 중 하나로 손꼽혀 왔다.(옛날부터 독서를 통해 얻는 즐거움이 매우 컸음을 강조함.) 오늘날에도 독서하는 사람은 그 특권을 누리지 못하는 사람들(독서를 하지 않는 사람들)에게 존경과 선망(부러워하여 바람.)을 받고 있다. 이것은 독서하는 사람과 독서하지 않는 사람의 생활을 비교해 보면(독서하는 사람이 존경과 선망을 받는 이유를 알 수 있는 방법) 곧 이해가 가는 일이다. 평소에 독서하지 않는 사람은 시간적, 공간적으로 자신만의 세계에 감금되어 있으며,(독서하지 않는 사람의 특징 ①) 그의 생활은 틀에 박힌 상투적인(늘 써서 버릇이 되다시피 한 것) 것이다.(독서하지 않는 사람의 특징 ②) 그 사람이 교제하고 대화하는 것은 극소수의 친구나 지기(知己)뿐이며,(독서하지 않는 사람의 특징 ③) 그 사람이 보고 있는 것은 대부분 신변에 일어나는 사소한 일에 불과할 뿐이다.(독서하지 않는 사람의 특징 ④) 그 감금에서 벗어날 길은 없다.(시간적 · 공간적 한계에서 벗어나지 못함.)

➔ 존경과 선망을 받는 독서하는 사람

나 그런데 일단 책을 읽기 시작하면 그 즉시 별천지에 드나들 수 있다.(독서를 통해 시 · 공간적 한계에서 벗어나 다양한 세상을 만날 수 있음.) 만일 그것이 양서(良書)라면 독자는 홀연 세계 제일의 이야기꾼(양서(良書), 의인법)과 만나는 것이 된다. 『그는 독자를 유도하여 먼 별천지의 아득한 옛날로 데리고 가서 고민을 덜어 주고, 독자가 미처 몰랐던 인생의 여러 모습을 이야기해 준다.』(『 』: 의인법을 활용하여 독서의 효용을 강조함.)

➔ 독서의 효용 ① – 고민을 덜어 주고 인생의 다양함을 알게 해 줌.

맹자(孟子)(기원전 372~289): 중국 전국 시대의 유교 사상가. "책을 읽으면 옛 현인과도 벗이 될 수 있다[讀書尙友]."라는 말을 남긴 바 있다.

다 『맹자와 사마천도 같은 말을 한 적이 있다. 하루 두 시간이라도 다른 세상에 살며 매일 매일의 번뇌를 잊어버릴 수만 있다면(독서에 몰두하여 얻는 즐거움을 누림.) 말할 것도 없이 육체적 감옥에 갇혀 있는 사람들(독서를 하지 않는 사람)로부터 선망 받는 특권을 얻는 셈이 된다.』(『 』: 위인들의 말을 언급하며 독서가 미치는 심리적 효과를 강조함.) 이 같은 변화가 심리적으로 미치는 효과는 여행과 똑같은 것이다.(여행 역시 일상생활에서 벗어나 다른 세계를 보면서 즐거움을 누릴 수 있으므로)

➔ 독서의 효용 ② – 번뇌를 잊어버리게 해 줌.

교과서 날개 질문

자신의 독서 경험 중에서 깊은 명상으로 빠져들었던 경우를 떠올려 보자.

| 예시 답 | 최인훈의 『광장』을 읽으면서 개인의 삶에 미치는 사회 구조의 힘을 느낄 수 있었으며, 주인공 이명준이 부딪힌 각각의 선택 기로에서 나라면 어떤 선택을 했을지 깊이 생각해 보는 시간을 가졌다.

| 도움말 | 이 글에서 말하는 명상이 사색과 반성의 세계에 드나드는 것임을 글의 맥락을 통해 먼저 파악하는 것이 필요하다. 그런 다음 이와 같은 독서 경험이 있는지 구체적으로 떠올려 본다.

라 그뿐인가. 책을 사랑하는 사람은 언제나 사색과 반성의 세계에 자유롭게 드나들 수가 있다.(독서가 주는 효용) 설사 물리적 사건이나 현상을 기록한 책이라도 그런 사상(事象)(관찰할 수 있는 사물과 현상)을 직접 보고 듣는 것과 책으로 읽어서 아는 것에는 큰 차이가 있다. 책 속에서 겪는 물리적 사건은 하나의 구경거리이며, 독자는 구경꾼의 입장이 되기 때문이다.

➔ 독서의 효용 ③ – 사색과 반성의 시간을 갖게 해 줌.

마 그러므로 훌륭한 책은 이러한 명상의 기분으로 우리를 인도하는 것(훌륭한 책이 지녀야 할 조건)이며, 사실의 보고에만 그치는 것이 아니다. 이 점에서 말하면 신문을 읽느라고 소비한 막대한 시간을 독서의 시간이라고 할 수는 없다(명상적 시간을 가질 수 없기 때문임.)고 나는 생각한다. 왜냐하면 일반적으로 신문 독자는 명상적 가치가 없는 사실 · 사건의 보도를 주로 접하기 때문(앞의 필자의 주장에 대한 이유에 해당)이다.

➔ 훌륭한 책이 지녀야 할 조건 – 명상적 가치가 있는 것

처음: 독서의 가치와 효용

중간 1 **바** 독서란 무엇인가에 대해 가장 적절히 말한 사람은 송나라 때의 시인이며 소동파(蘇東坡)의 친구였던 황산곡(黃山谷)인 것 같다. 그는 『"사대부가 사흘을 독서하지 않으면 스스로 깨달은 말에 맛이 없고, 거울 속의 자기 얼굴을 대해도 가증스럽게 보인다."』라고 말하였다. 독서는 독서하는 인물에게 매력과 품격을 주는 것으로서 독서의 목적은 이것뿐이며, 이 점을 노리는 독서야말로 진정한 예술이라 부를 수 있다는 것이다.

『 』: 독서의 목적이 무엇인지 알려 주기 위한 황산곡의 말을 인용함.

황산곡의 말이 의미하는 독서의 목적

➜ 황산곡이 생각하는 진정한 독서의 목적

어휘 풀이

사마천(기원전 145?~기원전 86?): 중국의 역사가이자 『사기(史記)』의 저자. 『사기』는 상고 시대부터 한나라 무제 때까지의 중국과 그 주변 민족의 역사를 포괄하여 저술한 역사서임.

황산곡(1045~1105): 중국 북송의 시인인 황정견(黃庭堅). 산곡(山谷)은 호(號)임.

핵심 쏙쏙

1 이 글에서 (가)의 역할

책을 읽는 즐거움을 언급함으로써 '독서의 가치'라는 글의 화제를 제시하고, 이를 통해 독자의 관심을 유도하고 있음.

- 독서하는 사람과 독서하지 않는 사람을 대조적으로 제시함. → 이 글의 중심 화제인 독서의 가치를 부각함.
- 독서하지 않는 사람의 특징을 비교적 상세히 제시함. → 독서에 대한 독자의 관심을 유도함.

2 독서의 가치와 효용

(나)	시·공간적 한계에서 벗어나게 해 줌. ⬇ • 고민을 덜어 줌. • 인간의 다양한 삶의 모습을 간접적으로 경험할 수 있게 함.
(다)	일상생활의 번뇌를 잊게 해 줌.
(라), (마)	독자를 명상의 기분으로 인도하여 사색과 반성의 시간을 갖게 해 줌.

3 (다)의 내용 전개 방식 – 비유

- 독서하지 않는 사람들을 '육체적 감옥에 갇혀 있는 사람들'에 비유함.

4 (바)의 내용 구성

권위 있는 인물(황산곡)의 말을 인용함.

⬇

진정한 독서의 목적
(독서의 가치에 관한 인식)

⬇

독서는 얼굴(용모)과 말(담화)에 매력과 품격을 더해 줌.

정답 및 해설 2쪽

확인 문제①

학습 활동 응용

1. 이 글의 내용과 일치하지 않는 것은?

① 오늘날에도 독서하는 사람은 존경과 선망의 대상이 된다.
② 독서는 인생의 다양한 모습을 간접적으로 경험하게 해 준다.
③ 독서는 독자에게 사색과 반성의 세계에 들어갈 수 있게 해 준다.
④ 독서하지 않는 사람은 시간적, 공간적으로 자기만의 세계에 감금된 삶을 살아간다.
⑤ 좋은 책은 과거와 미래의 가교 역할을 하며 독자에게 미래에 대한 희망을 꿈꾸게 한다.

2. (나)~(마)의 주제로 가장 적절한 것은?

① 독서의 효용 ② 독서의 목적 ③ 독서의 방법
④ 독서의 종류 ⑤ 독서의 과정

3. 이 글에 나타난 글쓰기 전략으로 적절하지 않은 것은?

① 독서하는 사람과 독서하지 않는 사람을 대조하여 독서의 가치를 부각하고 있다.
② 황산곡의 말을 인용하여 독자가 독서의 진정한 목적을 깨달을 수 있도록 유도하고 있다.
③ '사색과 반성'이라는 추상적 관념을 공간화하여 표현함으로써 독서 대상의 확대를 강조하고 있다.
④ '양서(良書)'라는 사물을 의인화하여 독서가 독자에게 미치는 바람직한 영향을 효과적으로 표현하고 있다.
⑤ 독서하는 인물에게 매력과 품격을 주는 독서를 '예술'이라고 표현함으로써 독서의 진정한 목적을 강조하고 있다.

서술형

4. (가)에서, 독서하는 사람이 존경과 선망을 받는 이유를 설명하기 위해 제시한 방법을 〈조건〉에 맞게 한 문장으로 쓰시오.

〈 조건 〉
- 본문에서 찾아 '~해 본다.'의 문장 형태로 서술할 것
- 30자 내외로 쓸 것(띄어쓰기 포함)

❶사 '정신 향상'이 독서의 목적이 될 수는 없다. 왜냐하면 정신 향상 따위의 쓸데없는 것을 생각하면 독서의 즐거움은 모두 사라지기 때문이다. 그런 것을 생각하는 사람은 틀림없이 "난 셰익스피어를 읽어야만 한다. 소포클레스를 읽어야만 한다. 또 엘리엇 박사의 『5피트 책꽂이』를 전부 읽어야만 한다. 읽어서 지식을 넓혀야 한다."라고 혼자 중얼거리는 사람이다. 이런 사람의 학식은 결코 깊어지지 않는다. 하룻밤쯤 그는 자신에게 채찍질하여 「햄릿」을 읽는다. 그리고 마치 악몽에서 깨어난 것 같은 모습으로 그는 나온다. 그러나 얻은 것은 단지 「햄릿」을 '읽었다'라고 말할 수 있다는 것뿐이다. 의무감으로 책을 읽는 사람은 독서법을 모르는 사람이다. 『독서를 과제로 삼는 것은 국회 의원이 연설 전에 관련 서류나 보고서를 읽어 보는 따위의 행위와 같다. 그것은 연설의 자료를 모으는 것이지 독서는 아니다.』

- 그런 것을 생각하는 사람: 정신 향상을 독서의 목적으로 생각하는 사람
- □: 의무적인 독서의 사례
- 이런 사람: 정신 향상을 위해 의무적으로 책을 읽어야 한다는 사람
- 그리고 마치 ~ 나온다: 의무감으로만 하는 독서가 즐거움이 아닌 고역임을 드러내 줌.
- 의무감으로 ~ 사람이다: 자신의 관심이나 수준에 맞지 않는 독서를 한 것이므로
- 『 』: 과제로 삼는 독서가 진정한 독서의 목적이 될 수 없는 이유 – 자료를 읽는 것에 불과함.

➜ 정신 향상이나 과제로 삼는 독서가 독서의 목적이 될 수 없는 이유

❶아 황산곡에 따르면, 독서의 목적으로 인정할 만한 것은 인간의 용모에 매력을 더하고 그 담화에 풍미를 주는 것밖에 없다. 그러나 용모의 매력이라 해도 단순한 미모와는 물론 뜻이 다르다. 황산곡이 말하는 '볼썽사나운 풍모'란 육체적인 추함이 아니다. ⓐ추해도 매력이 있는 얼굴이 있거니와 ⓑ아름다워도 전연 멋이 없는 얼굴도 있다. 나의 중국인 친구 중에 머리 모양이 폭탄 같은 사나이가 있는데, 그는 언제 보아도 호감이 간다.

- 용모: 사람의 얼굴 모양
- 인간의 용모에 ~ 주는 것: 황산곡이 생각하는 독서의 목적
- 단순한 미모: 외양의 아름다움
- ⓐ, ⓑ: 용모의 매력을 이해시키기 위한 대비적 표현
- 머리 모양이 ~ 사나이: 추해도 매력이 있는 인물의 사례

➜ 황산곡이 생각하는 독서의 목적

❶자 사진상으로 말한다면, 서구의 문인 중 가장 아름다운 얼굴은 체스터턴의 얼굴이다. 콧수염과 안경과 제법 텁수룩한 눈썹과 주름 잡힌 미간의 선 등이 악마처럼 어우러져 있다. 『이 모습을 본 사람은 그의 이마 속에 숱한 사상이 약동하고 있으며, 묘하게 사람을 쏘아보는 눈이 언제든지 튀어나올 듯한 느낌을 받는다.』 이런 형이 황산곡이 좋아하는 얼굴이다. 분이나 입술연지로 치장된 얼굴이 아니라, 사색으로 형성된 얼굴이다.

- 체스터턴의 얼굴: 용모의 매력이 있는 얼굴의 사례
- 『 』: 체스터턴 얼굴을 보고 사람들이 받는 인상
- 약동: 생기 있고 활발하게 움직임.
- 분이나 ~ 얼굴: 외양적으로 아름다운 얼굴
- 사색으로 형성된 얼굴: 용모의 매력을 지닌 얼굴

➜ 용모에 매력을 더한 구체적 사례

중간 1: 독서의 목적 – 인물에게 매력과 품격을 주는 것

중간 2 ❶차 담화의 품격은 오로지 독서 방법에 달려 있다. 말투에 풍미가 있는지 없는지의 여부도 독서 방법에 달려 있다. 책의 풍미를 내 것으로 만들면 담화 속에서도 풍미가 우러난다. 담화에 풍미가 있다면 저술에 풍미가 스며들지 않을 리 없다.

- 담화의 품격은 ~ 있다: 독서를 어떻게 하느냐에 따라 담화의 품격이 달라질 수 있음.
- 책의 풍미를 내 것으로 만들면: 독서를 통해 책에 담긴 풍미를 온전하게 체화하는 것을 말함.
- 저술에 ~ 없다: 풍미가 있는 말이 글로 그대로 표현될 수 있으므로

➜ 담화의 품격을 형성하는 올바른 독서 방법의 필요성

❶카 이런 까닭에 나는 풍미나 취미라는 것이 독서의 열쇠라고 생각한다. 음식물의 기호와 마찬가지로 취미는 역시 개인의 것이다. 가장 바람직한 식사법은 자기가 좋아하는 음식을 먹는 것이다. 그것은 소화력에 확신이 서기 때문이다. 독서도 이와 마찬가지로 어떤 사람에게 이로운 것이 다른 사람에게는 해독(害毒)이 될는지도 모른다. 그러므로 교사는 자신의 독서 취미를 학생에게 강요할 수 없으며, 부모도 아이들에게 자기와 같은 취미를 기대해서는 안 된다. 읽는 데 흥미가 없으면 독서는 오로지 시간 낭비이다. 원중랑은 "읽기 싫은 책은 주저 없이 버려라. 그리고 다른 사람이 읽도록 하라."라고 말했다.

- 나는 풍미나 ~ 생각한다: 개인의 관심이 올바른 독서 방법의 핵심임.
- 바람직한 식사법: 올바른 독서 방법(유추)
- 자기가 좋아하는 음식을 먹는 것: 개인의 풍미나 취미에 따라 독서를 함.
- 교사는 ~ 안 된다: 자신의 독서 방법을 강요하는 것은 상대방에게 독이 될 수 있으므로
- "읽기 싫은 책은 ~ 하라.": 개인의 풍미나 취미에 따라 독서해야 함을 강조한 말

➜ 올바른 독서 방법 – 개인의 풍미나 취미를 고려해야 함.

› **윌리엄 셰익스피어**(1564~1616): 영국의 극작가, 시인. 배우를 꿈꾸다가 극작가가 되었으며 대표 작품으로 4대 비극인 「햄릿」, 「오셀로」, 「맥베스」, 「리어 왕」 외에 「로미오와 줄리엣」, 「베니스의 상인」 등이 있다. 영국 사람들이 '셰익스피어를 인도와도 바꾸지 않겠다.'고 할 정도로 그는 영국의 자존심으로 불린다.

› **「햄릿」**: 셰익스피어의 4대 비극의 하나. 덴마크 왕가의 왕위 계승을 둘러싼 유혈 사건을 제재로 하여, 왕자인 햄릿이 부왕을 독살한 숙부와 불륜의 어머니에게 복수하는 내용임.

어휘 풀이

소포클레스(기원전 496?~기원전 406): 고대 그리스의 비극 시인. 그리스 비극을 기교적 · 형식적으로 완성함. 작품에 「오이디푸스왕」, 「안티고네」 등이 있음.

『5피트 책꽂이』(Five Foot Shelf): 하버드대 총장으로 재직했던 찰스 엘리엇이 1909년에 내놓은 인문학 고전 선집으로, 당시 뭇교양인들에게 사랑을 받았음.

체스터턴(1874~1936): 영국 언론인 겸 소설가. 소설 「브라운 신부의 무지」를 썼음.

풍미(風味): 멋지고 아름다운 사람 됨됨이.

원중랑(1568~1610): 중국 명나라 말기의 문인인 원굉도(袁宏道). 중랑(中郞)은 자(字)임.

(타) 그러므로 반드시 읽어야만 하는 책은 없는 것이다. 『우리의 지적 감흥은 나무처럼 성장하고 냇물처럼 유동한다. 수액이 있는 동안 나무는 성장하고, 샘에 새로운 물이 솟는 한 물은 흐른다.』『물은 암초에 부딪히면 우회하여 흐르고, 깊은 웅덩이로 들어가면 잠시 괴었다가 굽이쳐 흐른다. 심산(深山)의 늪에 들면 흔연히 거기서 휴식하고, 물살이 센 내를 만나면 사납게 흐른다. 이처럼 물은 노력하지 않고 목적도 없지만, 반드시 바다로 들어가는 것이다.』 이 세상에 '만인의 필독서'라는 것은 없다. 다만 어떤 사람이, 어느 때, 어느 장소에서, 어떤 사정하에서, 생애의 어느 시기에 읽어야만 할 책이 있을 뿐이다.

- 반드시 읽어야만 하는 책은 없는 것이다: 개인의 풍미나 취미에 따라 책을 읽는 것이 올바른 독서 방법이므로
- 『 』: 지적 호기심은 성장하면서 자연스럽게 형성됨을 비유적으로 드러내 줌.
- 심산: 깊은 산
- 『 』: 개인의 다양한 상황에 따라 독서 방법을 취할 수 있음을 물의 흐름에 유추하여 드러냄.
- 만인의 필독서가 없는 이유 – 개인의 상황에 따라 책의 선택이 달라지기 때문 ➔ 개인의 상황에 따라 책을 읽어야 함.

흔연히: 기쁘거나 반가워 기분이 좋게.

핵심 쏙쏙

1 (사)의 내용 전개

의무감으로 독서하는 것 = 독서를 과제로 삼는 것

⬇

문제 제기	자신의 관심이나 취미, 수준 등을 고려하지 않은 독서는 진정한 독서의 목적에 도달할 수 없음.
⬆	
이유 제시	독서의 즐거움이 모두 사라지기 때문

2 진정한 독서의 목적

- 황산곡의 말을 인용함.
- 인간의 용모에 매력을 더하는 독서
- 인간의 담화에 풍미를 주는 독서

'용모의 매력'의 참뜻	• 체스터턴의 사례 제시 • 독서와 사색으로 형성된 얼굴
'담화의 풍미(품격)'를 위한 요건	• 독서 방법에 달려 있음. • 좋은 책의 풍미를 온전하게 흡수해야 함.
진정한 독서의 목적을 달성하기 위한 독서 방법	• (사)에서 제기한 문제의 해결책 제시 • 좋은(가치 있는) 글을 선택하여 읽는 방법을 제시함. • 개인의 관심, 취미 등에 부합하는 책을 선택하여 읽어야 함.

3 (카)와 (타)의 내용 전개 방식 – 유추

(카)	올바른 독서의 방법은 개인의 관심이나 취미에 부합하는 책을 골라 읽는 것임.	바람직한 식사법에 비유함.
(타)	개인의 지적 감흥(호기심)은 성장 과정에서 직면하게 되는 다양한 상황에 따라 자연스럽게 형성됨.	나무와 냇물에 비유함.

확인 문제②

정답 및 해설 2쪽

1. 이 글의 내용 전개 방식으로 적절하지 않은 것은?

① 관련 사례를 제시하여 독자의 이해를 돕고 있다.
② 비유적 표현을 사용하여 의미를 구체화하고 있다.
③ 유추의 방식을 통해 의미를 효과적으로 전달하고 있다.
④ 현상의 원인을 분석하여 실질적인 해결책을 도출하고 있다.
⑤ 특정 인물의 말을 인용하여 말하고자 하는 바를 강조하고 있다.

학습 활동 응용

2. 이 글을 읽고 〈보기〉의 활동을 수행하였을 때, 적절하지 않은 것은?

〈보기〉
[학습 활동] 이 글을 읽고 다음 활동을 해 보자.
• 개인의 취미에 맞는 독서를 하였을 때의 효과를 알아본다.
• 이와 관련하여 가장 바람직한 독서의 방법을 알아본다.

① 개인의 취미에 맞는 독서는 '좋아하는' 음식을 먹는 것처럼 독서의 '즐거움'을 느낄 수 있다.
② 개인의 취미에 맞는 독서는 '소화력'에 확신이 서는 것처럼 책 속의 풍미를 온전히 내 것으로 흡수할 수 있다.
③ 개인의 취미에 맞는 독서는 책 속의 풍미를 온전히 내 것으로 흡수함으로써 나의 용모와 말투에도 풍미가 스며들게 된다.
④ 의무감으로 독서하는 것이 진정한 독서의 목적에 도달할 수 없는 것은 개인의 취미를 고려하지 않았기 때문이다.
⑤ 가장 바람직한 독서의 방법은 보편적인 독서 과제와 나의 취미를 잘 조화시켜 독서 행위를 하는 것이다.

서술형

3. 다음 글을 참조하여, ⓐ와 ⓑ의 차이를 구분하는 기준이 무엇인지 추리하여 쓰시오.

황산곡이 말한 '용모의 매력'이란 한 마디로 독서와 사색으로 형성된 얼굴을 말한다. 이는 책의 풍미를 내 것으로 만들 때 가능하다.

> "50세에 『주역』을 읽으면 큰 허물이 없을 것이다."
『논어』「술이편(述而篇)」에 실려 있는 말이다.
[원문] 子曰 加我數年 五十以學易 可以無大過矣.
[번역] 공자께서 말씀하셨다. "나에게 몇 년을 보태 주어 오십 세까지 주역(周易)을 배운다면 큰 허물이 없을 것이다."

교과서 날개 질문
두 번 이상 읽은 책을 떠올려 보고, 그 책을 왜 여러 번 읽었으며, 반복해서 읽을 때는 처음 읽을 때와 어떻게 달랐는지 말해 보자.

| 예시 답 | 중학교 1학년 때 읽은 윌리엄 골딩의 『파리대왕』을 얼마 전에 다시 읽었다. 처음 읽을 때에는 무인도에 표류한 청소년들의 모험담으로만 생각하고 재미있게 읽었는데, 다시 읽어 보니 이 작품이 권력욕과 같은 인간의 본성뿐 아니라, 종교의 발생과 같은 인류 문화의 시원을 파헤친 심오한 작품임을 알게 되었다.

> **정이천**(1033~1107): 중국 북송(北宋) 중기의 유학자. 형 정호(程顥)와 함께 주돈이에게 배웠고, 형과 아울러 '이정자(二程子)'라 불리며 정주학(程朱學)의 창시자로 알려졌다. '이기이원론(理氣二元論)'의 철학을 수립하여 큰 업적을 남겼다.

어휘 풀이

풍격: 사람의 풍채와 품격.

사숙(私淑): 직접 가르침을 받지는 않았으나 마음속으로 그 사람을 본받아서 도나 학문을 닦음.

문재(文才): 글을 짓거나 글씨를 쓰는 재능.

파 사상과 체험이 걸작을 읽을 정도가 되지 않았을 때 걸작을 읽으면 나쁜 뒷맛이 남을 뿐이다. 공자는 "50세에 『주역』을 읽으면 큰 허물이 없을 것이다."라고 말하였다. 즉 45세에 읽어서는 안 된다는 것이다. 『『논어』의 공자 이야기에는 실로 온화한 풍격(風格)과 원숙한 지성이 넘치고 있는데, 이것을 접하는 사람 자신이 원숙해지기 전에는 그 참맛을 모른다.』

(일정한 수준이나 나이가 되지 않았는데, 걸작을 읽게 되면 오히려 해가 된다는 말 / 공자의 말을 인용하여 생애의 어느 시기에 맞는 책을 읽어야 함을 강조함. / 생애의 어느 시기에 걸맞지 않기 때문에 / 『 』: 지성이 원숙해진 시기에 걸맞는 책을 읽어야 함.)

➔ 생애의 시기마다 그에 맞는 독서를 해야 함.

하 그리고 같은 독자, 같은 책이라도 읽는 시기가 다르면 다른 풍미를 맛볼 수 있다. 『이를테면 저자와 직접 이야기를 나눈 후나 혹은 저자를 사진으로 본 뒤 읽으면 책의 재미는 한층 깊고, 저자와 교분을 끊은 뒤에 읽으면 또 다른 맛이 있다.』 그러므로 양서는 두 번 읽으면 얻는 바도 크거니와, 재미 또한 새롭다.

(책을 읽는 시기가 어떠하느냐에 따라 책에서 얻는 감흥이 다르기 때문에 / 『 』: 앞의 내용을 상세화하여 이해시킴.)

➔ 책을 읽는 시기에 따라 달라지는 풍미

중간 2: 좋은 책을 골라 읽는 방법

중간 3 **거** 독서는 저자와 독자의 두 가지 면에서 성립되는 행위이다. 진실로 얻는 바는 독자 자신의 통찰과 체험을 통해 얻는 것과 저자의 통찰·체험으로부터 주어지는 것 두 가지가 있다. 『『논어』에 관해 송나라 때의 유학자 정이천(程伊川)은 이렇게 말하였다. "『논어』의 독자는 어디에나 있다. 어떤 자는 다 읽어도 감감하고, 어떤 자는 한두 줄에 환희하고, 또 어떤 자는 저도 모르게 손뼉을 치고 춤을 추며 크게 기뻐한다."』

(독서의 행위가 지니는 의미 / 저자와 독자의 두 가지 면에서 성립되는 독서 행위 / 『 』: 저자와 독자의 두 가지 면에서 성립하는 독서를 이해시키기 위해 인용한 말 / 누구나 독자일 수 있다는 말 / 독자 자신의 통찰과 체험을 통해 진실로 얻은 것이 서로 다름을 세 단계로 나누어 제시함.)

➔ 독서의 행위가 지니는 의미

너 좋아하는 작가의 발견은 자기의 지적 발전에 가장 의미 있는 일이라고 생각한다. 이러할 때는 친화라는 것이 나타나므로, 우리는 고금(古今)의 작가 중에서 그 정신이 자신과 비슷한 사람을 발견해야만 한다. 이렇게 함으로써 참으로 좋은 것을 얻게 되는 것이다. 사숙할 만한 스승을 찾아내는 일은, 남에게 의지하지 말고 스스로 해결해야 한다. 누구에게 심취할 수 있느냐 하는 것은 남이 아는 것도 아니고, 어쩌면 자기 자신도 모를 것이다. 말하자면 『첫눈에 반함과 같은 것이어서 남에게서 누구를 사랑하라는 말을 듣는다고 되는 일도 아니며, 일종의 본능의 힘으로 아는 것이다.』

(자신이 좋아하는 작가를 찾는 것 역시 올바른 독서 방법임. / 좋아하는 작가를 발견하는 방법 / 독서를 통해 얻게 되는 풍미 / 스스로 좋아하는 작가를 찾아야 하는 이유 / 『 』: 좋아하는 작가를 발견하여 얻는 즐거움을 사랑의 속성에 비유하여 드러냄.)

➔ 올바른 독서 방법 – 좋아하는 작가를 발견해야 함.

더 『첫눈에 반하면 무엇이든지 좋게 보인다. 키, 얼굴, 머리칼의 색깔, 음성, 이야기하는 모습이나 웃는 모습이 모두 좋게 보인다.』 학생이 스승에게 배우지 않으면 알 수 없는 그런 성질의 것이 아니다. 독서의 경우도 마찬가지여서 문체나 풍미나 견해나 사고방식 등에 조금도 나무랄 데가 없다. 이리하여 독자는 한 줄 한 구를 탐독(耽讀)하기 시작하는 것이다.

(『 』: 좋아하는 작가를 발견하여 얻는 즐거움을 사랑의 속성에 비유하여 드러냄. / 좋아하는 작가를 발견하는 것이 개인의 경험에 의거해야 함. / 독자가 작가를 좋아하는 이유에 해당하는 것들 / 자신이 좋아하는 작가일수록 그 작가의 책에 더욱 심취함을 보여 줌.)

➔ 좋아하는 작가를 발견해야 하는 이유

러 본래부터 정신적 친화력으로 결부가 되어 있는 까닭에 모든 것을 흡수하고, 문제없이 소화한다. 작가가 주문을 외면 독자는 기꺼이 그에 홀리고, 때에 따라서는 음성과 동작과 웃는 모습과 이야기하는 모습이 작가와 닮아 간다. 이리하여 문재(文才)상의 연인에게 빠져 그 책에서 자기 영혼의 양분을 남김없이 흡수하는 것이다.

(다른 사람들과 사이좋게 잘 어울리는 능력 / 좋아하는 작가의 책을 읽을 때의 효과 / 책에 담긴 작가의 사상이나 풍미 등을 올바르게 이해함. / 좋아하는 작가, 문체나 풍미, 견해, 사고방식 등 모든 면에서 자기 마음에 드는 작가 / 작가의 사상이나 풍미 등을 이해하고 자기 것으로 소화함.)

➔ 좋아하는 작가를 발견해서 얻는 효과

중간 3: 좋아하는 작가의 발견이 지니는 의미

1 (파)의 중심 내용

올바른 독서 방법 (=좋은 글의 선택 방법)
• 자신의 수준에 적합한 글을 선택해서 읽어야 함. 예 『논어』는 독자의 지성이 원숙해지기 전에는 그 참맛을 알 수 없음.

2 (하)의 내용 구성

전제	같은 독자, 같은 책이라도 읽는 시기가 다르면 그 풍미가 다름.

⬇

주지	• 읽는 시기에 따라 독서의 효과가 달라짐. • 반복 독서로 얻는 바도 크고 새로운 재미도 생김.

3 독서의 행위가 지니는 의미

• 저자와 독자의 의사소통 행위임.

저자 ⇄ 독자

– 저자의 통찰과 체험으로부터 주어짐.
– 독자 자신의 통찰과 체험을 통해 얻음.

4 올바른 독서 방법

좋아하는 작가의 발견(저자와 독자의 원활한 의사소통)	독서의 효과 증진(지적 발전에 의미 있는 일)
좋아하는 작가를 발견해야 하는 이유	글의 한 줄 한 구를 탐독(耽讀)함으로써 독서 효과를 높일 수 있음.
⬇	
좋아하는 작가의 발견을 통해 얻는 효과	글에 나타난 작가의 사상 등을 자신의 것으로 남김없이 흡수하고 소화함.

5 (더)의 추론 방식

연인 간의 관계	상대방에게 반하면 키, 얼굴, 머리칼의 색깔, 음성, 이야기하는 모습이나 웃는 모습이 모두 좋게 보임.

⬇[유추]

저자와 독자의 관계	저자를 좋아하면 그가 쓴 글의 문체, 풍미, 견해, 사고방식 등이 모두 좋게 느껴짐.

1. 이 글에서 알 수 있는 내용으로 적절하지 않은 것은?

① 독서 행위의 의미
② 반복적인 독서의 효과
③ 좋아하는 작가를 찾아야 하는 이유
④ 독서의 효과를 방해하는 외적 요인
⑤ 수준에 맞는 책을 읽어야 하는 이유

2. 이 글을 바탕으로 할 때, 〈보기〉의 선생님의 물음에 대한 학생들의 답변으로 적절하지 않은 것은?

〈보기〉
선생님: 자기가 좋아하는 작가의 책을 읽는다면 정서적 친밀도가 높아지겠죠? 그리고 그만큼 독서 효과도 높아지겠죠? 그렇다면 구체적으로 어떤 관계가 형성되고, 어떤 독서 효과가 나타날 수 있을지 생각하여 발표해 볼까요?

① 진수: 작품에 나타난 작가의 생각이나 가치관 등을 기꺼이 받아들일 것 같습니다.
② 영선: 작가의 작품을 감상할 때 다른 작가의 작품에 비해 훨씬 더 쉽게 이해할 것 같습니다.
③ 민수: 좋아하는 작가라면 문장 한 줄도 틀리지 않게 다 외워서 똑같이 말해야 할 것 같습니다.
④ 윤희: 작품뿐만 아니라 그가 행동하는 모습이나 음성 등도 작가와 닮고 싶은 욕망이 생길 것 같습니다.
⑤ 수연: 작가의 작품으로부터 내 영혼의 양분을 흡수하려는 욕망으로 더 열심히 책을 읽을 것 같습니다.

학습 활동 응용
3. 다음 설명에 해당하는 어구를 (러)에서 찾아 쓰시오.

> 문체나 풍미 등 모든 면에서 자기 마음에 드는 작가를 비유적으로 표현한 말이다.

서술형
4. 이 글을 읽고 〈보기〉의 빈칸에 들어갈 수 있는 말을 추리하여 〈조건〉에 맞게 쓰시오.

〈보기〉
영희: 가을은 독서의 계절이라는데 어떤 책을 읽지?
연호: 가을은 사색의 계절이기도 하잖아. 그러니까 수준이 좀 있는 작품을 읽어 보는 게 어때? 밀턴의 『실락원』 어때?
영희: 그건 너무 어려워! 왜냐하면 (   )

〈조건〉
• 본문에 있는 문장을 찾아 대화 형식에 맞게 고쳐 쓸 것
• 60자 내외로 쓸 것(띄어쓰기 포함)

교과서 19~21쪽

깊게 읽기

1. **다음 밑줄 친 표현이 뜻하는 것은 무엇인지 설명해 보자.**

- 하루 두 시간이라도 다른 세상에 살며 매일매일의 번뇌를 잊어버릴 수만 있다면 말할 것도 없이 육체적 감옥에 갇혀 있는 사람들로부터 선망 받는 특권을 얻는 셈이 된다.

  | 예시 답 | 시간적, 공간적으로 자신만의 세계에 감금되어 있고, 생활이 틀에 박힌 상투적인 사람들

- 이리하여 문재(文才)상의 연인에게 빠져 그 책에서 자기 영혼의 양분을 남김없이 흡수하는 것이다.

  | 예시 답 | 좋아하는 작가, 문체나 풍미, 견해, 사고방식 등 모든 면에서 자기 마음에 드는 작가

2. **〈보기〉는 이 글에서 필자가 언급한 다양한 독서이다. 이를 바탕으로 아래 활동을 해 보자.**

보기

❶ 세계 제일의 이야기꾼과 만나는 독서
❷ 사실 · 사건을 보도한 신문 기사 읽기
❸ 의무감으로 하는 독서
❹ 연설 전에 관련 서류나 보고서를 읽어 보는 것
❺ 인간의 용모에 매력을 더하고 그 담화에 풍미를 주는 독서

(1) ❶~❺ 중 필자가 긍정적으로 생각하는 독서는 무엇인지 찾아 써 보자. ①, ⑤

(2) ❶~❺를 독서의 목적에 따라 나눈다면, 다음 독서의 목적 중 어디에 가까운지 써 보자.

교양, 여가, 학업, 문제 해결, 관계 유지

| 예시 답 | ①: 교양, 여가, 문제 해결
②: 여가, 문제 해결, 관계 유지
③: 학업, 문제 해결, 관계 유지
④: 문제 해결
⑤: 교양, 관계 유지

(3) (1), (2)의 활동을 통해, 이 글의 필자는 어떤 목적의 독서가 가치 있다고 여기는지 말해 보자.

| 예시 답 | 이 글의 필자는 세계 제일의 이야기꾼(훌륭한 필자)들과 만나는 독서, 인간의 용모에 매력을 더하고 그 담화에 풍미를 주는 독서인, '교양'을 위한 독서를 가치 있다고 여기고 있다.

(4) 필자가 부정적으로 생각하는 독서에 관한 나의 의견은 어떠한지 친구들과 이야기해 보자.

| 예시 답 | 교양을 위한 독서가 독서의 본령이 되어야 하는 것에는 공감한다. 그러나 경우에 따라서는 학업이나 관계 유지, 문제 해결을 위해서 꼭 읽어야 하는 책도 있으며, 우리 사회의 변화에 대한 정보를 얻기 위한 독서도 필요하다.

활동 도움말
각각의 독서 상황을 반드시 한 가지 독서 목적과 관련지을 필요는 없다.

모둠 활동

3. **이 글의 필자는 다음 학생들의 의견에 어떻게 반응할지 써 보자. 그리고 이러한 필자의 반응을 어떻게 생각하는지 모둠 토의를 해 보자.** | 예시 답 |

학생들의 의견		필자의 반응	우리 모둠의 생각
연희의 의견	우리 반 친구 모두가 같은 책을 읽는 게 좋겠어.	학생들마다 관심이 다른 것을 고려하지 않고 있군.	같은 책을 골라 읽으면, 그 책 내용에 대한 각자의 생각을 서로 나눌 수 있어서 좋다.
진수의 의견	이왕 읽을 거면 수준이 높은 책을 읽도록 하자.	학생들 수준에 맞지 않은 책을 읽으면 참맛을 모를 수 있어.	가끔씩 수준 높은 책을 읽어서 성공하면 자신의 독서 능력에 대한 자존감을 높이는 데 도움이 된다.
보라의 의견	이미 읽어 본 책은 빼는 게 좋겠어.	같은 독자, 같은 책이라도 읽는 시기가 다르면 다른 풍미를 맛볼 수 있어.	같은 책이라도 읽을 때마다 새로운 의미를 발견할 수 있다. 마음에 드는 책은 여러 번 읽어도 늘 감동을 준다.

넓혀 읽기

4. 다음 글을 읽고 아래 활동을 해 보자.

제재 연구

도정일, 「왜 고전을 읽어야 하는가」

갈래	수필(중수필)
성격	논리적, 사색적
제재	고전, 경험의 조건
주제	고전을 읽어야 하는 이유
특징	① 문답법을 통해 중심 내용을 제시하고 있음. ② 구체적 사례를 제시하여 이해를 돕고 있음.

왜 고전을 읽어야 하느냐. 오늘날 기술은 과거와 비교하면 엄청나게 발달했고, 사회관계도 현대화하였고, 복잡해졌고, 자본화하였습니다. 그렇다면 기술 환경이나 사회관계가 완전히 달라진 지금 시점에서 왜 옛날 책을 읽어야 하는가. ➔ 고전을 읽어야 하는 이유

(의문형 진술을 통해 글의 중심 내용이 고전을 읽어야 하는 이유임을 알게 해 줌.)

이 질문에 대한 중요한 답변이 있습니다. 아무리 사회가 달라져도, 인간에게는 바뀌지 않는 경험의 조건들이 있습니다. 예를 들어 인간은 언제 어디서 살든 유한성의 경험은 피할 수 없습니다. 인간은 죽는 존재입니다. 한계가 많습니다. 무한히 살 수도 없고, 능력이 무한할 수도 없습니다. 「길가메시 서사시」는 대략 4,500년 전에 씌어졌습니다. 그 서사시의 주제 가운데 하나가 인간은 왜 죽는가, 영원히 살길은 없는가 하는 겁니다. 길가메시 왕은 죽어서 바닥에 쓰러져 있는 친구 앞에서 눈물을 흘리고 탄식하며 묻습니다. '오, 친구여, 나도 너처럼 죽어서 영원히 일어설 수 없단 말인가…….' 이러한 유한성의 경험은 시대를 초월합니다. ➔ 시대를 초월하는 인간의 경험 ① – 유한성의 경험

(왜 고전을 읽어야 하는지에 대한 답변으로, 바뀌지 않는 경험이 인간에게 있기 때문에 고전을 읽어야 함을 알 수 있음.)

(인간이 죽는 존재이고 능력도 한계가 있음을 드러낸 말)

(유한성은 비단 과거뿐만 아니라 오늘날에도 겪는 것이므로 시대를 초월하여 존재하는 경험이라 할 수 있음.)

「길가메시 서사시」: 고대 메소포타미아 지역 수메르의 전설적인 인물이었던 길가메시(Gilgamesh)의 영웅적인 행적을 기록한 서사시. 현존하는 가장 오래 된 서사시임.

또한, 인간에게는 좌절과 고통의 경험이 있습니다. 셰익스피어는 400여 년 전에 태어난 작가입니다. 그런데 「로미오와 줄리엣」을 보면 요즘 텔레비전 연속극의 주제 그대로입니다. 원하지 않는 남자와 결혼하게 된 줄리엣은 엄마한테 하소연하는 대목에서 하늘에 대고 절규합니다. '저 구름 위에는 지금 내 슬픔의 바닥을 들여다봐 줄 아무런 동정의 눈길도 없단 말인가…….' 내가 지금 슬프고 답답한데 내 마음을 알아주고 위로해 줄 신의 눈, 동정의 눈길이 저 흰 구름 위에 없느냐는 것입니다. 이건 하느님한테 편지 쓰기죠. 이런 좌절과 고통의 경험은 수천 년 전이나 지금이나 우리가 벗어날 수 없는 조건입니다. ➔ 시대를 초월하는 인간의 경험 ② – 좌절과 고통의 경험

(셰익스피어: 영국의 극작가, 시인)

(오늘날에도 인간에게는 좌절과 고통의 경험이 있음을 드러낸 말)

(하늘에 대고 자신의 처지를 하소연하는 것을 비유적으로 드러낸 말)

「로미오와 줄리엣」: 셰익스피어의 초기 희극. 서로 원수인 가문에서 태어난 주인공 로미오와 줄리엣이 사랑을 하게 되고, 그들의 비극적인 죽음이 가문을 화해하게 만드는 이야기이다. 아름다운 대사와 극적 효과로 많은 칭송을 받는 셰익스피어의 대표작 가운데 하나이다. 셰익스피어 당대에서부터 햄릿과 함께 가장 많이 공연되었으며, 지금도 여전히 공연되고 있다. 두 주인공은 젊은 연인의 전형으로 자리잡았다.

또 있습니다. 양심의 갈등을 경험하는 것이 있습니다. 뭔가 잘못해 놓고 벌벌 떠는 경험요. 그리고 고민합니다. '이렇게 하는 것이 옳은 걸까, 저렇게 하는 것이 옳은 걸까…….' 이처럼 양심의 갈등을 경험하게 하는 삶의 조건도 예나 지금이나 다름없습니다.

➔ 시대를 초월하는 인간의 경험 ③ – 양심의 갈등

– 도정일, 「왜 고전을 읽어야 하는가」에서

(1) 이 글의 내용을 참고하여 다음 물음에 답해 보자.

- 인간이 겪어야 하는 공통된 삶의 경험에는 어떤 것들이 있는가?
  유한성의 경험, 좌절과 고통의 경험, 양심의 갈등 경험 등
- 왜 고전을 읽어야 하는가? 인간에게는 바뀌지 않는 경험의 조건들이 있기 때문에

(2) 내가 감명 깊게 읽은 고전 작품 하나를 고른 다음, 그 작품은 인간의 어떤 경험을 주로 다루고 있는지 말해 보자.

작품명 | 예시 답 | 세르반테스, 「돈키호테」 **경험** | 예시 답 | 낯선 세계로의 도전과 모험을 그리고 있다.

(3) 고전 이외에 읽을 만한 가치가 있는 책에는 어떤 것들이 있을지 서로 이야기해 보자.

- 고전 이외에 읽을 만한 가치가 있는 책
  | 예시 답 | 정서적으로 안정감을 주는 책, 상상력을 키워 주는 책

활동 도움말

이 글에서 언급된 것 이외에 자신의 의견을 덧붙여도 좋다.

제재 2

교과서 22~26쪽

어떤 책부터 읽으면 좋을까요

_ 정혜윤

_우리를 계속 꿈꾸게 하는 책 목록

소단원 포인트

- '좋은 책의 선택'과 관련된 글의 중심 화제 파악하기
- 글의 구조적 특징과 전개 방법 파악하기
- 글의 형식적 특징과 구성 방식 이해하기

필자 소개

정혜윤(1969 ~): 라디오 프로듀서 겸 작가. 다양한 시사 교양 프로그램과 다큐멘터리 프로그램을 기획, 제작하는 한편, 많은 수필을 발표하였다.

교과서 날개 질문

필자가 언급한 작가들의 대표작을 조사한 다음, 그중에서 내가 읽은 작품에 표시해 보자.

| 예시 답 | 조지 오웰의 『동물 농장』, 발자크의 『고리오 영감』, 마크 트웨인의 『허클베리 핀의 모험』 등

▲「라오콘 군상」

어휘 풀이

「라오콘 군상」: 트로이 목마를 절대로 성안으로 들이지 말라고 했다가 아테네 여신의 분노를 사, 여신이 보낸 뱀에 의해 죽은 사제 라오콘과 그의 아들들을 형상화한 조각.

에피파니(epiphany): 우연한 순간에 얻은 귀중한 깨달음이나 통찰.

처음 가 당장이라도 책의 목록을 보내 드리고 싶습니다. 세상엔 꼭 피해야 할 나쁜 책들도 넘쳐 나니까 할 수만 있다면 도움을 드리고 싶은 마음이 굴뚝같습니다. 하지만 결론부터 말하면 스스로 한 권씩 짠 목록이 가장 좋습니다.

(특정 대상에게 편지를 쓰는 듯한 편지글 형식임을 알 수 있음. / 책의 목록을 보내고 싶은 이유 / 책을 선택하는 가장 좋은 방법)

➜ 좋은 책을 선택하는 방법 – 스스로 책의 목록을 작성해야 함.

나 『저는 오래전에 이탈리아로 여행을 갔는데 그때 바티칸에서 「라오콘 군상」을 보고 입이 떡 벌어질 정도로 충격을 받았습니다.』 트로이 전쟁과 라오콘 사제에 관해서 알고는 있었지만, 라오콘이 햇살 아래 버티고 있는 걸 보자 그동안 내가 공부라고 했던 것이 얼마나 한심한 것이었는지 알게 되었습니다. 『라오콘은 "내가 진짜 이야기게, 아니게? 알면 세계사 시험을 잘 보게, 못 보게? 날 배경으로 사진을 찍으면 잘 나오게, 아니게?"를 물으려고 거기 서 있는 것이 아니었습니다.』 『라오콘의 아이들도 라오콘 옆에서 죽어 가고 있었습니다. 한 아이는 이미 죽은 것 같았습니다. 라오콘은 신에 맞선 인간의 고통, 자식을 잃은 아비이자 곧 파멸할 나라의 사제로서의 고통을 적나라하게 보여 주고 있었습니다.』 한 인간의 고통이 변해서 돌조각이 된 것입니다. 제임스 조이스가 말하는 에피파니의 순간이 저에게도 있었다면 햇살 아래 서 있던 라오콘의 생생한 고통을 보던 바로 그때입니다.

(『 』: 개인적 경험을 바탕으로 내용이 전개됨을 알 수 있음. / 「라오콘 군상」과 관련된 배경 지식 / 체험이 아닌 공부를 통해 얻은 지식에 대한 필자의 인식 / 『 』: 직접 본 「라오콘 군상」에 대한 인상이 강렬함을 강조하기 위해 조각인 라오콘이 말하는 듯이 표현함. / 『 』: 직접 본 「라오콘 군상」에 대한 필자의 인상 – 고통스러움을 잘 보여 줌. / 조각된 것을 마치 고통이 극심하여 조각이 된 것처럼 표현 – 고통의 극심함을 강조)

➜ 「라오콘 군상」을 본 인상

처음: 책의 목록을 작성하게 된 계기

중간 1 다 저는 그 뒤에 '여행을 위한 책 목록'을 갖게 되었습니다. 이 목록은 두 가지로 구성됩니다. 『한 가지 축은 실질적인 정보를 주는 책으로 기차 시간표, 호텔과 식당 정보 같은 것들이 들어 있지요. 또 하나는 도시에 대한 수필이나 역사책들이었습니다.』 『빅토르 위고의 유럽 방랑기나 안데르센의 여행기, 마테오 리치나 이븐 바투타의 여행기, 『표해록』, 『해유록』 같은 데서 출발해 결국 ㉠작가가 자신의 나라에 관해 쓴 글은 소설까지도 모으게 되었습니다.』 『미국을 알기 위해 너새니얼 호손과 존 스타인벡과 스콧 피츠제럴드를, 일본을 알기 위해 다자이 오사무나 가와바타 야스나리를, 영국을 알기 위해 찰스 디킨스와 아서 코난 도일과 애거사 크리스티와 조지 오웰을, 파리를 알기 위해 스탕달과 발자크를 …….』 책을 읽으면서 도시 이름에 동그라미를 쳤습니다. 지금도 『고리오 영감』을 펼쳐 보면 이 부분에 밑줄이 쳐 있는 것을 볼 수 있습니다.

(「라오콘 군상」을 본 경험이 필자에게 끼친 영향 / 여행하는 데 필요한 실제적인 정보 / 『 』: 필자의 여행을 위한 책 목록 두 가지 / 여행지의 역사나 문화 등을 알려 주는 책들 / 『 』: 필자가 여행지에 대한 깊이 있는 정보를 얻기 위해 읽은 책들이 확장됨. / 『 』: 각 나라를 여행하면서 그 국가에 대한 깊이 있는 정보를 얻기 위해 각 나라와 관련된 책들을 읽은 사례)

『파리는 진짜 큰 대양이다. 그래서 거기에 수심 측정기를 던져 보아도 결코 그 깊이를 잴 수 없다. 이 대양을 답사해서 묘사해 보라. 답사하고 묘사하기 위해서 아무리 애쓰고, 바다 탐험가들의 수가 아무리 많고 큰 관심을 가졌다 하더라도, 처음 만나는 새로운 장

(『고리오 영감』에 쓰여진 파리에 대한 인상 / 『 』: 필자가 『고리오 영감』을 읽으면서 밑줄 친 부분 – 필자가 책을 통해 정보를 얻는 이유가 무엇인지 짐작하게 해 줌.)

소, 알려지지 않은 동굴, 꽃, 진주, 괴물 그리고 잠수부 노릇을 하는 문인들이 잊었던 전대미문의 사건 등을 그곳에서 항상 만날 수 있다. 보케르 부인의 하숙집도 이런 홍미롭고 기괴한 것 중의 하나이다.』

파리에서 신선한 경험과 다양한 사건을 만날 수 있음을 드러냄.

➜ 여행을 위한 책 목록을 갖게 된 필자

라 당시에 읽었던 책들을 펼쳐 보는 것만으로도 저는 제가 얼마나 여행에 깊이 빠져 있었는지 지금도 느낄 수가 있습니다. 저는 발자크가 표현한 수심 측정기를 던지는 여행을 하고 싶었습니다. 어떤 장소에 도착하는 법 자체는 애초에 제 관심사가 아니었습니다. 겉보기와 달리 숨겨진 이야기가 제 관심사였습니다. 평범한 일상을 뚫고 나오는 신비로운 이야기들은 저를 설레게 했습니다.

필자의 취미가 여행임을 알 수 있음. – 필자가 자신의 취미에 맞게 독서하였음을 짐작하게 해 줌.

발자크처럼 도시에서 참신한 발견을 하는 여행을 하고 싶어 함.

□: 필자가 여행하면서 관심을 가지는 대상

➜ 필자가 여행을 하면서 보이는 주된 관심사

『표해록(漂海錄)』: 조선 성종 때 최부가 풍랑으로 표류하다 중국의 북경, 요동 등을 거쳐 귀국하게 된 경위를 적은 글.

『해유록(海遊錄)』: 조선 숙종 때 신유한이 통신사의 일원으로 일본에 다녀온 일을 기록한 글.

『고리오 영감』: 프랑스 작가 발자크가 쓴 소설. 아버지에게 감사할 줄 모르는 두 딸에게 큰 재산을 물려주고 가난하게 사는 고리오 영감의 이야기를 다룬 소설.

핵심 쏙쏙

1 편지글 형식의 효과

편지글의 형식을 취하면, 특정 상대에게 말을 건네는 듯한 서술 방식을 통해 독자에게 친근감을 줄 수 있음.

2 (가)에 나타난 필자의 의도

- 좋은 글을 선택하기 위한 방법은 스스로 책의 목록을 작성하는 것임.
  → 자신이 경험한 책 목록 작성법을 소개하여 독자들에게 도움을 주고자 함.

3 (나)~(라)의 내용 전개

필자의 경험
이탈리아 여행에서 「라오콘 군상」을 보고 커다란 충격을 받음.
⬇
공부를 통해 얻은 지식에 대한 회의를 느끼고, 여행에 깊은 관심을 갖게 되는 계기가 됨.
⬇
여행을 위한 책 목록을 작성하기 시작함. • 처음: 두 가지 방식(실질적인 정보를 주는 책과 여행지의 역사나 문화 등을 알려 주는 책들)으로 책 목록을 작성함. • 나중: 평범한 일상에 숨겨진 이야기, 일상을 뚫고 나오는 신비로운 이야기에 주된 관심을 보임.

4 이 글의 내용 전개 방식 – 예시

- 필자는 여행하면서, 여행지에 대한 깊이 있는 정보를 얻기 위해 여행지에 관련된 책들을 읽음.
  → 필자가 프랑스 파리를 더 자세히 알기 위해 발자크의 『고리오 영감』을 읽고 밑줄 친 부분을 구체적으로 제시함으로써 독자들에게 신뢰감을 주고, 필자의 관심사에 대한 이해를 도움.

정답 및 해설 3쪽

확인 문제①

1. 이 글의 중심 내용으로 가장 적절한 것은?

① 책의 목록을 작성하는 시기
② 책의 목록을 작성할 때의 유의점
③ 자신만의 책 목록을 갖게 된 과정
④ 스스로 책 목록을 작성해야 하는 이유
⑤ 자신의 책 목록 작성법을 알려 주고 싶은 마음

학습 활동 응용

2. 〈보기 1〉의 활동에서 제기한 '책 목록 작성'의 의미 두 가지를, 〈보기 2〉에서 골라 바르게 묶은 것은?

〈보기 1〉
[활동] 이 글을 읽고 필자가 주장하는 '책 목록 작성'의 의미를 두 가지 방향에서 살펴보기로 하자.

〈보기 2〉
ㄱ. 나쁜 책을 피해 좋은 책을 선택하는 방법을 나타낸다.
ㄴ. 좋은 책과 나쁜 책을 비교·분석하는 방법을 나타낸다.
ㄷ. 자신의 독서 활동을 체계적으로 정리하는 방법을 나타낸다.
ㄹ. 자신의 독서 목적에 적합한 책을 선택하는 방법을 나타낸다.

① ㄱ, ㄴ ② ㄱ, ㄹ ③ ㄴ, ㄷ ④ ㄴ, ㄹ ⑤ ㄷ, ㄹ

3. ㉠에 대한 설명으로 알맞지 않은 것은?

① 도시에 대한 수필이나 역사책이 포함된다.
② 발자크가 말한 수심 측정기와 같은 글들이다.
③ 평범한 일상을 뚫고 나오는 신비한 이야기가 담겨 있다.
④ 어떤 장소에 도착하는 법이 상세하게 실려 있는 글이다.
⑤ 작가가 도시의 외양에 드러나지 않는 이야기를 쓴 글이다.

교과서 날개 질문
'최고의 여행은 정신의 여행'이라는 말이 뜻하는 바를 설명해 보자. 그리고 독서와 여행의 닮은 점을 말해 보자.

| 예시 답 | • '최고의 여행은 정신의 여행'의 뜻: 최고의 여행은 정신세계에 영향을 미치는 여행, 즉 정신을 풍요롭게 하는 여행, 가슴 속에 오래도록 남을 여행이다. 독서도 정신세계에 영향을 미치기 때문에 훌륭한 여행의 하나라고 할 수 있다.
• 독서와 여행의 닮은 점: 독서와 여행은 자기가 이미 알고 있는 것, 자기가 살고 있는 세상과는 다른 세상을 보여 준다는 점에서 공통점이 있다.

마 정신의 여행을 즐기기 위해서 저에게는 더 많은 관찰과 더 많은 책이 필요했습니다. 이런 책들의 목록은 끝이 없을 것 같았습니다. 그러다 보니 책들을 결국 좀 정리해야만 했습니다. 고민 끝에 저는 실질적인 정보가 있는 책을 버리기로 했습니다. 그거야말로 계속 최신 정보로 바뀌게 되니까요. 저는 ㉠영원한 것을 택하기로 결정했습니다.

(정신적 풍요를 위해 필자가 여행함을 알 수 있음. – 책의 목록을 정리하게 된 계기)
(교통편, 숙박 등의 정보는 최신 정보로 바뀌기 때문에)
(오래도록 가슴에 남아 있는 책들)
➔ 책의 목록을 정리하기로 함.

바 그때부터 정보보다는 이야기에 끌렸습니다. 지금은 모든 것이 정보로 변하는 세상이지만 저는 저 자신과 제가 좋아하는 것만큼은 정보로 만들고 싶지 않았습니다. 「최고의 여행은 물리적 이동이 아니란 것, 결국은 정신의 여행이란 것, 그 깨달음은 제 여행기에도 영감을 주었습니다. 일상을 뚫고 나오는 이야기에 귀를 기울여 보자는 것이었죠.」 보이는 것이 다가 아니었습니다. 저에게는 도시도, 사람도 ㉡자식들을 삼킨 크로노스처럼 보였습니다. 아직은 아니지만 ㉢이제 곧 자식들이 튀어나올 것입니다. 저는 좋은 여행기는 『천일 야화』와 같아야 된다고 생각했습니다. 결국 저는 '천일 야화풍의 여행기 목록'을 스스로 갖게 된 셈입니다.

(여행지의 이야기가 있는 책을 중심으로 책의 목록을 만들었음을 짐작할 수 있음.)
(자신의 주된 관심사 – 책의 목록을 작성하는 방법에 해당함.)
(「 」: 필자가 이야기에 끌려 책의 목록을 바꾸게 된 이유에 해당함.)
(여행지에 숨겨진 참신한 이야기)
(여행지나 여행지의 사람들에게 숨겨진 이야기가 있음을 그리스 신화를 통해 강조함.)
(여행지와 관련된 숨겨진 이야기를 알게 되는 것을 의미함.)
(이야기가 있는 여행기이어야 한다는 말)
➔ 필자의 책 목록 작성법 ① – 자신의 관심사에서 출발하기

중간 1: 책 목록 작성법 ① – 관심 있는 주제별로 책 읽기

교과서 날개 질문
'천일 야화풍의 여행기 목록'은 어떤 것일지 설명해 보자.

| 예시 답 | 여행지의 경관이나 경로 위주의 여행기가 아니라, 각각의 여행지에서 보게 된 그곳 사람들의 다양한 삶의 이야기나 자신이 체험한 갖가지 에피소드들이 중심이 된 여행기를 말한다.

| 도움말 | 『천일 야화』가 6세기경 페르시아에서 전해지는 이야기를 모은 설화집으로, 천 하루 동안 매일 밤 왕비가 왕에게 이야기를 들려주는 방식으로 전개된다는 점을 고려하여 문제를 해결하도록 한다.

중간 2 **사** 자신의 관심사에서 출발하는 목록 작성법이 첫 번째라면, 두 번째 작성법이 있습니다. 책 속의 책을 따라가는 방법입니다. 「보르헤스의 『바벨의 도서관』에는 "'도서관'의 모든 사람처럼 나는 젊은 시절 여행을 했다."란 말이 나오는데 그건 에이(A)에서 지시하는 책을 찾아 비(B)로, 비(B)에서 지시하는 책을 찾아 시(C)로 가는 겁니다.」 「무라카미 하루키의 『1Q84』를 읽은 사람이라면 안톤 체호프의 여행기 『사할린섬』이 읽고 싶어질지도 모릅니다. 밀란 쿤데라의 『참을 수 없는 존재의 가벼움』을 읽은 사람이라면 테레사가 처음 토머스의 집에 나타날 때 옆구리에 끼고 있던 『안나 카레니나』를 읽고 싶어 할 수도 있습니다. 테레사가 『안나 카레니나』를 들고 나타난 건 우연이 아니었으니까요.」 저는 이런 책 속 여행을 즐기는 편입니다.

(필자의 책 목록 작성법)
(「 」: 책 속의 책을 따라가는 방법을 이해시키기 위해 인물의 말을 인용하여 설명함.)
(「 」: 책 속의 책을 따라가는 구체적인 방법)
(책 속의 책을 따라가는 방법의 비유적 표현)
➔ 필자의 책 목록 작성법 ② – 책 속의 책을 따라가기

아 이를테면 저는 오에 겐자부로의 『개인적인 체험』을 좋아합니다. 주인공 버드의 아내는 아들을 낳습니다. 그런데 이 아이는 두개골 결손으로 뇌 일부가 빠져나온 상태로 태어납니다. 「아들을 살리려면 엄청난 수술을 해야 하는데, 살아나도 식물인간이나 장애아로 살 확률이 높습니다. 반대로 만약 분유량을 조금만 줄인다면, 이 아이는 자연스럽게 죽을 겁니다. 평생 장애 아이를 돌보게 될지도 모르는 쉽지 않은 상황 앞에서 버드는 고민에 빠집니다. 아들을 죽이긴 쉽고 살리긴 어렵습니다.」

(책 속의 책을 따라가는 방법을 이해시키기 위해 필자의 개인적 경험을 제시함.)
(주인공 버드가 고민에 빠지게 된 상황)
(「 」: 주인공 버드가 고민하는 구체적인 내용)
➔ 오에 겐자부로의 『개인적인 체험』의 내용 – 고민에 빠진 버드

자 여행을 좋아해서 아프리카 지도를 사고, 아프리카 여행을 꿈꾸었던 젊은 아빠 버드는 절망합니다. 아들이 살아난다면 그의 계획이나 꿈은 물거품이 될 것입니다. 그는 자신의 ㉣꿈을 선택합니다. 그리고 대학 시절 여자 친구와 아프리카로 몰래 떠나려 합니다. 하지만 어느 순간 묻습니다. '수치스러운 짓들을 무수히 거듭하여 도망치면서 도대체 무엇을 지

(장애를 안고 태어난 아들로 인해 여행을 할 수 없다는 생각 때문에)
(현실적인 고통에서 벗어나고자 하는 행위에 해당함.)
(장애가 있는 아들을 버리고 여행을 떠나는 행위)

> 『바벨의 도서관』: 아르헨티나의 문호 보르헤스가 쓴 단편 소설

> 『1Q84』: 2009년에 무라카미 하루키가 발매한 3부작 장편 소설

> 『사할린섬』: 안톤 체호프가 1890년에 사할린을 탐방하여 식민지와 유형수(流刑囚)들에 관련된 사항을 조사하여 쓴 조사 보고서

> 『개인적인 체험』: 오에 겐자부로가 1964년에 발표한 장편 소설. 뇌 장애를 안고 태어난 장남 히카리의 아버지 버드의 경험을 그린 소설

키려 했던 것일까? 대체 어떤 나 자신을 지켜 내겠다고 시도한 것일까?' 그는 '난 이제 도망치는 건 그만둘래.'라고 생각합니다. 그는 아들을 살리려고 빗속에서 택시를 타고 질주합니다. '만약 내가 사고로 죽어서 아들을 살리지 못한다면 지금까지 내 삶은 말짱 무의미한 것이 될 것이다.'라고 생각하면서요.

절망적 현실에 맞서는 모습

➔ 오에 겐자부로의 『개인적인 체험』의 내용 – 절망적 현실에 맞서는 버드

㉸ 「나중에 『오에 겐자부로, 작가 자신을 말하다』를 읽다 보니 그는 어려서부터 『허클베리 핀의 모험』을 좋아했고 실제로 삶에서 선택해야 할 때마다 허클베리 핀의 이 말을 읊조렸다고 합니다.」 ㉤ "좋아, 지옥에는 내가 간다." 저는 이 말이 『개인적인 체험』에 나오는 주인공의 선택에도 영향을 미쳤을 거란 느낌이 듭니다. 저는 곧 또다시 『허클베리 핀의 모험』을 들추어 볼 것입니다. "지옥에는 내가 간다."란 말을 찾아서요.

「 」: 필자가 『허클베리 핀의 모험』을 읽으려 하는 이유 – 책 속의 책을 따라가는 방법에 해당

어떤 절망적인 현실에도 당당히 맞서려 하는 의지를 드러낸 말

다른 책의 내용이 작가의 저술에도 영향을 미치고 있음을 알 수 있음.

➔ 필자가 『허클베리 핀의 모험』을 읽으려 하는 이유

중간 2: 책 목록 작성법 ② – 책 속 책을 따라 여행하기

교과서 날개 질문

"지옥에는 내가 간다."라는 말 속에는 삶에 대한 어떤 태도가 담겨 있는지 말해 보자.

| 예시 답 | 주어진 문제를 회피하지 않고 용감하게 대면하는 진취적인 태도, 남에게 미루지 않고 자기 자신이 직접 해내겠다는 책임감 있는 태도이다.

어휘 풀이

크로노스: 그리스 신화에 나오는 농경의 신. 자신의 권좌를 지키기 위해 자식들을 삼켰다가 아들 중의 하나인 제우스에게 패해 예전에 삼킨 자식들을 뱉어 내었음.

『천일 야화(千一夜話)』: 아랍어로 쓰인 설화집으로 아라비안나이트라고도 함. 동화, 우화, 전설, 기사담 등 다양한 이야기로 구성되어 있음.

핵심 쏙쏙

1 (마)와 (바)의 내용 전개

(마)	정신의 여행에 대한 필자의 깊은 관심
	실질적인 정보가 있는 책들은 버리고, 정신세계에 영향을 주어 오래도록 가슴에 남을 책들의 목록만 정리하기로 함.
⬇	
(바)	필자의 책 목록 작성법 ①
	관심 있는 주제별로 책 읽기 [탈일상적인(참신한), 숨겨진 이야기가 있는 여행 책의 목록 작성하기]

2 (사)~(차)의 의미 관계

(사) [주지]	필자의 책 목록 작성법 ②
	책 속의 책을 따라가며 읽기
(아)~(차) [예시]	필자는 오에 겐자부로의 『개인적인 체험』을 좋아함.
	⬇
	필자는 오에 겐자부로의 책에서 그가 "좋아, 지옥에는 내가 간다."라는 말이 나오는 『허클베리 핀의 모험』을 좋아했다는 사실을 알게 됨. 이를 통해 『허클베리 핀의 모험』이 『개인적인 체험』의 주인공 버드에게 영향을 미쳤으리라 생각함.
	⬇
	"좋아, 지옥에는 내가 간다."라는 말을 찾아 『허클베리 핀의 모험』을 읽기로 함.

정답 및 해설 4쪽

확인 문제②

1. 이 글을 읽고 보인 반응으로 가장 적절한 것은?

① 필자의 여행기에는 여행지에 대한 최신의 정보가 있겠군.
② 필자가 바라는 최고의 여행은 새로운 공간에 대한 체험이로군.
③ 필자의 여행에서 실질적인 정보는 더 이상 필요가 없게 되었군.
④ 필자는 책 속의 책을 따라가는 방법을 보여 주기 위해 『개인적인 체험』을 소개하고 있군.
⑤ 필자는 『개인적인 체험』을 읽기 전에 이미 『오에 겐자부로, 작가 자신을 말하다』를 읽었군.

학습 활동 응용

2. ㉠~㉤에 대한 설명으로 적절하지 않은 것은?

① ㉠: 정신의 여행을 즐기기 위해 필자가 선택한 책들이다.
② ㉡: 일상을 벗어난 참신한 이야기가 있는 도시나 사람을 신화 속의 이야기에 빗대어 표현한 말이다.
③ ㉢: 여행지에 숨겨진 이야기를 곧 알게 될 것이라는 기대를 신화 속의 이야기에 빗대어 표현한 말이다.
④ ㉣: 여행을 통해 새로운 희망을 찾고, 이를 통해 현실적 고통을 극복하려는 필자의 소망을 드러내고 있는 말이다.
⑤ ㉤: 절망적 현실에 당당히 맞서 그것을 이겨 내려는 의지를 함축하고 있는 말이다.

학습 활동 응용

3. 이 글을 읽고 다음 빈칸에 들어갈 말을 각각 한 단어로 쓰시오.

책 목록 작성법
• 탈일상적이고 참신한, 숨겨진 (㉮)가 있는 책의 목록 갖기
• 책 속에 등장하는 또 다른 (㉯)들의 목록 갖기

중간 3 카 오에 겐자부로는 『신곡』 또한 좋아합니다. 저는 언제 『신곡』도 읽어야겠다고 쭉 생각하고 있었습니다. 그런데 미루어 두던 『신곡』을 실제로 읽게 된 계기는 현실에서 왔습니다. 여기서 세 번째 목록 작성법이 탄생합니다. 현실에서 궁금한 것을 책에서 찾아 읽는 겁니다.

필자의 좋아하는 작가가 오에 겐자부로임을 짐작할 수 있음.

천안함 피격 사건으로 인해

➔ 필자의 책 목록 작성법 ③ – 현실에서 궁금한 것을 찾기

> 단테의 『신곡(神曲)』
> 단테의 서사시는 「지옥편」, 「연옥편」, 「천국편」이 각각 33개의 '곡'(曲, canto)으로 이루어졌고, 여기에 서곡(序曲)을 합쳐 모두 100곡이다. 하나의 '곡'은 150행 내외로서 전체 1만 4,233행에 달한다. 오늘날은 『신곡(神曲)』이란 제목으로 유명하지만, 원래 이 세 편을 가리키는 제목은 『(단테 알리기에리의) 코메디아(comedia, 희극)』였다. "절망으로 시작되어 희망으로 끝나기 때문"에 그런 제목을 붙였다고 단테는 설명했다.

타 천안함 피격 사건이 났을 때였습니다. 텔레비전에 유족들이 나오는데 한 어머니만은 눈물을 꾹 참고 울지 않았습니다. 어머니는 왜 울지 않느냐는 질문을 기자가 던졌던 것 같습니다. 그 어머니는 "내가 자꾸 울면 우리 아들이 좋은 데 못 간다고 해서."라고 말하면서 입술을 꼭 깨물며 눈물을 참습니다. 좋은 데는 천국이겠죠. 장례식 때 유족들은 관을 쓰다듬으며 마지막 인사를 보내면서 이렇게 말합니다. "잘 가, 천국에 가. 그곳에서 여기 일은 다 잊어버리고 부디 행복하게 살아. 그곳에서 시름 걱정 없이 살아. 아프지 말고 울지도 말고. 거기서 만나자. 먼저 가 있어."

『신곡』을 실제로 읽게 된 계기가 된 사건

➔ 『신곡』을 실제로 읽게 된 계기

파 천국의 소망이 아니면 정말 위로가 안 되는 안타까운 죽음들이 있습니다. 저 역시 장례식을 보면서 눈물을 흘렸습니다. 그러면서도 천국은 어떤 곳일까, 단테는 천국을 어떤 곳이라고 생각했을까 궁금했습니다. 결국 『신곡』을 읽었습니다. 그런데 천국은 우리가 상상하는 그런 곳이 아니었습니다. 천국에 간 사람들은 우릴 잊고 행복하게 사는 것이 아니었습니다. 그 반대로 영원한 기억 속에 있습니다. 『천국에 사는 사람들은 우릴 절대로 잊지 못합니다. 우릴 항상 지켜봅니다. 우리가 탄 배가 잘못된 방향으로 가면 애가 타서 말합니다. 합창합니다. "안 돼. 그쪽이 아니야. 뱃머리를 돌려!"』 우리가 사랑했던 사람들은 우리가 품었던 천국의 소망 같은 것들이 현실에서도 이루어지길 바랍니다.

천안함 피격 사건으로 인한 죽음처럼 비극적인 죽음

『신곡』을 읽게 만든 궁금증

『신곡』에 나온 천국이 일반적인 천국과 다름.

『 』: 『신곡』에 나온 천국에 사는 사람들의 모습 – 현실에 살고 있는 사람들을 잊지 못하며 잘 살기를 바람.

➔ 『신곡』에 제시된 천국 사람들의 모습

중간 3: 책 목록 작성법 ③ – 궁금한 것을 책에서 찾아보기

끝 하 이것이 저의 책 목록 작성법입니다. 관심 있는 주제별로 책 읽기, 책 속 책을 따라 여행하기, 현실에서 궁금한 것을 책에서 찾아보기

➔ 필자의 책 목록 작성법 세 가지

끝: 필자의 책 목록 작성법 세 가지를 요약함.

1 (카)~(파)의 의미 관계

<table>
<tr><td rowspan="3">(카)</td><td>필자의 책 목록 작성법 ③-현실에서 궁금한 것을 찾아 읽기</td></tr>
<tr><td>• 필자가 좋아하는 오에 겐자부로가 단테의 『신곡』을 좋아한다는 사실을 알고 자신도 그 책을 읽어야겠다고 생각함.
• 그 후 『신곡』을 실제로 읽게 된 계기가 된 사건이 일어남.
⬇</td></tr>
<tr><td>현실에서 궁금한 것을 책에서 찾아보는 세 번째 책 목록 작성법이 탄생함.</td></tr>
<tr><td rowspan="6">(타), (파)</td><td>(카) 문단의 부연</td></tr>
<tr><td>천안함 피격 사건이 『신곡』을 실제로 읽는 계기가 됨.</td></tr>
<tr><td>천안함 피격 사건의 발생
TV에 나온 유족들의 말을 듣게 됨.
("잘 가, 천국에 가. ……")
⬇</td></tr>
<tr><td>천국에 대한 궁금증을 갖게 됨.
⬇</td></tr>
<tr><td>단테의 『신곡』을 실제로 읽게 됨.</td></tr>
</table>

2 작가와 독자의 관계

오에 겐자부로와 이 글의 필자
"오에 겐자부로는 『신곡』 또한 좋아합니다. 저는 언제 『신곡』도 읽어야겠다고 쭉 생각하고 있었습니다."
⬇
필자가 좋아하는 작가가 오에 겐자부로임을 짐작할 수 있음.

3 필자의 책 선택법

책 선택법	선택한 책
관심 있는 주제의 책 찾아 읽기	『고리오 영감』
책 속의 책 찾아 읽기	『허클베리 핀의 모험』
현실에서 궁금한 것을 책에서 찾아 읽기	『신곡』

4 이 글에서 (하)의 역할

편지글의 결미(結尾)와 다른 끝맺음.
정서적인 인사말 대신 지금까지 자신이 독자들에게 깨우쳐 주고자 했던 내용을 요약하여 전달하면서 끝을 맺음.
⬇
• 전달 내용의 강조 및 확인 • '표현 동기'보다 '전달 동기'가 더 강한 글임.

1. 이 글의 성격으로 가장 적절한 것은?

① 어떤 행위의 계기를 설명한 글이다.
② 어떤 사실의 발생 원인을 설명한 글이다.
③ 어떤 대상의 변화 양상을 설명한 글이다.
④ 어떤 현상에 나타난 원리를 설명한 글이다.
⑤ 어떤 상황에 대한 자신의 생각을 설명한 글이다.

2. 〈보기〉의 빈칸에 들어갈 말로 가장 적절한 것은?

〈보기〉
이 글에서 '독서'는 필자에게 (   )

① 현실적 사건에서 일어난 문제와 관련된 필자의 궁금증을 해결하려는 수단이 되고 있다.
② 현실의 삶을 살아가는 과정에서 원활한 관계 형성을 위한 방법을 찾기 위한 수단이 되고 있다.
③ 현실적인 삶의 여러 조건과 관련하여 자신의 적성에 맞는 상황을 모색하려는 수단이 되고 있다.
④ 현실에서 당면하는 문제에 대한 일반적 인식의 오류를 비판적으로 고찰하기 위한 수단이 되고 있다.
⑤ 현실 속에서의 일상적인 삶의 유지와 발전을 도모할 수 있는 지식을 습득하기 위한 수단이 되고 있다.

3. 〈보기 1〉을 참조하여 (하)의 성격을 〈보기 2〉와 같이 정리하였다. 적절한 것끼리 바르게 묶인 것은?

〈보기 1〉
이 글은 전체적으로 편지글의 형식을 갖추고 있지만, 결말 부분을 보면 일반적인 편지글의 끝맺음과는 다른 내용으로 구성되어 있다. 이는 이 글이 실제의 편지글이 아니라 편지글의 형식을 빌려 쓴 글이라는 점을 시사하고 있다.

〈보기 2〉
ㄱ. 표현 동기보다 전달 동기가 강한 글임을 말해 준다.
ㄴ. 수신인은 특정 개인이 아니라 독자 일반임을 말해 준다.
ㄷ. 필자의 내면을 우회적으로 드러내고 있음을 말해 준다.
ㄹ. 사사로운 정서의 노출을 극도로 절제하고 있음을 말해 준다.

① ㄱ, ㄴ ② ㄱ, ㄷ ③ ㄴ, ㄷ ④ ㄴ, ㄹ ⑤ ㄷ, ㄹ

서술형

4. 이 글에서 필자가 『신곡』을 읽고 생각하게 된 '천국'의 의미가 무엇일지 〈조건〉에 맞게 한 문장으로 쓰시오.

〈조건〉
• '천국은 ~ 된 말이다.'의 문장 형태로 서술할 것
• 35자 내외로 쓸 것(띄어쓰기 포함)

교과서 27~29쪽

깊게 읽기

1. 필자가 다음 책들을 읽는 데 활용한 책 선택법과, 그 책을 선택하게 된 계기를 정리해 보자.

책 선택법	선택한 책	선택한 계기
	예시 답	 관심 있는 주제의 책 찾아 읽기	『고리오 영감』	여행지(파리)에 대한 이해를 높이기 위해서
책 속의 책 찾아 읽기	『허클베리 핀의 모험』	자신이 좋아하는 『개인적인 체험』이 『허클베리 핀의 모험』에 나오는 "좋아, 지옥에는 내가 간다."라는 구절과 관련이 있어서
현실에서 궁금한 것을 책에서 찾아 읽기	『신곡』	천안함 피격 사건 이후, 천국이 어떤 곳인지 궁금증이 생겨서

활동 도움말
실용적 목적으로 읽은 책은 제외하고 여가나 교양을 위해 읽은 책을 중심으로 생각해 본다.

2. 최근에 읽은 책을 떠올려 보고, 그 책을 읽게 된 계기가 무엇인지 말해 보자.

• 읽은 책: | 예시 답 | 기시미 이치로 · 고가 후미타케 공저, 『미움 받을 용기』

• 읽게 된 계기: | 예시 답 | 최근 친구 관계 때문에 고민하고 있었는데, 어머니께서 읽다가 놓아 둔 이 책의 제목이 왠지 내 관심사(인간관계)와 관련이 있을 것 같아서 읽게 되었다.

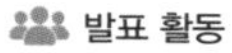

발표 활동

3. 이 글의 필자처럼 자신만의 책 선택법이 있으면 발표해 보자. | 예시 답 |

√ 책 선택법	마음에 드는 책을 발견하면 그 책을 쓴 필자의 다른 책 찾아 읽기
√ 책 선택법을 찾은 계기	어릴 때 권정생 작가의 『강아지똥』을 재미있게 읽었는데, 나중에 우연히 읽고 감동을 받은 『몽실 언니』도 권정생 작가의 책이라는 것을 알게 되었다. 그 이후 마음에 드는 책을 읽은 다음에는 그 작가의 다른 책에 관심을 가지게 되었다.
√ 자신이 찾은 책 선택법의 좋은 점	내가 선택한 책 선택법을 활용하여 책을 찾아 읽었더니, 골라 읽은 책 대부분이 재미가 있어서 선택한 책에 대해 실망하지 않았다.

보충 자료 좋은 책을 고르는 방법

1. **베스트셀러를 믿지 않는다:** 베스트셀러가 아닌 책들 중에 좋은 책들도 많으며, 좋은 책이라고 해서 반드시 베스트셀러가 되지는 않는다. 검증하고 또 검증할 필요가 있다.
2. **독서 고수를 활용한다:** 독서를 오래 하였거나 유명인들이 추천한 책을 고른다.
3. **파생 독서를 한다:** 읽은 책에서 언급되어 있거나 관련 깊은 책을 찾아 읽는다.
4. **한 번 믿어 본 저자는 또 믿어 본다:** 자신이 좋아하는 작가의 경우, 그의 작품 대부분은 독서 만족도가 높다. 이때 필요한 것은 좋은 작가를 많이 만나는 것이다.
5. **번역가의 이력을 살펴본다:** 번역가가 어떤 책을 번역했는지를 살펴본다. 번역이란 단순히 원전을 옮기는 것이 아니라 새로운 창작을 하는 것에 가까우므로, 외국 서적을 볼 때는 번역가의 역량도 중요하다.

4. 읽어야 하거나 읽고 싶은 책의 목록을 정해 보자.

(1) 다음 물음을 중심으로, 현재 내가 읽어야 할 책을 찾아 써 보자.

| 예시 답 | – 친구 아버지께서 지난번에 약속한 새끼 강아지를 다음 주에 데려가라고 말씀하셨으니까, '개를 잘 기르는 법'에 관한 책을 찾아봐야겠어.

– 사회 시간에 '어떤 사회가 정의로운 사회인가'라는 주제로 발표를 해야 하니까, 먼저 '정의'가 무엇인지를 다룬 책을 찾아봐야겠어.

– 사진부에 들었으니까 부원들과 사진에 관한 여러 가지 대화를 하려면 '사진의 역사나 카메라의 종류' 등 관련 책을 읽어 봐야겠어.

활동 도움말

비슷한 책들이 많아 선택이 어려울 때는 필자나 책에 관한 정보를 찾아본다. 또한, 목차나 책의 내용을 짐작할 수 있는 기타 사항들을 꼼꼼히 비교해 본다.

(2) 다음 물음을 중심으로, 여가를 활용하거나 교양을 쌓기 위해 읽으면 좋은 책을 찾아 써 보자.

| 예시 답 | – 나는 소설을 좋아해.

– 가난하고 힘없는 선량한 사람들의 편에 서서 권력자들과 맞서 싸우는 정의로운 사람들의 이야기를 다룬 책을 좋아해.

– 우리나라 소설책으로는 홍명희의 『임꺽정』이 대표적이고, 서양 소설책으로는 하워드 파일의 『로빈 후드의 모험』이 있어.

5. 4의 활동을 통해 선정된 책의 목록을 작성한 뒤, 친구가 작성한 목록과 비교해 보자. 그리고 자신이 책을 선정하게 된 이유를 중심으로 책 선택법에 관해 의견을 나누어 보자.

활동 도움말

이미 읽은 책이라고 해서 독서 목록에서 제외할 필요는 없다. 같은 책을 다시 읽는 것도 좋은 독서법이다.

선정한 책	선정 이유
| 예시 답 | 마이클 샌델의 『정의란 무엇인가』	사회 수업 발표 숙제와도 관련이 있고, 나의 관심 주제인 '정의'에 대한 책이어서
홍명희의 『임꺽정』	내가 좋아하는 소설이기도 하고, 또 정의로운 행동이 어떤 것인지 시사를 받을 수도 있을 것 같아서
조세희의 『난장이가 쏘아올린 작은 공』	1970년대 산업화 시기에서 열악한 환경에서 살아가는 사람들의 모습을 보면서, 올바른 사회는 어떠해야 하는지 생각할 수 있을 것 같아서

⋮

보충 자료 **독서의 상황에 따른 읽기 방법** – 주어진 시간 내에 필요한 정보를 찾을 때

① 훑어 읽기: 표제어를 중심으로 신문을 읽거나 제목, 목차 등을 통해 책의 내용을 예측할 때

② 골라 읽기: 책의 분량이 많고, 과제를 해결하는 데 일부분만 필요하고 책 전체를 읽을 필요가 없을 때

넓혀 읽기

6. 다음 글을 읽고 아래 활동을 해 보자.

제재 연구

정수복, 「항성 같은 책과 유성 같은 책」

갈래	실용문
성격	논리적, 설득적
제재	항성 같은 책과 유성 같은 책
주제	삶의 본질을 꿰뚫어 보는 좋은 책을 읽어야 함.
특징	올바른 책의 선택 방법을 비유적으로 표현하여 이해를 도 움.

항성 같은 책과 유성 같은 책

철학자 쇼펜하우어는 세상의 모든 책을 별에 비유하여 세 가지로 구분했다. 언제나 그 자리를 지키며 다른 별들의 중심이 되어 주는 항성(恒星) 같은 책이 있는가 하면, 항성 주위의 궤도를 규칙적으로 도는 행성(行星) 같은 책이나 잠시 반짝 나타났다가 금방 사라져 버리는 유성(流星) 같은 책도 있다는 것이다. 항성과 행성은 언제나 밤하늘을 지키지만, 유성은 휙 소리를 내며 은하계의 어느 한구석으로 자취를 감추어 버린다. 북극성이 길 잃은 사람에게 방향을 제시하듯 항성과 같은 책은 삶의 영원한 길잡이가 되지만, 반짝하고 나타나는 유성은 한순간의 즐거움만 제공하고 허무하게 사라진다.

쇼펜하우어는 책을 별에 비유하여, 항성 같은 책, 행성 같은 책, 유성 같은 책으로 구분함.

항성과 행성, 유성 같은 책에 대한 필자의 인식을 알 수 있음.

➔ 세 종류의 책에 대한 비유

우리 주변에는 유성 같은 책들이 지천으로 굴러다니고 있지만, 항성 같은 책은 점차 자취를 감추고 있다. 좋은 책은 세상살이의 일반성에 관한 이해를 넓혀 주는 동시에 개인적 삶의 특수성까지도 풍부하게 해석해 준다. 그런 이해와 해석이 아예 없거나 미약한, 고만고만한 수준의 책들만 거듭 읽다 보면 잡다한 상식은 늘어날지 몰라도 이 세상과 자기 자신에 대한 깊이 있는 파악은 멀어지고 만다. 그렇고 그런 수준의 유성 같은 책은 아무리 많이 읽어도 삶의 깊이와 두께는 늘 제자리걸음이다. 세상과 인생의 문제를 상투적인 시선으로 바라보고 뻔한 해결책을 제시하는 그렇고 그런 책들은 옆으로 치워 놓고, 변화하는 세상과 그 속에 숨은 삶의 본질을 꿰뚫어 보는 좋은 책들을 찾아내야 한다.

오늘날 책이 많이 있지만 삶의 길잡이가 되는 책이 많지 않은 것에 대한 안타까움이 담김.

필자의 중심 생각이 담긴 부분으로, 필자가 생각하는 올바른 책 선택법을 알 수 있음.

➔ 책 선택의 기준과 좋은 책 골라 읽기

– 정수복, 『책에 대해 던지는 7가지 질문』에서

› 쇼펜하우어(1788~1860): 독일의 철학자. 관념론의 입장을 취했고, 염세관을 주장하였음.

(1) 내가 읽은 책 중에서 항성과 유성에 해당하는 책의 제목을 써 보자.

항성 같은 책 | 예시 답 | 『나무를 심은 사람』, 『어린 왕자』 등

유성 같은 책 | 예시 답 | 『오싹오싹 공포 체험』 등

활동 도움말

오랜 세월 동안 수많은 사람에게 긍정적인 영향을 끼쳐 온 고전(古典)은 항성 같은 책의 대표적인 예이다.

(2) 최근 인기 도서가 된 책들을 조사한 다음, 그들 각각이 항성과 유성 중 어느 것에 더 가까운 책일지 말해 보자.

| 예시 답 | • 『82년생 김지영』

– 우리 사회의 성 불평등 문제를 다루고 있는 이 책은 출간 이후 사람들에게 신선한 자극을 불러일으켰다. 우리 사회가 남녀평등 사회로 나아가는 과정에서, 사람들이 성 불평등 문제에 관한 고민을 하면서 이 책을 꾸준히 참고한다면 항성에 가까운 책이 될 수도 있다.

• 『지적 대화를 위한 넓고 얕은 지식』

– 최근 교양에 대한 요구에 부응하는 책이어서 최근 많이 읽히고는 있으나, 우리 사회에서 필요로 하는 새로운 식견이나 심오한 견해를 담고 있는 책은 아니어서 어느 정도의 기간 동안만 읽힐 뿐 오래도록 읽히지는 않을 것 같다.

소단원 출제 포인트

독서론

1 전체 글의 개관

갈래	수필(중수필)	성격	논리적, 유추적, 비유적, 예시적, 인용적
제재	책을 읽는 즐거움(독서의 가치)	주제	독서의 목적과 좋은 글의 선택
특징	① 유추의 방식을 통해 글을 논리적으로 전개함. ② 비유와 예시, 인용을 통해 독자의 이해를 도움.		

2 글의 주된 내용 전개 방식

가장 바람직한 식사법 자기가 좋아하는 음식을 먹는 것이다.	➡ [유추]	**올바른 독서의 방법** 개인의 관심, 취미에 부합하는 책을 읽는 것이다.
나무가 성장하고 냇물이 흐르는 법 나무와 냇물은 다양한 환경에 적응하면서 자연스럽게 성장하거나 흘러간다.	➡ [유추]	**가치 있는 책의 선택 방법** 개인의 지적 감흥(호기심)은 성장 과정에서 직면하게 되는 다양한 상황에 따라 자연스럽게 형성된다.
연인 간의 관계 상대방에게 반하면 키, 얼굴, 머리칼의 색깔, 음성, 이야기하는 모습이나 웃는 모습이 모두 좋게 보인다.	➡ [유추]	**저자와 독자의 관계** 저자를 좋아하면 그가 쓴 글의 문체, 풍미, 견해, 사고방식 등이 모두 좋게 느껴진다.

→ 같은 종류의 것 또는 비슷한 것에 기초하여 다른 사물을 미루어 추측하는 일

어떤 책부터 읽으면 좋을까요 _ 우리를 계속 꿈꾸게 하는 책 목록

1 전체 글의 개관

갈래	수필(중수필)	성격	체험적, 예시적
제재	필자가 자신만의 책 목록을 갖게 된 과정	주제	필자가 생각하는 책 목록 작성법 세 가지
특징	① 구체적인 경험을 제시하여 신뢰감을 줌. ② 예시와 인용의 방법을 통해 독자의 이해를 도움.		

2 필자의 책 선택법 – 책 목록 작성법

책 목록 작성법 ①	자신의 관심사인 숨겨진 참신한 이야기가 있는 책을 찾아서 읽기
책 목록 작성법 ②	책 속에 등장하는 또 다른 책을 찾아서 읽기
책 목록 작성법 ③	현실에서 궁금한 것을 해결해 줄 수 있는 책을 찾아서 읽기

내신 적중 문제

정답 및 해설 4쪽

[01 – 03] 다음 글을 읽고 물음에 답하시오.

㈎ 평소에 독서하지 않는 사람은 시간적, 공간적으로 자신만의 세계에 감금되어 있으며, 그의 생활은 틀에 박힌 상투적인 것이다. 그 사람이 교제하고 대화하는 것은 극소수의 친구나 지기(知己)뿐이며, 그 사람이 보고 있는 것은 대부분 신변에 일어나는 사소한 일에 불과할 뿐이다. 그 감금에서 벗어날 길은 없다.

그런데 일단 책을 읽기 시작하면 그 즉시 별천지에 드나들 수 있다. 만일 그것이 양서(良書)라면 독자는 홀연 세계 제일의 이야기꾼과 만나는 것이 된다. 그는 독자를 유도하여 먼 별천지의 아득한 옛날로 데리고 가서 고민을 덜어 주고, 독자가 미처 몰랐던 인생의 여러 모습을 이야기해 준다.

맹자와 사마천도 같은 말을 한 적이 있다. 하루 두 시간이라도 다른 세상에 살며 매일매일의 번뇌를 잊어버릴 수만 있다면 말할 것도 없이 육체적 감옥에 갇혀 있는 사람들로부터 선망 받는 특권을 얻는 셈이 된다. 이 같은 변화가 심리적으로 미치는 효과는 여행과 똑같은 것이다.

[A] 그뿐인가. 책을 사랑하는 사람은 언제나 사색과 반성의 세계에 자유롭게 드나들 수가 있다. 설사 물리적 사건이나 현상을 기록한 책이라도 그런 사상(事象)을 직접 보고 듣는 것과 책으로 읽어서 아는 것에는 큰 차이가 있다. 책 속에서 겪는 물리적 사건은 하나의 구경거리이며, 독자는 구경꾼의 입장이 되기 때문이다.

그러므로 훌륭한 책은 이러한 명상의 기분으로 우리를 인도하는 것이며, 사실의 보고에만 그치는 것이 아니다. 이 점에서 말하면 신문을 읽느라고 소비한 막대한 시간을 독서의 시간이라고 할 수는 없다고 나는 생각한다. 왜냐하면 일반적으로 신문 독자는 명상적 가치가 없는 사실·사건의 보도를 주로 접하기 때문이다.

독서란 무엇인가에 대해 가장 적절히 말한 사람은 송나라 때의 시인이며 소동파(蘇東坡)의 친구였던 황산곡(黃山谷)인 것 같다. 그는 "사대부가 사흘을 독서하지 않으면 스스로 깨달은 말에 맛이 없고, 거울 속의 자기 얼굴을 대해도 가증스럽게 보인다."라고 말하였다. 독서는 독서하는 인물에게 매력과 품격을 주는 것으로서 독서의 목적은 이것뿐이며, 이 점을 노리는 독서야말로 진정한 예술이라 부를 수 있다는 것이다.

01 이 글을 읽고 해결할 수 있는 질문이 아닌 것은?

① 책을 읽는 진정한 목적은 무엇인가?
② 좋은 책이 지녀야 할 요건은 무엇인가?
③ 책을 읽지 않는 삶의 모습은 어떠한가?
④ 좋은 책을 읽고 얻을 수 있는 효용은 무엇인가?
⑤ 책을 효과적으로 읽는 구체적인 방법은 무엇인가?

고난도

02 〈보기〉는 한 학생의 '독서 일지'에 쓴 글의 일부이다. [A]를 바탕으로 〈보기〉를 이해한 것으로 가장 적절한 것은?

〈보기〉

어제 나는 도서관에서 '유기견'에 관한 책을 읽었다. 그런데 사람들이 강아지를 너무 많이 버려서 유기견 보호센터가 큰 곤란을 겪고 있다는 사실을 알고 너무나 놀라웠다. 강아지도 사람과 같이 감정을 느낄 수 있다고 하는데, 얼마나 큰 상처를 받았을까. 유기견 중에는 주인이 자신을 버린 것을 알고 우울증에 빠져 아무것도 먹지 않고 주인만 기다리는 강아지도 있다고 한다. 강아지를 기르기 전에 먼저 생명에 대한 경외감부터 가졌으면 좋겠다는 생각이 든다.

① 책을 읽는 일이야말로 세계를 인식하는 유일한 수단이라는 생각이 드는군.
② 독서를 통한 간접 경험은 생활의 상식을 더욱 풍부하게 해 주는 효과가 있군.
③ 책을 읽는 일은 범람하는 정보의 진위를 판단할 수 있는 능력을 갖게 해 주는군.
④ 독서는 직접 경험을 통해 얻기 힘든 새로운 지식과 정보를 알 수 있게 해 주는군.
⑤ 책을 통한 간접 경험이 직접 경험에 비해 보다 객관적인 사유의 세계로 이끄는 힘이 있군.

서술형

03 ㈎에서 필자가 '독서하지 않는 사람'의 특징을 언급한 이유를 추론하여 〈조건〉에 맞게 한 문장으로 쓰시오.

〈조건〉

- '독서', '독자', '가치'의 세 단어를 반드시 포함하여 서술할 것
- 40자 내외로 쓸 것(띄어쓰기 포함)

[04-07] 다음 글을 읽고 물음에 답하시오.

가 하룻밤쯤 그는 자신에게 채찍질하여 「햄릿」을 읽는다. 그리고 마치 악몽에서 깨어난 것 같은 모습으로 그는 나온다. 그러나 얻은 것은 단지 「햄릿」을 '읽었다'라고 말할 수 있다는 것뿐이다. 의무감으로 책을 읽는 사람은 독서법을 모르는 사람이다. 독서를 과제로 삼는 것은 국회 의원이 연설 전에 관련 서류나 보고서를 읽어 보는 따위의 행위와 같다. 그것은 연설의 자료를 모으는 것이지 독서는 아니다.

나 황산곡에 따르면, 독서의 목적으로 인정할 만한 것은 인간의 용모에 매력을 더하고 그 담화에 풍미를 주는 것밖에 없다. 그러나 용모의 매력이라 해도 단순한 미모와는 물론 뜻이 다르다. 황산곡이 말하는 '볼썽사나운 풍모'란 육체적인 추함이 아니다. 추해도 매력이 있는 얼굴이 있거니와 아름다워도 전연 멋이 없는 얼굴도 있다. 나의 중국인 친구 중에 머리 모양이 폭탄 같은 사나이가 있는데, 그는 언제 보아도 호감이 간다.

다 사진상으로 말한다면, 서구의 문인 중 가장 아름다운 얼굴은 체스터턴의 얼굴이다. 콧수염과 안경과 제법 텁수룩한 눈썹과 주름 잡힌 미간의 선 등이 악마처럼 어우러져 있다. 이 모습을 본 사람은 그의 이마 속에 숱한 사상이 약동하고 있으며, 묘하게 사람을 쏘아보는 눈이 언제든지 튀어나올 듯한 느낌을 받는다. 이런 형이 황산곡이 좋아하는 얼굴이다. 분이나 입술연지로 치장된 얼굴이 아니라, 사색으로 형성된 얼굴이다.

라 담화의 품격은 오로지 독서 방법에 달려 있다. 말투에 풍미가 있는지 없는지의 여부도 독서 방법에 달려 있다. 책의 풍미를 내 것으로 만들면 담화 속에서도 풍미가 우러난다. 담화에 풍미가 있다면 저술에 풍미가 스며들지 않을 리 없다.

마 이런 까닭에 나는 풍미나 취미라는 것이 독서의 열쇠라고 생각한다. 음식물의 기호와 마찬가지로 취미는 역시 개인의 것이다. 가장 바람직한 식사법은 자기가 좋아하는 음식을 먹는 것이다. 그것은 소화력에 확신이 서기 때문이다. 독서도 이와 마찬가지로 어떤 사람에게 이로운 것이 다른 사람에게는 해독(害毒)이 될는지도 모른다. 그러므로 교사는 자신의 독서 취미를 학생에게 강요할 수 없으며, 부모도 아이들에게 자기와 같은 취미를 기대해서는 안 된다. 읽는 데 흥미가 없으면 독서는 오로지 시간 낭비이다. 원중랑은 "읽기 싫은 책은 주저 없이 버려라. 그리고 다른 사람이 읽도록 하라."라고 말했다.

학습 활동 응용

04 이 글에 언급된 독서의 목적과 가장 관련이 깊은 것은?

① 학습이나 연구를 위한 독서
② 생활의 여가를 즐기기 위한 독서
③ 종교적인 깨달음을 지향하는 독서
④ 삶에 유용한 정보를 얻기 위한 독서
⑤ 품격 있는 인성을 함양하기 위한 독서

05 (가)~(마)의 내용 전개에 대한 이해로 적절하지 않은 것은?

① (가): 잘못된 독서 태도에 대해 문제를 제기하면서 뒤에 이어질 내용에 대한 화제를 암시하고 있다.
② (나): 진정한 독서의 목적을 제시하고 있으며, (다)와 (라)에서 그 의미를 상세히 설명하고 있다.
③ (다): 진정한 독서의 목적과 관련하여 유의해야 할 점에 대해 언급하고 있다.
④ (라): 진정한 독서의 목적에 도달하기 위한 요건을 제시하고 있다.
⑤ (마): (가)의 내용과 관련하여 진정한 독서의 목적을 달성하기 위한 해결책을 제시하고 있다.

06 (가)~(마) 중, 〈보기〉에 나타난 추론 방법을 활용하여 글을 전개하고 있는 것은?

〈보기〉

'유추'란 논리적인 글에서 주로 활용하는 추론 방법의 하나로, 확장된 비교라고도 한다. '비교'가 동일한 범주에 있는 두 대상의 공통점을 살펴보는 방식이라면, 유추는 서로 다른 범주에 있는 두 대상의 공통점을 살펴보는 방식을 말한다. 즉 전달하고자 하는 내용과 비슷한 관계에 있는 다른 사물의 속성을 근거로 자신의 주장이나 의견을 추론해 내는 방식이다.

① (가) ② (나) ③ (다) ④ (라) ⑤ (마)

서술형

07 이 글의 내용을 바탕으로 '좋은 책을 선택하여 읽는 방법'을 〈조건〉에 맞게 한 문장으로 쓰시오.

〈조건〉

• 정책 명제의 형태를 지닌 문장으로 서술할 것
• 30자 내외로 쓸 것(띄어쓰기 포함)

[08 – 11] **다음 글을 읽고 물음에 답하시오.**

(가) 같은 독자, 같은 책이라도 읽는 시기가 다르면 다른 풍미를 맛볼 수 있다. 이를테면 저자와 직접 이야기를 나눈 후나 혹은 저자를 사진으로 본 뒤 읽으면 책의 재미는 한층 깊고, 저자와 교분을 끊은 뒤에 읽으면 또 다른 맛이 있다. 그러므로 양서는 두 번 읽으면 얻는 바도 크거니와, 재미 또한 새롭다.

(나) 독서는 저자와 독자의 두 가지 면에서 성립되는 행위이다. 진실로 얻는 바는 독자 자신의 통찰과 체험을 통해 얻는 것과 저자의 통찰·체험으로부터 주어지는 것 두 가지가 있다. 『논어』에 관해 송나라 때의 유학자 정이천(程伊川)은 이렇게 말하였다. "『논어』의 독자는 어디에나 있다. 어떤 자는 다 읽어도 감감하고, 어떤 자는 한두 줄에 환희하고, 또 어떤 자는 저도 모르게 손뼉을 치고 춤을 추며 크게 기뻐한다."

(다) 좋아하는 작가의 발견은 자기의 지적 발전에 가장 의미 있는 일이라고 생각한다. 이러할 때는 친화라는 것이 나타나므로, 우리는 고금(古今)의 작가 중에서 그 정신이 자신과 비슷한 사람을 발견해야만 한다. 이렇게 함으로써 참으로 좋은 것을 얻게 되는 것이다. 사숙할 만한 스승을 찾아내는 일은, 남에게 의지하지 말고 스스로 해결해야 한다. 누구에게 심취할 수 있느냐 하는 것은 남이 아는 것도 아니고, 어쩌면 자기 자신도 모를 것이다. 말하자면 첫눈에 반함과 같은 것이어서 남에게서 누구를 사랑하라는 말을 듣는다고 되는 일도 아니며, 일종의 본능의 힘으로 아는 것이다.

(라) 첫눈에 반하면 무엇이든지 좋게 보인다. 키, 얼굴, 머리칼의 색깔, 음성, 이야기하는 모습이나 웃는 모습이 모두 좋게 보인다. 학생이 스승에게 배우지 않으면 알 수 없는 그런 성질의 것이 아니다. 독서의 경우도 마찬가지여서 문체나 풍미나 견해나 사고방식 등에 조금도 나무랄 데가 없다. 이리하여 독자는 한 줄 한 구를 탐독(耽讀)하기 시작하는 것이다.

(마) 본래부터 정신적 친화력으로 결부가 되어 있는 까닭에 모든 것을 흡수하고, 문제없이 소화한다. 작가가 주문을 외면 독자는 기꺼이 그에 홀리고, 때에 따라서는 음성과 동작과 웃는 모습과 이야기하는 모습이 작가와 닮아 간다. 이리하여 문재(文才)상의 연인에게 빠져 그 책에서 자기 영혼의 양분을 남김없이 흡수하는 것이다.

08 **이 글의 내용 전개 방식으로 적절하지 않은 것은?**

① 비유를 활용하여 독자의 이해를 돕고 있다.
② 권위자의 말을 인용하여 의미를 강조하고 있다.
③ 구체적인 예를 제시하여 논지를 뒷받침하고 있다.
④ 대상의 유사한 속성을 바탕으로 의미를 유추하고 있다.
⑤ 묻고 답하는 방식을 통해 글의 화제에 접근하고 있다.

09 **(가)~(마) 중, 이 글에서 다음 질문을 해결하기 위해 참고해야 할 문단은?**

> 좋아하는 작가를 어떻게 발견할 것인가?

① (가) ② (나) ③ (다) ④ (라) ⑤ (마)

학습 활동 응용

10 **다음 중 가리키는 대상이 다른 하나는?**

① 좋아하는 작가
② 고금(古今)의 작가
③ 사숙할 만한 스승
④ 문재(文才)상의 연인
⑤ 정신이 자신과 비슷한 사람

서술형 학습 활동 응용

11 **(가)의 필자가 〈보기〉에 나타난 '학생 1'의 발언을 듣고 보일 수 있는 반응을 〈조건〉에 맞게 쓰시오.**

〈보기〉

독서 동아리 회의

회장: 이번 축제에서 우리 독서 동아리는 각자 책을 한 권씩 읽은 후 발표 및 평가를 진행하는 시간을 가지려고 합니다. 어떤 책을 읽어야 할지 좋은 의견 있으면 말씀해 주세요.
학생 1: 우리가 이미 읽었던 고전은 제외하고 새로운 신간을 대상으로 했으면 좋겠어요.

〈조건〉

- 두 문장으로 서술하되, 접속어를 사용할 것
- 75자 내외로 쓸 것(띄어쓰기 포함)

[12 - 15] 다음 글을 읽고 물음에 답하시오.

미국을 알기 위해 너새니얼 호손과 존 스타인벡과 스콧 피츠제럴드를, 일본을 알기 위해 다자이 오사무나 가와바타 야스나리를, 영국을 알기 위해 찰스 디킨스와 아서 코난 도일과 애거사 크리스티와 조지 오웰을, 파리를 알기 위해 스탕달과 발자크를 ……. 책을 읽으면서 도시 이름에 동그라미를 쳤습니다. 지금도 『고리오 영감』을 펼쳐 보면 이 부분에 밑줄이 쳐 있는 것을 볼 수 있습니다.

[A] 파리는 진짜 큰 대양이다. 그래서 거기에 수심 측정기를 던져 보아도 결코 그 깊이를 잴 수 없다. 이 대양을 답사해서 묘사해 보라. 답사하고 묘사하기 위해서 아무리 애쓰고, 바다 탐험가들의 수가 아무리 많고 큰 관심을 가졌다 하더라도, 처음 만나는 새로운 장소, 알려지지 않은 동굴, 꽃, 진주, 괴물 그리고 잠수부 노릇을 하는 문인들이 잊었던 전대미문의 사건 등을 그곳에서 항상 만날 수 있다. 보케르 부인의 하숙집도 이런 흥미롭고 기괴한 것 중의 하나이다.

당시에 읽었던 책들을 펼쳐 보는 것만으로도 저는 제가 얼마나 여행에 깊이 빠져 있었는지 지금도 느낄 수가 있습니다. 저는 발자크가 표현한 수심 측정기를 던지는 여행을 하고 싶었습니다. 어떤 장소에 도착하는 법 자체는 애초에 제 관심사가 아니었습니다. 겉보기와 달리 숨겨진 이야기가 제 관심사였습니다. 평범한 일상을 뚫고 나오는 신비로운 이야기들은 저를 설레게 했습니다.

정신의 여행을 즐기기 위해서 저에게는 더 많은 관찰과 더 많은 책이 필요했습니다. 이런 책들의 목록은 끝이 없을 것 같았습니다. 그러다 보니 책들을 결국 좀 정리해야만 했습니다. 고민 끝에 저는 실질적인 정보가 있는 책을 버리기로 했습니다. 그거야말로 계속 최신 정보로 바뀌게 되니까요. 저는 영원한 것을 택하기로 결정했습니다.

그때부터 정보보다는 이야기에 끌렸습니다. 지금은 모든 것이 정보로 변하는 세상이지만 저는 저 자신과 제가 좋아하는 것만큼은 정보로 만들고 싶지 않았습니다. 최고의 여행은 물리적 이동이 아니란 것, 결국은 정신의 여행이란 것, 그 깨달음은 제 여행기에도 영감을 주었습니다. 일상을 뚫고 나오는 이야기에 귀를 기울여 보자는 것이었죠. 보이는 것이 다가 아니었습니다. 저에게는 도시도, 사람도 자식들을 삼킨 ㉠크로노스처럼 보였습니다. 아직은 아니지만 이제 곧 ㉡자식들이 튀어나올 것입니다. 저는 좋은 여행기는 『천일 야화』와 같아야 된다고 생각했습니다. 결국 저는 '천일 야화풍의 여행기 목록'을 스스로 갖게 된 셈입니다.

12 이 글의 내용 전개 방식으로 가장 적절한 것은?

① 일반적 통념에 대한 의문을 제기함으로써 독자의 관심을 유도한다.
② 현상에 대응하는 내면의 소리를 토로함으로써 독자의 공감을 자아낸다.
③ 풍부한 예를 제시해 줌으로써 필자의 말에 대한 신뢰감을 갖게 한다.
④ 특정 상황을 가정하여 이야기를 전개함으로써 독자의 이해를 용이하게 한다.
⑤ 가상의 청자에게 말을 건네는 방식을 활용함으로써 필자의 내면을 보다 효과적으로 드러낸다.

13 이 글에서 확인할 수 없는 질문은?

① 여행을 할 때 필자의 관심사는 무엇인가?
② 여행에 관한 실질적인 정보가 바뀌게 된 이유는 무엇인가?
③ 여행에 관한 실질적인 정보가 있는 책을 버린 이유는 무엇인가?
④ 필자가 『고리오 영감』을 읽으면서 유의했던 점은 무엇인가?
⑤ 필자가 여행 관련 책 목록을 작성할 때 최우선의 고려 사항은 무엇인가?

14 다음 중 ㉠과 ㉡이 비유하는 바를 바르게 묶은 것은?

① 여행지 – 잘 알려지지 않은 맛집
② 여행지 – 여행지에 숨겨진 이야기
③ 여행지 – 잘 알려지지 않은 동식물들
④ 여행 책 – 여행지의 교통편
⑤ 여행 책 – 여행지의 인구 및 산업

서술형

15 필자가 [A]의 내용을 구체적으로 보여 주는 의도를 추리하여 〈조건〉에 맞게 한 문장으로 쓰시오.

〈조건〉
• '여행'과 관련된 내용을 서술할 것
• 25자 내외로 쓸 것(띄어쓰기 포함)

[16 – 18] **다음 글을 읽고 물음에 답하시오.**

(가) 자신의 관심사에서 출발하는 목록 작성법이 첫 번째라면, 두 번째 작성법이 있습니다. 책 속의 책을 따라가는 방법입니다. 보르헤스의 『바벨의 도서관』에는 "'도서관'의 모든 사람처럼 나는 젊은 시절 여행을 했다."란 말이 나오는데 그건 에이(A)에서 지시하는 책을 찾아 비(B)로, 비(B)에서 지시하는 책을 찾아 시(C)로 가는 겁니다. 무라카미 하루키의 『1Q84』를 읽은 사람이라면 안톤 체호프의 여행기 『사할린섬』이 읽고 싶어질지도 모릅니다. 밀란 쿤데라의 『참을 수 없는 존재의 가벼움』을 읽은 사람이라면 테레사가 처음 토머스의 집에 나타날 때 옆구리에 끼고 있던 『안나 카레니나』를 읽고 싶어 할 수도 있습니다. 테레사가 『안나 카레니나』를 들고 나타난 건 우연이 아니었으니까요. 저는 이런 책 속 여행을 즐기는 편입니다.

(나) 이를테면 저는 오에 겐자부로의 『개인적인 체험』을 좋아합니다. 주인공 버드의 아내는 아들을 낳습니다. 그런데 이 아이는 두개골 결손으로 뇌 일부가 빠져나온 상태로 태어납니다. 〈중략〉 평생 장애 아이를 돌보게 될지도 모르는 쉽지 않은 상황 앞에서 버드는 고민에 빠집니다. 아들을 죽이긴 쉽고 살리긴 어렵습니다.

(다) 여행을 좋아해서 아프리카 지도를 사고, 아프리카 여행을 꿈꾸었던 젊은 아빠 버드는 절망합니다. 아들이 살아난다면 그의 계획이나 꿈은 물거품이 될 것입니다. 그는 자신의 꿈을 선택합니다. 그리고 대학 시절 여자 친구와 아프리카로 몰래 떠나려 합니다. 하지만 어느 순간 묻습니다. '수치스러운 짓들을 무수히 거듭하여 도망치면서 도대체 무엇을 지키려 했던 것일까? 대체 어떤 나 자신을 지켜내겠다고 시도한 것일까?' 그는 '난 이제 도망치는 건 그만둘래.'라고 생각합니다. 그는 아들을 살리려고 빗속에서 택시를 타고 질주합니다. '만약 내가 사고로 죽어서 아들을 살리지 못한다면 지금까지 내 삶은 말짱 무의미한 것이 될 것이다.'라고 생각하면서요.

(라) 나중에 『오에 겐자부로, 작가 자신을 말하다』를 읽다 보니 그는 어려서부터 『허클베리 핀의 모험』을 좋아했고 실제로 삶에서 선택해야 할 때마다 허클베리 핀의 이 말을 읊조렸다고 합니다. "좋아, 지옥에는 내가 간다." 저는 이 말이 『개인적인 체험』에 나오는 주인공의 선택에도 영향을 미쳤을 거란 느낌이 듭니다. 저는 곧 또다시 『허클베리 핀의 모험』을 들추어 볼 것입니다. "지옥에는 내가 간다."란 말을 찾아서요.

16 이 글의 내용과 일치하지 <u>않는</u> 것은?

① 필자는 책 속의 책을 따라가는 방법을 활용하고 있다.
② 필자는 좋아하는 작가의 책이 지시하는 책을 다시 읽으려 하고 있다.
③ 필자는 책 속에 인용된 문장의 목록을 작성하는 취미를 가지고 있다.
④ 필자의 책 목록 작성법은 『바벨의 도서관』에서 소개된 '여행'과 서로 유사한 점이 있다.
⑤ 필자는 "난 이제 도망치는 건 그만 둘래."와 "지옥에는 내가 간다."라는 말에 담겨 있는 삶의 자세가 유사하다고 생각하고 있다.

고난도

17 (나)~(라)에 나타난 필자의 생각을 〈보기〉와 같이 정리하였다. 글의 맥락에 비추어 볼 때, 적절하지 <u>않은</u> 것은?

〈보기〉
㉠ 필자는 작가 오에 겐자부로의 『개인적인 체험』을 읽고 주인공 버드의 절망적인 상황과 만난다.
㉡ 『개인적인 체험』에서 주인공 버드는 아들을 죽이긴 쉽고 살리긴 어려운 상황에서 자신의 행동을 선택해야 하는 상황에 처한다.
㉢ 『개인적인 체험』의 작가는 주인공 버드의 선택 상황에서 자신이 좋아하는 책 『허클베리 핀의 모험』에 나오는 허클베리 핀의 "좋아, 지옥에는 내가 간다."라는 말을 상기한다.
㉣ 작가는 『개인적인 체험』의 주인공 버드로 하여금 자신의 꿈을 잠시 유보한 채 아들을 살리기로 마음먹도록 함으로써 이야기를 반전시킨다.
㉤ 필자는 『개인적인 체험』의 주인공 버드의 선택에 영향을 미친 『허클베리 핀의 모험』을 읽기로 작정한다.

① ㉠ ② ㉡ ③ ㉢ ④ ㉣ ⑤ ㉤

서술형

18 이 글에 제시된 책 목록 작성법을 효과적으로 이해시키기 위해 어떤 방법을 활용하고 있는지를 〈조건〉에 맞게 한 문장으로 쓰시오.

〈조건〉
• '독서', '사례'를 반드시 포함하여 서술할 것
• 25자 내외로 쓸 것(띄어쓰기 포함)

독서의 생활화

교과서 30쪽

생각 열기 혼자 해도 좋고, 여럿이 같이 해도 좋은 일에는 어떤 것이 있을까?

소설 「제인 오스틴 북클럽」은 「오만과 편견」으로 유명한 영국 소설가 제인 오스틴을 사랑하는 사람들의 이야기를 담고 있다. 영화로도 제작된 이 작품에 등장하는 인물들은 나이 · 취향 등에서 전혀 공통점을 찾아볼 수 없다. 그녀의 작품을 이해해 온 방식도 저마다 다르다. 하지만 독서 모임을 통해 서로 이야기를 나누며 공감도 하고 갈등도 느끼는 가운데, 그들은 작품만이 아니라 자기 자신과 타인에 관해서도 더 깊이 이해하게 된다.

그렇다면 **책을 읽고 그 경험을 공동체와 함께 나누는 방법에는 무엇이 있을까?**

| **예시 답** | 학교 수업, 독서 동아리, 신문 서평란, 방송 매체, 소셜 미디어, 팟캐스트 등에 참여한다.

| **도움말** | 책을 읽은 경험을 공동체와 나누는 일은 학교생활뿐만 아니라 학교 외 활동이나 대중매체를 통해서도 다양하게 이루어진다. 즉, 지역 사회의 독서 모임이나 인터넷 블로그, 소셜 미디어 등의 인터넷 매체, 방송 매체, 신문 기사 등 대중매체를 통해 다양하게 이루어진다. '생각 열기'에서는 작가를 사랑하는 사람들이 모여 작가의 작품에 관한 서로의 생각과 느낌을 교류하는 상황을 제시하였다. 이를 통해 독서가 우리 생활의 일부임을 이해하고, 독서 경험을 확장하는 방법에 관한 질문에 스스로 답해 봄으로써 학습 주제에 관한 흥미를 높이도록 한다.

| 이 단원의 학습 요소 |

학습 목표 독서의 목적이나 글의 가치를 고려하여 좋은 글을 선택하여 읽는다.

독서 계획을 세워서 실천하기	▶	자신에게 맞는 독서 계획을 세워서 스스로 실천해 본다.
독서 활동에 참여하여 서로 소통하기	▶	교내외의 독서 활동에 참여하여 서로 소통해 본다.
독서를 생활화하고 건전한 독서 문화를 형성하려는 태도 갖기	▶	평소 독서를 생활화하고 건전한 독서 문화를 형성하려는 태도를 갖는다.

소단원 바탕학습

원리 이해

1 스스로 하는 평생 독서

독서의 중요성	"사람이 책을 만들고 책이 사람을 만든다."
	⬇
독서 습관의 중요성	① 각 분야의 전문가로 성장하기 위해 ② 교양인으로서 사회를 살아가기 위해 ③ 성인이 된 후 평생 독자로서 독서 습관을 유지하기 위해 청소년기에 바람직한 독서 습관을 길러야 함.
	⬇
독서 계획과 실천 방법	• 장기적인 독서 계획 수립: 일 년 혹은 평생 읽고 싶은 책의 목록 작성 • 독서 계획의 실천: 독서 기록장을 활용하여 독서 이력을 점검하고 확충해 나감으로써 독서 효능감을 높이고, 독자로서의 자기 정체성을 형성함.

• 스스로 하는 평생 독서 활동의 예: 독서 이력 점검하기, 연간 독서 계획 세우기, 독서 일지 작성하기, 서평 쓰기 등

2 더불어 하는 독서 활동

1. 청소년기의 독서 활동이 중요한 이유: 청소년기에 정서의 순화와 건전한 가치관의 내면화가 이루어짐.

2. 더불어 하는 독서 활동

필요성	자신의 문제를 객관화하여 성찰하고, 합리적인 사고 형성의 계기를 마련할 수 있음.
방법	수업 외에 독서 동아리, 독서 모임 등의 자유로운 독서 공동체 활동에 적극적으로 참여하여 다른 사람과 독서 활동 결과를 교류하고 공유함.
가치	• 책 속에 담긴 다양한 삶의 방식과 세계관을 더욱 풍부하게 이해하고 수용할 수 있음. • 독서의 본질에 더 깊이 다가설 수 있음. 개인적(미시적): 개인의 성장에 도움이 됨. 공동체적(거시적): 사회의 통합과 문명 및 문화의 전승과 발전 도모
의의	공동체 공동의 관심사 및 상황에 맞는 글을 함께 읽음으로써 사회 구성원이 통합되고 정서적 유대감을 형성할 수 있음.

3. 오늘날의 독서 환경
- 정보화 시대를 맞이하여 인터넷을 비롯한 각종 매체의 도움으로 시·공간적 한계를 벗어나 책에 관한 정보에 접근하기 쉬워짐.
- 인터넷, 소셜 미디어, 팟캐스트 등의 발전으로 시·공간적 한계를 벗어나 책에 관한 정보에 접근이 용이해졌음.
- 다양한 독서 공동체 형성을 통한 독서 경험의 공유 기회가 확대되었음.

| 원리 확인 문제 |

1. '스스로 하는 평생 독서'에 대한 설명으로 적절하지 않은 것은?

① 교양인으로서 사회를 살아가기 위해서는 다양한 분야의 책을 읽어야 한다.
② 개인이 스스로 독서 목적을 고려한 독서 계획을 세워 책 읽기를 실천하는 활동이다.
③ 어떤 분야의 전문가로 성장하기 위해서는 관심 분야의 책을 꾸준히 찾아가며 읽어야 한다.
④ 평생에 걸친 독서 계획은 사실상 어려우므로 일 년 단위로 독서 계획을 세우는 것이 좋다.
⑤ 평생 독자로서 독서 습관을 유지하기 위해서는 청소년기에 바람직한 독서 습관을 길러야 한다.

2. '더불어 하는 독서 활동'과 거리가 먼 것은?

① 학교 독서 동아리 활동
② 유명 저자의 책 읽기 활동
③ 인터넷 블로그의 댓글 활동
④ 이웃과 함께 하는 독서 활동
⑤ SNS에서 독후감을 공유하는 활동

3. 다음 글을 읽고 물음에 답하시오.

> 오늘날은 인터넷을 비롯한 각종 매체의 도움으로 ㉠책에 관한 정보에 접근하기가 쉬워졌다. 또 ㉡각종 소셜 미디어나 팟캐스트 등의 발전으로 다양한 독서 공동체가 많이 생겨나게 되었다.

(1) ㉠은 매체의 어떤 특성에 기인하는지 쓰시오.
(2) ㉡으로 인해 독자가 누릴 수 있는 효용은 무엇일지 쓰시오.

정답 1. ④ 2. ② 3. (1) 책에 관한 정보에 접근하기 위한 시·공간적 한계를 벗어나게 해 준다. (2) 독서 경험을 공유할 수 있는 기회가 확대되고 있다.

제재 미리보기

스스로 하는 평생 독서

1 스스로 하는 평생 독서 활동

독서 이력 점검하기	자신의 독서 이력을 점검해 본다.
⬇	
독서 이력 성찰하기	자신의 독서 이력에서 부족한 점은 없는지 성찰해 본다.
⬇	
연간 독서 계획 세우기	독서 이력의 점검과 성찰 활동을 바탕으로 연간 독서 계획을 세워 본다.
⬇	
연간 독서 계획 점검하기	친구와 연간 독서 계획의 구성 의도를 이야기해 보고, 독서 계획을 점검해 본다.
⬇	
연간 독서 계획의 수정 및 완성하기	독서 계획의 점검 활동을 바탕으로 독서 계획을 수정하고 연간 독서 계획을 완성해 본다.
⬇	
독서의 실천과 독서 일지 작성하기	독서 계획 활동을 통해 선정한 책 중에서 한 권을 선택하여 읽고 독서 일지를 작성해 본다.
⬇	
서평 쓰기	독서 일지를 바탕으로 자신이 읽은 책에 대한 서평을 써 본다.
⬇	
친구들과 공유하기	서평을 활용하여 자신이 읽은 책을 친구들에게 소개해 본다.

2 활동 제재 정리

• 프랜시스 베이컨, 「학문에 대하여」

이 글은 '학문'을 제재로 '학문의 효용'에 관해 쓴 중수필이다. 이 글에서 필자는 학문은 '독서'와 서로 바꾸어 써도 무방하다며 학문(독서)의 효용을 기쁨, 장식, 능력 연마라는 세 가지로 제시하고 있다. 그러나 책만 읽으면 태만과 허영에 빠질 수 있다는 경고도 빠뜨리지 않고 있다. 또 학문(독서)은 천성을 완성하고 경험에 의해 완성된다고 하였다. 이어 학문(독서)의 방법으로 맛을 음미하는 독서, 송두리째 이해해야 할 독서, 잘 씹어 소화해야 할 독서로 나누어 설명하고 있다.

더불어 하는 독서 활동

1 더불어 하는 독서 활동

• 학급의 모둠별 독서 모임 활동(사례)

독서 일지를 참고하여 항목에 따라 자기 의견을 정리해 본다.

⬇

모둠원들과 이야기를 나누면서 서로의 의견을 비교해 본다.

⬇

모둠별 토의 내용을 바탕으로 학급의 토론 주제를 선정한다.

⬇

학급의 토론 주제에 따라 토론 개요서를 작성하여 토론해 본다.

⬇

토론 내용과 각자의 감상을 바탕으로 모둠별로 감상문 쓰기 활동을 해 본다.

• 한 도시 한 책 읽기

– '한 도시 한 책 읽기'란: 지역 사회에서 일정 기간 동안 한 권의 책을 선정하여 토론과 다양한 문화 행사를 펼치는 독서 운동을 말함.

– 효과: ① 자신의 주변에 사는 이웃들과 정을 나눌 수 있음.

② 연령대가 다른 사람들이 어울리게 되어 세대 간의 생각을 읽을 수 있음.

③ 독서 모임 활동 외에 이웃들에게 도울 일이 생기면 서로 협력할 수 있음.

2 활동 제재 정리

• 박록삼, 「20~30년 전 소설을 읽으며 격정 다시 느껴……」 (『서울신문』, 2010. 6. 12)

이 글은 이호철 작가가 주관하는 '소설 독회'를 취재한 후 작성한 신문 기사로, 더불어 하는 독서 활동의 사례를 잘 보여 주고 있다. 이 모임에 참석한 사람들은 소설가, 시인은 물론이고, 직장인, 주부, 학생 등 다양하며, 독회에서의 토론 모습은 매우 진지하다. 이 활동을 통해 작가는 자신조차 인식하지 못했던 새로운 깨달음을 얻기도 하였다. 이 활동을 취재하면서 기자는 평소 편안하게 술술 읽히는 문장이 얼마나 고통스럽고 치열한 사유의 결과물인지를 알 수 있었다고 말한다.

활동 1 스스로 하는 평생 독서

교과서 32~37쪽

평생 독서의 필요성과 유의점 이해하기

1. 다음 글을 읽고 아래 활동을 해 보자.

활동 도움말

이 글에 나오는 '학문'을 '독서'로 바꾸어 읽어도 무방하다.

제재 연구

프랜시스 베이컨, 「학문에 대하여」

갈래	수필(중수필)
성격	비유적, 설득적
제재	학문
주제	학문의 효용
특징	책을 읽는 방법을 비유적 표현을 사용하여 이해시킴.

학문은 기쁨, 장식, 능력의 연마를 위해 도움이 된다. 학문의 기쁨으로서의 주된 효용은 혼자 한가하게 있을 때 나타난다. 또한, 장식으로서의 그것은 담화를 나눌 때, 능력 연마로서의 그것은 일에 관한 판단과 처리에서 나타난다. 숙련된 사람은 일을 하나씩 처리하고, 또 아마도 개개의 점에 관해서는 판단을 내릴 수가 있을 것이다. 그러나 전체에 걸친 숙려(熟慮), 일의 계획이나 통제에 이르러서는 학문이 있는 사람에게서 나온 것이 가장 앞선다.

학문을 하여 얻는 효용을 세 가지로 제시함.

효용: 보람 있게 쓰거나 쓰임. 또는 그런 보람이나 쓸모

숙려: 곰곰이 생각하거나 궁리함. 또는 그런 생각이나 궁리

➜ 학문의 효용

학문에 지나치게 많은 시간을 소비하는 것은 태만이다. 그것을 장식에 지나치게 많이 사용하는 것은 허영이다. 무엇이든 하나에서 열까지 학문의 법칙으로 판단하는 것은 학자의 기질이다. 학문은 천성을 완성하고 경험에 의해 완성된다. 즉 천성의 능력은 자연 속의 식물과 같은 것으로서 학문에 의한 가지치기가 필요하다. 〈중략〉

태만: 열심히 하려는 마음이 없고 게으름

학문을 함에 있어서 부정적인 측면을 드러냄.

➜ 학문할 때의 유의점

어떤 책은 그 맛을 음미하고 어떤 책은 송두리째 이해해야 하며, 어떤 책은 잘 씹어 소화해야 한다. 이 말은 어떤 책은 그 일부분만 읽어도 되고 어떤 책은 통독은 하지만 자세히 음미할 필요는 없으며, 또한 소수지만 어떤 책은 주의력을 집중하여 구석구석 읽어야 한다는 뜻이다. 어떤 책은 다른 사람을 시켜서 읽어 달래도 좋고 타인에 의해 발췌된 내용만을 읽어도 좋다. 그러나 그것은 단지 중요하지 않은 내용이나 고상하지 않은 책의 경우에 한한다. 그렇지 않으면 개요만을 뽑은 책은 보통의 증류한 물과 같은 것으로서, 아무런 맛도 없는 법이다.

어떤 책이느냐에 따라 책을 읽는 방법이 달라짐을 알 수 있음.

개요만을 뽑은 책을 비유한 것으로, 물의 고유한 맛을 잃어버린 것처럼 책이 지닌 고유한 맛을 잃어버린 것을 가리킴. 개요만을 뽑은 책에 대한 필자의 부정적 인식이 담김.

➜ 책의 종류에 따른 독서법

– 프랜시스 베이컨, 「학문에 대하여」에서

(1) 평생 책을 읽어야 할 이유와 책만 읽어서는 안 되는 이유를 말해 보자.

| 예시 답 |
- 평생 책을 읽어야 할 이유: 책을 읽으면 기쁨과 장식, 그리고 독자 자신의 능력 연마에 도움이 되기 때문임.
- 책만 읽어서는 안 되는 이유: 책만 읽으면 태만과 허영에 빠질 수 있고, 모든 일을 책에 나온 것으로만 판단하는 잘못을 범할 수 있기 때문에

활동 도움말

답하기 어렵다면 '일부분만 읽어도 되는 책, 처음부터 끝까지 통독하면 되는 책, 주의 집중하여 구석구석 읽어야 하는 책'으로 나누어 생각해 본다.

(2) 지금까지 읽은 책 혹은 앞으로 읽고 싶은 책 가운데 '맛을 음미해야 할 책', '송두리째 이해해야 할 책', '잘 씹어 소화해야 할 책'에는 어떤 것들이 있는지 대표적인 예를 들어 보자.

| 예시 답 |
- 맛을 음미해야 할 책: 일연의 『삼국유사』처럼 부분부분을 골라 읽을 수 있는 책
- 송두리째 이해해야 할 책: 염상섭의 『삼대』와 같은 소설류의 책들
- 잘 씹어 소화해야 할 책: 공자의 『논어』처럼 인물의 사상을 다룬 책

(3) 오늘날 우리 주변에서는 명작의 발췌물을 많이 볼 수 있다. 이런 발췌물의 이로운 점과 폐해에 관해 말해 보자.

| 예시 답 |
- 이로운 점: 책의 중요 내용만을 집중적으로 볼 수 있어서 책 읽는 시간을 아낄 수 있다. 자신이 필요로 하는 중요 내용을 쉽게 찾을 수 있다 등
- 폐해: 책의 전체 내용을 제대로 이해할 수 없다. 책의 일부만 발췌해서 읽는 것이 필요할 경우도 있지만, 발췌해서 읽은 것으로 책 한 권을 다 읽었다고 생각해서 이것을 습관화하면 깊이 있는 독서를 하기가 어려워진다 등

독서 이력 점검하기

2. 독서 계획을 세우기 전에 먼저 자신의 독서 이력을 점검해 보자.

활동 도움말

평생 독서 계획을 세우기 위해 먼저 해야 할 일은 지금까지의 삶을 돌아보는 것이다.

(1) 다음 표에 따라서 자신의 독서 이력을 정리해 보자. | 예시 답 |

번호	책 제목	필자	출판사	분량	분야			읽은 시기
					인문·예술	사회·문화	과학·기술	
1	김소월 시집	김소월	범우사		○			중 3
2	죄와 벌	도스토옙스키	혜원출판사		○			고 1
3	고려왕조실록	박영규	들녘			○		고 1
4	재미있는 수학 이야기	다무라 사부로오	예문당				○	중 2
5	미술관 밖에서 만나는 미술 이야기	강홍구	내일을 여는 책		○			고 1
6	나의 문화 유산 답사기	유홍준	창작과 비평사			○		고 1
7	백범 일지	김구	돌베개		○			중 3
8	데미안	헤르만 헤세	혜원출판사		○			중 2
⋮								

(2) 자신의 독서 이력에서 부족한 점은 없는지 성찰해 보자. | 예시 답 |

| 도움말 | '독서 이력의 성찰'은 독서를 하는 데 부족한 점을 보완하여 다양한 독서를 하게 하는 데 목적이 있으므로 솔직하게 작성해야 한다. 특히 다양한 분야의 독서나 시대별, 지역별 독서의 경우 다양한 분야, 다양한 시대나 지역의 독서가 독서 편식을 막아 주고, 삶의 경험을 보다 확충시킬 수 있다.

항목	그렇다	아니다
• 독서 목적을 고려하여 알맞은 책을 선택하였는가?	☑	☐
• 읽을 만한 가치가 있는 좋은 책을 선택하였는가?	☑	☐
• 자신의 관심과 수준에 적절한 책을 선택하였는가?	☑	☐
• 다양한 분야의 책을 적절히 선택하였는가?	☐	☑
• 시대별 안배가 적절히 이루어졌는가?	☐	☑
• 지역적, 문화적 배경이 어느 한쪽에 편중되지 않게 선택하였는가?	☐	☑

보충 자료 독서 교육 종합 지원 시스템을 활용한 독서 이력 점검

독서 교육 종합 지원 시스템은 초·중·고등학생들이 자유롭게 책을 읽고 컴퓨터상에서 다양한 독후 활동을 할 수 있도록 구성된 온라인 독서 지원 포털 시스템이다.

교육부가 개발·보급했고, 17개 시도 교육청에서 운영하고 있다. 자신이 속한 시도 교육청을 확인하여, 해당 지역에서 운영하는 사이트에 회원 가입 후 사용할 수 있다. 독서 교육 종합 지원 시스템을 활용한 독후 활동은 학생들 자신의 독서량과 독서 경향을 확인하는 데 도움을 줄 수 있다.

연간 독서 계획 세우기

3. 독서 이력 점검을 바탕으로 연간 독서 계획을 세워 보자.

활동 도움말

28쪽에서 선택한 책들과 168~170쪽의 추천 도서 목록을 참고하여 독서 계획을 작성한다.

(1) 다음 표에 따라 올 한 해 실천 가능한 독서 계획을 작성해 보자. | 예시 답 |

번호	책 제목	필자	출판사	분량	분야			읽을 시기
					인문·예술	사회·문화	과학·기술	
1	정의란 무엇인가	마이클 샌델	와이즈베리			○		3월
2	임꺽정	홍명희	사계절 출판사		○			여름 방학
3	하늘과 바람과 별과 시	윤동주	정음사		○			4월
4	미술관에 간 인문학자	안현배	어바웃어북		○			5월
5	음식 문화의 수수께끼	마빈 해리스	한길사			○		6월
6	꿈의 해석	프로이트	돋을새김		○			9월
7	미디어의 이해	마셜 맥루한	민음사			○		10월
8	엔트로피	제레미 리프킨	세종 연구원				○	11월
⋮								

| 도움말 | 독서 계획의 구성을 친구들과 이야기할 때, 자신이 독서 계획을 짠 이유를 분명히 말해 본다. 그런 다음 계획 의도에 따라 독서 계획을 면밀히 살펴본 다음, 잘 되지 않은 점에 대해 의견을 나누어 독서 계획을 수정한다. 독서 계획을 수정한 이후 친구와 다시 한 번 점검하는 것이 도움될 수 있으므로, 다시 점검하기 활동을 해 본다.

(2) 친구와 함께 연간 독서 계획의 구성 의도를 서로 이야기해 보고, 다음에 따라 독서 계획을 점검해 보자. | 예시 답 |

항목	나	친구
• 독서 이력 점검을 통해 드러난 부족한 점이 보완될 수 있는가?	△	×
• 독서 계획의 구성 의도가 잘 반영되어 있는가?	△	△
• 한 해 읽을 만한 분량으로 적절하게 구성되어 있는가?	○	○
• 독서 시기가 실천 가능하게 잘 안배되어 있는가?	○	○

(그렇다: ○, 보통이다: △, 아니다: ×)

(3) (2)의 점검을 바탕으로 (1)의 활동을 수정하여 연간 독서 계획을 완성해 보자.

| 예시 답 | 생략

독서 일지 작성하기

| 도움말 | 독서 일지 작성에서 주어진 예시는 독서 일지를 쓰는 데 기본적으로 요구되는 것들이므로 가급적 주어진 작성 양식에 따라 작성한다. 한편 독서 일지 작성은 그날그날 책을 읽은 분량에 따라 작성할 수 있고(간단한 분량의 경우 전체를 대상으로 할 수도 있음.), 한 권의 책을 읽은 다음에 작성할 수도 있다.

4. 선정한 책 중에서 한 권을 선택하여 읽고, 다음 표에 따라 독서 일지를 작성해 보자.

독서 일지 예시

책 읽기 35분 독서 일지 쓰기 15분

책 제목		읽은 날짜	
필자		읽은 쪽	
중심 내용	√ 책을 읽으며 책에 큰따옴표(" ")로 표시해 둔다. | 예시 답	"등불을 밝혀 어둠을 조금 내몰고 시대(時代)처럼 올 아침을 기다리는 최후(最後)의 나" – 윤동주의 「쉽게 씌어진 시」에서 | 도움말	설명적이나 논설적인 글의 경우, 중심 내용을 찾아 표시할 수 있다. 그런데 소설이나 시 같은 문학 작품의 경우 중심 내용을 정리하기에는 애매하므로 소설에서는 중심 사건을 요약하여 정리하거나 시에서는 중심 내용을 드러내 주는 구절에 표시한다.		
인상에 남는 부분과 그 까닭	√ 책을 읽으며 책에 느낌표(!)로 표시해 둔다. | 예시 답	유홍준의 『나의 문화 유산 답사기』에 나오는 "우리나라는 전국토가 박물관이다!", "사랑하면 알게 되고 알면 보이나니 그때에 보이는 것은 전과 같지 않으리라!" | 도움말	책을 읽는 과정에서 평소에 생각하지 않았던 부분을 강렬히 자극하게 해 주는 가장 기억에 남는 부분을 찾아 표시한다. 이러한 표시는 읽은 책에 대한 기억을 오래도록 할 수 있게 해 준다는 점에서 가치 있는 활동이라 할 수 있다.		
궁금하거나 이해가 안 되는 점	√ 책을 읽으며 책에 물음표(?)로 표시해 둔다. | 예시 답	생략 | 도움말	책을 읽을 때 궁금하거나 이해가 되지 않는 점을 그냥 지나치게 되면 자칫 책의 내용을 온전히 이해하지 못할 수 있다. 따라서 책을 읽을 때 궁금하거나 이해가 되지 않는 부분이 있으면 반드시 표시해 둔다. 이때 책을 읽는 매 순간마다 해결하게 되면 책 읽기에 지장을 줄 수 있으므로, 매 장이 끝나게 되면 그때 이해에 필요한 활동을 하는 것이 좋다.		
새로 알게 된 점이나 새로 품게 된 생각	√ 책의 여백, 붙임 쪽지 등을 이용하여 생각이 났을 때 적어 둔다. | 예시 답	생략 | 도움말	이 활동은 독서가 필자의 생각을 수동적으로 받아들이는 활동이 아닌 능동적 독서 활동을 보여 주는 것이라 할 수 있다. 이러한 능동적인 독서는 책의 내용을 이해하는 데 도움이 되게 할 뿐만 아니라 사고의 확장에도 도움이 되는 만큼 적극 활용한다. 특히 필자의 생각에 대한 비판적인 사고는 올바른 독서를 함양하는 데 있어서도 도움이 되므로 적극 활용한다.		

(읽은 부분에서 중요한 내용을 요약해서 쓰세요.)

(책의 원문을 그대로 쓰거나, 분량이 긴 경우는 요약해서 쓰세요.)

(질문 형태로 써 놓고, 이후 더 생각해 보거나 다른 자료를 찾아보세요.)

(새로 알게 된 내용이나 깨달은 점, 느낀 점 등을 쓰세요.)

서평 쓰기

5. 읽은 책에 관한 서평을 써서 친구들에게 소개해 보자.

활동 도움말

서평이란 책의 내용을 평한 글을 이른다. 서평 쓰기는 자신이 읽은 책의 의미와 가치를 주체적으로 판단할 수 있게 한다.

(1) 독서 일지를 바탕으로, 다음 조건에 따라 서평을 써 보자.

조건

- 전체 글을 3~5문단으로 구성하되, '머리말-본문-맺음말'의 세 부분으로 나누어 쓴다.
- 머리말은 책을 선정한 이유, 책에 대한 첫인상 등을 중심으로 쓴다.
- 본문은 책에서 인상 깊게 읽었던 부분, 책을 통해 새로 알게 된 것, 책을 읽으며 깨달은 점 등을 중심으로 쓴다.
- 맺음말은 책의 가치, 중요성, 읽어야 할 이유 등을 중심으로 쓴다.

| 도움말 | 서평 쓰기를 할 때 독서 일지가 바탕이 된다. 이 활동에서 주어진 '조건'은 일반적인 서평 쓰기에 해당하는 기준이므로 가급적 이를 기준으로 쓰도록 한다.

| 예시 답 | 얼마 전 우연히 텔레비전에서 영화 「동주」를 보았다. 시인 윤동주의 삶을 영화화한 것으로, 영화 중간중간에 삽입된 윤동주의 시가 매우 인상 깊었다. 시에 대해 별로 알지 못하지만 윤동주의 시가 어떠한지 그의 시(詩)를 읽어 보고 싶었다. 어머니의 추천으로 시집 『하늘과 바람과 별과 시』를 사서 책장을 넘겨 보니 윤동주의 초상화가 실려 있었다. 교복을 입은 윤동주의 모습을 보면서 영화 속 윤동주의 모습이 다시금 떠올랐다.

『하늘과 바람과 별과 시』에는 윤동주가 남긴 주옥 같은 시들이 실려 있었다. 그 시들은 영화에서처럼 일제 강점기를 살아가는 윤동주의 내적 고민이 고스란히 담겨 있었다. 특히 「쉽게 씌어진 시」의 '인생은 살기 어렵다는데 / 시(詩)가 이렇게 쉽게 씌어지는 것은 / 부끄러운 일이다.'에는 조국을 잃은 청년으로서 시를 쓰고 살아가는 것에 대한 고민이 잘 묻어나 있었다.

하지만 윤동주는 이러한 치열한 자기 고민에 빠졌던 것만은 아니었다. 그의 시 전반에 드러나듯이 윤동주는 자기의 길을 가려는 의지를 보이고 있다. 「서시」의 '그리고 나한테 주어진 길을 / 걸어가야겠다.'는 윤동주의 이러한 의지를 잘 보여 주는 것이라 할 수 있다.

『하늘과 바람과 별과 시』를 읽으면서 왜 윤동주라는 인물이 오늘날 존경을 받아 영화로도 제작되었는지 알 수 있었다. 윤동주는 일제 강점기라는 억압된 현실 속에서도 치열한 자기 고민을 통해 부정적 현실을 극복하려는 의지를 보였고, 이러한 자기 고민은 윤동주로 하여금 일제에 꺾이지 않는 불굴의 정신을 가지게 한 것이라는 생각이 들었다. 자기 고민은 누구나 할 수 있지만 자기 고민에 빠지지 않고 이를 극복하려는 의지는 누구나 할 수 없다. 윤동주의 시는 고민만 하고 고민을 해결하지 않는 나에게 고민을 극복하려는 힘을 주고 있었다.

『하늘과 바람과 별과 시』는 윤동주라는 한 인물의 내면 세계를 보여 주는 한편 이를 극복하려는 의지를 보여 준다는 점에서 의의가 있다. 이러한 윤동주의 삶은 쉽게 좌절하고 포기하곤 하는 오늘날 우리에게 시사하는 바가 크다고 할 수 있다.

(2) 서평을 활용하여 내가 읽은 책을 친구들에게 소개해 보자.

| 예시 답 | 생략

평생 독서를 위한 태도 형성하기

6. ㉮를 바탕으로 ㉯의 광고가 의미하는 바를 생각해 본 다음, 평생 독서의 필요성과 가치에 관해 주장하는 글을 써 보자.

활동 도움말

글을 쓸 때, 다음 문구를 활용할 수 있다.

- 당신이 읽은 책이 곧 당신 자신이다.
- 당신이 어떤 책을 읽었는지 알려 주면, 나는 당신이 어떤 사람인지 말해 줄 수 있다.

㉮ 개인의 독서 역사를 더듬어 보면, 그의 사람됨을 알 수 있다. 한 사람의 인격과 인생을 형성하는 데 책은 커다란 영향을 끼치기 때문이다. 이처럼 독서는 평생의 과업(課業)인 까닭에, 독서 계획을 세워서 자신에게 알맞은 책을 잘 선택하여 읽은 사람은 인생을 가치 있게 산 사람이라고 할 수 있다. 그런 점에서 평생에 걸쳐 가치 있는 책들이 가득 쌓여 가는 책장과 독서 이력은 성공과 행복의 상징이라 해도 지나치지 않다.

과업: 꼭 하여야 할 일이나 임무

㉯

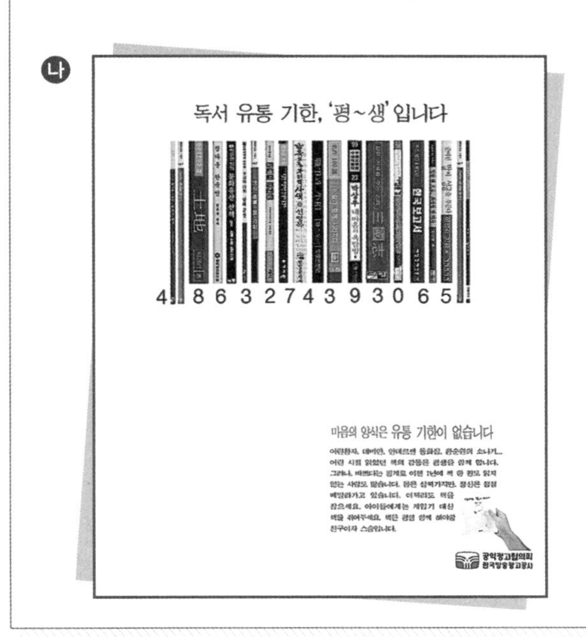

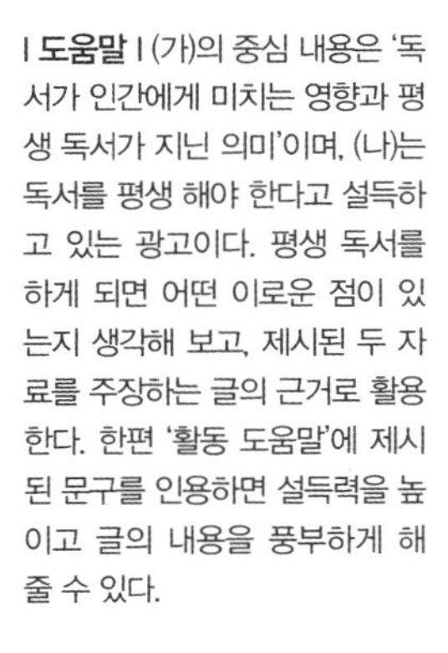

I 도움말 I (가)의 중심 내용은 '독서가 인간에게 미치는 영향과 평생 독서가 지닌 의미'이며, (나)는 독서를 평생 해야 한다고 설득하고 있는 광고이다. 평생 독서를 하게 되면 어떤 이로운 점이 있는지 생각해 보고, 제시된 두 자료를 주장하는 글의 근거로 활용한다. 한편 '활동 도움말'에 제시된 문구를 인용하면 설득력을 높이고 글의 내용을 풍부하게 해 줄 수 있다.

평생 독서의 필요성과 가치

I 예시 답 I '당신이 읽은 책이 곧 당신 자신이다.'라는 말이 있다. 이 말은 당신이 얼마나 독서를 하였는지를 보면, 당신의 인격과 인생이 어떠한지 알 수 있다는 말이다. 이 말을 통해 알 수 있듯이 독서는 우리 삶에서 매우 중요한 것이라 할 수 있다.

그런데 사람들 중에는 독서의 필요성을 이해하면서도 자기 필요에 의한 독서만을 하는 경우가 많다. 이러한 독서는 순간적인 문제 해결에 도움이 될 뿐 인생을 보다 풍요롭게 해 주지는 못한다.

독서를 함으로써 가치 있는 삶에 대한 지침을 얻을 수 있고, 독서를 통해 인생에서의 성공과 행복이라는 열매를 수확할 수도 있다. 이렇게 본다면 독서는 순간적인 필요에 의해 하는 것이 아닌 매일매일 멈추지 않고 꾸준히 '평생' 해야 하는 '과업'이라 할 수 있다.

평생 독서는 누구나 실천하기 어려운 일인 것은 분명하다. 하지만 청소년기에 좋은 독서 습관을 길러 둔다면 마냥 어려운 일인 것만은 아니다. 따라서 지금부터라도 평생 독서를 하기 위한 계획을 수립해서 실천해야 한다. 당신의 인생이 누구보다 화려하고 행복하길 원한다면 평생 독서를 하기 위해 노력해야 한다.

활동 2 더불어 하는 독서 활동

교과서 38~43쪽

더불어 하는 독서의 필요성 이해하기

1. 다음 글을 읽고 아래 활동을 해 보자.

제재 연구	
박록삼, 「20~30년 전 소설을 읽으며 격정 다시 느껴……」	
갈래	기사문
성격	사실적, 객관적
제재	독서 모임
주제	이호철 작가가 주관하는 소설 독회의 활동과 의의
특징	소설 독회의 분위기를 비유적 표현을 활용하여 드러냄.

뙤약볕이 들면 느티나무 숲의 큼직한 그늘 밑으로 들어갔다. 숭덩숭덩 썰어 놓은 수박은 달았다. 마을 주민들은 한창 가을걷이 중이건만 경운기 소리조차 애써 아껴 주었다. 소슬한 바람 불어오면 옹기종기 붙어 앉았다. 빗줄기 쏟아지는 날에는 누옥(陋屋) 지붕 아래에서 빗소리와 함께했다. 별이 총총한 여름밤이면 띄엄띄엄 모깃불을 피웠다. 동네 누렁이, 흰둥이들은 마침 숨을 죽였다.
소설 독회의 진지한 분위기를 비유적 표현을 통해 전달하고 있음.
➜ 소설 독회의 분위기

2006년 9월부터 2008년 9월까지 매달 사람들이 함께 모여 소설을 읽고 이야기하며, 문학과 인간 존재의 비의(秘意)에 관해 열띤 토론을 벌이곤 했던 경기 고양시 선유리 154의 2번지, 소설가 이호철의 집필실 안팎 풍경이다. 이들은 이곳을 '소설의 느티나무 숲'이라고 불렀다. 일생에 걸쳐 분단 문제를 천착(穿鑿)한 작가로, 한국 문학사에 굵은 획을 새긴 이호철은 이곳 선유리에서 2년 동안 소설 독회(讀會)를 열었다.
앞의 '뙤약볕이~숨을 죽였다.'의 공간에 해당. 소설 독회가 작가 이호철의 집필실에서 이루어짐을 알 수 있음.
➜ 선유리에서 2년간 열린 소설 독회
작가와 일반인이 함께 하는 독서 토론회임을 알 수 있음.

신선이 놀았다고 선유리(仙遊里)였으리라. 신선은 간 데가 없지만 흰 머리, 흰 수염 노(老) 작가의 문학을 아끼는 이들이 한자리에 모여 매달 그의 작품 하나씩을 골라 함께 읽고 토론했다. 개중에는 직업으로 소설, 혹은 시를 쓰는 이도 있었고, 평범한 직장인, 주부, 학생도 있었다. 또한, 그의 작품에 지대한 관심을 보내는 외국인이 일부러 먼 길을 찾아오기도 했다. 날이 궂으면 열댓 명 남짓만 모이기도 했고, 우연히 서로 마음이 맞은 날에는 70~80명을 훌쩍 넘기도 했다.
소설 독회를 통해 작가도 새로운 깨달음을 얻음.
소설 독회에 참여하는 사람들이 다양함을 알 수 있음.
➜ 소설 독회의 활동과 구성원

'소설 독회'는 낯설다. 보편화가 된 시 낭송회와는 달리 소설을 읽고 얘기 나누는 형식은 국내에서 그때까지 거의 없었던 탓이다. 독회에서는 등단작 「탈향」을 비롯해 장편 연작 소설 「남녘 사람 북녘 사람」, 「오돌 할멈」, 「닳아지는 살들」, 「나상」, 「소시민」 등 작품 하나하나, 문장 구절구절마다 현미경과 망원경을 동시에 들이댔다. 그가 사람들 앞에 낱낱이 발가벗겨지는 셈이다.
➜ 소설 독회의 활동 내용
이호철이 쓴 작품들이 평가의 대상임을 비유적으로 표현해 줌.

그래서 그는 때로는 자신의 의도와 다른 작품 해석에 강하게 반박하기도 하고, 때로는 자신조차 인식하지 못한 접근에 무릎 치며 동의를 보내기도 한다. 편안하게 술술 읽히는 문장이 얼마나 고통스럽고 치열한 사유의 결과물이었는지 짐작하게 한다.
소설 독회를 통해 작가도 새로운 깨달음을 얻음.
➜ 소설 독회로 깨닫게 된 점
소설 독회를 통해 소설 쓰기의 어려움이 선명하게 드러남.

–『서울신문』, 2010. 6. 12.

비의: 쉽게 드러나지 않는 은밀한 뜻.

천착: 어떤 원인이나 내용 따위를 따지고 파고들어 알려고 하거나 연구함.

독회: 책이나 글을 여럿이 모여 함께 읽는 모임.

(1) 혼자 하는 독서와 여럿이 함께 하는 독서에는 어떤 차이가 있을지 말해 보자.

혼자 하는 독서 | 예시 답 | 시간을 가지고 작품을 천천히 음미할 수 있다. 자기 나름의 해석만 할 수 있어 다양한 생각을 하는 데 한계가 있다.

여럿이 함께 하는 독서 | 예시 답 | 다른 사람들의 다양한 의견을 들을 수 있어서 사고를 넓힐 수 있다. 의견이 동일하지 않을 경우 논쟁이 벌어질 수 있다.

(2) 이 글처럼 필자와의 대화에 참여한다면 어떤 필자와 어떤 대화를 하고 싶은지 이유와 함께 말해 보자.

| 예시 답 | 『태백산맥』의 작가 조정래와 대화하고 싶다. 조정래 작가는 대하소설을 많이 쓰는데, 대하소설을 쓰는 데 필요한 방대한 자료를 어떻게 수집하고 작품에 어떻게 활용하는지를 묻고 싶다.

더불어 하는 독서 활동의 매체 이해하기 모둠 활동

2. 오늘날에는 매체의 발달에 따라 독서 공동체에 접근할 수 있는 길이 다양하다. 모둠별로 매체를 선택하여 각 매체에 따른 독서 활동의 특성과 우수 사례를 소개해 보자.

활동 도움말

매체의 종류와 특성을 조사한 후, 그 매체에 따른 독서 활동의 특성을 확인해 본다.

(1) 방송 매체

(2) 신문 서평란

'달곰쌉쌀 성장기' 세대 넘어 공감

베스트셀러 읽기 /

〈완득이〉

김려령 지음 / ○○ / 9500원(양장)·8500원(반양장)

지난해 제1회 ○○ 청소년문학상을 받은 소설 〈완득이〉가 출간된 지 석 달 만에 10만부를 돌파했다. 〈해리 포터〉나 〈리버보이〉 이후 이렇다 할 베스트셀러가 없었던 청소년 문학 시장에 활력을 불어넣고 있다.

"왜 숨어야 하는지 잘 모르겠고, 사실은 너무 오래 숨어 있어서 두렵기 시작했는데, 그저 숨는 것밖에 몰라 계속 숨어 있었다. 그런 나를 똥주가 찾아냈다."(233쪽)

(3) 인터넷 블로그

전체보기

조선 독서꾼들의 독서 예찬 [독서법][글책쓰기] 2013-07-03 17:53

[도서]오직 독서뿐

정민 저

○○사 | 2013년 06월

내용★★★★★ 편집/구성★★★★★ 구매하기

책을 즐기는 내가 독서를 권하는 인문서를 굳이 읽는 이유가 있다.
'내가 제법 잘 살고 있구나' 확인하고 싶은 것이고, '아~이런 것이 있구나' 라며 더 배우고 싶은 것이다.

허균, 이익, 양응수, 안정복, 홍대용, 박지원, 이덕무, 홍석주, 홍길주 등 독서를 논하는 조선 최고 지식인의 면면이 놀랍다 못해 눈부시다. 지식인 9명은 어떻게 살아 숨 쉬는 독서를 통해 책의 핵심을 꿰뚫고 자신만의 독창적인 견해를 정립했는지 마흔 권이 넘는 책을 쓴 인문학자 정민 교수의 글을 빌어 태어났다.
저자는 입으로만 흉내 내는 앵무새 공부, 읽는 시늉만 하는 원숭이 독서를 뛰어넘어 삶을 바꾸는 핵심 독서 전략을 알려준다. 글의 깊이로는 하루에 한 쪽만 읽어야 하는데, 눈과 손은 자꾸만 책장을 넘기게 해 마지막 장까지 독서론의 포식을 할 것이다.

(4) 팟캐스트

보충 자료 각종 매체에 따른 독서 활동의 특성

매체	독서 활동의 특성
방송 매체	특정 인물들이 자신이 읽은 책을 소개하는 사례가 많다. 따라서 유명 작품에 대한 개괄적 이해가 가능하고, 책에 대한 사람들의 생각을 알 수 있다.
신문 서평란	특정 작품에 대한 전문가의 서평이 실린 사례가 많다. 따라서 책에 대한 전문가의 평가를 알 수 있고, 작품을 이해하는 안목을 기를 수 있다.
인터넷 블로그	쌍방향 의사소통이 가능하여 운영자뿐만 아니라 다른 누리꾼들과 댓글을 통해 다양한 의견 교환이 가능하다. 또한 블로그 활동에 직접 참여하여 자신의 의견을 원활하게 개진할 수 있다.
팟캐스트	작가와 직접 소통할 수 있어 작품에 대한 작가의 생각이나 작품에 대한 궁금증을 파악하기 쉽다.

독서 활동에 참여하여 소통하기 · 모둠 활동

3. 학급 전체가 한 권의 책을 읽은 후, 아래 활동을 해 보자.

활동 도움말

옳고 그름을 따지기보다 어떤 점에서 서로의 생각이 다른지에 유의하면서 모둠원들의 말을 경청한다.

(1) 모둠별 독서 모임 활동을 해 보자. 다음 독서 일지를 참고하여 항목에 따라 자기 의견을 정리해 보고, 이를 바탕으로 모둠원들과 이야기를 나누면서 서로의 의견을 비교해 보자. | 예시 답 |

책 제목: 봄·봄 　　필자: 김유정

	내 의견	모둠원의 의견
가장 인상에 남는 구절이나 장면	"빙모님은 참새만 한 것이 그럼 어떻게 앨 낳지유?(사실 장모님은 점순이보다도 귓배기 하나가 작다.)" → 점순이가 키가 작아 혼인시키지 않는 장인에 대해 '나'가 대답한 말로, 어수룩해 보이던 '나'가 장인이 할 말이 없게끔 날카롭게 지적을 해서 웃음을 유발하고 있기 때문에	장인이 '나'와 싸우면서 '할아버지'라고 부른 장면 → 젊은 '나'를 할아버지라고 부를 정도로 아팠던 것을 잘 표현하면서 싸움을 실감 나게 해 줌.
공감한 내용이나 공감하지 않은 내용	• **공감한 내용**: 장인이 '나'뿐만 아니라 동네 사람들에게 잘못된 행동을 하는 것을 볼 때 동네 사람들이 장인을 '욕필이'라고 부르는 것 • **공감하지 않는 내용**: 장인 어른이 될 사람과 치고받는 싸움을 하는 것은 아무리 소설이라도 경로 사상에 어긋나는 다소 무리가 있는 설정임.	• **공감한 내용**: 점순이 역시 혼인하고 싶어서 점순이가 '나'를 부추기는 행동 • **공감하지 않는 내용**: 혼례를 하기 위해 장인 말에 속은 '나'의 모습은 너무나 어리석어 공감하기가 쉽지 않음.
주제와 의미	• **주제**: 산골 청춘 남녀의 순박한 사랑 • **의미**: 봄이라는 계절적 배경을 바탕으로 '나'와 점순이와의 혼례라는 사건을 중심으로 이야기가 전달되고 있음.	• **주제**: 결혼을 둘러싼 데릴사위와 장인의 갈등과 해소 • **의미**: 혼인을 하고 싶은 '나'의 욕망과 혼인을 미루어 더 일을 시키고 싶은 장인의 욕망의 대립을 그리면서, 일시적이지만 장인과의 화해를 다루고 있음.
느낀 점이나 깨달은 점	• 점순이가 '나'를 부추기면서도 결국은 내가 아닌 아버지를 위하는 행위를 통해 점순이의 이중적인 모습을 볼 수 있었음. • 자신의 욕망을 성취하기 위해서는 소극적인 행동보다는 보다 적극적인 행동이 필요함.	• 자신의 이익을 위해 다른 사람의 노동의 댓가를 빼앗는 것은 정당하지 못함.
책 내용과 연결되는 현재의 문제	• 혼인을 주된 제재로 하는 이 작품을 읽으면서 오늘날 사회 문제로 대두되고 있는 결혼 문제를 떠올려 보았음.	• 소설에서 장인이 일은 많이 시키려 하면서 지불해야 할 댓가는 자꾸 미루려고 하는 모습이 오늘날 근로자의 임금을 지불하지 않는 회사 사장의 모습을 떠올리게 함.
궁금한 점	• 점순이 나이가 열여섯 살밖에 안 되는데 혼인할 수 있는 나이일까?	• 작가가 글을 쓸 당시에 '나'와 장인의 경우처럼 데릴사위제가 주변에서 흔히 볼 수 있을 만큼 널리 행해졌을까?

독서 일지에 적은 것 중 가장 인상에 남는 것을 적고, 그 까닭도 쓰세요.

내 경험이나 생각을 바탕으로 공감하였거나 공감하지 않은 내용을 적고, 그 까닭도 쓰세요.

내가 생각하는 이 작품의 주제와 의미는 무엇인지 쓰세요.

책을 읽고 느낀 점이나 깨달은 점을 자유롭게 쓰세요.

책의 내용 중 현재의 나 또는 세상의 문제와 관련되는 것이 있으면 쓰세요.

책을 읽으며 이해가 안 된 점이나 더 알고 싶은 점, 친구들과 나누고 싶은 이야깃거리 등을 쓰세요.

활동 도움말

3. (1)의 항목에서 찬반의 쟁점이 될 만한 내용을 토론의 주제로 삼는다.

(2) 모둠별 토의 내용을 바탕으로 학급의 토론 주제를 선정한 다음, 다음 토론 개요서를 작성하여 토론해 보자. | 예시 답 |

토론 개요서

책 제목	봄·봄	모둠명	봄 사랑꾼
필자	김유정	모둠원	지현희 외 5명
논제	'나'를 부추긴 점순이가 장인과의 싸움에서 '나'를 때리는 행위는 정당한가?		
주장	점순이의 행위는 정당하다.		
근거	• 자신의 아버지가 맞고 있는 상황에서 점순이가 아버지를 위해 행동하는 것은 당연하다. • '나'의 행동은 보편적 가치인 경로 사상을 무시한 행위이므로 이를 제지하기 위한 행위라 할 수 있다.		
반론	• 점순이가 '나'를 부추겨 싸움을 일으킨 것이므로 점순이가 '나'를 때리는 행위는 이율배반적인 행동이라 할 수 있다. • 싸움이 일어난 원인이 장인에게 있고 장인이 먼저 '나'를 때려 일어난 일이므로 '나'를 때리는 행위는 공정하지 못한 행위라 할 수 있다.		
재반론	• 점순이가 '나'를 부추긴 것은 맞지만, 점순이의 의도를 오해해서 장인을 때렸으므로 점순이의 행동을 이율배반적인 행동이라 볼 수 없다. • 싸움이 일어난 원인이 아무리 장인에게 있다고 하더라도 윗사람과 싸우는 행위는 '나'의 잘못에 해당하는 것이다.		
토론 소감, 평가		예시 답	생략		

| 도움말 | 작품에 대한 토론 주제는 한 가지가 아니라 다양하게 나올 수 있다. 그리고 토론의 논제가 되기 위해서는 쟁점이 될 만한 것을 선정해야 한다.
- 실제 수업 시간에 토론 활동을 하면 작품에 대해 보다 심도 있게 이해할 수 있다.
- 토론을 진행할 때 논제에 대한 의견이 모둠별로 같을 수도 있으므로, 임의로 찬반을 나누어서 진행한다.

(3) (2)의 토론 내용과 각자의 감상을 바탕으로 모둠별로 감상문 쓰기 활동을 해 보자. | 예시 답 |

√ 모둠에서 정한 책과 모둠원의 이름을 적어 보자.

책 제목: 봄·봄 **필자:** 김유정

모둠원 이름: 지현희, 진아람, 구영민, 김민식

√ 우리 모둠 구성원 각자의 감상을 적고, 별점을 매겨 보자.

우리 모둠원의 30자 평	별점
• ㉠ 김철수: 사자의 꿈을 잃지 않는 당신은 노인이 아닌, 도전하는 젊은이이다.	★★★★☆
• 지현희: 마냥 기다리면 사랑은 얻을 수 없다. 사랑은 쟁취하는 것이다.	★★★★☆
• 진아람: 점순 씨! '나'의 사랑을 위해 이제는 당신이 직접 나서야 합니다.	★★★☆☆
• 구영민: 순박한 '나'의 사랑, 어쩌면 당신이 진정한 사랑꾼이라 할 수 있습니다.	★★★★☆
• 김민식: 장인 어른! 더 이상 얍삽한 짓 하지 말고 이제 혼인시키시지요!	★★★★☆

활동 도움말

토론에서 나온 내용과 모둠원의 감상 평을 모두 포함하지 말고, 감상 초점을 정한 다음, 그것과 관련되는 사항들만 골라서 활용한다.

√ 토론 내용과 모둠원 각자의 감상 평을 종합하여 감상문을 써 보자.

| 예시 답 | 생략

더불어 하는 독서 태도 형성하기

4. '한 도시 한 책 읽기' 운동에 관해 조사해 본 다음, 아래 활동을 해 보자.

활동 도움말

'한 도시 한 책 읽기'란 지역 사회에서 일정 기간 동안(예 1년 단위) 한 권의 책을 선정하여 토론과 다양한 문화 행사를 펼치는 독서 운동을 말한다.

(1) 같은 도시에 사는 공동체 구성원들이 한 권의 책을 함께 읽음으로써 기대할 수 있는 효과는 무엇일지 발표해 보자.

| 예시 답 | 자신의 주변에 사는 이웃들과 정을 나눌 수 있다. 연령대가 다른 사람들이 어울리게 되어 세대 간 생각을 읽을 수 있다. 독서 모임 활동 외에 이웃들이 서로 도울 일이 있으면 협력할 수 있다.

(2) 우리 지역 사회에서 이와 유사한 운동을 하는 사례가 있는지 조사하여 발표해 보자.

| 예시 답 |
- 책방 공동체 – 책방에서 지역민을 대상으로 독서 및 독서 경험 나누기 활동을 함.
- 도서관 독서 모임 – 도서관에서 모여서 활동하는 청소년 독서 모임으로, 매달 읽을 책을 두 권씩 선정하고, 두 주에 한 번씩 만나 책을 읽은 감상을 나누거나, 토론하는 등 다양한 방식으로 함께 책 읽기를 실천함.

보충 자료 '한 도시 한 책 읽기' 운동

'한 도시 한 책 읽기' 운동은 1998년 미국 워싱턴주의 시애틀에서 처음 시작된 이래 미국, 영국, 호주, 캐나다 등으로 널리 확산되었다. 이 운동은 많은 지역 사회에서 시민들로 하여금 한 권의 책을 함께 읽고 토론함으로써 문화적 경험을 공유하게 하고, 공동체 의식을 북돋을 수 있다는 점에서 공공 도서관이 주창한 대표적인 성공 사례이자 '혁신'으로서 큰 평가를 받고 있다.

국내에서는 2003년 충남 서산이 시범 사업으로 처음 선보인 이후, 순천, 부산, 서울, 익산, 김해, 원주 등으로 확산되었다. 이렇듯 전 세계적으로 '한 도시 한 책 읽기' 운동이 지속성을 가지고 그 추진 사례가 증가하는 이유는, 한 권의 책을 통해 공통의 문화적 체험을 공유하고, 독서와 토론 문화를 유도하는 사회적 운동으로써 이 운동이 추구하는 보편적 가치와 필요성이 많은 사람들의 공감을 얻고 있기 때문이다.

(3) 만일 우리 학교에서 '한 학교 한 책 읽기'를 한다면 추천하고 싶은 책과 그 이유를 작성해 보자.

추천하고 싶은 책 | 예시 답 | 주강현, 『우리 문화의 수수께끼』

추천 이유

| 예시 답 | 이 책은 우리 문화를 탐구한 연구서로, 돌하르방, 성황당, 장례식 등 우리 주위의 생활 속에 자리잡은 요소를 바탕으로 우리 민족의 의식을 담고 있다. 우리 문화에 대한 이해를 높이고 문화 수용의 올바른 인식을 함양하는 데 적합한 책이라 생각한다.

소단원 출제 포인트

활동 1 _ 스스로 하는 평생 독서

1 프랜시스 베이컨, 「학문에 대하여」

학문(독서)의 효용과 부정적 측면	• 효용: 기쁨과 장식, 그리고 능력 연마에 도움이 됨. • 부정적 측면: 학문(독서)은 경험을 통해 완성되므로 책만 읽으면 태만과 허영에 빠질 수 있고, 모든 일을 책의 내용만으로 판단하는 잘못을 범할 수 있음.
학문(독서)의 방법	책의 유형에 따라 읽는 방법이 달라져야 함. • 어떤 책은 그 맛을 음미해야 함. → 다양한 이야기 중에서 일부분을 발췌하여 음미함. • 어떤 책은 송두리째 이해해야 함. → 전체 글을 통독하여 잘 이해함. • 어떤 책은 잘 씹어 소화해야 함. → 꼼꼼하고 세밀하게 정독해야 함.
개요만을 뽑은 책	개요만을 뽑은 책은 증류한 물과 같아서 아무런 맛도 없음.

2 독서 이력에 대한 성찰 항목

- 독서 목적을 고려하여 알맞은 책을 선택하였는가?
- 읽을 만한 가치가 있는 좋은 책을 선택하였는가?
- 자신의 관심과 수준에 적절한 책을 선택하였는가?
- 다양한 분야의 책을 적절히 선택하였는가?
- 시대별 안배가 적절히 이루어졌는가?
- 지역적, 문화적 배경이 어느 한쪽에 편중되지 않게 선택하였는가?

3 독서 계획 점검 시 고려할 사항

- 독서 이력 점검을 통해 드러난 부족한 점이 보완될 수 있는가?
- 독서 계획의 구성 의도가 잘 반영되어 있는가?
- 한 해 읽을 만한 분량으로 적절히 구성되어 있는가?
- 독서 시기가 실천 가능하게 잘 안배되어 있는가?

활동 2 _ 더불어 하는 독서 활동

1 신문 기사, 「20~30년 전 소설을 읽으며 격정 다시 느껴……」 『서울신문』 (2010. 6. 12.)

독서 활동의 유형	더불어 하는 독서 활동 [소설가 이호철의 '소설 독회(讀會)']
독서 활동에 참여한 사람들	다양한 사람들이 참여함.(소설가, 시인, 학생, 직장인, 주부 등)
독서 활동의 진행 방식	• 매달 사람들이 함께 모여 소설을 읽고 이야기하며, 문학과 인간 존재의 비의(秘意)에 관해 열띤 토론을 진행함. • 다른 사람들의 의견에 반박하기도 하고, 새로운 의견을 제시함.(→ 작가 자신조차 인식하지 못한 작품 해석에 새로운 깨달음을 얻기도 함.)

⬇

스스로 하는 독서와 더불어 하는 독서의 차이	• 스스로 하는 독서는 작품을 천천히 음미할 수 있으나, 자기 나름의 해석만 할 수 있어 다양한 사고를 펼치는 데 한계가 있음. • 더불어 하는 독서는 다른 사람들의 다양한 의견을 들을 수 있어 사고를 넓힐 수 있음.

2 매체의 발달과 독서 공동체의 참여 방법

방송 매체	특정 인물들이 자신이 읽은 책을 소개하는 사례가 많아 유명 작품에 대한 개괄적 이해가 가능함.
신문 서평란	특정 작품에 대한 전문가의 서평이 실린 사례가 많아 작품을 이해하는 안목을 기를 수 있음.
인터넷 블로그	쌍방향 의사소통이 가능하며, 운영자의 의견은 물론 댓글을 통해 누리꾼들과의 의견 교환이 가능함.
팟캐스트	작가와 직접 소통할 수 있어 작품에 대한 작가의 생각이나 작품에 대한 궁금증을 파악하기가 용이함.

내신 적중 문제

정답 및 해설 6쪽

[01 - 03] 다음 글을 읽고 물음에 답하시오.

(가) 학문은 기쁨, 장식, 능력의 연마를 위해 도움이 된다. 학문의 기쁨으로서의 주된 효용은 혼자 한가하게 있을 때 나타난다. 또한, 장식으로서의 그것은 담화를 나눌 때, 능력 연마로서의 그것은 일에 관한 판단과 처리에서 나타난다. 숙련된 사람은 일을 하나씩 처리하고, 또 아마도 개개의 점에 관해서는 판단을 내릴 수가 있을 것이다. 그러나 전체에 걸친 숙려(熟慮), 일의 계획이나 통제에 이르러서는 학문이 있는 사람에게서 나온 것이 가장 앞선다.

(나) 학문에 지나치게 많은 시간을 소비하는 것은 태만이다. 그것을 장식에 지나치게 많이 사용하는 것은 허영이다. 무엇이든 하나에서 열까지 학문의 법칙으로 판단하는 것은 학자의 기질이다. 학문은 천성을 완성하고 경험에 의해 완성된다. 즉 천성의 능력은 자연 속의 식물과 같은 것으로서 학문에 의한 가지치기가 필요하다.

(다) 어떤 책은 그 맛을 음미하고 어떤 책은 송두리째 이해해야 하며, 어떤 책은 잘 씹어 소화해야 한다. 이 말은 어떤 책은 그 일부분만 읽어도 되고 어떤 책은 통독은 하지만 자세히 음미할 필요는 없으며, 또한 소수지만 어떤 책은 주의력을 집중하여 구석구석 읽어야 한다는 뜻이다. 어떤 책은 다른 사람을 시켜서 읽어 달래도 좋고 타인에 의해 발췌된 내용만을 읽어도 좋다. 그러나 그것은 단지 중요하지 않은 내용이나 고상하지 않은 책의 경우에 한한다. 그렇지 않으면 개요만을 뽑은 책은 보통의 증류한 물과 같은 것으로서, 아무런 맛도 없는 법이다.

01 이 글에 대한 설명으로 가장 적절한 것은?

① 구체적 사례를 논거로 활용하여 대상의 장단점을 밝히고 있다.
② 권위 있는 인물의 말을 인용하여 대상의 대비적 성격을 제시하고 있다.
③ 직유법을 활용하여 대상의 특성을 표현함으로써 독자의 이해를 돕고 있다.
④ 대상과 관련된 문제 상황을 제시하고, 그에 대한 해결책을 모색하고 있다.
⑤ 대상에 대한 사람들의 태도를 지적하고, 바람직한 방향을 제시하고 있다.

학습 활동 응용

02 (다)에서 필자가 제시하고 있는 독서의 방법으로 가장 적절한 것은?

① 정독과 통독, 발췌독을 결정하는 기준은 책의 분량이다.
② 남이 뽑아 준 내용만을 읽으면 주체적 사고가 약화된다.
③ 타인이 읽어 주는 책은 유의미한 독서 경험이 될 수 없다.
④ 통독을 해도 되는 책이라도 전체 내용을 꼼꼼히 따져 읽어야 한다.
⑤ 중요한 내용을 담은 책을 발췌하여 읽는 것은 바람직하지 않다.

고난도

03 (다)의 내용을 고려할 때, 〈보기〉의 '학생 2'에 대한 필자의 조언으로 가장 적절한 것은?

〈 보기 〉
학생 1: 현대 소설 1편을 읽고 감상문 쓰기 수행 평가를 내일까지 해야 되는데, 난 아직 못했어.
학생 2: 참고서에 소설 줄거리가 상세하게 나와 있어서, 그것을 보고 감상문을 썼더니 금방 할 수 있던데.

① 혼자 한가하게 있을 때 읽기 좋은 책을 찾아보세요.
② 능력 연마에 도움되는 책인지 주변의 평을 참고하세요.
③ 다른 사람을 시켜서 읽어 달래도 좋은 책을 잘 골랐군요.
④ 책의 일부만 읽어도 되는 책이 있으니, 일부만이라도 읽어 보세요.
⑤ 개요만 뽑은 책은 증류한 물과 같아서 아무런 맛도 없으니, 책을 송두리째 이해해 보세요.

[04 - 07] 다음 글을 읽고 물음에 답하시오.

(가) 청소년기의 독서 활동이 중요한 것은 청소년기에 정서의 순화와 건전한 가치의 내면화가 이루어지기 때문이다. 따라서 혼자 독서를 열심히 하는 것도 중요하지만 독자 자신의 문제를 객관화하여 생각해 보고 합리적인 사고를 형성하는 계기를 마련하는 활동도 긴요하다. 따라서 이를 위해 다른 사람과 함께 책을 읽으면서 책에 관한 생각을 교류하고 공유하는 것은 바람직한 활동이라 할 수 있다. 수업뿐 아니라, 독서 동아리, 독서 모임과 같은 자유로운 독서 활동에 적극적으로 참여하여 다른 사람과 독서 활동 결과를 공유하게 되면 책 속에 담긴 다양한 삶의 방식과 세계관을 더욱 풍부하게 이해하고 수용할 수가 있다.

(나) 2006년 9월부터 2008년 9월까지 매달 사람들이 함께 모여 소설을 읽고 이야기하며, 문학과 인간 존재의 비의(秘意)에 관해 열띤 토론을 벌이곤 했던 경기 고양시 선유리 154의 2번지, 소설가 이호철의 집필실 안팎 풍경이다. 이들은 이곳을 '소설의 느티나무 숲'이라고 불렀다. 일생에 걸쳐 분단 문제를 천착(穿鑿)한 작가로, 한국 문학사에 굵은 획을 새긴 이호철은 이곳 선유리에서 2년 동안 소설 독회(讀會)를 열었다.

(다) 신선이 놀았다고 선유리(仙遊里)였으리라. 신선은 간데가 없지만 흰 머리, 흰 수염 노(老) 작가의 문학을 아끼는 이들이 한자리에 모여 매달 그의 작품 하나씩을 골라 함께 읽고 토론했다. 개중에는 직업으로 소설, 혹은 시를 쓰는 이도 있었고, 평범한 직장인, 주부, 학생도 있었다. 또한, 그의 작품에 지대한 관심을 보내는 외국인이 일부러 먼 길을 찾아오기도 했다. 날이 궂으면 열댓 명 남짓만 모이기도 했고, 우연히 서로 마음이 맞은 날에는 70~80명을 훌쩍 넘기도 했다.

(라) '소설 독회'는 낯설다. 보편화가 된 시 낭송회와는 달리 소설을 읽고 얘기 나누는 형식은 국내에서 그때까지 거의 없었던 탓이다. 독회에서는 등단작 「탈향」을 비롯해 장편 연작 소설 「남녘 사람 북녘 사람」, 「오돌 할멈」, 「닳아지는 살들」, 「나상」, 「소시민」 등 작품 하나하나, 문장 구절구절마다 현미경과 망원경을 동시에 들이댔다. 그가 사람들 앞에 낱낱이 발가벗겨지는 셈이다.

(마) 그래서 그는 때로는 자신의 의도와 다른 작품 해석에 강하게 반박하기도 하고, 때로는 자신조차 인식하지 못한 접근에 무릎 치며 동의를 보내기도 한다. 편안하게 술술 읽히는 문장이 얼마나 고통스럽고 치열한 사유의 결과물이었는지 짐작하게 한다.

04 (가)를 참고하여 '소설 독회'를 이해한 내용으로 가장 적절한 것은?

① 작가와 독자가 책에 대한 생각을 교류하며 새로운 깨달음을 얻고 있다.
② 외국에서도 찾아온다는 점에서 시·공간적 한계를 초월하여 이루어지고 있다.
③ 다른 사람과 함께 책을 읽으면서 작가의 세계관을 있는 그대로 수용하고 있다.
④ 토론을 벌임으로써 인간 존재에 대한 설득력을 높이는 것을 목적으로 하고 있다.
⑤ 같은 관심사를 가진 사람들의 독서 모임을 통해 사회의 통합을 도모하는 활동이다.

05 (나)~(마)의 내용과 일치하지 <u>않는</u> 것은?

① 이호철의 집필실은 '소설의 느티나무 숲'으로 불린다.
② 이호철의 작품은 주로 민족 분단의 문제를 다루고 있다.
③ 소설 독회에서는 작품에 대한 세밀한 분석과 평가가 이루어진다.
④ 시 낭송회는 외국보다 우리나라에서 더 활성화된 독서 활동 모임이다.
⑤ 이호철 작품에 대한 토론 모임에는 다양한 직업의 사람들이 참여하고 있다.

학습 활동 응용

06 '더불어 하는 독서 활동'의 사례로 볼 수 <u>없는</u> 것은?

① 라디오에서 특정인이 자신이 읽은 유명한 책을 소개하는 활동
② 신문 서평란에 실린 특정 작품에 대한 전문가의 글을 읽는 활동
③ 블로그에 소개된 특정 책에 대한 댓글을 달아 의견을 개진하는 활동
④ 좋아하는 작가의 책을 읽고 자신의 독서 노트에 감상을 적어 두는 활동
⑤ 팟캐스트에서 작가와 직접 소통하며 작품에 대한 궁금증을 해소하는 활동

서술형 학습 활동 응용

07 이 글을 바탕으로 혼자 하는 독서에 비해 여럿이 함께 하는 독서의 장점을 쓰시오.

교과서 44~45쪽

창의·융합 | 교실 밖 독서 활동

내 주변에서 관심 있는 독서 공간을 찾아보자

활동 목표
독서 공간 선정하기 활동을 통해 평생 독자로서의 소양 기르기

다양한 독서 취향과 개성을 가진 이들을 위한 독서 공간이 늘어나고 있다. 우리의 독서를 즐겁게 하는 다양한 독서 공간을 찾아보자.

도서관 01

독서 공간이자 문화 공간, **지혜의 숲 도서관**

파주 출판문화 도시에 들어선 도서관으로, 새로운 개념의 독서 공간이다. 높이 8미터의 서가가 복도를 따라 쭉 이어지는 이색적인 풍경이 방문객의 눈길을 사로잡는다. 도서관 분류법을 따르지 않는 개방형 서가로서 누구나 자유롭게 들어가 책을 꺼내 볼 수 있는 것이 특징이다. 이곳은 전시와 인문학 강연 등을 즐길 수 있는 문화 공간이기도 하다.

동네 책방 02

책을 공유하는 특별한 책방, **당신이 읽는 것이 곧 당신**

책을 판매하는 서점과 책을 공유하는 도서관이 결합된 동네 책방으로, 구매와 대여가 모두 가능한 곳이다. 손님이 집에 있는 책들을 가지고 나와 6개월 동안 공유하는 책들로 채워진 '공유 서가'의 책장은 책 공유자의 개성과 이야기로 꾸며진다.

북 스테이 03

책과 여행이 합쳐진 새로운 사색 공간

책을 매개로 휴식을 취함과 동시에 공감과 연대를 끌어내는 북 스테이. 조선 시대 세종은 선선한 가을이 되면 관리들에게 특별 휴가를 내렸다고 한다. 궁에서 떨어진 산속에서 휴식하면서 책에 집중하도록 한 '사가독서(賜暇讀書)'가 그것이다. 최근 사가독서 제도를 연상케 하는 독서 공간이 생겨나고 있다. 스스로 독서 휴가를 주고 싶을 때, 북 스테이를 이용해 보는 것은 어떨까?

전문 도서관 04

지식의 바다를 항해하는 나침반, **국립해양박물관 해양도서관**

해양 문화 · 역사 · 영토 등 해양 분야에 관련된 자료와 국내 · 외 전문 도서, 학술지 및 디지털 매체 등을 수집 · 정리하여 제공하고 있다. 이를 필요로 하는 모든 이용자가 자유롭게 다양한 정보를 접하고 이용할 수 있는 공간이다.

활동 **우리 주변의 다양한 독서 공간 가운데 내가 좋아하는 공간이 있는지 생각해 보고, 나의 독서 경험을 성찰해 보자.**

1. 내가 경험한 독서 공간을 떠올려 보자. | 예시 답 |

흥미롭고 새로운 책을 찾았던 곳	자투리 시간을 이용해 책을 읽었던 곳	오랫동안 책을 편하게 보았던 곳
학교 도서관, 우리 동네 책방	학교 교실	내 방

2. 지금 나에게 필요한 독서 공간을 정하고 그 까닭을 써 보자.

나에게 필요한 독서 공간

| 예시 답 | 도서관(조용한 곳)

까닭

| 예시 답 | 집에서 독서를 하려 해도 동생이 시끄럽게 해서 제대로 독서할 수 없기 때문에

3. 나에게 필요한 독서 공간을 선정하면서 되돌아본 나의 독서 이력은 어떠했는지 생각해 보고, 앞으로의 독서 계획을 세워 보자. | 예시 답 |

나의 독서 이력 성찰

1. 나는 좋은 독서 습관을 기르기 위해 평소에 노력하였는가? (예) / 아니요
2. 나는 독서의 목적을 생각하며 독서 공간을 선택했는가? 예 / (아니요)
3. 나는 책에 관한 생각을 다른 친구들과 교류하고 공유한 적이 있는가? (예) / 아니요

나의 독서 계획

| 예시 답 | 그동안 학교 도서관을 자주 이용하지 않았는데, 일주일에 한 번 정도 학교 도서관에 들러서 읽을 책을 골라 보아야겠다. 학교 도서관이나 내 방에서는 집중해서 읽을 책을 조용히 보고, 교실에서는 가볍게 훑어보아도 되는 책을 자투리 시간을 이용해서 읽는다면 지금보다 더 다양하고 깊이 있는 독서를 하게 될 것 같다.

정답 및 해설 7쪽

[01 - 02] 다음 글을 읽고 물음에 답하시오.

책을 읽는 즐거움은 예로부터 교양 있는 생활의 매력 중 하나로 손꼽혀 왔다. 오늘날에도 독서하는 사람은 그 특권을 누리지 못하는 사람들에게 존경과 선망을 받고 있다. 이것은 독서하는 사람과 독서하지 않는 사람의 생활을 비교해 보면 곧 이해가 가는 일이다. 평소에 독서하지 않는 사람은 시간적, 공간적으로 자신만의 세계에 감금되어 있으며, 그의 생활은 틀에 박힌 상투적인 것이다. 그 사람이 교제하고 대화하는 것은 극소수의 친구나 지기(知己)뿐이며, 그 사람이 보고 있는 것은 대부분 신변에 일어나는 사소한 일에 불과할 뿐이다. 그 감금에서 벗어날 길은 없다.

그런데 일단 책을 읽기 시작하면 그 즉시 별천지에 드나들 수 있다. 만일 그것이 양서(良書)라면 독자는 홀연 세계 제일의 이야기꾼과 만나는 것이 된다. 그는 독자를 유도하여 먼 별천지의 아득한 옛날로 데리고 가서 고민을 덜어주고, 독자가 미처 몰랐던 인생의 여러 모습을 이야기해 준다.

맹자와 사마천도 같은 말을 한 적이 있다. 하루 두 시간이라도 다른 세상에 살며 매일매일의 번뇌를 잊어버릴 수만 있다면 말할 것도 없이 육체적 감옥에 갇혀 있는 사람들로부터 선망 받는 특권을 얻는 셈이 된다. ㉠이 같은 변화가 심리적으로 미치는 효과는 여행과 똑같은 것이다.

그뿐인가. 책을 사랑하는 사람은 언제나 사색과 반성의 세계에 자유롭게 드나들 수가 있다. 설사 물리적 사건이나 현상을 기록한 책이라도 그런 사상(事象)을 직접 보고 듣는 것과 책으로 읽어서 아는 것에는 큰 차이가 있다. 책 속에서 겪는 물리적 사건은 하나의 구경거리이며, 독자는 구경꾼의 입장이 되기 때문이다.

01 이 글에 대한 설명으로 가장 적절한 것은?

① 독서를 통한 진리 탐구의 필요성을 강조하고 있다.
② 독서를 통해 얻을 수 있는 효용을 제시하고 있다.
③ 독서의 능률을 높이기 위한 방법을 제시하고 있다.
④ 독서보다 직접 경험이 더 중요함을 역설하고 있다.
⑤ 독서가 삶에 미치는 부정적 측면에 대해 언급하고 있다.

02 ㉠의 이유로 가장 적절한 것은?

① 일상에서 벗어나 즐거움을 누릴 수 있으므로
② 인생에 대한 사색의 시간을 가질 수 있으므로
③ 잃어버린 삶의 동력을 다시 회복할 수 있으므로
④ 현실 속의 삶의 문제를 깊이 생각할 수 있으므로
⑤ 미지의 세계에 대한 호기심을 충족할 수 있으므로

[03 - 05] 다음 글을 읽고 물음에 답하시오.

담화의 품격은 오로지 독서 방법에 달려 있다. 말투에 풍미가 있는지 없는지의 여부도 독서 방법에 달려 있다. 책의 풍미를 내 것으로 만들면 담화 속에서도 풍미가 우러난다. 담화에 풍미가 있다면 저술에 풍미가 스며들지 않을 리 없다.

이런 까닭에 나는 풍미나 취미라는 것이 독서의 열쇠라고 생각한다. 음식물의 기호와 마찬가지로 취미는 역시 개인의 것이다. 가장 바람직한 식사법은 자기가 좋아하는 음식을 먹는 것이다. 그것은 소화력에 확신이 서기 때문이다. 독서도 이와 마찬가지로 어떤 사람에게 이로운 것이 다른 사람에게는 해독(害毒)이 될는지도 모른다. 그러므로 교사는 자신의 독서 취미를 학생에게 강요할 수 없으며, 부모도 아이들에게 자기와 같은 취미를 기대해서는 안 된다. 읽는 데 흥미가 없으면 독서는 오로지 시간 낭비이다. 원중랑은 "읽기 싫은 책은 주저 없이 버려라. 그리고 다른 사람이 읽도록 하라."라고 말했다.

[A] 그러므로 반드시 읽어야만 하는 책은 없는 것이다. 우리의 지적 감흥은 나무처럼 성장하고 냇물처럼 유동한다. 수액이 있는 동안 나무는 성장하고, 샘에 새로운 물이 솟는 한 물은 흐른다. 물은 암초에 부딪히면 우회하여 흐르고, 깊은 웅덩이로 들어가면 잠시 괴었다가 굽이쳐 흐른다. 심산(深山)의 늪에 들면 흔연히 거기서 휴식하고, 물살이 센 내를 만나면 사납게 흐른다. 이처럼 물은 노력하지 않고 목적도 없지만, 반드시 바다로 들어가는 것이다. 이 세상에 '만인의 필독서'라는 것은 없다. 다만 어떤 사람이, 어느 때, 어느 장소에서, 어떤 사정하에서, 생애의 어느 시기에 읽어야만 할 책이 있을 뿐이다.

사상과 체험이 걸작을 읽을 정도가 되지 않았을 때 걸작을 읽으면 나쁜 뒷맛이 남을 뿐이다. 공자는 "50세에 『주역』을 읽으면 큰 허물이 없을 것이다."라고 말하였다. 즉 45세에 읽어서는 안 된다는 것이다. 『논어』의 공자 이야기에는 실로 온화한 풍격(風格)과 원숙한 지성이 넘치고 있는데, 이것을 접하는 사람 자신이 원숙해지기 전에는 그 참맛을 모른다.

[B] 그리고 같은 독자, 같은 책이라도 읽는 시기가 다르면 다른 풍미를 맛볼 수 있다. 이를테면 저자와 직접 이야기를 나눈 후나 혹은 저자를 사진으로 본 뒤 읽으면 책의 재미는 한층 깊고, 저자와 교분을 끊은 뒤에 읽으면 또 다른 맛이있다. 그러므로 양서는 두 번 읽으면 얻는 바도 크거니와, 재미 또한 새롭다.

독서는 저자와 독자의 두 가지 면에서 성립되는 행위이다. 진실로 얻는 바는 독자 자신의 통찰과 체험을 통해 얻는 것과 저자의 통찰·체험으로부터 주어지는 것 두 가지가 있다. 『논어』에 관해 송나라 때의 유학자 정이천(程伊川)은 이렇게 말하였다. "『논어』의 독자는 어디에나 있다. 어떤 자는 다 읽어도 감감하고, 어떤 자는 한두 줄에 환희하고, 또 어떤 자는 저도 모르게 손뼉을 치고 춤을 추며 크게 기뻐한다."

좋아하는 작가의 발견은 자기의 지적 발전에 가장 의미 있는 일이라고 생각한다. 이러할 때는 친화라는 것이 나타나므로, 우리는 고금(古今)의 작가 중에서 그 정신이 자신과 비슷한 사람을 발견해야만 한다. 이렇게 함으로써 참으로 좋은 것을 얻게 되는 것이다.

03 이 글을 읽고 난 후의 반응으로 적절하지 않은 것은?

① 사람의 말투에 풍미가 있어야 품격 있는 담화가 이루어지겠군.
② 책을 더 수월하게 이해하려면 자신의 취미에 맞는 책을 선택해야겠군.
③ 가치 있는 책은 그것을 언제 어디서 읽더라도 독자가 받는 감흥은 동일하겠군.
④ 바람직한 독서는 책의 풍미를 내 것으로 온전히 흡수하는 것이라고 할 수 있군.
⑤ 어떤 책이 가치 있는가에 대한 평가는 개인의 취향에 따라 달라질 수 있는 상대적인 것이로군.

고난도

04 [A]의 추론 과정을 〈보기〉와 같이 정리할 때, ㉮에 들어갈 내용으로 적절한 것은?

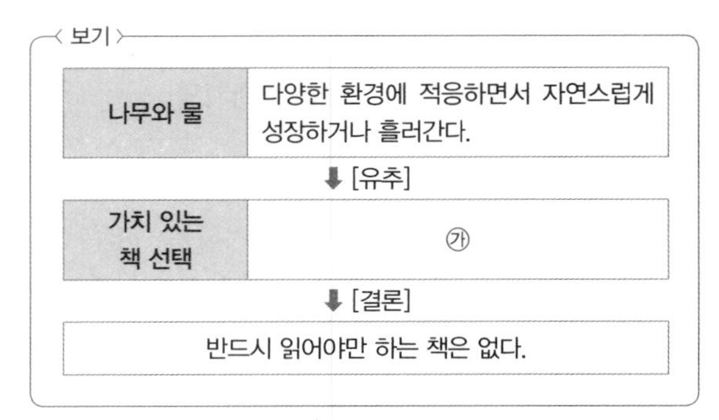

① 독서를 위한 책의 선택은 시대에 따라 달라진다.
② 특별한 목적 없이 읽는 책 읽기는 지양해야 한다.
③ 지적 감흥은 개인의 성장 과정에서 자연스럽게 형성된다.
④ 지적 호기심은 개인의 학습 단계에 따라 일정하게 변화한다.
⑤ 모든 사람이 읽어야 하는 가치 있는 책에 대한 사회적 논의가 필요하다.

서술형

05 [B]에 나타난 필자의 의도를 〈조건〉에 맞게 한 문장으로 쓰시오.

〈보기〉
- 정책 명제의 형태를 지닌 문장으로 서술할 것
- 20자 내외로 쓸 것(띄어쓰기 포함)

[06-08] 다음 글을 읽고 물음에 답하시오.

나중에 『오에 겐자부로, 작가 자신을 말하다』를 읽다 보니 그는 어려서부터 『허클베리 핀의 모험』을 좋아했고 실제로 삶에서 선택해야 할 때마다 허클베리 핀의 이 말을 읊조렸다고 합니다. "좋아, 지옥에는 내가 간다." 저는 이 말이 『개인적인 체험』에 나오는 주인공의 선택에도 영향을 미쳤을 거란 느낌이 듭니다. 저는 곧 또다시 『허클베리 핀의 모험』을 들추어 볼 것입니다. "지옥에는 내가 간다."란 말을 찾아서요.

오에 겐자부로는 ㉠『신곡』 또한 좋아합니다. 저는 언제 『신곡』도 읽어야겠다고 쭉 생각하고 있었습니다. 그런데 미루어 두던 『신곡』을 실제로 읽게 된 계기는 현실에서 왔습니다. 여기서 세 번째 목록 작성법이 탄생합니다. 현실에서 궁금한 것을 책에서 찾아 읽는 겁니다.

천안함 피격 사건이 났을 때였습니다. 텔레비전에 유족들이 나오는데 한 어머니만은 눈물을 꾹 참고 울지 않았습니다. 어머니는 왜 울지 않느냐는 질문을 기자가 던졌던 것 같습니다. 그 어머니는 "내가 자꾸 울면 우리 아들이 좋은 데 못 간다고 해서."라고 말하면서 입술을 꼭 깨물며 눈물을 참습니다. 좋은 데는 천국이겠죠. 장례식 때 유족들은 관을 쓰다듬으며 마지막 인사를 보내면서 이렇게 말합니다. "잘 가, 천국에 가. 그곳에서 여기 일은 다 잊어버리고 부디 행복하게 살아. 그곳에서 시름 걱정 없이 살아. 아프지 말고 울지도 말고. 거기서 만나자. 먼저 가 있어."

천국의 소망이 아니면 정말 위로가 안 되는 안타까운 죽음들이 있습니다. 저 역시 장례식을 보면서 눈물을 흘렸습니다. 그러면서도 천국은 어떤 곳일까, 단테는 천국을 어떤 곳이라고 생각했을까 궁금했습니다. 결국 『신곡』을 읽었습니다. 그런데 천국은 우리가 상상하는 그런 곳이 아니었습니다. 천국에 간 사람들은 우릴 잊고 행복하게 사는 것이 아니었습니다. 그 반대로 영원한 기억 속에 있습니다. 천국에 사는 사람들은 우릴 절대로 잊지 못합니다. 우릴 항상 지켜봅니다. 우리가 탄 배가 잘못된 방향으로 가면 애가 타서 말합니다. 합창합니다. "안 돼. 그쪽이 아니야. 뱃머리를 돌려!" 우리가 사랑했던 사람들은 우리가 품었던 천국의 소망 같은 것들이 현실에서도 이루어지길 바랍니다.

고난도

06 **이 글을 읽고 〈보기〉와 같이 과제를 해결하는 활동을 해 보았다. ⓐ~ⓔ 중, 적절하지 않은 것은?**

〈보기〉

[과제] 필자가 단테의 『신곡』을 읽게 되기까지의 과정을 살펴보자.

[해결]

오에 겐자부로의 『개인적인 체험』을 읽고, 동 작가가 좋아하는 『신곡』을 자신도 읽어야겠다고 생각했다. ⓐ

⬇

『신곡』을 읽지 못하고 미루어 오던 중 천안함 피격 사건이 발생하였다. ⓑ

⬇

천안함 피격 사건 후 텔레비전을 보며 천국의 소망이 아니면 위로가 안 되는 안타까운 죽음을 보게 되었다. ⓒ

⬇

천안함 피격 사건은 필자로 하여금 천국의 실재에 대한 강한 의구심을 갖게 하였다. ⓓ

⬇

천국에 대한 궁금증은 필자로 하여금 『신곡』을 읽게 한 계기가 되었다. ⓔ

① ⓐ ② ⓑ ③ ⓒ ④ ⓓ ⑤ ⓔ

07 **이 글의 내용을 참고할 때, 〈보기〉의 필자가 ㉠에 대해 보일 반응으로 적절한 것은?**

〈보기〉

우리 주변에는 유성 같은 책들이 지천으로 굴러다니고 있지만, 항성 같은 책은 점차 자취를 감추고 있다. 좋은 책은 세상살이의 일반성에 관한 이해를 넓혀 주는 동시에 개인적 삶의 특수성까지도 풍부하게 해석해 준다. 그런 이해와 해석이 아예 없거나 미약한, 고만고만한 수준의 책들만 거듭 읽다 보면 잡다한 상식은 늘어날지 몰라도 이 세상과 자기 자신에 대한 깊이 있는 파악은 멀어지고 만다. 그렇고 그런 수준의 유성 같은 책은 아무리 많이 읽어도 삶의 깊이와 두께는 늘 제자리걸음이다. 세상과 인생의 문제를 상투적인 시선으로 바라보고 뻔한 해결책을 제시하는 그렇고 그런 책들은 옆으로 치워 놓고, 변화하는 세상과 그 속에 숨은 삶의 본질을 꿰뚫어 보는 좋은 책들을 찾아내야 한다.

– 정수복, 『책에 대해 던지는 7가지 질문』에서

① 한 번도 읽기 힘든 책이니 유성 같은 책이겠군.
② 변화하는 세상에 대한 최신 정보를 접할 수 있겠군.
③ 의문이 생겼던 세상살이의 일반성에 대한 이해가 넓어지겠군.
④ 다른 사람들에게 자랑할 수 있는 잡다한 상식이 늘어나겠군.
⑤ 창작 당시와 오늘날의 시대 차이 때문에 독자의 삶의 이해는 제자리걸음이겠군.

서술형

08 **〈보기〉를 읽고, 이 글에서 필자가 『허클베리 핀의 모험』을 읽으려고 하는 이유를 〈조건〉에 맞게 한 문장으로 쓰시오.**

〈보기〉

독서는 저자와 독자의 두 가지 면에서 성립되는 행위이다. 진실로 얻는 바는 독자 자신의 통찰과 체험을 통해 얻는 것과 저자의 통찰, 체험으로부터 주어지는 것 두 가지가 있다. 〈중략〉

좋아하는 작가의 발견은 자기의 지적 발전에 가장 의미 있는 일이라고 생각한다. 이러할 때는 친화라는 것이 나타나므로, 우리는 고금(古今)의 작가 중에서 그 정신이 자신과 비슷한 사람을 발견해야만 한다. 이렇게 함으로써 참으로 좋은 것을 얻게 되는 것이다.

〈조건〉

• 〈보기〉에서 찾아 쓰되, '~기 때문이다.'의 문장 형태로 서술할 것
• 25자 내외로 쓸 것(띄어쓰기 포함)

독서의 방법

1. 사실적 읽기
2. 추론적 읽기
3. 비판적 읽기
4. 감상적 읽기
5. 창의적 읽기
6. 주제 통합적 읽기

창의·융합-교실 밖 독서 활동

비판적·창의적 사고 역량 — 자료·정보 활용 역량 — 공동체·대인 관계 역량

대단원 소개

이 단원에서는 다양한 독서 방법을 익혀 글을 정확하게 읽고, 글의 의미를 더욱 다양하고 깊이 있게 이해하는 실제적인 독서 능력을 향상하도록 한다.

다양한 독서의 방법을 익힘으로써 글의 중심 내용을 파악하고, 겉으로 드러나지 않는 내용을 추론하며, 나아가 필자의 가치관이나 글의 사회적·문화적 이념을 비판하고, 필자의 관점에 대한 대안이나 문제 해결 방안을 떠올려 본다. 이를 위해 '사실적 읽기', '추론적 읽기', '비판적 읽기', '감상적 읽기', '창의적 읽기', '주제 통합적 읽기'를 각각 학습해 본다.

교과서 50쪽

독서를 체계적으로 하기 위해서는 어떻게 해야 할까?

독자는 글을 읽기 전에 독서의 목적을 떠올리면서 어떤 글을 읽을지 선택하고, 글을 선택한 후에는 글의 내용을 예측해 본다. 글을 읽을 때는 표면적인 정보를 파악하는 것은 물론, 글의 표면에 드러나지는 않지만, 그 속에 들어 있는 함축적인 정보들을 추론하며 읽는다. 이러한 사실적 읽기와 추론적 읽기를 바탕으로, 비판적 읽기나 감상적 읽기 혹은 창의적 읽기, 주제 통합적 읽기 등의 고차원적인 읽기 활동으로 나아간다.

이 단원에서는 사실적 읽기, 추론적 읽기, 비판적 읽기, 감상적 읽기, 창의적 읽기, 주제 통합적 읽기에 관해 학습하고, 실제로 이를 적용하여 글을 읽는 활동을 한다.

소단원	학습 목표	읽기 제재
1. 사실적 읽기	• 글에 드러난 정보를 바탕으로 중심 내용, 주제, 글의 구조와 전개 방식 등 사실적 내용을 파악하며 읽는다.	[제재] 지혜롭고 행복한 집, 한옥(임석재)
2. 추론적 읽기	• 글에 드러나지 않은 정보를 예측하여 필자의 의도나 글의 목적, 숨겨진 주제, 생략된 내용을 추론하며 읽는다.	[제재] 36.5도 인간의 경제학(이준구)
3. 비판적 읽기	• 글에 드러난 관점이나 내용, 글에 쓰인 표현 방법, 필자의 숨겨진 의도나 사회·문화적 이념을 비판하며 읽는다.	[제재] 동물의 복지를 생각한다(김진석)
4. 감상적 읽기	• 글에서 공감하거나 감동적인 부분을 찾고, 이를 바탕으로 글이 주는 즐거움과 깨달음을 수용하며 감상적으로 읽는다.	[제재] 별이 빛나는 밤에(정재찬)
5. 창의적 읽기	• 글에서 자신과 사회의 문제를 해결하는 방법이나 필자의 생각에 대한 대안을 찾으며 창의적으로 읽는다.	[제재] 빨간 머리 앤이 하는 말(백영옥)
6. 주제 통합적 읽기	• 동일한 화제의 글이라도 서로 다른 관점과 형식으로 표현됨을 이해하고 다양한 글을 주제 통합적으로 읽는다.	[제재 1] 군주론(니콜로 마키아벨리) [제재 2] 목민심서(정약용)

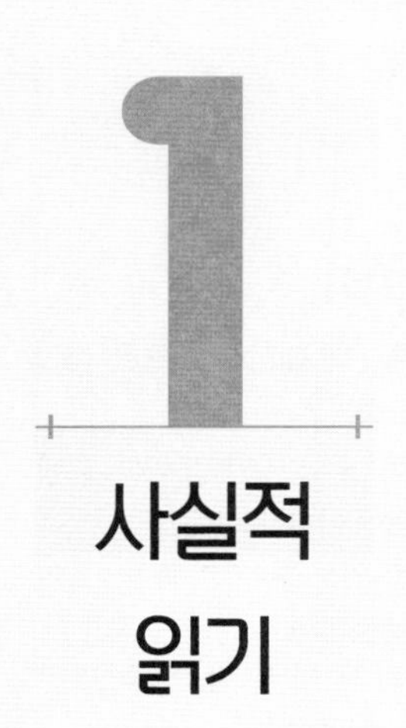

1 사실적 읽기

교과서 52쪽

생각 열기 집을 그림으로 그릴 때 어디부터 그리게 될까?

신영복의 수필에 나오는 이야기이다. 필자는 오랫동안 집 짓는 일을 해 온 노인이 집을 그리는 것을 보며 충격을 받았다. 지붕부터 그리는 일반인들과 달리 주춧돌을 그린 다음 기둥, 들보, 지붕 순으로 그렸기 때문이다. 그 까닭을 물으니 '노인은 실제로 집을 지을 때의 순서대로 그리는 것'이라고 답했다. 집을 지을 때와 마찬가지로 독서에도 우선해야 하는 것이 있다. 독서는 여러 층위에서 다양한 방법으로 이루어지지만 가장 먼저 해야 할 일은 글의 표면적 의미를 파악하는 것이다.

그렇다면 **어떻게 글의 표면적 의미를 파악할 수 있을까?**

| 예시 답 | 글에 드러난 정보를 바탕으로 중심 내용을 파악한다. 글의 구조와 전개 방법을 파악한다.

| 도움말 | 우리가 흔히 저지르는 실수의 하나인 집 짓기의 기초를 간과하는 상황을 제시하여, 글 읽기의 기초가 무엇인지를 생각할 수 있는 글을 제시하였다. 이를 통해 글 읽기의 기초로서의 사실적 읽기의 개념을 이해하고, 사실적 글 읽기의 방법에 관한 질문에 스스로 답해 봄으로써 학습 주제에 관한 흥미를 높이도록 한다.

| 이 단원의 학습 요소 |

학습 목표 **글에 드러난 정보를 바탕으로 중심 내용, 주제, 글의 구조와 전개 방식 등 사실적 내용을 파악하며 읽는다.**

'한옥'에 관한 글의 중심 내용과 주제 파악하기	▶	'한옥'에 관한 글의 중심 내용과 주제를 파악해 본다.
글의 구조적 특성을 파악하고, 자신의 말로 요약하기	▶	글의 구조적 특성을 파악하고, 자신의 말로 글의 내용을 요약해 본다.

소단원 바탕학습

원리 이해

1 사실적 읽기의 개념과 필요성

1. 사실적 읽기의 개념: 글의 표면에 드러난 의미를 있는 그대로 이해하는 것
   → 글 읽기의 다양한 방법 중 가장 기본이 됨.
2. 사실적 읽기의 필요성
   - 사실적 읽기는 다른 어느 읽기 방법보다 선행되는 활동임.
   - 사실적 읽기를 한 이후, 이를 바탕으로 글의 내용을 추론하고 비판하거나 창의적인 생각을 더할 수 있기 때문임.

2 중심 내용과 주제 파악하기

문단의 중심 내용을 파악하는 방법
• 문단을 이루고 있는 문장들의 중요도를 매김. → 중심 내용과 세부 내용을 구분할 수 있기 때문임. • '무엇에 관해(화제) 어떤 말을 하고 있는지(진술)' 등의 형식으로 간단하게 정리해야 함. → 요약, 정리

⬅

→ 글 전체의 주제 찾기에 도움이 됨.

문단 차원에서의 중요도 평정
• 높게 평정되는 문단: 핵심 주장이나 주요 정보가 담겨 있는 문단 • 낮게 평정되는 문단: 중복되거나 부연되는 내용, 사소한 내용이 담긴 문단

3 글의 구조적 특성 파악하기와 종합·재구성하기

1. 글의 구조적 특성 파악하기
   - 글의 종류에 따른 관습적인 구조를 갖추고 있으므로 이를 이해하여야 함.
     예 논설문: '서론－본론－결론'의 구조(설명문: '머리말－본문－맺음말'의 구조)
   - 글의 각 부분들: 다양한 내용 전개 방식에 의해 구성됨(정의, 비교, 예시, 열거 등).

정의	어떤 대상의 범위를 규정짓거나 개념을 명제의 형식으로 진술하여 설명하는 방법
비교, 대조	둘 이상의 사물을 견주어 유사점이나 차이점을 중심으로 설명하는 방법
예시	구체적인 실례를 들어 일반적, 추상적 진술의 타당성을 뒷받침하도록 설명하는 방법
분류	어떤 대상들이나 생각들을 공통적인 특성에 근거하여 구분 짓는 방법
분석	구성 요소들이 유기적으로 결합하여 전체를 이루고 있는 어떤 대상을 그 구성 요소나 부분들로 나누어 설명하는 방법
유추	두 개의 사물이 여러 면에서 비슷하다는 것을 근거로 다른 속성도 유사할 것이라고 추론하여 설명하는 방법

   - 전체적인 구조와 부분적인 구성 방식의 파악 → 주제 파악에 도움이 됨.
2. 글의 내용 종합·재구성하기

자신의 말로 요약하면서 종합·재구성해야 함. → 글 전체를 이해하기 위함임.

⬇ 종합·재구성하는 방법

삭제	중복, 부연되는 내용과 사소한 내용 삭제
조정	내용의 순서 조정
재진술	일반화, 추상화 과정

| 원리 확인 문제 |

1. '사실적 읽기'에 대한 설명으로 적절하지 않은 것은?

① 다른 어느 읽기 방법보다 선행되는 활동이다.
② 필자의 의도를 파악하는 것이 주된 목적이다.
③ 글 읽기의 여러 방법 중 가장 기본에 해당한다.
④ 글의 내용을 추론하고 비판할 수 있는 바탕이 된다.
⑤ 글의 표면에 드러난 의미를 있는 그대로 이해하는 것이다.

2. '사실적 읽기'로 글을 읽을 때, 문단을 이루고 있는 문장들의 중요도를 매기는 이유는 (　　) 내용과 세부 내용을 (　　)할 수 있기 때문이다.

3. 다음 중 높게 평정되는 문단에 해당하는 것은?

① 예시가 있는 문단
② 부연되고 있는 문단
③ 중복되고 있는 문단
④ 중심 내용이 담긴 문단
⑤ 사소한 내용이 담긴 문단

4. 다음 글에 사용된 내용 전개 방식과 중심 내용을 한 문장으로 쓰시오.

> 거대한 기계의 일부분도 그 부분만 분리되면 아무 쓸모 없는 고철이 될 수 있다. 기계의 일부분은 전체의 체계 속에서만 진정한 기능을 발휘하게 되는 것이다. 우리가 독서를 할 때는 이와 같이 어느 한 부분의 내용도 한 편의 글이라는 구조 속에서 파악하여야만 그 바른 의미를 이해할 수 있게 된다.

정답 1. ② 2. 중심, 구분 3. ④ 4. 유추, 독서를 할 때는 어느 한 부분의 내용도 한 편의 글이라는 구조 속에서 의미를 파악하여야 한다.

제재 미리보기

지혜롭고 행복한 집, 한옥

1 해제

이 글에서는 한옥이 여름에 시원한 이유를 자연의 원리를 잘 지키는 '통의 원리'를 바탕으로 설명하고 있다. 필자는 한옥이 통의 원리를 구현한 건강한 집이라고 하면서, 통의 원리를 구현한 방법 두 가지를 구체적으로 설명하고 있다. 즉 거시 기후에 맞춰 바람길을 내는 것과 미시 기후에 맞춰 찬 공기주머니를 만드는 것을 한옥의 구조와 관련하여 설명해 주고 있다. 마지막으로 필자는 글의 내용을 요약·정리해 주면서, 한옥이 자연을 거스르지 않고 살기 편한 친자연적인 의미를 지닌다는 한옥의 가치를 드러내 주고 있다.

2 핵심 개관

(1) **갈래**: 설명문

(2) **성격**: 설명적, 분석적

이 글에서 필자는 통의 원리를 이용하여 바람길을 어떻게 내고 있는지, 찬 공기주머니는 어떻게 만들어지는지 한옥의 구조물과 관련하여 분석적으로 제시하여 이해를 돕고 있다.

(3) **제재**: 한옥의 설계에 담긴 과학의 원리

(4) **주제**: 통의 원리를 이용한 친자연적인 건축물, 한옥

한옥이 생활하기 불편하다는 일반인들의 생각에 대해, 필자는 한옥이 통의 원리를 적극적으로 활용하여 자연을 거스르지 않으면서도 살기 편한 친자연적인 건축물이라고, 한옥의 가치를 드러내 주고 있다.

(5) **특징**

① 한옥에서 구현한 통의 원리를 두 가지 차원에서 설명하고 있다.
② 정의와 대조, 예시 등 다양한 설명 방식을 사용하고 있다.
③ 다양한 비유를 통해 대상을 구체적으로 제시하고 있다.

(6) **구성**

'머리말' 부분에서 한옥이 생활하기 불편하다는 한옥에 대한 일반인들의 편견을 제시한 다음, '본문'에서 한옥에서 통의 원리를 구현한 두 가지 방법, 즉 바람길을 내는 것과 찬 공기주머니를 만드는 것에 대해 서술하고 있다. 그리고 '맺음말' 부분에서 친자연적인 건축물이라는 한옥의 가치를 제시하고 있다.

머리말	본문 1	본문 2	맺음말
한옥에 대한 편견이 있음.	'통의 원리'를 구현한 한옥 – 바람길 내기	'통의 원리'를 구현한 한옥 – 찬 공기주머니 만들기	한옥의 가치 – 친자연적인 건물인 한옥

지혜롭고 행복한 집, 한옥 _ 임석재

_ 통(通)의 원리

소단원 포인트

- 내용의 평정도에 따라 중요 내용과 세부 내용 구분하며 읽기
- 글의 구조적 특징과 전개 방법 파악하기
- 글을 요약할 때 반드시 포함해야 할 내용 파악하기

필자 소개

임석재(1961~): 건축사학자이자 건축가. 건축 역사와 건축 이론을 연구하고 있다. 주요 저서에 『추상과 감흥』, 『임석재의 서양 건축사 1~5』 등이 있다.

머리말 ❶ 흔히 사람들은 ㉠ 한옥을 친자연적 건축물(한옥에 대한 일반적인 평가)이라고 말한다. 친자연적이라는 말에는 자연환경과 조화를 이루어 심리적 안정감이나 미적 쾌감을 준다는 의미('친자연적'이라는 말에 담긴 긍정적 의미)가 담겨 있다. 한옥이 자연에서 취한 자재를 활용하고 자연 채광을 이용하기 때문이다. 그러나 친자연적이라는 말에 생활하기 불편하다는 의미('친자연적'이라는 말에 담긴 부정적 의미)도 내포되어 있다고 여기는 이들도 있다. 한옥은 여름에는 덥고 겨울에는 추워 생활하기 힘들다(한옥이 생활하기 불편한 이유)는 것이다. 그러나 이는 한옥을 깊이 있게 알고 있지 못한 데에서 나오는 편견이다. ➜ 한옥이 불편하다는 편견이 있음.

> 머리말: 한옥에 대한 편견이 있음.

교과서 날개 질문
평소 집 안이 더울 때 어떻게 더위를 피하는지 떠올려 보자.
| 예시 답 | 창문을 활짝 연다, 선풍기를 튼다, 에어컨을 켠다, 찬물을 마신다 등

본문 1 ❷ 요즘 창문이 안 열리는 초고층 주상 복합(친자연적이지 않은 건축물의 대표적 사례) 건축물의 불편함이 화제이다. 자연 환기가 봉쇄된 것인데, 사람에 비유하자면 일 년 내내 두꺼운 옷을 잔뜩 입고(자연 환기를 봉쇄함.) 여름에는 그 속에 에어컨을 집어넣은 격이다. 더운 여름에는 얇은 반소매 옷 하나만 입고 추운 겨울에는 두꺼운 옷 여러 개를 입는 것이 상식이고 이치다. 집도 이런 상식과 이치를 따르면 된다.(초고층 주상 복합 건축물은 상식과 이치를 따르지 않은 경우임.) 여름에는 창문을 활짝 열어젖히고 사방에서 바람을 시원하게 받으면서 열을 식힐 수 있어야 한다. 한옥은 여러 과학적 방식을 활용해서 집 안 가득 시원한 바람을 맞아들여 잘 흐르도록 한다.(한옥은 상식과 이치를 따르는 경우임.) 이를 한마디로 '통(通)'의 원리(이 글의 핵심어)라 부를 수 있다. '통'은 어려운 개념이 아니다. 통풍, 환기, 순환 등과 같은 말로, 한옥은 통의 원리를 구현하는 건강한 집이다. 자연의 원리를 잘 지키는 것이니 곧 자연적이다. ➜ 통의 원리를 구현하는 건강한 집인 한옥

❸ 한옥에서 통의 원리를 구현하는 방식은 크게 두 가지가 있다. 첫째, 거시 기후에 맞춰 집 안에 '바람길'을 내는 것이다.(한옥에서 통의 원리를 구현하는 첫 번째 방법) 여기서 거시 기후란 계절 같은 큰 시간 단위를 기준으로 한반도 전체에 걸쳐서 나타나는 기후 현상(거시 기후의 개념)을 말한다. 한옥에서는 여름에 부는 바람인 남동풍의 방위에 맞춰 남향, 혹은 남동향(바람길의 방향)으로 바람이 드나드는 바람길을 냈다. 한옥에서 바람길은 시원하고 통 크게 나 있어, 바람이 돌아 나가거나 머물거나 꺾어 가지 않도록 했다.(바람길을 만들 때 고려한 점) ➜ 한옥에서 통을 구현하는 첫 번째 방법 – 바람길 내기

교과서 날개 질문
한옥의 안채를 지을 때 바람이 잘 통하도록 고려한 점은 무엇인지 파악해 보자.
| 예시 답 | 중문을 남쪽에 두고 대청을 북쪽에 두어 바람이 잘 통하도록 한다. 또 대청 뒷면에 나무창을 설치한다.

❹ 대부분의 한옥 안채는 중문에서 안마당을 통해 대청 뒷문으로 불어 나가는 바람길(한옥의 안채에 조성된 바람길)을 갖추고 있다. 사랑채는 대부분 방을 홑겹으로 배치한 개방적 구조이기 때문에 바람길을 내기 쉽다. 창이 보통 방의 앞면과 뒷면에 서로 마주 보고 있어서 이것만 열면 바람이 숭숭 잘 통하는 것(한옥의 사랑채에 조성된 바람길)이다. 그러나 집 안의 가장 안쪽에 있는 안채는 사랑채에 비해 폐쇄적이어서 여름철에 바람을 집 안까지 끌어들이기 위해서는 좀 더 세밀한 처리가 필요하다.(사랑채보다 안채의 바람길을 만들 때 고려할 점이 더 많음.) 안마당을 중심으로 여름에 부는 바람의 방향을 고려하여 중문을 남쪽에, 대청을 북쪽에 두었다.(안채에 바람길을 만들 때 고려할 점 ①) 대청 뒷면에는 나무창을 설치(안채에 바람길을 만들 때 고려할 점 ②)했는데, 이 창은 바람길을 만들기도 하고 없애기도 하는 중요한

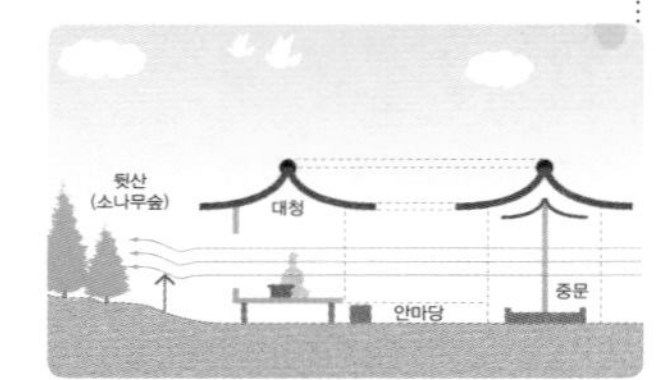

▲ 한옥에서 바람이 잘 통하게 하는 원리

역할을 한다. 더운 여름, 중문과 대청 뒷면의 창을 모두 여는 순간 단번에 바람길이 만들어진다. 반면에 추운 겨울, 나무창을 닫으면 대청 뒷면은 완전히 막혀 매서운 겨울의 북서풍을 완전히 차단할 수 있다.
대청 뒷문에 설치한 바람길의 기능

➔ 한옥에서 바람길을 만드는 방법

❺ 정여창 고택 안대문에 서 보자. 내가 안대문에 들어온 바람이 된 것 같다. 중문을 통과한 나는 안마당을 지나 대청을 타고 올라 뒤창으로 빠져나가는 바람 여행을 한다. 이처럼 바람길 한가운데 있으면 자연의 고마움 속에 여름 더위를 참아 낼 수 있다. 활짝 열어젖힐수록 바람길은 신작로가 나듯 명쾌하게 뚫린다. 이 길을 따라 한반도의 여름 대표 바람인 남동풍이 집을 관통해서 그 속을 시원스레 훑고 지나간다.
여름의 바람이 되는 상상을 해 봄.
바람길을 따라 통과하는 바람의 진행

➔ 정여창 고택의 바람길

본문 1: 한옥에 구현된 통의 원리 – 바람길 내기

어휘 풀이

주상 복합(住商複合): 주거를 위한 공간과 상업 활동을 위한 공간이 복합된 것.

바람길: 바람이 불어오거나 지나가는 길.

중문(中門): 가운데 뜰로 들어가는 대문.

대청(大廳): 한옥에서 몸채의 방과 방 사이에 있는 큰 마루.

핵심 쏙쏙

1 ❶과 ❷의 관계

❶	한옥에 대한 편견 – 생활하기 불편함.
	⬇반박
❷	• 초고층 주상 복합 건물 – 상식과 이치에 맞지 않음. • 한옥: 통의 원리 구현 – 자연적인 건축물

2 한옥에서의 통의 원리

→ 한옥에 담긴 원리를 요약하는 말

• 한옥에서 여러 과학적 방식을 활용해서 집 안 가득 시원한 바람을 맞아 들여 잘 흐르도록 한 것을 이름.
→ 한옥에 담긴 과학적인 원리

3 한옥에서 '통의 원리' 구현 방법 1

구현 방법	거시 기후에 맞춰 집 안에 '바람길'을 냄.
효과	한여름에도 집 안이 시원해짐.
사례	정여창 고택

4 '안채'에서 바람길을 내는 방법

안채	사랑채에 비해 폐쇄적인 구조임. → 바람이 잘 통하게 하기 위한 세밀한 처리가 필요함.
바람길을 내는 방법	① 중문을 남쪽에 두고, 대청을 북쪽에 두어 바람이 통하게 함. ② 대청 뒷면에 나무창을 설치함.

확인 문제 ①

정답 및 해설 9쪽

1. 이 글을 이해한 내용으로 적절하지 않은 것은?
① 한옥은 기후 현상을 고려하여 바람길을 냈다.
② 초고층 주상 복합 건축물은 친자연적 건물이라 할 수 없다.
③ 정여창 고택은 바람길을 낸 전통적인 한옥이라 할 수 있다.
④ 사랑채보다 안채가 바람길을 내는 것이 용이하다고 할 수 있다.
⑤ 나무창은 겨울의 추위를 차단하는 역할을 한다고 볼 수 있다.

2. '안채'에 바람길을 내기 위해 고려한 점을 〈보기〉에서 찾아 모두 쓰시오. (2개)

〈보기〉
ⓐ 대부분 방을 홑겹으로 배치함.
ⓑ 대청 뒷면에 나무창을 설치함.
ⓒ 중문을 남쪽에, 대청을 북쪽에 둠.
ⓓ 바람이 잘 통하는 사랑채 옆에 지음.

3. ㉠에 대한 필자의 생각이라 볼 수 없는 것은?
① 상식과 이치를 따른 건축물이다.
② 생활하기에는 불편한 건축물이다.
③ 자연환경과 조화를 이룬 건축물이다.
④ 자연에서 재료를 취해 만든 건축물이다.
⑤ 여러 과학적 방식을 활용한 건축물이다.

서술형 학습 활동 응용

4. 이 글의 문단을 '중요도 평정'에 따라 평정도를 매기려 한다. 평정도가 가장 낮은 것을 고르고, 그 이유는 무엇인지 쓰시오.

〈조건〉
• 이유를 제시할 때 내용 전개 방식을 반드시 언급할 것

한옥에서 통의 원리를 구현하는 두 번째 방법

본문 2 ❻ ⓐ 한옥에서 통의 원리를 구현하는 두 번째 방법은 미시 기후를 활용해서 마당에 찬 공기주머니를 만드는 것이다. ⓑ 미시 기후란 숲과 산세, 지세와 물길 등 각 집의 주변을 둘러싼 개별적 상황에 따라 나타나는 구체적인 기후 현상이다. ⓒ 도시에서의 도로나 빌딩, 농촌에서의 배산임수(背山臨水)는 미시 기후에 영향을 미치는 중요한 요소이다. ⓓ 한옥에서는 마당을 비워서 안마당에 찬 공기주머니를 만드는 방법으로 미시 기후를 활용한다.

미시 기후의 개념

➜ 한옥에서 통을 구현하는 두 번째 방법 – 찬 공기주머니 만들기

❼ 기체나 액체가 부분적으로 가열되면 가열된 부분이 팽창하면서 밀도가 작아져 위로 올라가고, 위에 있던 밀도가 큰 부분은 내려오게 된다. 이런 과정이 되풀이되면서 기체나 액체 전체가 고르게 가열되는 것을 '대류(對流)'라고 한다. 한여름 한옥의 마당에는 대류 현상이 나타난다. ㉠마당의 공기가 열을 받아 더워지면 위로 올라가서 마당은 거의 진공과 유사한 상태가 만들어지고, 그러면 진공을 채우기 위해 바람이 불어온다. 이때 바람은 중문으로 들어오는 것과 대청 뒤에서 불어오는 것 두 가지가 있을 수 있는데 이 가운데 찬 것이 들어오게 된다. 둘 가운데 찬 것은 대청 뒤에서 부는 바람이다. 대개 대청 뒤에는 숲이 있는데, 이곳의 찬바람이 집 안으로 들어온다. 한옥을 숲 앞에 짓는 것은 바로 이 때문이다. 우리 조상들은 한옥을 지을 때 지켜야 할 하나의 불문율 같은 것이 있었다. 대청 근처의 집 주변에 나무를 심지 말라는 것이다. 대청에 너무 가깝게 나무가 있으면 바람이 흘러드는 것을 막기 때문이다. 또한 담을 낮게 했는데, 담이 높으면 이 역시 바람의 흐름을 방해하기 때문이다.

'대류'의 개념 / 밀도가 큰 공기 / 숲의 찬바람을 마당으로 끌어들이기 위해서 / 찬바람이 마당에 들어오는 것을 용이하게 하는 방법 ① / 찬바람이 마당에 들어오는 것을 용이하게 하는 방법 ②

➜ 한옥의 마당에 바람을 들어오게 하는 방법

❽ 이렇게 마당에 들어온 찬 공기를 계속 머물게 하는 데에는 지붕의 처마가 큰 기여를 한다. 관가정의 안채 안마당은 폭에 비해 지붕 처마가 많이 돌출해 있는데, 이는 안마당으로 흘러 들어온 찬바람을 오래 잡아 두는 역할을 한다. 앞으로 돌출한 지붕 처마는 안마당에 형성된 공기 덩어리의 흐름에 영향을 주어 마당 안에서 위아래로 향하는 공기의 흐름을 만들며, 그 결과로 아직 데워지지 않은 찬 공기가 바로 빠져나가는 것을 막는다. 한옥의 안채가 특히 여름에 서늘한 것은 바로 이 때문이다.

마당에 형성된 찬 공기주머니를 유지하게 하는 것 / 돌출한 지붕 처마의 기능 / 돌출한 처마 지붕

➜ 한옥의 마당에 찬 공기주머니를 만드는 방법

▲ 관가정 안채의 안마당을 감싸고 있는 지붕 처마

본문 2: 한옥에 구현된 통의 원리 – 찬 공기주머니 만들기

교과서 날개 질문
한옥의 마당에 찬 공기주머니를 만들 때 적용되는 과학의 원리가 무엇인지 파악해 보자.

| 예시 답 | 한여름 한옥의 마당에 대류 현상이 발생하여 마당이 진공과 유사한 상태가 만들어지므로 써 마당으로 바람이 잘 들어오게 한다. 이를 위해 대청 근처에 나무를 심지 않고 담을 낮게 한다. 또 지붕의 처마를 돌출하게 하여 마당의 공기를 위아래로 움직이게 하고, 찬 공기가 빠져나가는 것을 막는다.

› **관가정**: 경북 경주시 강동면 양동리에 있는 조선 중기의 주택이다. 조선 중기 남부 지방의 주택 연구에 귀중한 자료로 평가된다.

› **한옥 처마의 기능**: 한옥의 처마는 계절에 따른 태양의 고도 변화를 이용한 자연 채광 시스템이다. 처마의 각도는 30도 정도며, 이 때문에 여름에는 태양광을 최대한 차단하게 되지만 겨울에는 집 내부로 태양광을 많이 들일 수 있게 된다.

교과서 날개 질문
한옥을 친자연적 건물이라 하는 이유를 말해 보자.

| 예시 답 | 자연을 거스르지 않으면서도 살기 편하게 지어졌기 때문이다.

맺음말 ❾ 『우리 조상은 한옥에 통의 원리를 적극적으로 활용하였다. 한옥에는 여름철 시원한 바람이 거침없이 지나갈 수 있도록 바람길을 내었다. 또 마당을 비워 시원한 바람이 마당에 들어오도록 했고, 지붕의 처마를 이용해 들어온 바람을 머물도록 했다.』 이처럼 우리 조상은 슬기롭게 자연을 거스르지 않으면서도 살기 편한 집을 만들었다. 이것이 한옥이 갖는 진정한 친자연의 의미이다.

『 』: 앞부분의 내용을 요약·정리함.
한옥의 가치
자연을 거스르지 않으면서도 살기 편한 집을 지음.
➜ 친자연적인 의미를 구현하고 있는 한옥

맺음말: 한옥의 가치 – 친자연적인 건물인 한옥

어휘 풀이
배산임수: 지세(地勢)가 뒤로는 산을 등지고 앞으로는 물에 면하여 있음.
불문율(不文律): 문서의 형식을 갖추지 않은 법.

핵심 쏙쏙

정답 및 해설 9쪽

1 한옥에서 '통의 원리' 구현 방법 2

구현 방법	미시 기후를 활용하여 마당에 '찬 공기주머니'를 만듦.
효과	찬바람으로 한여름에도 시원함.
사례	관가정의 처마 사진

2 한옥 안마당에서 일어나는 '대류' 현상

• 대류 현상의 개념: 기체나 액체에서, 물질이 이동함으로써 열이 전달되는 현상. 기체나 액체 전체가 고르게 가열되게 됨.
→ 찬 공기주머니가 어떻게 만들어지는지를 이해시키기 위함.
→ 한옥이 과학적 방식을 활용하고 있음을 보여 줌.

3 한옥에서의 '처마'의 역할

처마	외벽면에서 밖으로 돌출한 지붕
역할	안마당으로 흘러 들어온 찬바람을 오래 잡아 둠. → 여름에 한옥의 안채를 서늘하게 해 줌.

4 이 글의 내용 전개 방식

정의	거시 기후(❸), 미시 기후(❻), 대류 현상(❼) 등 독자에게 생소한 용어의 뜻을 밝혀 이해를 도움.
대조	한옥에서 사랑채와 안채의 차이점(❹)을 밝혀, 안채의 구조적 특성을 이해하고 바람길을 내어야 하는 필요성을 이해시키고 있음.
예시	정여창 고택(❺), 관가정(❽)처럼 한옥의 특성을 잘 보여 주는 가옥의 실제 사례를 들어 설명한 내용을 이해하기 쉽게 하고 있음.

확인 문제②

1. 이 글의 내용과 일치하지 않는 것은?
① 담은 바람의 흐름을 방해한다.
② 한옥은 미시 기후를 활용하여 통의 원리를 구현한다.
③ 안채에 바람이 잘 통하도록 건물 주변에 나무를 심지 않았다.
④ 마당의 공기가 더워지면 마당은 거의 진공과 유사한 상태가 된다.
⑤ 대청으로 들어오는 바람이 중문으로 들어오는 바람보다 먼저 들어온다.

학습 활동 응용
2. ❻에 대한 설명으로 적절하지 않은 것은?
① 중심 화제는 '찬 공기주머니'이다.
② ⓐ, ⓑ는 중요도 평정에서 '상'에 해당한다.
③ ⓒ는 중요도 평정에서 '하'에 해당한다.
④ 한옥에서 통의 원리를 구현하는 방법 중 하나를 소개하고 있다.
⑤ '한옥에서 통을 구현하는 원리로 찬 공기주머니 만들기가 있다.'로 내용을 요약할 수 있다.

학습 활동 응용
3. 〈보기〉에 제시된 설명 방법 중, 이 글에 사용된 것을 모두 고르시오. (2개)

〈보기〉
ⓐ 어떤 대상들이나 생각들을 공통적인 특성에 근거하여 구분 짓는 방법
ⓑ 둘 이상의 사물을 견주어 유사점이나 차이점을 중심으로 설명하는 방법
ⓒ 어떤 대상의 범위를 규정짓거나 개념을 명제의 형식으로 진술하여 설명하는 방법
ⓓ 구체적인 실례를 들어 일반적, 추상적 진술의 타당성을 뒷받침하도록 설명하는 방법

4. ㉠의 이유로 가장 적절한 것은?
① 공기의 부피가 작아지기 때문에
② 공기의 밀도가 낮아지기 때문에
③ 공기를 바람이 밀어내기 때문에
④ 공기의 가열된 부분이 수축하기 때문에
⑤ 공기의 전체가 고르게 가열되기 때문에

학습 활동

📖 교과서 58~61쪽

깊게 읽기

1. 다음 문단의 중심 내용을 파악하는 활동을 해 보자.

> ㉠ 한옥에서 통의 원리를 구현하는 두 번째 방법은 미시 기후를 활용해서 마당에 찬 공기주머니를 만드는 것이다. ㉡ 미시 기후란 숲과 산세, 지세와 물길 등 각 집의 주변을 둘러싼 개별적 상황에 따라 나타나는 구체적인 기후 현상이다. ㉢ 도시에서의 도로나 빌딩, 농촌에서의 배산임수(背山臨水)는 미시 기후에 영향을 미치는 중요한 요소이다. ㉣ 한옥에서는 마당을 비워서 안마당에 찬 공기주머니를 만드는 방법으로 미시 기후를 활용한다.

(1) ㉠~㉣의 중요도를 '상-중-하' 3단계로 평정해 보자.

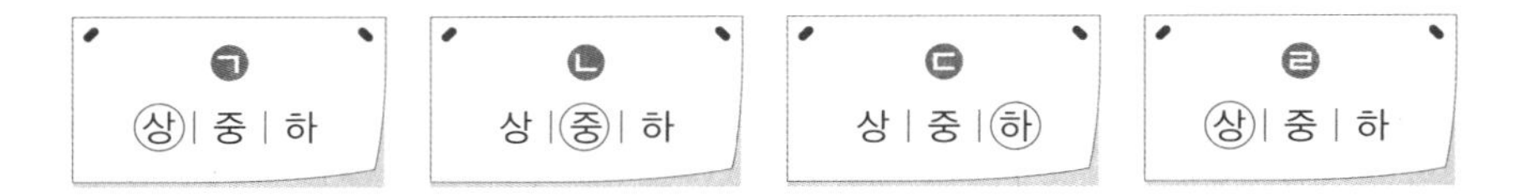

활동 도움말
필자가 이 문단에서 무엇에 관해 어떤 내용을 제시하고 있는지 정리하도록 한다.

(2) 이 문단의 화제를 찾고, 이를 바탕으로 중심 내용을 써 보자.
- 화제: 찬 공기주머니
- 중심 내용: 한옥에서 통을 구현하는 두 번째 방법 – 찬 공기주머니 만들기

2. 이 글의 문단을 중심으로 다음 활동을 해 보자.

(1) 각 문단의 중심 내용을 파악하고, 문단의 중요도를 '상-중-하' 3단계로 평정해 보자.

	문단의 중심 내용	문단의 중요도
❶	예 한옥이 불편하다는 편견이 있음.	상 / **중** / 하
❷	통의 원리를 구현하는 건강한 집인 한옥	**상** / 중 / 하
❸	한옥에서 통을 구현하는 첫 번째 방법 – 바람길 내기	**상** / 중 / 하
❹	한옥에서 바람길을 만드는 방법	상 / **중** / 하
❺	정여창 고택의 바람길	상 / 중 / **하**
❻	한옥에서 통을 구현하는 두 번째 방법 – 찬 공기주머니 만들기	**상** / 중 / 하
❼	한옥의 마당에 바람을 들어오게 하는 방법	상 / **중** / 하
❽	한옥의 마당에 찬 공기주머니를 만드는 방법	상 / **중** / 하
❾	친자연적인 의미를 구현하고 있는 한옥	**상** / 중 / 하

(2) 중요도의 '상'에 해당하는 내용을 바탕으로 이 글 전체의 주제를 써 보자.
한옥은 통의 원리를 구현하는 친자연적 건축이다.

3. 이 글의 구조와 내용 전개 방식을 파악해 보자.

(1) 각 문단 간의 관계를 파악해 보자.

❶과 ❷	예 ❶에서 한옥에 관한 편견이 있음을 지적하고, ❷에서는 이 편견이 잘못된 것임을 구체적으로 밝히고 있다.
❷와 ❸, ❷와 ❻	❷와 ❸, ❷와 ❻: ❷에서는 한옥이 통의 원리를 구현하고 있음을 밝히고, ❸과 ❻에서는 통을 구현하는 다른 차원의 두 가지 방법을 제시하고 있다.
❸과 ❹	❸에서는 한옥에 구현된 통의 원리로 바람길 내기가 있음을 제시하고, ❹에서는 그 방법을 구체적으로 제시하고 있다.
❹와 ❺	❹에서 바람길 내는 방법을 설명하고 있고, ❺에서는 그 방법이 적용된 실제 사례를 소개하고 있다.
❻과 ❼, ❽	❻에서는 한옥에 구현된 통의 원리로 찬 공기주머니 만들기가 있음을 제시하고, ❼, ❽에서는 그 방법을 구체적으로 제시하고 있다.
❷~❽과 ❾	❾는 ❷~❽의 내용을 요약·정리하며, 한옥의 진정한 가치를 제시하며 글을 마무리하고 있다.

활동 도움말

설명문의 구조
- 머리말: 대상 소개, 흥미 유발
- 본문: 대상에 관한 구체적인 설명
- 맺음말: 요약, 마무리

(2) 이 글 전체는 크게 세 부분으로 구성되어 있다. 각 부분에 해당하는 문단 번호를 적고, 중심 내용을 정리해 보자.

	머리말	본문	맺음말
문단 번호	❶	❷~❽	❾
중심 내용	한옥이 생활하기가 불편하다는 편견이 있음.	한옥은 바람길을 내고 찬 공기주머니를 만드는 방식으로 통의 원리를 구현함.	한옥은 진정한 친자연적인 의미를 지니고 있음.

(3) 다음의 내용 전개 방식이 쓰인 문단의 기호를 써 보자.
- 정의: ❸, ❻, ❼
- 대조: ❹
- 예시: ❺, ❽

4. 이 글의 내용을 종합·재구성해 보자.

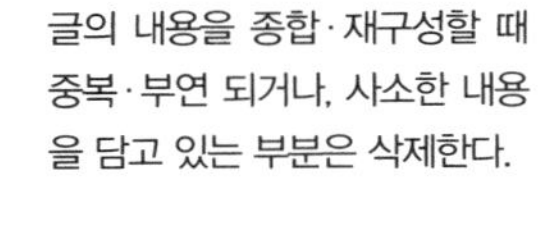
활동 도움말

글의 내용을 종합·재구성할 때 중복·부연 되거나, 사소한 내용을 담고 있는 부분은 삭제한다.

(1) 이 글의 내용을 종합·재구성할 때, ❶~❾ 중 반드시 활용할 부분과 삭제할 부분으로 구분해 보자.
- 반드시 활용할 부분: ❷, ❸, ❻, ❾
- 삭제할 부분: ❶, ❹, ❺, ❼, ❽

(2) (1)의 활동을 바탕으로 이 글의 중심 내용을 100자 내외로 요약해서 써 보자.

| 예시 답 | 한옥은 통의 원리를 구현한 건축물이다. 즉, 여러 가지 과학적 방법으로 시원한 바람이 잘 통하도록 만들어졌는데 크게 두 가지 방법을 사용하고 있다. 첫째는 여름에 부는 남동풍이 잘 통하도록 바람길을 내는 것이다. 둘째는 마당을 비워 안마당에 찬 공기주머니를 만드는 것이다. 이처럼 우리 조상은 통의 원리를 활용하여 친자연적인 건물인 한옥을 지었다.

넓혀 읽기

5. 다음 글을 읽고 아래 활동을 해 보자.

대목■ 신영훈 선생은 선사 시대 고인돌에도 현대 건축에서 쉽게 구사할 수 없는 고급의 공술(工術)이 응용되었다고 말한다. 받침돌과 지붕돌은 그저 되는 대로 세우고 올려놓은 것이 아니라, 완벽하게 맞추는 놀라운 구축의 기술로 만들어졌다는 설명이다. 울퉁불퉁한 돌들을 완벽하게 밀착시키는 '석축(어떤 시설물을 쌓아 올려 만듦.)의 그랭이질'이 이미 선사 시대 고인돌에서부터 등장한다는 것이다. 대단한 공력(애써서 들이는 정성과 힘)과 시공 기술이 필요한 이 그랭이질은 장군총과 분황사탑 기단을 거쳐 불국사의 석축 하단부에도 응용되었다.

고인돌 ▶

➔ 선사 시대 고인돌에 사용된 석축 기술

그랭이질은 본디 한옥을 지을 때 나무기둥과 주춧돌을 맞물리게 하는 고난도 공법으로 '그레질'이라고도 한다. 기둥은 생긴 대로 평퍼짐한 자연석 주춧돌 위에 세워지는데도 흔들리거나 밀리는 법이 없다. 주춧돌의 생긴 모양에 따라(자연석의 모양을 그대로 살림.) 나무 기둥의 밑동을 정밀하게 파내서 밀착시켰기 때문이다. 그래서 그랭이질만큼은 최고 건축 책임자인 도목수■가 맡는다. 그랭이질이 제대로 된 두 개의 기둥 위에 널판을 얹으면 그 위를 걸어 다닐 수도 있다(그랭이질의 우수성)고 한다.

➔ 한옥에서 그랭이질의 뜻과 기술 효과

황○○ 교수는 불국사가 1,200년 동안 지진을 견딜 수 있었던 이유 중 하나가 그랭이질이라고 주장했다. 불국사는 반경 600미터 안에 활성 단층이 3~4개가 지나가는 불안정한 터 위에서 779년의 큰 지진(「삼국사기」에 기록된 지진)도 이겨 냈다. 석축 아래의 그랭이질 기법이 지진의 충격을 흡수하고 완충하는 놀라운 내진(지진을 견디어냄.) 기술이었다는 것이다. 불국사를 떠받치고 있는 울퉁불퉁한 돌들이야말로 현대 건축 공학이 흉내 내기 힘든 공술의 결정체인 셈이다. 돌 다루는 솜씨를 잃은 현대 건축은 그저 크고 높아지기만 하고 있다.

◀ 불국사

➔ 불국사에 사용된 그랭이질 기법과 현대 건축에 대한 아쉬움.

-「그랭이질」, 『경향신문』, 2007. 11. 12.

제재 연구

유병선, 「그랭이질」

갈래	설명문
성격	분석적, 예시적
제재	건축 공법인 그랭이질
주제	예전부터 우리 건축에 사용되었던 과학적 건축 기법인 그랭이질
특징	① 전문가의 말을 인용하여 전달하려는 내용의 신뢰성을 높임. ② 그랭이질의 역사성과 과학성을 입증하기 위해 구체적인 사례를 제시함.

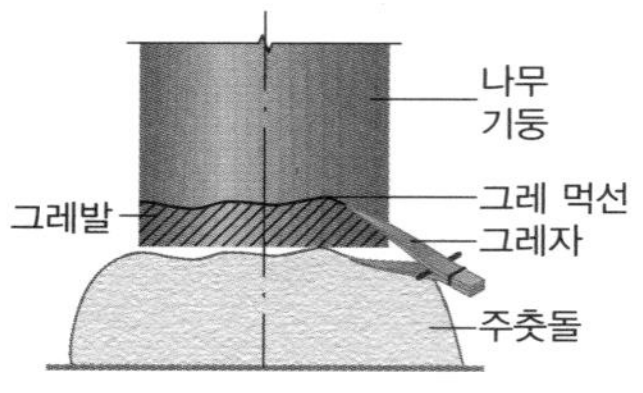

▲ 그랭이질 공법의 원리

대목(大木): 큰 건축물을 잘 짓는 목수.

도목수(都木手): 목수의 우두머리.

(1) 각 문단의 핵심어와 중심 문장을 찾아 써 보자.

	핵심어	중심 문장
1문단	선사 시대, 석축의 그랭이질	울퉁불퉁한 돌들을 완벽하게 밀착시키는 '석축의 그랭이질'이 이미 선사 시대 고인돌에서부터 등장한다는 것이다.
2문단	한옥, 그랭이질	그랭이질은 본디 한옥을 지을 때 나무 기둥과 주춧돌을 맞물리게 하는 고난도 공법으로 '그레질'이라고도 한다.
3문단	불국사, 그랭이질 기법	불국사를 떠받치고 있는 울퉁불퉁한 돌들이야말로 현대 건축 공학이 흉내 내기 힘든 공술의 결정체인 셈이다. 돌 다루는 솜씨를 잃은 현대 건축은 그저 크고 높아지기만 하고 있다.

(2) 각 문단 간의 관계를 파악하여 정리해 보자.

| 예시 답 | 1문단은 그랭이질의 역사가 매우 오래되었음을 밝히고 있고, 2문단에서는 이 기법이 보편적으로 쓰인 것이 한옥 건축임을 제시하고 있다. 그리고 3문단에서는 그랭이질 기법이 불국사의 내진 기술로 쓰였음을 언급하며 이러한 전통 건축 기술이 사라진 현실을 비판하고 있다.

(3) 이 글을 50자 내외로 요약해 보자.

| 예시 답 | 한옥을 지을 때에는 고난도 공법인 그랭이질이 쓰이는데, 이 기술은 선사 시대부터 사용되어 온 것이다. 불국사는 큰 지진에도 그랭이질 기법으로 지어졌기 때문에 유지될 수 있었다. 그런데 현대 건축에서는 이러한 훌륭한 전통 건축 기술이 쓰이지 않고 있다.

활동 도움말

문단의 중요도 평정에서 '상'에 해당하는 문단 내용을 중심으로 글을 요약한다.

소단원 출제 포인트

지혜롭고 행복한 집, 한옥 _ 통(通)의 원리

1 전체 글의 개관

갈래	설명문	성격	설명적, 분석적
제재	한옥의 설계에 담긴 과학의 원리	주제	통의 원리를 이용한 친자연적인 건축물, 한옥
특징	① 한옥에서 구현한 통의 원리를 두 가지 차원에서 설명함. ② 정의와 대조, 예시 등 다양한 설명 방식을 사용함.		

2 문단의 중심 내용 및 중요도, 내용 전개 방식

문단	문단의 중심 내용	문단의 중요도	내용 전개 방식
❶	한옥에 관한 일반인의 편견 제시	중	
❷	통의 원리를 구현하는 건강한 집인 한옥	상	
❸	통의 원리를 구현하는 첫 번째 방법 – 바람길 내기	상	정의
❹	바람길을 내는 방법에 대한 구체적 설명	중	대조
❺	바람길을 내는 방법에 대한 구체적 사례 제시 – 정여창 고택	하	예시
❻	통의 원리를 구현하는 두 번째 방법 제시 – 찬 공기주머니 만들기	상	정의
❼	한옥의 마당에 바람을 들어오게 하는 방법	중	정의
❽	한옥의 마당에 찬 공기주머니를 만드는 방법	중	예시
❾	글의 내용 요약 · 정리 • 한옥의 진정한 가치에 대한 필자의 생각	상	

3 한옥에 구현된 통의 원리

바람길 내기	거시 기후를 이용한 방법: 안채에 바람길을 만듦. → 계절 같은 큰 시간 단위를 기준으로 한반도 전체에 걸쳐서 나타나는 기후 현상 ① 중문을 남쪽에 두고 대청을 북쪽에 두어, 바람이 통하게 함. ② 대청 뒷면에 나무창을 설치함. → 나무창의 역할: 바람길을 만들기도 없애기도 함.
찬 공기주머니 만들기	미시 기후를 이용한 방법: 안마당을 비워 두어 대류 현상이 잘 일어나게 함. → 숲과 산세, 지세와 물길 등 각 집의 주변을 둘러싼 개별적 상황에 나타나는 기후 현상 ① 대청 근처의 집 주변에 나무를 심지 않음. ② 담을 낮게 설치함. ③ 처마를 돌출되게 하여 안마당으로 흘러 들어온 찬바람을 오래 잡아 둠.

4 필자의 '한옥'에 대한 인식

한옥	• 과학적 원리를 이용한 조상들의 지혜가 담겨 있음. • 자연을 거스르지 않고 살기 편함.	➡	필자의 인식	진정한 친자연의 의미를 지닌 건축물임.

내신 적중 문제

정답 및 해설 10쪽

[01-05] 다음 글을 읽고 물음에 답하시오.

(가) 흔히 사람들은 한옥을 친자연적 건축물이라고 말한다. 친자연적이라는 말에는 자연환경과 조화를 이루어 심리적 안정감이나 미적 쾌감을 준다는 의미가 담겨 있다. 한옥이 자연에서 취한 자재를 활용하고 자연 채광을 이용하기 때문이다. 그러나 친자연적이라는 말에 생활하기 불편하다는 의미도 내포되어 있다고 여기는 이들도 있다. 한옥은 여름에는 덥고 겨울에는 추워 생활하기 힘들다는 것이다. 그러나 이는 한옥을 깊이 있게 알고 있지 못한 데에서 나오는 편견이다.

(나) 요즘 창문이 안 열리는 초고층 주상 복합 건축물의 불편함이 화제이다. 자연 환기가 봉쇄된 것인데, 사람에 비유하자면 일 년 내내 두꺼운 옷을 잔뜩 입고 여름에는 그 속에 에어컨을 집어넣은 격이다. 더운 여름에는 얇은 반소매 옷 하나만 입고 추운 겨울에는 두꺼운 옷 여러 개를 입는 것이 상식이고 이치다. 집도 이런 상식과 이치를 따르면 된다. 여름에는 창문을 활짝 열어젖히고 사방에서 바람을 시원하게 받으면서 열을 식힐 수 있어야 한다. 한옥은 여러 과학적 방식을 활용해서 집 안 가득 시원한 바람을 맞아들여 잘 흐르도록 한다. 이를 한마디로 '통(通)'의 원리라 부를 수 있다. '통'은 어려운 개념이 아니다. 통풍, 환기, 순환 등과 같은 말로, 한옥은 통의 원리를 구현하는 건강한 집이다. 자연의 원리를 잘 지키는 것이니 곧 자연적이다.

(다) 한옥에서 통의 원리를 구현하는 방식은 크게 두 가지가 있다. 첫째, 거시 기후에 맞춰 집 안에 '바람길'을 내는 것이다. 여기서 거시 기후란 계절 같은 큰 시간 단위를 기준으로 한반도 전체에 걸쳐서 나타나는 기후 현상을 말한다. 한옥에서는 여름에 부는 바람인 남동풍의 방위에 맞춰 남향, 혹은 남동향으로 바람이 드나드는 바람길을 냈다. 한옥에서 바람길은 시원하고 통 크게 나 있어, 바람이 돌아 나가거나 머물거나 꺾어 가지 않도록 했다.

(라) 대부분의 한옥 안채는 중문에서 안마당을 통해 대청 뒷문으로 불어 나가는 바람길을 갖추고 있다. 사랑채는 대부분 방을 홑겹으로 배치한 개방적 구조이기 때문에 바람길을 내기 쉽다. 창이 보통 방의 앞면과 뒷면에 서로 마주 보고 있어서 이것만 열면 바람이 숭숭 잘 통하는 것이다. 그러나 집 안의 가장 안쪽에 있는 안채는 사랑채에 비해 폐쇄적이어서 여름철에 바람을 집 안까지 끌어들이기 위해서는 좀 더 세밀한 처리가 필요하다. 안마당을 중심으로 여름에 부는 바람의 방향을 고려하여 중문을 남쪽에, 대청을 북쪽에 두었다. 대청 뒷면에는 나무창을 설치했는데, 이 창은 바람길을 만들기도 하고 없애기도 하는 중요한 역할을 한다. 더운 여름, 중문과 대청 뒷면의 창을 모두 여는 순간 단번에 바람길이 만들어진다. 반면에 추운 겨울, 나무창을 닫으면 대청 뒷면은 완전히 막혀 매서운 겨울의 북서풍을 완전히 차단할 수 있다.

(마) 정여창 고택 안대문에 서 보자. 내가 안대문에 들어온 바람이 된 것 같다. 중문을 통과한 나는 안마당을 지나 대청을 타고 올라 뒤창으로 빠져나가는 바람 여행을 한다. 이처럼 바람길 한가운데 있으면 자연의 고마움 속에 여름 더위를 참아 낼 수 있다. 활짝 열어젖힐수록 바람길은 신작로가 나듯 명쾌하게 뚫린다. 이 길을 따라 한반도의 여름 대표 바람인 남동풍이 집을 관통해서 그 속을 시원스레 훑고 지나간다.

01 이 글에 대한 설명으로 가장 적절한 것은?

① 한옥이 변화해 온 과정을 통시적으로 보여 주고 있다.
② 한옥이 지닌 특징을 장점과 단점을 비교하여 제시하고 있다.
③ 한옥이 지닌 구조를 다른 대상과 대조하여 설명하고 있다.
④ 한옥이 지닌 가치를 전문가의 견해를 인용하여 부각하고 있다.
⑤ 한옥이 친자연적 건물임을 구체적 원리를 활용하여 설명하고 있다.

02 이 글의 내용과 일치하지 않는 것은?

① 한옥은 통의 원리를 구현한 집이다.
② 한옥에는 여러 과학적 방식이 활용되어 있다.
③ 한옥에서는 남동풍의 방위에 맞춰 바람길을 냈다.
④ 나무창은 바람길을 없애 주는 역할을 하기도 한다.
⑤ 초고층 주상 복합은 환기 면에서 한옥보다 편리함을 지닌다.

고난도

03 이 글을 읽은 학생이 다음 자료의 중문에 대해 반응을 보인 것으로 적절하지 않은 것은?

▲ 관가정 대청에서 바라본 중문

① 바람의 방향을 고려하여 남쪽에 위치하겠군.
② 반대쪽에는 대청을 두고 나무창을 설치했겠군.
③ 통의 원리를 구현하려는 선조들의 마음이 담겨 있겠군.
④ 사랑채에 비해 폐쇄적인 안채를 고려하여 낸 문이겠군.
⑤ 우리나라의 대표 바람인 남동풍이 빠져나가는 문이겠군.

학습 활동 응용

04 (가)와 (나)의 관계를 설명한 것으로 적절한 것은?

① (가)에서 한옥이 지닌 장점을 부각하면서, (나)에서 한옥이 지닌 장점을 구체적으로 부연 설명하고 있다.
② (가)에서 한옥에 관한 편견이 있음을 지적하고, (나)에서는 이러한 편견이 잘못된 것임을 밝히고 있다.
③ (가)에서 한옥과 관련된 의문을 질문 형식으로 제기하고, (나)에서 의문에 대한 답을 제시하고 있다.
④ (가)에서 한옥에 대한 일반인의 편견을 제시하고, (나)에서 이러한 편견이 나오게 된 원인을 분석하고 있다.
⑤ (가)에서 한옥이 지닌 가치를 부각하면서, (나)에서 특정 대상과 비교하여 한옥이 지닌 가치를 강조해 주고 있다.

서술형 | 학습 활동 응용

05 (다)~(마)의 문단을 중요도에 따라 평정하려고 할 때, 평정도가 높은 순으로 제시하시오. 또한 평정도를 고려하여 (다)~(마)의 내용을 요약하여 쓰시오.

〈조건〉
- '거시 기후, 바람길'의 단어를 반드시 포함할 것
- 한 문장으로 쓰되, 20자 내외로 쓸 것(띄어쓰기 포함)

[06-11] 다음 글을 읽고 물음에 답하시오.

(가) 한옥에서 통의 원리를 구현하는 두 번째 방법은 미시 기후를 활용해서 마당에 찬 공기주머니를 만드는 것이다. 미시 기후란 숲과 산세, 지세와 물길 등 각 집의 주변을 둘러싼 개별적 상황에 따라 나타나는 구체적인 기후 현상이다. 도시에서의 도로나 빌딩, 농촌에서의 배산임수(背山臨水)는 미시 기후에 영향을 미치는 중요한 요소이다. 한옥에서는 마당을 비워서 안마당에 찬 공기주머니를 만드는 방법으로 미시 기후를 활용한다.

(나) 기체나 액체가 부분적으로 가열되면 가열된 부분이 팽창하면서 밀도가 작아져 위로 올라가고, 위에 있던 밀도가 큰 부분은 내려오게 된다. 이런 과정이 되풀이되면서 기체나 액체 전체가 고르게 가열되는 것을 '대류(對流)'라고 한다. 한여름 한옥의 마당에는 대류 현상이 나타난다. 마당의 공기가 열을 받아 더워지면 위로 올라가서 마당은 거의 진공과 유사한 상태가 만들어지고, 그러면 진공을 채우기 위해 바람이 불어온다. 이때 바람은 중문으로 들어오는 것과 대청 뒤에서 불어오는 것 두 가지가 있을 수 있는데 이 가운데 찬 것이 들어오게 된다. 둘 가운데 찬 것은 대청 뒤에서 부는 바람이다. 대개 대청 뒤에는 숲이 있는데, 이곳의 찬바람이 집 안으로 들어온다. 한옥을 숲 앞에 짓는 것은 바로 이 때문이다. 우리 조상들은 한옥을 지을 때 지켜야 할 하나의 불문율 같은 것이 있었다. 대청 근처의 집 주변에 나무를 심지 말라는 것이다. 대청에 너무 가깝게 나무가 있으면 바람이 흘러드는 것을 막기 때문이다. 또한 담을 낮게 했는데, 담이 높으면 이 역시 바람의 흐름을 방해하기 때문이다.

(다) 이렇게 마당에 들어온 찬 공기를 계속 머물게 하는 데에는 지붕의 ㉠처마가 큰 기여를 한다. 관가정의 안채 안마당은 폭에 비해 지붕 처마가 많이 돌출해 있는데, 이는 안마당으로 흘러 들어온 찬바람을 오래 잡아 두는 역할을 한다. 앞으로 돌출한 지붕 처마는 안마당에 형성된 공기 덩어리의 흐름에 영향을 주어 마당 안에서 위아래로 향하는 공기의 흐름을 만들며, 그 결과로 아직 데워지지 않은 찬 공기가 바로 빠져나가는 것을 막는다. 한옥의 안채가 특히 여름에 서늘한 것은 바로 이 때문이다.

(라) 우리 조상은 한옥에 통의 원리를 적극적으로 활용하였다. 한옥에는 여름철 시원한 바람이 거침없이 지나갈 수 있도록 바람길을 내었다. 또 마당을 비워 시원한 바람이 마당에 들어오도록 했고, 지붕의 처마를 이용해 들어온 바람을 머물도록 했다. 이처럼 우리 조상은 슬기롭게 자연을

거스르지 않으면서도 살기 편한 집을 만들었다. 이것이 한옥이 갖는 진정한 친자연의 의미이다.

학습 활동 응용

06 **다음 중 '사실적 읽기' 방법에 따라 이 글을 읽은 학생으로 가장 적절한 것은?**

① 혜리: 한옥이 통의 원리를 어떻게 구현했는지 살펴보았어.
② 민국: 다른 나라의 집은 어떠한지 한옥과 비교해 봐야겠어.
③ 유진: 한옥의 장점 중에 또 어떤 것이 있는지 찾아보기로 했어.
④ 우리: 한옥에 대한 필자의 관점을 찾아보고 타당한지 평가했어.
⑤ 주영: 제시된 사진이 내용을 뒷받침하는지 적절성을 판단해 볼 거야.

07 **이 글을 읽은 독자의 반응으로 적절하지 않은 것은?**

① 한옥은 우리나라의 기후를 반영한 건축물이라 할 수 있군.
② 찬 공기주머니를 만드는 방법에는 과학적 원리가 담겨져 있군.
③ 한옥 주변에 나무를 심은 이유는 찬바람을 끌어들이기 위함이군.
④ 한옥은 자연을 거스르지 않은 친자연적인 건축물이라 할 수 있군.
⑤ 지붕의 처마는 여름에 한옥의 안채를 시원하게 하는 데 큰 역할을 하는군.

08 **이 글을 바탕으로 '한옥'에 대해 이해한 내용으로 적절하지 않은 것은?**

① 한옥을 지을 때는 주로 숲 앞에 지었다.
② 한옥의 지붕 처마는 찬바람이 빠져나가는 것을 막았다.
③ 한옥을 지을 때는 미시 기후를 고려하여 건물의 구조물을 만들었다.
④ 한옥에 담을 쌓을 때는 바람이 잘 들어오도록 높게 쌓지 않았다.
⑤ 한옥에서는 바람이 잘 들어올 수 있도록 안마당의 폭을 좁고 길게 내었다.

고난도 학습 활동 응용

09 **〈보기〉를 바탕으로 이 글을 이해한 내용으로 적절하지 않은 것은?**

〈보기〉

중요도 평정은 문단 차원에서도 이루어질 수 있다. 핵심 주장이나 주요 정보가 담겨 있는 문단의 중요도는 ⓐ높게 평정될 것이고, 중복되거나 부연되는 내용, 그리고 사소한 내용이 담긴 문단의 중요도는 ⓑ낮게 평정될 것이다. 중요도가 높은 문단을 중심으로 그 글이 무엇에 관해, 어떤 말을 하고 있는지 ⓒ요약하여 정리할 수 있으면 ⓓ글 전체의 주제를 찾을 수 있다.

① (가)~(라) 중에서 ⓐ에 해당하는 것은 (가), (라)이다.
② (나)가 ⓑ에 해당하는 이유는 (가)의 방법을 구체적으로 설명하는 내용이기 때문이다.
③ (다)는 대조의 방법을 활용하여 (가)를 구체화하고 있으므로 ⓑ에 해당한다고 할 수 있다.
④ (라)에 제시된 내용을 볼 때, (라)에는 ⓒ가 제시되었다고 할 수 있다.
⑤ '통의 원리를 구현한 친자연적인 건축물 한옥'이 ⓓ라 할 수 있다.

10 **한옥에 ㉠을 둔 이유로 가장 적절한 것은?**

① 여름에 안마당으로 들어오는 찬바람을 잡아 두기 위해
② 여름에 안마당으로 들어오는 바람을 차게 만들기 위해
③ 겨울에 안마당으로 찬바람이 들어오지 않게 하기 위해
④ 겨울에 안마당으로 들어온 바람을 따뜻하게 만들기 위해
⑤ 여름에 한옥의 안채에 시원한 바람이 들어올 수 있게 하기 위해

서술형

11 **이 글의 필자가 '한옥'에 대해 강연한다고 할 때, 다음 질문에 대한 필자의 답변을 쓰시오.**

질문자: 강연자님께서는 '한옥'이 친자연적이라고 하셨는데, 그렇게 말한 이유는 무엇입니까?

〈조건〉
• 이유를 두 가지 제시할 것
• 주어를 '한옥'으로, 서술어를 '~ 때문입니다.'로 할 것

추론적 읽기

교과서 62쪽

생각 열기 다음 광고가 전달하려는 바는 무엇일까?

한 공익 광고에서 '아이들은 절대 못 맞히는 문제'로 의복과 관련된 질문을 던졌다. 이 광고에서 제시된 정보는 비교적 단순하지만, 이를 통해 전달하려는 의미는 사뭇 심오하다. 이 광고는 우리 사회에 갑을(甲乙)의 차별 관계가 존재하므로, 자라나는 아이들을 위해서라도 갑이 을에게 횡포를 부리는 일을 없애자는 주장을 우회적으로 전달하고 있다. 이 광고가 말하려는 바를 이해하려면 숨은 의미를 잘 추론해 보아야 한다. 이처럼 글에는 의미가 숨겨져 있거나 내용이 생략되어 있는 경우가 많다.

그렇다면 **글에 드러나지 않은 내용은 어떻게 추론하며 읽어야 할까?**

| 예시 답 | 글과 관련한 배경지식이나 경험을 활용한다, 글의 표면에 제시되어 있는 표지를 적극적으로 활용한다, 필자가 누구이고, 어떤 목적으로 썼는지 살펴야 한다 등

| 도움말 | 주어진 자료를 있는 그대로 읽지 않고, 그 숨은 의도를 추측해서 파악해야 하는 상황을 제시하였다. 이를 통해 추론적 글 읽기의 필요성을 이해하고, 추론적 글 읽기의 방법에 관한 질문에 스스로 답해 봄으로써 학습 주제에 관한 흥미를 높이도록 한다.

| 이 단원의 학습 요소 |

학습 목표 **글에 드러나지 않은 정보를 예측하여 필자의 의도나 글의 목적, 숨겨진 주제, 생략된 내용을 추론하며 읽는다.**

글에 언급된 '경제 활동을 하는 인간의 특성' 추론하기	▶	글에 언급된 '경제 활동을 하는 인간의 특성'을 추론해 본다.
글을 쓴 필자의 의도와 목적 추론하기	▶	글을 쓴 필자의 의도와 목적을 추론해 본다.

소단원 바탕학습

원리 이해

1 추론적 읽기의 개념과 필요성

1. 추론적 읽기의 개념: 글에 명시적으로 드러나 있지 않은 의미를 헤아려 짐작하며 읽는 것
   (명시적: 내용이나 뜻을 분명하게 드러내 보이는. 또는 그런 것)
2. 추론적 읽기의 필요성

글을 쓸 때의 필자의 의도	• 전달의 효율성을 높이려 함. → 당연한 내용이나 쉽게 짐작할 수 있는 내용은 생략함. • 표현 효과를 얻으려 함. → 어떤 내용을 감추어 두고 그것을 직접 서술하지 않기도 함.
⬇	
필요성	생략된 내용이나 숨겨진 내용을 추론하며 읽는 능력을 갖추어야 함.

2 생략된 내용 추론하기

생략된 내용을 추론할 때는 글의 내용과 관련한 독자의 배경지식과 경험, 표지 등을 적극적으로 활용해야 함.
(표지: 표시나 특징으로 어떤 사물을 다른 것과 구별하게 함. 또는 그 표시나 특징)

글의 내용	➡	배경지식, 경험, 표지	➡	추론
예 우리 집 고양이가 또 새끼를 낳았다.		• '새끼'는 암컷만 낳을 수 있다는 배경지식 • 반복을 의미하는 '또'라는 표지		'우리 집 고양이'가 암컷이고 이전에도 새끼를 낳은 경험이 있음.
예 이번에는 실수하지 않기 위해 기말시험 공부를 더 열심히 했다.		• '기말시험'을 대개 학생이 본다는 일반 지식을 바탕으로 필자가 학생임. • '이번에는'이라는 표지		지난 시험에 실수한 경험이 있음.

3 숨겨진 주제나 글 쓴 목적, 의도 추론하기

글이 어떤 배경에서, 누구에 의해, 어떤 목적으로 생산된 것인지 등 그 글이 생산된 맥락까지 깊게 고려해야 함.

	➡		➡	
예 소설 같은 서사적인 글		인물의 행동과 대사, 혹은 여러 사건이나 배경 묘사 등을 근거로 인물의 성격과 특성, 사건과 사건의 관계, 배경의 상징성 등을 추측해야 함.		인물, 사건, 배경 등에 담긴 필자의 의도나 주제를 추론함.
예 목적이 명시적으로 드러나지 않은 정보 전달의 글		같은 사건을 다룬 신문 기사: 편집자의 의도에 따라 표제나 내용 표현, 기사의 위치, 관련 사진이나 도표의 제시 방법이 달라짐.		해당 기사에 사용된 표현이나 내용 제시 방법까지 주목해서 읽어야 함.

| 원리 확인 문제 |

1. 다음 중 '추론적 읽기'의 뜻으로 가장 적절한 것은?

① 필자의 주장의 타당성을 평가한다.
② 생략되거나 숨겨진 내용을 추측한다.
③ 명시적으로 드러난 정보를 파악한다.
④ 글의 내용과 관련하여 새로운 생각을 펼친다.
⑤ 글에서 공감하거나 감동적인 내용을 찾아 감상한다.

2. 다음 글의 빈칸에 알맞은 말을 쓰시오.

> 필자는 전달의 효율성을 높이기 위해, 표현 효과를 얻기 위해 당연한 내용은 (　　)하거나 어떤 내용은 감추어 두므로, 이를 파악하기 위해 추론적 읽기가 필요하다.

3. 〈보기〉에서 생략된 내용을 추론할 때 활용할 수 있는 것을 모두 찾아 쓰시오.

〈보기〉
㉠ 독자의 경험
㉡ 글에 제시된 표지
㉢ 독자의 배경지식
㉣ 독자의 인생관

4. 다음에 사용된 표지는 무엇인지 쓰고, 이를 통해 추론할 수 있는 내용은 무엇인지 쓰시오.

> 날씨가 또 건조한 것을 보니 올봄에 산불이 많이 날 것 같다.

정답 1. ② 2. 생략 3. ㉠, ㉡, ㉢ 4. 또, 건조한 봄에는 산불이 많이 나는데, 지난해에 이어 올봄에도 건조하여 산불이 많이 일어날 것 같음.

제재 미리보기

36.5도 인간의 경제학

1 해제

이 글은 전통적 경제학의 문제점을 지적하며 현실에 맞는 경제 이론과 경제 정책의 모색이 필요함을 주장하고 있다. 필자는 이기적 인간인 호모 에코노미쿠스를 전형적인 인간형으로 설정한 전통적 경제학에 대해 언급한 뒤, 공공재를 사례로 들어 이기적인 인간들이 무임승차하는 현상을 지적하고 있다. 그러면서 사람들이 언제나 무임승차를 할 수 있는 상황에서 무임승차를 할지 의문을 제시하며, 이와 관련한 실험을 제시하고 있다. 실험 결과 사람들이 무임승차하려는 경향이 적었다고 하면서, 사람들이 언제나 합리적이고 이기적으로 행동하지 않음을 밝히고 있다. 이를 바탕으로 필자는 호모 에코노미쿠스에 바탕을 둔 전통적 경제 이론이 한계가 있음을 언급하며, 이에 바탕을 둔 경제 이론과 경제 정책을 새로운 시각에서 검토해야 함을 드러내고 있다.

2 핵심 개관

(1) **갈래**: 논설문

(2) **성격**: 논증적, 사례적

이 글에서 필자는 사람들이 언제나 합리적이고 이기적으로 행동하지 않음과, 그것을 보여 주는 구체적 실험을 사례로 제시하고 있다. 그리고 이를 바탕으로 기존 경제 이론이 한계가 있음을 밝히면서 새로운 경제 이론과 경제 정책이 필요함을 논리적으로 드러내고 있다.

(3) **제재**: 인간이 하는 경제 행위의 특성

(4) **주제**: 전통적 경제학과 다른 새로운 경제 이론과 경제 정책의 필요성 제기

호모 에코노미쿠스에 바탕을 둔 기존의 경제 이론이 오늘날 현실을 설명하는 것에 한계가 있음을 실험을 통해 언급하면서, 전통적 경제 이론에 의거하여 마련된 경제 이론과 경제 정책을 재검토해야 함을 제시하고 있다.

(5) **특징**

① 전통적 경제학이 설정한 호모 에코노미쿠스의 경제 행위가 현실과 동떨어져 있음을 논리적으로 입증하고 있다.

② 구체적인 실험을 통해 전통적 경제학의 한계를 지적하고 있다.

(6) **구성**

'서론' 부분에서 호모 에코노미쿠스를 전형적인 인간으로 설정한 전통적 경제학에 대해 반기를 든 경제학자들이 등장했음을 언급하면서, '본론' 부분에서는 실험의 사례를 제시하여 언제나 이기적, 합리적으로 행동하지 않는다는 인간 경제 행위의 특성에 대해 제시하고 있다. 이를 바탕으로 '결론' 부분에서는 기존 경제 이론이 오늘날에는 한계가 있다고 언급하며 새로운 시각의 경제 이론과 경제 정책의 필요성을 드러내고 있다.

서론	본론 1	본론 2	결론
전통적 경제학에 반기를 드는 경제학자들의 등장	공공재의 특성	실험을 통해 확인할 수 있는 인간 경제 행위의 특성	전통적 경제학과는 다른 시각의 경제 이론과 경제 정책의 필요성 제기

36.5도 인간의 경제학

_ 이준구

소단원 포인트

- 숨겨진 내용이나 생략된 내용을 추론하며 읽기
- 필자의 목적이나 의도 파악하기
- 효과적인 내용 전개를 위한 표현 사용 및 효과 파악하기

서론 **가** 지금까지 우리가 배우고 있는 전통적 경제학에서는 전형적인 인간형으로 ㉠호모 에코노미쿠스(Homo economicus)를 설정한다. 호모 에코노미쿠스는 사랑이나 미움, 기쁨이나 슬픔 같은 인간의 체취가 완전히 제거된 존재이다(호모 에코노미쿠스의 특성 ①). 그가 지니고 있는 유일한 관심은 물질적 측면이고, 그는 오직 물질적 동기에 의해 움직인다(호모 에코노미쿠스의 특성 ②). 한마디로 호모 에코노미쿠스는 '자신의 이익을 합리적으로 추구하는 존재'(호모 에코노미쿠스의 개념)이다. 그러나 최근에는 호모 에코노미쿠스를 전형적 인간형으로 보는 전통 경제학의 시각에 반기를 드는 경제학자들이 나타났다. 이들은 인간이 호모 에코노미쿠스가 아니라는 다양한 증거를 제시하였다.

➔ 인간은 호모 에코노미쿠스가 아니라는 경제학자들의 등장

서론: 전통적 경제학에 반기를 드는 경제학자들의 등장

필자 소개

이준구(1949~): 경제학자. 경제학 원론, 미시 경제학, 재정학 등을 가르쳐 왔다. 주요 저서로 『경제학 원론』, 『경제학 들어가기』 등이 있다.

본론 1 **나** 도로나 공원처럼 여러 사람이 공동으로 소비하는 것(공공재의 개념)을 '공공재'라고 부른다. 공공재의 또 다른 예로는 국방 서비스나 경찰 서비스를 들 수 있다. ㉡그런데 이 공공재에는 독특한 성격이 있어 시장에서는 그것을 취급하기 어렵다. 예컨대 국방 서비스를 생산, 공급하는 기업이 있다고 가정해 보자(공공재를 시장에서 취급하는 경우를 가정함.). 이 기업은 한 사람당 연간 5백만 원만 내면 철통 방위를 약속한다는 신문 광고도 냈다. 과연 국민들은 돈을 내고 이 서비스를 이용하려 할까? 국민들은 국방 서비스를 산 사람만 골라서 외적으로부터 지켜 줄 수 없다(국방 서비스의 이용 비용을 지불하지 않으려는 이유)는 점을 알기에 굳이 자신이 그 비용을 지불하려 하지는 않을 것이다. 이처럼 개인이나 기업이 비용을 들여 공공재를 생산할 때 아무 비용을 지불하지 않은 사람도 비용을 지불한 사람과 함께 그 혜택을 누릴 수 있게 된다(공공재의 특성). 대부분의 공공재를 정부가 생산, 공급하는 것은 바로 이 때문이다.

➔ 공공재를 정부가 생산, 공급하는 이유

▸**공공재**: 모든 사람들이 공동으로 이용할 수 있는 재화 또는 서비스로, 국방·경찰·소방·공원·도로 등과 같은 재화 또는 서비스를 말한다. 그 재화와 서비스에 대한 대가를 치르지 않더라도 소비 혜택에서 배제할 수 없는 성격과, 사람들이 소비를 위해 서로 경합할 필요가 없는 비경쟁성의 속성을 지니고 있다.

다 이기적인 사람(호모 에코노미쿠스)은 어떤 공공재가 필요하다고 생각하면서도 필요하지 않다고 말한다. 그렇게 함으로써 공공재 생산에 드는 비용 부담에서 벗어날 수 있기(비용 부담에서 벗어나기 위해서) 때문이다. 그런 다음 다른 사람들이 비용을 들여 공공재를 생산하면 여기에 편승해 그 혜택을 누린다. 공공재가 가진 성격으로 인해 그렇게 해도 된다(공공재의 생산 비용을 들이지 않으면서 그 혜택을 누리는 것)는 것을 알기 때문이다. 돈을 내지 않고 남의 차에 올라타는 사람(무임 승차자)처럼, 공공재에도 무임승차를 하는 사람이 발생할 가능성이 크다. 바로 이 무임 승차자들 때문에 시장이 공공재를 생산, 공급하는 일을 제대로 감당하지 못하는 것이다.

➔ 시장이 공공재를 생산, 공급하지 못하는 이유

본론 1: 공공재의 특성

교과서 날개 질문

시장이 공공재를 생산, 공급하지 못하는 이유를 말해 보자.

| 예시 답 | 공공재를 생산할 때 비용을 지불하지 않는 사람도 그 혜택을 누리려는 무임 승차자들이 발생할 가능성이 높기 때문에 시장에서는 공공재를 생산, 공급하는 일을 감당하지 못한다.

본론 2 ㉣ 공공재에 무임승차를 한다는 것은 자기가 속한 공동체의 이익을 무시하고 개인적인 이익만을 취하려고 행동한다는 뜻이다. 완벽하게 합리적이고 이기적인 사람, 즉 호모 에코노미쿠스라면 당연히 이런 이기적 행동을 하게 된다. 그러나 무임승차를 할 수 있는 상황이라 해서 사람들이 언제나 무임승차를 하려고 할까? 이 의문에 대한 답을 얻기 위해 다음과 같은 실험을 해 볼 수 있다.

공공재에 무임승차하는 행위는 호모 에코노미쿠스가 할 수 있는 행동임.

공공재의 무임승차 행위가 반드시 발생할 것인지를 파악하기 위한 실험

➔ 공공재의 무임승차 행위를 확인하기 위한 실험

어휘 풀이

반기(反旗): 반대의 뜻을 나타내는 행동이나 표시.

편승(便乘): 세태나 남의 세력을 이용하여 자신의 이익을 거둠을 비유적으로 이르는 말.

핵심 쏙쏙

1 호모 에코노미쿠스의 이해

전통적 경제학에서 전형적 인간형으로 설정함.

⬇

- 인간의 체취가 완전히 제거된 존재임.
- 물질적 측면에 유일한 관심이 있음.
- 물질적 동기에 의해서만 움직임.

⬇

자신의 이익을 합리적으로 추구하는 존재

2 공공재의 이해

공공재의 뜻	여러 사람이 공동으로 소비하는 것
사례	도로나 공원, 국방 서비스, 경찰 서비스
정부가 공공재를 생산, 공급하는 이유	공공재 생산 비용을 지불하지 않는 사람도 공공재의 혜택을 누리려 하기 때문임.

3 이기적인 인간의 공공재에 대한 인식

인식	공공재가 (전체를 위해) 필요하다고 생각하지만, (자신은) 필요하지 않다고 생각함.
태도	공공재가 생산되면 편승해 혜택을 누리려 함. → 무임승차하려 함.

⬇ 의미

공동체의 이익을 무시하고 개인적인 이익만을 취하려는 행동임.

4 필자가 다음 상황을 '가정'한 이유

'예컨대 국방 서비스를 생산, 공급하는 기업이 있다고 가정해 보자'	기업이 국방 서비스를 생산하여 판매하는 상황을 가정한 것으로, 이는 국방 서비스와 같은 공공재를 개인이나 기업이 아닌 정부가 생산, 공급하는 이유를 제시하기 위해서임.

정답 및 해설 11쪽

확인 문제①

1. 이 글의 내용과 일치하지 않는 것은?

① 대부분의 공공재를 생산하는 곳은 정부이다.
② 이기적인 사람도 공공재는 필요하다고 여긴다.
③ 이기적인 사람은 필요할 경우 비용을 부담하기도 한다.
④ 이기적인 사람은 공공재에 무임승차를 하려는 경향이 짙다.
⑤ 전통적 경제학에서는 호모 에코노미쿠스를 전형적 인간형으로 본다.

2. ㉠에 대한 설명으로 적절하지 않은 것은?

① 물질적 측면에만 관심을 둔다.
② 인간의 체취가 제거된 존재이다.
③ 물질적인 동기가 있어야 움직인다.
④ 자신의 이익을 합리적으로 추구한다.
⑤ 인간이 지닌 감정을 직접적으로 표출한다.

3. ㉡에 생략된 내용을 추리한 것을, 〈보기〉에서 골라 바르게 묶은 것은?

〈보기〉
ⓐ 시장에서는 개인의 이윤을 추구한다.
ⓑ 시장에서는 공공재를 주로 판매한다.
ⓒ '국방 서비스'나 '경찰 서비스'는 시장에서 판매하지 않는다.
ⓓ '국방 서비스'나 '경찰 서비스'는 여러 사람이 공동으로 소비한다.

① ⓐ, ⓑ ② ⓐ, ⓒ ③ ⓐ, ⓓ ④ ⓑ, ⓒ ⑤ ⓑ, ⓓ

서술형

4. 이 글에서 이기적인 인간이 공공재에 편승하려는 태도를 나타낸 말을 찾고, 이들이 이렇게 행동하는 이유는 무엇인지 쓰시오.

〈조건〉
- 이유를 제시할 때 '공공재', '비용'을 반드시 포함시킬 것
- 30자 내외로 쓸 것(띄어쓰기 포함)

교과서 날개 질문
내가 이 실험에 참여한다면 어떤 상자에 몇 장의 표를 넣을 것인지 생각해 보자.

| 예시 답 | 모두 흰색 상자에, 모두 푸른색 상자에, 흰색 상자와 푸른색 상자에 각각 25장 등

| 도움말 | 각자 실험 참가자의 입장에 되어 어느 상자에 몇 장의 표를 넣을 것인지 생각해 보도록 한다. 그리고 학급의 학생들이 했던 판단의 결과를 모두 적은 후 그 결과와 자신의 실험 결과를 비교해 본다.

마 우선 일정한 수의 사람들로 하나의 집단을 만든다. 그런 다음 그 집단의 각 사람에게 일정한 수의 표를 배분한다. 예를 들어 10명으로 하나의 집단을 만든 다음, 각 사람에게 50장씩의 표를 배정한다고 하자. 각 사람이 이 표를 어떻게 사용하는지를 보는 것이 이 실험의 내용이다.

(배정: 몫을 나누어 정함.)

➔ 공공재의 무임승차 행위를 확인하기 위한 실험의 내용

바 『각 사람은 자신에게 배정된 50장의 표를 '개인'이라고 씌어 있는 흰색 상자와 '공공'이라고 씌어 있는 푸른색 상자에 나누어 넣게 된다. 어떤 사람이 표 1장을 흰색 상자(개인)에 넣으면 실험이 끝난 후 그 사람은 천 원을 받게 된다. 반면에 표 1장을 푸른색 상자(공공)에 넣으면 그 집단에 속하는 모든 사람이 5백 원씩 받게 된다.』 만약 내가 가진 표 50장 전부를 흰색 상자에 넣으면 나는 실험이 끝난 후 5만 원을 주머니에 넣을 수 있다. 그러나 나로 인해 다른 사람이 얻을 수 있는 금액은 0원이다. 그런데 내가 50장 전부를 푸른색 상자에 넣으면 내가 얻게 되는 돈은 2만 5천 원으로 줄어든다. 반면에 다른 구성원들도 나로 인해 모두 2만 5천 원씩의 돈을 얻게 된다. 다른 사람이 푸른색 상자에 표를 1장씩 넣을 때마다 나에게 5백 원의 돈이 생긴다는 것은 두말할 나위가 없다.

(『 』: 실험의 조건 / 흰색 상자에 표를 모두 넣었을 때 발생할 이익 / 푸른색 상자에 표를 모두 넣었을 때 발생할 이익 / 나위: 더 할 수 있는 여유나 더해야 할 필요)

➔ 실험의 조건과 과정

교과서 날개 질문
실험에서 흰색 상자에 표를 넣는 행위와 푸른색 상자에 표를 넣는 행위에 담긴 의미가 무엇인지 판단해 보자.

| 예시 답 | 흰색 상자에 표를 넣는다는 것은 이기적 행위를 의미하고, 푸른색 상자에 표를 넣는다는 것은 이타적 행위를 의미한다.

사 흰색 상자와 푸른색 상자에 넣은 표는 각각 어떤 의미를 지니는 것일까? 흰색 상자에 표를 넣는 것은 자신만 천 원의 이득을 얻으려 한다는 이기적 행위를 뜻한다. 반면에 푸른색 상자에 넣는 데는 모두가 함께 이득을 얻자는 의도가 내포되어 있다. 이런 의미에서 본다면 ㉠푸른색 상자에 표를 넣는 행위는 공공재를 생산하는 데 드는 비용을 부담하는 것으로 해석할 수 있다. 공공재 생산에 드는 비용을 내가 부담하면 그 혜택을 모두가 고루 나누어 가질 수 있기 때문이다.

(이기적 경제 행위 / 이타적 경제 행위 / 푸른색 상자에 투표하는 행위와 공공재와의 관계)

➔ 실험의 투표 행위에 담긴 의미

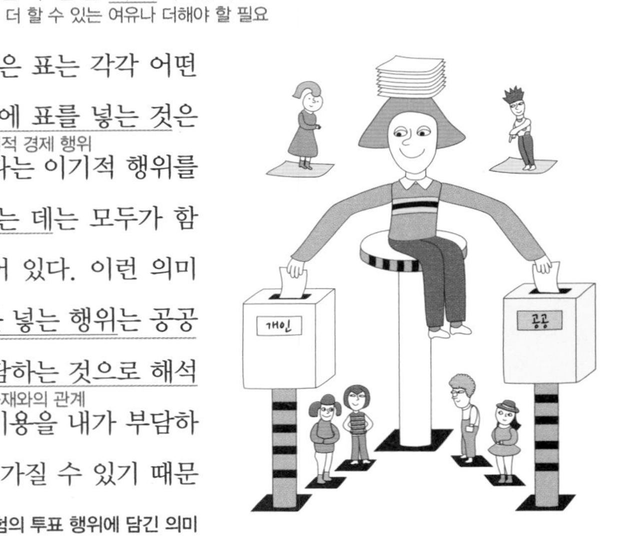

비합리적인 경제 행위 – 손실 회피 경향
이익에는 둔감하지만 잃는 것에는 민감해지면서 손실을 회피하는 경향으로 의사 결정을 내리는 것을 말한다. 신용 카드를 사용할 때 당장 지갑에서 현금이 나가면 손해가 크지만 한 달 뒤에 할부로 갚아 나간다고 생각하면 실제로 느껴지는 손실액은 작다고 여겨 과소비를 하게 되는 것이 이러한 손실 회피 성향을 잘 보여 준다고 할 수 있다.

아 문제는 사람들이 자기가 가진 표를 각 상자에 얼마만큼씩 나눠서 넣을 것인지에 있다. 이를 보면 사람들이 공공재에 대해 어떤 태도를 보이는지를 알 수 있게 된다. 이기적인 사람이라면 50장을 전부 흰색 상자에 넣을 것이 분명하다. 여기서 일단 5만 원을 얻고, 남들이 푸른색 상자에 표를 넣으면 거기서도 얼마간의 돈을 얻을 수 있다. 남들이 푸른색 상자에 표를 넣는 것은 환영하지만 내가 넣을 필요가 없다고 생각한다. 만약 모든 사람이 각자 가진 표를 전부 흰색 상자에 넣으면 1인당 5만 원씩 얻는 것으로 실험은 끝난다. 이때 집단 전체가 얻는 돈은 50만 원이 된다. 반면에 모든 사람이 가진 표를 전부 푸른색 상자에 넣으면 각자 25만 원씩 얻을 수 있고, 집단 전체가 얻는 돈은 250만 원이나 된다. 모든 사람이 공공재 생산 비용을 자발적으로 부담함으로써 이들이 얻는 이득이 무려 다섯 배로 늘어난 것이다.

(실험의 의도 / 이기적인 사람이 예상한 최상의 투표 결과 / 이기적인 생각 / 개인이나 집단 전체적으로 볼 때 모두 흰색 상자에 투표할 때보다 얻는 이익이 큼. / 흰색 상자 투표: 50만 원, 푸른색 상자 투표: 250만 원)

➔ 실험 결과의 의미 분석

자 집단 전체의 관점(이타적 관점)에서 볼 때 가장 바람직한 결과는 모든 사람이 가진 50표를 전부 푸른색 상자에 넣는 것이다. 그러나 개인적 관점(이기적 관점)에서 보면 그것은 결코 바람직하지 않다. 푸른색 상자에 넣은 1표가 내게 5백 원의 이득을 가져다주지만, 흰색 상자에 넣은 1표는 그 두 배인 천 원의 이득을 가져다주기 때문이다. 그래서 개인적인 관점에서 보면 흰색 상자에 넣는 것이 바람직한 일이 된다.

➜ 관점에 따라 다른 투표 행위의 의미

핵심 쏙쏙

1 실험 과정의 이해

- 10명의 사람에게 50장의 표를 줌.
- '개인'이라고 쓰인 흰색 상자와 '공공'이라고 쓰인 푸른색 상자에 표를 넣게 함.

⬇

- 표 한 장을 흰색 상자에 넣을 경우: 자기만 천 원을 받음.
- 표 한 장을 푸른색 상자에 넣을 경우: 10명 모두 5백 원을 받음.

2 실험에서의 두 가지 행위와 그 의도

각 상자에 표를 넣는 행위의 의미	• 흰색 상자에 넣는 것: 이기적인 경제 행위를 의미함. → 공공재에 무임승차하려는 것 • 푸른색 상자에 넣는 것: 이타적인 경제 행위를 의미함. → 공공재의 비용을 부담하려는 것
⬇	
실험의 의도	사람들이 경제 행위를 할 때 이기적 행동을 할 것인지, 공공을 위한 행동을 할 것인지 알아보기 위해서임.

3 흰색 상자와 푸른색 상자에 표를 넣을 때의 집단 전체의 이익 비교

흰색 상자에 모두 넣는 경우	10명×50장×1,000원 → 50만 원
푸른색 상자에 모두 넣는 경우	10명×50장×500원×10 → 250만 원

⬇ 의미

공공재 생산 비용을 부담하는 행위로 얻는 이익(푸른색 상자)이 개인적인 이익(흰색 상자)보다 높음.

확인 문제 ②

정답 및 해설 12쪽

학습 활동 응용

1. 이 글에서 모의 실험을 한 의도로 가장 적절한 것은?

① 인간의 경제 행위의 양상을 알려 주기 위해
② 공공재에 대해 사람들이 어떤 태도를 보이는지 알기 위해
③ 공공재 생산에 들어가는 비용 분담의 적정 비율을 찾기 위해
④ 공공재에 무임승차하는 이기적 인간의 태도를 살펴보기 위해
⑤ 인간이 이기적인 면과 이타적인 면을 동시에 지녔음을 드러내기 위해

2. 이 글의 내용을 바르게 이해하지 못한 사람은?

① 지민: 한 사람이 50장 표를 흰색 상자에 모두 넣으면 5만 원을 받을 수 있어.
② 은정: 50장을 흰색 상자에 모두 넣으려는 사람은 이기적 성향이 강한 사람이야.
③ 민주: 모든 사람이 푸른색 상자에 넣으면 흰색 상자에 넣을 때보다 얻는 이익은 더 클 거야.
④ 은솔: 푸른색 상자에 50장 표를 넣는 사람은 공공의 이익을 우선시하는 사람이야.
⑤ 정민: 흰색 상자에 50장을 다 넣은 사람은 자기가 넣은 만큼의 이익만 얻을 수 있다고 생각할 거야.

3. ㉠의 행위에 숨겨져 있는 생각으로 가장 적절한 것은?

① 인간에게는 이타적인 성향이 있다.
② 인간은 합리적으로 생각하는 경향이 있다.
③ 인간은 타인의 능력을 과소평가하는 경향이 있다.
④ 인간은 타인의 이익보다 개인의 이익을 우선시한다.
⑤ 인간은 개인의 삶과 공동의 삶을 동등하게 존중한다.

서술형

4. 다음은 이 실험에 참가한 학생의 생각을 드러낸 것이다. 이를 통해 알 수 있는 공공재 생산에 대한 태도는 어떠한지 쓰시오.

정의: 음, 어디에 표를 넣어야 하지? 흰색 상자에 넣으면 푸른색 상자에 넣을 때보다 내가 얻는 이익이 크니까 흰색 상자에 넣을까? 그러면 안 되지? 내 이름처럼 나는 정의의 인물이니까? 비록 내 개인적으로 얻는 이익은 적지만 푸른색 상자에 내 표를 넣어야지.

교과서 날개 질문
우리의 경제 행위가 호모 에코노미쿠스의 경제 행위와 다르다는 필자의 주장을 뒷받침할 수 있는 사례를 찾아보자.

| 예시 답 | 흔히 서비스 상품을 하나 더 끼워 준다고 광고하면 실제 필요하지 않으면서도 그런 상품을 사는 경우가 있다. 이는 인간의 경제 행위가 합리적이지만은 않음을 보여 주는 사례이다.

| 도움말 | 호모 에코노미쿠스의 특성과 실험을 통해 알 수 있는 우리의 경제 행위의 특성이 어떻게 다른지 파악해 본다. 그리고 우리가 하는 경제 활동 중, 호모 에코노미쿠스와 반대되는 특성의 행동을 한 경우를 생각해 본다.

› 필자의 주장을 뒷받침할 수 있는 또 다른 사례
동전을 던져서 앞면이 나오면 천 원을 벌고, 뒷면이 나오면 5백 원을 잃는 게임이 있다고 가정해 보자. 대부분의 사람은 이런 게임을 하지 않으려고 한다. 천 원의 이익보다 5백 원의 손실을 크게 느끼기 때문이다. 경제학자들은 기대 이익이 더 크다는 이유로 이 게임을 해야 한다고 주장하지만, 사람들은 손실 회피 심리 때문에 다른 선택을 한다.

차 이기적인 사람이 이 상황에서 어떤 행동을 할 것인지는 의문의 여지가 없다.(분명하다.) 자기가 가진 표는 전부 흰색 상자에 넣고 다른 사람이 푸른색 상자에 표를 넣기를 기대하는 태도를 보일 것이 분명하다. 이것은(자기 표를 모두 흰색 상자에 넣고 남들이 푸른색 상자에 표를 넣기 바라는 것) 다른 사람이 비용을 부담해 공공재를 생산하면 이에 무임승차를 하려고 드는 태도와 다를 바 없다. 이 실험의 목적은 사람들이 현실의 상황에서 무임승차(공공재 생산 비용을 내지 않으면서도 혜택을 누릴 수 있는 상황)를 하려는 경향(상이나 사상, 행동 따위가 어떤 방향으로 기울어짐.)을 어느 정도로 보이는지를 테스트해 보려는 데 있다. ➔ **실험의 목적**

카 그런데 실험의 결과는 무임승차를 하려는 경향이 의외로 약한 것으로 드러났다. 조건을 조금씩 달리해서 여러 번 실험을 거듭해 보았지만(실험 결과의 신뢰성을 높이기 위한 방법), 『사람들이 가진 표를 전부 흰색 상자에 넣는 경우는 거의 눈에 띄지 않았다. 평균적으로 자신이 가진 표의 40퍼센트에서 60퍼센트에 이르는 표를 푸른색 상자에 넣는 것으로 드러났다.』(『 』: 무조건 무임승차 행위를 하려고 하지는 않음.) 무임승차를 할 수 있는 상황임을 알면서도 가진 표의 거의 반을 공공재 생산 비용에 자발적으로 기여한 것이다.(공공재 생산에 어느 정도 자발적으로 기여함.) ➔ **실험의 결과**

본론 2: 실험을 통해 확인할 수 있는 인간 경제 행위의 특성

결론 타 지금까지의 전통적 경제학은 자신의 이익만을 추구하는 합리적 인간인 호모 에코노미쿠스의 경제 행위를 분석의 대상으로 삼았다. 그러나 ㉠공공재에 관한 실험을 통해 확인했듯이 현실의 인간은 경제학 교과서에 등장하는 호모 에코노미쿠스와 다르다.(항상 이기적으로만 행동하지는 않음.) 우리가 경제 행위를 할 때 언제나 이기적으로, 합리적으로 행동하지는 않는다는 것이다. 이는 지금의 경제 정책을 만드는 근거가 되었던 전통적 경제 이론이 현실을 설명하는 능력에 한계가 있을 수밖에 없음을(새로운 시각의 경제 이론이 필요한 이유 ①) 뜻한다. 또한, 이 경제 이론에 기초를 두고 있는 경제 정책이 기대한 효과를 내지 못할 가능성이 있다는(새로운 시각의 경제 이론이 필요한 이유 ②) 뜻도 된다. 이제는 경제 이론과 경제 정책을 새로운 시각에서 다시 검토해 볼 필요가 있지 않을까?
➔ **새로운 시각으로 기존 경제 이론과 경제 정책을 검토해 볼 필요성 제기**

결론: 전통적 경제학과는 다른 시각의 경제 이론과 경제 정책의 필요성 제기

1 실험의 목적

이기적인 사람	
자기가 가진 표는 전부 흰색 상자에 넣을 것임. → 공공재가 생산되면 무임승차하려는 태도에 해당함.	
⬇	
목적	사람들이 현실의 상황에서 무임승차를 하려는 경향을 어느 정도로 보이는지 테스트하려 함.

2 실험의 결과 및 의미

결과	사람들이 가진 표를 전부 흰색 상자에 넣는 경우는 거의 없음. 무임승차를 할 수 있는 상황임에도 공공재 생산 비용에 자발적으로 참여함.
⬇	
의미	사람들이 경제 행위를 할 때 언제나 이기적이고 합리적으로 행동하지 않음을 보여 줌.

3 필자의 주장

전통적 경제학	자신의 이익만을 추구하는 합리적 인간이 호모 에코노미쿠스의 경제 행위를 분석의 대상으로 삼음.
⬇ 반론	
실험 및 그 결과	인간이 경제 행위를 할 때 언제나 합리적으로, 이기적으로 행동하지 않음.
⬇	
전통적 경제학의 문제점	• 전통적 경제 이론이 현실을 설명하는 데 한계를 지님. • 전통적 경제 이론에 기초한 경제 정책이 효과를 내지 못할 수 있음.

4 이 글을 쓴 필자의 의도

전통적 경제학의 입장에서 제기된 지금의 경제 이론과 경제 정책을 새로운 시각으로 바라보며 재검토할 수 있도록 하기 위해 이 글을 씀.

1. 이 글에 대한 설명으로 가장 적절한 것은?

① 특정 대상의 원리를 제시하여 주장의 근거로 삼고 있다.
② 의문형 형식을 통해 필자 자신의 의도를 드러내고 있다.
③ 대조의 방법을 활용하여 필자 자신의 생각을 부각하고 있다.
④ 대상을 다른 대상에 빗대어 독자의 이해에 도움을 주고 있다.
⑤ 주장에 대한 반론을 통해 필자 자신의 의견을 강조하고 있다.

학습 활동 응용

2. 이 글을 쓴 필자의 집필 의도로 가장 적절한 것은?

① 전통적 경제학은 기존의 관점을 버려야 한다.
② 공공재를 생산하기 위한 적극적인 관심이 필요하다.
③ 경제 이론과 경제 정책을 새로운 시각에서 재검토해야 한다.
④ 경제 정책을 원활히 수행하기 위해 국민들의 협조가 필요하다.
⑤ 경제 정책을 만든 근거가 된 전통적 경제학에 대한 이해가 필요하다.

3. 이 글을 이해한 내용으로 적절하지 않은 것은?

① 이기적인 인간은 공공재의 비용을 부담하려 하지 않는다.
② 기존의 전통적 경제 이론은 오늘날 경제 현상을 충분히 설명하지 못한다.
③ 전통적 경제 이론에 따라 수립한 경제 정책이 기대 효과를 내지 못할 수 있다.
④ 현재 수립된 경제 이론과 경제 정책은 기존의 경제학에 바탕을 두고 만들어졌다.
⑤ 극히 일부의 사람들만이 공공재 생산에 일정한 비용을 부담할 용의를 지니고 있다.

학습 활동 응용

4. 필자가 ㉠을 제시한 이유로 가장 적절한 것은?

① 인간이 경제 행위를 할 때 언제나 합리적이지 않음을 보여 주기 위해
② 인간이 경제 행위를 할 때는 개인적 이익을 우선시함을 알려 주기 위해
③ 인간이 경제 행위를 할 때 인간의 태도가 어떻게 변화하는지를 제시하기 위해
④ 인간이 경제 행위를 할 때는 상황에 따라 이익 추구 방법이 달라짐을 드러내기 위해
⑤ 인간이 경제 행위를 할 때는 이타적인 행위를 우선적으로 추구함을 깨닫게 하기 위해

학습 활동

교과서 69~71쪽

깊게 읽기

1. 다음 글을 읽고 생략된 내용이나 감추어진 의미를 추론하는 활동을 보자.

도로나 공원처럼 여러 사람이 공동으로 소비하는 것을 '공공재'라고 부른다. 공공재의 또 다른 예로는 국방 서비스나 경찰 서비스를 들 수 있다. 그런데 이 공공재에는 독특한 성격이 있어 시장에서는 그것을 취급하기 어렵다. 예컨대 국방 서비스를 생산, 공급하는 기업이 있다고 가정해 보자. 이 기업은 한 사람당 연간 5백만 원만 내면 철통 방위를 약속한다는 신문 광고도 냈다. 과연 국민들은 돈을 내고 이 서비스를 이용하려 할까? 국민들은 국방 서비스를 산 사람만 골라서 외적으로부터 지켜 줄 수 없다는 점을 알기에 굳이 자신이 그 비용을 지불하려 하지는 않을 것이다. 이처럼 개인이나 기업이 비용을 들여 공공재를 생산할 때 아무 비용을 지불하지 않은 사람도 비용을 지불한 사람과 함께 그 혜택을 누릴 수 있게 된다. 대부분의 공공재를 정부가 생산, 공급하는 것은 바로 이 때문이다.

I **도움말** I 지시어는 전달의 효율성을 높이기 위해 사용한다. 또 표지는 원하는 표현 효과를 얻기 위해 사용한다. 이 활동을 통해 지시어에 숨겨진 내용을 파악하고, 표지를 통해 얻으려는 표현 효과를 파악하도록 한다. 또 배경지식이나 경험을 활용하여 필자가 의도적으로 숨기거나 생략하려는 내용을 파악하도록 한다.

(1) '그 비용', '이 때문'이 지시하는 의미를 파악하여 써 보자.

• '그 비용'이 지시하는 의미: 국방 서비스를 생산, 공급하는 기업에 지불할 비용

• '이 때문'이 지시하는 의미: 공공재를 생산할 때 비용을 지불하지 않은 사람도 비용을 지불한 사람과 함께 그 혜택을 누릴 수 있기 때문

(2) 필자가 '과연'과 '바로'라는 말을 사용한 이유를 추측하여 말해 보자.

'과연', '바로'는 모두 뒤에 이어지는 문구를 강조하기 위해 사용한 말이다.

(3) 아래 두 학생의 생각을 고려하여 다음 문장에 생략된 내용을 말해 보자.

활동 도움말

표지와 문맥, 배경지식을 잘 활용하면 글에서 생략된 필자의 의도를 추론할 수 있다.

'국방 서비스나 경찰 서비스'는 여러 사람들이 공동으로 소비하는 것이기 때문에 공공재에 속하는군.

시장에서 취급하는 상품은 이익을 얻기 위한 것인데, 공공재는 이런 상품과는 다른 특성을 지니고 있군.

(4) 필자가 이 글에서 '가정'의 상황을 설정한 이유를 추론하여 말해 보자.

I **예시 답** I 필자는 기업이 국방 서비스를 생산하여 판매하는 상황을 '가정'하여 제시하였는데, 이는 국방 서비스와 같은 공공재를 개인이나 기업이 아닌 정부가 생산, 공급하는 이유를 제시하기 위해서이다.

2. 이 글의 필자가 사례로 든 실험의 내용을 바탕으로 아래 활동을 해 보자.

활동 도움말

실험 결과를 통해 확인할 수 있는, 경제 활동을 하는 인간의 특성을 파악해 본다.

(1) 실험의 내용을 다음과 같이 정리해 보자.

실험 의도	사람들이 경제 행위를 할 때 이기적 행동을 할 것인지, 공공을 위한 행동을 할 것인지 알아보기 위해서이다.
실험 과정	10명의 사람에게 50장의 표를 주고 흰색 상자와 푸른색 상자에 표를 넣도록 한다. 이때 표 1장을 흰색 상자에 넣으면 자기만 천 원을 받지만, 표 1장을 푸른색 상자에 넣으면 10명 모두 5백 원을 받는다.
실험 결과	평균적으로 자신이 가진 표의 40퍼센트에서 60퍼센트에 이르는 표를 푸른색 상자에 넣었다.

실험 결과의 분석

| 예시 답 | 무임승차를 할 수 있는 상황임에도 무임승차를 하려는 경향이 의외로 약한 것으로 나타났다. 인간이 경제 행위를 할 때 언제나 이기적으로 행동하는 것만은 아니라는 것이 밝혀진 것이다.

(2) 필자가 이 실험을 통해 궁극적으로 말하고자 하는 바를 추론하여 말해 보자.

| 예시 답 | 전통적 경제학에서는 '인간이 자신의 이익을 합리적으로 추구하는 존재'로서 이기적이고 합리적으로 경제 활동을 한다고 여겼지만, 실험을 통해 알 수 있듯이 인간은 경제 행위를 할 때 언제나 이기적으로, 합리적으로 행동하지는 않는다.

3. 이 글을 쓴 필자의 의도를 추론해 보자.

| 도움말 | 필자가 글을 쓴 목적이나 의도를 추론하기 위해서는 먼저 필자가 누구를 위해, 어떤 목적으로 이 글을 쓰려 했는지 파악해야 한다. 글의 제목에도 주제나 글을 쓴 목적, 의도가 숨겨 있는 경우가 있으므로, 필자가 제목을 설정한 이유에 대해서도 추론할 필요가 있다.

(1) 필자가 마음속에 두고 있는 예상 독자들이 누구이고, 그들에게 기대하는 바가 무엇인지 말해 보자.

예상 독자 | 예시 답 | 경제 이론과 경제 정책을 세우는 이, 혹은 경제학에 관심이 많은 사람

기대하는 바 | 예시 답 | 전통적 경제 이론이 현실을 설명하는 데 한계가 있음을 스스로 깨닫게 한다.

(2) (1)에서 답한 내용을 바탕으로 필자가 이 글을 쓴 의도를 한 문장으로 정리해서 써 보자.

| 예시 답 | 전통적 경제학의 입장에서 제시된 지금의 경제 이론과 경제 정책을 새로운 시각으로 바라보며 재검토할 수 있도록 하기 위해 이 글을 썼다.

발표 활동

(3) (2)에서 답한 내용을 바탕으로, 「36.5도 인간의 경제학」이라는 제목에 담긴 의미를 추론하여 발표해 보자.

| 예시 답 | 전통적 경제학에서는 경제 행위를 하는 인간을 마치 기계처럼 감정이 없이 이기적이고 합리적인 행동만 한다고 보았다. 하지만 이 글에서는 경제 행위를 하는 인간이 그리 이기적이지도, 합리적이지도 않는 인간적인 행동을 한다는 것을 드러냈다. 앞으로 경제학이 분석 대상으로 삼아야 할 인간이 이런 특성을 지녔다는 것을 강조하기 위해 인간의 체온인 36.5도 활용하여 「36.5도 인간의 경제학」이란 제목을 붙였다.

넓혀 읽기

4. 다음 글을 읽고 아래 활동을 해 보자.

제재 연구	
최인철, 「동메달이 은메달보다 행복한 이유」	
갈래	논설문
성격	설명적, 분석적
제재	동메달 수상자가 은메달 수상자보다 행복한 이유
주제	자신의 객관적 성취가 가상의 성취와 비교하여 그보다 높을 때 행복 점수가 높아짐.
특징	① 심리학적 주제를 일상에서 접할 수 있는 사례에 적용하여 알기 쉽고 흥미 있게 설명함. ② 사례(실험)를 바탕으로 결과의 원인을 분석해 내는 귀납적 구조를 취함.

동메달이 은메달보다 행복한 이유

미국 코넬 대학교 심리학과 연구 팀은 하계 올림픽 메달 수상자들이 경기 종료 순간(실험 측정 시기 ①)에 어떤 표정을 짓는지 분석하였다. 연구 팀은 실험 관찰자들에게 분석이 가능했던 23명의 은메달 수상자와 18명의 동메달 수상자의 얼굴 표정을 보고 이들의 감정이 '비통'에 가까운지 '환희'에 가까운지 10점 만점으로 평정하게 했다.(실험 ① – 표정에 나타난 행복 점수 측정) 또한 시상식(실험 측정 시기 ②)에서의 감정을 평정하기 위해 은메달 수상자 20명과 동메달 수상자 15명의 시상식 장면을 분석하게 했다.
➜ 메달 수상자들의 얼굴 표정 분석

분석 결과, 경기가 종료되고 메달 색깔이 결정되는 순간 동메달 수상자의 행복 점수는 10점 만점에 7.1점으로 나타났다.(동메달은 금, 은, 동 중에 최하위이므로 '비통'에 가까울 것이라는 예상과 다른 결과임.) 비통보다는 환희에 더 가까운 점수였다. 그러나 은메달 수상자의 행복 점수는 고작 4.8점으로 나타났다. 환희와는 거리가 먼 감정 표현이었다. 시상식에서도 이들의 감정 표현은 역전되지 않았다. 동메달 수상자의 행복 점수가 5.7점이었지만 은메달 수상자는 4.3점에 그쳤다.(동메달보다 메달 순위가 높은 은메달 수상자의 행복 점수가 더 낮음.)
➜ 은메달 수상자보다 동메달 수상자의 행복 점수가 더 높음.

이 연구 팀은 여기서 한 걸음 더 나아가 은메달 수상자와 동메달 수상자의 인터뷰 내용도 분석했다.(실험 ② – 인터뷰 내용 분석) 분석 결과를 보면 동메달 수상자의 인터뷰에서는 만족감이 더 많이 표출되었고, 은메달 수상자의 경우에는 아쉽다는 표현이 압도적으로 많았다.
➜ 은메달 수상자보다 동메달 수상자의 만족감이 더 높음.

왜 은메달 수상자가 3위인 동메달 수상자보다 더 만족스럽게 느끼지 못할까? 선수들이 자신이 거둔 객관적인 성취를 가상의 성취와 비교함으로써 객관적인 성취를 주관적으로 재해석했기 때문(동메달 수상자의 행복감과 만족도가 높은 이유)이다. 은메달 수상자들에게 그 가상의 성취는 당연히 금메달이었다. 반면 동메달 수상자들이 비교한 가상의 성취는 '노메달'이었기 때문에, 동메달의 주관적 성취는 은메달의 행복 점수를 뛰어넘을 수밖에 없다.
➜ 동메달 수상자의 행복감과 만족도가 높은 이유

– 최인철, 『프레임』에서

(1) 동메달 수상자가 은메달 수상자보다 행복한 이유를 말해 보자.

| 예시 답 | 은메달 수상자는 금메달 수상자와 자신을 비교하므로 불행함을 느끼지만, 동메달 수상자는 메달을 받지 못한 선수와 자신을 비교하므로 행복함을 느낀 것이다.

(2) 이 글에서 밝힌 '인간의 특성'이 우리의 경제 활동에 나타나는 경우를 추측해 보자.

| 예시 답 | 위의 사례로 볼 때 인간은 객관적으로 자신의 성취를 판단하기보다는 주관적으로 자신의 성취를 판단한다. 경제 활동을 하는 인간도 유사한 경향을 보인다. 내가 1만 원을 벌어도 남이 2만 원을 벌면 만족스럽지 못한 느낌을 받는 경우가 많다. 반면에 남들이 5천 원을 벌 때 나만 7천 원을 벌면 매우 만족스러워한다.

(3) 「36.5도 인간의 경제학」의 필자가 경제 활동을 하는 인간의 특성을 설명하기 위해 이 글을 활용한다면, 어떻게 활용할지 추론해 보자.

| 예시 답 | 「36.5도 인간의 경제학」의 필자는 위의 사례를 활용하여 인간이 경제 활동을 할 때 언제나 합리적으로만 행위를 하는 것은 아니라는 점을 주장할 수 있을 것이다.

소단원 출제 포인트

36.5도 인간의 경제학

1 전체 글의 개관

갈래	논설문	성격	논증적, 사례적
제재	인간이 하는 경제 행위의 특성	주제	전통적 경제학과 다른 새로운 경제 이론과 경제 정책의 필요성 제기
특징	① 전통적 경제학이 설정한 호모 에코노미쿠스의 경제 행위가 현실과 괴리가 있음을 논리적으로 입증함. ② 구체적인 실험을 통해서 전통적 경제학의 한계를 지적함.		

2 실험 내용의 이해

실험 의도	사람들이 경제 행위를 할 때 이기적 행동을 할 것인지, 공공을 위한 행동을 할 것인지 알아보기 위함.
실험 과정	• 10명의 사람에게 50장의 표를 줌. • '개인'이라고 쓰인 흰색 상자와 '공공'이라고 쓰인 푸른색 상자에 표를 넣도록 함. • 표 1장을 흰색 상자에 넣으면 자기만 천 원을 받지만, 표 1장을 푸른색 상자에 넣으면 10명 모두 5백 원을 받음. **상자에 공을 넣는 행위의 의미** • 흰색 상자에 넣는 것: 이기적인 경제 행위를 의미함. → 공공재에 무임승차하려는 것 • 푸른색 상자에 넣는 것: 이타적인 경제 행위를 의미함. → 공공재의 비용을 부담하려는 것
실험 결과	평균적으로 자신이 가진 표의 40퍼센트에서 60퍼센트에 이르는 표를 푸른색 상자에 넣음.
결과 분석	무임승차를 할 수 있는 상황임에도 무임승차를 하려는 경향이 의외로 약한 것으로 나타났음.

⬇

의미	사람들이 경제 행위를 할 때 언제나 이기적이고 합리적으로 행동하지 않음을 보여 줌.

3 필자의 주장

전통적 경제학	호모 에코노미쿠스의 경제 행위를 분석의 대상으로 삼음. **호모 에코노미쿠스** • 전통적 경제학에서 전형적 인간형으로 설정한 대상 • 자신의 이익을 합리적으로 추구하는 존재

⬇반론

실험 및 실험 결과	인간이 경제 행위를 할 때 언제나 합리적으로, 이기적으로 행동하지 않음을 알 수 있음.

⬇

전통적 경제학의 문제점	• 전통적 경제 이론이 현실을 설명하는 데 한계를 지님. • 기존 경제 이론에 기초한 경제 정책이 효과를 내지 못할 수 있음.

⬇주장

전통적 경제학에 바탕을 둔 경제 이론과 경제 정책을 새로운 시각에서 검토해야 함.

내신 적중 문제

정답 및 해설 13쪽

[01 - 05] 다음 글을 읽고 물음에 답하시오.

가 지금까지 우리가 배우고 있는 전통적 경제학에서는 전형적인 인간형으로 호모 에코노미쿠스(Homo economicus)를 설정한다. 호모 에코노미쿠스는 사랑이나 미움, 기쁨이나 슬픔 같은 인간의 체취가 완전히 제거된 존재이다. 그가 지니고 있는 유일한 관심은 물질적 측면이고, 그는 오직 물질적 동기에 의해 움직인다. 한마디로 호모 에코노미쿠스는 '자신의 이익을 합리적으로 추구하는 존재'이다. 그러나 최근에는 호모 에코노미쿠스를 전형적 인간형으로 보는 전통 경제학의 시각에 반기를 드는 경제학자들이 나타났다. 이들은 인간이 호모 에코노미쿠스가 아니라는 다양한 증거를 제시하였다.

나 도로나 공원처럼 여러 사람이 공동으로 소비하는 것을 '공공재'라고 부른다. 공공재의 또 다른 예로는 국방 서비스나 경찰 서비스를 들 수 있다. 그런데 ⓐ이 공공재에는 독특한 성격이 있어 시장에서는 그것을 취급하기 어렵다. ⓑ예컨대 국방 서비스를 생산, 공급하는 기업이 있다고 가정해 보자. 이 기업은 한 사람당 연간 5백만 원만 내면 철통 방위를 약속한다는 신문 광고도 냈다. 과연 국민들은 돈을 내고 이 서비스를 이용하려 할까? 국민들은 국방 서비스를 산 사람만 골라서 외적으로부터 지켜 줄 수 없다는 점을 알기에 굳이 자신이 ⓒ그 비용을 지불하려 하지는 않을 것이다. 이처럼 개인이나 기업이 비용을 들여 공공재를 생산할 때 아무 비용을 지불하지 않은 사람도 비용을 지불한 사람과 함께 그 혜택을 누릴 수 있게 된다. 대부분의 공공재를 정부가 생산, 공급하는 것은 ⓓ바로 ⓔ이 때문이다.

다 이기적인 사람은 어떤 공공재가 필요하다고 생각하면서도 필요하지 않다고 말한다. 그렇게 함으로써 공공재 생산에 드는 비용 부담에서 벗어날 수 있기 때문이다. 그런 다음 다른 사람들이 비용을 들여 공공재를 생산하면 여기에 편승해 그 혜택을 누린다. 공공재가 가진 성격으로 인해 그렇게 해도 된다는 것을 알기 때문이다. 돈을 내지 않고 남의 차에 올라타는 사람처럼, 공공재에도 무임승차를 하는 사람이 발생할 가능성이 크다. 바로 이 무임 승차자들 때문에 시장이 공공재를 생산, 공급하는 일을 제대로 감당하지 못하는 것이다.

라 공공재에 무임승차를 한다는 것은 자기가 속한 공동체의 이익을 무시하고 개인적인 이익만을 ㉠취하려고 행동한다는 뜻이다. 완벽하게 합리적이고 이기적인 사람, 즉 호모 에코노미쿠스라면 당연히 이런 이기적 행동을 하게 된다. 그러나 무임승차를 할 수 있는 상황이라 해서 사람들이 언제나 무임승차를 하려고 할까? 이 의문에 대한 답을 얻기 위해 다음과 같은 실험을 해 볼 수 있다.

01 이 글의 서술상의 특징으로 가장 적절한 것은?

① 개념을 정의하는 방식을 통해 공공재에 대한 이해를 돕고 있다.
② 항목별로 나누는 방식을 써서 공공재가 지닌 성격을 이해시키고 있다.
③ 묻고 답하는 방식을 활용하여 공공재가 지닌 주요 가치를 부각하고 있다.
④ 구체적인 사례를 제시하여 공공재에 대한 일반인들의 편견을 보여 주고 있다.
⑤ 통시적인 방법을 활용하여 공공재가 변화해 온 과정을 자세하게 알려 주고 있다.

02 이 글을 통해 이끌어 낸 내용으로 적절하지 <u>않은</u> 것은?

① 이기적 인간은 공공보다는 개인의 이익을 우선시한다.
② 호모 에코노미쿠스는 이익 여부에 따라 행동을 결정한다.
③ 공공재를 생산, 공급하는 일에 정부가 많은 역할을 담당하고 있다.
④ 공공재 생산에 비용을 지불하지 않아도 개인은 공공재를 이용할 수 있다.
⑤ 전통적 경제학에서는 공공의 이익을 위한 공공재가 필요하지 않다고 여긴다.

고난도 | 학습 활동 응용

03 (나)를 읽고 추론적 읽기를 수행한 내용으로 적절하지 않은 것은?

① ⓐ에는 '시장은 이윤을 추구한다.'는 전제가 생략되어 있군.
② ⓑ는 국방 서비스 같은 공공재를 국가가 생산, 공급하는 이유를 제시하기 위해 가정한 것이군.
③ ⓒ는 '국방 서비스를 생산, 공급하는 기업에 지불할 비용'을 가리키는군.
④ ⓓ는 뒤에 이어지는 '이 때문'을 강조하여 주는 말이라 할 수 있군.
⑤ ⓔ는 정부가 공공재를 생산, 공급하는 것이 중요한 이유를 부각시키기 위한 것이군.

04 이 글을 읽은 학생이 〈보기〉에 대해 보일 반응으로 가장 적절한 것은?

〈보기〉

손실 회피 경향은 주식 투자에서 자주 나타난다. 우리 주변에선 "절대 손해를 보지 않겠다"며 버티다가 더 큰 손해를 입은 사람들을 쉽게 만날 수 있다. 예컨대, 5,000만 원을 주고 사들인 주식이 계속 하락세일 때 휴지 조각이 될 위험을 피하려면 당연히 주식 가치가 반토막이 난 시점에서도 손절매(損切賣)*를 해야 하지만 투자자는 주식을 구매할 당시의 가격 5,000만 원과 현재 가격 2,500만 원의 차이에 따른 손실(2,500만 원)을 좀처럼 인정하지 않다가 더 큰 손해를 입는 일이 비일비재하다.

– 강준만, 『왜 우리는 '가만 있으면 중간은 간다'고 하는가?』에서

* 손절매: 앞으로 주가가 더욱 하락할 것으로 예상해 보유한 주식을 매입 가격 이하로 손해를 감수하고 파는 일

① 호모 에코노미쿠스의 전형적인 면모를 엿볼 수 있군.
② 전통적 경제학에서 자신들 주장의 근거로 삼을 만한 자료군.
③ 인간이 언제나 합리적인 이익만을 추구하지 않음을 보여 주는 사례이군.
④ 이기적 인간이 개인의 이익만을 취하는 모습을 보여 준다고 할 수 있겠군.
⑤ 전통 경제학에 반기를 든 경제학자들은 자신들 입장과 상충된다고 여기겠군.

05 다음 밑줄 친 단어가 ㉠과 유사한 의미로 사용된 것은?

① 그는 친구에게서 모자라는 돈을 취했다.
② 그는 세금을 탈루하여 부당 이득을 취했다.
③ 그가 제시한 조건들 가운데서 마음에 드는 것만을 취했다.
④ 아버지는 나의 직업 선택에 대하여 관망하는 듯한 태도를 취하고 계셨다.
⑤ 그는 엉덩이를 의자에 반만 붙인 채 당장에라도 일어설 자세를 취하고 있었다.

[06–09] 다음 글을 읽고 물음에 답하시오.

가 우선 일정한 수의 사람들로 하나의 집단을 만든다. 그런 다음 그 집단의 각 사람에게 일정한 수의 표를 배분한다. 예를 들어 10명으로 하나의 집단을 만든 다음, 각 사람에게 50장씩의 표를 배정한다고 하자. 각 사람이 이 표를 어떻게 사용하는지를 보는 것이 이 실험의 내용이다.

나 각 사람은 자신에게 배정된 50장의 표를 '개인'이라고 씌어 있는 흰색 상자와 '공공'이라고 씌어 있는 푸른색 상자에 나누어 넣게 된다. 어떤 사람이 표 1장을 흰색 상자(개인)에 넣으면 실험이 끝난 후 그 사람은 천 원을 받게 된다. 반면에 표 1장을 푸른색 상자(공공)에 넣으면 그 집단에 속하는 모든 사람이 5백 원씩 받게 된다.

다 흰색 상자와 푸른색 상자에 넣은 표는 각각 어떤 의미를 지니는 것일까? 흰색 상자에 표를 넣는 것은 자신만 천 원의 이득을 얻으려 한다는 이기적 행위를 뜻한다. 반면에 푸른색 상자에 넣는 데는 모두가 함께 이득을 얻자는 의도가 내포되어 있다. 이런 의미에서 본다면 푸른색 상자에 표를 넣는 행위는 공공재를 생산하는 데 드는 비용을 부담하는 것으로 해석할 수 있다.

라 문제는 사람들이 자기가 가진 표를 각 상자에 얼마만큼씩 나눠서 넣을 것인지에 있다. 이를 보면 사람들이 공공재에 대해 어떤 태도를 보이는지를 알 수 있게 된다. 이기적인 사람이라면 50장을 전부 흰색 상자에 넣을 것이 분명하다. 여기서 일단 5만 원을 얻고, 남들이 푸른색 상자에 표를 넣으면 거기서도 얼마간의 돈을 얻을 수 있다. 남들이 푸른색 상자에 표를 넣는 것은 환영하지만 내가 넣

을 필요가 없다고 생각한다. 만약 모든 사람이 각자 가진 표를 전부 흰색 상자에 넣으면 1인당 5만 원씩 얻는 것으로 실험은 끝난다. 이때 집단 전체가 얻는 돈은 50만 원이 된다. 반면에 모든 사람이 가진 표를 전부 푸른색 상자에 넣으면 각자 25만 원씩 얻을 수 있고, 집단 전체가 얻는 돈은 250만 원이나 된다.

마 집단 전체의 관점에서 볼 때 가장 바람직한 결과는 모든 사람이 가진 50표를 전부 푸른색 상자에 넣는 것이다. 그러나 개인적 관점에서 보면 그것은 결코 바람직하지 않다. 푸른색 상자에 넣은 1표가 내게 5백 원의 이득을 가져다 주지만, 흰색 상자에 넣은 1표는 그 두 배인 천 원의 이득을 가져다주기 때문이다. 그래서 개인적인 관점에서 보면 흰색 상자에 넣는 것이 바람직한 일이 된다.

바 이기적인 사람이 이 상황에서 어떤 행동을 할 것인지는 의문의 여지가 없다. 자기가 가진 표는 전부 흰색 상자에 넣고 다른 사람이 푸른색 상자에 표를 넣기를 기대하는 태도를 보일 것이 분명하다. 이것은 다른 사람이 비용을 부담해 공공재를 생산하면 이에 무임승차를 하려고 드는 태도와 다를 바 없다. 이 실험의 목적은 사람들이 현실의 상황에서 무임승차를 하려는 경향을 어느 정도로 보이는지를 테스트해 보려는 데 있다.

사 그런데 실험의 결과는 무임승차를 하려는 경향이 의외로 약한 것으로 드러났다. 조건을 조금씩 달리해서 여러 번 실험을 거듭해 보았지만, 사람들이 가진 표를 전부 흰색 상자에 넣는 경우는 거의 눈에 띄지 않았다. 평균적으로 자신이 가진 표의 40퍼센트에서 60퍼센트에 이르는 표를 푸른색 상자에 넣는 것으로 드러났다. 무임승차를 할 수 있는 상황임을 알면서도 가진 표의 거의 반을 공공재 생산 비용에 자발적으로 기여한 것이다.

아 지금까지의 전통적 경제학은 자신의 이익만을 추구하는 합리적 인간인 ㉠호모 에코노미쿠스의 경제 행위를 분석의 대상으로 삼았다. 그러나 공공재에 관한 실험을 통해 확인했듯이 현실의 인간은 경제학 교과서에 등장하는 호모 에코노미쿠스와 다르다. 우리가 경제 행위를 할 때 언제나 이기적으로, 합리적으로 행동하지는 않는다는 것이다. 이는 지금의 경제 정책을 만드는 근거가 되었던 전통적 경제 이론이 현실을 설명하는 능력에 한계가 있을 수밖에 없음을 뜻한다. 또한, 이 경제 이론에 기초를 두고 있는 경제 정책이 기대한 효과를 내지 못할 가능성이 있다는 뜻도 된다. 이제는 경제 이론과 경제 정책을 새로운 시각에서 다시 검토해 볼 필요가 있지 않을까?

학습 활동 응용

06 **이 글의 내용으로 볼 때 필자가 생각하는 예상 독자로 가장 적절한 것은?**

① 이기적인 행위를 주로 하는 사람들
② 경제 변동의 원인을 알고 싶은 사람들
③ 경제학의 역사에 관심이 많은 사람들
④ 경제 이론과 경제 정책을 수립하는 주체들
⑤ 공공재의 생산 과정에 참여하고 싶은 기업가들

07 **이 글의 '실험'에 대한 설명으로 적절하지 않은 것은?**

① 푸른색 상자에 표를 넣는다는 것은 이타적 경제 행위를 의미한다.
② 개인적 관점이 강한 사람은 푸른색 상자보다 흰색 상자에 표를 넣을 것이다.
③ 실험에 참가한 사람들 대부분은 공공재에 비용을 부담하려는 경향을 지니고 있다.
④ 집단 전체가 흰색 상자에 공을 넣으면, 집단 전체가 푸른색 상자에 공을 넣는 이득보다 많다.
⑤ 사람들이 현실 상황에서 공공재에 무임승차하려는 경향을 시험해 보려는 목적을 지니고 있다.

서술형

08 **합리적이고 이기적인 성격의 정수가 이 글에 제시된 실험에 참여했을 때 보일 행동은 무엇인지 〈조건〉에 맞게 쓰시오.**

조건
- 정수가 어디에 표를 넣을지를 구체적으로 제시할 것
- 정수가 자신의 행동 외에 기대하는 것이 무엇일지도 밝힐 것
- 70자 내외(띄어쓰기 포함)의 두 문장으로 쓰되, 처음 문장의 주어는 '정수'로 할 것

09 **다음 중 ㉠에 가장 가까운 인물이라 볼 수 있는 사람을 〈보기〉에서 모두 찾으면?**

보기
ⓐ 자신이 정한 주식 투자 수익률을 달성하자 주식을 바로 팔아 버린 회사원
ⓑ 10년 후 값이 오를 것이라는 친구의 말에 친구의 땅을 산 민아 아버지
ⓒ 상품을 하나 더 끼워 주는 행사에서 미리 적어 간 장보기 품목에 없는 물건을 사지 않은 정민이 누나
ⓓ 동전을 던져서 앞면이 나오면 천 원을 벌고, 뒷면이 나오면 5백 원을 잃는 게임에 참여하지 않은 삼촌

① ⓐ, ⓑ ② ⓐ, ⓒ ③ ⓑ, ⓒ
④ ⓑ, ⓓ ⑤ ⓒ, ⓓ

비판적 읽기

교과서 72쪽

생각 열기 한 어린이 앞에 마시멜로가 하나 있다. 이 마시멜로를 15분 동안 먹지 않고 참으면 마시멜로 한 개를 더 주겠다고 한다. 이 어린이는 어떻게 했을까?

여러 자기 계발 서적에서는 이 실험 결과를 활용하여 마시멜로를 먹지 않은 사람, 즉 현재의 욕구를 충족하는 데 급급하지 않고 미래의 삶을 위해 인내한 사람이 성공적인 삶을 살 수 있다고 밝힌다. 그런데 이런 주장에 관해 '어떻게 변할지 모르는 미래를 위해 현재를 희생하는 것이 행복한 삶일까?', 또 '현재를 희생한다고 미래의 성공이 반드시 보장될까?'와 같은 의문을 갖고 궁리해 보면, 사고의 폭이 더 넓어지게 된다. 이처럼 글을 읽을 때는 필자의 생각에 무조건 공감하기보다는 비판적으로 읽을 필요가 있다.

그렇다면 **글을 비판적으로 읽을 때 고려해야 할 것은 무엇일까?**

| 예시 답 | 필자의 주장이 타당하지 살펴본다, 주장을 뒷받침하는 근거가 적절하고 믿을 만한 것인지 판단한다, 글에 사용된 표현 방법이 적절한지 파악한다, 글에 담긴 필자의 가치관이나 신념이 공정한지 파악한다 등

| 도움말 | 명쾌한 근거를 갖춘 주장을 다른 관점에서 살펴보는 상황을 제시하였다. 이를 통해 비판적 글 읽기의 필요성을 이해하고, 비판적 글 읽기의 방법에 관한 질문에 스스로 답해 봄으로써 학습 주제에 관한 흥미를 높이도록 한다.

| 이 단원의 학습 요소 |

학습 목표 **글에 드러난 관점이나 내용, 글에 쓰인 표현 방법, 필자의 숨겨진 의도나 사회·문화적 이념을 비판하며 읽는다.**

'동물 복지'에 관한 글에 드러난 필자의 관점, 내용, 표현 방법 비판하기	▶	'동물 복지'에 관한 글에 드러난 필자의 관점, 내용, 표현 방법을 파악하고, 이를 비판해 본다.
필자의 숨겨진 의도, 사회·문화적 이념 비판하기	▶	글 속에 숨겨진 필자의 의도, 사회·문화적 이념을 파악하고, 이를 비판해 본다.

소단원 바탕학습

원리 이해

1 비판적 읽기의 개념과 필요성

1. 비판적 읽기의 개념: 글에 사용된 자료가 정확한지, 표현이 적절한지, 글에 나타난 필자의 주장이나 의견이 타당하며 공정한지 등을 따지며 읽는 것
2. 비판적 읽기의 필요성

- 글 중에는 정확하지 않거나 적절하지 않은 내용이 담겨져 있는 경우가 있음.
- 필자가 의도적으로 내용을 왜곡하거나 필자의 생각이나 관점이 일관되지 않은 경우도 있음.

⬇

독자의 자세	글을 읽을 때는 합리적이고 객관적인 기준에 따라 비판적 시각으로 글을 읽어야 함.

2 글에 드러난 내용과 표현 방법 비판하기

1. 글에 드러난 내용을 비판하기
글의 내용이 정확하고 올바른 사실인지부터 파악해야 함.

자료의 적절성 비판하기	• 글에 사용된 자료가 사실에 부합하는가? • 출처가 명확하고 믿을 만한 것인가? • 자료들이 중심 내용을 뒷받침하는 데 적절한 것인가?
근거의 적절성 비판하기	• 필자의 주장이나 의견을 뒷받침하는 근거들이 충실한가? • 근거들이 합리적이고 일관성을 갖추고 있는가?
주장의 타당성 비판하기	• 한두 개의 사례로 지나치게 일반화하여 결론을 내리고 있지 않은가? • 자기 입장에 이로운 한쪽 면만을 부각하여 주장하고 있지 않은가? • 논리성이나 합리성보다 외부의 권위나 정서에만 의존하고 있지 않은가?

2. 글에 드러난 형식을 비판하기
글의 전개 방식이나 단어와 문장 사용 및 표현 방법이 글의 목적이나 유형에 비추어 적절하고 또 효과적인지 여부를 살펴보아야 함.

3 가치관이나 이념 비판하기

이념 → 이상적인 것으로 여겨지는 생각이나 견해

글에는 직접적이든 간접적이든 필자의 가치관과 사회의 문화 이념이 반영됨.

⬇ 비판적 읽기

- 필자의 개인적인 가치관이 우리 사회에서 용인하는 범위에서 벗어나지 않았는지 살펴보아야 함. (용인: 용납하여 인정함.)
- 당대의 사회·문화적 이념이 인류 보편적 정서나 가치에 비추어 옳은 것인지, 수용 가능한 것인지, 실현 가능한 것인지를 따져 보아야 함.

| 원리 확인 문제 |

1. 다음 중 비판적 읽기가 필요한 이유로 적절하지 않은 것은?
① 정확하지 않은 내용이 담길 수 있어서
② 필자가 내용을 왜곡할 수 있기 때문에
③ 적절하지 않은 자료가 사용될 수 있기 때문에.
④ 필자의 관점이 일관되지 않은 경우가 있기 때문에
⑤ 필자의 의도가 정확하게 드러나지 않을 수 있기 때문에

2. 다음 중 글을 비판적으로 읽는 태도로 적절하지 않은 것은?
① 글에 사용된 자료가 사실에 부합하는지 따진다.
② 근거들이 합리적이고 일관성을 갖추고 있는지도 살펴본다.
③ 출처에 상관없이 믿을 만한 내용인지를 우선적으로 따진다.
④ 필자의 주장이나 의견을 뒷받침하는 근거들이 충실한지 살펴본다.
⑤ 필자가 자기 입장에 이로운 한쪽 면만을 부각하여 주장하고 있지 않은지 따진다.

3. 글을 읽을 때, 〈보기〉와 같이 글을 비판적으로 읽어야 하는 이유는 무엇인지 쓰시오.

〈보기〉
당대의 사회·문화적 이념이 인류 보편적 정서나 가치에 비추어 옳은 것인지, 수용 가능한 것인지를 따져야 한다.

정답 1. ⑤ 2. ③ 3. 글에는 당대의 사회·문화 이념이 반영되어 있으므로 이를 정확히 판단하는 것이 필요하기 때문에

제재 미리보기

동물의 복지를 생각한다

1 해제

이 글은 동물에게도 도덕적 지위가 있으므로 복지를 누려야 하고, 인간은 마땅히 동물의 복지를 책임져야 한다는 주장을 드러내고 있는 논설문이다. 필자는 먼저 동물 권리 운동가들의 노력이 동물에 대한 전통적인 견해와 충돌한다 하면서 동물의 도덕적 지위를 어떻게 이해해야 하는지에 관한 논제를 제시한다. 그런 다음 동물 복지의 바탕을 이루는 동물에 대한 인식을 살펴보고, 현대 사회에서는 동물 복지에 대한 최소한의 사회적 합의가 있음을 밝히고 있다. 그리고 동물 복지의 객관적 기준을 제시하기 위해, 복지의 개념과 복지를 판단하는 주체의 문제, 훌륭한 복지의 개념을 차례로 논의하고 있다. 마지막으로 필자는 동물의 복지를 책임져야 하는 것은 인간이라 하면서 글을 마무리하고 있다.

2 핵심 개관

(1) **갈래**: 논설문

(2) **성격**: 논리적, 설득적

이 글에서 필자는 동물의 관점에서 동물의 복지를 생각해야 하고, 동물 복지의 객관적 기준은 동물의 고통을 최소화하는 것에서 마련되어야 함을 논리적으로 제시하고 있다. 그리고 이러한 동물 복지는 인도적인 차원이나 동물과의 관계 정립 차원에서 인간이 책임져야 함을 설득하고 있다.

(3) **제재**: 동물 복지

(4) **주제**: 동물 복지의 객관적 기준 설정이 필요하며, 인간은 동물의 복지를 책임져야 함.

동물 복지는 동물의 소극적 욕구를 고려하여 고통을 최소화하는 객관적 기준이 마련되어야 하며, 인간은 동물과 건전하고 바람직한 관계를 정립한다는 점에서 동물 복지를 책임져야 함을 드러내고 있다.

(5) **특징**

① 묻고 답하는 방식으로 동물 복지에 대한 필자 자신의 주장을 논리적으로 밝히고 있다.

② 정의와 예시의 방법을 활용하여 동물 복지의 객관적 기준 마련이 필요하고 가능하다는 점을 밝히고 있다.

(6) **구성**

'서론'에서는 동물의 도덕적 지위를 어떻게 마련할지 문제를 제기하고 있다. '본론'에서는 근세 사회의 동물에 대한 인식을 언급하면서 동물 관점에서 동물의 고통을 최소화하는 객관적인 기준이 마련되어야 한다는 의견을 제시하고 있다. 그리고 '결론'에서는 동물과의 올바른 관계 정립을 위해서 동물 복지는 인간이 책임져야 함을 드러내고 있다.

서론	본론 1	본론 2	본론 3	결론
동물의 도덕적 지위에 대한 문제 제기	동물이 복지의 대상임을 인정하는 현대 사회	동물 복지의 객관적 기준 마련은 필요하고도 가능한 일임.	동물 복지의 객관적 기준 제시	동물 복지는 인간이 책임져야 함.

교과서 74~76쪽

동물의 복지를 생각한다 _ 김진석

소단원 포인트

- 필자의 주장 파악하기
- 주장을 뒷받침하는 근거 찾기
- 필자의 주장의 타당성 판단하기

필자 소개

김진석(1953~): 수의학자. 동물 권리와 복지에 관심을 기울이고 있다. 주요 저서로 『동물의 권리와 복지』, 『재미있는 동물 이야기』 등이 있다.

배터리 닭장 사육
산란계 1마리를 A4 용지의 절반 크기 공간에 가둔 뒤 산란 능력이 떨어져 도계장으로 끌려가기 전까지 2년간 끊임없이 알 낳기를 강제하는 방식. 동물 학대 논란 끝에 2012년부터 유럽 연합(EU)에서는 전면 금지됨.

서론 가 대부분의 사람은 동물을 학대하는 행위에 반대한다. 이러한 생각(동물 학대 반대)의 바탕에는 동물도 도덕적 지위를 지니고 있다는 믿음이 깔렸다. 그런 까닭에 우리가 별생각 없이 먹는 음식의 상당 부분이 동물에 대한 지독한 학대 행위 끝에 나온다는 사실(동물의 도덕적 지위를 무시한 행위의 결과)을 깨닫게 하는 동물 권리 운동가들의 시도가 성공을 거두곤 한다. 동물 권리 운동가들의 노력으로 좁고 밀폐된 공간에서 사료를 끊임없이 주며 닭을 사육하는, 이르바 ㉠ 배터리 닭장이 2012년부터 유럽 연합(EU)에서 사라지게 된 것(동물 권리 운동가들의 노력이 성공한 사례(예시))이 한 예가 될 것이다. 하지만 이러한 변화는 우리가 지녀 온 동물에 대한 전통적인 견해, 즉 인간은 어떠한 제한도 받지 않고 동물을 이용할 수 있다는 생각과 충돌을 일으킨다(동물의 도덕적 지위의 유무에 관한 견해의 충돌). 과연 우리는 인간과 마주하고 있는 상대인 동물의 도덕적 지위를 어떻게 이해해야 할까?

➜ 동물의 도덕적 지위를 어떻게 이해할 것인지에 대한 의문

서론: 동물의 도덕적 지위에 대한 문제 제기

교과서 날개 질문
오늘날 공장식 농장이 출현하게 된 철학적 배경을 말해 보자.

| 예시 답 | 동물을 이성적 영혼이 없는 존재로 여겼던 철학적 관념이 근대까지 이어졌고, 이런 철학적 배경이 동물을 마치 기계인 양 취급하는 공장식 농장 출현을 가져왔다.

본론 1 나 서구에서는 오랜 기간 동물을 이성적 영혼이 없는 존재로 여기는 철학적 관념이 우세했다(동물에게는 도덕적 지위가 없다는 철학적 관념이 지배적이었음.). 근세에 이르기까지는 동물 복지와 같은 것은 사실상 없다(동물에게는 도덕적 지위가 없다는 것)고 할 수 있다. 17세기 철학자인 데카르트는 동물을 마치 시계와 같이 어떤 것도 전혀 느끼지 못하는 기계처럼 여겼다(동물을 인간과 동일하게 취급하지 않음.). 그래서 그 시대에는 완전히 의식이 있는 상태의 동물들을 마취나 진통제 처치도 하지 않고 생체 해부를 하는 일도 있었다(동물 학대를 당연한 것으로 여김.). 그러한 경향(동물을 기계처럼 취급함.)은 오늘날까지 영향을 미쳐 동물을 마치 기계인 양 취급하는 공장식 농장의 출현을 가져왔다고 할 수 있다.

➜ 오늘날 공장식 농장이 출현하게 된 이유

다 사실 우리는 데카르트의 주장처럼, 동물이 쾌락이나 고통을 느낀다는 것을 명확히 입증하지 못한다(오늘날 공장식 농장이 출현하게 된 이유). 『그러나 따지고 보면 우리는 이웃이 어떤 느낌을 느끼며 사는지 역시 정확히 알지 못한다. 설령 그들이 어떤 상황에서 기쁨이나 고통을 나타내는 소리나 언어를 사용하는 등의 행동을 하더라도 그것이 우리가 느끼는 종류의 기쁨이나 고통과 같은 것인지, 혹은 꾸며서 그러는 것인지 어떻게 확신할 수 있는가?』(『 』: 데카르트의 주장에 대한 문제 제기)

➜ 인간도 동물과 마찬가지로 감정을 정확히 파악하기는 어려움.

우리나라의 '동물 보호법'
제3조 (동물 보호의 기본 원칙) 누구든지 동물을 사육·관리 또는 보호할 때에는 다음 각 호의 원칙을 준수하여야 한다.
1. 동물이 본래의 습성과 신체의 원형을 유지하면서 정상적으로 살 수 있도록 할 것
2. 동물이 갈증 및 굶주림을 겪거나 영양이 결핍되지 아니하도록 할 것
3. 동물이 정상적인 행동을 표현할 수 있고 불편함을 겪지 아니하도록 할 것
4. 동물이 고통·상해 및 질병으로부터 자유롭도록 할 것
5. 동물이 공포와 스트레스를 받지 아니하도록 할 것

라 그런데도 우리는 최소한 어떤 일을 해서는 안 된다는 것을 사회적 약속으로 삼고 살아간다(인간의 감정을 정확히 파악하지 못해도 인간이 복지의 대상임을 인정함.). 동물에게도 마찬가지이다. 우리는 동물의 쾌락과 고통을 명백히 입증하지 못하지만, 인간뿐 아니라 동물에 관해서도 어떤 일은 해도 되지만, 어떤 일은 해서는 안 된다는 사회적 합의가 존재한다(동물도 복지의 대상임을 인정함.). 이 합의는 바로 동물에게도 '복지'가 있다는 생각에 근거하는 것이다.

이것은 현대 사회에서 동물의 권리에 관해 어떤 생각을 하고 있든 최소한 공유되고 있는 생각이다.
동물도 복지를 누릴 수 있음.

➔ 현대 사회는 동물에 권리가 있음을 공유함.

본론 1: 동물이 복지의 대상임을 인정하는 현대 사회

본론 2 마 '복지'를 기본적인 욕구가 충족되고 고통이 최소화되는 행복한 상태라고 포괄적으로 정의하는 것에는 큰 무리가 없을 것이다. 그러나 더 구체적으로 들어가 보면 이는 마치 '진실'이나 '자유', '아름다움'이라는 단어처럼 복합적인 해석이 가능한 개념임이 드러난다. 즉 어떤 사람에게는 '복지'로 생각되는 일이 어떤 사람에게는 '복지'가 아닌 것으로 판단될 수도 있다.
복지의 포괄적 개념(정의)
다양한 의미를 포괄하고 있음.

➔ '복지'의 개념이 사람마다 다를 수 있음.

어휘 풀이

배터리 닭장: 철사로 만든 작고 좁은 닭장.

데카르트(1596~1650): 프랑스의 수학자이자 철학자이며, 근대 철학의 아버지로 불림.

핵심 쏙쏙

1 '배터리 닭장'이 사라짐

배터리 닭장	좁고 밀폐된 공간에서 사료를 끊임없이 주며 닭을 사육하는 곳 → 동물에 대한 지독한 학대 행위를 상징적으로 드러냄.
	⬇ 유럽 연합에서 사라짐.
의미	동물에게도 도덕적 지위가 있음을 인정함. → 동물 복지 차원

2 근세의 동물에 대한 인식 및 영향

근세 이전	• 동물을 이성적 영혼이 없는 존재로 간주함. • 동물 복지는 사실상 존재하지 않음.
데카르트	동물을 마치 시계와 같이 어떤 것도 전혀 느끼지 못하는 기계처럼 여김.
	⬇ 영향
	동물을 기계인 양 취급하는 공장식 농장이 출현하게 됨.

3 복지의 개념

복지	• 기본적인 욕구가 충족되고 고통이 최소화하는 행복의 상태를 말함. • 추상적인 단어들처럼 복합적인 해석이 가능한 개념임. • 어떤 사람에게는 복지로 생각되는 일이 다른 사람에게는 복지가 아닌 것일 수 있음에 유의해야 함.

정답 및 해설 14쪽

확인 문제①

1. 이 글을 이해한 내용으로 적절하지 않은 것은?

① 동물 권리 운동가는 동물의 도덕적 지위를 인정한다.
② 근세 이전까지 서구에서는 동물을 영혼이 없는 존재라 여겼다.
③ 오늘날 동물에 복지가 있다는 것은 최소한 공유되는 생각이다.
④ 동물이 어떤 감정을 지니고 있는지 사람들은 제대로 알지 못한다.
⑤ 복지는 대상이 처한 상황과 상관없이 동일하게 적용되는 것이다.

학습 활동 응용

2. 이 글에서 필자가 내용을 효과적으로 전개하기 위해 사용한 표현 방식끼리 바르게 묶인 것은?

① 대조, 정의 ② 예시, 비교 ③ 예시, 정의
④ 비교, 분석 ⑤ 예시, 분석

3. ㉠에 대한 설명으로 적절하지 않은 것은?

① 데카르트의 경우 당연한 현상으로 여길 것이다.
② 동물에게도 복지가 있다는 생각과 배치되는 것이다.
③ 인간이 동물을 이용할 수 있다는 생각이 반영된 것이다.
④ 동물에 대한 지독한 학대를 상징적으로 보여 주는 것이다.
⑤ 동물 권리 운동가들의 노력으로 오늘날에는 전 세계에서 사라진 것이다.

서술형

4. 이 글에서 데카르트가 '동물'에 대해 지닌 인식은 어떠했는지 쓰고, 이러한 데카르트와 같은 인식이 오늘날에 미친 영향은 무엇인지 쓰시오.

〈조건〉
• 글에 제시된 내용을 바탕으로 할 것
• 오늘날에 미친 영향을 쓸 때는, '직유법'을 사용하고 구체적인 사례도 언급할 것

교과서 날개 질문
필자는 동물 복지의 기준을 마련할 때 무엇을 고려해야 한다고 보는지 파악해 보자.

| 예시 답 | 필자는 동물 복지의 기준을 마련할 때 인간이 아니라 동물의 관점을 고려해야 한다고 생각한다.

| 도움말 | 필자는 동물 복지의 기준을 세우기 어렵다는 점을 밝히기 위해 세 가지 사례를 들고 있다. 이 사례를 통해 필자가 제기하려는 문제점이 무엇인지 살펴, 동물 복지의 기준이 누구의 입장에서 마련되어야 하는지 파악해 본다.

바 그럼 동물 복지는 누구의 관점(사물이나 현상을 관찰할 때, 그 사람이 보고 생각하는 태도나 방향 또는 처지)에서 판단되어야 하는가? 동물인가 아니면 동물을 기르는 인간인가? 이를테면 개를 기르는 어떤 사람이 '내 개는 내가 하는 말을 모두 알아들어. 나도 내 개가 무슨 생각을 하는지 알 수 있지.'라고 생각할 수 있을 것이다(인간의 입장에서 개의 욕구를 판단하는 경우). 또 어떤 채식주의자는 자신의 신념에 따라 자신의 고양이 역시 채식으로 기르려 할 수도 있을 것이다(인간의 입장에서 고양이의 먹이를 결정하는 경우). 나아가 동물원의 사자들이 대부분의 시간을 작은 우리에 누운 채 지내는 것을 보고 활동 부족으로 답답함을 느낄 것(인간의 입장에서 동물의 느낌을 판단하는 경우)이라 여기며 안타까워하는 사람도 있을지 모른다. 하지만 위의 세 경우 모두 위험한 생각일 수 있다(인간의 관점에서 동물의 복지를 판단한 경우). 사람이 짐작하는 것이 개의 진정한 욕구와 다를 수 있고, 사람에게 적당한 음식이 동물인 고양이에게는 적합하지 않으며, 포획 동물의 처지를 인간과 같은 기준으로 보려고 할 때 오히려 문제가 발생할 수 있기 때문이다. 이렇게 본다면 동물 복지의 기준을 세우는 것은 쉽지 않은 일이 될 것이다. **➜ 동물 복지의 기준을 세우기가 어려움.**

사 하지만 비만한 개와 치아가 부실한 비만 아동에게 초콜릿을 먹이는 것이 과연 그들에게 복지가 될지 아닐지를 굳이 개나 아동에게 물어봐야만 하는 것은 아닐 것이다(동물이 아니라 인간이 복지 기준을 마련할 수 있음.). 그래서 동물을 기계처럼 생각하거나 지나치게 인간과 동일시하지 않고(동물 복지의 객관적 기준을 마련할 때 고려할 점) 객관적인 기준을 마련하는 것은 인간의 책임 있는 행동을 위해 절대적으로 필요한 일이고 또한 가능한 일이다.
➜ 동물 복지의 객관적 기준 마련의 필요성과 가능성

> **본론 2:** 동물 복지의 객관적 기준 마련은 필요하고도 가능한 일임.

› 동물 보호와 관련된 명언
- 살아 있는 모든 생명체에 대한 사랑은 인간의 가장 숭고한 본능이다. – 찰스 다윈
- 한 나라의 위대함과 도덕성을 동물을 대하는 태도에서 판단할 수 있다. – 마하트마 간디
- 인간보다 동물이 고통스러워하지 않는다고 생각하지 말라. 고통은 인간과 동물에게 동일하게 고통스럽다. 오히려 그들은 그들 스스로를 돕지 못하기 때문에 더 고통스럽다는 것을 알라. – 루이스 제이

본론 3 **아** ㉮ 그렇다면 동물의 복지를 위한 객관적인 기준은 어떻게 마련할 수 있을까? 이를 위해서는 다시 복지의 개념(동물 복지를 위한 객관적 기준을 마련할 때 고려할 점)으로 돌아갈 필요가 있다. 앞서 살펴본 바대로 복지란 '기본적인 욕구'가 충족되는 것이므로 동물의 기본적인 욕구가 무엇인지 아는 것이 필수적이다. 동물의 욕구는 크게 두 가지로 생각할 수 있다. 적합한 먹이나 청결한 환경과 같이 긍정적인 것을 추구하는(동물이 추구하는 적극적인 욕구) 적극적인 욕구와, 육체적으로 받을 수 있는 공격이나 위협과 같은 부정적인 것을 피하려는(동물이 추구하는 소극적인 욕구) 소극적 욕구가 그것이다. 특히 후자의 욕구(부정적인 것을 피하려는 소극적 욕구)는 고통을 최소화하는 것이 행복이라는 복지의 개념과 다시 연결된다. 가령 '죽음'의 경우 어떤 동물도 영원히 살 수 없으며 죽음을 거부할 수 없지만, 사람이 관리하는 동물이라면 생명의 종말이 마땅히 배려되어야 한다. 비록 야생 동물의 자연적인 죽음이라고 해도 그것이 항상 고통이 없는 것은 아니다. 중요한 것은 동물을 죽일 수 없다는 것이 아니라, 어쩔 수 없이 동물을 죽일 수밖에 없다면 고통을 최소화하는 것(필자가 생각하는 동물 복지의 객관적 기준(훌륭한 복지))이 훌륭한 복지라는 것이다. **➜ 훌륭한 동물 복지의 개념**

> **본론 3:** 동물 복지의 객관적 기준 제시

교과서 날개 질문
동물의 복지는 인간이 책임져야 한다는 필자의 주장이 타당한지 생각해 보자.

| 예시 답 | 동물 복지를 인간이 책임져야 한다는 필자의 주장은 타당하다. 왜냐하면 인간과 동물의 바람직한 관계 설정을 위해 주체적으로 나설 수 있는 존재는 동물이 아니라 인간이기 때문이다.

결론 **자** 사람들 대다수는 동물도 고통을 겪을 수 있다는 사실에 대체로 동의한다. 물론 특정한 환경에서 동물이 어떤 고통을 얼마나 겪는지에 관해서는 확신이 덜 들 수 있다. 그렇다고 동물들이 스스로 고통을 겪고 있음을 우리에게 입증하라고 할 수도 없다. 다만 우리

가 마련하거나 시키려고 하는 일을 동물들이 적극적으로 피하려고 한다면 그것이 고통이 라는 것만은 확실하다.

인간은 동물이 고통을 느끼는 경우를 파악할 수 있음.

➜ 동물 복지의 객관적 기준 마련이 가능함.

차 그러므로 불필요한 고통은 배제하고 사람을 위하여 필요한 경우라도 고통을 최소화하기 위해 노력하는 것이 ㉠ 인도적인 행위이다. 이는 사람과 일정한 관계를 유지하고 살아가는 동물과 건전하고 바람직한 관계를 정립하는 측면에서 마땅히 지켜야 할 자세이다. 결국 동물의 복지를 책임져야 하는 것은 바로 인간이며, 이는 인간을 보다 인간답게 하는 일이 될 것이다.

훌륭한 동물 복지의 내용 / 정하여 세움. / 동물 복지 행위의 가치 / 인간이 동물의 복지를 책임져야 하는 이유

➜ 동물 복지에 대한 책임은 인간을 인간답게 하는 일임.

결론: 동물 복지는 인간이 책임져야 함.

핵심 쏙쏙

1 동물 복지를 판단하는 관점

동물 복지를 판단하는 관점은 동물의 관점에서 판단해야 함.

⬇ 이유

- 사람이 짐작하는 것이 개의 진정한 욕구와 다를 수 있음.
- 사람에게 적당한 음식이 동물에게는 적합하지 않을 수 있음.
- 포획 동물의 처지를 인간과 같은 기준으로 볼 때 문제가 생길 수 있음.

2 동물의 복지를 위한 객관적 기준 마련의 필요성

- 동물을 기계처럼 생각하지 않음.
- 지나치게 인간과 동일시하지 않음.

➡ 인간의 책임 있는 행동을 위해 절대적으로 필요한 일이고 가능한 일임.

3 동물 복지를 위한 객관적인 기준

적극적인 욕구	소극적인 욕구
적합한 먹이나 청결한 환경과 같이 긍정적인 것을 추구하는 것	육체적으로 받을 수 있는 공격이나 위협과 같은 부정적인 것을 최소화하는 것

⟶ 동물의 기본적인 욕구를 파악하여, 이를 충족시킬 수 있는지를 생각해야 함.

4 필자의 주장

인도적 행위	사람을 위하여 필요한 경우라도 동물의 고통을 최소화하기 위해 노력하는 행위
필요성	인간이 동물과 건전하고 바람직한 관계를 정립하는 측면에서 마땅히 지켜야 할 자세이기 때문임.

⬇ 주장

인간은 동물의 복지를 책임져야 한다.

확인 문제②

정답 및 해설 15쪽

1. 이 글의 내용과 일치하지 않는 것은?

① 동물의 복지는 동물의 관점에서 판단해야 한다.
② 동물의 복지를 책임지는 행위는 인간다운 행위이다.
③ 동물의 적극적인 욕구는 긍정적인 것을 추구하는 것이다.
④ 동물을 죽이는 행위는 동물 복지 측면에서 절대 일어나서는 안 된다.
⑤ 동물 복지를 위한 객관적 기준을 마련하는 것은 인간의 책임 있는 행동이다.

학습 활동 응용

2. 이 글의 필자가 생각하는 '동물의 복지'로 적절하지 않은 것은?

① 인간이 책임져야 할 일이다.
② 동물의 관점에서 마련되어야 한다.
③ 동물의 고통을 최소화할 수 있어야 한다.
④ 동물의 기본적인 욕구가 충족되어야 한다.
⑤ 동물의 적극적 욕구를 수용하는 것이 훌륭한 복지이다.

3. 사람들이 ㉠과 같은 자세를 지녀야 하는 이유로 가장 적절한 것은?

① 동물의 욕구를 충족시킬 수 있는 것은 사람이므로
② 동물은 사람들의 보호 없이는 살아갈 수 없으므로
③ 동물 사이의 유대 관계를 유지시켜 주어야 하므로
④ 동물은 다른 생물보다 인간과의 유대가 돈독하므로
⑤ 동물과 건전하고 바람직한 관계를 정립하는 측면이므로

학습 활동 응용

4. 이 글의 내용을 바탕으로 할 때, ㉮에 대한 답을 쓰기 위해 고려해야 할 점을 쓰시오.

- '복지'의 개념이 반영될 수 있도록 할 것
- 서술어는 '~해야 한다.'로 끝맺을 것

교과서 77~79쪽

깊게 읽기

1. 이 글에서 필자가 던진 질문에 필자 자신이 답변한 내용을 정리해서 써 보자.

질문	답변
우리는 인간과 마주하고 있는 상대인 동물의 도덕적 지위를 어떻게 이해해야 할까?	근세까지는 동물을 기계처럼 다루었는데 이는 동물의 도덕적 지위를 인정하지 않았기 때문이다. 그런데 현대에는 동물에도 복지가 있다고 여기는데 이는 동물의 도덕적 지위를 인정하기 때문이다.
동물 복지는 누구의 관점에서 판단되어야 하는가? 동물인가 아니면 동물을 기르는 인간인가?	동물 복지는 인간이 아니라 동물의 관점을 고려하여 판단하여야 한다.
동물의 복지를 위한 객관적인 기준은 어떻게 마련할 수 있을까?	동물의 기본적 욕구를 파악하여 이를 충족시켜 주는 것을 동물 복지의 객관적 기준으로 삼으면 된다.

| 도움말 | 본문은 크게 세 부분으로 이루어져 있는데, 앞부분에서 질문을 던지고 이에 답을 하는 방식으로 주장을 전개하고 있다. 따라서 질문의 의도를 파악하고, 이에 대한 답변 내용을 중심으로 필자의 주장을 정리하도록 한다.

2. 이 글에서 필자가 밝힌 '훌륭한 동물 복지'의 개념을 정리해 보자.

복지의 개념

기본적인 욕구가 충족되고 고통이 최소화되는 행복한 상태

▼

동물 복지의 내용

적극적 욕구 충족의 차원	소극적 욕구 충족의 차원
적합한 먹이나 청결한 환경과 같이 긍정적인 것을 추구하는 것	육체적으로 받을 수 있는 공격이나 위협과 같은 부정적인 것을 피하려는 것

▼

훌륭한 동물 복지의 개념

훌륭한 동물 복지란 동물에게 소극적 욕구를 충족시켜 주는 것으로, 가령 어쩔 수 없이 동물을 죽일 수밖에 없다면 고통을 최소화하는 것임.

활동 도움말

동물 복지의 '적극적 욕구 충족의 차원'과 '소극적 욕구 충족의 차원' 중, 필자가 훌륭한 동물 복지의 개념을 제시할 때 어느 차원에 주목했는지 생각해 본다.

보충 자료 사전에서 정의하는 '동물 복지(動物福祉)'

동물이 배고픔이나 질병 따위에 시달리지 않고 행복한 상태에서 살아갈 수 있도록 만든 정책이나 시설. 식용으로 소비되는 소나 돼지 따위의 가축이 열악하고 지저분한 환경에서 자라지 않고 최대한 청결한 곳에서 적절한 보호를 받으며 행복하게 살 권리를 포함한다.

활동 도움말

가에서 동물 복지에 관한 주장을 뒷받침하기 위해 제시한 근거가 일반화할 수 있는 것인지 따져 본다.

3. 다음은 필자의 주장이 담긴 부분이다. 글을 읽고 아래 활동을 해 보자.

> **가** 그럼 동물 복지는 누구의 관점에서 판단되어야 하는가? 동물인가 아니면 동물을 기르는 인간인가? 이를테면 개를 기르는 어떤 사람이 '내 개는 내가 하는 말을 모두 알아들어. 나도 내 개가 무슨 생각을 하는지 알 수 있지.'라고 생각할 수 있을 것이다. 또 어떤 채식주의자는 자신의 신념에 따라 자신의 고양이 역시 채식으로 기르려 할 수도 있을 것이다. 나아가 동물원의 사자들이 대부분의 시간을 작은 우리에 누운 채 지내는 것을 보고 활동 부족으로 답답함을 느낄 것이라 여기며 안타까워하는 사람도 있을지 모른다. 하지만 위의 세 경우 모두 위험한 생각일 수 있다.
>
> **나** 동물을 기계처럼 생각하거나 지나치게 인간과 동일시하지 않고 객관적인 기준을 마련하는 것은 인간의 책임 있는 행동을 위해 절대적으로 필요한 일이고 또한 가능한 일이다.

| 도움말 | 주장과 근거가 이치에 맞아야, 즉 타당해야 주장이 설득력을 얻게 된다. 따라서 필자의 주장과 주장을 뒷받침하는 근거를 파악한 후 그것이 이치에 맞는지 확인해 본다. 그리고 타당성에 대한 판단에 그치지 않고 판단의 이유를 확인함으로써 비판적으로 글을 읽는 태도를 익힌다.

(1) 가의 밑줄 친 주장이 타당한지 판단해 보고, 그와 같이 판단한 이유를 말해 보자.

| 예시 답 | 가의 주장은 타당하지 않다. 세 경우 중, 앞의 두 경우는 위험한 생각일 수 있지만, 마지막의 경우는 위험한 생각으로 보기 어렵기 때문이다.

(2) 나에 관한 두 사람의 생각 중 어느 생각에 동의하는지를 밝히고, 그 이유를 말해 보자. | 예시 답 | 나는 남학생의 생각이 타당하다고 본다. 동물 복지는 동물을 행복한 상태로 만들어 주는 것이다. 그런데 동물마다 행복하다고 여기는 경우가 다르므로, 복지의 객관적 기준을 마련하기가 어렵기 때문이다.

| 도움말 | 비판적 글 읽기의 대상은 내용뿐 아니라 형식도 해당한다. 주장을 전개하는 데 활용된 글의 구성이나 표현 방식을 확인하고 그것이 적절하고 효과적인지 판단해 본다.

4. 다음의 표현 방식이 쓰인 부분을 찾아보고, 이와 같은 표현 방식의 적절성과 효과를 평가해 보자.

표현 방식	사용된 부분	적절성과 효과 평가
구체적인 사례를 주장의 근거로 제시한다.	'동물 권리 운동가들의 ~ 예가 될 것이다.'		예시 답	동물 권리 운동가들의 시도가 성공을 거둔 사례로 적절하다.
유사한 상황을 근거로 주장을 제시한다.	'비만한 개 ~ 아닐 것이다.'		예시 답	치아가 부실한 아이를 비만한 개와 유사하다고 판단하고 있는데, 둘 다 복지의 대상이 된다는 점에서 적절한 표현이다. 혹은 인간을 동물과 동일시하는 것은 적절하지 않다.
묻고 답하는 방식으로 논의를 전개한다.	'과연 ~ 할까', '동물 복지는 ~ 인간인가', '동물의 복지를 ~ 있을까?'		예시 답	논의할 내용을 질문 형식으로 제시하고 그에 답하는 방식으로 주장을 펼치는 방법을 사용하여 설득력을 높이고 있다.
핵심 용어의 개념을 정의한다.	'복지를 ~ 행복한 상태'		예시 답	동물의 복지를 논하기 위해서는 먼저 복지의 개념을 명확히 정의해야 하므로, 적절한 내용이다.

넓혀 읽기

제재 연구

마크 베코프, 「종 우월주의의 극복」

갈래	논설문
성격	비판적, 설득적
제재	종 우월주의
주제	종 우월주의는 동물 복지를 외면하는 관점이므로 극복되어야 함.
특징	① '종 우월주의'의 개념을 제시하고, 이 관점이 지닌 문제점을 구체적으로 밝히고 있음. ② 구체적 사례를 들어 문제의 심각성을 강조함.

5. 다음 글을 「동물의 복지를 생각한다」와 비교하며 읽고, 아래 활동을 해 보자.

종(種) 우월주의는 우리가 동물을 학대하고 상습적으로 그들의 요구를 무시하는 태도를 정당화하는 이론이다. 인간이 자연과 별개로 모든 종이 태어나 살다가 죽는다는 기본 원칙에서 예외라도 되는 듯, 스스로 자연의 일부로 간주하지 않는 오만한 태도 이면에 이 같은 편견(종 우월주의)이 자리 잡고 있다. 예를 들어, 많은 종이 개체 과밀과 과다한 소비로 멸종에 이르렀던 것처럼 인류 역시 스스로 멸종을 초래할 수 있다. 인간의 오만과 더불어 (자신이 사는 세상을 향상할 수도, 파괴할 수도 있는 엄청난 잠재 능력을 지닌 큰 뇌의 포유동물로서(인간을 의미함.)) 스스로에 대한 부정(인간을 자연의 일부로 간주하지 않는 태도)은 궁극적으로 자기를 파괴적으로 만든다. 우리는 현재 많은 분야에서 잘못을 저지르고 있다는 것을 진정 부끄러워해야만 한다.

➔ 종 우월주의의 관점과 그 문제점

이를테면, 서식지 파괴와 과잉 소비, 개체 과밀과 외래종의 만연 그리고 기후 변화 등의 요인이 결합되어 또다시 전 지구적으로 대규모 생물 종의 멸종 과정이 진행 중이다. 과학자들은 이같이 믿기지 않는 생물 다양성(유전자, 생물종, 생태계의 세 단계의 다양성을 종합한 개념) 상실의 주된 원인이 인간에게 있다는 점에 동의하고 있다.

➔ 인간이 생물 다양성 상실의 주된 원인이라는 과학자들의 견해

종 우월주의는 동물을 위계적 개념인 '하등 동물'과 '고등 동물'로 분류하게 하고, 이 서열의 최고 단계(수직적 위계의 정점)에 인간이 자리 잡는 것을 당연하게 여긴다. 이는 동물의 복지를 외면하게 만드는 그릇된 관점이다.

➔ 종 우월주의에 관한 부정적 평가

– 마크 베코프, 「종 우월주의의 극복」에서

활동 도움말

두 글의 필자는 동물을 바라보는 관점에서 어떤 차이가 있는지 파악해 본다.

(1) 이 글의 필자가 「동물의 복지를 생각한다」의 필자가 제시한 다음 주장에 관해 어떤 평가를 할지 말해 보자.

> 불필요한 고통은 배제하고 사람을 위하여 필요한 경우라도 고통을 최소화하기 위해 노력하는 것이 인도적인 행위이다.

| 예시 답 | 이 글의 필자는 「동물의 복지를 생각한다」 필자의 주장이 종 우월주의에 의한 주장이라고 평가해 비판할 것이다.

(2) 두 글의 관점 중, 자신이 동조하는 글의 관점에서 동물과 관련된 우리 사회의 사회 · 문화적 이념을 비판해 보자.

| 예시 답 | 나는 「종 우월주의의 극복」을 쓴 필자의 주장에 동조한다. 우리 사회에는 예전에 비해 동물 복지를 중시하지만 여전히 인간을 위해 동물이 희생될 수 있다는 생각이 지배적이다. 이런 생각은 종 우월주의가 반영된 것이므로, 앞으로 우리 사회에 동물과 인간이 동등하다는 관점이 널리 퍼지도록 노력해야 한다.

모둠 토의 활동

(3) '바람직한 동물의 복지'를 주제로 모둠 토의를 해 보자.

| 예시 답 | 생략

소단원 출제 포인트

동물의 복지를 생각한다

1 전체 글의 개관

갈래	논설문	성격	논리적, 설득적
제재	동물 복지	주제	동물 복지의 객관적 기준 설정이 필요하며, 인간은 동물 복지를 책임져야 함.
특징	① 묻고 답하는 방식으로 동물 복지에 대한 필자 자신의 주장을 논리적으로 밝힘. ② 정의와 예시의 방법을 활용하여 동물 복지의 객관적 기준 마련이 필요하고 가능하다는 점을 밝힘.		

2 '훌륭한 동물 복지'의 이해

복지의 개념	기본적인 욕구가 충족되고 고통이 최소화되는 행복한 상태

→ 일반적이고 포괄적인 개념

⬇

동물 복지의 관점	동물은 도덕적 지위를 지니고 있으며, 복지를 누릴 권리가 있음.

⬇

동물의 욕구		
	적극적인 욕구 충족의 차원	적합한 먹이나 청결한 환경과 같이 긍정적인 것을 추구하는 것
	소극적인 욕구 충족의 차원	육체적으로 받을 수 있는 공격이나 위협과 같은 부정적인 것을 최소화하는 것

⬇

훌륭한 동물 복지	• 동물에게 소극적 욕구를 충족시켜 주는 것 • 어쩔 수 없이 동물을 죽일 수밖에 없다면 고통을 최소화하는 것 → 동물 복지의 객관적 기준에 해당함.

3 이 글에 사용된 표현 방식의 적절성 및 효과

표현 방식	사용된 부분	적절성 및 효과
구체적인 사례를 주장의 근거로 제시함.	"동물 권리 운동가들의 ~ 예가 될 것이다."	동물 권리 운동가들의 시도가 성공을 거둔 사례로 적절함.
유사한 상황을 근거로 주장을 제시함.	"비만한 개 ~ 아닐 것이다."	치아가 부실한 아이를 비만한 개와 유사하다고 판단하고 있는데, 둘 다 복지의 대상이 된다는 점에서 적절한 표현임.
묻고 답하는 방식으로 논의를 전개함.	"과연 ~ 이해해야 할까", "그럼 동물 복지는 ~ 인간인가", "그렇다면 동물의 복지를 ~ 있을까"	논의할 내용을 질문 형식으로 제시하고 그에 답하는 방식으로 주장을 펼치는 방법을 사용하여 설득력을 높이고 있음.
핵심 용어의 개념을 정의함.	"'복지'를 ~ 행복한 상태"	동물의 복지를 논하기 위해서는 먼저 복지의 개념을 명확히 정의해야 하므로 적절함.

내신 적중 문제

정답 및 해설 15쪽

[01-04] 다음 글을 읽고 물음에 답하시오.

(가) 대부분의 사람은 동물을 학대하는 행위에 반대한다. 이러한 생각의 바탕에는 동물도 도덕적 지위를 지니고 있다는 믿음이 깔렸다. 그런 까닭에 우리가 별생각 없이 먹는 음식의 상당 부분이 동물에 대한 지독한 학대 행위 끝에 나온다는 사실을 깨닫게 하는 동물 권리 운동가들의 시도가 성공을 거두곤 한다. 동물 권리 운동가들의 노력으로 좁고 밀폐된 공간에서 사료를 끊임없이 주며 닭을 사육하는, 이른바 배터리 닭장이 2012년부터 유럽 연합(EU)에서 사라지게 된 것이 한 예가 될 것이다. 하지만 이러한 변화는 우리가 지녀 온 동물에 대한 전통적인 견해, 즉 인간은 어떠한 제한도 받지 않고 동물을 이용할 수 있다는 생각과 충돌을 일으킨다. 과연 우리는 인간과 마주하고 있는 상대인 동물의 도덕적 지위를 어떻게 이해해야 할까?

(나) 서구에서는 오랜 기간 동물을 이성적 영혼이 없는 존재로 여기는 철학적 관념이 우세했다. 근세에 이르기까지는 동물 복지와 같은 것은 사실상 없다고 할 수 있다. 17세기 철학자인 데카르트는 동물을 마치 시계와 같이 어떤 것도 전혀 느끼지 못하는 기계처럼 여겼다. 그래서 그 시대에는 완전히 의식이 있는 상태의 동물들을 마취나 진통제 처치도 하지 않고 생체 해부를 하는 일도 있었다. 그러한 경향은 오늘날까지 영향을 미쳐 동물을 마치 기계인 양 취급하는 공장식 농장의 출현을 가져왔다고 할 수 있다.

(다) 사실 우리는 데카르트의 주장처럼, 동물이 쾌락이나 고통을 느낀다는 것을 명확히 입증하지 못한다. 그러나 따지고 보면 우리는 이웃이 어떤 느낌을 느끼며 사는지 역시 정확히 알지 못한다. 설령 그들이 어떤 상황에서 기쁨이나 고통을 나타내는 소리나 언어를 사용하는 등의 행동을 하더라도 그것이 우리가 느끼는 종류의 기쁨이나 고통과 같은 것인지, 혹은 꾸며서 그러는 것인지 어떻게 확신할 수 있는가?

(라) 그런데도 우리는 최소한 어떤 일을 해서는 안 된다는 것을 사회적 약속으로 삼고 살아간다. 동물에게도 마찬가지이다. 우리는 동물의 쾌락과 고통을 명백히 입증하지 못하지만, 인간뿐 아니라 동물에 관해서도 어떤 일은 해도 되지만, 어떤 일은 해서는 안 된다는 사회적 합의가 존재한다. 이 합의는 바로 동물에게도 '복지'가 있다는 생각에 근거하는 것이다. 이것은 현대 사회에서 동물의 권리에 관해 어떤 생각을 하고 있든 최소한 공유되고 있는 생각이다.

(마) '복지'를 기본적인 욕구가 충족되고 고통이 최소화되는 행복한 상태라고 포괄적으로 정의하는 것에는 큰 무리가 없을 것이다. 그러나 더 구체적으로 들어가 보면 이는 마치 '진실'이나 '자유', '아름다움'이라는 단어처럼 복합적인 해석이 가능한 개념임이 드러난다. 즉 어떤 사람에게는 '복지'로 생각되는 일이 어떤 사람에게는 '복지'가 아닌 것으로 판단될 수도 있다.

01 이 글을 읽고 이끌어 낸 내용으로 적절하지 <u>않은</u> 것은?

① 공장식 농장의 출현은 동물을 기계처럼 여기는 데 영향을 미쳤다.
② 동물에 대한 복지 개념은 근세 이후 등장하였다고 볼 수 있다.
③ '배터리 닭장'에는 동물을 제한 없이 이용할 수 있다는 인간의 이기심이 담겨 있다.
④ 오늘날 동물을 학대하지 않아야 한다는 인식은 사회적으로 공유된 것이라 할 수 있다.
⑤ 동물들의 기본적인 욕구를 충족시키고 고통을 최소화하는 것을 동물에 대한 복지라 할 수 있다.

학습 활동 응용

02 다음은 이 글을 읽은 학생들의 반응이다. 비판적으로 글을 읽지 <u>않은</u> 사람은?

① 상준: 필자는 동물 권리 운동가들의 시도가 성공을 거둔 사례를 제시하고 있는데, 이는 자신의 주장을 뒷받침하는 근거로 적절하다고 생각해.
② 정아: 필자가 생각하는 동물의 복지에 대한 생각을 떠올리면서 오늘날 우리 사회에서도 반드시 수용해야 한다고 생각했어.
③ 가영: 동물 복지에 대한 필자의 긍정적인 시각을 보면서, 독자에게 동물 복지에 대해 관심을 촉구하려 한다는 의도를 파악했어.
④ 준수: 사람이 동물의 고통을 느끼지 못한다는 필자의 말이 이해가 안 됐어. 동물의 행동을 보면 고통을 느끼는지 알 수 있잖아.
⑤ 경미: 동물에게도 복지가 있다는 필자의 가치관은, 동물을 가족처럼 여기는 오늘날의 가치관에 비추어 볼 때 인정할 만하다고 생각해.

고난도

03 **〈보기〉의 글을 읽고 이 글의 필자(ⓐ), 동물 권리 운동가(ⓑ)와 데카르트(ⓒ)가 반응한 내용으로 적절하지 않은 것은?**

보기

블랙 아이보리 커피는 태국의 코끼리 변으로부터 얻는 커피이다. 블랙 아이보리 커피를 얻기 위해 코끼리에게 커피 열매와 사과, 파인애플 등의 과일과 함께 먹이는데, 이 때문에 커피에서 쓴맛은 거의 없고 달콤하고 부드러운 맛이 난다. 블랙 아이보리 커피의 원두는 1kg당 1,100달러에 이를 만큼 세계 최고가를 자랑한다. 하지만 코끼리에게 카페인이 함유된 커피 열매를 먹이는 것 자체가 코끼리에게는 적합하지 않다는 주장이 대두되고 있다.

① ⓐ는 블랙 아이보리 커피에 동물을 제한 없이 이용할 수 있다는 전통적 견해가 담겨 있다고 여기겠군.
② ⓐ, ⓑ는 블랙 아이보리 커피를 만드는 사람들에 대해 부정적인 태도를 보이겠군.
③ ⓑ는 블랙 아이보리 커피가 동물 학대로 얻은 것이라 하면서 이를 먹지 말자는 운동을 펼치겠군.
④ ⓑ와 달리 ⓐ는 동물 복지를 주장하면서 코끼리를 구하여 동물원에서 보호해야 한다고 생각하겠군.
⑤ ⓑ와 달리 ⓒ는 동물 학대에 대한 인식 없이 블랙 아이보리 커피의 부드러운 맛을 음미하며 마시겠군.

서술형 학습 활동 응용

04 **'동물의 도덕적 지위'에 대해 근세와 오늘날의 생각은 어떠한지 〈조건〉에 맞게 쓰시오.**

조건

- 근세와 오늘날의 동물의 도덕적 지위에 대한 생각을 서술할 때, 그렇게 생각하는 이유도 제시할 것
- 각각 한 문장으로 쓰고, 접속어를 사용하여 두 문장이 대비되게 할 것

[05 - 07] 다음 글을 읽고 물음에 답하시오.

그럼 동물 복지는 누구의 관점에서 판단되어야 하는가? 동물인가 아니면 동물을 기르는 인간인가? 이를테면 개를 기르는 어떤 사람이 '내 개는 내가 하는 말을 모두 알아들어. 나도 내 개가 무슨 생각을 하는지 알 수 있지.'라고 생각할 수 있을 것이다. 또 어떤 채식주의자는 자신의 신념에 따라 자신의 고양이 역시 채식으로 기르려 할 수도 있을 것이다. 나아가 동물원의 사자들이 대부분의 시간을 작은 우리에 누운 채 지내는 것을 보고 활동 부족으로 답답함을 느낄 것이라 여기며 안타까워하는 사람도 있을지 모른다. 하지만 위의 세 경우 모두 위험한 생각일 수 있다. 사람이 짐작하는 것이 개의 진정한 욕구와 다를 수 있고, 사람에게 적당한 음식이 동물인 고양이에게는 적합하지 않으며, 포획 동물의 처지를 인간과 같은 기준으로 보려고 할 때 오히려 문제가 발생할 수 있기 때문이다. 이렇게 본다면 동물 복지의 기준을 세우는 것은 쉽지 않은 일이 될 것이다.

하지만 비만한 개와 치아가 부실한 비만 아동에게 초콜릿을 먹이는 것이 과연 그들에게 복지가 될지 아닐지를 굳이 개나 아동에게 물어봐야만 하는 것은 아닐 것이다. 그래서 ㉠동물을 기계처럼 생각하거나 지나치게 인간과 동일시하지 않고 객관적인 기준을 마련하는 것은 인간의 책임 있는 행동을 위해 절대적으로 필요한 일이고 또한 가능한 일이다.

그렇다면 동물의 복지를 위한 객관적인 기준은 어떻게 마련할 수 있을까? 이를 위해서는 다시 복지의 개념으로 돌아갈 필요가 있다. 앞서 살펴본 바대로 복지란 '기본적인 욕구'가 충족되는 것이므로 동물의 기본적인 욕구가 무엇인지 아는 것이 필수적이다. 동물의 욕구는 크게 두 가지로 생각할 수 있다. 적합한 먹이나 청결한 환경과 같이 긍정적인 것을 추구하는 적극적인 욕구와, 육체적으로 받을 수 있는 공격이나 위협과 같은 부정적인 것을 피하려는 소극적 욕구가 그것이다. 특히 후자의 욕구는 고통을 최소화하는 것이 행복이라는 복지의 개념과 다시 연결된다. 가령 '죽음'의 경우 어떤 동물도 영원히 살 수 없으며 죽음을 거부할 수 없지만, 사람이 관리하는 동물이라면 생명의 종말이 마땅히 배려되어야 한다. 비록 야생 동물의 자연적인 죽음이라고 해도 그것이 항상 고통이 없는 것은 아니다. 중요한 것은 동물을 죽일 수 없다는 것이 아니라, 어쩔 수 없이 동물을 죽일 수밖에 없다면 고통을 최소화하는 것이 훌륭한 복지라는 것이다.

사람들 대다수는 동물도 고통을 겪을 수 있다는 사실에 대체로 동의한다. 물론 특정한 환경에서 동물이 어떤 고통을 얼마나 겪는지에 관해서는 확신이 덜 들 수 있다. 그렇다고 동물들이 스스로 고통을 겪고 있음을 우리에게 입증하라고 할 수도 없다. 다만 우리가 마련하거나 시키려고 하는 일을 동물들이 적극적으로 피하려고 한다면 그것이 고통이라는 것만은 확실하다.

그러므로 불필요한 고통은 배제하고 사람을 위하여 필요한 경우라도 고통을 최소화하기 위해 노력하는 것이 인도적인 행위이다. 이는 사람과 일정한 관계를 유지하고 살아가는 동물과 건전하고 바람직한 관계를 정립하는 측면에서 마땅히 지켜야 할 자세이다. 결국 동물의 복지를 책임져야 하는 것은 바로 인간이며, 이는 인간을 보다 인간답게 하는 일이 될 것이다.

학습 활동 응용

05 **이 글의 서술상의 특징으로 가장 적절한 것은?**

① 구체적인 사례를 통해 동물 복지에 대한 편견을 보여 주고 있다.
② 질문과 대답의 방식으로 동물 복지에 대한 생각을 드러내고 있다.
③ 시간의 흐름에 따라 동물 복지가 변화해 온 과정을 고찰하고 있다.
④ 전문가의 견해를 언급하여 동물 복지의 필요성을 강조하고 있다.
⑤ 통계 자료를 제시하여 동물 복지에 대한 일반인들의 인식을 알려 주고 있다.

06 **다음은 ㉠에 대한 학생의 입장을 드러낸 것이다. 학생이 이와 같이 말한 이유를 추론한 것으로 가장 적절한 것은?**

> 정수: 동물의 복지에 관한 객관적 기준을 마련할 수 있다는 인간 중심적 사고에 반대해!

① 동물 복지를 위한 기준을 마련하는 것이 불필요하다고 여겼기 때문에
② 동물 복지를 위한 기준을 만드는 것이 동물의 적응 능력을 저하시키는 것이기 때문에
③ 동물마다 고통을 느끼는 방식이 다른데, 이러한 동물의 고통을 도외시한다고 생각하기 때문에
④ 특정 동물의 경우 인간의 배려가 필요 없음에도, 모든 동물을 인간의 배려가 필요하다고 여기고 있기 때문에
⑤ 동물마다 행복하다고 여기는 경우가 다를 수 있는데, 이러한 차이를 고려하지 않고 기준을 일괄적으로 만들려고 하기 때문에

고난도

07 **〈보기〉의 '레오폴드'가 이 글의 필자에 대해 보일 수 있는 반응으로 적절하지 않은 것은?**

〈보기〉

> 작가 알도 레오폴드는 대지(땅) 그 자체를 도덕의 영역에 포함시키는 새로운 윤리, 즉 대지 윤리를 주장한다. 그는 대지가 정복자인 인간을 위한 노예이자 하인이라는 사고가 하나의 몽상에 지나지 않으며, 인간이 토양과 물, 동식물 등과 함께 하나의 공동체 안에서 서로 의지하며, 평범한 시민으로서 역할을 다하게 될 때 '대지 윤리'가 비로소 실현된다고 주장한다. 그에게 '(생명) 공동체'란 곧 '대지'이며, 인간은 이 '대지 공동체'를 이루고 있는 '평범한 구성원'으로서 지위를 가질 뿐이다. 이 점이 바로 그의 윤리를 인간과 인간의 관계를 규정하는 전통적인 '인간의 윤리'를 넘어 생태계 그 자체를 도덕적 배려의 대상으로 하는 생태 중심주의적 윤리가 실현되게 한다.

① 필자의 동물에 대한 인식에는 '생태 중심주의적 윤리'가 반영되어 있다고 할 수 있군.
② 필자가 말하는 '동물 복지'는 인간이 평범한 시민으로서 하는 역할 중 하나라 볼 수 있군.
③ 필자가 동물 복지를 인간이 책임져야 한다는 생각에는 전통적인 '인간의 윤리'가 바탕이 되고 있군.
④ 필자가 비판하고 있는 '어떤 채식주의자'는, 대지가 정복자인 인간을 위한 노예이자 하인이라는 사고를 지녔다 할 수 있군.
⑤ 필자는 동물 복지를 위해 동물의 욕구를 고려해야 한다고 말하고 있는데, 이는 생태계를 도덕적으로 배려하려는 필자의 태도라 할 수 있군.

감상적 읽기

교과서 80쪽

생각 열기 다음 두 작품에는 어떤 연관성이 있을까?

왼쪽 작품은 베토벤의 9번 교향곡 중, 「환희의 송가」의 악보이다. 이 음악은 평화와 인류애의 메시지를 담고 있어 올림픽과 같이 세계인이 화합하는 자리에서 연주되곤 한다. 이 작품은 베토벤이 독일 시인 실러의 시를 읽고는 감동을 받아 창작했다고 한다. 오른쪽 작품은 영국의 화가 존 워터하우스의 「오필리어」(일부)인데, 이 작품은 셰익스피어의 희곡에서 받은 감동을 그림으로 표현한 것이다. 이처럼 글에서 받은 감동은 새로운 창작으로 이어지기도 한다.

그렇다면 **글을 어떻게 읽어야 감동을 더 심화할 수 있을까?**

| 예시 답 | 글의 내용과 관련된 자신의 경험을 떠올려 본다, 극중 인물의 처지를 이해하고 공감해 본다, 감동을 받거나 깨달은 내용을 자신의 삶에 적용해 본다 등

| 도움말 | 독서는 정보나 사실을 전달해 주는 인지적 기능도 하지만 감동이나 깨달음을 주는 정서적 기능도 한다. 깊은 감동으로 새로운 창작의 영감을 얻었던 실제 사례를 제시하였다. 이를 통해 감상적 글 읽기의 필요성을 이해하고, 감상적 글 읽기의 방법에 관한 질문에 스스로 답해 봄으로써 학습 주제에 관한 흥미를 높이도록 한다.

| 이 단원의 학습 요소 |

학습 목표 **글에서 공감하거나 감동적인 부분을 찾고, 이를 바탕으로 글이 주는 즐거움과 깨달음을 수용하며 감상적으로 읽는다.**

‘시를 읽은 필자의 감상’에 공감하거나 감동적인 부분 찾기	▶	‘시를 읽은 필자의 감상’에 공감하거나 감동적인 부분을 찾아본다.
글이 주는 즐거움과 깨달음을 수용하며 글 읽기	▶	글이 주는 즐거움과 깨달음을 수용하며 글을 읽어 본다.

소단원 바탕학습

원리 이해

1 감상적 읽기의 개념과 필요성

1. 감상적 읽기의 개념: 정의적 능력을 발휘하여 글에서 공감하거나 감동적인 부분을 찾아 그 내용을 감상하는 것
2. 감상적 읽기의 필요성
   - 마음을 정화하고 자아를 성장시키는 데 큰 역할을 하기 때문임. (정화: 불순하거나 더러운 것을 깨끗하게 함.(=카타르시스))
   - 심리적 응어리가 자연스럽게 정화되는 경험을 할 수 있음.
   - 지식이나 생각, 가치나 규범, 깨달음 등을 자신의 것으로 자연스럽게 내면화할 수 있음. (내면화: 정신적 · 심리적으로 깊이 마음속으로 자리 잡힘. 또는 그렇게 되게 함.)
   - 글을 읽을 때 발휘되는 능력

정의적 능력	특정 인물을 자신과 동일시하여 공감하거나, 아름다운 문장이나 표현에 감탄하거나, 글을 통해 얻은 깨달음을 내면화하는 것과 관련됨.
인지적 능력	등장인물의 성격, 사건의 줄거리, 주제 등을 파악할 때 필요함.

2 공감하거나 감동적인 부분 찾기

1. 좋은 글의 요건: 정서를 고양하고, 가치 있는 인생에 관한 공감과 깨달음을 전해 주어야 함.
2. 공감과 감동을 얻기 위해 필요한 자세: 글을 읽을 때 마음을 열고 새로운 세계에 동참하려는 자세를 갖는 것이 필요함.

소설을 읽을 때	• 자신과 동일시할 수 있는 인물이나 공감할 수 있는 상황 및 표현을 찾음. • 소설 속 인물과 자기 자신을 동일시하며 그 상황이나 표현에 공감하는지에 대한 이유를 생각해 봄.
설명문을 읽을 때	내용의 정확성이나 풍부함으로 인해 감명을 받을 수 있음.
논설문을 읽을 때	논리적인 전개와 명쾌한 주장이나 반박에 감동할 수 있음.

3. 감상적 읽기에서 고려해야 할 점: 글을 읽으며 받은 감동이나 자기 나름의 생각을 흘려버리는 것이 아니라 반드시 그것을 정리하여 내면화해야 함.

3 감상의 비교와 내면화

1. 내면화의 의미 및 과정

내면화의 의미	글의 내용이나 독서 과정에서 얻은 즐거움이나 깨달음, 가치, 태도, 정서 등을 자신의 것으로 수용하는 것
내면화의 과정	여러 감상 내용을 비교하고 평가하여 자신에게 적합한 것을 선택하는 과정을 통해 이루어짐.

2. 감상의 비교: 글에 대한 감상을 더욱 넓고 깊게 하기 위해서 필요함.
   - 독자끼리 감상을 서로 공유, 소통함으로써 글에 대한 감상의 폭을 넓힐 수 있음.
   - 감상의 비교를 통해 자신의 감상적 읽기를 더욱 깊이 있게 가다듬을 수 있음.

| 원리 확인 문제 |

1. 다음 중 정의적 능력과 관련이 없는 것은?

① 화자와 자신을 동일시하는 것
② 화자의 깨달음에 공감하는 것
③ 아름다운 문장을 보고 감탄하는 것
④ 글을 통해 얻은 깨달음을 내면화하는 것
⑤ 시에 드러난 화자와 화자가 처한 상황을 파악하는 것

2. '감상적 읽기'에 대한 설명으로 적절하지 않은 것은?

① 정의적 능력과 관련된다.
② 마음을 정화하는 효과가 있다.
③ 글에서 감동적인 부분을 찾아 감상하는 것이다.
④ 글에 드러난 깨달음을 자신의 것으로 만드는 것이다.
⑤ 글을 통해 필자가 드러내고자 하는 중심 생각을 파악하는 것이다.

3. 〈보기〉는 어떤 종류의 글을 읽을 때 느끼는 감동인지 쓰시오.

〈보기〉
내용의 정확성이나 풍부함으로 인해 감명을 받을 수 있다.

4. 〈보기〉에서 설명하고 있는 것은 무엇인지 쓰시오.

〈보기〉
글의 내용이나 독서 과정에서 얻은 즐거움이나 깨달음, 가치, 태도, 정서 등을 자신의 것으로 수용하는 것을 말한다.

정답 1. ⑤ 2. ⑤ 3. 설명문 4. 내면화

제재 미리보기

별이 빛나는 밤에

1 해제

이 글은 '별'을 소재로 한 두 편의 시를 읽고 얻은 깨달음과 감동을 적은 비평문이다. 필자는 먼저 김광섭의 시 「저녁에」를 제시하고, 이 작품이 사람들에게 많은 사랑을 받은 이유를 언급하면서, 시에 대한 감상을 '별'과 '나'의 인연을 중심으로 제시하고 있다. 이를 통해 필자는 '소중한 우주적 인연'이라는 깨달음을 효과적으로 전달해 주고 있다. 그리고 필자는 윤동주의 시 「별 헤는 밤」을 제시하면서, 이 작품에 대한 감상을 '어머니'를 기점으로 한 어조 변화를 중심으로 드러내 주고 있다. 아울러 별로 호명(呼名)된 이들의 특성을 언급하면서 이들에 대한 시인의 간절한 그리움의 정서를 섬세하게 드러내 주고 있다.

2 핵심 개관

(1) **갈래**: 비평문

(2) **성격**: 감상적, 분석적

이 글에서 필자는 두 편의 시를 소재인 '별'을 바탕으로 감상하면서, 「저녁에」에 드러난 '나'와 '별'의 만남이 지닌 의미, 「별 헤는 밤」에 드러난 어조의 변화 양상을 분석적으로 보여 주고 있다.

(3) **제재**: 별을 소재로 한 두 편의 시

(4) **주제**: 별을 소재로 한 두 편의 시가 일깨워 준 인연과 그리운 이의 소중함.

이 글에서는 「저녁에」를 통해 '별'과 '나'와의 만남을 바탕으로 한 소중한 우주적 만남의 깨달음을 전달해 주고 있다, 그리고 「별 헤는 밤」을 통해 그리운 '어머니'를 중심으로 한 어조 변화를 살펴보면서 소중한 이들에 대한 화자의 그리움을 전달하고 있다.

(5) **특징**

① '별'과 관련된 시를 먼저 소개한 후, 시에서 받은 감동이나 깨달은 바를 밝히고 있다.

② 시어와 시구의 의미와 기능, 시상 전개 방식을 전문가의 시각에서 분석하고 있다.

(6) **구성**

'중간 1'에서는 시 「저녁에」에 대한 감상, 즉 '별'과 '나'의 만남이 지닌 의미와 소중한 우주적 인연이라는 깨달음을 드러내 주고 있다. '중간 2'에서는 시 「별 헤는 밤」에 대한 감상, 즉 '어머니'를 중심으로 한 어조 변화 양상을 밝혀 주면서, 호명된 이들에 대한 화자의 그리움과 이들을 만날 수 없는 것에 대한 화자의 슬픔을 제시하고 있다.

중간 1	중간 2
시 「저녁에」에 대한 감상	시 「별 헤는 밤」에 대한 감상
• '별'과 '나'의 만남이 지닌 의미 • 소중한 우주적 인연이라는 깨달음	• 호명된 이들에 대한 화자의 그리움 • 이들을 만날 수 없는 것에 대한 화자의 슬픔

별이 빛나는 밤에 _ 정재찬

소단원 포인트

- 시의 내용 이해하기
- 시 감상에 드러난 필자의 감상 방법 파악하기
- 시 감상에 드러난 필자의 깨달음 파악하기

필자 소개

정재찬(1962~): 문학 교육학자. 주요 저서에 『문학 교육 개론 Ⅰ』, 『시를 잊은 그대에게』 등이 있다.

제재 연구

김광섭, 「저녁에」

갈래	자유시, 서정시
성격	관조적, 상징적, 서정적
제재	별
주제	친밀한 인간관계에 대한 소망
특징	① 시간의 흐름에 따라 시상을 전개함. ② 대구적 표현을 통해 리듬감을 주고 있음. ③ 불교의 윤회 사상을 바탕으로 만남과 이별에 대한 인식을 노래하고 있음.

중간 1 **가** 저렇게 많은 중에서 / 별 하나가 나를 내려다본다 (화자 / 의인법)
이렇게 많은 사람 중에서 / 그 별 하나를 쳐다본다 ('나'와의 관계를 맺음.)
[별과 '나'의 운명적 만남(의인법, 대구법)]
➔ 1연: 별과 '나'의 만남과 이별

밤이 깊을수록 (시간의 경과(밤→새벽))
별은 밝음 속에 사라지고
나는 어둠 속에 사라진다
[별과 '나'의 이별 (대조법, 대구법)]
➔ 2연: '너'와 다시 만나고 싶은 '나'의 소망

이렇게 정다운 / 너 하나 나 하나는 (별과 '나'의 정서적 소통에 대한 소망이 드러남. / 각각의 인연이 소중함.)
어디서 무엇이 되어 / 다시 만나랴 — 재회에 대한 소망 강조(설의법) (영원한 만남을 이어가고 싶은 소망 표현(아쉬움))
➔ 3연: '너'와 다시 만나고 싶은 '나'의 소망

– 김광섭, 「저녁에」

나 어디서 많이 보거나 들은 듯한 시, 그러나 의외로 시의 제목을 아는 이는 그리 많지 않다. '어디서 무엇이 되어 다시 만나리' 혹은 '어디서 무엇이 되어 다시 만나랴' 정도로 아는 경우가 대부분이다. 그도 그럴 것이 이 시의 종결부, '어디서 무엇이 되어 다시 만나랴'는 시가 발표된 1970년 한국일보 제정 '한국미술대상전' 제1회 대상을 받은 수화 김환기 화백의 작품 제목으로, 또 1980년대에는 듀엣 가수 유심초가 부른 대중가요 제목으로도 널리 알려졌기 때문이다. (시구가 그림과 대중가요의 제목으로 쓰임.)
➔ 김광섭의 시와 시의 제목을 잘못 아는 사람이 많은 이유

왜 이 시가 그림으로, 또 노래로 옮겨지며 그토록 많은 사람에게 사랑을 받은 것일까? 무엇보다도, 이 시는 쉽다. 또한, 누구나 경험해 봤음 직한 낯익고 정겨운 정경과 정조를 담고 있다. (시가 많은 사람에게 사랑 받는 이유 / 정서를 자아내는 흥취와 경치 ■) 그런데 그것은 다시 생각해 봐도 여전히 가슴 뛰고 경이롭고 순수하던 그때의 일들이다. (누군가와의 만남과 이별) 그때가 그립다. 정겨웠던 이들이 그립다.
➔ 시 「저녁에」가 사랑 받는 이유에 대한 물음

생각해 보라. 별과 내가 서로 마주 본다는 것, 이것은 얼마나 기적 같은 일인가? (1연의 의미 해석) 우리 은하계에는 천억 개의 별이, 그리고 우주에는 그런 은하가 또 천억 개 정도가 있단다. 그런데 그중 하나가 수십억 인구 가운데 하나인 나와 서로 마주 보고 있는 것이다. (별과 '나'의 만남이 기적 같은 일인 이유 ①) 그것도 억겁의 시간 가운데 지금 이 순간, 어쩌면 이미 오래전 티끌로 사라져 버렸을지도 모를 그 별과 지금 이 순간 내가 만나고 있는 것이다. (별과 '나'의 만남이 기적 같은 일인 이유 ②) 허나 그렇게 소중한 만남과 관계건만 그 또한 시간의 힘을 이길 수는 없는 법. 저녁 별은 밤이 되면 사라지고 나 또한 그럴 운명이다. (이별은 순리를 따르는 운명적인 것임.)
➔ 1연과 2연의 시구에 대한 해석

여기서 시인은 인생의 교훈을 얻는다. 별과 인간의 관계가 그러하다면 이렇게 정다운 사이인 너와 나의 만남과 헤어짐은 또 어찌 될 것인가 궁금하지 않을 수 없는 게다. (별과 '나'의 인연을 인간의 인연과 연관 지어 생각해 봄.) 어린 시

▲ 김환기, 「어디서 무엇이 되어 다시 만나랴」

교과서 날개 질문

필자가 인연을 뭉치로 계산하지 말고 하나씩 하나씩 따져 보자고 말한 의도를 생각해 보자.

| 예시 답 | 한 사람 한 사람과의 인연이 모두 소중하다는 점을 전달하기 위해서이다.

절 친구와의 인연을 생각해 보라. 그 만남은 얼마나 소중한 우주적 인연인가. 그러나 그중
시의 내용을 독자의 삶과 연관 지어 보기를 권함. 기적과 같은 일
몇이나 다시 만나게 될까? 궁금하지 않은가? 어디서 무엇이 되어 다시 만나게 될지, 벅차
헤어졌던 소중한 사람과의 재회가 주는 감동(설의법)
지 않은가? 그대의 기억 속에 지금껏 자리하고 있는 별만큼이나 많은 인연을 되새겨 보면,
소중한 인연에 대한 그리움(설의법)
그립지 않은가? 숱하게 사라진 뭇별 같은 인연, 뭉치로 계산하지 말고 이 시인이 하듯 또
많은 별 소중한 인연을 하나하나 떠올리기 바람.
박또박 따져 보라. 그 인연들 가운데 하나씩 하나씩 너 하나, 나 하나, 이렇게 말이다.
➜ 3연의 시구에 대한 해석

중간 1: 시 「저녁에」에 대한 감상

어휘 풀이
정조(情調): 단순한 감각에 따라 일어나는 감정.

핵심 쏙쏙

1 시 「저녁에」가 사랑을 받는 이유

「저녁에」	• 시구의 일부가 김환기 화백의 작품 제목으로 쓰이고, 대중가요 제목으로도 널리 알려짐.
⬇	
사랑 받는 이유	• 시가 쉽고, 누구나 경험해 봤음 직한 낯익고 정겨운 정경과 정조를 담고 있기 때문임.

2 시 「저녁에」 감상 – '별'과 '나'의 만남과 이별

만남	• 무수히 많은 별과 수십 억 인구 가운데 하나인 '나'가 마주 보는 것 • 오래 전 티끌로 사라져 버렸을 별과의 만남 → 기적 같은 만남
⬇	
이별	• '별'과 '나' 모두 시간의 힘을 이길 수 없음. → 사라질 운명임.

3 필자의 깨달음 및 의도

깨달음	• '별'과 '나'의 만남을 인간의 인연으로 확장함. → 소중한 우주적 인연임.
의도	• 인연을 하나하나씩 또박또박 따져 볼 것을 말함. → 독자에게 소중한 인연을 하나하나 떠올리기 바람.

4 시 「저녁에」의 시구 해석

1~2연	• 별과 '나'의 만남 → 기적 같은 일 • 별과 '나'의 이별 → 이별은 순리를 따르는 운명적인 일 • 1~4행: 별과 '나'의 운명적 만남(의인법, 대구법) • 5~7행: 별과 '나'의 이별(대조법, 대구법)
3연	• '너'와 다시 만나고 싶은 '나'의 소망 • 어디서 무엇이 되어/다시 만나랴: 영원한 만남을 이어가고 싶은 소망 표현

정답 및 해설 17쪽

확인 문제 ①

1. 이 글을 통해 알 수 있는 내용으로 적절하지 않은 것은?
① 시 「저녁에」는 다양한 분야에서 사랑받았다.
② 인간은 언젠가는 사라질 운명을 지닌 존재이다.
③ 필자는 어린 시절의 추억을 소중히 여기고 있다.
④ 어린 시절에 맺은 인연은 오래 지속되는 속성이 있다.
⑤ 어린 시절의 친구와의 만남은 매우 가치 있는 만남이다.

2. 다음은 독서 동아리에서 (가)를 읽기 전 나눈 대화이다. 감상적 읽기 방법에 따라 (가)를 읽으려 한 사람은?
① 의성: (가)에 사용된 주된 표현 방법은 무엇인지 알아볼 거야.
② 민지: (가)에서 시인은 무엇을 드러내려 하였는지 파악할 거야.
③ 유진: (가)에서 내가 공감하는 부분은 어디인지 살펴볼 거야.
④ 정아: (가)에서 시적 화자가 누구인지, 어떤 태도를 지녔는지 살펴볼 거야.
⑤ 민철: (가)에 어떤 시상 전개 방법을 사용하여 시상을 전개하였는지 살펴볼 거야.

학습 활동 응용

3. 이 글의 필자가 (가)를 읽고 난 뒤 얻은 깨달음으로 가장 적절한 것은?
① '나'와 '너'는 우주의 인연처럼 소중한 관계이다.
② '나'와 '너'의 만남은 필연적으로 예고되어 있다.
③ '나'와 '너'의 어린 시절의 인연은 영원히 지속되는 것이다.
④ '나'와 '너'의 어린 시절의 추억은 한때의 기억일뿐이다.
⑤ '나'와 '너'의 관계는 '나'와 '별'과의 관계와 달리 의지적인 것이다.

서술형

4. (가)가 많은 사랑을 받은 이유는 무엇인지 쓰시오.

〈 조건 〉
• 이 글의 표현을 활용하여 한 문장으로 쓸 것
• 주어를 '이 시는', 서술어를 '~ 때문이다.'로 할 것

제재 연구

윤동주, 「별 헤는 밤」

갈래	자유시, 서정시
성격	회상적, 사색적, 성찰적
제재	별
주제	아름다웠던 과거에 대한 상념과 미래에 대한 희망
특징	① 동일한 문장 구조의 반복으로 리듬감을 형성하고 의미를 강조함. ② 반복과 열거, 상징, 감정 이입 등의 기법을 사용하여 화자의 정서를 드러냄. ③ 산문시 형태의 연을 중간에 삽입하여 운율에 변화를 주고 있음. ④ 청자를 설정하여 대화를 하듯이 시상을 전개함.

윤동주(1917~1945): 시인. 북간도에서 출생하였으며, 연희 전문학교를 거쳐 일본에 유학한 후 1943년에 독립운동의 혐의로 일본 경찰에 검거되어 규슈 후쿠오카 형무소에서 옥사하였다. 광복 후 그의 유고를 모은 시집 『하늘과 바람과 별과 시』가 발간되었다.

교과서 날개 질문

필자는 윤동주의 「별 헤는 밤」에서 화자가 불러 보는 별이 무엇을 의미한다고 보는지 생각해 보자.

| 예시 답 | 잊고 있던 수많은 고맙고 그리운 이들을 의미한다.

중간 2 **다** 별 하나에 추억과
별 하나에 사랑과
별 하나에 쓸쓸함과
별 하나에 동경과
별 하나에 시와
별 하나에 어머니, 어머니,

회상을 통해 떠올린 존재를 하나씩 천천히 호명함(열거법, 반복법).

➜ 4연: 별을 보며 떠올리는 그리운 대상들

『어머님, 나는 별 하나에 아름다운 말 한마디씩 불러 봅니다. 소학교 때 책상을 같이했던 아이들의 이름과 패, 경, 옥, 이런 이국 소녀들의 이름과 벌써 아기 어머니 된 계집애들의 이름과, 가난한 이웃 사람들의 이름과, 비둘기, 강아지, 토끼, 노새, 노루, 프랑시스 잠, 라이너 마리아 릴케 이런 시인의 이름을 불러 봅니다.』

「 」: 그리운 존재를 빠르게 호명함. – 그리움의 정서 심화(열거법)
프랑시스 잠: 목가적 삶을 노래한 시인
라이너 마리아 릴케: 인간의 고독을 노래한 시인

– 윤동주, 「별 헤는 밤」 중에서

➜ 5연: 의미 있는 존재에 대한 그리움

라 윤동주야말로 별 하나하나를 또박또박 헤아리고 있다. 이름까지 붙여 가면서 말이다. 그런데 잘 보라. 처음엔 '추억', '사랑', '쓸쓸함', '동경'과 같은 추상적인 어휘가 연결되더니, '시'를 거쳐 '어머니'에 다다르면 그만 ㉠어조가 바뀐다. 별 하나에 추억과 사랑과 쓸쓸함과 동경과 시를 연결할 때는 어딘가 멋과 여유마저 느껴지는 듯하더니, 어머니를 떠올리는 순간 시인은 연거푸 어머니를 되뇌며 뭔가 걸리거나 홀린 듯이, 아니 갑자기 정신을 차린 듯이 수다를 떨기 시작하는 것이다. 말하자면 처음에는 그저 별 하나에 낭만적이고 관념적인 이름과 개념을 부여하다가, 어찌어찌하다 그 연상의 과정이 '시'로 이어지고, '시'는 급기야 '어머니'를 호출해 내기에 이르렀다. 그렇게 덜컥 '어머니'를 불러 놓고 보니, 느낌이 달라지고 시가 달라지는 게다. '어머니'처럼 강력한 실감을 주는 육체가 어디 있는가.

별 하나하나를 또박또박 헤아리고 있다: 의미 있는 존재들을 하나씩 하나씩 떠올리고 있음.
어머니: 시상 변화의 계기가 되는 시어
멋과 여유마저 느껴지는 듯하더니: 느린 호흡
수다를 떨기 시작하는 것이다: 빠른 호흡
느낌이 달라지고 시가 달라지는 게다: 어조의 변화
실감: 사물이 직접 경험하거나 지각할 수 있도록 일정한 형태와 성질을 갖추고 있는 것
육체: 구체적 대상

➜ 윤동주의 시와 시상 전개 과정에서의 '어머니'의 기능

그렇다, 별에 대한 연상이 추상에서 구체로, 관념에서 육체로 이행해 가면서, 시인은 어머니를 떠올린 순간부터 그리움에 몸서리를 치게 된다. 그렇게 한번 그리움의 물꼬가 터지자 그다음부터의 연상은 차라리 폭포수에 가깝다. 이제 더는 관념이 아니라 인격적인 존재들이 기억 저편에서 마치 저 하늘의 별처럼 쏟아져 나오기 때문이다.

추상에서 구체로, 관념에서 육체로 이행: 시상의 전환
폭포수에 가깝다: 그리운 대상을 나열함.
관념: 추상적 존재
인격적인 존재: 구체적 존재

➜ '어머니'를 떠올린 이후의 시상 전개

이젠 거꾸로 모자랄 지경이다. 아까까지는 시행 하나에 이름 하나 붙이더니, '어머니'를 떠올린 이후 호흡이 빨라지고 시행이 길어진다. 그는 마치 토해 내듯이 어머니에게 그 그리운 이름들을 하나하나 전하고자 한다. 소학교 때 친구부터 비둘기, 노루 따위를 거쳐 릴케에 이르기까지 한결같이 여리고 순수하고 선한 존재다. 잊고 있던 수많은 고맙고 그리운 이름들 하나라도 놓칠세라, 시상대에 선 수상자라도 된 듯이 윤동주는 하나하나 호명한다.

아까까지는 시행 하나에 이름 하나 붙이더니: 멋과 여유마저 느껴짐.
호흡이 빨라지고 시행이 길어진다: 수다를 떨기 시작함.
어머니: 화자가 수다를 떠는 대상
여리고 순수하고 선한 존재다 / 잊고 있던 수많은 고맙고 그리운 이름들: 호명한 존재들의 특성

➜ 화자가 회상하는 존재들의 특성

그리운 사람이 많다는 것은 얼마나 행복한가. 하지만 만날 수 없으니 또 얼마나 고통인가. 그러기에 윤동주는 그 잠시의 행복한 추억이 끝나는 순간 고통스럽게 인정한다. "이네

만날 수 없으니: 화자가 처한 현실

들은 너무나 멀리 있습니다 / 별이 아스라이 멀 듯이"라고 말하지 않았던가. 별은 그런 거라고. 밝게 빛나 기쁘고 멀리 있어 슬프다고. 어찌할꼬. 그리움 덕택에 살고 그리움 때문에 못 살겠다는 것을.

6연: 화자의 현실 인식(그리운 대상과 떨어져 살고 있음.)
시인이 생각한 별의 속성
시인이 별을 통해 전달하려는 것 ➜ 필자가 생각한 시의 주제

중간 2: 시 「별 헤는 밤」에 대한 감상

핵심 쏙쏙

1 시 「별 헤는 밤」에서 '별'과 '어머니'

별	• 별: 잊고 있던 수많은 고맙고 그리운 이들 • 별을 헤아리는 행위: 의미 있는 존재들을 하나씩 하나씩 떠올리고 있음.
어머니	• 추상이나 관념이 아니라 구체와 육체로 느껴지는 대상 • 시인이 그리움에 몸서리를 치게 되는 계기가 되는 대상 • 시상 변화의 계기가 되는 대상

2 시적 화자의 어조 변화

호흡이 느림	• 추상과 관념 – 별 하나에 낭만적이고 관념적인 이름과 개념을 부여함. • 멋과 여유가 느껴짐.

⬆ 이전

어머니

⬇ 이후

호흡이 빨라짐	• 구체와 육체 – 그리운 이름들을 하나하나 전하고 있음.

3 시적 화자가 호명한 존재들의 특성과 시적 화자의 정서

호명 대상	• 소학교 때 친구, 동물, 시인들
특성	• 여리고 순수하고 선한 존재 • 잊고 있던 수많은 고맙고 그리운 이름들

⬇ 화자의 정서

• 행복감을 줌.
• 멀리 있어서 더욱 그립고 만날 수 없어서 고통스러움.

4 필자의 감상

시에 드러난 그리움의 정서에 공감하면서 섬세하게 감상하고 있음. 이를 위해 시어 '어머니'에 주목하면서, 시어와 시구의 의미와 기능, 시상 전개 방식을 세세하게 음미함.

정답 및 해설 17쪽

확인 문제②

1. 이 글의 필자가 (다)를 감상한 방법으로 가장 적절한 것은?

① 표현상 특징에 중점을 두어 감상하고 있다.
② 어조가 어떻게 바뀌는지에 주목하여 감상하고 있다.
③ 시가 독자에게 미치는 영향을 중심으로 감상하고 있다.
④ 화자가 처한 시대 상황을 분석하면서 화자 중심으로 감상하고 있다.
⑤ 화자의 태도 변화로 인한 시상 전개에 초점을 맞추어 감상하고 있다.

2. 이 글의 내용을 바탕으로 (다)의 화자에 대해 추측한 것으로 가장 적절한 것은?

① 사랑하는 연인과의 재회를 소망하고 있다.
② 그리운 대상과 멀리 떨어져서 살아가고 있다.
③ 순수한 존재가 되기를 간절히 기원하고 있다.
④ 사별한 어머니에 대한 그리움을 드러내고 있다.
⑤ 고통스러운 삶이 언젠가는 끝날 것이라는 희망을 드러내고 있다.

학습 활동 응용

3. (라)의 내용을 바탕으로 ㉠을 드러낸 것으로 가장 적절한 것은?

① 멋과 여유를 부림. → 호흡이 빨라짐.
② 호흡이 빠름. → 호흡이 느려짐.
③ 말이 빠름. → 멋과 여유를 부림.
④ 멋과 여유를 부림. → 말이 느려짐.
⑤ 말이 느림. → 멋과 여유를 부림.

서술형

4. 이 글을 바탕으로 (다)에서 '별'에 대한 연상을 바뀌게 하는 시어를 찾고, 연상이 어떻게 바뀌는지 쓰시오.

〈 조건 〉
• '별에 대한 연상'이 어떻게 바뀌는지 두 가지 제시할 것
• (라)에서 언급된 내용을 제시할 것

학습 활동

교과서 85~87쪽

깊게 읽기

1. 필자가 '별'에 관한 두 시를 감상한 내용을 정리해 보자.

(1) 「저녁에」를 읽으며 필자가 깨달은 점을 써 보자.

'나'와 '저녁 별'의 만남이 지니는 의미	→	별과 인간의 관계를 통해 얻은 교훈
기적 같은 소중한 만남과 관계		정다운 사이의 '나'와 '너'는 우주의 인연처럼 소중한 관계이다.

(2) 「별 헤는 밤」에서 시의 어조 변화에 관해 필자가 어떻게 감상했는지 파악해 보자.

'어머니'를 떠올리기 전의 어조	→	'어머니'를 떠올린 후의 어조
시행 하나에 이름 하나를 붙여 표현함. 호흡이 느리고 시행이 짧음.		호흡이 빨라지고 시행이 길어짐.

어조 변화의 이유: 어머니를 떠올린 순간부터 그리움에 몸서리를 치게 되었기 때문에

활동 도움말

필자는 「별 헤는 밤」의 화자가 그리워하는 대상과 그에 따른 표현상의 특징을 연결하며 그리움의 의의를 서술하고 있다.

2. 두 시에 대한 필자의 감상에 공감하는 부분이 있는지, 있다면 어떤 이유 때문인지 말해 보자.

「저녁에」 | 예시 답 | 어린 시절 친구와의 ~ 우주적 인연인가: 우리가 어린 시절 만난 친구는 수십 억 인구 중에, 또 억겁의 시간 가운데 만난 인연이다. 이런 만남이야말로 우주적 인연처럼 소중한 인연이 아닐까.

「별 헤는 밤」 | 예시 답 | '어머니'처럼 강력한 ~ 어디 있는가: 모든 이에게 '어머니'는 가장 소중하고 사랑하는 존재일 것이다. 따라서 어머니라는 존재는 추상이나 관념이 아니라 구체와 육체로 느껴질 것이다.

| 도움말 | 동일한 글을 읽더라도 정서적 반응은 사람마다 다를 수 있다. 따라서 두 시에 대한 필자의 감상에 공감할 수도 있고, 그렇지 않을 수도 있다. 이런 다양한 반응을 수용하는 자세를 갖추고, 독서를 통해 얻게 되는 감동과 깨달음을 내면화하도록 한다.

보충 자료 김환기, 「어디서 무엇이 되어 다시 만나랴」

뉴욕 행 이후 김환기의 작품에서는 알고 있는 대상이 사라진다. 알 수 있는 사물이 사라진 화면을 차지하는 것은 점들이다. 점이 만드는 세계. 이 세계를 만나기 위해 그는 모든 것을 비우고 고향을 떠났다. 그러나 그가 떠난 것은 몸일 뿐 그의 정신은 외려 고향에 닿는다. 밤하늘의 별을 통해 그 별이 만든 점들을 통해. 낯선 이국의 하늘 아래에서 그는 고향의 하늘을 그리워했을 것이다. 별들은 뉴욕의 밤하늘에서 빛났고, 그 별을 통하여 고향의 하늘, 소식을 들으려 했을 것이다. 별, 점, 그 속에는 농밀하게 번지는 그리움이 있다. 그 그리움은 별이 빛나듯이 화면에도 스며들어 있다. 거대한 화면이 울림으로 다가온 것은 그러한 그리움을 별들로, 점으로 스미어 놓았기 때문이다.

「어디서 무엇이 되어 다시 만나랴」는 제목이면서 김광섭(金珖燮) 시의 구절이다. 시인 김광섭은 김환기의 친구. 친구의 시집 『성북동 비둘기』에 실린 「저녁에」를 읽고 붙인 제목이다. 제목 그대로 언제고 만나고 싶은 마음. 그리움은 별빛이 되어 화면을 가득 채운다. 점은 그러므로 별이고, 동시에 그리움이라 말할 수 있다. 별과 그림과 노래와 시가 하나의 제목에서 만났다.

– 「서울신문」

| 도움말 | 글을 통해 얻게 된 감동이나 깨달음을 내면화하기 위한 방법 중 하나는 작품의 감상을 자신의 상황과 연관 지어 이해하는 것이다. 작품의 내용과 형식을 활용하여 새로운 작품을 창작해 보고, 그 결과물을 공유하며 친구들과 자유롭게 의견을 나누어 본다.

3. 「별 헤는 밤」의 시구를 활용하여 다음 활동을 해 보자.

(1) '별'을 통해 연상할 수 있는 주제를 정하고, 그 주제를 표현하기에 적절한 대상들을 찾아 괄호 안에 넣어 보자. | 예시 답 |

별 하나에 (축구를 잘했던 영호)과/와
별 하나에 (준비물을 빌려주었던 미영)과/와
별 하나에 (늘 우리를 웃게 했던 정수)과/와
별 하나에 (든든했던 우리 반 회장 소희)과/와
별 하나에 (공부를 가장 잘했던 지민이)과/와
별 하나에 (부지런했던 장미), (성실했던 상진이).

(그런 우리를 늘 사랑해 주셨던 김보경 선생님), 나는 별 하나에 아름다운 말 한마디씩 불러 봅니다.

(2) (1)의 활동 결과를 친구들과 공유해 보고, 어떤 느낌을 받았는지 서로의 감상을 말해 보자.

| 예시 답 | 나에게도 즐겁게 생활했던 중학교 시절이 있었다. 그때의 친구들과 선생님이 지금도 눈에 선하게 떠오른다.

보충 자료 「별 헤는 밤」의 1~3연, 6~10연 (교과서 생략 부분)

계절(季節)이 지나가는 하늘에는
가을로 가득 차 있습니다.
➔ 상념으로 가득한 가을

나는 아무 걱정도 없이
가을 속의 별들을 다 헤일 듯합니다.
➔ 별을 바라보는 '나'

가슴 속에 하나 둘 새겨지는 별을
이제 다 못 헤는 것은
쉬이 아침이 오는 까닭이요,
내일 밤이 남은 까닭이요,
아직 나의 청춘이 다 하지 않은 까닭입니다.
➔ 별을 다 세지 못하는 이유

(4~5연: 교과서 수록 부분)

이네들은 너무나 멀리 있습니다.
별이 아스라이 멀 듯이,
➔ 너무나 멀리 있는 추억 속의 존재들

어머님,
그리고 당신은 멀리 북간도(北間島)에 계십니다.
➔ 어머니에 대한 그리움

나는 무엇인지 그리워
이 많은 별빛이 내린 언덕 위에
내 이름자를 써 보고,

흙으로 덮어 버리었습니다.
딴은, 밤을 새워 우는 벌레는
부끄러운 이름을 슬퍼하는 까닭입니다.
➔ 부끄러운 삶에 대한 반성

그러나 겨울이 지나고 나의 별에도 봄이 오면,
무덤 위에 파란 잔디가 피어나듯이
내 이름자 묻힌 언덕 위에도
자랑처럼 풀이 무성할 게외다.
➔ 부활과 소생에 대한 희망

1 이 시의 시상 전개 방식

현재(1~3연)	'나'가 별을 보며 상념에 젖음.

⬇

과거(4~7연)	과거에 대한 상념과 그리움

⬇

현재(8~9연)	부끄러운 삶에 대한 반성

⬇

미래(10연)	미래에 대한 희망과 의지

2 시어의 함축적 의미

시어	이미지	함축적 의미
하늘	맑고 순수하고 아름다운 것	화자가 지향하는 세계
가을	쓸쓸하고 덧없음	절망적인 상황
별	빛남.	과거 회상의 매개체, 동경의 세계
밤	어둡고, 암담함.	암담한 현실
봄	따뜻함, 생동감.	현실 극복

넓혀 읽기

4. 다음은 알퐁스 도데가 쓴 「별」의 마지막 부분이다. 이를 바탕으로 아래 활동을 해 보자.

「별」: 1869년에 출판된 알퐁스 도데의 첫 단편 소설집 『풍차 방앗간 편지』에 실린 소설. 순박한 목동의 젊은 날의 사랑을 별 이야기를 통해 낭만적으로 그려 내고 있음.

〈앞부분의 줄거리〉 나는 깊은 산속에서 홀로 외로이 양을 치는 스무 살 목동으로 주인집 따님 스테파네트를 흠모한다. 어느 날 뜻밖에도 그녀가 일꾼을 대신해 목동의 양식을 갖고 산으로 찾아온다. 집으로 돌아가던 아가씨는 그만 흠뻑 물에 젖어 다시 돌아오고, 나는 그녀를 위해 모닥불을 피운다. 모닥불 앞에서 우리 둘은 아무 말 없이 나란히 앉았고, 무슨 바스락 소리만 들려도 그녀는 바싹 내게로 다가들었다. 바로 그 찰나에, 아름다운 유성이 한 줄기 우리 머리 위를 스쳐서 갔고, 나는 그녀에게 밤하늘의 별 이야기를 들려주었다.

"어머! 별들도 결혼해?"

"그럼요!"

하고, 별들의 결혼에 관해 이야기하려 했을 때, 어깨 위에 무언가 부드러운 것이 가볍게 누르는 듯한 느낌이 들었다. 그것은 잠이 들어 무거워진 아가씨의 머리였다. 아가씨는 리본과 레이스, 꼬불꼬불한 머리를 사랑스럽게 내 어깨에 기대어 별들이 아침 햇살을 받아 사라질 때까지 잠들어 있었다. (시간의 경과)

나는 가슴이 좀 두근거렸지만, 아름다운 생각만을 보내 준 이 맑은 밤의 성스러움 속에서 잠든 아가씨의 모습을 가만히 지켜보았다. (순수한 사랑) 우리를 둘러싸고 있는 별들은 양 떼와 같이 얌전하고 조용한 걸음을 재촉했다. (서정적 분위기의 밤하늘)

나는 생각했다. 이 별 중에서 가장 예쁘고, 아름답게 빛나는 별 하나가 길을 잃고 내 어깨에 기대어 잠들어 있노라고. (주인집 아가씨를 의미함.)

– 알퐁스 도데, 「별」에서

제재 연구

알퐁스 도데, 「별」

갈래	소설
성격	서정적, 낭만적
제재	양치기 소년의 사랑
주제	양치기 소년이 주인집 아가씨에 대해 느끼는 순수한 사랑의 감정
특징	① 프랑스 프로방스의 대자연과 농장 묘사를 통해 동화적이고 낭만적인 분위기를 형성함. ② '별', '양' 등의 소재를 활용하여 양치기 소년의 순수하고 아름다운 사랑을 부각함.

(1) 이 글에서 '별'은 어떤 역할을 하는지 파악해 보자.

| 예시 답 | 인물과 인물의 관계 형성을 돕는 매개체이자 서정적이고 낭만적 분위기를 조성함.

(2) 이 글에서 감동적인 부분을 찾고, 그 이유를 말해 보자.

| 예시 답 | '나'가 아침이 올 때까지 잠든 아가씨를 지켜보는 장면이다. '나'의 순수하면서도 아름다운 사랑의 마음이 절절히 느껴졌기 때문이다.

(3) 이 글의 '나'처럼 가슴 설렜던 장면이나 경험을 떠올린 후, 그 느낌이 살아나도록 짧게 표현해 보자.

| 예시 답 | 생략

활동 도움말

자신이 체험했던 감동의 내용을 요약하고, 그 체험이 감동적인 이유를 밝힌다.

(4) (1)~(3)의 활동 결과를 친구들과 공유한 후, 공감 여부를 평가해 보자.

| 예시 답 | 생략

소단원 출제 포인트

별이 빛나는 밤에

1 전체 글의 개관

갈래	비평문	성격	감상적, 분석적
제재	별을 소재로 한 두 편의 시	주제	별을 소재로 한 두 시가 일깨워 준 인연과 그리운 이의 소중함
특징	① 별과 관련된 시를 먼저 소개한 후, 시에서 받은 감동이나 깨달은 바를 밝힘. ② 시어와 시구의 의미와 기능, 시상 전개 방식을 전문가의 시각에서 분석함.		

2 시 「저녁에」의 감상

1. 감상 내용

'별'과 '나'의 만남				
• 무수히 많은 별과 수십 억 인구 가운데 하나인 '나'가 마주 보는 것 • 오래 전 티끌로 사라져 버렸을 별과의 만남 → 기적 같은 만남	➡ 확장	'별'과 '나'의 만남을 인간의 인연으로 확장함. – 어린 시절 친구와의 소중한 인연	➡ 깨달음	소중한 우주적 인연임.

2. 표현상의 특징

명령형 사용	독자들로 하여금 자신들이 지닌 소중한 인연을 떠올리기를 강조해 줌.
설의적 표현	소중한 사람과의 재회나 그리움을 강조하여 드러내 줌.

3 시 「별 헤는 밤」의 감상

1. 시상 전개 변화

	어머니를 떠올리기 전		어머니를 떠올린 후
어조	멋과 여유(호흡이 느림.)	➡ 변화	호흡이 빨라짐.
시행	시행이 짧아짐.		시행이 길어짐.(산문시)
어휘	추상과 관념 – 별 하나에 낭만적이고 관념적인 이름과 개념을 부여함.		구체와 육체 – 그리운 이름들을 하나하나 전하고 있음.

⬇

어조 변화의 이유: 어머니를 떠올린 순간부터 그리움에 몸서리를 치게 되었기 때문에

2. 시적 화자가 호명한 존재들의 특성

• 소학교 때 친구, 동물, 시인들 • 여리고 순수하고 선한 존재 • 잊고 있던 수많은 고맙고 그리운 이름들

내신 적중 문제

정답 및 해설 18쪽

[01 - 05] 다음 글을 읽고 물음에 답하시오.

(가) 저렇게 많은 중에서
별 하나가 나를 내려다본다
이렇게 많은 사람 중에서
그 별 하나를 쳐다본다

밤이 깊을수록
별은 밝음 속에 사라지고
나는 어둠 속에 사라진다

이렇게 정다운 / 너 하나 나 하나는
어디서 무엇이 되어 / 다시 만나랴

– 김광섭, 「저녁에」

(나) 어디서 많이 보거나 들은 듯한 시, 그러나 의외로 시의 제목을 아는 이는 그리 많지 않다. '어디서 무엇이 되어 다시 만나리' 혹은 '어디서 무엇이 되어 다시 만나랴' 정도로 아는 경우가 대부분이다. 그도 그럴 것이 이 시의 종결부, '어디서 무엇이 되어 다시 만나랴'는 시가 발표된 1970년 한국일보 제정 '한국미술대상전' 제1회 대상을 받은 수화 김환기 화백의 작품 제목으로, 또 1980년대에는 듀엣 가수 유심초가 부른 대중가요 제목으로도 널리 알려졌기 때문이다.

왜 이 시가 그림으로, 또 노래로 옮겨지며 그토록 많은 사람에게 사랑을 받은 것일까? 무엇보다도, 이 시는 쉽다. 또한, 누구나 경험해 봤음 직한 낯익고 정겨운 정경과 정조를 담고 있다. 그런데 그것은 다시 생각해 봐도 여전히 가슴 뛰고 경이롭고 순수하던 그때의 일들이다. 그때가 그립다. 정겨웠던 이들이 그립다.

생각해 보라. 별과 내가 서로 마주 본다는 것, 이것은 얼마나 기적 같은 일인가? 우리 은하계에는 천억 개의 별이, 그리고 우주에는 그런 은하가 또 천억 개 정도가 있단다. 그런데 그중 하나가 수십억 인구 가운데 하나인 나와 서로 마주 보고 있는 것이다. 그것도 억겁의 시간 가운데 지금 이 순간, 어쩌면 이미 오래전 티끌로 사라져 버렸을지도 모를 그 별과 지금 이 순간 내가 만나고 있는 것이다. ㉠허나 그렇게 소중한 만남과 관계건만 그 또한 시간의 힘을 이길 수는 없는 법. 저녁 별은 밤이 되면 사라지고 나 또한 그럴 운명이다.

여기서 시인은 인생의 교훈을 얻는다. 별과 인간의 관계가 그러하다면 이렇게 정다운 사이인 너와 나의 만남과 헤어짐은 또 어찌 될 것인가 궁금하지 않을 수 없는 게다. 어린 시절 친구와의 인연을 생각해 보라. 그 만남은 얼마나 소중한 우주적 인연인가. 그러나 그중 몇이나 다시 만나게 될까? 궁금하지 않은가? 어디서 무엇이 되어 다시 만나게 될지, 벅차지 않은가? 그대의 기억 속에 지금껏 자리하고 있는 별만큼이나 많은 인연을 되새겨 보면, 그립지 않은가? ㉡숱하게 사라진 뭇별 같은 인연, 뭉치로 계산하지 말고 이 시인이 하듯 또박또박 따져 보라. 그 인연들 가운데 하나씩 하나씩 너 하나, 나 하나, 이렇게 말이다.

01 이 글에 대한 설명으로 적절하지 않은 것은?

① 시를 '별'과 '나'와의 관계를 중심으로 감상하고 있다.
② 물음의 방식을 통해 드러내고자 하는 의미를 강조해 주고 있다.
③ 질문과 대답의 형식으로 시가 사랑 받은 이유를 드러내고 있다.
④ '인연의 소중함'이라는 시를 통해 얻은 깨달음을 전달해 주고 있다.
⑤ 필자 자신의 어린 시절의 추억을 제시하여 독자의 이해를 돕고 있다.

02 (가)에 대한 감상으로 적절하지 않은 것은?

① (가)에서는 시간의 경과에 따라 시상을 전개하고 있어.
② (가)의 '별'은 시적 화자와 관계를 맺는 천상의 존재라 할 수 있다.
③ (가)에서는 대구의 표현 방법을 사용하여 리듬감을 주고 있다.
④ (가)에서 화자는 영원한 만남을 이어가고 싶은 소망을 표출하고 있다.
⑤ (가)의 제목인 「저녁에」의 '저녁'은 '별'과 화자가 이별하는 시간이라는 의미를 지닌다.

고난도 | 학습 활동 응용

03 〈보기〉의 ⓐ, ⓑ를 바탕으로 (가)를 감상한 것으로 적절하지 않은 것은?

〈보기〉

독자는 글을 읽을 때 ⓐ인지적 능력만이 아니라 ⓑ정의적 능력도 발휘하게 된다. 등장인물의 성격, 사건의 줄거리, 주제 등을 파악할 때는 인지적 능력이 발휘되지만, 특정 인물을 자신과 동일시하여 그의 처지에 공감하거나, 아름다운 문장이나 표현에 감탄하거나, 글을 통해 얻은 깨달음을 내면화하는 것은 정의적 능력과 관련이 있다. 문학 작품을 읽을 때에는 이처럼 정의적 능력을 발휘하여 글에서 공감하거나 감동적인 부분을 찾아 읽을 수 있어야 한다.

① ⓐ: 2연에서는 '밝음'과 '어둠'의 이미지를 대비하고 있어.
② ⓐ: '별'과 '나'의 헤어짐을 대하는 시적 화자의 자세가 앞으로 내가 가져야 할 자세이겠구나.
③ ⓐ: 자연물인 '별'을 의인화한 것은 '나'와의 '정다운' 관계를 드러내기 위해 사용한 것 같아.
④ ⓑ: 화자가 '다시 만나'고 싶다는 소망을 보면서, 나도 어린 시절 헤어진 친구를 만나고 싶다는 생각이 들었어.
⑤ ⓑ: 시인이 드러내고자 한 '소중한 우주적 인연'을 만들기 위해 이제부터라도 친구 하나하나와의 만남을 소중히 여길 거야.

04 ㉠의 내용과 가장 관계 깊은 한자 성어는?

① 회자정리(會者定離)
② 결초보은(結草報恩)
③ 타산지석(他山之石)
④ 간담상조(肝膽相照)
⑤ 전전긍긍(戰戰兢兢)

05 ㉡과 같이 말한 필자의 의도로 가장 적절한 것은?

① 인연을 맺는 효과적인 방법을 알려 주기 위해
② 소중한 인연일수록 오래 지속됨을 강조하기 위해
③ 사람 하나하나와의 인연이 소중함을 강조하기 위해
④ 소중한 인연은 적을수록 좋다는 것을 부각시키기 위해
⑤ 독자로 하여금 어린 시절의 인연을 떠올리게 하기 위해

[06-10] 다음 글을 읽고 물음에 답하시오.

(가) 별 하나에 추억과
별 하나에 사랑과
별 하나에 쓸쓸함과
별 하나에 동경과
별 하나에 시와
별 하나에 어머니, 어머니,

어머님, 나는 ㉮별 하나에 아름다운 말 한마디씩 불러 봅니다. 소학교 때 책상을 같이했던 아이들의 이름과 패, 경, 옥, 이런 이국 소녀들의 이름과 벌써 아기 어머니 된 계집애들의 이름과, 가난한 이웃 사람들의 이름과, 비둘기, 강아지, 토끼, 노새, 노루, 프랑시스 잠, 라이너 마리아 릴케 이런 시인의 이름을 불러 봅니다.

– 윤동주, 「별 헤는 밤」 중에서

(나) 윤동주야말로 별 하나하나를 또박또박 헤아리고 있다. 이름까지 붙여 가면서 말이다. 그런데 잘 보라. 처음엔 '추억', '사랑', '쓸쓸함', '동경'과 같은 추상적인 어휘가 연결되더니, '시'를 거쳐 '어머니'에 다다르면 그만 어조가 바뀐다. 별 하나에 추억과 사랑과 쓸쓸함과 동경과 시를 연결할 때는 어딘가 멋과 여유마저 느껴지는 듯하더니, ㉠어머니를 떠올리는 순간 시인은 연거푸 어머니를 되뇌며 뭔가 걸리거나 홀린 듯이, 아니 갑자기 정신을 차린 듯이 수다를 떨기 시작하는 것이다. 말하자면 처음에는 그저 별 하나에 낭만적이고 관념적인 이름과 개념을 부여하다가, 어찌어찌하다 그 연상의 과정이 '시'로 이어지고, '시'는 급기야 '어머니'를 호출해 내기에 이르렀다. 그렇게 덜컥 '어머니'를 불러 놓고 보니, 느낌이 달라지고 시가 달라지는 게다. '어머니'처럼 강력한 실감을 주는 육체가 어디 있는가.

그렇다, 별에 대한 연상이 추상에서 구체로, 관념에서 육체로 이행해 가면서, 시인은 어머니를 떠올린 순간부터 그리움에 몸서리를 치게 된다. 그렇게 한번 그리움의 물꼬가 터지자 그다음부터의 연상은 차라리 폭포수에 가깝다. 이제 더는 관념이 아니라 인격적인 존재들이 기억 저편에서 마치 저 하늘의 별처럼 쏟아져 나오기 때문이다.

이젠 거꾸로 모자랄 지경이다. 아까까지는 시행 하나에 이름 하나 붙이더니, '어머니'를 떠올린 이후 호흡이 빨라지고 시행이 길어진다. 그는 마치 토해 내듯이 어머니에게 그 그리운 이름들을 하나하나 전하고자 한다. 소학교 때 친구부터 비둘기, 노루 따위를 거쳐 릴케에 이르기까지 한결같이 여리고 순수하고 선한 존재다. 잊고 있던 수많은

고맙고 그리운 이름들 하나라도 놓칠세라, 시상대에 선 수상자라도 된 듯이 윤동주는 하나하나 호명한다.

그리운 사람이 많다는 것은 얼마나 행복한가. 하지만 만날 수 없으니 또 얼마나 고통인가. 그러기에 윤동주는 그 잠시의 행복한 추억이 끝나는 순간 고통스럽게 인정한다. "이네들은 너무나 멀리 있습니다 / 별이 아스라이 멀 듯이"라고 말하지 않았던가. 별은 그런 거라고. 밝게 빛나 기쁘고 멀리 있어 슬프다고. 어찌할꼬. 그리움 덕택에 살고 그리움 때문에 못 살겠다는 것을.

06 〈보기〉의 방법에 따라 (가)를 감상한 것으로 적절한 것은?

〈 보기 〉

감상적 읽기에서 내면화란 글의 내용이나 독서 과정에서 얻은 즐거움이나 깨달음, 가치, 태도, 정서 등을 자신의 것으로 수용하는 것으로, 이러한 내면화 방법 중 하나는 작품의 상황을 자신의 상황과 연관 지어 이해하는 것이 있다.

① 민주: 두 연 모두 별에서 연상한 존재들을 나열하고 있어.
② 은미: 시적 화자는 누군가를 그리워하는 것 같아.
③ 영주: 반복되는 어구를 사용함으로써 운율감을 획득하고 있어.
④ 가람: (가)의 뒷연은 앞 연과 달리 산문 형식으로 구성되는 특징이 있어.
⑤ 미혜: 시를 읽으면서 나도 시적 화자처럼 마음속으로 어린 시절의 그리운 친구들을 불러 봤어.

학습 활동 응용

07 (가)에 대한 필자의 감상 내용으로 적절하지 <u>않은</u> 것은?

① 시적 화자가 호명한 대상의 특성이 무엇인지 제시하고 있다.
② 별에 대한 연상이 추상에서 구체로 바뀌고 있음을 밝히고 있다.
③ 어조가 시상의 흐름에 따라 어떻게 변화하고 있는지 언급하고 있다.
④ 시적 화자가 별을 통해 그리운 사람들을 연상한 이유가 무엇인지 드러내 주고 있다.
⑤ 시인 윤동주가 현실에서 느끼는 정서를 「별 헤는 밤」의 일부를 인용하여 보여 주고 있다.

08 ㉠에 대한 설명으로 적절하지 <u>않은</u> 것은?

① 강렬한 실감을 주는 존재이다.
② 시의 어조를 바뀌게 하는 데 기여한다.
③ 낭만적이고 관념적인 존재에 해당한다.
④ 시인으로 하여금 그리움에 몸서리치게 한다.
⑤ 화자가 그리운 이름을 전하고자 하는 대상이다.

고난도

09 이 글의 ㉮와 〈보기〉의 ⓐ에 대해 설명한 것으로 가장 적절한 것은?

〈 보기 〉

가슴에 사랑하는 ⓐ<u>별</u> 하나를 갖고 싶다.
외로울 때 부르면 다가오는 / 별 하나를 갖고 싶다.

마음 어두운 밤 깊을수록 / 우러러 쳐다보면
반짝이는 그 맑은 눈빛으로 나를 씻어
길을 비추어 주는 / 그런 사람 하나 갖고 싶다.

– 이성선, 「사랑하는 별 하나」 중에서

① ㉮는 그리운 이들을 의미하고, ⓐ는 시적 화자에게 위로와 희망이 되는 존재를 의미한다.
② ㉮는 시적 화자가 그리워하는 대상을, ⓐ는 시적 화자가 궁극적으로 추구하는 이상을 의미한다.
③ ㉮와 달리 ⓐ에서는 시적 화자로 하여금 그리운 대상을 떠올리게 해 주는 역할을 한다.
④ ⓐ와 달리 ㉮에서는 시적 화자가 간절히 소망하는 대상을 상징적으로 드러내 준다.
⑤ ⓐ와 달리 ㉮에서는 시적 화자로 하여금 현실적 고통에서 벗어나게 해 주는 기능을 한다.

서술형 학습 활동 응용

10 이 글을 바탕으로 「별 헤는 밤」의 어조 변화를 정리한 것이다. 빈칸에 들어갈 내용을 〈조건〉에 맞추어 쓰시오.

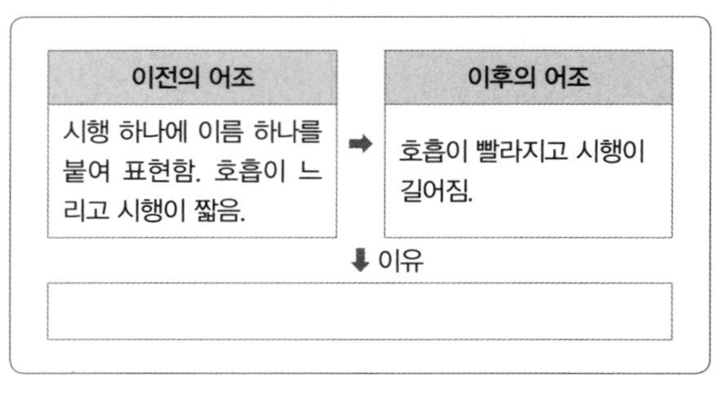

〈 조건 〉

• 30자 내외로 쓰되, '~때문에'라고 끝맺음할 것

창의적 읽기

교과서 88쪽

생각 열기 '돈키호테' 하면 어떤 인물이 연상되는가?

17세기 초 에스파냐의 세르반테스가 지은 「돈키호테」에서 주인공 '돈키호테'는 기사 시대의 추억에 사로잡혀 현실을 받아들이지 못하는 어리석은 인물로 그려진다. 그런데 현대의 여러 예술 장르에서는 '돈키호테'를 불굴의 도전 정신으로 새로운 영역을 개척한 인물로 그리고 있다. 현대 예술가의 창의적 해석으로 돈키호테가 재탄생한 것이다. 그런데 창의적인 해석은 예술 작품의 창작에만 활용되는 것은 아니다. 개인이나 사회가 문제 상황에 놓였을 때도 창의적 해석으로 문제 해결의 방안을 찾을 수 있다.

그렇다면 **글을 창의적으로 읽는 방법은 무엇일까?**

| 예시 답 | 글의 내용을 새로운 관점에서 이해한다. 글의 내용 중 개인이나 사회 문제와 관련된 것이 있는지 파악한다. 글에 제시된 필자의 문제 해결 방안이나 대안이 적절한지 비판해 본다. 등

| 도움말 | 창의적 읽기라고 해서 그것이 글과 관련 없는 독특하고 기발한 생각을 떠올리며 읽는 것을 말하는 것은 아니다. 이제껏 배웠던 읽기 방법을 모두 동원하여 글의 내용을 깊이 이해한 다음, 그것을 디딤돌 삼아 글에서 놓치거나 빠진 부분, 더 나아갈 부분을 포착하여 새로운 생각을 덧붙일 수 있어야 한다. '생각 열기'에서는 오랫동안 읽히고 있는 소설 작품이 다른 예술 장르에서 재해석되고 창작되는 상황을 제시하였다. 이를 통해 창의적 글 읽기의 필요성을 이해하고, 창의적 글 읽기의 방법에 관한 질문에 스스로 답해 봄으로써 학습 주제에 관한 흥미를 높이도록 한다.

| 이 단원의 학습 요소 |

학습 목표 **글에서 자신과 사회의 문제를 해결하는 방법이나 필자의 생각에 대한 대안을 찾으며 창의적으로 읽는다.**

'직업 선택'에 관해 필자가 제시한 해결 방안 찾기	▶	제재 글을 읽고, '직업 선택'에 관해 필자가 제시한 해결 방안을 파악해 본다.
창의적 문제 해결 방안 모색하며 글 읽기	▶	창의적 문제 해결 방안을 모색하며 글을 읽어 본다.

소단원 바탕학습

원리 이해

1 창의적 읽기의 개념과 필요성

1. 창의적 읽기의 개념: 글의 내용과 관련하여 독자가 새로운 생각을 펼치며 읽는 것
   → 가장 적극적인 읽기 방법이면서 모든 독자가 누구나 하는 것
   - 적극적인 창의적 읽기: 글을 바탕으로 새로운 가치를 창조해 내며 읽는 것

> • 독자는 독서 과정에서 글의 내용 확인(사실적 읽기, 추론적 읽기의 결과) 및 이와 관련하여 여러 생각을 떠올림.
> → 필자가 생각하지 못하고 필자가 동의하지 않을 새로운 생각을 떠올릴 수 있음.

2. 창의적 읽기의 필요성: 독자는 새로운 필자나 다름없으므로(독자는 글을 읽으며 새로운 내용을 생성하므로) 새로운 글을 자신의 머릿속에 쓰기 위해 필요함.

2 창의적 눈으로 세상 보기

1. 창의적 읽기의 과정

창의적 읽기	사람들이 쌓아 올린 돌 더미(→ 이미 다른 사람들이 했던 생각들) 위에 작은 돌멩이 하나(→ 창의적 읽기를 통해 떠올린 생각)를 새롭게 올려 놓는 것

⬇

쌓아 놓은 돌의 모양이나 위치를 세심히 살피는 것	+	어떤 돌을 어떻게 올려 놓을지 상상하는 것
추론적 읽기, 비판적 읽기의 과정을 거쳐야 함.		글을 읽은 후, 그 글에 자신의 새로운 깨달음을 얻는 과정에 해당함.

2. 창의적 읽기의 방법

깊이 있는 내용 이해	➡	유연한 사고를 통한 발상의 전환이 요구됨.	➡	새로운 생각의 완성
모든 읽기 방법을 동원하여 글의 내용을 이해함.		글에서 동의하지 않거나, 필자가 해결하지 못한 부분에 자신의 생각을 덧붙이는 활동을 함.		떠오른 생각을 논리적으로 재구성하여 하나의 완결된 새로운 생각으로 정리함.

3 창의적 읽기로 문제 해결하기

독서의 목적	독서의 목적 가운데 하나는 문제를 해결하기 위해서임.

⬇

창의적 읽기가 필요한 이유	현대 사회가 더 복잡해졌고, 새로운 문제 상황이 발생하고 있어서 글 속의 정보만 적용해서는 문제를 해결하기 어렵기 때문임.
창의적 읽기의 효과	• 다른 분야의 글에서 새로운 영감이나 문제 해결책을 모색할 수 있음. • 창의적 읽기가 누적되어 적용됨. → 개인은 개인대로, 사회는 사회대로 각자가 처한 문제 상황을 해결할 수 있는 방안을 도출해 낼 수 있음.

| 원리 확인 문제 |

1. 다음 중 '창의적 읽기'에 대한 설명으로 가장 적절한 것은?

① 글의 내용과 관련하여 새로운 생각을 펼친다.
② 글의 표면에 드러난 정보를 정확히 파악한다.
③ 필자의 주장을 살피고 주장이 타당한지 살펴본다.
④ 글에 제시된 내용 중 감동적인 부분을 찾아 읽는다.
⑤ 글의 주제와 관련한 글들을 읽고 비교하며 종합해 본다.

2. 다음 글의 빈칸에 들어갈 알맞은 말을 쓰시오.

> 창의적 읽기를 하기 위해서는 사실적, 추론적, 비판적 읽기 과정을 거친 후, 그 글에 자신이 얻은 새로운 (   )을/를 얻을 수 있어야 한다.

3. '창의적 읽기'의 방법을 다음과 같이 나타내었을 때, 빈칸에 들어갈 알맞은 말을 쓰시오.

깊이 있는 내용 이해
⬇
(   )을/를 통한 발상의 전환
⬇
새로운 생각의 완성

4. 독서의 목적에 해당하면서, 창의적 읽기가 필요한 이유에 해당하는 것은 무엇인지 2어절로 쓰시오.

정답 **1.** ① **2.** 깨달음(생각) **3.** 유연한 사고 **4.** 문제 해결

제재 미리보기

빨간 머리 앤이 하는 말

1 해제

이 글은 필자가 소설 「빨간 머리 앤」을 읽을 때 떠올린 다양한 생각을 이야기하고 있다. 필자는 소설에 대한 감상에 그친 것이 아니라 그 내용을 자신이나 우리 사회의 문제와 연관 지어 이해하고, 또 자신만의 창의적인 해결 방안도 제시한다. 특히 이 글에서 필자는 꿈과 현실 사이에서 고민했던 '앤'의 상황을 통해 우리 사회의 직업 선택에 대한 문제점을 지적하고 이와 관련하여 직업 선택에 관한 자신의 생각을 밝히고 있다. 필자는 자신이 하고 싶은 일, 가슴 뛰는 일을 하지 않으면 마치 실패자인 것처럼 생각하는 요즘 세태의 문제점을 지적하면서, '하고 싶은 일'보다 '해야 할 일'을 중시하는 것도 필요하다는 생각을 펼친다. 그리고 직업 선택을 고민하는 요즘 젊은 세대의 모습에서 소설 속 앤을 떠올리며 앤에게도 '하고 싶은 일'이 아닌 '해야 하는 일'에서 의미를 발견하라는 말을 해 주고 싶다고 말한다.

2 핵심 개관

(1) **갈래**: 수필(중수필)

(2) **성격**: 체험적, 비판적

이 글에서 필자는 강의 중에 한 청중들과의 대화와 한 경찰관과 인터뷰를 했던 경험을 바탕으로 자신의 생각을 드러내고 있다. 그러면서 꿈을 직업으로 가지지 않으면 패배자라고 여기는 세태에 대해 비판적인 태도를 드러내면서 '꿈'과 '직업'에 대한 자신의 생각을 드러내고 있다.

(3) **제재**: 직업 선택의 기준

(4) **주제**: 직업을 선택할 때는 꿈보다 삶을 고려해야 함.

필자는 꿈을 꼭 직업으로 가질 필요는 없다 하면서, '해야 하는 일'인 직업을 통해서도 얼마든지 많은 기회를 가질 수 있고 그 직업을 좋아할 수 있음을 밝히고 있다. 이렇게 볼 때, 필자는 막연한 꿈보다는 현실에서 최선을 다하는 삶을 우선적으로 고려해야 함을 이야기하고 있다.

(5) **특징**

① 소설 주인공 '앤'의 사건을 소재로 직업 선택에 관한 우리 사회의 문제점을 제시하고 있다.

② 직업 선택에 관한 사회 문제가 발생한 이유를 밝히고, 이를 해결할 방안을 제시하고 있다.

(6) **구성**

'처음' 부분에서 필자는 꿈을 직업으로 가져야 한다는 통념에 의문을 드러내었고, '중간' 부분에서는 직업은 남에게 도움이 되는 것이어야 한다면서 '잘하는 일'을 직업으로 가질 것을 드러내고 있다. 그리고 '끝' 부분에서 '삶'보다 강한 '꿈'은 없다고 하면서 현재의 삶에 최선을 다하는 삶을 강조하고 있다.

처음	중간	끝
꿈을 직업으로 이루어야 한다는 통념에 대한 '나'의 의심	'나'가 생각하는 바람직한 직업관과 직업 선택의 기준	'꿈'과 '삶'의 관계에 대한 '나'의 생각

교과서 90~92쪽

빨간 머리 앤이 하는 말 _ 백영옥

소단원 포인트

- 숨겨진 내용이나 생략된 내용을 추론하며 읽기
- 필자의 목적이나 의도 파악하기
- 효과적인 내용 전개를 위한 표현 사용 및 효과 파악하기

필자 소개

백영옥(1974~): 소설가. 주요 소설집에 『스타일』, 『아주 보통의 연애』 등이 있다.

「빨간 머리 앤」: 캐나다의 소설가 루시 모드 몽고메리가 1908년 발표한 아동 소설. 빨간 머리의 고아 소녀 앤 셜리가 한적한 시골 마을의 한 가정으로 입양되면서 벌어지는 이야기를 다룬 성장 소설이자 가정 소설임.

교과서 날개 질문

필자가 직업을 바꾼 이들을 흥미롭게 여긴 이유를 생각해 보자.

| 예시 답 | 인생이 갑자기 바뀐 데에는 어떤 사연이 있을 것이라 생각되었기 때문이다.

루시 모드 몽고메리: 1874년 캐나다의 프린스에드워드 섬에서 태어났다. 몽고메리는 어려서부터 감수성이 풍부하고 문학성이 뛰어나 15세에 지역 신문에 시를 발표할 정도였다. 1908년 발표한 「빨간 머리 앤」에는 그녀의 어린 시절 추억이 고스란히 담겨 있다 해도 과언이 아닐 정도로 그녀의 삶이 많이 투영되어 있다.

〈「빨간 머리 앤」의 전체 줄거리〉

독신 남매 매슈와 마릴라는 늘그막에 의지할 남자 아이를 입양하려 한다. 그런데 착오로 인해 이 집에 빨간 머리에 주근깨가 잔뜩 난 열한 살의 앤이 오게 된다. 누이 마릴라는 앤의 입양을 반대했으나, 오빠 매슈는 어딘가 엉뚱하면서도 밝은 성격의 앤에게 끌려 입양을 결정한다. 앤의 천진난만한 행동은 두 남매의 조용한 삶에 잔잔한 파문을 일으키지만 두 남매는 악의 없이 엉뚱한 행동을 일삼는 앤을 통해 삶의 즐거움을 느낀다. 5년 뒤, 남매의 헌신으로 앤은 퀸스 고등학교를 우수한 성적으로 졸업하고 장학금을 받아 대학교에 가기로 결정한다. 그런데 갑자기 매슈가 사망했다는 소식을 듣고 고향으로 돌아온다. 앤은 점점 시력을 잃어 가는 마릴라를 홀로 두고 간절히 원하던 대학에 가서 공부할 것인지(하고 싶었던 일), 아니면 고향에서 교사 생활을 하며 마릴라 곁을 지킬지(해야만 하는 일) 갈등하다 결국 고향에 남기로 결심한다.(앤은 꿈과 해야 할 일 중에서 후자를 택함.)

처음 **가** ㉠나는 언제나 직업을 바꾸는 사람들을 흥미롭게 바라보곤 했다. 가령 국문학을 전공해서 소설가가 된 사람보다는, 인공 지능 로봇을 만들던 공학자가 별안간 작가로 데뷔하는 삶(직업을 바꾼 사람의 사례)에 더 큰 매혹을 느낀다. 인생이 갑자기 바뀐 데에는 어떤 사연이 있을 것이고(갑자기 직업을 바꾼 사람에게 흥미를 느끼는 이유), 그런 이야기라면 아무리 길어도 얼마든지 들을 수 있을 것 같았다. ➔ 직업을 바꾼 사람에게 흥미를 느낌.

나 경기도에 있는 한 도서관에서 강의를 하다가, 유독 고등학생들이 많이 보이기에 강연 도중 질문을 던진 적이 있다.

"여러분은 꿈이 뭐예요?"

공무원이라고 대답한 학생부터 다양한 답이 나왔는데, 그중에는 '범죄 심리 분석관'도 있었다. 시간이 더 있었다면, 그 학생에게 내가 만났던 한 경찰관에 관해 얘기(직업 선택에 관한 이야기)해 주고 싶었다. ➔ 강의 중에 장래 희망에 대해 질문함.

다 그분은 수십 년간 수많은 범죄 현장에서 일하며 범죄자의 뇌 속을 들여다보는 심리 분석(범죄 심리 분석관이 하는 일)에 참여했다. 누구보다 세상의 악을 많이 보았을 그 남자의 눈이 너무 따뜻해서 깜짝 놀란 일은 둘째로 치고, 그가 했던 말들은 기록해 놓고 싶을 만큼 내 마음을 끌었다. 취재를 끝내고 집으로 돌아가는 길, 가슴에 가장 남았던 말은 이것이었다.

"제가 원해서 이 직업을 택한 것은 아닙니다. 먹고 살려다 보니 어쩔 수 없이 경찰이 된 거예요…….(해야 하는 일을 선택함.) 제가 이 일을 하는 건 유별난 소명 의식(부여된 어떤 명령을 꼭 수행해야 한다는 책임 있는 의식) 때문이 아니에요. 사람들에게 필요한 일이고, 도움을 주는 일(해야 하는 일에서 의미 발견)이기 때문입니다." ➔ 직업 선택에 관해 인상적인 말을 한 경찰관을 회상함.

라 그 경찰관의 말이 각인된 데에는 이유가 있었다. 그즈음 나는 의심하고 있었다. '꼭 꿈을 직업으로만 이루어야 하는 걸까?' 사람들은 말한다. "가슴 뛰는 일을 해라!" 멋진 말이다. 하지만 누구나 가슴 뛰는 일을 직업으로 가질 수 있는 걸까? 『누구나 자신의 꿈을 이루기 위해 선택한 직업에서 최고가 될 수는 없다. 실제 자신의 꿈을 직업으로 이룬 사람은 많지 않다. 또 꿈을 직업으로 이루었다고 꼭 행복해지는 것도 아니다.』

(각인된: 머릿속에 새겨 넣듯 깊이 기억됨. 또는 그 기억 / 꼭 꿈을 직업으로만 이루어야 하는 걸까?: 당시에 '나'가 의심하고 있었던 것 / 가슴 뛰는 일을 해라!: 직업 선택에 대한 사회적 통념 / 누구나 가슴 뛰는 일을 직업으로 가질 수 있는 걸까?: 필자가 직업 선택에 관해 품은 의문 / 『 』: 꿈과 현실 사이에 거리가 있음.)

➜ 직업 선택의 통념에 대한 '나'의 의심

처음: 꿈을 직업으로 이루어야 한다는 통념에 대한 '나'의 의심

어휘 풀이

범죄 심리 분석관: 증거가 불충분한 강력 범죄를 해결하기 위해 과학적 심층 수사를 하는 사람.

핵심 쏙쏙

1 「빨간 머리 앤」의 줄거리를 제시한 이유

앤의 갈등과 선택	자신의 꿈을 위해 퀸스 대학에 갈 것인지, 마릴라를 위해 고향에서 교사 생활을 할지 갈등을 겪음. → 고향에 남아 교사 생활을 하기로 함.

⬇ 이유

- '꿈'과 직업 사이의 갈등이 누구에게나 있음을 보여 주기 위해
- 「빨간 머리 앤」과 관련한 글의 내용을 이해하는 데 도움을 주기 위해

2 '경찰관의 말'을 인용한 필자의 의도

경찰관의 말	• 경찰을 직업으로 삼은 것은 먹고 살기 위해 선택한 일임. • 경찰 일이 사람들에게 필요하고 도움을 주는 일임. – 자신의 직업에서 의미를 발견함.

⬇

의도	필자 자신이 품고 있는 직업에 대한 의심을 더욱 확고히 해 주는 말이기 때문에 인용한 것임.

3 필자의 직업에 대한 문제의식

필자의 문제의식	• 꼭 꿈을 직업으로만 이루어야 하는 걸까? • 누구나 가슴 뛰는 일을 직업으로 가질 수 있는 걸까?

⬇

필자의 생각	• 꿈을 이루기 위해 선택한 직업에서 누구나 다 최고가 될 수 없음. • 자신의 꿈을 직업으로 이룬 사람은 많지 않음. • 꿈을 직업으로 이루었다고 반드시 행복한 것도 아님.

⬇

인식	꿈을 직업으로 이룰 필요가 없음을 드러내고자 함.

확인 문제①

정답 및 해설 20쪽

1. 이 글에 대한 설명으로 적절한 것은?

① 대상의 여러 가지 특징을 분석하여 설명하고 있다.
② 전문가의 견해를 인용하여 올바른 직업 선택의 길을 알려 주고 있다.
③ 필자 자신의 경험을 바탕으로 직업에 대한 생각을 드러내고 있다.
④ 구체적인 대상에 비유하여 올바른 직업 선택이 지닌 가치를 서술하고 있다.
⑤ 직업 선택에 관한 상반된 견해의 한계를 지적하고, 새로운 관점의 필요성을 제기하고 있다.

학습 활동 응용

2. '앤'과 '경찰관'의 직업에 대한 생각을 추리한 것으로 가장 적절한 것은?

① 직업은 자신이 해야 하는 일을 하는 것이다.
② 직업은 자신의 뜻대로 정해지는 것이 아니다.
③ 직업을 선택할 때는 주위 환경을 따져보아야 한다.
④ 직업은 자신의 꿈을 실현시키는 것으로 선택해야 한다.
⑤ 직업은 자신 스스로 소명 의식을 가질 수 있는 것이어야 한다.

3. 필자가 ㉠과 같은 태도를 보인 이유로 가장 적절한 것은?

① 직업을 바꾼 사람들이 대부분 잘 되었기 때문에
② 직업을 바꾼 사람들의 정신세계에 흥미를 느껴서
③ 자신과 달리 직업을 바꾼 것에 대한 경외심이 들어서
④ 자신처럼 직업을 바꾼 사람이 있는 것에 흥미가 생겨서
⑤ 직업을 바꾼 데에는 피치 못할 사정이 있을 거라고 생각해서

서술형 학습 활동 응용

4. 이 글에서 필자가 글을 통해 드러내고 있는 문제의식은 무엇인지 〈조건〉에 따라 쓰시오.

〈조건〉
- 문제의식 두 가지를 쓸 것
- 한 문장으로 쓰되, '~제기하고 있다.'로 끝맺을 것

교과서 날개 질문
필자는 '하고 싶었던 일'과 '해야 하는 일' 중 무엇을 더 중시하는지 생각해 보자.

| 예시 답 | 필자는 '하고 싶었던 일'보다 '해야 하는 일'을 더 중시하고 있다.

중간 마 내가 좋아하는 것을 반드시 해야 한다는 자기중심적인 강박이 나를 망치기도 한다. 왜냐하면 지금 내가 하는 일은 정말 내가 하고 싶었던 일이 아니라는 생각이 현재를 망치기 때문이다.

어떤 생각이나 감정에 사로잡혀 심리적으로 심하게 압박을 느낌.
지금 나는 내가 좋아하는 것을 하지 못하는 상태라는 생각

가장 중요한 일은 자기가 '해야' 하는 일에서 의미를 발견하고 그것을 좋아하려는 노력 그 자체가 아닐까?

경찰관의 직업관과 일치함.
➔ 직업 선택에 관한 의심 끝에 '나'가 얻은 결론

바 나는 직업을 꿈과 연결해 내가 하고 싶은 일, 가슴 뛰는 일을 하지 않으면 마치 실패자인 것처럼 좌절하게 만드는 요즘 세태를 생각했다. 그리고 직업이란 '내'가 아니라 '남'에게 도움이 되는 일을 하고, 합당한 대가를 받는 일이라는 생각에 이르자, 사람들이 느끼는 '자아실현'과 '직업' 사이의 괴리를 이해할 수 있었다.

직업 선택에 관한 요즘 세태의 문제점
자기중심적 생각을 지닌 '나'
직업의 본질적 의미
서로 어그러져 동떨어짐.
➔ 요즘 사람들이 '자아실현'과 '직업' 사이에서 괴리감을 느끼는 이유

> **직업관**: 직업에 대하여 가지고 있는 일정한 관념이다. 생계 유지의 수단, 개성 발휘의 장(場), 사회적 역할의 실현 등 서로 상응 관계에 있는 3개의 측면에서 직업을 인식할 수 있으나, 어느 측면을 보다 강조하느냐에 따라서 각기 특유의 직업관이 성립한다.

사 공무원이, 범죄 심리 분석관이, 아이돌 가수가, 배우가 되고 싶다고 말하던 아이들에게 하지 못했던 말을 지금이라도 꼭 해 주고 싶다. 꿈과 멀어졌다고 사표를 '꿈'꾸는 수많은 회사원에게, 후배와 친구들에게도 말하고 싶다. 그것은 너만의 고민이 아니라고, 어쩌면 그것은 이 시대가 만든 병일지도 모르겠다고, 무엇보다 자아 성취는 일이 끝난 후 할 수도 있다고 말이다.

직업 선택에 관해 고민하는 이들
현재의 직업에 불만을 가지고 있는 이들
개인이 아닌 사회 풍조가 만들어 낸 고민
현재의 직업에 최선을 다하고, 나중에 꿈을 추구하는 것이 바람직함.
➔ 직업 선택에 관해 '나'가 전달하고 싶은 말

> **직업 선택**: 다양하고 복잡한 직업 세계에서 가능한 대안을 결정하고 선별할 수 있게 되며 보다 나은 삶을 영위하고자 하는 사람들에게 적절한 기회를 제공하는 것이다. 직업 선택은 직업적 성공과 실패를 결정하고, 자신의 일을 즐기느냐 아니냐를 결정하며, 다른 삶의 양식에 영향을 미치고, 노동력을 활용하는 사회적 방식을 결정함으로써 개인의 생애에 영향을 미친다.

아 앤이 내게 물었어도 아마 같은 대답을 했을 거다. 이제 나는 "너의 꿈을 너의 직업으로 이뤄라!" 같은 말은 하지 않을 생각이다. 내가 생각하기에, 직업은 적어도 남에게 도움이 되는 일을 하는 게 맞다. 그러니까 어떤 의미에서 본래의 직업은 자아실현과 거리가 먼 셈인 것이다. 나는 버리고 떠나는 삶을 존중하지만, 이제는 버티고 견디는 삶을 더 존경한다.

'앤'이 원하는 대학에 가서 공부할 것인지, 고향에서 교사를 할 것인지 물었어도
필자가 생각하는 바람직한 직업관
꿈을 이루기 위해 직업을 선택하는 것이 아님.
꿈을 추구하는 삶
현재 하는 일에서 의미를 발견하고 좋아하기 위해 노력하는 것
➔ '나'가 생각하는 바람직한 직업관

자 이 시대가 너무 '나'를 강조하다 보니 그것이 자기애적인 강박으로 작용하는 것 같다는 생각 역시 끝내 지울 수 없다. 모든 사람의 꿈이 이루어질 수도 없지만, 만약 모든 사람의 꿈이 이루어진다면, 아마 이 세상은 엉망이 될 것이다.

내가 좋아하는 것을 반드시 해야 한다고 믿는 것
모든 사람들이 꿈을 추구할 때 발생할 상황을 우려하고 있음.
➔ 직업 선택의 세태에 대한 '나'의 우려

차 좋아하는 일과 잘하는 일 중 어느 것을 직업으로 선택해야 하냐고 묻는 사람들에게 나는 이제 조심스럽게 '잘하는 일'을 하라고 말한다. 왜냐하면 시간은 많은 것을 바꾸기 때문이다. 잘하는 것을 오래 반복하면 점점 더 잘할 수 있으므로 기회를 더 많이 얻을 수 있다. 일이 점점 많아진다는 건, 그 일을 더 잘할 수 있게 되는 것 이외에 자기 일에 대한 특정한 태도가 생기는 것을 의미한다. 이때 '태도'란 그 일을 좋아하는 것까지를 포함한다.

'잘하는 일'을 선택한 경우에 얻을 수 있는 효과 ①
'잘하는 일'을 선택한 경우에 얻을 수 있는 효과 ②
➔ 직업 선택의 기준인 '잘할 수 있는 일'

중간: '나'가 생각하는 바람직한 직업관과 직업 선택의 기준

교과서 날개 질문
"'삶'보다 강한 '꿈'은 없다."에 담긴 의미를 파악해 보자.

| 예시 답 | 자신의 삶이 있어야 꿈을 꿀 수도, 이룰 수 있음을 의미한다. 즉 무턱대고 꿈을 추구하기보다는 현실의 삶에 최선을 다하라는 의미다.

끝 카 한때의 빛나는 재능이 훗날의 아픈 족쇄가 되는 경우를 종종 봐 왔다. 자신의 꿈을 직업적인 성취로 이루지 못했다고, 꿈이 없다고 좌절할 필요는 없다. 스스로 실패자란

자유를 구속하는 대상을 비유적으로 이르는 말

생각은 더더욱 하지 않았으면 한다. 믿거나 말거나 나로 말하면, 생각만 해도 가슴 두근거리는 꿈을 자기 직업으로 갖게 된 사람들의 지독한 불행에 대해 얼마든지 말할 수 있다. 꿈이 이루어진 이후에도 삶은 계속된다. 이 세상에 '삶'보다 강한 '꿈'은 없다. 인간은 꿈을 이룰 때 행복한 것이 아니라, 어쩌면 꿈꿀 수 있을 때 행복한 것인지도 모르겠다.

꿈을 직업적으로 성취한 이들이 겪게 되는 불행

꿈을 이루면 그 순간 행복하겠지만, 그 후에도 살아갈 날들이 많이 남아 있다.

꿈을 이룬 뒤에도 삶은 지속되기 때문이다.

➜ '꿈'보다 강한 것이 '삶'임.

끝: '꿈'과 '삶'의 관계에 대한 '나'의 생각

핵심 쏙쏙

1 필자가 생각하는 직업과 관련된 오늘날의 문제점과 해결 방안

문제점	직업을 꿈과 연결해 내가 하고 싶은 일, 가슴 뛰는 일을 하지 않으면 마치 실패자인 것처럼 좌절하게 만드는 세태 → 오늘날 세태에 대한 비판적 태도가 담김.
해결 방안	• 자기가 해야 할 일에서 의미를 발견하고, 그것을 좋아하기 위해 노력해야 함. • 좋아하는 일보다 잘하는 일을 직업으로 선택할 필요가 있음.

2 필자의 직업관

인식	• '남'에게 도움이 되는 일을 하고 합당한 대가를 받는 일 • 자아실현보다 거리가 먼, 직업의 본질에 가까운 것이어야 함. • 버리고 떠나는 삶보다 버티고 견디는 삶을 존중함.
주장	'하고 싶은 일'보다는 '해야 하는 일, 잘하는 일'을 직업으로 가져야 함.
이유	• 잘하는 것을 오래 반복하면 더 잘할 수 있게 되어 기회를 많이 얻을 수 있음. • 자기 일에 특정한 태도, 좋아하는 태도가 생길 수 있음.

3 '꿈'과 '삶'에 대한 필자의 생각

'삶'보다 강한 '꿈'은 없다.

⬇

• 현실의 삶에 최선을 다해야 함.
• 현실에서 꿈을 꿀 수 있을 때가 행복한 것임.

정답 및 해설 20쪽

확인 문제②

1. '직업'에 대한 필자의 생각으로 적절하지 않은 것은?

① '잘하는 일'을 직업으로 선택해야 한다.
② '남'에게 도움이 되는 일을 하는 것이다.
③ 자신의 자아를 실현할 수 있는 통로이다.
④ 꿈을 반드시 직업으로 하지 않아도 된다.
⑤ 해야 하는 일에서 의미를 발견하고 좋아하려고 노력해야 한다.

학습 활동 응용

2. 필자가 '직업'과 관련하여 요즘 세태의 문제점이라고 생각하고 있는 것은?

① 자신의 직업과 다른 직업과 비교하며 이직하려는 경향
② '꿈'을 직업으로 가지지 못하면 실패자라고 여기는 풍토
③ 자신의 직업에 최선을 다하지 않고 돈에만 연연하는 세태
④ 직업에 대한 올바른 인식 없이 자신의 전공과 무관한 직업을 선택하는 현실
⑤ 자신의 직업을 자아실현의 장이라 여기며 현실과 상관없는 직업을 선택하는 세태

학습 활동 응용

3. 이 글을 창의적으로 읽은 것으로 가장 적절한 것은?

① 직업에 대한 필자의 관점이 무엇인지 파악하며 읽는다.
② '꿈'을 직업으로 할 필요가 없다는 필자의 생각이 적절한지 판단해 본다.
③ '삶보다 강한 '꿈은 없다'는 필자의 말에 담긴 의도가 무엇인지 추리해 본다.
④ 자신의 '꿈'을 포기하고 자신의 직업에서 만족하고 있는 사람을 주위에서 찾아본다.
⑤ 자신의 '꿈'을 직업으로 하여 사회 문제 해결에 기여한 사례를 떠올리고, '꿈'을 추구한 직업도 가치 있는 것이라 생각해 본다.

4. 이 글을 볼 때, 필자는 '잘하는 일'을 직업으로 선택했을 때 어떤 효과가 있다고 했는지 쓰시오.

〈조건〉
• 효과 두 가지를 쓸 것
• '~면 ~고 ~효과가 있다.'의 형식으로 쓸 것

교과서 93~95쪽

활동 도움말

직업 선택에 관한 필자의 생각을 중심으로 내용을 정리해 본다.

깊게 읽기

1. 다음의 빈칸을 채워 가며 이 글의 내용 전개 과정을 정리해 보자.

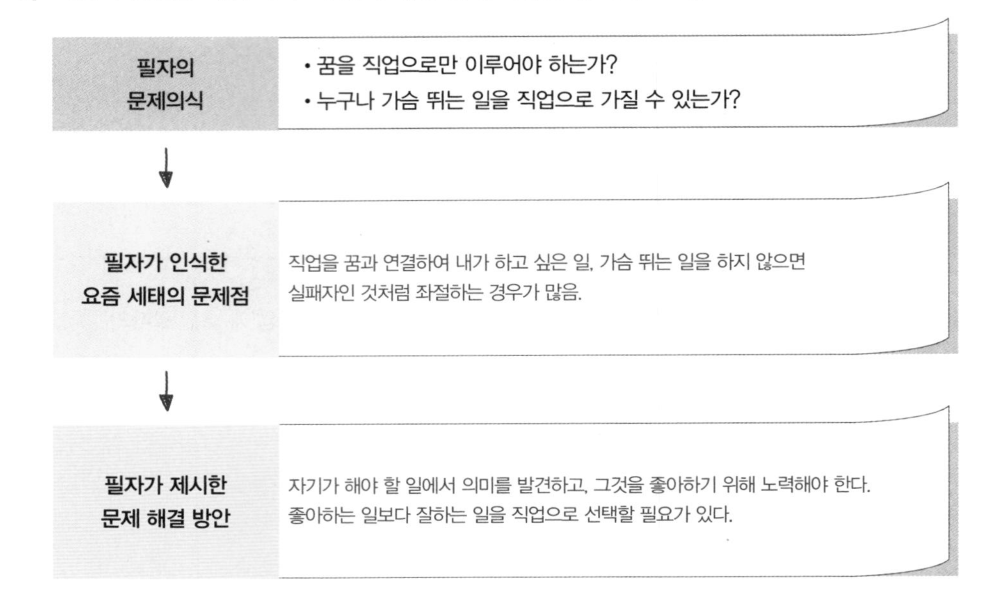

필자의 문제의식	• 꿈을 직업으로만 이루어야 하는가? • 누구나 가슴 뛰는 일을 직업으로 가질 수 있는가?
필자가 인식한 요즘 세태의 문제점	직업을 꿈과 연결하여 내가 하고 싶은 일, 가슴 뛰는 일을 하지 않으면 실패자인 것처럼 좌절하는 경우가 많음.
필자가 제시한 문제 해결 방안	자기가 해야 할 일에서 의미를 발견하고, 그것을 좋아하기 위해 노력해야 한다. 좋아하는 일보다 잘하는 일을 직업으로 선택할 필요가 있다.

2. 다음 「빨간 머리 앤」의 일부를 읽고 아래 활동을 해 보자.

마릴라는 꿈꾸는 표정으로 앤의 말을 듣고 있었다.

"앤, 네가 여기에 있어 준다면, 나야 더할 나위 없이 좋지. 하지만 나 때문에 널 희생시킬 수는 없단다. 그건 말이 안 돼."

(희생: 대학에 진학 대신 고향에 남는 일)

앤이 경쾌하게 웃었다.

"그런 말이 어디 있어요! 희생이라뇨? 초록 지붕 집을 포기하는 것보다 더 큰 희생은 없어요. 그보다 더 가슴 아픈 일은 없다고요. 우린 이 정든 옛집을 지켜야만 해요. 제 마음은 이미 정해졌어요, 아주머니. 전 레드먼드에 가지 않아요. 여기 남아서 아이들을 가르칠 거예요. 그러니 제 걱정은 조금도 마세요."

"하지만 네 꿈은…… 그리고……."

(꿈: 대학에 진학하려는 꿈)

"전 그 어느 때보다 꿈에 부풀어 있어요. 단지 꿈의 방향이 바뀐 것뿐이에요. 전 훌륭한 교사가 될 거예요. 그리고 아주머니 시력을 지켜 드릴 거예요. 게다가 집에서 독학으로 대학 과정도 조금씩 공부할 거고요. 아, 계획이 참 많아요, 아주머니. 일주일 내내 생각했어요. 이곳에서 최선을 다해 살면 틀림없이 그만한 대가가 돌아올 거라고 믿어요. 퀸스를 졸업할 때 제 미래는 곧은길처럼 눈앞에 뻗어 있는 듯했어요. 그 길을 따라가면 수많은 이정표를 만나게 될 거라고 생각했죠. 이제 전 길모퉁이에 이르렀어요. 그 모퉁이에 뭐가 있는지는 모르지만 가장 좋은 것이 있다고 믿

(밑줄 부분: 새로운 선택에 믿음을 갖는 이유)

제재 연구

루시 모드 몽고메리, 「빨간 머리 앤」

갈래	소설
성격	일화적, 서사적
제재	앤의 성장 과정과 사랑
주제	입양된 소녀가 성장 과정에서 깨닫게 된 우정과 가족애의 소중함.
특징	① 여러 사건을 겪으며 육체적·정신적으로 성장하는 과정을 순차적으로 그림. ② 주인공의 내면 심리를 자세하게 드러냄으로써 주인공에 대한 독자의 공감을 유도함.

을 거예요. 길모퉁이는 그 나름대로 매력이 있어요, 아주머니. 모퉁이를 돌면 무엇이 나올까 궁금하거든요. 어떤 초록빛 영광과 다채로운 빛과 어둠이 펼쳐질지, 어떤 새로운 풍경이 나올지, 어떤 낯선 아름다움과 맞닥뜨릴지, 저 멀리 어떤 굽잇길과 언덕과 계곡이 펼쳐질지 말이에요."

– 루시 모드 몽고메리, 『빨간 머리 앤』에서

(1) 앤이 '해야 하는 일'과 '꿈' 중에서 무엇을 선택했는지 파악해 보자.

| 예시 답 | 앤은 대학에서 공부하려던 '꿈'을 포기하고, 교사가 되어 고향 집과 아주머니를 지키는 '해야 하는 일'을 선택했다.

활동 도움말

직업 관련 사회 문제에 관해 이 글의 필자가 『빨간 머리 앤』을 읽으며 떠올린 창의적 해결 방안을 확인한다.

(2) '꿈을 직업으로만 이루어야 하는 걸까?'라는 질문에 필자는 앤이 어떤 대답을 했으리라고 짐작했는지 말해 보자.

| 예시 답 | 앤은 꿈을 포기했지만 해야 하는 일인 교사라는 직업에 최선을 다하려 한다. 해야 하는 일에서 의미를 발견하여 그것을 좋아하려 노력하려는 것이다. 따라서 필자는 앤이 꿈을 직업으로만 이루어야 한다고 생각하지는 않았으리라 짐작했을 것이다.

발표 활동

3. 가와 나를 참고하여 자신이 바람직하다고 여기는 직업 선택의 자세를 발표해 보자.

가 행복의 비결은 좋아하는 일을 해서가 아니라 해야 하는 일을 좋아하기 때문이다.

– 제임스 매튜 배리

나 사람은 자신이 참으로 하고 싶은 일을 하면서 살 수 있어야 한다. 자신이 하는 일을 통해서 자신이 지닌 잠재력을 발휘하고, 삶의 기쁨을 누려야 한다.

– 법정

제임스 매튜 배리(1860~1937): 영국의 소설가이자 극작가. 주요 저서로 『피터 팬』, 『친애하는 브루터스』 등이 있음.

법정(1932~2010): 우리나라의 승려이자 수필 작가. 주요 수필집으로 『무소유』, 『오두막 편지』 등이 있음.

내 의견 | 예시 답 | 나는 '배리'처럼 해야 하는 일을 직업으로 선택하고, 그 직업을 좋아함으로써 행복을 느끼고 싶다.

이유 | 예시 답 | 좋아하는 일을 직업으로 갖는다고 하더라도 만족스러운 결과를 얻지 못하면 불행해질 것이다. 따라서 어쩔 수 없이 선택한 직업일지라도 자신에게 주어진 일에 최선을 다해 만족스러운 결과를 얻는다면 행복한 삶을 살게 될 것이다.

보충 자료 직업에 관한 명언

- 사람의 천성과 직업이 맞을 때 행복하다. – 베이컨
- 좋아하는 직업을 택하면 평생 하루도 일하지 않아도 될 것이다. – 공자
- 너무 쉬운 일이란 것은 없지만, 마지못해 하면 일은 어려워진다. – 테렌티우스
- 작은 일에서 성장할 능력이 있는 사람에게 큰일이 주어진다. – 랠프 왈도 에머슨
- 환경이나 일이 당신의 인생을 채색할 수는 있겠지만 그 색의 선택권은 오직 당신에게 있다. – 존 밀러

넓혀 읽기

4. 다음 글을 읽고 아래 활동을 해 보자.

제재 연구

장영희, 「'특별한' 보통의 해」

갈래	수필
성격	우화적, 교훈적
제재	「잃어버린 조각」이라는 동화
주제	조금은 부족한 삶이 더욱 의미 있고 행복할 수 있음.
특징	① 동화의 주제를 바탕으로 '부족함'에 긍정적 의미를 부여함. ② '완벽함의 불편함'이라는 역설적 표현을 통해 주제를 강조함.

귀퉁이 한 조각이 떨어져 나가 온전치 못한 동그라미가 있었다. 동그라미는 너무 슬퍼서 잃어버린 조각을 찾기 위해 길을 떠났다. 여행하며 동그라미는 노래를 불렀다. "나의 잃어버린 조각을 찾고 있지요. 잃어버린 내 조각 어디 있나요." 때로는 눈에 묻히고 때로는 비를 맞고 햇볕에 그을리며 이리저리 헤맸다. 그런데 한 조각이 떨어져 나갔기 때문에 빨리 구를 수가 없었다. 『그래서 힘겹게, 천천히 구르다가 멈춰 서서 벌레와 대화도 나누고, 길가에 핀 꽃 냄새도 맡았다. 어떤 때는 딱정벌레와 함께 구르기도 하고, 나비가 머리 위에 내려앉기도 했다.』

(귀퉁이 한 조각이 떨어져 나가 온전치 못한: 완벽하지 못한 / 잃어버린 조각을 찾기 위해: 완벽해지기 위해 / 빨리 구를 수가 없었다: '부족함'으로 인한 불편함. / 『 』: '부족함'으로 인한 여유와 즐거움)

➔ 잃어버린 조각을 찾기 위해 여행을 떠난 동그라미의 험난한 여정

오랜 여행 끝에 드디어 몸에 꼭 맞는 조각을 만났다. 이제 완벽한 동그라미가 되어 이전보다 몇 배 더 빠르고 쉽게 구를 수 있었다. 『그런데 떼굴떼굴 정신없이 구르다 보니 벌레와 얘기하기 위해 멈출 수가 없었다. 꽃 냄새도 맡을 수 없었고, 휙휙 지나가는 동그라미 위로 나비가 앉을 수도 없었다.』

(오랜 여행 끝에 드디어 몸에 꼭 맞는 조각을 만났다: 부족함이 없이 완벽해진 동그라미 – 물질적으로 풍요로워진 현대인을 비유함. / 『 』: 오히려 즐거움을 잃게 된 동그라미 – 물질적 풍요가 인간을 행복하게 하지 못함을 비유함.)

"내 잃어버린 힉, 조각을 힉, 찾았어요! 힉!"

노래를 부르려고 했지만, 너무 빨리 구르다 보니 숨이 차서 부를 수가 없었다.

➔ 잃어버린 조각을 찾았으나 여유를 잃어버린 동그라미

한동안 가다가 동그라미는 구르기를 멈추고, 찾았던 조각을 살짝 내려놓았다. 그리고 다시 한 조각이 떨어져 나간 몸으로 천천히 굴러 가며 노래했다.

(찾았던 조각을 살짝 내려놓았다: '완벽함'을 버리고 '부족함'을 선택함.)

"내 잃어버린 조각을 찾고 있어요……."

나비 한 마리가 동그라미의 머리 위에 내려앉았다.

➔ 찾았던 조각을 다시 내려놓고 천천히 구르는 동그라미

「잃어버린 조각」이라는 이 동화는 『아낌없이 주는 나무』의 작가인 셸 실버스타인이 쓴 것으로 '완벽함의 불편함'을 전하고 있다. 사실 특별하게 잘나서 '보통'의 다수와 분리되어 살아간다는 것은 어쩌면 겉보기처럼 그렇게 멋진 일이 아닐지도 모른다. 한 조각이 떨어져 나가서 삐뚤삐뚤 구르는 동그라미처럼 조금은 부족하게, 느리게, 가끔은 꽃 냄새도 맡고 노래도 불러 가며 함께하는 삶이 더욱 의미 있고 행복할 수 있다는 메시지이다.

(부족하게, 느리게, 가끔은 꽃 냄새도 맡고 노래도 불러 가며 함께하는: 삶에서 필요한 자세 – 글의 주제)

➔ 조금 부족하지만 함께하는 삶이 더 가치 있을 수 있음.

– 장영희, 「'특별한' 보통의 해」에서

(1) 필자가 「잃어버린 조각」을 통해 깨달은 '완벽함의 불편함'의 의미를 말해 보자.

ㅣ예시 답ㅣ 남들보다 더 뛰어난 면을 지니고 있지만 오히려 그 때문에 보통의 다수와 어울려 살지 못하는 상황을 의미한다.

모둠 활동

(2) 「잃어버린 조각」을 활용하여, 개인이나 사회 문제를 해결하는 방안을 제시하는 모둠 글쓰기를 하려고 한다. 이 글을 이용하기에 적절한 문제 상황에 관해 의견을 나누어 보자.

ㅣ예시 답ㅣ 최근 자신이 사는 지역에 장례식장이 들어온다고 하자 그 지역 주민들은 심하게 반대를 한 경우가 있다. 그런데 장례식장은 누구에게나 꼭 필요한 공간이다. 장례식장이 들어오는 것이 지역 발전에 도움되지 않는다고 해도 누군가를 배려하는 마음으로 장례식장이 들어오는 것을 반대하지 않았으면 좋겠다. 그것이 조금은 불편하지만 더불어 행복하게 사는 길이 아닐까.

활동 도움말

「잃어버린 조각」이 주는 교훈을 적용할 수 있는 문제 상황을 떠올려 본다.

소단원 출제 포인트

빨간 머리 앤이 하는 말

1 전체 글의 개관

갈래	수필(중수필)	성격	체험적, 비판적
제재	직업 선택의 기준	주제	직업을 선택할 때는 꿈보다 삶을 고려해야 함.
특징	① 소설 주인공 '앤'의 사건을 소재로 직업 선택에 관한 우리 사회의 문제점을 제시하고 있음. ② 직업 선택에 관한 사회 문제가 발생한 이유를 밝히고, 해결 방안을 제시함.		

2 필자의 창의적인 생각

필자가 소설 「빨간 머리 앤」을 읽음. ➡ 떠올린 다양한 생각을 이야기하고, 필자만의 창의적인 해결 방안까지 제시함.

- 소설 내용을 자신이나 우리 사회의 문제와 연관 지어 이해함.
  → 우리 사회의 직업 선택의 문제점을 지적하고, 하고 싶은 일보다 해야 할 일을 중시해야 함을 밝힘.

3 직업으로 꿈을 이루려는 생각의 문제점

필자가 생각하는 문제점

- 꿈을 이루기 위해 선택한 직업에서 누구나 다 최고가 될 수 없음.
- 자신의 꿈을 직업으로 이룬 사람은 많지 않음.
- 꿈을 직업으로 이루었다고 반드시 행복한 것도 아님.

- 내가 좋아하는 것을 반드시 해야 한다는 자기중심적인 강박이 나를 망칠 수 있음.
- 모든 사람의 꿈이 이루어진다면 이 세상은 엉망이 될 것임.

4 필자의 직업관

직업에 대한 인식	• '남'에게 도움이 되는 일을 하고 합당한 대가를 받는 일 • 자아실현보다 직업의 본질에 더 가까운 것이 있음. • 버리고 떠나는 삶보다 버티고 견디는 삶을 더 존중함.
주장	'하고 싶은 일'보다는 '해야 하는 일, 잘하는 일'을 직업으로 가져야 함.
이유	• 잘하는 것을 오래 반복하면 더 잘할 수 있게 되어 기회를 많이 얻을 수 있음. • 자기 일에 특정한 태도, 좋아하는 태도가 생길 수 있음.

5 '꿈'과 '삶'에 대한 필자의 생각

'삶'보다 강한 '꿈'은 없다. ➡
- 현실의 삶에 최선을 다해야 함.
- 현실에서 꿈을 꿀 수 있을 때가 행복한 것임.

내신 적중 문제

정답 및 해설 21쪽

[01 - 06] 다음 글을 읽고 물음에 답하시오.

나는 언제나 직업을 바꾸는 사람들을 흥미롭게 바라보곤 했다. 가령 국문학을 전공해서 소설가가 된 사람보다는, 인공 지능 로봇을 만들던 공학자가 별안간 작가로 데뷔하는 삶에 더 큰 매혹을 느낀다. 인생이 갑자기 바뀐 데에는 어떤 사연이 있을 것이고, 그런 이야기라면 아무리 길어도 얼마든지 들을 수 있을 것 같았다.

경기도에 있는 한 도서관에서 강의를 하다가, 유독 고등학생들이 많이 보이기에 강연 도중 질문을 던진 적이 있다.

"여러분은 꿈이 뭐예요?"

공무원이라고 대답한 학생부터 다양한 답이 나왔는데, 그중에는 '범죄 심리 분석관'도 있었다. 시간이 더 있었다면, 그 학생에게 내가 만났던 한 경찰관에 관해 얘기해 주고 싶었다.

그분은 수십 년간 수많은 범죄 현장에서 일하며 범죄자의 뇌 속을 들여다보는 심리 분석에 참여했다. 누구보다 세상의 악을 많이 보았을 그 남자의 눈이 너무 따뜻해서 깜짝 놀란 일은 둘째로 치고, 그가 했던 말들은 기록해 놓고 싶을 만큼 내 마음을 끌었다. 취재를 끝내고 집으로 돌아가는 길, 가슴에 가장 남았던 말은 이것이었다.

> "제가 원해서 이 직업을 택한 것은 아닙니다. 먹고 살려다 보니 어쩔 수 없이 경찰이 된 거예요……. ㉠ 제가 이 일을 하는 건 유별난 소명 의식 때문이 아니에요. 사람들에게 필요한 일이고, 도움을 주는 일이기 때문입니다."

그 경찰관의 말이 각인된 데에는 이유가 있었다. 그즈음 나는 의심하고 있었다. '꼭 꿈을 직업으로만 이루어야 하는 걸까?' 사람들은 말한다. "가슴 뛰는 일을 해라!" 멋진 말이다. 하지만 누구나 가슴 뛰는 일을 직업으로 가질 수 있는 걸까? 누구나 자신의 꿈을 이루기 위해 선택한 직업에서 최고가 될 수는 없다. 실제 자신의 꿈을 직업으로 이룬 사람은 많지 않다. 또 꿈을 직업으로 이루었다고 꼭 행복해지는 것도 아니다.

내가 좋아하는 것을 반드시 해야 한다는 자기중심적인 강박이 나를 망치기도 한다. 왜냐하면 지금 내가 하는 일은 정말 내가 하고 싶었던 일이 아니라는 생각이 현재를 망치기 때문이다.

㉡ 가장 중요한 일은 자기가 '해야' 하는 일에서 의미를 발견하고 그것을 좋아하려는 노력 그 자체가 아닐까?

나는 직업을 꿈과 연결해 내가 하고 싶은 일, 가슴 뛰는 일을 하지 않으면 마치 실패자인 것처럼 좌절하게 만드는 요즘 세태를 생각했다. 그리고 직업이란 '내'가 아니라 '남'에게 도움이 되는 일을 하고, 합당한 대가를 받는 일이라는 생각에 이르자, 사람들이 느끼는 '자아실현'과 '직업' 사이의 괴리를 이해할 수 있었다.

㉢ 공무원이, 범죄 심리 분석관이, 아이돌 가수가, 배우가 되고 싶다고 말하던 아이들에게 하지 못했던 말을 지금이라도 꼭 해 주고 싶다. 꿈과 멀어졌다고 사표를 '꿈'꾸는 수많은 회사원에게, 후배와 친구들에게도 말하고 싶다. 그것은 너만의 고민이 아니라고, 어쩌면 그것은 이 시대가 만든 병일지도 모르겠다고, 무엇보다 자아 성취는 일이 끝난 후 할 수도 있다고 말이다.

앤이 내게 물었어도 아마 같은 대답을 했을 거다. 이제 나는 "너의 꿈을 너의 직업으로 이뤄라!" 같은 말은 하지 않을 생각이다. 내가 생각하기에, ㉣ 직업은 적어도 남에게 도움이 되는 일을 하는 게 맞다. 그러니까 어떤 의미에서 본래의 직업은 자아실현과 거리가 먼 셈인 것이다. 나는 버리고 떠나는 삶을 존중하지만, 이제는 버티고 견디는 삶을 더 존경한다.

이 시대가 너무 '나'를 강조하다 보니 그것이 자기애적인 강박으로 작용하는 것 같다는 생각 역시 끝내 지울 수 없다. 모든 사람의 꿈이 이루어질 수도 없지만, 만약 모든 사람의 꿈이 이루어진다면, 아마 이 세상은 엉망이 될 것이다.

좋아하는 일과 잘하는 일 중 어느 것을 직업으로 선택해야 하냐고 묻는 사람들에게 나는 이제 조심스럽게 '잘하는 일'을 하라고 말한다. 왜냐하면 시간은 많은 것을 바꾸기 때문이다. ㉤ 잘하는 것을 오래 반복하면 점점 더 잘할 수 있으므로 기회를 더 많이 얻을 수 있다. 일이 점점 많아진다는 건, 그 일을 더 잘할 수 있게 되는 것 이외에 자기 일에 대한 특정한 태도가 생기는 것을 의미한다. 이때 '태도'란 그 일을 좋아하는 것까지를 포함한다.

한때의 빛나는 재능이 훗날의 아픈 족쇄가 되는 경우를 종종 봐 왔다. 자신의 꿈을 직업적인 성취로 이루지 못했다고, 꿈이 없다고 좌절할 필요는 없다. 스스로 실패자란 생각은 더더욱 하지 않았으면 한다. 믿거나 말거나 나로 말하면, 생각만 해도 가슴 두근거리는 꿈을 자기 직업으로 갖게 된 사람들의 지독한 불행에 대해 얼마든지 말할 수 있다. 꿈이 이루어진 이후에도 삶은 계속된다. 이 세상에 ⓐ'삶'보다 강한 '꿈'은 없다. 인간은 꿈을 이룰 때 행복한 것이 아니라, 어쩌면 꿈꿀 수 있을 때 행복한 것인지도 모르겠다.

01 이 글에서 알 수 있는 직업에 대한 필자의 생각으로 적절하지 않은 것은?

① 필자는 직업을 바꾼 사람들에 대해 긍정적으로 생각하고 있다.
② 필자는 꿈을 직업으로 가진 사람들은 많지 않다고 여기고 있다.
③ 필자는 직업을 통해서는 자아실현을 이루기가 어렵다고 생각하고 있다.
④ 필자는 꿈꾼 일을 직업으로 가져도 반드시 행복하지는 않다고 생각하고 있다.
⑤ 필자는 모든 사람의 꿈이 이루어질수록 사회는 보다 발전할 것이라 여기고 있다.

02 다음은 이 글을 읽은 학생이 직업과 관련된 명언을 찾아보았다. 〈보기〉에 제시된 것 중 필자의 생각을 뒷받침할 수 있는 것끼리 바르게 묶인 것은?

〈보기〉

ⓐ 싫어하는 일을 하다 실패하느니 좋아하는 일을 하다 실패하는 것이 낫다. – 조지 번즈
ⓑ 직업에서 행복을 찾아라. 아니면 행복이 무엇인지 절대 모를 것이다. – 앨버트 허버드
ⓒ 행복의 비결은 좋아하는 일을 해서가 아니라 해야 하는 일을 좋아하기 때문이다. – 제임스 매튜 배리
ⓓ 사람은 자신이 참으로 하고 싶은 일을 하면서 살 수 있어야 한다. 자신이 하는 일을 통해서 자신이 지닌 잠재력을 발휘하고, 삶의 기쁨을 누려야 한다. – 법정

① ⓐ, ⓑ ② ⓐ, ⓒ ③ ⓑ, ⓒ
④ ⓑ, ⓓ ⑤ ⓒ, ⓓ

서술형 | 학습 활동 응용

03 다음은 이 글을 내용 전개 과정에 따라 정리한 것이다. 이 글의 필자의 생각을 바탕으로 ㉮에 들어갈 내용을 쓰시오.

필자의 문제의식	꿈을 직업으로만 이루어야 하는가?
필자가 인식한 요즘 세태의 문제점	직업을 꿈과 연결하여 내가 하고 싶은 일, 가슴 뛰는 일을 하지 않으면 실패자인 것처럼 좌절하는 경우가 많음.
필자가 제시한 문제 해결 방안	㉮

〈조건〉

• 문제의식에 대한 답을 제시하면서 문제 해결 방안을 언급할 것
• 문제 해결 방안은 직업 선택과 관련된 내용을 제시할 것

고난도

04 이 글과 〈보기〉를 읽고 난 뒤의 학생의 반응으로 가장 적절한 것은?

〈보기〉

진로를 생각할 때 '실현 가능성'부터 생각하지 말았으면 한다. 진로를 생각할 때 곧바로 '직업'과 연결하지도 말았으면 한다. 미래를 생각할 때 생활의 안정을 1순위로 하지 말았으면 좋겠다.

하지만 이런 건 괜찮다. 예컨대, 내가 얼마나 그 꿈에 몰두해 있을 수 있는지 실험해 보는 것. 밥 먹는 것도 잊고, 잠자는 것도 잊고, 약속 시각도 잊고, 무언가에 몰두해 본 적이 있는가. 그게 바로 우리들의 가슴을 뛰게 하는 것이다.

– 정여울, 『그때 알았더라면 좋았을 것들』에서

① 이 글과 〈보기〉 모두 '꿈'에 대해 부정적으로 여기고 있군.
② 이 글과 달리 〈보기〉에서는 직업 선택과 관련한 생각을 드러내고 있군.
③ 이 글과 달리 〈보기〉에서는 자신이 하고 싶은 일에 성실하게 임하기를 바라는군.
④ 이 글과 달리 〈보기〉에서는 '꿈'의 실현을 위해 노력하기를 바라는군.
⑤ 〈보기〉와 달리 이 글에서는 생활의 안정을 위한 직업에 대해 비판적인 태도를 보이는군.

05 ㉠~㉤에 대한 설명으로 적절하지 않은 것은?

① ㉠: 자신의 직업을 통해 의미를 발견하고 있음을 알 수 있다.
② ㉡: 필자의 직업에 대한 인식이 어떠한지 알 수 있다.
③ ㉢: '꿈'의 실현보다 '해야 하는 일'을 우선적으로 여기는 사람들에 해당한다.
④ ㉣: 필자가 생각하는 바람직한 직업관을 엿볼 수 있다.
⑤ ㉤: '잘하는 일'을 선택한 경우에 얻을 수 있는 효과에 해당한다.

06 ⓐ에 담긴 필자의 의도를 추리한 것으로 가장 적절한 것은?

① 현재 자신이 처한 상황을 인지하면서 꿈을 꾸어야 한다는 의도를 담고 있다.
② 자신이 추구하는 꿈이 바로 현재의 삶임을 강조하자는 의도를 담고 있다.
③ 사람은 살아가는 동안에 꿈을 잃어버려서는 안 된다는 의도를 드러내고 있다.
④ 무턱대고 꿈을 추구하기보다 현실의 삶에 최선을 다하라는 의도를 담고 있다.
⑤ 현실에 머물기보다는 나은 삶을 위해 노력해야 한다는 의도를 드러내고 있다.

[07－08] 다음 글을 읽고 물음에 답하시오.

마릴라는 꿈꾸는 표정으로 앤의 말을 듣고 있었다.
"앤, 네가 여기에 있어 준다면, 나야 더할 나위 없이 좋지. 하지만 나 때문에 널 희생시킬 수는 없단다. 그건 말이 안 돼."
앤이 경쾌하게 웃었다.
"그런 말이 어디 있어요! 희생이라뇨? 초록 지붕 집을 포기하는 것보다 더 큰 희생은 없어요. 그보다 더 가슴 아픈 일은 없다고요. 우린 이 정든 옛집을 지켜야만 해요. 제 마음은 이미 정해졌어요, 아주머니. 전 레드먼드에 가지 않아요. 여기 남아서 아이들을 가르칠 거예요. 그러니 제 걱정은 조금도 마세요."
"하지만 네 꿈은…… 그리고……."
"전 그 어느 때보다 꿈에 부풀어 있어요. 단지 꿈의 방향이 바뀐 것뿐이에요. 전 훌륭한 교사가 될 거예요. 그리고 아주머니 시력을 지켜 드릴 거예요. 게다가 집에서 독학으로 대학 과정도 조금씩 공부할 거고요. 아, 계획이 참 많아요, 아주머니. 일주일 내내 생각했어요. 이곳에서 최선을 다해 살면 틀림없이 그만한 대가가 돌아올 거라고 믿어요. 퀸스를 졸업할 때 제 미래는 곧은길처럼 눈앞에 뻗어 있는 듯했어요. 그 길을 따라가면 수많은 이정표를 만나게 될 거라고 생각했죠. 이제 전 길모퉁이에 이르렀어요. 그 모퉁이에 뭐가 있는지는 모르지만 가장 좋은 것이 있다고 믿을 거예요."

– 루시 모드 몽고메리, 『빨간 머리 앤』에서

07 이 글의 내용을 볼 때, '앤'이 겪었을 문제 상황을 추리한 것으로 가장 적절한 것은?

① 마릴라와 자신을 위해서 퀸스 대학을 포기할 것이냐의 문제 상황
② 퀸스 대학에 입학하는 것이 가치 있느냐의 고민에 따른 문제 상황
③ 교사가 되는 것이 자신의 미래를 보장할 수 있느냐에 따른 문제 상황
④ 마릴라의 뜻에 따라 퀸스 대학에 입학하느냐 자신을 위해 교사가 되느냐의 문제 상황
⑤ 꿈을 위해 퀸스 대학에 입학하느냐, 마릴라를 위해 남아서 교사가 되느냐의 문제 상황

08 이 글의 '앤'에 대해 〈보기〉의 필자가 내릴 평가로 적절하지 않은 것은?

〈 보기 〉

나는 직업을 꿈과 연결해 내가 하고 싶은 일, 가슴 뛰는 일을 하지 않으면 마치 실패자인 것처럼 좌절하게 만드는 요즘 세태를 생각했다. 그리고 직업이란 '내'가 아니라 '남'에게 도움이 되는 일을 하고, 합당한 대가를 받는 일이라는 생각에 이르자, 사람들이 느끼는 '자아실현'과 '직업' 사이의 괴리를 이해할 수 있었다. 〈중략〉 앤이 내게 물었어도 아마 같은 대답을 했을 거다. 이제 나는 "너의 꿈을 너의 직업으로 이뤄라!" 같은 말은 하지 않을 생각이다. 내가 생각하기에, 직업은 적어도 남에게 도움이 되는 일을 하는 게 맞다.

① '앤'이 남에게 도움이 되는 일을 하기로 했으니 좋은 결정이야.
② '앤'이 '꿈'을 버리고 교사가 되어 최선을 다하려고 하니 존경할 만해.
③ '앤'이 자신의 꿈을 버렸다고 해서 스스로 실패자로 여기지 않았으면 좋겠어.
④ '앤'이 교사로 최선을 다한다고 했으니 교사의 직업에 대해서도 좋아하게 될 거야.
⑤ '앤'이 자신이 해야 하는 일을 직업으로 선택한 것에 대해 박수를 보내 주고 싶어.

주제 통합적 읽기

교과서 96쪽

생각 열기 '土'를 어떻게 읽을까?

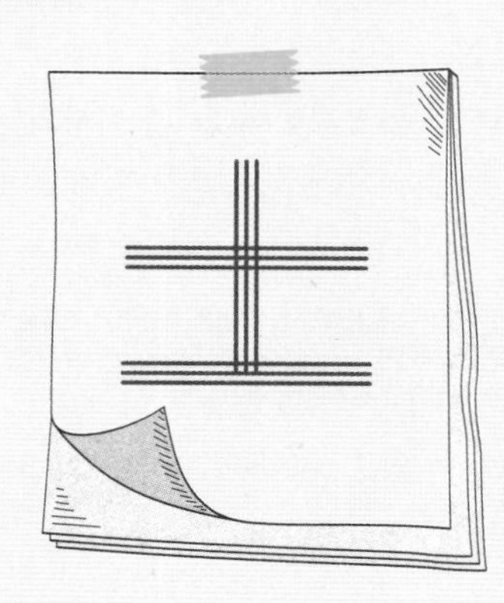

사람들에게 '土'를 보여 주고 무엇이냐고 물었더니 인문계 출신은 '흙 토', 자연계 출신은 '플러스 마이너스'라고 답했다고 한다. 이 이야기는 마치 우물 안 개구리처럼 사람들은 자신의 경험이나 관심사에 기대어 세상을 이해하는 존재라는 점을 보여 준다. 그렇지만 세상은 훨씬 더 넓고 복잡하며, 사람들의 생각은 다양하다. 따라서 어떤 대상이나 문제에 대해 단 한 편의 글을 읽는 것으로 끝내면 편협한 이해에 그칠 공산이 크다. 따라서 동일 화제나 문제를 다룬 다양한 글들을 읽을 필요가 있다.

그렇다면 **편협한 이해에 빠지지 않기 위해서 우리는 글을 어떻게 읽어야 할까?**

| **예시 답** | 한 가지 화제에 관해 여러 종류의 책을 읽는다, 다양한 책을 폭넓게 읽는다 등

| **도움말** | 동일한 이미지를 자신의 경험에 근거해서 서로 다른 기호로 해석하는 상황을 제시하였다. 한 가지 관점이나 지식을 고집할 경우 우리의 시야는 좁아지고, 사고는 협소해질 수 있다. 이 사례를 통해 주제 통합적 글 읽기의 필요성을 이해하고, 주제 통합적 글 읽기의 방법에 관한 질문에 스스로 답해 봄으로써 학습 주제에 관한 흥미를 높이도록 한다.

| 이 단원의 학습 요소 |

학습 목표 **동일한 화제의 글이라도 서로 다른 관점과 형식으로 표현됨을 이해하고 다양한 글을 주제 통합적으로 읽는다.**

'바람직한 지도력'에 관한 두 글의 주장과 관점 비교하기	▶	'바람직한 지도력'에 관한 두 글을 능동적, 주체적, 창의적으로 읽고, 필자의 주장과 관점을 비교해 본다.
두 글을 통합적 관점에서 읽고 자신만의 관점 세우기	▶	두 글을 통합적 관점에서 읽고 자신만의 관점으로 재구성해 본다.

소단원 바탕학습

원리 이해

1 주제 통합적 읽기의 개념과 필요성

1. 주제 통합적 읽기의 개념: 같은 화제나 주제에 관하여 두 편 이상의 글을 읽고 비교하며 종합하는 독서법 예 연구 논문 쓰기 – 주제 중심으로 다양한 관점과 분야의 글을 읽어야 하는 경우
2. 주제 통합적 읽기의 필요성
   - 우리의 지식은 피상적이거나 파편적이며 편견에 빠져 있기 십상이므로 주제 통합적 읽기가 필요함. (피상적: 겉으로 드러나 보이는 현상에만 관계하는. 또는 그런 것 / 파편적: 전체적으로 이어지거나 완성되지 않은 짧은 부분이나 면모를 비유적으로 이르는 말)
   - 융복합적 교양과 역량을 강조하는 오늘날, 다양한 분야와 관점의 글들을 종합적이고 비판적으로 읽을 수 있는 능력이 요구됨.
3. 주제 통합적 읽기의 효과
   - 독서 경험이 편중되지 않고 균형 잡힌 지식인으로 성장하는 데에 중요한 역할을 함.
   - 주제 통합적 독서를 통해 자기 나름의 의미를 구성해 보게 함으로써, 능동적인 독자로 성장할 수 있게 해 줌.

2 주제 통합적 읽기의 방법

1. 화제나 주제를 정하고 읽을 글들 수집하기	2. 필요한 부분을 찾아 자기 말로 이해하기
• 화제나 주제를 정한 다음 그와 관련되는 글들을 찾음. • 글을 수집하는 과정에서 화제나 주제를 수정하거나 구체화함.	• 수집한 글을 훑어보면서 자기에게 필요한 부분을 찾음. • 필요한 부분을 정독하면서 자기 말로 이해함.
3. 읽은 글의 쟁점이나 문제를 분석하여 주제 구체화하기 • 찾은 글의 쟁점이 무엇인지, 놓치고 있는 문제가 무엇인지 분석함. • 쟁점이나 문제 분석을 통해 자기 스스로의 주제 의식을 구체화함.	**4. 자기 생각을 확정하고 구성하여 뒷받침하기** • 주제에 관한 자기 나름의 생각을 확정하고 구성하여 분명하게 제시함. • 읽은 글의 내용을 근거 자료로 활용하여 자기 생각을 뒷받침함.

3 주제 통합적 읽기를 할 때의 유의점

1. 주제와 무관한 글이나 불필요한 부분을 읽는 데 시간을 허비하지 않아야 함.
   ① 훑어보며 읽는 독서 전략을 구사해야 함.
   ② 읽는 글이나 부분이 문제 해결에 도움이 되는지 잘 판단하여 골라 읽어야 함.
2. 주제 통합적 읽기의 주체는 독자 자신임.
   ① 독자는 필자와는 전혀 다른 생각이나 그가 놓친 생각을 할 수 있음.
   ② 독자는 필자가 가볍게 다룬 내용에서 중요한 의미를 새롭게 발견할 수 있음.
3. 객관성과 공정성을 유지해야 함.
   ① 자기가 잘 모르는 분야라고 해서 눈감아 버리거나 나와 생각이 다르다고 해서 폄하해서는 안 됨. → 객관성
   ② 다양하면서도 새로운 생각들을 열린 마음으로 공평하게 대할 수 있어야 함. → 공정성

| 원리 확인 문제 |

1. 다음 중 주제 통합적 읽기에 대한 설명으로 적절하지 않은 것은?

① 능동적인 독자로 성장할 수 있게 해 준다.
② 균형 잡힌 지식인으로 성장하는 데 중요한 역할을 한다.
③ 융복합적 교양과 역량을 강조하는 오늘날 절실히 요구된다.
④ 같은 주제에 관한 두 편 이상의 글을 비교, 종합하는 방법이다.
⑤ 작품을 읽고 작품 속 인물들을 비교하는 방식이 대표적 사례라 할 수 있다.

2. 다음 글의 빈칸에 공통적으로 들어갈 알맞은 말을 쓰시오.

> 주제 통합적 읽기를 할 때는 먼저 화제나 (　　　)를 정하고 읽을 글들을 수집해야 하는데, 글을 수집하는 과정에서 화제나 (　　　)를 수정하거나 구체화해야 한다.

3. 다음 설명에 해당하는 주제 통합적 읽기의 방법을 쓰시오.

> • 수집한 글을 훑어보면서 자기에게 필요한 부분을 찾을 수 있어야 한다.
> • 필요한 부분을 정독하면서 자기 말로 이해하여야 한다.

4. 주제 통합적 읽기를 할 때, 다양하면서도 새로운 생각들을 열린 마음으로 공평하게 대하기 위해 필요한 태도는 무엇인지 쓰시오.

정답 1. ⑤ 2. 주제 3. 필요한 부분을 찾아 자기 말로 이해하기 4. 공정성

제재 미리보기

군주론

1 해제

이 글에서는 군주가 지녀야 할 태도와 도덕관념을 소개하고 있다. 필자는 바람직한 군주의 통치 방법으로 도리와 힘을 모두 구사해야 한다고 밝히고 있다. 특히 신민들에게 사랑받는 군주보다는 두려움을 느끼게 하는 잔인한 통치를 하는 것이 더 안전한 방법임을 역설하고 있다.

2 핵심 정리

(1) **갈래**: 논설문

(2) **성격**: 논리적, 예시적, 대조적
필자는 군주는 잔인한 통치를 해야 한다고 하면서 구체적 사례와 대조적 인물들을 제시하여 논리적으로 자신의 의견을 피력하고 있다.

(3) **제재**: 군주의 통치 방법

(4) **주제**: 신민들에게 사랑 받기보다 두려움을 느끼게 하는 것이 더 나은 통치 방법임.
필자는 군주는 자비로운 통치 방식보다는 신민들이 두려움을 느끼는 잔인한 정치를 해야 한다고 주장하고 있다.

(5) **특징**: ① 군주의 바람직한 통치 방법을 예시의 방법으로 설명하고 있다.
② 신민들의 본질을 근거로 자신의 주장이 타당함을 밝히고 있다.

(6) **구성**
필자는 '서론'에서 군주는 잔인하다는 평판을 피해서는 안 된다는 논지를 언급한 다음, '본론'에서 이러한 자신의 생각에 대해 인간에 대한 이해와 역사적 사례를 들어 논지를 강화해 주고 있다. 그리고 '결론'에서 자신의 논지를 재확인해 주고 있다.

서론	본론 1	본론 2	결론
군주는 잔인하다는 평판을 피하려 해서는 안 됨.	바람직한 군주의 자세와 두려움과 공포에 의한 정치를 해야 하는 이유	카르타고의 장군 한니발의 군대 통솔과 로마의 장군 스키피오의 군대 통솔의 사례	군주는 자애롭기보다는 잔인한 통치를 해야 함.

목민심서

1 해제

이 글에서는 백성을 잘 다스리려면 수령이 솔선수범해야 하며 과도한 형벌을 줄여야 한다는 주장을 펼치고 있다. 필자는 백성들을 잘 다스리는 수령의 자세를 한 집안의 어른의 자세에 비유하여 제시함으로써 주장의 타당성을 얻고 있다.

2 핵심 정리

(1) **갈래**: 논설문

(2) **성격**: 논리적, 설득적, 비유적
필자는 과도한 형벌을 없애야 한다는 주장을 두 집안의 가장의 사례에 비유하여 알기 쉽게 이해시키고 있다.

(3) **제재**: 백성을 다스리는 방법

(4) **주제**: 백성을 잘 다스리려면 수령이 솔선수범해야 하며, 과도한 형벌을 줄여야 함.
필자는 두 집안의 가장의 사례를 통해 수령은 솔선수범해야 하며, 과도한 형벌로 백성을 다스려서는 안 됨을 주장하고 있다.

(5) **특징**: ① 먼저 주장을 제시하고, 뒷받침 내용을 제시해 주장의 타당성을 밝히고 있다.
② 예시와 인용의 방법을 사용하여 독자의 이해를 돕고 있다.

(6) **구성**
필자는 형벌을 없애야 한다고 주장한 다음, 두 집안의 가장의 사례를 통해 자신의 주장을 뒷받침하고 있다. 그리고 유명한 인물의 말을 인용하여 자신의 논지를 재확인해 주고 있다.

주장	예증	결론
형벌을 없애야 함.	두 집안의 가장의 모습을 통해 백성을 다스리는 수령의 바람직한 자세를 밝힘.	수령은 무고한 백성에게 형벌을 가해서는 안 됨.

군주론 / 목민심서

_ 마키아벨리/ 강정인 외 1인 옮김　　_ 정약용/ 장순범 옮김

소단원 포인트

- 두 글에 드러난 지도력의 관점을 파악하기
- 두 글에 드러난 지도력의 관점을 비교해 보기
- 두 글에 드러난 지도력 중 바람직한 지도력이 무엇인지 생각해 보기

필자 소개

니콜로 마키아벨리(1469~1527): 이탈리아의 정치 사상가·외교가·역사학자. 정치는 도덕으로부터 구별된 고유의 영역임을 주장하는 마키아벨리즘을 제창하여 근대적 정치관을 개척하였다. 주요 저서에 『로마사론』, 『군주론』 등이 있다.

군주론

서론 ㉮ 저는 모든 군주가 잔인하지 않고 인자하다고 생각되기를 더 원해야 한다고 주장
이상적인 군주의 모습
합니다. 그렇지만 자비를 부적절한 방법으로 베풀지 않도록 조심해야 합니다. ㉠ 체사레 보르자는 잔인하다고 생각되었지만, 그의 엄격한 조치들은 로마냐 지방에 질서를 회복시켰고, 그 지역을 통일시켰으며, 또한 평화롭고 충성스러운 지역으로 만들었습니다.
잔인한 통치로 성공한 사례
이탈리아의 중동부에 위치한 지역
보르자의 행동을 잘 생각해 보면, 잔인하다는 평판을 듣는 것을 피하려고 피스토이아가 사분오열되도록 방치한 ㉡ 피렌체인들과 비교해 볼 때, 그가 훨씬 더 자비롭다고 판단할 수 있을 것입니다.
여러 갈래로 갈기갈기 찢어짐.
이탈리아 중부의 토스카나 지방의 도시
자비로운 통치가 실패한 사례
과정은 잔인했지만, 결과는 자비로운 것이었다.
따라서 현명한 군주는 자신의 신민들의 결속과 충성을 유지할 수 있다면, 잔인하다는 비난을 받는 것을 걱정해서는 안 됩니다. 왜냐하면 지나친 자비로움으로 무질서를 방치해서 많은 사람이 죽거나 약탈당하게 하는 군주보다, 소수의 몇몇을 시범적으로 처벌함으로써 기강을 바로잡는 군주가 실제로는 훨씬 더 자비로운 셈이 될 것이기 때문입니다.
자비로운 통치로 잔인한 결과를 초래한 군주
잔인한 통치로 자비로운 결과를 가져온 군주

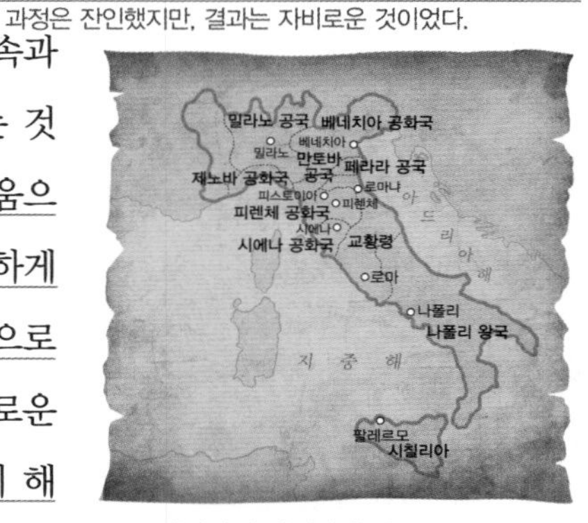

▲ 15세기경의 이탈리아 반도

전자는 공동체 전체에 해를 끼치지만, 군주가 명령한 처형은 단지 특정 개인들만을 해치는 것에 불과합니다. 그리고 신생 국가는 위험으로 가득 차 있기 때문에, 군주 중에서도 특히 신생 군주는 잔인하다는 평판을 피할 수가 없습니다. 베르길리우스는 디도의 입을 빌려서 다음과 같이 말하였습니다.
대의를 위해서는 소수의 희생이 불가피함.
사회가 매우 불안하기 때문에

"상황은 가혹하고 내 왕국은 신생 왕국이어서 나는 그런 조치를 취했고 국경의 구석구석을 방어했노라."
잔인하다고 여길 만한 강력한 통치

➜ **군주는 잔인하다는 평판을 피하려 해서는 안 됨.**

> 서론: 군주는 잔인하다는 평판을 피하려 해서는 안 됨.

본론 1 ㉯ 그렇지만 군주는 참소를 믿고 사람들에게 적대적인 행동을 취할 때는 신중해야 합니다. 그렇다고 지나치게 우유부단해서는 안 됩니다. 군주는 적절하게 신중하고 자애롭게 행동해야 하며, 지나친 자신감으로 인해서 경솔하게 처신하거나 의심이 많아 주위 사람들이 견디기 어려워하는 일이 없도록 해야 합니다.
바람직한 군주의 자세 ①
바람직한 군주의 자세 ②
바람직한 군주의 자세 ③
그런데 사랑을 느끼게 하는 것과 두려움을 느끼게 하는 것 중에서 어느 편이 더 나은가에 대해서는 논쟁이 있습니다. 제 견해는 사랑을 느끼게 하는 동시에 두려움도 느끼게 하는 것이 바람직하다는 것입니다. 그러나 동시에 둘 다 얻기는 어려우므로 굳이 둘 중에서 어느 하나를 포기해야 한다면, 저는 사랑을 느끼게 하는 것보다는 두려움을 느끼게 하는 것이 훨씬 더 안전하다고 생각합니다.
최선의 방법
차선의 방법

➜ **바람직한 군주의 자세와 사랑보다 두려움을 느끼게 하는 통치 방법이 더 안전함.**

어휘 풀이

체사레 보르자(1475~1507): 르네상스 시대 이탈리아의 전제 군주. 권모(權謀)와 냉혹한 수단으로 이탈리아 통일을 꾀하였으나 실패하였다. 마키아벨리의 『군주론』에서 이상적인 전제 군주로 묘사되었음.

신민(臣民): 군주국에서 관원과 백성을 아울러 이르는 말.

베르길리우스(기원전 70~기원전 19): 고대 로마의 시인. 로마의 건국과 사명을 노래한 민족 서사시 「아이네이스」를 썼음.

디도: 그리스 신화에 나오는 페니키아의 여왕.

참소(讒訴/譖訴): 남을 헐뜯어서 죄가 있는 것처럼 꾸며 윗사람에게 고하여 바침.

우유부단(優柔不斷): 어물어물 망설이기만 하고 결단성이 없음.

1 필자가 생각하는 바람직한 군주

이상적	인자하게 신민을 통치하는 군주
현실적	잔인하게 신민을 통치하는 군주

⬇ 필자의 주장

군주는 자비로운 통치보다 잔인한 통치를 해야 함.

2 필자가 주장의 타당성을 뒷받침하기 위해 활용한 방법

예시	잔인한 통치 방식으로 로마냐 지방의 질서를 회복한 체사레 보르자를 사례로 제시함.
대조	잔인한 통치를 한 체사레 보르자와 잔인하다는 평판을 피하려고 한 피렌체인들을 대조함. → 잔인한 통치와 자비로운 통치의 결과 대비
인용	신생 군주의 자세를 언급한 베르길리우스의 말을 인용함. → 신생 군주는 잔인해야 한다는 필자의 주장을 강조함.

3 필자가 생각하는 군주가 지켜야 할 자세

- 적대적인 행동을 취할 때는 신중해야 함.
- 자애롭게 행동해야 함.
- 지나치게 우유부단해서도 안 됨.
- 지나친 자신감으로 경솔하게 처신해서는 안 됨.
- 의심이 많아 주위 사람들을 견디기 어렵게 해서는 안 됨.

4 필자가 생각하는 올바른 군주의 모습

최선	백성들에게 사랑과 두려움을 동시에 느끼게 하는 군주
차선	백성들이 사랑을 느끼는 것보다 두려움을 느끼는 군주

보충 자료 마키아벨리의 「군주론」과 정치 이론

마키아벨리의 「군주론」은 1512년에 집필되었고, 출판은 그의 사후(死後)에 이루어졌다. 마키아벨리의 정치 이론은 냉혹하다는 사실에 기초한다. 마키아벨리는 '정치란 도덕과 아무런 상관이 없다'고 주장한다. 훌륭한 지배자는 나쁜 인간으로 행동할 수 있어야 한다는 것이다. 정치적 사고에서 마키아벨리가 가져온 혁명은, 국가는 평화와 안전 그리고 번영을 보증하기 위하여 강력한 지배자를 요구한다는 잠언에 기초한다.

정답 및 해설 22쪽

확인 문제 ①

1. 〈보기〉에서 이 글에 사용된 서술 방식을 모두 고르면?

〈보기〉
ⓐ 대조를 통해 주장을 강조하고 있다.
ⓑ 예시를 통해 독자의 이해를 돕고 있다.
ⓒ 권위자의 말을 인용하여 주장을 뒷받침하고 있다.
ⓓ 구체적인 대상에 비유하여 자신의 생각을 부각시키고 있다.

① ⓐ, ⓑ ② ⓐ, ⓓ ③ ⓐ ,ⓑ, ⓒ
④ ⓑ, ⓒ ⑤ ⓑ, ⓒ, ⓓ

학습 활동 응용

2. 필자가 생각한 군주가 보여야 할 자세로 적절하지 않은 것은?
① 자애롭게 행동해야 한다.
② 경솔하게 처신해서는 안 된다.
③ 적절하게 신중할 수 있어야 한다.
④ 우유부단한 태도를 보여서는 안 된다.
⑤ 자신감 있는 모습을 내비쳐서는 안 된다.

학습 활동 응용

3. ㉠, ㉡에 대한 설명으로 적절하지 않은 것은?
① 필자는 ㉠을 긍정적으로 평가하고 있다.
② 필자는 ㉡의 통치에 대해 비판적 태도를 보이고 있다.
③ 결과적으로 볼 때 자비로운 것은 ㉡이 아니라 ㉠이라 할 수 있다.
④ ㉡과 달리 ㉠은 공동체 전체에 이익이 되는 행동을 하였다고 할 수 있다.
⑤ ㉠, ㉡ 모두 자비로운 통치 방식을 사용하였지만 ㉡만이 실패하였다고 할 수 있다.

서술형

4. 이 글을 통해 필자가 생각하는 최선의 통치 방법과 차선의 통치 방법을 쓰시오.

〈조건〉
- 두 가지 모두 주어는 '군주는'으로, 서술어는 '해야 한다'로 할 것
- 두 가지 모두 통치의 대상을 제시할 것

(1) 최선의 통치 방법: ____________________
(2) 차선의 통치 방법: ____________________

교과서 날개 질문
인간의 본성을 바라보는 필자의 관점을 자신의 관점과 비교하며 읽어 보자.

| 예시 답 | 필자는 '인간이란 은혜를 모르고 변덕스러우며 위선적인 데다 기만에 능하며 위험을 피하려 하고 이익에 눈이 어둡습니다.'라고 생각한다. 하지만 인간은 바른 일을 행하려 하며 위대하고 가치 있는 일에는 스스로 복종하며 높은 가치를 위해 스스로 희생하는 마음이 있다. 필자의 견해는 인간의 나약함과 어리석음을 지나치게 강조한 견해라고 생각된다.

다 이것은 ㉠ 인간(신민) 일반에 대해서 말해 줍니다. 즉, 인간이란 은혜를 모르고 변덕스러우며 위선적인 데다 기만에 능하며 위험을 피하려 하고 이익에 눈이 어둡습니다(인간의 본성에 대한 부정적인 견해를 지니고 있는 필자). 당신이 은혜를 베푸는 동안에는 사람들 모두 당신에게 온갖 충성을 바칩니다. 이미 말한 것처럼, ㉡ 당신에게 막상 그럴 필요가 별로 없을 때, 사람들은 당신을 위해서 피를 흘리고, 자신의 소유물, 생명, 그리고 자식마저도 바칠 것처럼 행동합니다(교언영색(巧言令色)의 태도). 그렇지만 당신이 정작 그러한 것들을 필요로 할 때면, 그들은 등을 돌립니다. 따라서 전적으로 그들의 약속을 믿고 다른 대책을 소홀히 한 군주는 몰락을 자초할 뿐입니다. 위대하고 고상한 정신을 통하지 않고 물질적 대가를 주고 얻은 우정은 유지될 수 없으며, 정작 필요할 때 사용될 수 없습니다(물질적 이익이 없으면 유지되지 못함.). 인간은 두려움을 불러일으키는 자보다 사랑을 베푸는 자를 해칠 때에 덜 주저합니다. 왜냐하면 사랑이란 일종의 감사 관계에 의해서 유지되는데(사랑의 속성), 인간은 악하므로 자신의 이익을 취할 기회가 생기면 언제나 그 감사의 상호 관계를 팽개쳐 버리기 때문입니다(사랑하는 사람을 배반함.). 그러나 두려움은 항상 효과적인 처벌에 대한 공포로써 유지되며, 실패하는 경우가 결코 없습니다.

→ 사랑보다 공포의 통치를 해야 하는 이유

순자의 인간 본성에 대한 인식
순자는 욕망의 불가피성을 인정하면서, 그것이 인간의 본성에서 우러나오는 것이라고 하였다. 인간은 태생적으로 이기적이고 질투와 시기가 심하며 눈과 귀의 욕망에 사로잡혀 있을 뿐만 아니라 만족할 줄도 모른다는 것이다. 또한 개인에게 내재된 도덕적 판단 능력만으로는 욕망을 완전히 제어하기 힘들다고 보았다. 더군다나 이기적 욕망을 그대로 두면 한정된 재화를 두고 인간들끼리 서로 다투어 세상을 어지럽히게 되므로, 왕이 '예(禮)'를 정하여 백성들의 욕망을 조절해야 한다고 생각하였다.

라 그럼에도 현명한 군주는 자신을 두려운 존재로 만들되(공포를 느끼게 만들되), 비록 사랑을 받지는 못하더라도 미움을 받는 일은 피해야 합니다(공포 정치를 할 때 유의점). 미움을 받지 않으면서도 두려움을 느끼게 하는 것은 얼마든지 가능하기 때문입니다. 그리고 이는 군주가 신민들의 재산과 그들의 부녀자들에게 손을 대는 일을 삼가면(군주가 신민들에게 미움을 받지 않는 방법) 항상 성취할 수 있습니다. 만약 누군가의 처형이 필요하더라도, 적절한 명분과 명백한 이유가 있을 때로 국한해야 합니다(신민을 처벌할 때의 조건). 그러나 무엇보다도 군주는 타인의 재산에 손을 대어서는 안 됩니다. 왜냐하면 인간이란 어버이의 죽음은 쉽게 잊어도 재산의 상실은 좀처럼 잊지 못하기 때문입니다(도리보다 이익을 중시하는 인간의 속성). 게다가 재산을 몰수할 명분은 항상 있게 마련입니다. 약탈을 일삼으며 살아가는 군주는 항상 타인의 재산을 빼앗을 핑계를 발견할 수 있습니다. 반면에 목숨을 빼앗을 이유나 핑계는 훨씬 더 드물고, 또 쉽게 사라져 버립니다.

→ 군주는 신민들에게 미움을 받아서는 안 됨.

> **본론 1:** 바람직한 군주의 자세와 두려움과 공포에 의한 정치를 해야 하는 이유

어휘 풀이
기만(欺瞞): 남을 속여 넘김.
자초(自招): 어떤 결과를 자기가 생기게 함. 또는 제 스스로 끌어들임.
명분(名分): 일을 꾀할 때 내세우는 구실이나 이유 따위.

정답 및 해설 22쪽

1 필자의 '인간'에 대한 인식

- 은혜를 모르고 변덕스러우며 위선적임.
- 기만에 능하며 위험을 피하려 하고 이익에 눈이 어두움.

⬇ 인식

본성적으로 악한 존재임. → 부정적

2 필자가 '사랑'보다 '두려움'을 택한 이유

사랑	일종의 감사 관계에 의해서 유지됨.

⬇

신민들은 군주의 사랑에 대한 감사보다 자신의 이익을 더 중시함. → 감사의 상호 관계를 팽개침.

⬇

두려움	• 효과적인 처벌에 대한 공포로써 유지됨. • 실패하는 경우가 결코 없음.

3 '두려움'의 통치를 할 때의 군주의 유의점

신민들에게 미움을 받지 않아야 함.

⬇

- 신민들의 재산과 그의 부녀자들에게 손을 대서는 안 됨.
- 신민들을 처형을 할 때에도 적절한 명분과 이유가 있을 때로 국한해야 함.

보충 자료 군주가 신민들의 경멸과 미움을 피하는 법

군주가 경멸을 받는 것은 변덕이 심하고 경박하며, 여성적이고 소심하며, 우유부단한 인물로 생각되는 경우입니다. 군주는 마치 암초를 피하듯이 경멸 받는 것을 피해야 합니다. 그는 자신의 행동에서 위엄, 용기, 진지함, 강건함을 과시해야 하며, 신민들과의 사사로운 관계에서 그가 내린 결정을 번복하는 일이 없도록 해야 합니다. 그는 이러한 평판을 유지함으로써 어느 누구도 그에게 거짓말을 하거나 그를 기만하려고 술책을 꾸밀 엄두를 못 내게 해야 합니다.

– 마키아벨리, 『군주론』

학습 활동 응용

1. 이 글의 필자가 생각하는 현명한 군주로 적절하지 않은 것은?

① 신민들에게 미움을 받는 일은 피해야 한다.
② 신민들의 재산에 손을 대는 것을 삼가야 한다.
③ 신민에게 자신을 두려운 존재로 만들어야 한다.
④ 신민들의 부녀자에게 손을 대는 것은 금해야 한다.
⑤ 신민을 처형할 때는 이유를 불문하고 단호해야 한다.

2. ㉠에 대한 필자의 생각으로 적절한 것을 〈보기〉에서 골라 바르게 묶은 것은?

〈보기〉
ⓐ 인간은 위선적이며 기만에 능하다.
ⓑ 인간은 자신의 이익에 따라 행동한다.
ⓒ 인간은 우정을 위해 기꺼이 자신을 희생한다.
ⓓ 인간은 위대하고 고상한 정신을 실현하려 한다.

① ⓐ, ⓑ ② ⓐ, ⓒ ③ ⓑ, ⓒ
④ ⓑ, ⓓ ⑤ ⓒ, ⓓ

3. ㉡의 내용과 관계 깊은 한자 성어는?

① 과유불급(過猶不及)
② 경거망동(輕擧妄動)
③ 교언영색(巧言令色)
④ 절치부심(切齒腐心)
⑤ 자강불식(自强不息)

4. 이 글의 독자가 누구인지 알 수 있는 말을 찾고, 구체적으로 누구인지 3어절로 쓰시오.

서술형

5. 이 글의 필자가 생각하는 '사랑'과 '두려움'의 속성은 무엇인지 쓰시오.

〈조건〉
- 한 문장으로 서술할 것
- 서술할 때, 사랑과 두려움을 대조하여 제시할 것

교과서 날개 질문
필자는 한니발이 보여 준 지도력의 비결이 무엇이라고 보았는지 말해 보자.

| 예시 답 | 그의 비인간적인 잔인함이 부하들이 그를 항상 존경하고 두려워하도록 만들었다.

▲ 카르타고의 장군 '한니발'

어휘 풀이

한니발(기원전 247~기원전 183): 기원전 218년 제2차 포에니 전쟁을 일으키고, 이탈리아에 침입하여 로마군을 격파하였다. 그 후 자마 전투에서 로마군에게 패한 뒤 소아시아에서 자살하였음.

이역(異域): 다른 나라의 땅.

스키피오(기원전 236~기원전 184): 고대 로마의 장군 · 정치가. 제2차 포에니 전쟁에서 한니발을 격파하여 전쟁을 종결시켰음.

기율(紀律): 도덕상으로 여러 사람에게 행위의 표준이 될 만한 질서.

파비우스 막시무스(기원전 275?~기원전 203?): 고대 로마의 장군 · 정치가. 제2차 포에니 전쟁 기간 중 독재관과 집정관을 맡아서 한니발의 군대를 맞아 정면 대결은 피하면서 끈질기게 한니발의 뒤를 추격하는 지구 전술을 구사한 것으로 유명함.

원로원(元老院): 고대 로마 공화정 시대의 입법 · 자문 기관. 실질적인 지배 기관으로 내정(內政)과 외교를 지도하였음.

본론 2 **마** 그러나 군주는 자신의 군대를 통솔하고 많은 병력을 지휘할 때, 잔인하다는 평판쯤은 개의치 말아야 합니다.(군주가 군대를 통솔하는 방법) 왜냐하면 군대란 그 지도자가 거칠다고 생각되지 않으면 군대의 단결을 유지하거나 군사 작전에 적합하게 만반의 태세를 갖추지 못하기 때문입니다.(군대의 속성) ⓐ한니발의 활약에 관한 설명 중 특히 주목할 만한 사실은, 그가 비록 수많은 종족이 뒤섞인 대군을 거느리고 이역에서 싸웠지만,(잔인한 군대 통솔로 성공한 사례) 상황이 유리하든 불리하든 상관없이, 군 내부에서 또 그들의 지도자에 대해서 어떠한 분란도 일어나지 않았다는 것입니다.(강력한 군대 통솔의 결과) 이 사실은 그의 많은 다른 훌륭한 역량과 더불어, 부하들이 그를 항상 존경하고 두려워하도록 만든 그의 비인간적인 잔인함에 의해서만 설명될 수 있습니다.(한니발이 큰 성과를 거둘 수 있었던 이유) 그리고 그가 그토록 잔인하지 않았더라면, 그의 다른 역량 역시 그러한 성과를 거두는 데에 충분하지 않았을 것입니다.(그의 잔인성이 뒷받침된 결과임.) 분별없는 저술가들은 이러한 성공적인 행동을 찬양하면서도 그 성공의 주된 이유를(잔인함.) 비난하는 어리석음을 범하고 있습니다.

➜ 군주가 자신의 군대를 통솔하는 방법 – 잔인함.

바 한니발의 다른 역량들로는 충분하지 못했을 것이라는 저의 논점은 ⓑ스키피오가 겪은 사태에서 입증됩니다.(잔인하지 않은 군대 통솔로 실패한 사례) 그는 당대는 물론 후대에도 매우 훌륭한 인물로 평가받았지만, 그의 군대는 에스파냐에서 그에게 반란을 일으켰습니다. 이는 바로 그가 지나치게 자비로워서 적절한 군사적 기율을 유지하는 데에 필요한 것보다도 더 많은 자유를 병사들에게 허용했기 때문이었습니다.(스키피오의 군대가 반란을 일으킨 이유) 이로 인해서 파비우스 막시무스는 원로원에서 그를 탄핵하면서 로마 군대를 부패시킨 장본인이라고 비난했습니다. 그리고 『스키피오가 임명한 지방 장관이 로크리 지방을(이탈리아 남부에 위치함.) 약탈했을 때, 스키피오는 그 주민들의 원성을 들어주지 않았으며, 또한 오만한 성품을 가진 그 지방 장관을 처벌하지도 않았습니다.』(『 』: 스키피오의 잘못된 통치 사례 – 잘못에 대해 제대로 처벌하지 않음.) 이 모든 것은 스키피오의 과도한 자비로움 때문입니다. 실제로 원로원에서 그를 사면하자고 발언한 인물은, 타인의 비행을 처벌하기보다는(잔인하게 통치하는 군주) 스스로 그러한 비행을 저지르지 않는 데에 탁월한 사람들이(자애롭게 통치하는 군주) 있는데, 스키피오가 바로 그런 유형의 인물이라고 변호했습니다. 이러한 그의 군대 지휘 방식이 견제받지 않고 방임되었더라면,(제멋대로 내버려 둠.) 그 자신의 성격으로(지나치게 자애로운 성격) 인해서 스키피오의 명성과 영광은 빛이 바랬을 것입니다. 그러나 그는 원로원의 통제하에 있었기 때문에 이처럼 유해한 성품이 적절히 억제되었을 뿐 아니라 나아가 그의 명성에 기여했습니다.(원로원과 같은 공화제를 동경하는 필자의 가치관이 드러남.)

➜ 자애로운 통치가 실패한 사례

본론 2: 카르타고의 장군 한니발의 군대 통솔과 로마의 장군 스키피오의 군대 통솔의 사례

결론 **사** 두려움을 느끼게 하는 것과 사랑을 느끼게 하는 것의 문제로 되돌아가서, 저는 인간이란 자신의 선택 여하에 따라서 사랑을 하지만 군주의 행위 여하에 따라서 군주에게 두려움을 느끼기 때문에,(사랑은 스스로 선택하는 것이지만 두려움은 군주의 행동에 의해 결정되는 것임.) 현명한 군주라면 타인의 선택보다는 자신의 선택에 더 의존해야 한다고(신민들의 선택(사랑)보다는 군주 스스로의 선택(두려움)이 중요함.) 결론을 내리겠습니다. 다만 앞에서도 말한 것처럼 미움을 받는 일만은 피하도록 해야겠습니다.

➜ 군주는 자애롭기보다는 잔인한 통치를 해야 함.

결론: 군주는 자애롭기보다는 잔인한 통치를 해야 함.

정답 및 해설 23쪽

1 군주가 군대를 통솔하는 것에 대한 필자의 인식

잔인하다는 평판은 개의치 말아야 함.

⬇ 사례

한니발	비인간적인 잔인함으로 군대를 통솔함. → 군 내부에서 어떠한 분란도 일어나지 않음(바람직한 결과).
	↕
스키피오	지나치게 자비롭게 군대를 통솔함. → 군대가 그에게 반란을 일으키고, 원로원으로부터 탄핵 받을 위기에 처하기도 함(부정적인 결과).

2 한니발에 대한 평가

분별없는 저술가의 평가	• 한니발의 성과에 대해서는 예찬함. • 한니발의 비인간적인 잔인한 통치에 대해서는 비난함.
	⬇
이에 대한 필자의 평가	• 한나발의 잔인한 통치를 비난한 저술가의 견해는 어리석은 평가에 해당함. → 한니발의 잔인한 통치 방식도 찬양 받아야 한다는 의도가 담김.

3 이 글에서 필자의 결론

인간	• 자신의 선택 여하에 따라 사랑을 함. • 군주의 행위 여하에 따라 군주에게 두려움을 느낌.
	⬇
군주	• 타인(신민)의 선택보다는 자신(군주)의 선택에 더 의존해야 함. – 미움을 받는 일은 피해야 함.

4 「군주론」에 나타난 지도력

군주의 지도력
• 군주는 잔인하다는 평판을 두려워해서는 안 됨. • 군주는 신민들에게 자신을 두렵게 여기게 하되, 미움을 받아서는 안 됨. • 신민들의 재산에 손을 대어서는 안 됨. • 군주가 자신의 군대를 통솔할 때에는 잔인할 필요가 있음.

1. 이 글의 내용을 바탕으로 이끌어 내기에 적절하지 않은 것은?

① 잔인하게 군대를 통솔하지 않으면 문제가 발생할 수 있다.
② 원로원은 군대의 수장을 통제할 수 있는 권한을 지니고 있었다.
③ 군주의 행위가 어떠하느냐에 따라 신민들의 태도는 달라질 수 있다.
④ 한니발이 군을 통솔할 때 군 내부에서 그에 반대하는 움직임은 거의 없었다.
⑤ 역사 저술가들 중 일부는 한니발의 성공적인 행동을 부정적으로 평가하면서도 긍정적인 측면을 지적하였다.

학습 활동 응용

2. 이 글의 내용으로 볼 때, 필자가 생각하는 올바른 군주의 모습은?

① 신민을 이끌어 나가기 위해서는 누구보다 솔선수범해야 한다.
② 신민이 두려움을 느끼게 하면서도 미움을 받지는 말아야 한다.
③ 신민은 이기적인 존재이므로 그들을 교화할 수 있도록 해야 한다.
④ 신민이 선택하는 것에 의존하여 그 선택을 실현시킬 수 있어야 한다.
⑤ 신민이 두려운 존재임을 인식하여 그들에게 배척당하지 않도록 노력해야 한다.

3. ⓐ와 ⓑ에 대한 설명으로 적절하지 않은 것은?

① ⓐ와 ⓑ 모두 군대를 통솔하였다는 공통점이 있다.
② ⓐ와 달리 ⓑ는 군대의 병사들에게 많은 자율을 허용하였다.
③ ⓐ와 달리 ⓑ는 군대의 반란으로 인해 당대에 명성을 얻지 못했다.
④ ⓑ와 달리 ⓐ는 비인간적 잔인함으로 군대를 통솔하였다.
⑤ ⓑ와 달리 ⓐ는 부하들에게 있어서 두려움의 대상이었다.

서술형

4. 이 글의 내용으로 보아 ⓐ, ⓑ는 각각 '어떤 군주'를 의미하는지 쓰시오.

〈조건〉
• ⓐ와 ⓑ의 통치 방식을 바탕으로 서술할 것
• 한 문장으로 제시하되, ⓐ와 ⓑ를 대조하여 쓸 것

교과서 102~104쪽

목민심서

주장 가 형벌은 백성을 바르게 하는 일에 있어서 최후 수단이다. 수령이 자신을 단속하고 법을 받들어 엄정하게 임하면 백성이 죄를 범하지 않을 것이니, 그렇다면 형벌은 쓰지 않아도 좋을 것이다.

가장 낮은 수준의 방법 / 백성을 다스리는 방법 ① / 백성을 다스리는 방법 ② / 핵심 주장

➔ 형벌을 없애야 함.

주장: 형벌을 없애야 함.

예증 나 한 국가를 다스리는 것이 한 가정을 다스리는 것과 마찬가지인데, 하물며 한 고을에 있어서랴. 그렇다면 어찌 가정 다스리는 것을 살펴보지 않겠는가? 예를 들어 보자. 『가장이 날마다 꾸짖고 성내어 자제를 매질하고 종아리 치며, 노비를 묶어 놓고 두드린다. 돈 1전을 훔치고 국 한 그릇을 엎질러도 용서하지 않으며, 심하면 쇠망치로 어깨를 치고 다듬잇방망이로 볼기를 친다.』 그러나 『자제들의 눈속임은 더욱 심하고 노비들의 도둑질도 더욱 늘어 간다. 온 집안이 모여 비방하며 오직 잡힐까 겁내어 상하가 서로 농간질하면서 가장을 속인다. 불쌍하게도 이 가장은 그만 외톨이가 되고, 가도(家道) 또한 어그러져 크게 어지러운 지경에/ 이르러 마침내 법도(法度) 있는 집안의 꼴을 이루지 못하고 만다.』

집안을 다스리는 일과 같다. / 남을 높여 그 집안의 젊은이를 이르는 말 / 『 』: 억압적으로 집안을 다스리는 어른의 사례 / 『 』: 억압적으로 집안을 다스렸을 때의 결과 / 남을 속이거나 남의 일을 그르치게 하려는 간사한 꾀를 부림.

➔ 억압적으로 집안을 다스린 결과

다 그런데 여기에 다른 한 가장이 있다. 『그는 새벽에 일어나 세수를 마치고 의관을 정제한 다음 엄숙하고 단정히 앉아서 아침 문안을 받은 후, 그날의 할 일을 분담시켜 각자 처리하게 한다. 제대로 못하는 일이 있으면 순순히 잘 가르쳐서 깨닫게 하고, 수치가 될 만한 일이 있으면 숨겨서 드러내지 않다가 한가히 있을 때 하나씩 불러서 차근차근 경고하고 꾸짖는다.』 『가장이 부지런함으로 솔선하니 여러 사람들이 부지런하지 않을 수 없고, 가장이 검소함으로 솔선하니 여러 사람들이 검소하지 않을 수 없다. 가장이 공손함으로 솔선하고 청렴함으로 솔선하여 표준이 이미 바르니, 다른 사람들이 순종하지 않을 수 없다. 자제들은 모두 예쁘면서도 스스로 삼가며, 노복들은 순박하고 선량하기 그지없다. 그리하여 속이는 것이 어떻게 하는 일인지 알지 못하고, 도둑질은 어떻게 하는 짓인지도 알지 못한다. 1년이 지나도록 마당에 매질하는 소리가 없고 화목한 분위기가 문에 가득하여, 그 집에 들어가는 자는 마치 봄바람이 스치는 기분을 느끼게 된다. 거문고와 비파, 서책이 맑고 아름답지 않은 것이 없고 화초나 가축들이 모두 살지고 윤택해 보이니, 묻지 않더라도 법도 있는 군자의 집이 여기에 있음을 알 것이다.』

남자가 정식으로 갖추어 입는 옷차림을 이르는 말 / 『 』: 솔선수범하는 태도로 집안을 다스리는 어른의 사례 / 남보다 앞장서서 먼저 함. / 『 』: 솔선수범하는 태도로 집안을 다스릴 때의 결과 / 가도가 세워지니 / 형벌을 없애도 좋을 정도가 됨.

➔ 솔선하여 집안을 다스린 결과

라 이러한 일로 미루어 보건대, 말소리와 얼굴빛은 백성을 교화하는 일에 있어 말단이며, 형벌도 사람을 바로잡는 일에 있어 말단이다. 수령 자신이 바르면 백성도 바르지 않을 수 없고, 수령이 스스로 바르지 않으면

유추 / 맨 끄트머리 / 가르치고 이끌어서 좋은 방향으로 나아가게 함. / 수령이 먼저 백성들의 모범이 되어야 함.

필자 소개

정약용(1762~1836): 조선 후기의 학자. 자는 미용(美鏞), 호는 다산(茶山). 문장과 경학(經學)에 뛰어난 학자로, 유형원과 이익 등의 실학을 집대성하였다. 주요 저서에 『목민심서』, 『흠흠신서』, 『경세유표』 등이 있다.

교과서 날개 질문

이 글에 나오는 두 집안의 자제와 노비들이 서로 다르게 된 원인이 무엇인지 말해 보자.

| 예시 답 | 가장의 태도와 자세의 차이이다.

『목민심서(牧民心書)』: 정약용이 전라도 강진에서 귀양살이를 하다가 유배지에서 풀려 난 해인 1818년(순조 18)에 완성한 것으로, 우리나라와 중국의 역사서를 비롯해 자(子)·집(集) 등에서 치민(治民)과 관련된 자료를 뽑아 수록함으로써 지방 관리들의 폐해를 제거하고 지방 행정을 쇄신하기 위해 지은 것이다.

권두(卷頭)에 목민이 얼마나 어려운 것인가와 목민을 책임진 지방 수령들의 기본 자세가 얼마나 숭엄해야 할 것인가 하는 목민의 뜻을 밝힌 자서(自序: 서문)가 있다. 각 조의 서두에는 수령으로서 지켜야 할 원칙과 규범들을 간단명료하게 지적했고, 그다음에는 설정된 규범들에 대한 상세하고 구체적인 설명과 그것들의 역사적 연원에 대한 분석을 했다. 그리고 그 아래에 고금을 통해 이름 있는 사업과 공적에 대한 자신의 견해를 논평해 첨부했다.

– 『한국 브리태니커 사전』

비록 형벌을 내리더라도 바르지 않게 되는 것이다. 천지가 생긴 이래로 이 이치는 항상 변함이 없었으니, 어찌 잡설(雜說)로써 어지럽힐 수 있겠는가?

대수롭지 않은 여러 가지 잡다한 이야기나 여론 / 사물의 정당한 조리. 또는 도리에 맞는 취지 / 다른 이야기나 말을 할 필요가 없다.

➜ 백성을 다스리기 위한 수령의 바람직한 자세

예증: 집안을 다스리는 잘못된 경우와 바람직한 경우를 예로 들어 백성을 다스리는 수령의 바람직한 자세를 밝힘.

결론 마 정선(鄭瑄)이 말하였다. (인용)

"가시에 손이 찔리고 가시넝쿨에 발이 상하여도 온몸이 아픈데, 형장의 독은 그보다 백 배 더하다. 그런데도 자기감정에 휩쓸려 이것을 함부로 사용해서야 되겠는가? 범이 앞에 있고 함정이 뒤에 있으면 소리를 질러 구원을 요청하는 법이다. 옥리의 농간으로 생긴 고통이 이와 무엇이 다르겠는가? 무고한 백성들이 형벌을 받도록 해서는 안 될 것이다."

더 아픈 것이니 / 어려움에 처하면

➜ 무고한 백성에게 형벌을 가해서는 안 됨.

결론: 수령은 무고한 백성에게 형벌을 가해서는 안 됨.

어휘 풀이

가장(家長): 한 가정을 이끌어 나가는 사람.

가도: 집안에서 마땅히 지켜야 할 도덕적 규범.

수치(羞恥): 다른 사람들을 볼 낯이 없거나 스스로 떳떳하지 못함. 또는 그런 일.

정선(鄭瑄): 명나라 관료이자 학자. 목민관이 꼭 읽어야 할 지침서로 『작비암일찬(昨非庵日纂)』이라는 책을 저술하였음.

형장(刑杖): 예전에, 죄인을 심문할 때 쓰던 몽둥이.

옥리(獄吏): 형벌에 관한 일을 심리하던 벼슬아치.

농간(弄奸): 남을 속이거나 남의 일을 그르치게 하려는 간사한 꾀.

핵심 쏙쏙

1 필자가 생각하는 바람직한 수령

말단의 방법	• 말소리와 얼굴빛으로 백성을 교화하는 것 • 형벌로써 백성을 바르게 하는 것
최선의 자세	수령 자신이 바르게 하여 백성에게 모범을 보임.
⬇	
주장	수령은 솔선수범하면서 과도한 형벌을 줄여야 함.

2 필자가 자신의 주장을 드러내기 위해 사용한 방법

예증(유추)	한 국가를 다스리는 것을 가정에 비유하여 제시함. • 바람직하지 못한 가장: 집안 사람들을 억압적으로 다스림. • 바람직한 가장: 공손함과 청렴함으로 솔선수범하여 다스림.
인용	유명한 학자인 정선의 말을 인용하여 결론을 대신하여 주장을 강조하면서 권위를 부여함.

3 「목민심서」에 나타난 지도력

수령의 지도력
• 수령은 백성들에게 모범을 보여야 함. • 수령은 백성들에게 함부로 형벌을 가해서는 안 됨. • 수령은 백성들을 사랑으로 다스려야 함. • 수령은 잘못을 저지른 백성들을 교화하기 위해 노력해야 함.

정답 및 해설 24쪽

확인 문제④

1. 이 글에 대한 설명으로 가장 적절한 것은?

① 인물의 말을 인용하여 특정 견해를 반박하고 있다.
② 구체적인 사례를 제시하여 주장의 타당성을 밝히고 있다.
③ 자신의 주장을 뒷받침하는 근거를 항목화하여 나열하고 있다.
④ 묻고 답하는 방식으로 다루어야 할 핵심 내용을 제시하고 있다.
⑤ 대립되는 의견을 분석한 뒤에 필자 자신의 입장을 밝히고 있다.

2. 다음은 이 글에서 비유한 내용을 정리한 것이다. 적절하지 않은 것은?

	나라(고을)	집
①	수령의 올바른 태도	검소함으로 솔선수범함.
②	백성이 바르게 됨.	노복이 순박하고 선량함.
③	백성을 형벌로 다룸.	날마다 꾸짖고 성내어 자제를 매질함.
④	백성을 교화시킴.	한가히 있을 때 차근차근 경고하고 꾸짖음.
⑤	법을 받들어 엄정히 임함.	국 한 그릇을 엎질러도 용서하지 않음.

서술형 학습 활동 응용

3. 이 글을 바탕으로 수령이 갖추어야 할 덕목은 무엇인지 쓰시오.

〈조건〉
• 수령이 지녀야 할 태도와 형벌을 사용할 때의 태도가 드러나게 할 것
• 한 문장으로 쓰되, '안 된다'로 끝맺을 것

학습 활동

교과서 105~107쪽

깊게 읽기

1. **「군주론」과 「목민심서」를 주제 통합적으로 읽는 활동을 해 보자.**

(1) 두 글에서 지도력과 관련된 부분을 찾아 그 내용을 정리해 보자.

	「군주론」	「목민심서」
'지도력' 관련 부분	• 군주는 잔인하다는 평판을 두려워해서는 안 됨. • 군주는 신민들에게 자신을 두렵게 여기게 하되, 미움을 받아서는 안 됨. • 신민들의 재산에 손을 대어서는 안 됨. • 군주가 자신의 군대를 통솔할 때에는 잔인할 필요가 있음.	• 수령은 백성들에게 모범을 보여야 함. • 수령은 백성들에게 함부로 형벌을 가해서는 안 됨. • 수령은 백성들을 사랑으로 다스려야 함. • 수령은 잘못을 저지른 백성들을 교화하기 위해 노력해야 함.

활동 도움말

'지도력'이란 지도자로서 갖추어야 할 자질이나 무리를 통솔할 수 있는 능력, 사람들에게 존경과 신뢰를 얻는 능력 등을 가리킨다.

(2) 두 글에서 사용된 용어들의 의미가 유사한 것끼리 비교하여 정리해 보자.

「군주론」	「목민심서」
군주	수령
신민	백성
처벌	형벌
기강	가도, 법도
사랑	공손
두려움	말소리와 얼굴빛

› 기강(紀綱): 규율과 법도를 아울러 이르는 말

보충 자료 **「목민심서」에서 나라(고을)를 집안에 비유한 내용**

나라(고을)	집안
형벌로 통치함.	날마다 화를 냄.
수령의 바른 태도	어른이 엄숙하고 단정함.
백성을 교화함.	훈계함.
백성이 바르게 됨.	노복이 순박하고 선량함.

2. 『군주론』과 『목민심서』에 나타난 필자의 주장을 정리해 보자.

| 도움말 | 두 글의 주장을 각각 자신의 말로 정리해 봄으로써, 쟁점을 분명하게 드러낼 수 있다.

(1) 『군주론』에 제시된 현명한 군주의 덕목을 다음과 같이 정리할 때, 빈칸에 알맞은 말을 써넣어 보자.

군주는 신민들에게 사랑과 두려움을 모두 느끼게 하는 것이 바람직하다. 그러나 둘 다 얻기 어렵다면 (사랑)보다는 (두려움)을 느끼게 하는 것이 낫다. 그러나 (미움)을 받는 일은 피해야 한다.

(2) 『목민심서』에 제시된, 수령이 갖추어야 할 덕목을 한 문장으로 정리해 써 보자.

| 예시 답 | 수령은 백성들에게 모범을 보이고, 백성들에게 함부로 형벌을 가해서는 안 된다.

3. 두 글의 관점을 비교하여 생각해 보자.

활동 도움말

필자의 관점은 직접 서술되어 있을 수도 있고, 글 속에 전제되어 있을 수도 있다.

(1) 『군주론』과 『목민심서』의 주장이 서로 다른 이유를, 필자가 백성을 바라보는 관점을 중심으로 비교하여 정리해 보자.

	『군주론』	『목민심서』
백성을 바라보는 관점	필자는 백성(신민)의 본성은 이기적이므로 군주는 백성을 믿어서는 안 된다고 여기고 있다.	필자는 백성은 무지한 아이와 같으므로 수령이 모범을 보이면 백성들은 그 행동을 본받을 것이라고 여기고 있다.

(2) 두 글의 주장 중 자신은 어느 쪽의 주장을 더 지지하는지 근거를 들어 말해 보자.

| 예시 답 |

- 『군주론』의 주장을 지지하는 의견: 백성(신민)들의 본성이 이기적이라고 하는 데 전적으로 찬성한다. 자신의 이익을 포기하면서까지 신의를 지키려는 사람은 흔치 않다. 그런데 대부분의 사람들이 자신의 이익을 추구하지만, 모두가 이익을 얻을 수는 없다. 따라서 군주는 어차피 백성(신민)의 전폭적인 사랑을 얻기는 어려우며, 어정쩡한 자비는 오히려 백성(신민)들에게 무시를 당하기 쉽다. 그리고 군주가 통치를 하려면 무엇보다 권위가 서야 한다고 생각한다. 그러려면 사랑보다는 두려움을 택하는 것이 현명하다고 본다.
- 『목민심서』의 주장을 지지하는 의견: 백성들이 무지한 아이와 같지는 않겠지만, 통치자가 모범을 보인다면 백성은 그런 모습에서 영향을 받는다는 주장에는 공감한다. '노블레스 오블리주'라는 말이 있다. 사회 지도층은 그 신분에 상응하는 사회적 책임을 져야 한다는 말인데, 사회 지도층이 노블레스 오블리주를 실천한다면 일반 백성들도 이들을 따라 국가에 대한 책임을 다하기 위해 노력할 것이다.

넓혀 읽기

4. 다음 글을 읽고 아래 활동을 해 보자.

제재 연구	
이관응, 『서번트 리더십의 비밀』	
갈래	실용문
성격	설명적, 비유적
제재	서번트 리더십
주제	위대한 지도자가 되기 위해서는 다른 사람을 섬겨야 함.
특징	현대 사회에 어울리는 지도력을 제시하기 위해 이와 관련 있는 소설을 인용함.

서번트 리더십, 이른바 '섬김의 지도력'은 1970년에 로버트 그린리프가 『리더로서의 서번트』라는 책에서 처음 소개한 개념이다. 그린리프에게 서번트 리더십의 통찰력을 가져다준 것은 헤르만 헤세의 「동방으로의 여행」이라는 소설이었다고 한다. 그 내용을 간략히 소개하면 다음과 같다.

servant, 하인 / '다른 사람의 요구에 귀를 기울이는 하인이 결국은 모두를 이끄는 리더가 된다'는 이론 / 중요성을 일깨워 준

➔ 서번트 리더십에 영감을 준 헤세의 소설

> 동방으로 여행을 떠난 한 순례자 집단이 있었다. 레오는 그 순례자 집단의 서번트, 즉 하인으로서 그들과 함께 여행한다. 레오는 『여행길에서 하찮은 일을 도맡아 할 뿐 아니라 순례자들의 지친 영혼을 위로하기도 한다. 그들의 불평이나 하소연을 마다하지 않고 들어주며, 순례자들이 이상을 잃지 않도록 격려해 준다.』 이처럼 레오는 순례자들이 여행에 차질이 없도록 헌신적으로 봉사한다. 그러던 어느 날 『레오가 순례자 집단에서 갑자기 사라지는 사건이 발생한다. 그동안 레오는 한낱 하인에 불과했기 때문에 순례자들은 그의 존재를 거의 느끼지 못했는데, 레오가 사라진 순간부터 큰 혼란에 휩싸이게 된다. 여행은 엉망이 되어 버렸으며, 순례자들은 방향을 잃고 헤매게 된다.』 그 후 한 순례자가 몇 년 동안 헤맨 끝에 마침내 레오를 찾을 수 있었는데, 알고 보니 레오는 교단의 최고 책임자이자 정신적 지도자였다.
>
> 영혼의 고향, 이상향 등을 상징함. / 공동체 / 가장 낮은 지위 / 『 』: 타인을 섬기는 자세를 지닌 레오 / 공동체를 이끄는 데 필요한 자세 / 『 』: 하인에 불과했던 레오의 중요성을 깨닫게 됨. / 서번트 리더십을 지닌 지도자
>
> ➔ 「동방으로의 여행」의 줄거리

이 소설이 보여 주듯이 위대한 지도자는 먼저 하인으로 보여야 한다. 이 단순한 사실이 위대한 지도자의 핵심이다. 다른 사람을 이끄는 과정은 먼저 다른 사람을 섬기는 과정이 되어야 한다는 것이다. 이것을 현대적 의미로 해석하면, 기업의 최고 경영자와 임원은 훌륭한 지도자가 되기 위해 먼저 하인이 되어야 함을 의미한다.

구성원을 섬기는 자세 / 현대 지도자들에게 필요한 자세

➔ 위대한 지도자의 핵심인 섬김의 자세

– 이관응, 『서번트 리더십의 비밀』에서

(1) 이 글의 필자와 『군주론』의 필자가 대화한다면, 상대방의 어떤 점을 서로 비판할지 말해 보자.

| 예시 답 |
- 이 글의 필자: 통치자가 백성들을 잔인하게 다스려야 한다는 주장은 잘못된 생각이다.
- 『군주론』의 필자: 통치자가 백성들을 사랑으로 섬겨야 한다는 주장은 잘못된 생각이다.

(2) 이 글과 『목민심서』의 공통점과 차이점을 말해 보자.

| 예시 답 | 이 글과 『목민심서』의 필자는 모두 집단의 지도자는 집단 구성원을 사랑으로 대해야 한다는 생각을 지니고 있다. 그러나 『목민심서』의 필자는 지도자가 구성원의 모범이 되는 행동을 취하면 구성원이 이를 따라 할 것이라고 여긴 반면에, 이 글의 필자는 지도자가 구성원을 이끌기 위해서는 낮은 자세로 구성원을 섬겨야 한다고 주장하고 있다.

발표 활동

(3) '지도력'이라는 주제와 관련하여 다양한 책들을 더 찾아서 읽어 본 다음, 현재 우리 사회에 필요한 지도자상에 관한 자신의 생각을 발표해 보자.

| 예시 답 |
- 양치기 지도력: 지도력의 궁극적인 성과는 양 떼의 방향을 정해 주는 데 있는 것이 아니라 지도자가 원하는 곳으로 이끌 수 있느냐에 달려 있다. 따라서 지도자는 자신의 잠재적인 위대함을 발휘해야 구성원들의 위대함도 끌어낼 수 있다.
- 이순신 장군의 지도력: 충무공 이순신 장군이 보여 준 유비무환의 자세와 위기 관리 능력, 그리고 인간애를 바탕으로 한 리더십은 오늘날을 살아가고 있는 현대인들에게 귀감이 된다.

활동 도움말

우리 사회에 필요한 지도자상을 찾을 때, 역사상의 인물이나 주변 사람들 중에서 지도력이 뛰어난 사람을 떠올려 보는 것도 한 방법이다.

소단원 출제 포인트

군주론/목민심서

1 전체 글의 개관

『군주론』

갈래	논설문	성격	논리적, 예시적, 대조적
제재	군주의 통치 방법	주제	신민들에게 사랑 받기보다 두려움을 느끼게 하는 것이 더 나은 통치 방법임.
특징	① 예시를 통해 군주의 바람직한 통치 방법을 설명함. ② 신민들의 본질을 근거로 자신의 주장이 타당함을 밝힘.		

『목민심서』

갈래	논설문	성격	논리적, 설득적, 비유적
제재	백성을 다스리는 방법	주제	백성을 잘 다스리려면 수령이 솔선수범해야 하며, 과도한 형벌을 줄여야 함.
특징	① 주장을 먼저 제시하고, 예를 들어 주장의 타당성을 밝힘. ② 예시와 인용의 방법을 사용하여 독자의 이해를 도움.		

2 『군주론』과 『목민심서』에 나타난 지도력

『군주론』	『목민심서』
• 군주는 잔인하다는 평판을 두려워해서는 안 됨. • 군주는 신민들에게 자신을 두렵게 여기게 하되, 미움을 받아서는 안 됨. • 신민들의 재산에 손을 대어서는 안 됨. • 군주가 자신의 군대를 통솔할 때에는 잔인할 필요가 있음.	• 수령은 백성들에게 모범을 보여야 함. • 수령은 백성들에게 함부로 형벌을 가해서는 안 됨. • 수령은 백성들을 사랑으로 다스려야 함. • 수령은 잘못을 저지른 백성들을 교화하기 위해 노력해야 함.

3 『군주론』과 『목민심서』에 나타난 필자의 주장

『군주론』	『목민심서』
군주는 신민들에게 사랑과 두려움을 모두 느끼게 하는 것이 바람직하나, 둘 다 얻기 어렵다면 사랑보다는 두려움을 느끼게 하는 것이 낫다. 그러나 미움을 받는 일은 피해야 한다.	수령은 백성들에게 모범을 보이고, 백성들에게 함부로 형벌을 가해서는 안 된다.

4 '백성(신민)'에 대한 『군주론』과 『목민심서』 관점 비교

『군주론』	『목민심서』
백성(신민)의 본성은 이기적이므로 군주는 백성을 믿어서는 안 된다고 여김.	백성은 무지한 아이와 같으므로 군주가 모범을 보이면 백성들은 그 행동을 본받을 것이라고 여김.

내신 적중 문제

정답 및 해설 24쪽

[01-04] 다음 글을 읽고 물음에 답하시오.

(가) ㉠저는 모든 군주가 잔인하지 않고 인자하다고 생각되기를 더 원해야 한다고 주장합니다. 그렇지만 자비를 부적절한 방법으로 베풀지 않도록 조심해야 합니다. 체사레 보르자는 잔인하다고 생각되었지만, 그의 엄격한 조치들은 로마냐 지방에 질서를 회복시켰고, 그 지역을 통일시켰으며, 또한 평화롭고 충성스러운 지역으로 만들었습니다. 보르자의 행동을 잘 생각해 보면, 잔인하다는 평판을 듣는 것을 피하려고 피스토이아가 사분오열되도록 방치한 ㉡피렌체인들과 비교해 볼 때, 그가 훨씬 더 자비롭다고 판단할 수 있을 것입니다. 따라서 현명한 군주는 자신의 신민들의 결속과 충성을 유지할 수 있다면, 잔인하다는 비난을 받는 것을 걱정해서는 안 됩니다. 왜냐하면 지나친 자비로움으로 무질서를 방치해서 많은 사람이 죽거나 약탈당하게 하는 군주보다, 소수의 몇몇을 시범적으로 처벌함으로써 기강을 바로잡는 군주가 실제로는 훨씬 더 자비로운 셈이 될 것이기 때문입니다. 전자는 공동체 전체에 해를 끼치지만, 군주가 명령한 처형은 단지 특정 개인들만을 해치는 것에 불과합니다. 그리고 신생 국가는 위험으로 가득 차 있기 때문에, 군주 중에서도 특히 신생 군주는 잔인하다는 평판을 피할 수가 없습니다. 베르길리우스는 디도의 입을 빌려서 다음과 같이 말하였습니다.

> ⓐ"상황은 가혹하고 내 왕국은 신생 왕국이어서 나는 그런 조치를 취했고 국경의 구석구석을 방어했노라."

(나) 그렇지만 군주는 참소를 믿고 사람들에게 적대적인 행동을 취할 때는 신중해야 합니다. 그렇다고 지나치게 우유부단해서는 안 됩니다. 군주는 적절하게 신중하고 자애롭게 행동해야 하며, ㉢지나친 자신감으로 인해서 경솔하게 처신하거나 의심이 많아 주위 사람들이 견디기 어려워하는 일이 없도록 해야 합니다. 그런데 사랑을 느끼게 하는 것과 두려움을 느끼게 하는 것 중에서 어느 편이 더 나은가에 대해서는 논쟁이 있습니다. 제 견해는 사랑을 느끼게 하는 동시에 두려움도 느끼게 하는 것이 바람직하다는 것입니다. 그러나 동시에 둘 다 얻기는 어려우므로 굳이 둘 중에서 어느 하나를 포기해야 한다면, ㉣저는 사랑을 느끼게 하는 것보다는 두려움을 느끼게 하는 것이 훨씬 더 안전하다고 생각합니다.

(다) 이것은 인간 일반에 대해서 말해 줍니다. 즉, 인간이란 은혜를 모르고 변덕스러우며 위선적인 데다 기만에 능하며 위험을 피하려 하고 이익에 눈이 어둡습니다. 당신이 은혜를 베푸는 동안에는 사람들 모두 당신에게 온갖 충성을 바칩니다. 이미 말한 것처럼, 당신에게 막상 그럴 필요가 별로 없을 때, 사람들은 ㉤당신을 위해서 피를 흘리고, 자신의 소유물, 생명, 그리고 자식마저도 바칠 것처럼 행동합니다. 그렇지만 당신이 정작 그러한 것들을 필요로 할 때면, 그들은 등을 돌립니다. 따라서 전적으로 그들의 약속을 믿고 다른 대책을 소홀히 한 군주는 몰락을 자초할 뿐입니다. 위대하고 고상한 정신을 통하지 않고 물질적 대가를 주고 얻은 우정은 유지될 수 없으며, 정작 필요할 때 사용될 수 없습니다. 인간은 두려움을 불러일으키는 자보다 사랑을 베푸는 자를 해칠 때에 덜 주저합니다. 왜냐하면 사랑이란 일종의 감사 관계에 의해서 유지되는데, 인간은 악하므로 자신의 이익을 취할 기회가 생기면 언제나 그 감사의 상호 관계를 팽개쳐 버리기 때문입니다. 그러나 두려움은 항상 효과적인 처벌에 대한 공포로써 유지되며, 실패하는 경우가 결코 없습니다.

01 이 글을 바탕으로 추론할 수 있는 내용으로 적절하지 않은 것은?

① 사랑보다 두려움이 통치를 할 때 효과적일 수 있다.
② 주위 사람들을 지나치게 의심하는 행위는 군주의 태도라 볼 수 없다.
③ 필자는 대의를 위해 소수를 희생시킬 수 있다고 여기고 있다.
④ 대부분의 신민들은 자비로운 통치보다는 잔인한 통치를 원하고 있다.
⑤ 자비로운 통치는 잔인한 통치보다 부정적인 결과를 가져올 수도 있다.

고난도

02 이 글과 〈보기〉를 읽은 독자의 반응으로 가장 적절한 것은?

〈보기〉

맹자는 모든 인간에게 인(仁), 의(義), 예(禮), 지(智)의 4덕(德)을 바탕으로 하는 도덕심이 내재하여 있으므로, 이를 확충함으로써 선할 수 있다고 주장한다. 또한 맹자는, 통치자는 백성들에 대한 동정심을 바탕으로 백성들의 안위를 염려하는 정치를 시행하여야 하고, 이러할 때 백성들은 그러한 왕에게 마음으로부터 복종하며 자신의 부모를 따르듯 따른다 하였다. 그리고 이러한 왕도 정치가 실행되는 사회는 강제적인 법 집행보다는 동정심을 비롯한 도덕감과 배려에 의해 질서가 유지된다고 하였다.

① 이 글의 필자와 〈보기〉의 맹자 모두 도덕심으로 사회가 유지한다고 보고 있군.
② 이 글의 필자와 달리 〈보기〉의 맹자는 인간의 본성이 선하다고 여기고 있군.
③ 이 글의 필자와 달리 〈보기〉의 맹자는 사랑에 바탕을 둔 강한 법 집행을 우선시하고 있군.
④ 〈보기〉의 맹자와 달리 이 글의 필자는 백성들이 사랑을 느끼게 하는 통치 방식은 불필요하다고 생각하는군.
⑤ 〈보기〉의 맹자와 달리 이 글의 필자는 백성들이 마음으로 복종하는 군주가 훌륭한 군주라 여기고 있군.

학습 활동 응용

03 ㉠~㉤에 대한 설명으로 적절하지 않은 것은?

① ㉠: 필자가 생각하는 이상적인 군주의 모습이 드러나 있다.
② ㉡: 자비로운 통치 방식을 선택한 사람들에 해당한다.
③ ㉢: 필자가 생각하는 바람직한 군주의 자세에 해당한다.
④ ㉣: 필자가 국가를 통치할 때 가장 우선적으로 여기는 통치 방식이다.
⑤ ㉤: 글에 드러난 예상 독자로, 내용상 나라를 통치하는 군주에 해당한다.

서술형

04 이 글에서 필자가 ⓐ를 인용한 이유는 무엇인지 쓰시오.

〈조건〉

- ⓐ를 통해 드러내고자 하는 필자의 생각이 분명히 드러나도록 할 것
- 마지막을 '~하기 위해서'로 끝맺을 것

[05-07] 다음 글을 읽고 물음에 답하시오.

그럼에도 현명한 군주는 자신을 두려운 존재로 만들되, 비록 사랑을 받지는 못하더라도 미움을 받는 일은 피해야 합니다. 미움을 받지 않으면서도 두려움을 느끼게 하는 것은 얼마든지 가능하기 때문입니다. 그리고 이는 ㉠군주가 신민들의 재산과 그들의 부녀자들에게 손을 대는 일을 삼가면 항상 성취할 수 있습니다. 만약 누군가의 처형이 필요하더라도, 적절한 명분과 명백한 이유가 있을 때로 국한해야 합니다. 그러나 무엇보다도 군주는 타인의 재산에 손을 대어서는 안 됩니다. 왜냐하면 인간이란 어버이의 죽음은 쉽게 잊어도 재산의 상실은 좀처럼 잊지 못하기 때문입니다. 게다가 재산을 몰수할 명분은 항상 있게 마련입니다. 약탈을 일삼으며 살아가는 군주는 항상 타인의 재산을 빼앗을 핑계를 발견할 수 있습니다. 반면에 목숨을 빼앗을 이유나 핑계는 훨씬 더 드물고, 또 쉽게 사라져 버립니다.

그러나 군주는 자신의 군대를 통솔하고 많은 병력을 지휘할 때, 잔인하다는 평판쯤은 개의치 말아야 합니다. 왜냐하면 군대란 그 지도자가 거칠다고 생각되지 않으면 군대의 단결을 유지하거나 군사 작전에 적합하게 만반의 태세를 갖추지 못하기 때문입니다. ㉡한니발의 활약에 관한 설명 중 특히 주목할 만한 사실은, 그가 비록 수많은 종족이 뒤섞인 대군을 거느리고 이역에서 싸웠지만, 상황이 유리하든 불리하든 상관없이, 군 내부에서 또 그들의 지도자에 대해서 어떠한 분란도 일어나지 않았다는 것입니다. 이 사실은 그의 많은 다른 훌륭한 역량과 더불어, 부하들이 그를 항상 존경하고 두려워하도록 만든 그의 비인간적인 잔인함에 의해서만 설명될 수 있습니다. 그리고 그가 그토록 잔인하지 않았더라면, 그의 다른 역량 역시 그러한 성과를 거두는 데에 충분하지 않았을 것입니다. 분별없는 저술가들은 이러한 성공적인 행동을 찬양하면서도 그 성공의 주된 이유를 비난하는 어리석음을 범하고 있습니다.

한니발의 다른 역량들로는 충분하지 못했을 것이라는 저의 논점은 ㉢스키피오가 겪은 사태에서 입증됩니다. 그는 당대는 물론 후대에도 매우 훌륭한 인물로 평가받았지만, 그의 군대는 에스파냐에서 그에게 반란을 일으켰습니다. 이는 바로 그가 지나치게 자비로워서 적절한 군사적 기율을 유지하는 데에 필요한 것보다도 더 많은 자유를 병사들에게 허용했기 때문이었습니다. 이로 인해서 파비우스 막시무스는 원로원에서 그를 탄핵하면서 로마 군대를 부패시킨 장본인이라고 비난했습니다. 그리고 스키피오가 임명한 지방 장관이 로크리 지방을 약탈했을 때, 스키피오는 그 주민들의 원성을 들어주지 않았으며, 또한 오만한

성품을 가진 그 지방 장관을 처벌하지도 않았습니다. 이 모든 것은 스키피오의 과도한 자비로움 때문입니다. 실제로 원로원에서 그를 사면하자고 발언한 인물은, 타인의 비행을 처벌하기보다는 스스로 그러한 비행을 저지르지 않는 데에 탁월한 사람들이 있는데, 스키피오가 바로 그런 유형의 인물이라고 변호했습니다. 이러한 그의 군대 지휘 방식이 견제 받지 않고 방임되었더라면, 그 자신의 성격으로 인해서 스키피오의 명성과 영광은 빛이 바랬을 것입니다. 그러나 그는 원로원의 통제하에 있었기 때문에 이처럼 ㉣유해한 성품이 적절히 억제되었을 뿐 아니라 나아가 그의 명성에 기여했습니다.

두려움을 느끼게 하는 것과 사랑을 느끼게 하는 것의 문제로 되돌아가서, 저는 인간이란 자신의 선택 여하에 따라서 사랑을 하지만 군주의 행위 여하에 따라서 군주에게 두려움을 느끼기 때문에, 현명한 군주라면 타인의 선택보다는 자신의 선택에 더 의존해야 한다고 결론을 내리겠습니다. 다만 앞에서도 말한 것처럼 ㉤미움을 받는 일만은 피하도록 해야겠습니다.

05 이 글을 이해한 내용으로 적절하지 않은 것은?

① 군주는 신민들이 자신을 두려워하게 만들어야 한다.
② 군대를 통솔할 때는 잔인한 면모를 보일 수 있어야 한다.
③ 군사적 기율을 유지하기 위해서는 자유보다는 자비가 필요하다.
④ 신민들은 자신의 재산을 군주가 빼앗아 가면 결코 잊지 못한다.
⑤ 군주의 행위 여하에 따라서 신민들은 두려움을 느끼기도 그렇지 않을 수도 있다.

고난도

06 〈보기〉의 필자가 이 글의 필자에게 조언한다고 할 때, 조언 내용으로 가장 적절한 것은?

〈보기〉

위대한 지도자는 먼저 하인으로 보여야 한다. 이 단순한 사실이 위대한 지도자의 핵심이다. 다른 사람을 이끄는 과정은 먼저 다른 사람을 섬기는 과정이 되어야 한다는 것이다. 이것을 현대적 의미로 해석하면, 기업의 최고 경영자와 임원은 훌륭한 지도자가 되기 위해 먼저 하인이 되어야 함을 의미한다.

– 이관응, 『서번트 리더십의 비밀』에서

① 백성들은 잔인한 통치의 대상이 아닙니다. 백성을 섬길 줄 알아야 진정한 군주라 할 수 있어요.
② 백성들이 비록 잔인한 통치를 옹호한다 하더라도 군주는 결코 잔인한 통치를 해서는 안 됩니다.
③ 군주는 백성들에게 미움을 받는 일은 없어야 합니다. 백성을 존중하는 마음이 있다면 미움을 받지 않을 것입니다.
④ 백성들을 처벌할 때는 적절한 명분과 이유가 있어야 합니다. 백성을 섬기는 군주라면 더욱 그러해야 하지요.
⑤ 백성들을 사랑으로 대하면 백성들은 따라오기 마련입니다. 백성들을 사랑으로 다스려야 진정한 군주라 할 수 있습니다.

07 ㉠~㉤에 대한 설명으로 적절하지 않은 것은?

① ㉠: 군주가 신민들에게 미움을 받지 않는 방법이다.
② ㉡: 필자가 긍정적으로 생각하는, 잔인한 통치 방식을 펼친 인물이다.
③ ㉢: 지나치게 자비로움으로 인해 부하들에게 배반을 당한 인물이다.
④ ㉣: 글의 내용으로 볼 때 스키피오의 겸손 성품이라 할 수 있다.
⑤ ㉤: 군주가 잔인한 통치를 할 때 반드시 지켜야 하는 유의점에 해당한다.

[08–10] 다음 글을 읽고 물음에 답하시오.

형벌은 백성을 바르게 하는 일에 있어서 최후 수단이다. 수령이 자신을 단속하고 법을 받들어 엄정하게 임하면 백성이 죄를 범하지 않을 것이니, 그렇다면 형벌은 쓰지 않아도 좋을 것이다.

한 국가를 다스리는 것이 한 가정을 다스리는 것과 마찬가지인데, 하물며 한 고을에 있어서랴. 그렇다면 어찌 가정 다스리는 것을 살펴보지 않겠는가? 예를 들어 보자. ⓐ가장이 날마다 꾸짖고 성내어 자제를 매질하고 종아리치며, 노비를 묶어 놓고 두드린다. 돈 1전을 훔치고 국 한 그릇을 엎질러도 용서하지 않으며, 심하면 쇠망치로 어깨를 치고 다듬잇방망이로 볼기를 친다. 그러나 자제들의 눈

속임은 더욱 심하고 노비들의 도둑질도 더욱 늘어 간다. 온 집안이 모여 비방하며 오직 잡힐까 겁내어 상하가 서로 농간질하면서 가장을 속인다. 불쌍하게도 이 가장은 그만 외톨이가 되고, 가도(家道) 또한 어그러져 크게 어지러운 지경에 이르러 마침내 법도(法度) 있는 집안의 꼴을 이루지 못하고 만다.

그런데 여기에 다른 한 가장이 있다. 그는 새벽에 일어나 세수를 마치고 의관을 정제한 다음 엄숙하고 단정히 앉아서 아침 문안을 받은 후, 그날의 할 일을 분담시켜 각자 처리하게 한다. 제대로 못하는 일이 있으면 순순히 잘 가르쳐서 깨닫게 하고, 수치가 될 만한 일이 있으면 숨겨서 드러내지 않다가 한가히 있을 때 하나씩 불러서 차근차근 경고하고 꾸짖는다. 가장이 부지런함으로 솔선하니 여러 사람들이 부지런하지 않을 수 없고, 가장이 검소함으로 솔선하니 여러 사람들이 검소하지 않을 수 없다. 가장이 공손함으로 솔선하고 청렴함으로 솔선하여 표준이 이미 바르니, 다른 사람들이 순종하지 않을 수 없다. 자제들은 모두 예쁘면서도 스스로 삼가며, 노복들은 순박하고 선량하기 그지없다. 그리하여 속이는 것이 어떻게 하는 일인지 알지 못하고, 도둑질은 어떻게 하는 짓인지도 알지 못한다. 1년이 지나도록 마당에 매질하는 소리가 없고 화목한 분위기가 문에 가득하여, 그 집에 들어가는 자는 마치 봄바람이 스치는 기분을 느끼게 된다. 거문고와 비파, 서책이 맑고 아름답지 않은 것이 없고 화초나 가축들이 모두 살지고 윤택해 보이니, 묻지 않더라도 법도 있는 군자의 집이 여기에 있음을 알 것이다.

이러한 일로 미루어 보건대, 말소리와 얼굴빛은 백성을 교화하는 일에 있어 말단이며, 형벌도 사람을 바로잡는 일에 있어 말단이다. 수령 자신이 바르면 백성도 바르지 않을 수 없고, 수령이 스스로 바르지 않으면 비록 형벌을 내리더라도 바르지 않게 되는 것이다. 천지가 생긴 이래로 이 이치는 항상 변함이 없었으니, 어찌 잡설(雜說)로써 어지럽힐 수 있겠는가?

정선(鄭瑄)이 말하였다.

"가시에 손이 찔리고 가시넝쿨에 발이 상하여도 온몸이 아픈데, 형장의 독은 그보다 백 배 더하다. 그런데도 자기감정에 휩쓸려 이것을 함부로 사용해서야 되겠는가? 범이 앞에 있고 함정이 뒤에 있으면 소리를 질러 구원을 요청하는 법이다. 옥리의 농간으로 생긴 고통이 이와 무엇이 다르겠는가? 무고한 백성들이 형벌을 받도록 해서는 안 될 것이다."

08 **이 글에 대한 설명으로 가장 적절한 것은?**

① 묻고 답하는 방식으로 주장을 부각시키고 있다.
② 상반된 관점을 절충하여 새로운 관점을 도출하고 있다.
③ 주장과 대비되는 통념을 권위자의 말을 인용하여 비판하고 있다.
④ 주장을 제시한 뒤 구체적 사례를 들어 주장의 타당성을 밝히고 있다.
⑤ 주장과 상반되는 반론을 비판하여 필자 자신의 주장을 강화하고 있다.

학습 활동 응용

09 **이 글을 바탕으로 필자의 '수령'에 대한 인식으로 적절하지 않은 것은?**

① 수령은 법을 받들어 엄정하게 임해야 한다.
② 수령은 솔선수범으로 백성을 다스려야 한다.
③ 수령은 형벌을 사용할 때 최후 수단으로 활용해야 한다.
④ 수령은 백성을 교화할 때는 잘못이 발견되는 즉시 그 자리에서 행해야 한다.
⑤ 수령은 자신이 바르지 않으면 백성도 바르지 않을 수 있다고 생각해야 한다.

고난도

10 **이 글의 ⓐ와 <보기>의 ⓑ에 대한 설명으로 가장 적절한 것은?**

<보기>

새로 짜낸 무명이 눈결같이 고왔는데,
이방 줄 돈이라고 ⓑ황두가 뺏어 가네.
누전 세금 독촉이 성화같이 급하구나.
삼월 중순 세곡선이 서울로 떠난다고.

– 정약용, 「탐진촌요」에서

■ 황두: 지방 하급 관리
■ 누전: 토지 대장에서 누락된 전토

① ⓐ와 ⓑ 모두 형벌을 통해 잘못된 점을 바로잡고 있다.
② ⓐ와 ⓑ 모두 집안사람들이나 백성들에게 고통을 주고 있다.
③ ⓐ와 ⓑ 모두 자신들의 권위를 바로 세우기 위해 노력하는 존재이다.
④ ⓐ와 달리 ⓑ는 자신이 하는 일을 부정적으로 인식하고 있다.
⑤ ⓑ의 행동보다는 ⓐ의 행동이 사회적으로 미칠 영향이 크다고 할 수 있다.

창의·융합 | 교실 밖 독서 활동

나에게 알맞은 독서법을 찾아보자

활동 목표
다양한 독서 방법을 알고 독서 태도와 습관 함양하기

우리 선인들은 독서를 매우 중시했고, 자신만의 방식으로 독서를 생활화하였다. 현대를 사는 우리들이 본받을 만한 선인들의 독서법을 알아보자.

한 책을 백 번을 읽고 백 번 익혀라.

세종 대왕 조선의 제4대 왕

세종 대왕은 역대 임금 중 다독 왕으로 유명하다. 세종은 왕자 시절에 병으로 아파도 책을 읽어 아버지 태종으로부터 모든 책을 압수당하기도 했다. 그러나 세종은 단순히 책만 많이 읽었던 것이 아니라, 한 책을 백 번씩 반복해서 읽으려 했다. 반복해서 읽다 보면 처음에는 보지 못했던 새로운 내용이나 관점을 발견할 수 있기 때문이다.

옅은 의심으로 시작해서 의문으로 단단해진다.

성호 이익 조선 후기의 실학자

조선 후기의 실학자 이익은 책을 읽다가 문득 기발한 생각이 떠오르거나 깨달음을 얻으면 즉시 적어 두라고 했다. 생각이나 깨달음은 즉시 사라지기 때문이다. 또 책을 덮어놓고 읽지 말고 시종 의심하며 읽으라고 했다. 글의 내용, 필자의 생각이 바르고 타당한 것인지 비판하며 읽으라는 것이다. 나아가 자신이 품은 의심에 관해 다른 사람들과 적극적으로 토론해 볼 것을 권했다.

꼬리에 꼬리를 무는 독서법.

다산 정약용 조선 후기의 실학자

다산은 아들에게 보내는 편지에 다음과 같이 적었다. "무릇 독서란 매번 한 글자를 읽을 때마다 뜻이 분명하지 않은 부분이 있게 되면 널리 살펴보고, 자세히 궁구하여 그 근원이 되는 뿌리를 얻어야 한다." 그는 책을 읽다 어느 한 글자를 완전히 이해하기 위해 관련 자료를 찾아 나가는, 꼬리에 꼬리를 무는 독서를 실천했다.

책 읽기의 방법부터 책 정리까지.

청장관 이덕무 조선 후기의 문인

이덕무는 책 읽기의 다양한 방법부터 책을 보관하는 방법까지 자세히 제시했다. 그는 기초가 되는 독서 방법으로, 입으로 소리 내서 읽는 독서(讀書), 눈으로 읽는 간서(看書), 베껴 쓰며 읽는 초서(抄書)가 있다고 밝혔다. 이 단계가 지나면 감상과 평을 남기는 평서(評書), 내용을 교정하는 교서(校書), 직접 책을 지어 생각을 펼치는 저서(著書)라는 한발 더 나아간 독서 방법을 적용해 볼 것을 권하였다. 마지막으로 그는 책을 보관하는 장서(藏書), 남에게 책을 빌리는 차서(借書), 책을 햇볕에 말려 관리하는 포서(曝書)도 중요하다고 주장했다.

활동 선인들의 독서법 중 자신이 따르고 싶은 독서법이 있는지 생각해 보고, 지금까지 자신이 해 왔던 독서 태도와 자세를 성찰해 보자.

1. 최근에 자신이 읽었던 책이 무엇인지, 그때 어떤 독서법을 활용했는지 써 보자.

| 예시 답 | 최근 시집을 읽은 적이 있는데, 감명 깊은 시 한 편을 외울 때까지 반복하여 읽었다. 한글 맞춤법에 대한 발표를 하기 위해 관련 서적들을 읽었는데 준비할 시간이 부족해 필요한 부분만 골라 읽었다 등

2. 앞으로 자신이 읽을 책을 떠올려 보고, 그때 선인들의 독서법 중 어떤 독서법을 적용하면 좋을지 써 보자.

| 예시 답 | 앞으로 과학 철학에 관한 글을 읽으려 하는데, 그 책에서 읽을 때 이해되지 않는 내용이나 더 알고 싶은 내용이 나오면 정약용 선생님처럼 관련된 책을 더 찾아서 읽어야겠다.

3. 독서법과 자세를 생각해 보면서 나의 독서 생활을 성찰해 보고, 앞으로의 독서 계획을 세워 보자.

나의 독서 이력 성찰 | 예시 답 |

1. 나는 글을 읽는 이유를 명확히 인식하며 글을 읽는가? 예 / (아니요)
2. 나는 글 읽기 목적에 따라 독서법을 달리하려 하는가? 예 / (아니요)
3. 나는 나만의 독특한 독서법으로 독서를 한 적이 있는가? (예) / 아니요

나의 독서 계획

| 예시 답 | 그동안 나는 흥미 위주의 쉬운 책만 골라서 빠르게 읽었다. 또 긴 글은 재미있는 부분만 발췌해 읽기도 했다. 그러다 보니 독서가 내 삶에 큰 영향을 주지 않았던 것 같다. 앞으로는 책 한 권을 읽더라도 내 삶에 도움이 되는 깊이 있는 책을 읽어야겠다. 그런 의미에서 지난 문학 시간에 배운 적이 있는 연암 박지원의 『열하일기』를 처음부터 끝까지 읽어 보아야겠다. 그리고 읽은 후에는 항상 독서 일지를 작성해, 읽은 내용을 정리해 두어야겠다.

[01 - 03] 다음 글을 읽고 물음에 답하시오.

(가) 한옥은 여러 과학적 방식을 활용해서 집 안 가득 시원한 바람을 맞아들여 잘 흐르도록 한다. 이를 한마디로 '통(通)'의 원리라 부를 수 있다. '통'은 어려운 개념이 아니다. 통풍, 환기, 순환 등과 같은 말로, 한옥은 통의 원리를 구현하는 건강한 집이다. 자연의 원리를 잘 지키는 것이니 곧 자연적이다.

(나) 한옥에서 통의 원리를 구현하는 방식은 크게 두 가지가 있다. 첫째, 거시 기후에 맞춰 집 안에 '바람길'을 내는 것이다. 여기서 거시 기후란 계절 같은 큰 시간 단위를 기준으로 한반도 전체에 걸쳐서 나타나는 기후 현상을 말한다. 한옥에서는 여름에 부는 바람인 남동풍의 방위에 맞춰 남향, 혹은 남동향으로 바람이 드나드는 바람길을 냈다. 한옥에서 바람길은 시원하고 통 크게 나 있어, 바람이 돌아 나가거나 머물거나 꺾어 가지 않도록 했다.

(다) 대부분의 한옥 안채는 중문에서 안마당을 통해 대청 뒷문으로 불어 나가는 바람길을 갖추고 있다. 사랑채는 대부분 방을 홑겹으로 배치한 개방적 구조이기 때문에 바람길을 내기 쉽다. 창이 보통 방의 앞면과 뒷면에 서로 마주 보고 있어서 이것만 열면 바람이 숭숭 잘 통하는 것이다. 그러나 집 안의 가장 안쪽에 있는 안채는 사랑채에 비해 폐쇄적이어서 여름철에 바람을 집 안까지 끌어들이기 위해서는 좀 더 세밀한 처리가 필요하다. 안마당을 중심으로 여름에 부는 바람의 방향을 고려하여 중문을 남쪽에, 대청을 북쪽에 두었다. 대청 뒷면에는 나무창을 설치했는데, 이 창은 바람길을 만들기도 하고 없애기도 하는 중요한 역할을 한다.

(라) 한옥에서 통의 원리를 구현하는 두 번째 방법은 미시 기후를 활용해서 마당에 찬 공기주머니를 만드는 것이다. 미시 기후란 숲과 산세, 지세와 물길 등 각 집의 주변을 둘러싼 개별적 상황에 따라 나타나는 구체적인 기후 현상이다. 도시에서의 도로나 빌딩, 농촌에서의 배산임수(背山臨水)는 미시 기후에 영향을 미치는 중요한 요소이다. 한옥에서는 마당을 비워서 안마당에 찬 공기주머니를 만드는 방법으로 미시 기후를 활용한다.

(마) 이렇게 마당에 들어온 찬 공기를 계속 머물게 하는 데에는 지붕의 처마가 큰 기여를 한다. 관가정의 안채 안마당은 폭에 비해 지붕 처마가 많이 돌출해 있는데, 이는 안마당으로 흘러 들어온 찬바람을 오래 잡아두는 역할을 한다. 앞으로 돌출한 지붕 처마는 안마당에 형성된 공기 덩어리의 흐름에 영향을 주어 마당 안에서 위아래로 향하는 공기의 흐름을 만들며, 그 결과로 아직 데워지지 않은 찬 공기가 바로 빠져나가는 것을 막는다. 한옥의 안채가 특히 여름에 서늘한 것은 바로 이 때문이다.

(바) 우리 조상은 한옥에 통의 원리를 적극적으로 활용하였다. 한옥에는 여름철 시원한 바람이 거침없이 지나갈 수 있도록 바람길을 내었다. 또 마당을 비워 시원한 바람이 마당에 들어오도록 했고, 지붕의 처마를 이용해 들어온 바람을 머물도록 했다. 이처럼 우리 조상은 슬기롭게 자연을 거스르지 않으면서도 살기 편한 집을 만들었다. 이것이 한옥이 갖는 진정한 친자연의 의미이다.

01 이 글을 읽고 신문 기사를 쓸 때, 표제와 부제로 가장 적절한 것은?

① 친자연적인 건축물, 한옥
- 한옥에 쓰인 자재를 중심으로

② 세계적으로 훌륭한 건축물, 한옥
- 한옥이 지닌 장점을 중심으로

③ 조상의 지혜가 담긴 건축물, 한옥
- 한옥이 지닌 미적 가치를 중심으로

④ 주변의 지형과 조화를 이룬 건축물, 한옥
- 풍수지리학의 관점을 중심으로

⑤ 통의 원리를 구현한 자연 친화적 건축물, 한옥
- 바람길 내는 것과 찬 공기주머니 만드는 것을 중심으로

02 이 글을 읽고 이해한 내용으로 적절하지 않은 것은?

① 지붕 처마는 바람과 관련 있는 구조물이다.
② 한옥을 지을 때는 우리나라의 기후를 고려하였다.
③ 다소 폐쇄적인 안채를 고려하여 중문과 대청의 위치를 선정하였다.
④ 한옥에는 과학적 방식을 이용한 조상들의 지혜가 담겨져 있다.
⑤ 사랑채의 나무창과 한옥의 처마는 동일한 기능을 한다고 볼 수 있다.

03 (가)~(바)에 대한 설명으로 가장 적절한 것은?

① 평정도가 가장 높은 것은 (가), (바)라 할 수 있다.
② (나), (라)는 부연 설명한다는 점에서 평정도가 낮다고 할 수 있다.
③ (나), (다)에서는 대조의, (마)에서는 예시의 내용 전개 방식이 사용되고 있다.
④ (다)와 (마)는 평정도 면에서 (바)보다 높다고 할 수 있다.
⑤ (바)에서는 (가)~(마)의 내용을 요약, 정리해 주고 있다.

[04 - 05] 다음 글을 읽고 물음에 답하시오.

가 지금까지 우리가 배우고 있는 전통적 경제학에서는 전형적인 인간형으로 호모 에코노미쿠스(Homo economicus)를 설정한다. 호모 에코노미쿠스는 사랑이나 미움, 기쁨이나 슬픔 같은 인간의 체취가 완전히 제거된 존재이다. 그가 지니고 있는 유일한 관심은 물질적 측면이고, 그는 오직 물질적 동기에 의해 움직인다. 한마디로 호모 에코노미쿠스는 '자신의 이익을 합리적으로 추구하는 존재'이다. 그러나 최근에는 호모 에코노미쿠스를 전형적 인간형으로 보는 전통 경제학의 시각에 반기를 드는 경제학자들이 나타났다. 이들은 인간이 호모 에코노미쿠스가 아니라는 다양한 증거를 제시하였다.

나 도로나 공원처럼 여러 사람이 공동으로 소비하는 것을 '공공재'라고 부른다. 공공재의 또 다른 예로는 국방 서비스나 경찰 서비스를 들 수 있다. 그런데 이 공공재에는 독특한 성격이 있어 시장에서는 그것을 취급하기 어렵다. 예컨대 국방 서비스를 생산, 공급하는 기업이 있다고 가정해 보자. 이 기업은 한 사람당 연간 5백만 원만 내면 철통 방위를 약속한다는 신문 광고도 냈다. 과연 국민들은 돈을 내고 이 서비스를 이용하려 할까? 국민들은 국방 서비스를 산 사람만 골라서 외적으로부터 지켜 줄 수 없다는 점을 알기에 굳이 자신이 그 비용을 지불하려 하지는 않을 것이다. 이처럼 개인이나 기업이 비용을 들여 공공재를 생산할 때 아무 비용을 지불하지 않은 사람도 비용을 지불한 사람과 함께 그 혜택을 누릴 수 있게 된다. 대부분의 공공재를 정부가 생산, 공급하는 것은 바로 이 때문이다.

다 이기적인 사람은 어떤 공공재가 필요하다고 생각하면서도 필요하지 않다고 말한다. 그렇게 함으로써 공공재 생산에 드는 비용 부담에서 벗어날 수 있기 때문이다. 그런 다음 다른 사람들이 비용을 들여 공공재를 생산하면 여기에 편승해 그 혜택을 누린다. 공공재가 가진 성격으로 인해 그렇게 해도 된다는 것을 알기 때문이다. 돈을 내지 않고 남의 차에 올라타는 사람처럼, 공공재에도 무임승차를 하는 사람이 발생할 가능성이 크다. 바로 이 무임 승차자들 때문에 시장이 공공재를 생산, 공급하는 일을 제대로 감당하지 못하는 것이다.

라 공공재에 무임승차를 한다는 것은 자기가 속한 공동체의 이익을 무시하고 개인적인 이익만을 취하려고 행동한다는 뜻이다. 완벽하게 합리적이고 이기적인 사람, 즉 호모 에코노미쿠스라면 당연히 이런 이기적 행동을 하게 된다. 그러나 무임승차를 할 수 있는 상황이라 해서 사람들이 언제나 무임승차를 하려고 할까? 이 의문에 대한 답을 얻기 위해 다음과 같은 실험을 해 볼 수 있다.

마 그런데 실험의 결과는 무임승차를 하려는 경향이 의외로 약한 것으로 드러났다. 조건을 조금씩 달리해서 여러 번 실험을 거듭해 보았지만, 사람들이 가진 표를 전부 흰색 상자에 넣는 경우는 거의 눈에 띄지 않았다. 평균적으로 자신이 가진 표의 40퍼센트에서 60퍼센트에 이르는 표를 푸른색 상자에 넣는 것으로 드러났다. 무임승차를 할 수 있는 상황임을 알면서도 가진 표의 거의 반을 공공재 생산 비용에 자발적으로 기여한 것이다.

바 지금까지의 전통적 경제학은 자신의 이익만을 추구하는 합리적 인간인 호모 에코노미쿠스의 경제 행위를 분석의 대상으로 삼았다. 그러나 공공재에 관한 실험을 통해 확인했듯이 현실의 인간은 경제학 교과서에 등장하는 호모 에코노미쿠스와 다르다. 우리가 경제 행위를 할 때 언제나 이기적으로, 합리적으로 행동하지는 않는다는 것이다. 이는 지금의 경제 정책을 만드는 근거가 되었던 전통적 경제 이론이 현실을 설명하는 능력에 한계가 있을 수밖에 없음을 뜻한다. 또한, 이 경제 이론에 기초를 두고 있는 경제 정책이 기대한 효과를 내지 못할 가능성이 있다는 뜻도 된다. 이제는 경제 이론과 경제 정책을 새로운 시각에서 다시 검토해 볼 필요가 있지 않을까?

04 이 글에 대한 설명으로 가장 적절한 것은?

① 특정 실험의 결과를 평가하면서, 실험이 지닌 한계를 분석하고 있다.
② 특정 이론이 지닌 장점을 부각시켜 필자의 생각을 뒷받침하고 있다.
③ 특정 실험의 결과를 바탕으로 드러내고자 하는 의도를 제시하고 있다.
④ 특정 이론과 새로운 이론의 장단점을 드러내어 올바른 이론 수립의 필요성을 제시하고 있다.
⑤ 특정 정책이 지닌 문제점을 분석하여 특정 정책을 보완해야 함을 언급하고 있다.

05 **다음은 이 글을 읽은 학생들이 대화한 내용이다. 대화 내용으로 적절하지 않은 것은?**

① 민선: 전통적 경제학에서는 인간이 자신의 이익을 합리적으로 추구하는 존재라고 했지.
② 윤아: 그래 맞아. 그래서인지 이기적 인간은 공공재에 자기 비용을 들이지 않고 무임승차를 하려는 태도를 보여.
③ 진목: 하지만 모든 인간이 공공재에 무임승차를 하지는 않는 것 같아. 이 글의 실험 결과를 통해 알 수 있잖아.
④ 철민: 아니야. 이 글의 실험 결과를 보면 40~60퍼센트의 사람만이 푸른색 상자에 표를 넣었잖아.
⑤ 미정: 여하튼, 실험의 결과를 본 필자는 인간이 언제나 이기적인 행위를 하지는 않는다고 말하고 있어.

[06 - 07] 다음 글을 읽고 물음에 답하시오.

가 대부분의 사람은 동물을 학대하는 행위에 반대한다. 이러한 생각의 바탕에는 동물도 도덕적 지위를 지니고 있다는 믿음이 깔렸다. 그런 까닭에 우리가 별생각 없이 먹는 음식의 상당 부분이 동물에 대한 지독한 학대 행위 끝에 나온다는 사실을 깨닫게 하는 동물 권리 운동가들의 시도가 성공을 거두곤 한다. 동물 권리 운동가들의 노력으로 좁고 밀폐된 공간에서 사료를 끊임없이 주며 닭을 사육하는, 이른바 배터리 닭장이 2012년부터 유럽 연합(EU)에서 사라지게 된 것이 한 예가 될 것이다.

나 서구에서는 오랜 기간 동물을 이성적 영혼이 없는 존재로 여기는 철학적 관념이 우세했다. 근세에 이르기까지는 동물 복지와 같은 것은 사실상 없다고 할 수 있다. 17세기 철학자인 데카르트는 동물을 마치 시계와 같이 어떤 것도 전혀 느끼지 못하는 기계처럼 여겼다. 그래서 그 시대에는 완전히 의식이 있는 상태의 동물들을 마취나 진통제 처치도 하지 않고 생체 해부를 하는 일도 있었다. 그러한 경향은 오늘날까지 영향을 미쳐 동물을 마치 기계인 양 취급하는 공장식 농장의 출현을 가져왔다고 할 수 있다.

다 '복지'를 기본적인 욕구가 충족되고 고통이 최소화되는 행복한 상태라고 포괄적으로 정의하는 것에는 큰 무리가 없을 것이다. 그러나 더 구체적으로 들어가 보면 이는 마치 '진실'이나 '자유', '아름다움'이라는 단어처럼 복합적인 해석이 가능한 개념임이 드러난다. 즉 어떤 사람에게는 '복지'로 생각되는 일이 어떤 사람에게는 '복지'가 아닌 것으로 판단될 수도 있다.

라 그렇다면 동물의 복지를 위한 객관적인 기준은 어떻게 마련할 수 있을까? 이를 위해서는 다시 복지의 개념으로 돌아갈 필요가 있다. 앞서 살펴본 바대로 복지란 '기본적인 욕구'가 충족되는 것이므로 동물의 기본적인 욕구가 무엇인지 아는 것이 필수적이다. 동물의 욕구는 크게 두 가지로 생각할 수 있다. 적합한 먹이나 청결한 환경과 같이 긍정적인 것을 추구하는 적극적인 욕구와, 육체적으로 받을 수 있는 공격이나 위협과 같은 부정적인 것을 피하려는 소극적 욕구가 그것이다. 특히 후자의 욕구는 고통을 최소화하는 것이 행복이라는 복지의 개념과 다시 연결된다. 가령 '죽음'의 경우 어떤 동물도 영원히 살 수 없으며 죽음을 거부할 수 없지만, 사람이 관리하는 동물이라면 생명의 종말이 마땅히 배려되어야 한다. 비록 야생 동물의 자연적인 죽음이라고 해도 그것이 항상 고통이 없는 것은 아니다. 중요한 것은 동물을 죽일 수 없다는 것이 아니라, 어쩔 수 없이 동물을 죽일 수밖에 없다면 고통을 최소화하는 것이 훌륭한 복지라는 것이다.

마 그러므로 불필요한 고통은 배제하고 사람을 위하여 필요한 경우라도 고통을 최소화하기 위해 노력하는 것이 인도적인 행위이다. 이는 사람과 일정한 관계를 유지하고 살아가는 동물과 건전하고 바람직한 관계를 정립하는 측면에서 마땅히 지켜야 할 자세이다. 결국 동물의 복지를 책임져야 하는 것은 바로 인간이며, 이는 인간을 보다 인간답게 하는 일이 될 것이다.

06 **이 글을 바탕으로 이끌어 낸 내용으로 적절하지 않은 것은?**

① 근세 시기에는 오늘날과는 다른, 동물에 대한 태도를 보였다.
② 근세 이전에도 '동물 복지' 개념이 있었지만 현실에 적용되지는 않았다.
③ 동물 권리 운동가들은 '배터리 닭장'이 동물을 학대하는 것이라 여겼다.
④ 추상적인 언어들과 마찬가지로 '복지' 역시 복합적인 해석이 가능할 수 있다.
⑤ 동물 복지를 위한 객관적인 기준으로 동물의 고통을 최소화하는 것을 들 수 있다.

고난도

07 이 글을 읽은 학생이 〈보기〉를 읽고 난 뒤 보일 반응으로 적절하지 않은 것은?

〈보기〉

종(種) 우월주의는 우리가 동물을 학대하고 상습적으로 그들의 요구를 무시하는 태도를 정당화하는 이론이다. 인간이 자연과 별개로 모든 종이 태어나 살다가 죽는다는 기본 원칙에서 예외라도 되는 듯, 스스로 자연의 일부로 간주하지 않는 오만한 태도 이면에 이 같은 편견이 자리 잡고 있다. 〈중략〉

종 우월주의는 동물을 위계적 개념인 '하등 동물'과 '고등 동물'로 분류하게 하고, 이 서열의 최고 단계에 인간이 자리 잡는 것을 당연하게 여긴다. 이는 동물의 복지를 외면하게 만드는 그릇된 관점이다.

– 마크 베코프, 「종 우월주의의 극복」에서

① 〈보기〉의 필자는 데카르트에 대해 자연에 대한 오만한 태도를 지녔다고 비판적으로 대하겠군.

② 〈보기〉의 필자는 동물의 복지를 위해 노력하는 동물 권리 운동가들에 대해서는 긍정적인 시선을 보내겠군.

③ 〈보기〉의 필자는 사람을 위하여 동물의 고통을 최소화해야 한다는 이 글의 필자의 주장에 종 우월 의식이 담겼다고 여기겠군.

④ 〈보기〉의 필자는 '배터리 닭장'에는 스스로 자연의 일부로 간주하지 않는 인간의 오만한 태도가 반영되었다고 생각하겠군.

⑤ 〈보기〉의 필자는 동물의 복지를 인간이 책임져야 한다는 이 글의 필자의 생각에 동물 복지 측면에서 적극 동조하는 태도를 보이겠군.

[08 – 10] 다음 글을 읽고 물음에 답하시오.

가 저렇게 많은 중에서
ⓐ별 하나가 나를 내려다본다
이렇게 많은 사람 중에서
그 별 하나를 쳐다본다

밤이 깊을수록
별은 밝음 속에 사라지고
나는 어둠 속에 사라진다

이렇게 정다운/ 너 하나 나 하나는
㉠어디서 무엇이 되어/ 다시 만나랴

– 김광섭, 「저녁에」

나 생각해 보라. 별과 내가 서로 마주 본다는 것, 이것은 얼마나 기적 같은 일인가? 우리 은하계에는 천억 개의 별이, 그리고 우주에는 그런 은하가 또 천억 개 정도가 있단다. 그런데 그중 하나가 수십억 인구 가운데 하나인 나와 서로 마주 보고 있는 것이다. 그것도 억겁의 시간 가운데 지금 이 순간, 어쩌면 이미 오래전 티끌로 사라져 버렸을지도 모를 그 별과 지금 이 순간 내가 만나고 있는 것이다. 허나 그렇게 소중한 만남과 관계건만 그 또한 시간의 힘을 이길 수는 없는 법. 저녁 별은 밤이 되면 사라지고 나 또한 그럴 운명이다.

여기서 시인은 인생의 교훈을 얻는다. 별과 인간의 관계가 그러하다면 이렇게 정다운 사이인 너와 나의 만남과 헤어짐은 또 어찌 될 것인가 궁금하지 않을 수 없는 게다. 어린 시절 친구와의 인연을 생각해 보라. ㉡그 만남은 얼마나 소중한 우주적 인연인가. 그러나 그중 몇이나 다시 만나게 될까? 궁금하지 않은가? 어디서 무엇이 되어 다시 만나게 될지, 벅차지 않은가? 그대의 기억 속에 지금껏 자리하고 있는 별만큼이나 많은 인연을 되새겨 보면, 그립지 않은가? 숱하게 사라진 뭇별 같은 인연, ㉢뭉치로 계산하지 말고 이 시인이 하듯 또박또박 따져 보라. 그 인연들 가운데 하나씩 하나씩 너 하나, 나 하나, 이렇게 말이다.

다 별 하나에 추억과
별 하나에 사랑과
별 하나에 쓸쓸함과
별 하나에 동경과
별 하나에 시와
㉣별 하나에 어머니, 어머니,

어머님, 나는 별 하나에 아름다운 말 한마디씩 불러 봅니다. 소학교 때 책상을 같이했던 아이들의 이름과 패, 경, 옥, 이런 이국 소녀들의 이름과 벌써 아기 어머니 된 계집애들의 이름과, 가난한 이웃 사람들의 이름과, 비둘기, 강아지, 토끼, 노새, 노루, 프랑시스 잠, 라이너 마리아 릴케 이런 시인의 이름을 불러 봅니다.

– 윤동주, 「별 헤는 밤」 중에서

라 별에 대한 연상이 추상에서 구체로, 관념에서 육체로 이행해 가면서, 시인은 어머니를 떠올린 순간부터 그리움에 몸서리를 치게 된다. 그렇게 한번 그리움의 물꼬가 터지자 그다음부터의 연상은 차라리 폭포수에 가깝다. 이제 더는 관념이 아니라 인격적인 존재들이 기억 저편에서 마치 저 하늘의 별처럼 쏟아져 나오기 때문이다.

이젠 거꾸로 모자랄 지경이다. 아까까지는 시행 하나에 이름 하나 붙이더니, '어머니'를 떠올린 이후 호흡이 빨라지고 시행이 길어진다. 그는 마치 토해 내듯이 어머니에게 그 그리운 이름들을 하나하나 전하고자 한다. 소학교 때 친구부터 비둘기, 노루 따위를 거쳐 릴케에 이르기까지 ㉤한결같이 여리고 순수하고 선한 존재다. 잊고 있던 수많은 고맙고 그리운 이름들 하나라도 놓칠세라, 시상대에 선 수상자라도 된 듯이 윤동주는 하나하나 호명한다.

그리운 사람이 많다는 것은 얼마나 행복한가. 하지만 만날 수 없으니 또 얼마나 고통인가. 그러기에 윤동주는 그 잠시의 행복한 추억이 끝나는 순간 고통스럽게 인정한다. "이네들은 너무나 멀리 있습니다 / 별이 아스라이 멀 듯이"라고 말하지 않았던가. 별은 그런 거라고. 밝게 빛나 기쁘고 멀리 있어 슬프다고. 어찌할꼬. 그리움 덕택에 살고 그리움 때문에 못 살겠다는 것을.

08 이 글에 대한 설명으로 적절하지 않은 것은?

① (가)는 '별'과의 인연을, (다)는 '별'을 통해 연상되는 것을 바탕으로 시상을 전개하고 있다.

② (나)와 (라) 모두 (가)와 (다)를 읽으면서 느낀 필자의 정서가 표출되고 있다.

③ (나)와 (라) 모두 명령형 어조를 사용하여 독자로 하여금 특정 행동을 유도하고 있다.

④ (나)에서는 의문형을 활용하여 글의 내용을 강조하여 드러내 주고 있다.

⑤ (라)에서는 시의 일부분을 인용하여 시인의 정서가 어떠한지 구체적으로 보여 주고 있다.

09 ㉠~㉤에 대한 설명으로 적절하지 않은 것은?

① ㉠: 정다운 이를 다시 만나고 싶은 화자의 소망이 담겨져 있다.

② ㉡: (가) 시를 통해 얻은 깨달음이라 할 수 있다.

③ ㉢: 소중한 인연을 새로 맺을 것을 강조해 주고 있다.

④ ㉣: 어머니를 향한 간절한 그리움을 반복을 통해 보여 주고 있다.

⑤ ㉤: 화자가 호명한 존재들이 지닌 특성이라 할 수 있다.

고난도

10 이 글의 ⓐ와 〈보기〉의 ⓑ에 대해 설명한 것으로 가장 적절한 것은?

〈보기〉

아가씨는 리본과 레이스, 꼬불꼬불한 머리를 사랑스럽게 내 어깨에 기대어 별들이 아침 햇살을 받아 사라질 때까지 잠들어 있었다.

나는 가슴이 좀 두근거렸지만, 아름다운 생각만을 보내 준 이 맑은 밤의 성스러움 속에서 잠든 아가씨의 모습을 가만히 지켜보았다. 우리를 둘러싸고 있는 별들은 양 떼와 같이 얌전하고 조용한 걸음을 재촉했다.

나는 생각했다. 이 별 중에서 가장 예쁘고, 아름답게 빛나는 ⓑ별 하나가 길을 잃고 내 어깨에 기대어 잠들어 있노라고. – 알퐁스 도데, 「별」에서

① ⓐ, ⓑ 모두 그리운 대상을 의미한다.

② ⓐ, ⓑ 모두 화자에게 위안을 주는 존재이다.

③ ⓐ와 달리 ⓑ는 화자로 하여금 설레게 하는 대상이다.

④ ⓑ와 달리 ⓐ는 화자를 누군가와 매개시키는 역할을 한다.

⑤ ⓑ와 달리 ⓐ는 부정적 현실을 극복하게 해 주는 희망이라는 의미를 지닌다.

[11 – 13] 다음 글을 읽고 물음에 답하시오.

그즈음 나는 의심하고 있었다. '꼭 꿈을 직업으로만 이루어야 하는 걸까?' 사람들은 말한다. "가슴 뛰는 일을 해라!" 멋진 말이다. 하지만 누구나 가슴 뛰는 일을 직업으로 가질 수 있는 걸까? 누구나 자신의 꿈을 이루기 위해 선택한 직업에서 최고가 될 수는 없다. 실제 자신의 꿈을 직업으로 이룬 사람은 많지 않다. 또 꿈을 직업으로 이루었다고 꼭 행복해지는 것도 아니다.

내가 좋아하는 것을 반드시 해야 한다는 자기중심적인 강박이 나를 망치기도 한다. 왜냐하면 지금 내가 하는 일은 정말 내가 하고 싶었던 일이 아니라는 생각이 현재를 망치기 때문이다.

가장 중요한 일은 자기가 '해야' 하는 일에서 의미를 발견하고 그것을 좋아하려는 노력 그 자체가 아닐까?

나는 직업을 꿈과 연결해 내가 하고 싶은 일, 가슴 뛰는 일을 하지 않으면 마치 실패자인 것처럼 좌절하게 만드는

요즘 세태를 생각했다. 그리고 직업이란 '내'가 아니라 '남'에게 도움이 되는 일을 하고, 합당한 대가를 받는 일이라는 생각에 이르자, 사람들이 느끼는 '자아실현'과 '직업' 사이의 괴리를 이해할 수 있었다.

공무원이, 범죄 심리 분석관이, 아이돌 가수가, 배우가 되고 싶다고 말하던 아이들에게 하지 못했던 말을 지금이라도 꼭 해 주고 싶다. 꿈과 멀어졌다고 사표를 '꿈'꾸는 수많은 회사원에게, 후배와 친구들에게도 말하고 싶다. 그것은 너만의 고민이 아니라고, 어쩌면 그것은 이 시대가 만든 병일지도 모르겠다고, 무엇보다 자아 성취는 일이 끝난 후 할 수도 있다고 말이다.

앤이 내게 물었어도 아마 같은 대답을 했을 거다. 이제 나는 "너의 꿈을 너의 직업으로 이뤄라!" 같은 말은 하지 않을 생각이다. 내가 생각하기에, 직업은 적어도 남에게 도움이 되는 일을 하는 게 맞다. 그러니까 어떤 의미에서 본래의 직업은 자아실현과 거리가 먼 셈인 것이다. 나는 버리고 떠나는 삶을 존중하지만, 이제는 버티고 견디는 삶을 더 존경한다.

이 시대가 너무 '나'를 강조하다 보니 그것이 자기애적인 강박으로 작용하는 것 같다는 생각 역시 끝내 지울 수 없다. 모든 사람의 꿈이 이루어질 수도 없지만, 만약 모든 사람의 꿈이 이루어진다면, 아마 이 세상은 엉망이 될 것이다.

좋아하는 일과 잘하는 일 중 어느 것을 직업으로 선택해야 하냐고 묻는 사람들에게 나는 이제 조심스럽게 '잘하는 일'을 하라고 말한다. 왜냐하면 시간은 많은 것을 바꾸기 때문이다. 잘하는 것을 오래 반복하면 점점 더 잘할 수 있으므로 기회를 더 많이 얻을 수 있다. 일이 점점 많아진다는 건, 그 일을 더 잘할 수 있게 되는 것 이외에 자기 일에 대한 특정한 태도가 생기는 것을 의미한다. 이때 '태도'란 그 일을 좋아하는 것까지를 포함한다.

11 **이 글에 대한 설명으로 가장 적절한 것은?**

① 직업이 지닌 가치를 언급하면서 올바른 직업관을 알려 주고 있다.
② 직업의 개념 및 직업 선택 방법에 대해 구체적으로 설명해 주고 있다.
③ 직업과 관련한 전문가의 견해를 인용하여 오늘날 직업의 중요성을 강조하고 있다.
④ 직업과 관련한 문제의식을 제기한 뒤, 이러한 문제에 대한 해결 방안을 제시하고 있다.
⑤ 직업과 관련한 개인적 경험을 구체적으로 제시하여 직업이 삶에서 반드시 필요함을 부각하고 있다.

12 **필자의 '직업'에 대한 인식으로 적절하지 않은 것은?**

① 반드시 내가 하고 싶은 일을 직업으로 할 필요는 없다.
② 직업은 남에게 도움이 되고 합당한 대가를 받는 것이다.
③ 올바른 직업 선택은 자아실현을 성취할 수 있게 해준다.
④ 자신이 가진 직업에서 최선을 다하면 많은 기회를 얻을 수 있다.
⑤ 직업을 가졌으면 그 직업에서 의미를 발견하는 자세가 필요하다.

고난도

13 **이 글을 읽은 다음 〈보기〉의 내용을 읽었다고 할 때, 독자의 반응으로 적절하지 않은 것은?**

〈보기〉

우연히 영장류학자 김 교수님의 인터뷰를 보고 긴팔원숭이를 연구하는 그의 삶에 푹 빠졌습니다. 온갖 생물이 다 어우러져 사는 열대 우림 속을 헤치며 자연의 다양성, 생명, 관계 등을 경험하는 교수님이 참 부러웠어요. 저는 어렸을 때부터 야생 체험과 모험을 좋아해서 탐험가가 되는 게 꿈이었거든요. 그런데 요즘 부모님과 친구들이 탐험가가 되어서 생활은 제대로 할 수 있겠느냐며 다시 생각을 하라고 합니다. 제 꿈을 바꿔야 할까요?

① 〈보기〉의 학생은 '가슴 뛰는 일'을 하고 싶다는 생각을 드러내고 있군.
② 〈보기〉의 학생은 자신보다는 남에게 도움이 되는 일을 하고 싶어 하는군.
③ 〈보기〉의 학생은 '해야 하는 일'과 '하고 싶은 일' 사이에서 갈등하고 있군.
④ 〈보기〉의 학생에게 필자는 잘하는 일을 직업으로 선택하라고 조언하겠군.
⑤ 〈보기〉의 부모님은 꿈을 반드시 직업으로 선택할 필요는 없다라고 생각하고 있군.

[14-15] 다음 글을 읽고 물음에 답하시오.

가 저는 모든 군주가 잔인하지 않고 인자하다고 생각되기를 더 원해야 한다고 주장합니다. 그렇지만 자비를 부적절한 방법으로 베풀지 않도록 조심해야 합니다. 체사레 보르자는 잔인하다고 생각되었지만, 그의 엄격한 조치들은 로마냐 지방에 질서를 회복시켰고, 그 지역을 통일시켰으며,

또한 평화롭고 충성스러운 지역으로 만들었습니다. 보르자의 행동을 잘 생각해 보면, 잔인하다는 평판을 듣는 것을 피하려고 피스토이아가 사분오열되도록 방치한 피렌체 인들과 비교해 볼 때, 그가 훨씬 더 자비롭다고 판단할 수 있을 것입니다. 따라서 현명한 군주는 자신의 신민들의 결속과 충성을 유지할 수 있다면, 잔인하다는 비난을 받는 것을 걱정해서는 안 됩니다. 왜냐하면 지나친 자비로움으로 무질서를 방치해서 많은 사람이 죽거나 약탈당하게 하는 군주보다, 소수의 몇몇을 시범적으로 처벌함으로써 기강을 바로잡는 군주가 실제로는 훨씬 더 자비로운 셈이 될 것이기 때문입니다. 〈중략〉

군주는 적절하게 신중하고 자애롭게 행동해야 하며, 지나친 자신감으로 인해서 경솔하게 처신하거나 의심이 많아 주위 사람들이 견디기 어려워하는 일이 없도록 해야 합니다. 그런데 사랑을 느끼게 하는 것과 두려움을 느끼게 하는 것 중에서 어느 편이 더 나은가에 대해서는 논쟁이 있습니다. 제 견해는 사랑을 느끼게 하는 동시에 두려움도 느끼게 하는 것이 바람직하다는 것입니다. 그러나 동시에 둘 다 얻기는 어려우므로 굳이 둘 중에서 어느 하나를 포기해야 한다면, 저는 사랑을 느끼게 하는 것보다는 두려움을 느끼게 하는 것이 훨씬 더 안전하다고 생각합니다.

(나) 형벌은 백성을 바르게 하는 일에 있어서 최후 수단이다. 수령이 자신을 단속하고 법을 받들어 엄정하게 임하면 백성이 죄를 범하지 않을 것이니, 그렇다면 형벌은 쓰지 않아도 좋을 것이다. 〈중략〉

그는 새벽에 일어나 세수를 마치고 의관을 정제한 다음 엄숙하고 단정히 앉아서 아침 문안을 받은 후, 그날의 할 일을 분담시켜 각자 처리하게 한다. 제대로 못하는 일이 있으면 순순히 잘 가르쳐서 깨닫게 하고, 수치가 될 만한 일이 있으면 숨겨서 드러내지 않다가 한가히 있을 때 하나씩 불러서 차근차근 경고하고 꾸짖는다. 가장이 부지런함으로 솔선하니 여러 사람들이 부지런하지 않을 수 없고, 가장이 검소함으로 솔선하니 여러 사람들이 검소하지 않을 수 없다. 가장이 공손함으로 솔선하고 청렴함으로 솔선하여 표준이 이미 바르니, 다른 사람들이 순종하지 않을 수 없다. 자제들은 모두 예쁘면서도 스스로 삼가며, 노복들은 순박하고 선량하기 그지없다. 그리하여 속이는 것이 어떻게 하는 일인지 알지 못하고, 도둑질은 어떻게 하는 짓인지도 알지 못한다. 1년이 지나도록 마당에 매질하는 소리가 없고 화목한 분위기가 문에 가득하여, 그 집에 들어가는 자는 마치 봄바람이 스치는 기분을 느끼게 된다. 거문고와 비파, 서책이 맑고 아름답지 않은 것이 없고 화초나 가축들이 모두 살지고 윤택해 보이니, 묻지 않더라도 법도 있는 군자의 집이 여기에 있음을 알 것이다.

이러한 일로 미루어 보건대, 말소리와 얼굴빛은 백성을 교화하는 일에 있어 말단이며, 형벌도 사람을 바로잡는 일에 있어 말단이다. 수령 자신이 바르면 백성도 바르지 않을 수 없고, 수령이 스스로 바르지 않으면 비록 형벌을 내리더라도 바르지 않게 되는 것이다.

14 (가), (나)에 대한 설명으로 적절하지 않은 것은?

① (가), (나) 모두 지도자의 자세에 대해 제시하고 있다.
② (가), (나) 모두 구체적인 사례를 통해 주장을 뒷받침하고 있다.
③ (가)와 달리 (나)에서는 솔선수범하는 지도자상을 드러내고 있다.
④ (나)와 달리 (가)에서 처벌을 할 때 신중해야 함을 강조하고 있다.
⑤ (나)와 달리 (가)에서는 지도자에게 두려움을 느껴야 함을 강조하고 있다.

15 (가)와 (나), 〈보기〉를 읽고 난 뒤의 반응으로 적절하지 않은 것은?

〈보기〉

공자는 군주는 군자다운 성품을 지녀야 한다고 함으로써 정치적 지도자가 가져야 할 덕목으로 도덕적 수양과 실천을 강조하였다. 이는 공자가 당시 지배 계층에게 도덕적 본성을 요구했다는 점에서 큰 의미가 있다. 그리고 군자가 되기 위해서는 항상 마음이 참되고 미더운 상태가 되도록 자신의 내면을 잘 살피라고 하였다. 이렇게 도덕적 수양을 할 뿐만 아니라 옛 성현의 책을 읽고 육예(六藝: 고대 중국 교육의 여섯 가지 과목)를 고루 익혀 다양한 학문적 속성을 갖춰야 한다고 하였다.

① 〈보기〉의 공자는 (가)보다 (나)의 주장에 더 공감하겠군.
② (나)의 '솔선'하는 자세와 〈보기〉의 '실천'은 유사하다고 할 수 있군.
③ (가)의 필자는 〈보기〉의 군주처럼 통치하면 잔인한 결과를 초래할 것이라 생각하겠군.
④ (가)의 필자는 〈보기〉에서 강조하는 '도덕적 수양'보다는 잔인함이 필요하다고 여기겠군.
⑤ (나)의 필자는 〈보기〉를 보면서 수령에게는 참된 도덕적 수양이 필요하다는 깨달음을 새로 얻겠군.

다양한 분야의 글 읽기

비판적 · 창의적 역량 — 문화 향유 역량

대단원 소개

이 단원에서는 독서의 방법에 대한 이해를 바탕으로 다양한 분야의 글을 어떻게 읽을 것인가에 대해 학습한다. 글은 다루는 제재에 따라 특성이 달라지는데, 이런 글의 특성을 잘 이해하고 있다면 독서가 좀 더 효율적으로 이루어질 수 있을 것이다.

다양한 분야의 글 읽기에서는 제재에 따른 글의 특성을 알아보고, 이에 대한 이해를 바탕으로 제재에 따른 고등적인 독서 능력을 신장시키는 것을 목표로 한다. 이를 위해 '인문 · 예술 분야의 글 읽기', '사회 · 문화 분야의 글 읽기', '과학 · 기술 분야의 글 읽기'로 나누어 각각 학습해 본다.

단원의 길잡이

교과서 114~115쪽

균형 있는 지식인이 되기 위해서 독서를 어떻게 해야 할까?

급속도로 변하는 오늘날을 살아가기 위해서는 전문적인 지식인으로서의 능력뿐만 아니라, 세상을 올바르게 바라볼 수 있는 기본적인 소양이 필요하다. 이러한 기본적인 소양을 갖추기 위해서는 인문·예술, 사회·문화, 과학·기술 등 다양한 분야의 책을 읽어야 한다. 이를 통해 인간과 세상을 총체적으로 이해할 수 있는 안목을 키울 수 있고, 새로운 지식을 창안할 수 있는 능력도 기를 수 있어 주체적인 현대인으로 살아갈 수 있다.

이 단원에서는 인문·예술, 사회·문화, 과학·기술 분야를 대표하는 글을 읽으면서 각 분야의 독서법을 익히고, 균형 있는 지식인이 되기 위한 소양을 기르는 활동을 한다.

소단원	학습 목표	읽기 제재
1. 인문·예술 분야의 글 읽기	• 인문·예술 분야의 글을 읽으며 제재에 담긴 인문학적 세계관, 예술과 삶의 문제를 대하는 인간의 태도, 인간에 대한 성찰 등을 비판적으로 이해한다.	**[제재 1]** 우리 안의 마녀사냥(주경철) **[제재 2]** 윤두서의 「자화상」(오주석)
2. 사회·문화 분야의 글 읽기	• 사회·문화 분야의 글을 읽으며 제재에 담긴 사회적 요구와 신념, 사회적 현상의 특성, 역사적 인물과 사건의 사회·문화적 맥락 등을 비판적으로 이해한다.	**[제재 1]** 나라에 부치는 연애편지(헤리베르트 프란틀) **[제재 2]** 우산, 근대와 전근대가 만나다(김진섭)
3. 과학·기술 분야의 글 읽기	• 과학·기술 분야의 글을 읽으며 제재에 담긴 지식과 정보의 객관성, 논거의 입증 과정과 타당성, 과학적 원리의 응용과 한계 등을 비판적으로 이해한다.	**[제재 1]** 원자 모형의 변천 과정(정갑수) **[제재 2]** 네트워크는 힘이 세다(정하웅)

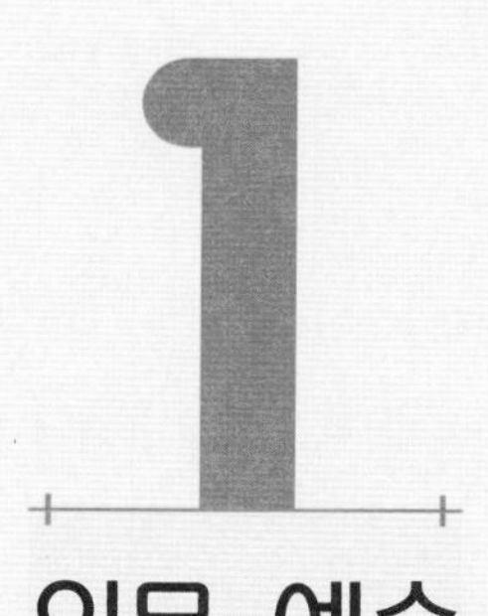

인문·예술 분야의 글 읽기

교과서 116쪽

생각 열기 디지털 시대에 왜 인간에 관한 이해가 강조되는 것일까?

스티브 잡스는 "소크라테스와 함께 점심 식사를 할 수 있다면 우리 회사의 모든 기술과 바꾸겠다."라고 했다. 스티브 잡스가 이렇게 말한 것은, 오늘날 기업의 생존이 기술에 달려 있지만 그 기술의 원천은 바로 인간에 대한 깊은 이해에서 비롯된다고 생각했기 때문이다. 스티브 잡스는 '기술' 못지않게 '인문학'이 지닌 가치도 중요함을 강조한 것이다.

그렇다면 **인간에 관한 이해를 높이기 위해서는 어떤 분야의 글을 어떻게 읽어야 할까?**

| 예시 답 | 인간의 삶과 세계를 다룬 인문·예술 분야의 글을 읽는다.

| 도움말 | 인문·예술 분야의 글 읽기의 필요성을 환기할 수 있는 글을 제시하였다. 이를 통해 인문·예술 분야의 글을 읽는 것이 자기 자신과 세상에 대한 이해의 폭을 넓힐 수 있고, 상상력과 창의력을 신장시킬 수 있는 기회임을 생각해 보도록 한다.

| 이 단원의 학습 요소 |

학습 목표 **인문·예술 분야의 글에 담긴 인문학적 세계관, 예술과 삶의 문제를 대하는 인간의 태도, 인간에 대한 성찰 등을 비판적으로 이해하며 읽는다.**

'마녀사냥'에 관한 비판적 이해를 통해 인간의 삶을 성찰하기	▶	'마녀사냥'에 관한 글을 비판적으로 이해해 봄으로써 인간의 삶을 성찰해 본다.
예술 작품을 감상하는 필자의 태도에 관해 비판적으로 이해하기	▶	예술 작품을 감상하는 필자의 관점과 태도를 파악하고, 이를 비판적으로 이해해 본다.

소단원 바탕학습

원리 이해

1 인문 · 예술 분야 글 읽기의 필요성

• 인간이 다른 동물들과 다른 점: 인간은 정신적 가치를 추구함. 인간은 무엇이 참된 것인지, 자신의 삶은 올바른지, 어떤 것이 아름다운지, 인간답게 살기 위해서는 어떻게 해야 하는지 등을 고민하면서 정신적 고양을 위해 노력함.

고양: 정신이나 기분 따위를 북돋워서 높임.

정신적 고양을 위한 방법	➡	인문 · 예술 분야 글 읽기	➡	정신적으로 고양된 삶을 살 수 있는 토대가 됨.
		• 자기 자신에 대한 이해를 높일 수 있음. • 세계를 바라보는 시각을 키울 수 있음. • 자신의 삶에 관해 성찰할 수 있음.		

2 인문 · 예술 분야 글의 특징

1. 인문 분야의 글: 세상을 바라보는 인간의 정신 활동이 축적되어 있음.
2. 예술 분야의 글: 예술 작품의 이해와 감상 및 평가를 통해 인간의 정서적 고양과 예술적 소양을 기름.

	인문 분야의 글		예술 분야의 글
특징	과거로부터 이어져 온 인간의 정신적 활동과 세계에 대한 이해를 다룸.	특징	예술 작품을 기반으로 인간의 정서적 측면과 예술적 측면을 다룸.
제재	• 인간의 정신에 관한 필자의 견해나 사고를 다룸. • 세계를 바라보는 필자의 가치관이나 관점을 다룸. • 올바른 삶을 살기 위한 인간의 태도나 자세를 다룸.	제재	• 각 예술 장르에 관한 정보를 제공함. • 예술 사조를 소개함. • 특정 예술 작품의 감상과 비판을 다룸.
영역	문학, 철학, 윤리학, 역사학, 언어학, 종교학 등	영역	음악, 미술, 연극, 영화, 사진, 공예 등

3 인문 · 예술 분야 글 읽기의 방법

인문 분야의 글 읽기 방법	➡	• 인간이나 세계에 관한 필자의 해석 · 통찰, 필자의 가치관이나 관점에 비중을 두고 읽기 • 필자의 의견을 비판적으로 바라보는 능동적 읽기 • 다른 문제 상황에 적용하는 깊이 있는 읽기
예술 분야의 글 읽기 방법	➡	• 예술론, 작품론 등 글의 화제에 따라 읽기 방식을 달리하여 읽기 • 관련 작품을 직접 찾아보며 읽기

관련 작품을 직접 찾아보며 읽기: 작품에 대한 이해의 폭 확대 및 심미안(審美眼)을 기를 수 있음.

글의 화제에 따라 읽기 방식을 달리하여 읽기:
· 이론 중심의 글을 읽을 때: 필자의 예술적 관점이나 견해 중심으로 읽음.
· 작품론을 읽을 때: 작품의 창작 배경, 형식적 특성, 작품의 내용, 작품의 예술적 가치를 중심으로 읽음.
· 작가론을 읽을 때: 작가가 살던 시대적 배경, 작가의 생활 환경, 작가의 인품과 개성 등을 중심으로 읽음.

| 원리 확인 문제 |

1. 인문 · 예술 분야 글 읽기의 필요성으로 거리가 먼 것은?

① 자신의 삶에 관해 성찰할 수 있다.
② 세계를 바라보는 시각을 키울 수 있다.
③ 자기 자신에 대한 이해를 높일 수 있다.
④ 정신적으로 고양된 삶을 살 수 있는 토대가 된다.
⑤ 관련된 작품들을 직접 찾아볼 수 있는 태도를 기를 수 있다.

2. 인문 분야 글의 특징으로 적절하지 않은 것은?

① 미술, 연극, 영화, 공예 등이 해당한다.
② 세계를 바라보는 필자의 가치관이 나타나 있다.
③ 인간의 정신에 관한 필자의 견해가 나타나 있다.
④ 올바른 삶을 살기 위한 인간의 태도가 나타나 있다.
⑤ 세상을 바라보는 인간의 정신 활동이 축적되어 있다.

3. 인문 분야 글을 읽을 때는 필자의 의견을 (   )(으)로 바라보는 능동적 읽기를 해야 한다.

4. 예술 분야의 글 읽기 방법으로 적절한 것은?

① 다른 문제 상황에 적용하며 읽는다.
② 화제에 따라 읽기 방식을 달리하며 읽는다.
③ 개념이나 원리의 적용 가능성을 검토하며 읽는다.
④ 복잡한 여러 현상의 인과 관계를 분석하며 읽는다.
⑤ 세계에 관한 필자의 가치관이나 관점에 비중을 두고 읽는다.

정답 1. ⑤ 2. ① 3. 비판적 4. ②

제재 미리보기

우리 안의 마녀사냥

1 해제

이 글은 근대 유럽에서 행해진 마녀사냥을 통해 현재 우리 내면에 잠재해 있는 마녀사냥식 충동에 대해 성찰하고자 한 논설문이다. 마녀사냥에 관한 기존 역사학자들의 견해를 소개한 후, 마녀사냥에 대한 역사적 평가를 내리면서 필자의 견해를 밝히고 있다.

2 핵심 정리

(1) **갈래**: 논설문

(2) **성격**: 논증적, 설득적

이 글에서는 마녀사냥에 관한 여러 견해를 논증적으로 검토하고, 이에 대한 필자의 역사적인 평가를 설득적으로 제시하고 있다.

(3) **제재**: 유럽에서 행해진 마녀사냥

(4) **주제**: 마녀사냥의 본질과 마녀사냥식 충동에 대한 경계

마녀사냥에 대한 여러 견해와 역사적 평가를 통해 그 본질을 밝히고 있으며, 오늘날에도 마녀사냥식의 충동이 발생하지 않도록 경계하고 있다.

(5) **특징**: ① 마녀사냥으로 일어난 사건을 실증적으로 제시하여 필자의 견해를 입증하고 있다.

② 기존의 견해를 제시한 후 이를 비판적으로 고찰하고 있다.

(6) **구성**

'서론'에서는 마녀사냥에 관한 역사적 사실을 언급한 후, '본론'에서 마녀사냥에 대한 기존 역사학자들의 견해를 검토한 다음, '결론'에서 현재도 마녀사냥은 계속 되고 있음을 성찰하고 있다.

서론	본론	결론
유럽에는 마녀사냥이라는 역사적 사실이 존재함.	• 마녀의 개념은 조작되었으며, 점차 정형화되어 감. • 마녀사냥으로 여성, 빈민, 노인, 권력자들이 희생됨. • 마녀사냥에 대한 역사학자들의 견해를 검토함.	현재도 마녀사냥이 계속되고 있음을 성찰함.

윤두서의 「자화상」

1 해제

이 글은 조선 최고의 초상화인 윤두서 「자화상」에 관한 비평문이다. 옛 사진 속 윤두서 「자화상」을 근거로 현재의 윤두서 「자화상」이 완성작이라는 기존 견해를 반박하고 있다. 필자는 작가의 의도를 추측하면서 감상하는 예술적인 비평을 통해 윤두서 「자화상」의 가치를 드러내 보이고 있다.

2 핵심 정리

(1) **갈래**: 비평문

(2) **성격**: 논증적, 비평적

이 글에서는 윤두서 「자화상」이 당대 사대부의 윤리 의식에 따른 미감에 맞지 않는다는 점을 들어 윤두서 「자화상」을 완성작으로 본 기존 견해를 논증적으로 비평하고 있다.

(3) **제재**: 윤두서 「자화상」

(4) **주제**: 윤두서 「자화상」에 대한 감상

필자는 완성작으로 알려진 윤두서 「자화상」에 대한 의문을 품었다가, 옛 사진 속 윤두서 「자화상」을 근거로 들어 윤두서 「자화상」이 미완성작이자 걸작이라고 평가하고 있다.

(5) **특징**: ① 합리적인 의심과 구체적인 근거를 통해 원작품 윤두서 「자화상」에 대해 설명하고 있다.

② 세밀한 관찰과 윤두서의 삶을 통해 윤두서 「자화상」을 예술적으로 비평하고 있다.

(6) **구성**

'처음'에서는 기존의 견해에 대한 필자의 의심을 제기한 후, '중간'에서 미완성작임을 주장하는 근거를 밝히고, 작품의 예술성을 두 가지 측면에서 살펴보며 '끝'을 맺고 있다.

처음	중간	끝
윤두서 「자화상」에 관한 첫 인상과 당대 사대부의 윤리 의식에 맞지 않는 점에 대한 의심	• 창작 당시의 유탄이 지워진 미완성작이자, 예술적으로는 완성작이라고 평가함. • 작가의 의도를 추측하며 윤두서 「자화상」을 감상함.	윤두서 「자화상」의 예술성을 조선 초상화의 정신인 극사실주의와 대조 기법의 측면에서 살펴봄.

제재 1

📘 교과서 118~122쪽

우리 안의 마녀사냥 _ 주경철

소단원 포인트

- 유럽 사회에서 일어났던 '마녀사냥'을 역사적 관점에서 고찰하기
- '마녀사냥'이 유럽 사회에서 수백 년 동안 지속되어 온 원인 파악하기
- 우리가 유럽에서 일어난 '마녀사냥'에 관한 글을 읽어야 하는 이유 생각하기

필자 소개

주경철(1960~): 역사학자. 주로 서양 근대사에 관련된 연구를 하고 있다. 주요 저서로 『대항해 시대』, 『히스토리아』, 『마녀』 등이 있다.

서론 **이해하기 힘든 역사적 사실**

가 역사상 특이한 현상들이 많지만 '마녀사냥'만큼 이해하기 힘든 현상도 드물 것이다. 『이 세상에 악마와 내통하는 자들이 있어서 이들이 사회 전체를 위험에 빠뜨리려는 음모를 꾸미고 있으며, 이웃집 아줌마가 밤에 고양이로 변신해서 관악산의 마녀 모임에 다녀왔다』는 혐의를 받는다면 그것을 믿을 수 있을까? 그런데 실제로 유럽에서는 사회 전체를 위협하는 악마적인 세력이 존재한다고 철석같이 믿고 종교 재판소를 설치하여 마녀들을 소탕하는 운동을 벌였다. 현재 개략적인 추산으로는 15세기 말부터 수백 년 동안 유럽에서 마녀로 판정을 받고 처형 당한 사람이 약 10만 명에 이른다고 한다.

(합리적인 방법으로는 '마녀사냥'을 설명하기 어렵기 때문에 / 『 』: 통상적으로 알려진 '마녀'의 개념 / 합리적인 관점에서 본다면 마녀사냥은 이해할 수 없는 현상임. / 교회와 다른 교리를 전파하는 자를 회개하게 하고 처벌하기 위해 설치한 재판소)

➜ 15세기 말부터 수백 년 동안 유럽에서 마녀사냥으로 10만 명이 처형 당함.

> **서론**: 유럽에는 마녀사냥이라는 이해하기 힘든 역사적 사실이 있음.

본론 1 **나** 사실, 마술이나 마법의 개념은 과거 여러 사회에서 볼 수 있다. 대부분의 평범한 사람들은 '이 세상에는 알 수 없는 어떤 신비한 힘이 있다.'라는 생각을 하게 마련이다. 그런데 유럽에서는 이런 비정상적인 힘의 존재를 '악마'와 연관 지어 이해하였는데, 이는 ㉠유럽 사회에서만 발견되는 아주 특징적인 현상이다.

(유럽의 '마녀' 개념이 독특한 이유)

➜ 유럽에서는 마법의 개념을 악마와 연관 지어 이해함.

교과서 날개 질문

'신비한 힘'의 존재에 관한 유럽 사회만의 독특한 관점을 말해 보자.

| 예시 답 | 사람들은 대부분 알 수 없는 신비한 힘의 존재를 인정하기 때문에 마법의 개념은 과거 어느 사회에서나 볼 수 있다. 하지만 유럽에서는 이런 마법의 개념을 '악마'와 연관 지어 이해하려 하였다.

| 도움말 | 우리가 흔히 알고 있는 마법, 즉 신비한 힘의 개념과 과거 유럽 사회에서의 '마녀'의 개념이 다르다는 점을 떠올려 본다.

다 마녀 집회 현상에 관해 전문 역사가들 사이에서도 아직까지 의견이 일치하지 않는다. 어떤 연구자들은 여자들이 밤에 집회를 연 것이 사실이며, 또 그들이 어떤 특정한 믿음 체계를 실제로 가지고 있었으리라고 본다. 다만 그 내용이 악마 숭배하고는 거리가 멀고 고대로부터 은밀히 전해 내려오는 다산 숭배, 말하자면 농업적인 의식이라는 주장이다. 다시 말해, 나중에 지독한 오해를 사고 억울하게 희생 당하긴 했지만 마녀라고 오해 받을 만한 어떤 역사적인 내용이 실재했다는 견해이다.

(마녀라고 오해 받을 만한 역사적 사건이 실재했다고 보는 견해)

➜ 마녀 집회에 관한 견해 ① – 오해 받을 만한 역사적인 내용이 존재했음.

라 이와 달리 어떤 연구자들은 그런 것은 전혀 존재하지 않으며 순전히 조작된 내용일 뿐이라고 주장한다. 신학자, 종교 재판관, 정부 당국자들이 그들이 읽은 종교 서적의 내용을 가지고 차츰 하나의 정형화된 개념을 만들어서 그것으로 무고한 사람들을 옭아맸다는 것이다. 이 견해에 따르면, 마녀 집회 같은 것은 순전히 상상력의 산물이라 할 수 있다.

(마녀는 무고한 사람을 희생시키기 위해 특정 세력이 조작해 낸 것이라는 견해 / 정형화된: 일정한 형식이나 틀을 만들거나 그렇게 됨.)

➜ 마녀 집회에 관한 견해 ② – 실체가 전혀 없는 순전히 조작된 내용임.

▸ **'마녀사냥'의 사전적 의미**: 특정 사람에게 죄를 뒤집어씌우는 것을 비유적으로 이르는 말. = 마녀 재판. 14세기에서 17세기에 유럽의 여러 나라와 교회가 이단자를 마녀로 판결하여 화형에 처하던 일. 18세기 무렵부터 계몽 사상의 영향으로 없어졌음.

마 그리고 두 견해의 중간적인 입장에 있는 사람들은 이렇게 주장한다. 우선 과거로부터 전해 오는 이교(異敎) 전통이 있었고, 이것을 권력 당국이 받아들여서 자신들의 생각대로 개념을 조작해서 일반 민중들을 공격했다는 것이다.

(첫 번째 견해와 두 번째 견해를 종합한 견해 / 이교: ① 이단의 가르침 ② 자기가 믿는 종교 이외의 종교)

➜ 마녀 집회에 관한 견해 ③ – 이교의 전통을 권력 당국이 조작함.

바 ㉡이러한 의견들을 정리해 보면, 어느 한순간에 마녀, 마녀 집회 같은 개념이 만들어진 것은 아니고 오랜 기간을 두고 차츰 정형화되어 갔으며, 그리고 실제 마녀가 존재할 리는 없으므로 권력 당국(정부와 종교)이 가공의 개념을 만들어서 어이없는 희생을 강요한 것으로 요약된다. 말하자면 마녀 개념을 만들어서 죄 없는 사람을 잡아다가 고문하여 죄인을 만들고, 그 과정에서 재판관들이 확인했다고 하는 사실들을 가지고 다시 더 정교한 마녀 개념을 만들어 가는 악순환이 벌어졌다고 할 수 있다.

➜ 마녀 집회에 관한 기존 견해 정리 - 마녀 개념을 조작하여 죄 없는 사람들을 고문하는 과정에서 마녀 개념이 정교해져 감.

본론 1: 마녀(마녀 집회)에 대한 세 가지 견해를 소개한 후, 이에 대한 필자의 견해를 밝힘.

교과서 날개 질문

'마녀 집회 현상'에 대한 역사 연구가의 견해를 종합·정리하여 말해 보자.

| 예시 답 | 마녀가 실제로 존재하지는 않는다. 그래서 필자는 권력 당국이 마녀 개념을 조작하여 죄 없는 사람들을 마녀로 고문했으며, 이런 과정에서 마녀 개념이 정교해진 것이라고 주장한다.

핵심 쏙쏙

1 이 글에서 (가)의 역할

(가)는 논설문의 '서론' 부분으로 대상인 마녀사냥에 관한 개념을 설명하고, 이로 인한 피해 상황을 언급함으로써 논의의 필요성을 부각하고 있음.

2 마녀사냥으로 인한 문제

- 시기 및 지역: 15세기 말부터 수백 년 동안, 유럽에서
- 피해자 수: 마녀로 몰려 약 10만 명이 희생됨.

3 유럽에서의 마술 또는 마법의 개념

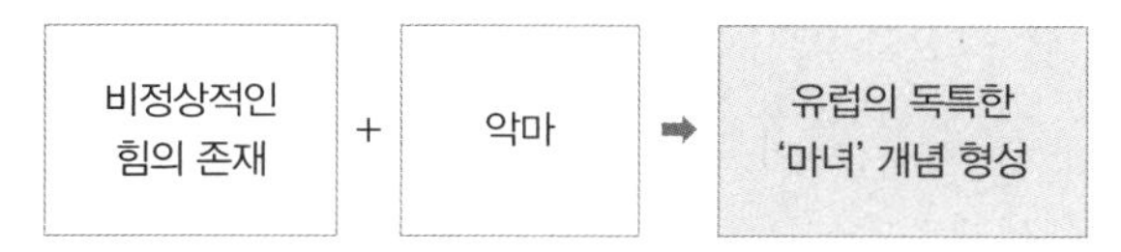

4 마녀 집회에 관한 역사학자들의 견해

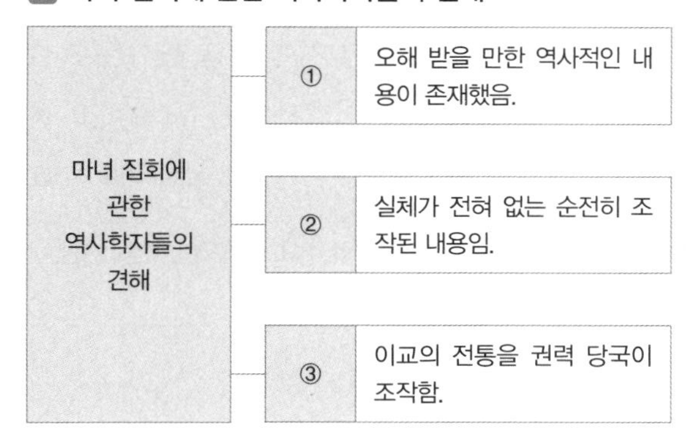

5 마녀 집회에 대한 필자의 견해

마녀는 실제로 존재하지 않으며, 권력 당국이 마녀의 개념을 조작하여 죄 없는 사람들의 희생을 강요한 것임.

정답 및 해설 28쪽

확인 문제 ①

1. 이 글에 대한 설명으로 가장 적절한 것은?

① 사회 현상을 설명하면서 전문가의 견해를 제시하고 있다.
② 문제가 되는 사회적 현상을 열거한 뒤 해결책을 제시하고 있다.
③ 사회적 대상을 기준에 따라 분류하며 필자의 주장을 전개하고 있다.
④ 필자의 주장을 뒷받침하기 위해 용어가 생겨난 근원적인 사건을 서술하고 있다.
⑤ 비교의 방법으로 대상의 공통점을 분석하며 문제 상황을 정교화하고 있다.

학습 활동 응용

2. 이 글을 읽고 '마녀사냥'에 대해 정리한 내용으로 적절하지 않은 것은?

① 15세기 말부터 수백 년 동안 마녀사냥이 자행되었다.
② 마녀사냥과 관련된 기관인 종교 재판소를 설치하였다.
③ 마녀사냥으로 마녀 판정을 받고 약 10만 명이 처형되었다.
④ 역사적으로 볼 때 마녀사냥은 이해하기 어려운 현상이다.
⑤ 마녀사냥은 남성과 여성 간의 갈등 심화로 인해 발생하였다.

학습 활동 응용

3. ㉠이 의미하는 바로 적절한 것은?

① 신비한 힘의 존재를 '악마'와 관련지어 생각함.
② 세상에는 알 수 없는 신비한 힘이 있다고 생각함.
③ 마녀는 특정한 사람들이 조작해 낸 것이라고 생각함.
④ 마녀의 개념은 오랜 시간 동안 정형화되어 왔다고 생각함.
⑤ 마녀가 과거로부터 전해 오는 이교 전통와 관련 있다고 생각함.

서술형

4. ㉡의 내용을 〈조건〉에 맞게 쓰시오.

〈조건〉
- 마녀의 개념을 만든 주체를 명시하여, 해당 개념을 쓸 것
- 30자 내외의 한 문장으로 쓸 것(띄어쓰기 포함)

교과서 날개 질문
'마녀사냥'이 어느 시기에 가장 많이 일어났는지 말해 보자.

| 예시 답 | 1590년대, 1630년대, 1660년대에 마녀사냥이 많이 일어난 것으로 보아, 마녀사냥은 계몽의 시대 혹은 이성의 시대라고 불린 근대 초에 가장 많이 행해졌다.
| 도움말 | 필자가 사용한 '계몽의 시대', '이성의 시대'라는 용어가 어느 시기인지를 생각해 본다.

계몽과 이성의 시대: 계몽의 시대, 이성의 시대는 사상이나 사회적 조직 등의 전통적인 양식에 근본적인 의문을 제기했다는 특징을 보인다. 이 시기에는 사회적 관행을 결정하고자 할 때 오직 인간의 이성만을 신뢰하였으며, 이와 같은 이성에 대한 신뢰를 절대시하고자 했다.

본론 2 **이 현상을 어떻게 이해할 것인가**

사 왜 이런 일이 일어났을까? 먼저 마녀사냥에 대한 그동안의 연구 성과들을 차근차근 살펴본 다음 다시 생각해 보도록 하자. 무엇보다 중요한 문제는 마녀사냥이 언제 일어났는가 하는 점이다. 흔히 마녀사냥을 중세적 현상이라고 생각하기 쉬우나 사실은 근대 초의 현상이다. 마녀사냥이 가장 극성을 부렸던 시점은 1590년대이며, 그 후 1630년대와 1660년대에 다시 정점에 올랐다. 다시 말해, 근대 유럽에서 계몽의 시대, 이성의 시대에 일어난 일이다. (마녀사냥이 일어난 시기)

→ 마녀사냥이 일어난 시기 – 근대 유럽의 계몽의 시대(이성의 시대)

아 그렇다면 누가 희생되었는가? 『희생자들은 대개 여성, 빈민, 노인으로, 악마의 유혹에 쉽게 빠지게 된다고 여긴 부류들이었다. 가장 전형적인 인물형은 '가난한 차지농의 부인, 특히 과부로서 50~70세의 연령대이며, 성질이 사나운(또는 사나워 보이는) 할머니'』이다. (『 』: 마녀사냥으로 희생된 부류) 여성이 큰 비중을 차지했다는 것은 아주 중요한 문제이다. 마녀사냥의 광풍이 불었던 지역에서 희생자들을 보면 흔히 70퍼센트 이상, 심지어는 90퍼센트 이상이 여성이었다. (광풍: 미친 듯이 사납게 휘몰아치는 거센 바람) (마녀사냥 희생자의 특징 ① – 남성보다는 여성이 압도적으로 많음.) 사실 지금까지 통례대로 '마녀'라는 용어를 그대로 사용한 것은 남성 희생자도 있었다는 점을 놓고 볼 때 엄밀히 따지자면 잘못된 일이지만, 그만큼 여성 희생자가 많았다는 또 하나의 방증이기도 하다. 왜 여성이 더 큰 희생을 치렀는지 막상 설명하려면 쉽지 않지만, 페미니즘 이론에서는 마녀사냥이라는 것이 근대 초에 가부장제 질서가 더욱 굳건해지면서 전반적으로 남성 세계가 여성을 공격한 현상이라는 주장을 편다. (페미니즘: 성별로 인해 발생하는 정치·경제·사회 문화적 차별을 없애야 한다는 견해) (가부장제: 가부장이 가족에 대한 지배권을 행사하는 가족 형태)

→ 마녀사냥의 주요 희생자 – 여성, 빈민, 노인

자 또 부자들과 권력자들보다 힘없는 빈민들이 더 많이 희생 당했으리라는 점은 쉽게 상상할 수 있으나, 권력자들이라고 항상 무사한 것만은 아니었다. (마녀사냥 희생자의 특징 ② – 가난하고 힘없는 계층) 멀쩡한 사람을 마녀로 몰기 위해서는 당연히 고문을 동원하였는데, 고문에 못 이겨 공범들의 이름을 불 때는 사회의 최상층부 시민들이라고 예외는 아니었다. 실제로 1611년에 독일의 엘방엔에서 70세 여인이 고문을 받으면서 사회의 상층 인사들까지 '공범자'로 거명하였다. (공범자: 함께 계획하여 범죄를 저지른 사람) 고문이 시작되면 누구라도 안심할 수 없었다. 겁에 질린 사람들 가운데는 지레 자기가 마법을 부렸다고 '자수'까지 하는 사람도 있었다. 성직자들도 마녀사냥으로 희생되었고, 심지어 어떤 판사는 자기 부인이 마녀로 몰리자 거칠게 항의했지만 그 자신도 고문에 못 이겨서 죄를 '고백'하고 처형 당했다.

→ 마녀사냥의 희생자에는 권력자도 포함됨.

▲ 윌리엄 포웰 프리스, 「마녀재판」

본론 2: 마녀사냥은 근대 유럽에서 행해졌고, 마녀사냥의 주요 희생자는 여성, 빈민, 노인이며, 권력자들도 포함됨.

본론 3 **차** 그럼, 마녀사냥을 어떻게 해석해야 할까? 우리의 눈으로 보면 그냥 광기(미친 듯한 기미)라고 할 수밖에 없다. 그러나 그렇게만 말하고 끝날 일은 아니다. 그 시대 사람들이 정말로 제정신이 아니어서 집단으로 광포한 짓을 했다고 말할 수는 없는 일이다.(마녀사냥이 일어난 특정한 이유가 있음.) 마녀사냥을 주도했던 인물들은 대개 그 사회의 지도적인 위치에 있는 사람이었다. 그 사람들은 위험한 존재로부터 사회를 지키는 훌륭한 일을 하고 있다고 자부했을 것이다. 다시 말해서, 그 시대 그 사회의 관점에서 보면 마녀사냥은 광기가 아니라 합리적인 행위였을 수 있다.(마녀사냥을 사회를 지키기 위한 행위라고 봄.)

➜ 당대 사회의 관점에서 마녀사냥은 합리적인 행위임.

어휘 풀이

차지농(借地農): 예전에, 일정한 보상을 하고 토지 소유자에게 땅을 빌려서 하던 농업 경영. 또는 그런 경영자.

통례(通例): 일반적으로 통하여 쓰는 전례.

방증(傍證): 사실을 직접 증명할 수 있는 증거가 되지는 않지만, 주변의 상황을 밝힘으로써 간접적으로 증명에 도움을 줌. 또는 그 증거.

광포(狂暴): 미쳐 날뛰듯이 매우 거칠고 사나움.

핵심 쏙쏙

1 마녀사냥이 일어난 시대
- 근대 유럽 계몽의 시대, 이성의 시대
- 극성을 부린 시점: 1590년대, 1630년대, 1660년대

2 마녀사냥에 관한 시대별 해석
- 오늘날 기준: 마녀사냥은 비합리적 광기에 해당함.
- 근대 유럽 시기 기준: 합리적 행위였을 수 있음.

3 (아)의 내용 전개 방식
- 의문을 제기하고 이에 대한 답을 함으로써 설명 내용을 구체화함.

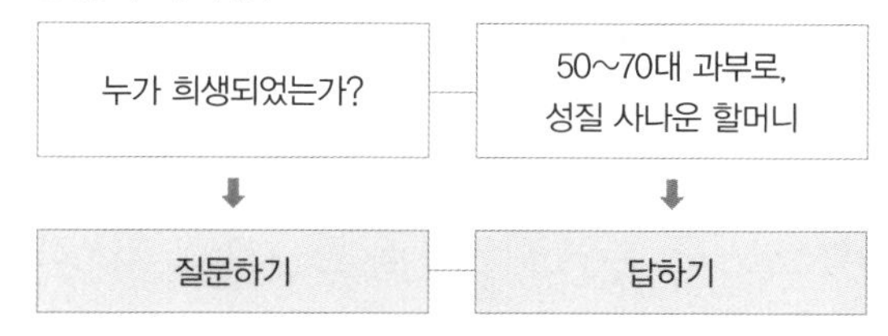

4 마녀사냥의 피해자

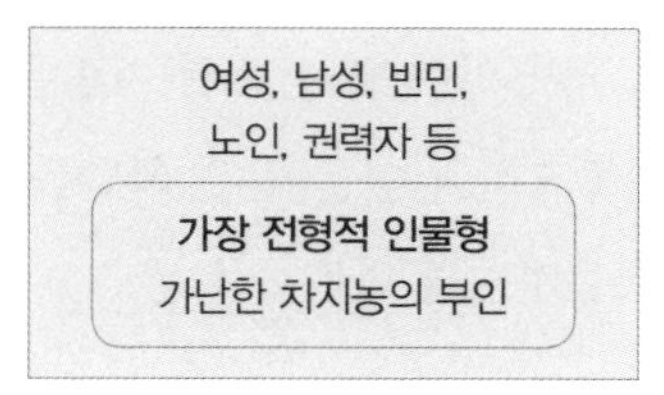

5 당대의 관점에서 본 마녀사냥

사회의 지도적 위치에 있는 사람들이 위험한 존재로부터 사회를 지키기 위해 마녀사냥을 함.

⬇

당대 사회의 관점에서 보면 마녀사냥은 합리적인 행위임.

확인 문제 ②

정답 및 해설 29쪽

1. 이 글을 통해 알 수 있는 내용이 아닌 것은?

① 마녀사냥에서 집단적으로 희생 당한 계층이 있었다.
② 마녀사냥의 피해자를 마녀로 몰기 위해서 고문을 동원하였다.
③ 마녀사냥을 주도한 사람들은 그 사회의 지도적인 위치에 있었다.
④ 마녀사냥은 중세적 현상이라고 생각하기 쉽지만 실제로는 근대 초의 현상이다.
⑤ 마녀사냥은 가부장제가 흔들리면서 남성 세계가 여성을 공격한 현상으로 보는 이론이 있다.

학습 활동 응용

2. 다음 빈칸에 들어갈 알맞은 말을 2어절로 쓰시오.

마녀사냥은 근대 유럽에서 (   ), 이성의 시대에 일어났다.

학습 활동 응용

3. 마녀사냥의 희생자에 대한 설명으로 적절하지 않은 것은?

① 성직자, 판사 등 권력자들도 피해자가 되었다.
② 남성에 비해 여성 피해자의 비중이 상대적으로 컸다.
③ 가난한 차지농의 부인이 피해자의 전형적인 모습이다.
④ 여러 부류의 사람들 중 노인, 과부가 주로 희생되었다.
⑤ 사회의 최상층부 시민들은 빈민들에 비해 피해가 심했다.

서술형 학습 활동 응용

4. (차)에 제시된 질문에 대한 답을 〈조건〉에 맞게 쓰시오.

〈조건〉
- 당대 사회의 관점에서 마녀사냥을 어떻게 해석할 수 있는지 쓸 것
- 20자 내외의 한 문장으로 쓸 것(띄어쓰기 포함)

카 그러나 그 시대 사람이 아니라 역사학자의 입장에서는 단죄는 아니더라도 어떻게든 설명과 해석, 평가해야 한다. 먼저 마녀사냥에 관한 기존 설명들을 보자. 흉년, 전쟁, 전염병 등과 같은 재난이 심해졌을 때 그에 대한 반응으로 마녀재판이 많이 벌어졌으리라는 설명이 있다. 1590년대처럼 기근과 전염병이 심했던 때가 마녀재판의 극성기였고 또 많은 마녀가 전염병을 일으켰다는 고소를 받은 점을 보면 일리가 있어 보이지만, 그렇지 않은 시기에도 마녀사냥이 많이 있었던 점을 보건대 이는 완전한 설명은 못 된다.

(단죄: ① 죄를 처단함. ② 죄로 단정함.)
(마녀사냥에 관한 역사학자의 견해 ①)
(마녀사냥에 관한 역사학자의 견해 ①의 한계)

➔ 마녀사냥에 관한 역사학자의 견해 ① – 심한 재난에 대한 반응으로 마녀사냥이 행해짐.

타 마녀재판이 물론 나쁜 일이지만 공동체 내에서 특정한 기능을 했다는 설명도 있다. 마을에는 같이 지내기가 좀 곤란한 사람들이 반드시 있게 마련이다. 예컨대 몹시 가난한 사람이 있어서 도와 달라는 요청을 자주 하는데, 사람들이 때마다 도와줄 수는 없고 그냥 있자니 마음에 걸린다고 하자. 마녀사냥은 사람들의 죄책감이 기형적으로 발동하여 이런 사람들을 아예 제거하는 방향으로 작동한 결과라는 것이다. 마녀사냥이 배운 자들의 덤터기 씌우기였다는 식의 설명만으로는 부족한 부분, 곧 일반인들의 심리를 고려하고 있고, 또 마녀사냥이 하여튼 어떤 기능을 맡았다는 측면을 보여 준다는 점에서 부분적으로 고려해 볼 가치가 있는 설명이다. 그 밖에도 희생자들의 재산을 빼앗기 위해서 한 짓이라는 식의 다른 여러 설명이 있으나 대부분 부정되었다.

(마녀사냥에 관한 역사학자의 견해 ②)
(기형: 기이하고 괴상한 모양)
(작동: 기계 따위가 작용을 받아 움직임. 또는 기계 따위를 움직이게 함.)
(마녀사냥에 관한 역사학자의 견해 ②의 의의)
(마녀사냥에 관한 역사학자 견해 ②의 한계)
(마녀사냥에 대한 역사학자의 견해 ③)

➔ 마녀사냥에 관한 역사학자의 견해 ② – 공동체 내에서 특정한 기능을 수행함.

> 본론 3: 마녀사냥이 당대 사회의 관점에서는 합리적일 수 있다는 점을 추론하고, 마녀사냥에 대한 기존 역사학자들의 견해를 검토함.

> **교과서 날개 질문**
> '마녀사냥'이 공동체 내에서 특정 기능을 했다는 설명에 관해 필자는 어느 부분에 공감하는지 말해 보자.
> **| 예시 답 |** 기존의 주장이 설명하지 못하는 부분을 보완할 수 있다는 점에서 부분적으로 공감하고 있다. 다시 말해 기존의 마녀사냥에 관한 견해를 부정하기에는 부족하지만, 마녀사냥이 어떤 기능을 한다는 근거는 나름대로 논리적이라고 본 것이다.

결론 파 지금까지 말한 점들을 염두에 두고 마녀사냥에 대한 역사적인 평가를 시도해 보자. 앞에서 말한 것처럼 이것이 중세적 배경을 가졌지만 본질적으로 근대적 현상이라는 점을 다시 주목할 필요가 있다. 근대로 들어오면서 일반 민중들은 정치적으로, 종교적으로 큰 에너지를 띠게 된다. 다스리는 자 입장에서는 이들을 그 상태 그대로 방치해서는 안 되고 질서 체계 안으로 끌어들여야 할 것이다. 질서를 부과한다는 것은 곧, 그것을 거부하는 자들을 억압한다는 것을 뜻한다. 근대의 권력 당국, 곧 국가와 종교는 그들의 권위에서 벗어나려는 자들을 제거하고 모든 국민들의 복종을 확립하려고 하였다. 국가는 종교로부터 이념을 빌리고 종교는 국가로부터 힘을 얻는다. 한 국가 안에 있는 모든 사람은 사고마저도 함께해야 한다. 모두 같은 종교를 믿어야 하며, 종교의 신임을 받은 국왕을 잘 따라야 한다. 근대 국가는 '균질한 영혼'들이 국가 기구에 복종하도록 만들어야 했고, 이것이 마녀사냥이 결과적으로 행한 역할이라 할 수 있다.

(마녀사냥에 관한 필자의 주장의 논리적 기반)
(균질한 영혼: 국가 등 권력 당국의 이념이나 가치관에서 벗어나지 않는 사람)
(마녀사냥을 하는 이유에 관한 필자의 의견)

➔ 마녀사냥에 관한 필자의 평가

하 인간의 지성은 갈수록 발달하고 사회는 더욱 문명화되는 것일까? 만일 그랬다면 지금쯤 우리는 지상 낙원에서 오순도순 살아가고 있을 것이며, 비참한 탄압과 야만적인 전쟁 같은 것은 아예 사라졌을 것이다. 마녀사냥과 같은 현상을 보노라면 우리 마음속에 집단 광기가 숨어 있는 것은 아닌지 자문하게 된다. ㉠마녀사냥은 그 모습 그대로는 근대 초 유

(인간의 지성은 갈수록 발달하고 사회는 더욱 문명화되었을 것이라는 가정에 의한 추론 결과 – 현실과 상반됨.)
(오늘날 우리의 모습에 대한 반성적 성찰)

> **교과서 날개 질문**
> 필자가 인간의 지성이 갈수록 발달하지 않고 사회가 문명화되지 않는다고 보는 이유를 말해 보자.
> **| 예시 답 |** 인간의 지성이 갈수록 발달하고 사회가 문명화된다면 현대 사회에서는 마녀사냥과 같은 현상은 더 이상 존재하지 않아야 한다. 하지만 현대 사회에서도 여전히 마녀사냥과 같은 현상이 빈발하고 있기 때문이다.

럽의 특이한 현상이지만 유사한 현상은 언제나 있었다. 『사회 전체를 근본적으로 위협하는 불순한 세력! 그것은 히틀러에게는 ㉡유대인이었고, 파시스트들에게는 ㉢공산주의자들이었다. 때로 권력은 일부러 그런 위험 세력을 조작해 내서 사람들을 선동하려 한다.』 그런 조작이 너무나도 쉽게 받아들여진다는 사실 자체가 우리 내면에 '마녀사냥'식의 충동이 잠재해 있음을 짐작하게 한다.

『 』: 인류의 지성이 발달하고 사회가 문명화된 현재에도 마녀사냥식의 광기가 일어나고 있음.

선동: 남을 부추겨 어떤 일이나 행동에 나서도록 함.

현재에도 마녀사냥식의 여론 몰이가 쉽게 벌어지고 있는 상황에 대한 비판

➔ 현재도 마녀사냥과 같은 사건이 자주 일어나고 있음.

결론: 마녀사냥은 근대 국가 질서를 거부하는 사람들을 복종하게 하는 역할을 수행했으며, 현재도 마녀사냥이 일어나고 있음을 성찰함.

›**파시스트:** 파시즘을 신봉하거나 주장하는 사람을 의미한다. 이때 파시즘이란, 제1차 세계 대전 후에 나타난 극단적인 전체주의적이고 배외적인 정치 이념이다. 자유주의를 부정하고 폭력적인 방법에 의한 일당 독재를 주장하여 지배자에 대한 절대적인 복종을 강요한다는 특징이 있다. 특히 대외적으로는 철저한 국수주의, 군국주의를 지향하며 민족 지상주의와 반공을 내세워 침략 정책을 주장한다.

핵심 쏙쏙

1 마녀사냥에 관한 역사학자들의 견해

역사학자의 견해 ①	심한 재난에 대한 반응으로 마녀사냥이 행해짐.
역사학자의 견해 ②	공동체 내에서 특정한 기능을 수행함.
역사학자의 견해 ③	희생자의 재산을 빼앗기 위해 행해짐.

2 마녀사냥에 대한 필자의 평가

마녀사냥은 결과적으로 근대 국가가 국가 기구에 복종하는 '균질한 영혼'들을 만드는 역할을 함.

3 오늘날 행해지는 마녀사냥의 희생자들

- 히틀러에게 희생된 유대인
- 파시스트에게 억압당한 공산주의자들

⬇

권력자들은 일부러 위험 세력을 조작하여 사람들을 선동하고 있음.

4 마녀사냥에 대한 필자의 경계

과거에 마녀사냥이 일어남.

⬇

오늘날에도 마녀사냥이 일어나고 있음을 환기함.

⬇

우리 내면에 마녀사냥식 충동이 잠재되어 있으므로 주의해야 함.

정답 및 해설 29쪽

확인 문제③

1. (카)~(하)에 대한 설명으로 적절하지 않은 것은?

① 대상을 현재의 관점에서도 성찰하고 있다.
② 대상에 대한 필자의 평가를 드러내고 있다.
③ 대상에 대한 기존의 견해를 열거하고 있다.
④ 대상을 예시를 통해 알기 쉽게 설명하고 있다.
⑤ 대상의 개념을 정의하여 논의의 범위를 한정하고 있다.

학습 활동 응용

2. '마녀사냥'에 대한 필자의 견해로 가장 적절한 것은?

① 희생자들의 재산을 빼앗기 위한 명분이었다.
② 흉년, 전염병 등 재난이 심해지면서 더욱 빈발하였다.
③ 근대 질서를 따르는 '균질한 영혼'들을 만들기 위해 행해졌다.
④ 희생자에 대한 죄책감이 기형적으로 발동하여 작동한 결과이다.
⑤ 현대인들의 내면에는 마녀사냥식의 충동이 존재하지 않는다.

학습 활동 응용

3. ㉠~㉢의 공통점으로 가장 적절한 것은?

① 사회 안정을 명목으로 권력자들에게 핍박 받았다.
② 실제로 사회의 체제를 위협하는 행위를 저질렀다.
③ 사회 질서를 회복하기 위해 노력하다가 좌절했다.
④ 합리적 판단 없이 사람들을 선동하다가 처벌 받았다.
⑤ 새로운 권력자에게 저항하다가 결국 권리를 빼앗겼다.

서술형 학습 활동 응용

4. 필자가 〈보기〉와 같이 판단한 이유를 40자 내외(띄어쓰기 포함)의 한 문장으로 쓰시오.

〈보기〉
- 인간의 지성은 갈수록 발달하거나, 사회가 더욱 문명화되는 것이 아니다.

교과서 123~125쪽

깊게 읽기

1. 이 글의 내용을 바탕으로 '마녀사냥'에 관해 정리해 보자.

√ '마녀사냥'이 일어난 시기:
| 예시 답 | 근대 유럽에서 계몽의 시대, 즉 이성의 시대에 일어남.

√ '마녀사냥'의 주된 대상:
| 예시 답 | 여성, 빈민, 노인. 가장 전형적인 인물은 가난한 차지농의 부인, 특히 과부가 주된 대상이었음.

√ '마녀사냥'으로 인한 희생자 수:
| 예시 답 | 15세기 말부터 수백 년 동안 유럽에서 마녀사냥으로 10만 명이 처형 당함.

2. 이 글에 드러난 필자의 생각을 바탕으로 다음 활동을 해 보자.

(1) 필자가 '마녀사냥'을 당대의 관점에서 이해할 수 있다고 판단한 이유는 무엇인지 말해 보자.

| 예시 답 | 마녀사냥을 주도했던 인물들은 자신이 사회를 위험으로부터 지키는 일을 한다고 자부했을 것이다. 따라서 지금의 시각으로 마녀사냥을 본다면 불합리한 행위라고 볼 수 있지만, 당대의 시각에서는 마녀사냥을 보이지 않는 위험으로부터 사회를 지키기 위한 행위라고 합리화했을 것이라고 추론한 것이다.

활동 도움말

'히틀러의 유대인 학살'이나 '파시스트의 공산주의자 학살'을 마녀사냥의 일종으로 볼 수 있다면 어떠한 점에서 그런지 생각해 본다.

| 도움말 | 필자가 유럽에서 마녀사냥이 일어난 이유를 어떻게 보고 있는지 확인한다. 그런 다음 히틀러가 왜 유대인을 학살했는지, 파시스트가 왜 공산주의자들을 학살했는지 그 이유를 생각해 본다.

(2) '히틀러의 유대인 학살'이나 '파시스트의 공산주의자 학살'이 '마녀사냥'과 어떤 공통점이 있는지 말해 보자.

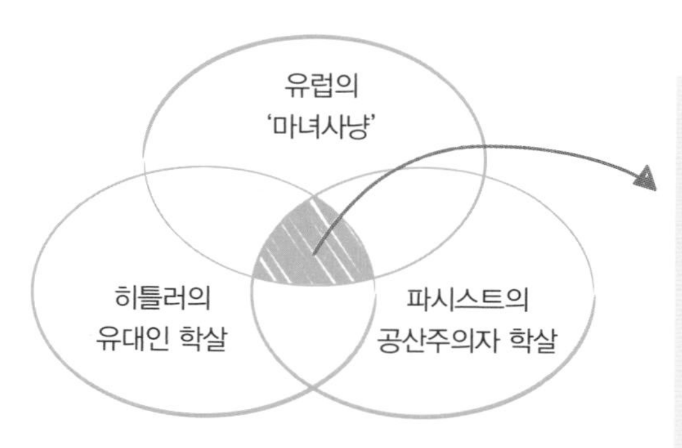

| 예시 답 | 계몽의 시대 유럽에서는 권력자들이 자유를 요구하는 사람들을 사회를 위협하는 불순한 세력으로 몰아 처형했고, 히틀러는 유대인을 사회를 위협하는 불순한 세력으로 몰았으며, 파시스트는 공산주의자들을 사회를 위협하는 불순한 세력으로 몰아 학살했다. 다시 말해, 세 세력은 권력자들이 사회 안정이라는 명목으로 특정 부류의 사람들을 핍박했다는 공통점이 있다.

| 도움말 | 마녀사냥이 왜 일어났는지 그 본질을 파악해 본다. 그리고 이러한 비이성적인 마녀사냥이 그 사회에서 합법적으로 행해질 수 있었던 이유를 생각해 본다.

(3) '마녀사냥'과 같은 사회적 현상이 일어나게 된 근본적 원인이 어디에 있다고 생각하는지 말해 보자.

| 예시 답 | 권력자들이 기존의 사회 질서를 유지해야 한다는 명목 등 자신의 기득권을 지키기 위해 공공의 악을 조작하는데, 많은 사람들이 합리적 판단 없이 이러한 조작을 너무 쉽게 받아들이기 때문이다.

토의 활동

3. **오늘날 주위에서 일어나는 '마녀사냥'을 떠올려 보면서, '마녀사냥'을 대하는 올바른 자세에 관해 친구들과 토의해 보자.**

활동 도움말

뉴스를 통해 접하는 사회적 사건만이 아니라 자기 주변에서 일어났던 일들이 있는지 떠올려 본다.

현대인들은 스스로를 합리적이라고 생각하지만 오늘날에도 마녀사냥은 심심찮게 행해지고 있다. 우리 사회에서는 '마녀'라는 이름만 '된장남', '된장녀' 등으로 바뀌었을 뿐, 마녀사냥은 현재 진행형이다. 특히 집단이 개인을 상대로 근거 없이 무차별적으로 공격하는 '인격 살인'이 대표적인데, 이는 인터넷과 같은 여론 매체의 발달과 관련이 깊다. 사람들은 여론 매체의 의견이 사실인지를 확인한 뒤 이를 이성적이고 비판적으로 판단하기보다는, 그 의견을 무비판적으로 받아들여 상대를 맹목적으로 비난한다. 그래서 '마녀사냥식 여론 재판'이라는 말이 사용되기도 한다.

❯ 된장남: 명품 소비를 지향하며 과시형 소비를 일삼는 남성을 비하하여 이르는 말

❯ 된장녀: 스스로의 능력으로 소비를 즐기는 사람이 아닌, 다른 사람에게 의존하는 여성을 풍자한 용어

❯ 인격 살인(人格殺人): 말이나 행동으로 다른 사람에게 참을 수 없는 모욕감이나 수치심을 주는 행위

| 예시 답 | 특정 매체가 특정 사건을 자신의 시각으로 보도하면 사람들은 인터넷 매체나 SNS 등을 통해 그 사건의 당사자들을 근거 없이 무차별적으로 공격한다. 무차별적인 인신 공격을 당한 당사자는 정신적인 피해를 입기도 하고 심한 경우 사회적으로 매장되기도 한다. 따라서 막무가내식의 마녀사냥에 휩싸이지 않으려면 매체가 어떤 사건을 보도하면 그것을 무비판적으로 받아들이기보다는, 사실 관계를 확인한 후 이를 이성적이고 비판적으로 판단해서 수용해야 한다.

4. **다음을 읽고 아래 활동을 해 보자.**

역사 공부의 의미를 과거를 배우고, 과거를 잊지 않고 간직하는 것으로 한정해서는 곤란하다. 미래를 준비하는 것이 진정한 역사 공부이기 때문이다. 과거의 불행한 사건을 되풀이하는 우를 범하지 않기 위해서, 즉 과거로부터 교훈을 얻기 위해서 역사를 곁에 두는 것이다.

"역사는 아무것도 가르쳐 주지 않는다. 다만 역사로부터 교훈을 얻지 못하는 자들을 처벌할 뿐."이라는 말처럼, 과거의 경험을 타산지석(他山之石)으로 삼아 미래를 만들어 가기 위해 역사책을 손에 들고 있는 것이다. 미래는 예측의 대상이 아니라 스스로 만들어 가는 것이므로, 어제의 역사 그 자체를 배우기보다 성찰과 반성의 기회를 마련하고, 이를 토대로 내일을 바람직하게 살아가기 위한 방향과 방법을 터득하는 것이 역사 공부의 목적이다.

— 마석한, 『걸어온 역사 나아갈 역사』에서

❯ 타산지석(他山之石): 다른 산의 나쁜 돌이라도 자신의 산의 옥돌을 가는 데에 쓸 수 있다는 뜻으로, 본이 되지 않은 남의 말이나 행동도 자신의 지식과 인격을 수양하는 데에 도움이 될 수 있음을 비유적으로 이르는 말

(1) 우리가 유럽에서 행해졌던 '마녀사냥'을 이해하는 활동이 필요한 이유는 무엇인지, 이 글을 바탕으로 써 보자.

| 예시 답 | 유럽에서 행해졌던 '마녀사냥'은 권력자들이 자신의 기득권을 유지하기 위해 사실을 조작하여 죄 없는 사람들을 처형한 불행한 사건이다. 따라서 이러한 불행한 '마녀사냥'을 되풀이하지 않고 바람직한 태도를 갖추기 위해 유럽의 '마녀사냥'을 이해할 필요가 있다.

발표 활동

(2) '마녀사냥'과 같은 현상이 일어났던 역사적 사건을 찾아보고, 이를 통해 얻은 교훈은 무엇이었는지 친구들 앞에서 발표해 보자.

| 도움말 | 우리가 과거의 역사를 공부하는 이유는 과거로부터 교훈을 얻기 위한 것이다. 그리고 이를 통해 앞으로의 바람직한 삶의 자세를 배우기 위해서이다.

| 예시 답 | 마녀사냥과 유사한 사례로 꼽을 수 있는 것은 소크라테스의 재판이다. 소크라테스는 힘이 곧 진리하고 생각하는 당대 사회가 잘못되었다는 점을 설파하고, 당대에 퍼져 있던 변론술의 무지를 일일이 따져서 캐물었다. 이런 점들이 당대 권력자들이나 아테네인들의 심기를 불편하게 만들었고 소크라테스를 공격하는 여론이 팽배해지면서 소크라테스에게 사형이 선고되어 결국 소크라테스는 독배를 들고 죽었다. 이 일을 통해 볼 때, 어떤 주장이나 의견이 당시의 분위기나 생각, 이념에 맞지 않는다고 해서 그것을 잘못된 것으로, 더 나아가 사회에서 용인할 수 없는 죄로 몰아서는 곤란하다는 점을 배웠다. 더 나아가 당대 사회 분위기와 다른 의견이 제시되었을 때 이를 무조건적으로 비판할 것이 아니라, 이를 이성적이고 합리적으로 살펴보아야 한다는 점을 깨달았다.

넓혀 읽기

5. 다음은 '박열'에 관한 글의 일부이다. 이를 참고하여 관동 대지진 당시 발생한 사건을 마녀사냥의 관점에서 비판적으로 설명해 보자.

1923년 9월 1일 일본 간토[關東]·시즈오카[靜岡]·야마나시[山梨] 지방에서 일어난 대지진. 12만 가구의 집이 무너지고 45만 가구가 불탔으며, 사망자와 행방불명이 총 40만 명이었음.

1923년 관동 지역에 대지진이 발생하여 도쿄가 아비규환(阿鼻叫喚)의 생지옥으로 변했다. 이런 와중에 일본 내각과 군부는 1918년 쌀 폭동 당시와 같은 민란 움직임을 사전에 막기 위해 도쿄 시내와 인근 5개 군에 계엄령을 선포하고 군대를 출동시켰다. 완전 무장한 상태의 군대와 경찰은 이 사태를 사회주의자와 조선인들에 대한 대대적인 학살의 기회로 악용하였다. 고의적인 유언비어가 살포되고 자경단과 민중들조차 이 광란의 대학살에 참여한 나머지, 『오스기 사카에를 비롯한 일부 노동조합 간부들과 약 6천여 명의 조선인들이 무참히 희생되었고, 6천여 명이 검속되기에 이르렀다.』

(아비규환: 여러 사람이 비참한 지경에 빠져 울부짖는 참상을 비유적으로 이르는 말)
(사건이 조작되는 과정과 이에 참여한 사람들)
(『 』: 대지진을 빌미로 일어난 폭력 사건의 희생자들)
➜ 관동 대지진으로 계엄령이 선포되고, 폭력 사건으로 희생자가 발생함.

박열과 그의 일본인 아내 가네코 후미코, 그리고 불령사 회원들 역시 9월 3일경 보호 검속이란 명목으로 검속되었다. 일본 경찰은 이어 '일정한 거주 또는 생업 없이 배회하는 자'란 명분으로 한 달간의 구류에 처하더니, 곧 불령사 회원들을 '비밀 결사의 금지' 위반 혐의로 구속·기소해 버렸다. 이러한 조치는 박열과 불령사를 오랫동안 감시해 온 경찰의 사전 계획에 의해 취해진 것이다. 경찰의 취조 도중 박열의 폭탄 구입 계획 사실이 알려졌다. 이때부터 일본 정부와 검찰은 불령사 사건을 일왕 암살을 꾀한 조직 사건, 즉 '대역 사건'으로 비화시키기 시작했다.

(불령사 사건을 조작하려는 의도)
(불령사 사건이 '대역 사건'으로 조작되었음.)
➜ 불령사 회원들이 검속되고, 대역 사건으로 비화되기 시작함.

검찰은 이듬해 1월 27일 박열 부부의 폭발물 유입 계획과 불령사 조직을 연결시켜 이 사건을 '대지진을 틈탄 조선인 비밀 결사의 폭동 계획'으로 보도하였다. 조선인 대학살에 대한 각계의 비난을 모면하려는 계략이었던 셈이다. ➜ 불령사 사건이 비밀 결사의 폭동 계획으로 보도됨.

– 김명섭, 「박열의 항일 투쟁과 신조국 건설 운동」에서

제재 연구

김명섭, 「박열의 항일 투쟁과 신조국 건설 운동」

갈래	전기문
성격	사실적
제재	박열의 항일 투쟁
주제	박열의 불령사 사건에 대한 일본의 조작
특징	구체적인 시간을 제시하여 내용에 대한 신뢰도를 높이고 있음.

▲ 관동 대지진의 피해

검속(檢束): 예전에, 공공의 안전을 해롭게 하거나 죄를 지을 염려가 있는 사람을 경찰에서 잠시 가두던 일.

불령사(不逞社): 1923년 4월 박열이 주도하여 설립한 항일 운동 단체.

박열: 1902~1974. 독립운동가. 1989년 건국훈장 대통령장이 수여됨.

| 예시 답 | 마녀사냥의 전형적인 양상은 권력자들이 사회 질서 유지 등의 특정 목적을 내세워 사건을 조작한 후에 피해자에게 죄를 뒤집어씌우는 것이다. 1923년 관동 지역의 대지진으로 민심이 매우 흉흉해지자 일본 내각과 군부는 사회 질서 유지라는 명목으로 사회주의자와 조선인들을 탄압하기 시작하였다. 일본 내각과 군부가 박열이 포함된 불령사 사건을 '대역 사건'으로 조작하여 죄 없는 사회주의자와 조선인들을 처형한 것도 그 한 사례이다. 이것은 근대 유럽에서 행해진 마녀사냥과 유사한 것으로, 당시 일본 정부의 그릇된 처사를 볼 수 있는 사례라고 할 수 있다.

| 도움말 | 제시문은 박열의 불령사 모임이 '대역 사건'을 모의한 세력으로 조작되었음을 서술하고 있다. 이런 조작이 누구에 의해서, 어떤 목적에 의해서 이루어졌는지를 알아보고, 이러한 조작이 갖고 있는 문제점을 생각해 본다.

소단원 출제 포인트

우리 안의 마녀사냥

1 전체 글의 개관

갈래	논설문	성격	논증적, 설득적
제재	유럽에서 행해진 마녀사냥	주제	마녀사냥의 본질과 마녀사냥식 충동에 대한 경계
특징	① 마녀사냥으로 일어난 사건을 실증적으로 제시하여 필자의 견해를 입증하고 있음. ② 기존의 견해를 제시한 후, 이를 비판적으로 고찰하고 있음.		

2 유럽에서의 마술 또는 마법의 개념

비정상적인 힘의 존재 + 악마 ➡ 유럽의 독특한 '마녀' 개념 형성

3 마녀사냥의 사건 개요

사건의 발생 시기	15세기 말부터 수백 년 동안	극성을 부린 시기	1590년대, 1630년대, 1660년대
사건의 피해자	여성, 빈민, 노인, 권력자 등	전형적인 피해자	50~70대 과부로, 성질 사나운 할머니
사건에 대한 평가	• 오늘날 기준: 비합리적 사건에 해당함.	• 근대 유럽 시기 기준: 합리적 행위였을 수도 있음.	

4 '마녀 집회'에 관한 역사학자들의 견해

마녀 집회에 관한 다양한 견해
- ① 오해 받을 만한 역사적인 내용이 존재했음.
- ② 실체가 전혀 없는 순전히 조작된 내용임.
- ③ 이교의 전통을 권력 당국이 조작함.

필자의 견해	마녀는 실존하지 않고, 권력 당국이 가공의 개념을 만들어서 어이 없는 희생을 강요한 것임.

5 '마녀사냥'에 관한 역사학자들의 견해

마녀사냥에 관한 다양한 견해
- ① 심한 재난에 대한 반응으로 마녀사냥이 행해짐.
- ② 공동체 내에서 특정한 기능을 수행함.
- ③ 희생자의 재산을 빼앗기 위해 행해짐.

필자의 견해	근대 국가가 국가 기구에 복종하는 '균질한 영혼'을 만드는 데 기여함.

6 마녀사냥에 대한 필자의 경계

과거에 마녀사냥이 일어남. ➡ 오늘날에도 마녀사냥이 일어나고 있음을 환기함. ➡ 우리 내면에 마녀사냥식 충동이 잠재되어 있으므로 주의해야 함.

제재 2

윤두서의 「자화상」 _ 오주석

소단원 포인트

- 윤두서 「자화상」의 예술성과 작품에 반영된 윤두서의 삶을 파악하기
- 윤두서 「자화상」이 미완성작임에도 걸작으로 평가 받는 이유를 파악하기
- 선인들이 자화상을 그린 까닭이 무엇일지 알아보기

윤두서의 호. 사사로운 욕심에 따라 편당을 만들지 않고 공손함을 삶에서 가장 우선하는 원칙으로 삼는다면 당쟁과 전쟁은 있을 곳이 없다는 뜻이 내포되어 있음.

필자 소개

오주석(1956~2005): 미술사가. 조선 시대의 그림을 대중에게 소개하는 글을 썼다. 주요 저서로 『오주석의 옛 그림 읽기의 즐거움 1, 2』, 『오주석의 한국의 미(美) 특강』 등이 있다.

윤두서(1668~1715)**의 삶**: 해남에서 태어난 윤두서는 숙종 19년(1693)에 과거에 급제했지만, 벼슬길은 그의 삶과는 거리가 멀었다. 남인 계열인 해남 윤씨 집안은 당시 권력을 갖고 있던 노론의 힘에 밀려 정계에 진출하기 어려웠기 때문이다. 결국 46세가 되던 1713년, 그는 벼슬을 포기하고 해남으로 귀향하였다가 2년 후 사망하였다.

교과서 날개 질문

필자가 『효경』의 구절을 인용한 이유를 말해 보자.

| 예시 답 | 필자는 귀가 없고 신체의 일부를 생략한 윤두서 「자화상」에 대한 의문을 갖는다. 그 이유는 당시 사대부의 윤리 도덕에 따른 미감에 맞지 않아서이다. 이런 의심에 대한 합리적 근거로 신체를 중시한다는 『효경』의 구절을 인용한 것이다.

처음 **미완성의 걸작 초상화**

가 여기 마흔을 넘긴 한 남자의 초상화가 있다. 그것도 자기 얼굴을 자신이(윤두서) 직접 그린 자화상이다. 공재(恭齋) 윤두서. 이분의 눈매는 상당히 매서워 첫인상만으로도 보는 이를 압도한다. 또 활활 타오르는 듯한 수염은 내면 깊은 곳으로부터 기(氣)를 발산하는 듯하다. 그렇게 작품을 계속 바라보노라면 점차 으스스한 느낌이 들고 결국은 어느 순간 섬뜩한 공포감에 사로잡히기까지 한다.(윤두서 「자화상」을 처음 본 느낌)

→ 윤두서 「자화상」의 첫인상 – 섬뜩한 공포감에 사로잡힘.

나 그러나 첫인상은 그다지 믿을 만한 것이 못 되는 경우도 많다. 인상이 반드시 그 인물로부터 나오거나 그것만으로 결정되는 것이 아니기 때문이다. 『그가 입은 옷이며 그를 둘러싼 주위 배경이라든가 그 장소에 독특했던 빛의 흐름이라든지 여러 가지 외적 요소가 거기에 더해지기도 하는 것이다.』(『 』: 첫인상을 믿지 못하는 이유)

→ 첫인상은 인물 외적인 요소가 작용하기 때문에 믿을 만하지 못함.

다 그러므로 다시 한번 찬찬히 「자화상」을 살펴보기로 하자. 아무런 선입견이나 편견을 갖지 않고서 말이다. 인물은 정면상이다. 그러므로 정확한 좌우 대칭을 이룬다. 좌우 대칭의 정면상은 입체감을 갖기 어렵다. 그러나 『얼굴 전체에서 바깥으로 뻗어난 수염이 표정을 화면 위로 떠오르게 한다. 더하여 새까만 탕건 끝이 부드러운 곡선을 이루며 휘어져 있어 머리 전체의 볼륨을 요령 있게 시사한다.』(『 』: 윤두서 「자화상」이 정면상임에도 입체감을 갖는 이유) 그런데 극사실로 그려진 이 작품 속의 인물은 놀랍게도 귀가 없다. 목과 상체도 없다.(윤두서 「자화상」의 파격적인 면모) 마치 두 줄기 긴 수염만이 기둥인 양 양쪽에서 머리를 떠받들고 있는 것처럼 보인다. 어쩌면 옥에 갇혀 칼을 쓴 인물처럼 머리만 따로 허공에 들려 있는 듯하다. 머리는 화면의 상반부로 치켜 올라갔다. 덩달아 탕건의 윗부분이 잘려져 나갔다. 눈에 가득 보이는 것이라고는 귀가 없는 사실적인 얼굴 표현뿐인데 그 시선은 정면을 뚫어져라 응시하고 있다.(윤두서 「자화상」이 공포감을 주는 이유) 이러한 초상이 무섭지 않다면 오히려 이상한 일이다.

→ 귀가 없는 극사실적인 얼굴 초상이어서 무서움.

라 윤두서의 「자화상」은 우리나라 초상화 가운데 최고의 걸작, 불후의 명작이라고 일컬어지며 국보 240호로 지정되어 있다.(1987년 12월 26일에 지정됨.) 그러나 현재 작품에서 보이는 충격적인 회화 효과는 결코 조선 시대 사대부들이 추구하던 윤리 도덕과 거기에 근거한 당시의 미감과 맞아떨어지는 것이 아니다.(필자가 현재 윤두서 「자화상」에 관해 의문을 품은 이유) 『공자는 『효경』에서 "신체는 터럭과 피부까지 다 부모님으로부터 받은 것이니 감히 다치고 상하게 할 수 없다. 이것이 효도의 시작이다."라고 하였다. 그러므로

(『 』: 윤두서 「자화상」이 당대 사대부의 미감과 맞지 않는 이유)

귀를 떼어 내고 신체를 생략한 그림을 그린다는 것은 도저히 사대부가 할 수 있는 일이 아니다.』

➜ 귀가 없고 신체를 생략한 초상화는 당시 사대부의 미감과 맞지 않는다는 의문을 가짐.

> **처음**: 윤두서 「자화상」에 관한 첫인상과 당대 사대부의 윤리 의식과 미감에 맞지 않은 윤두서 「자화상」에 의심을 갖게 됨.

중간 1 **마** ㉮ 그런 의심 을 품고 있던 1995년 가을, 뜻밖에도 58년 전인 1937년 조선 총독부가 발행한 『조선사료집진속(朝鮮史料集眞續)』이라는 책에서 윤두서 「자화상」의 옛 사진을 발견하게 되었다. ㉠옛 사진 속의 윤두서의 모습은 ㉡지금 작품과는 크게 달랐다. 그의 몸 부분이 선명하게 그려져 있었던 것이다. 『그 결과 현 상태에서 몸 없이 얼굴만 따로 떠 있는, 거의 충격적이라 부를 만큼 지나치게 강하기만 하고 날카롭기만 했던 「자화상」 속 윤두서의 인상이 원래는 어질어 보이는 얼굴에 침착하고 단아한 분위기를 띠었다는 사실을 알게 되었다.』

필자가 현재의 윤두서 「자화상」에 관한 의문을 해결하게 된 단서

현재의 윤두서 「자화상」과 다른 부분

『 』: 현재의 윤두서 「자화상」과 옛 사진 속 윤두서 「자화상」에 대한 인상의 차이점

➜ 옛 사진 속 윤두서 「자화상」은 어질어 보이는 얼굴에 침착하고 단아한 분위기임.

어휘 풀이

윤두서(1668~1715): 조선 후기의 서화가. 호는 공재(恭齋). 겸재(謙齋) 정선, 현재(玄齋) 심사정과 함께 조선의 삼재(三齋)라고 불릴 만큼 서화에 능하였음.

탕건: 벼슬아치가 갓 아래 받쳐 쓰던 관(冠)의 하나. 집 안에서는 그대로 쓰고 외출할 때는 그 위에 갓을 썼음.

극사실: 주로 일상적인 현실을 극히 생생하고 완벽하게 묘사하는 미술 용어.

핵심 쏙쏙

1 「자화상」을 본 첫인상

매서운 눈매와 활활 타오르는 듯한 수염 등을 보고 으스스한 느낌과 섬뜩한 공포감을 느낌.

2 (다)에서 사용한 주된 서술 방식

구체적인 묘사	'얼굴 전체에서 바깥으로 뻗어난 수염' 등에서 초상화를 구체적으로 묘사함.
객관적인 분석	정면상, 부드러운 곡선 사용 등 작품의 여러 요소를 하나씩 짚어 가며 작품의 특징에 대해 설명함.

3 (라)와 (마)의 의미 관계

(라) 합리적인 의심	윤두서 「자화상」이 왜 조선 시대 사대부들의 윤리 도덕, 당시의 미감에 맞지 않을까?
⬇	
(마) 자료 확인을 통한 의문 해소	• 『조선사료집진속』에서 「자화상」 옛 사진 자료를 발견함. • 옛 사진 속의 윤두서의 모습은 지금 작품과는 달랐음.

4 현재 전하는 「자화상」과 옛 사진 속 「자화상」의 비교

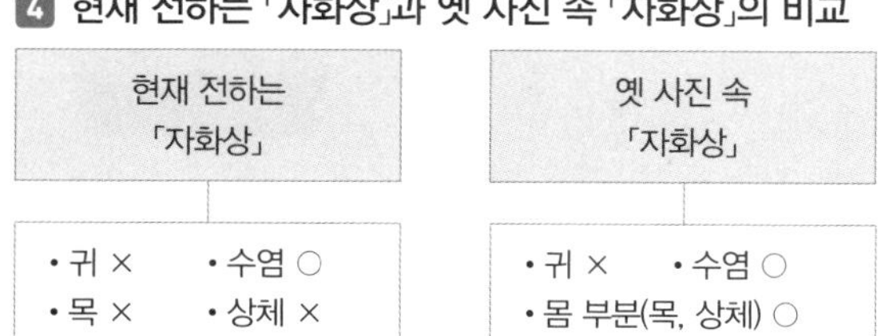

현재 전하는 「자화상」	옛 사진 속 「자화상」
• 귀 × • 수염 ○ • 목 × • 상체 ×	• 귀 × • 수염 ○ • 몸 부분(목, 상체) ○

정답 및 해설 30쪽

확인 문제①

1. 이 글을 통해 확인할 수 없는 정보는?

① 옛 사진 속의 윤두서의 인상
② 「자화상」에 나타난 수염의 모습
③ 「자화상」의 눈빛을 보고 받은 느낌
④ 윤두서에 대해 사람들이 갖는 선입견
⑤ 「자화상」의 첫인상을 믿을 수 없는 이유

2. 다음을 참고하여, 윤두서 「자화상」에 대한 오늘날의 평가를 단적으로 드러내는, 2어절로 된 말을 찾아 쓰시오. (2개)

> 윤두서 「자화상」은 국보 240호로 지정되었을 정도로 높은 예술성을 지닌 뛰어난 작품이라고 평가 받는다.

학습 활동 응용

3. ㉠, ㉡에 대한 필자의 인상으로 가장 적절한 것은?

① ㉠에서는 단아한 분위기가 느껴진다.
② ㉡에서는 어질어 보이는 인상을 받을 수 있다.
③ ㉠에서는 ㉡과 달리 지나치게 강한 느낌을 받았다.
④ ㉡에서는 ㉠과 달리 얼굴이 침착해 보인다.
⑤ ㉠과 ㉡에서는 모두 충격적인 인상을 받았다.

서술형 학습 활동 응용

4. ㉮의 이유를 〈조건〉에 맞게 쓰시오.

> 조건
> • (라)에 언급된 용어를 두 가지 활용할 것
> • 40자 내외의 한 문장으로 쓸 것(띄어쓰기 포함)

▸ **성리학(性理學)**: 중국 송나라·명나라 때에 주돈이(周敦頤), 정호, 정이 등에서 비롯하고 주희가 집대성한 유학의 한 파. 이기설(理氣說)과 심성론(心性論)에 입각하여 격물치지(格物致知)를 중시하는 실천 도덕과 인격, 학문의 성취를 역설하였다. 우리나라에는 고려 말기에 들어와 조선의 통치 이념이 되었고, 길재·정도전·권근·김종직에 이어 이이·이황에 이르러 조선 성리학으로 체계화되었다.

교과서 날개 질문

필자는 윤두서 「자화상」에 있던 유탄 자국이 왜 지워졌다고 생각하는지 말해 보자.

| 예시 답 | 밑그림을 그릴 때 통상적으로 유탄을 사용한다. 유탄을 사용하는 이유는 화면에 달라붙는 점착력이 약해서 쉽게 지워지기 때문이다. 바로 이런 이유 때문에 필자는 윤두서 「자화상」에 있던 유탄 자국이 지워졌다고 생각한다.

▸ **미켈란젤로, 「노예상」**: 미켈란젤로가 제작했다는 여러 점의 대리석상으로, 「수인(囚人), Prigioni[이탈리아어]」라고 부른다. 모두 높이 2m를 넘고 율리우스 2세 묘를 위해 제작되었으나 계획이 변경되어 분산하고 현재는 2체가 루브르 박물관, 나머지가 피렌체의 아카데미아 미술관에 있다. 찢어진 인체의 표현을 통해서 조각과 공간 속에 노예의 분노와 저항을 연출하고 있다.

바 그렇다! 이것이 바로 조선의 선비다. 조선 선비라면 어디까지나 원만하게 중용의 미감을 지켜 나가야 그 학문인 성리학의 정신과 걸맞다. 윤두서는 옛 사진 속에서 도포를 입고 있었다. 단정하게 여민 옷깃과 정돈된 옷주름 선은 완만한 굴곡을 갖는 고르고 기품 있는 선으로 이루어졌다. 넓은 깃에 깨끗한 동정을 달았으므로 딱딱한 동정과 부드러운 천 사이에는 살짝 주름이 잡혔다. 그 동정과 깃의 턱이 진 이중 구조는 인물을 포근하게 감싸 안듯이 얼굴을 받쳐 주고 있다. 그러나 가장 두드러진 차이점은 안면에서 배어나는 인자함이었다. 너무나도 따뜻해 보이는 감성적인 얼굴과 총명하기 이를 데 없는 눈빛이 거기 있었던 것이다.

(옛 사진 속 윤두서 「자화상」에서 느끼는 감상)

➔ **윤두서 「자화상」과 달리, 옛 사진 속 윤두서 「자화상」은 안면에서 인자함이 배어 나옴.**

사 ㉠ 원래 있었던 윤두서 「자화상」 사진 속의 상반신 윤곽선이 어떻게 해서 감쪽같이 없어졌을까? 비밀은 몸 부분이 유탄(柳炭)으로 그려진 데에 있었다. 유탄이란 요즘의 스케치 연필에 해당하는 것으로 버드나무 가지로 만든 가는 숯이다. 이것은 화면에 달라붙는 점착력이 약해서 쉽게 지워진다. 그래서 데생하다가 수정하기에 편리하므로 통상 밑그림을 잡을 때 사용한다. 자화상의 경우, 중요 부분인 얼굴부터 먹선을 올려 정착시키고 몸체는 우선 유탄으로만 형태를 잡는 과정에서 그 몸에 미처 먹선을 올리지 않은 상태, 즉 미완성 상태로 전해 오다가 언젠가 그 부분이 지워져 버린 것 같다. 그 결과, 원작품이 가졌던 풍부한 질감, 특히 안면의 부드러운 질감이 희생되고 뼈대가 되는 선적인 요소만 남게 된 것이다.

(버드나무를 태워 만든 숯으로, 그림의 윤곽을 그리는 데 사용됨. / 현재의 윤두서 「자화상」이 옛 사진 속 윤두서 「자화상」과 다른 이유)

➔ **미완성인 상태로 전해 오던 윤두서 「자화상」에서 유탄 자국이 지워졌을 것이라고 추측함.**

아 이제 지금껏 조선 초상화의 최고 걸작이며 파격적인 구도를 가진 완성작이라고 생각되어 온 「자화상」은 미완성작임이 확인되었다. 하지만 실망할 것은 없다. 작품의 예술성도 미완성이라고는 절대 말할 수 없기 때문이다. 「자화상」은 완벽하다. 미켈란젤로는 「노예상」을 조각하면서 미처 다 쪼아 내지 못한 대리석 조각을 남겼다. 그런데 이 미완성작은 오히려 드물게 보는 걸작이라고 평가된다. 다듬어지지 않은 돌이라는 작품 재질과 그로부터 영혼이 깃든 형상을 이끌어 내려는 작가 의식 사이에 말할 수 없이 팽팽한 긴장감이 감돌고 있기 때문이다. 「자화상」 또한 미완성작이지만 오히려 그 덕분에 마지막 손질이 더해지지 않은, 작가 자신에 대한 심오한 상념이 전개되는 과정, 그리고 생생한 자기 성찰의 흔적을 그대로 보여 준다. 그렇다면 미켈란젤로나 윤두서는 어쩌면 똑같이 미완성작 속에서 더 이상 손댈 수 없는 완전성을 감지하고서 그 이상의 작업을 스스로 포기했던 것인지도 모른다.

(윤두서 「자화상」에 관한 기존의 평가 / 윤두서 「자화상」에 관한 필자의 새로운 평가 / 미켈란젤로의 「노예상」이 미완성작임에도 걸작으로 평가되는 이유 / 윤두서 「자화상」이 미완성작이지만 걸작으로 평가 받는 이유 / 윤두서가 「자화상」을 완성하지 않은 이유에 관한 필자의 추측)

➔ **미완성작에서 완전성을 감지한 윤두서가 그대로 두었을 것으로 추측함.**

▲ 미켈란젤로, 「노예상」

중간 1: 옛 사진 속 윤두서 「자화상」을 근거로 윤두서 「자화상」은 유탄 자국이 지워진 미완성작이라는 점을 밝히면서도, 예술적으로는 완성작이라고 평가함.

중간 2 **자신에 대한 성실성의 산물, 「자화상」**

자 이제 「자화상」에 대한 그릇된 첫인상을 말끔히 씻어 버리고 작가의 원래 의도를 따라 작품을 감상해 보자. (윤두서 「자화상」에 관해 필자가 선택한 감상 방법) 거울 속의 한 남자가 나를 뚫어져라 바라보고 있다. 그러나 찬찬히 살펴보니 그 눈빛은 전혀 나를 보고 있지 않다. 그는 골똘한 생각에 빠져 자기 자신을 보고 있는 것이다. 그래서 나는 용케 두 사람의 내밀한 대화 사이로 숨어들어 몰래 엿보기는 하지만 끝끝내 두 사람 간의 침묵의 대화 속에 끼어들 수가 없다. 그려진 윤두서의 고요함 속으로도, 그린 윤두서의 강한 의지 속으로도 들어갈 수 없다. 윤두서가 나지막이 윤두서에게 말을 건넨다. 너는 누구인가, 네가 나인가, 너는 도대체 어떠한 사람인가……. (윤두서가 「자화상」을 그린 이유 – 자기 자신을 성찰하기 위해)

➜ 윤두서 「자화상」은 타인이 아니라 자기 자신을 응시함.

어휘 풀이

중용(中庸): 지나치거나 모자라지 아니하고 한쪽으로 치우치지도 아니한, 떳떳하며 변함이 없는 상태나 정도.

동정: 한복의 저고리 깃 위에 조붓하게 덧대어 꾸미는 하얀 헝겊 오리.

미켈란젤로(1475~1564): 이탈리아의 화가 · 조각가 · 건축가 · 시인. 당초 열두 명의 노예를 조각하려던 미켈란젤로는 「죽어 가는 노예」 등 다섯 점만 미완성으로 남겼음.

핵심 쏙쏙

정답 및 해설 30쪽

1 윤두서 「자화상」에서 몸체가 사라진 이유

「자화상」의 몸체는 점착력이 약해서 쉽게 지워지는 유탄으로 그려졌기 때문임.

2 「자화상」과 「노예상」의 비교

윤두서 「자화상」이 미완성작이면서도 예술적으로 높이 평가될 수 있는 이유를 밝히고 있음.

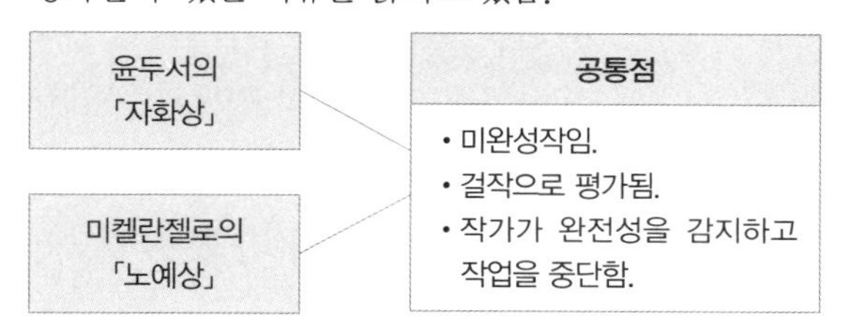

3 (바)에 나타난 옛 사진 속 「자화상」의 특징

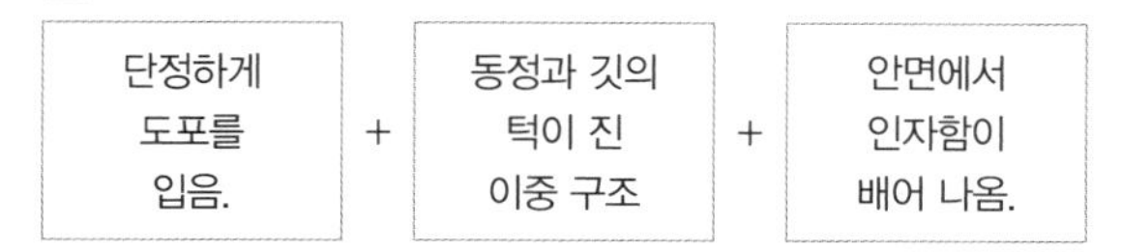

4 필자의 예술 감상 태도

윤두서의 「자화상」	윤두서의 삶과 「자화상」
작가 윤두서가 작품 속 윤두서에게 '너는 누구인가, 네가 나인가, 너는 도대체 어떠한 사람인가…….'라고 말하는 것이라고 생각함.	윤두서가 자신의 삶을 진지하게 성찰한 결과물이 「자화상」임.

⬇

필자의 예술 감상 태도	작가의 의도대로 작품을 감상해야 함.

확인 문제 ②

1. 옛 사진 속 「자화상」에 대한 설명으로 적절하지 않은 것은?

① 얼굴은 따뜻해 보이는 느낌을 준다.
② 눈빛은 날카로움보다 총명함이 나타난다.
③ 안면에서 부드러운 질감을 느낄 수 있다.
④ 작가의 자기 성찰의 흔적을 엿볼 수 있다.
⑤ 「노예상」과 달리 미완성작이지만 걸작이라고 평가 받는다.

학습 활동 응용

2. (아)에 대한 설명으로 적절하지 않은 것은?

① 「자화상」의 예술성을 드러내고 있다.
② 「자화상」에 대한 필자의 새로운 평가가 드러나 있다.
③ 「자화상」의 창작 의도에 대한 필자의 추측이 드러나 있다.
④ 「자화상」의 특징을 다른 작품과 비교하여 설명하고 있다.
⑤ 「자화상」의 구성 요소의 특징을 분석적으로 설명하고 있다.

학습 활동 응용

3. ㉠에 대한 대답으로 가장 적절한 것은?

① 뼈대가 되는 선적인 요소를 부각해야 하기 때문에
② 밑그림을 그렸다가 작가가 의도적으로 지웠기 때문에
③ 먹선으로 그린 몸체가 표구상에 의해 손상되었기 때문에
④ 점착력이 약한 유탄으로 몸체의 밑그림을 그렸기 때문에
⑤ 몸체는 얼굴에 비해 중요하지 않으므로 지워도 무방하기 때문에

서술형 학습 활동 응용

4. (자)를 참고하여 윤두서 「자화상」에 대한 필자의 평가를 〈조건〉에 맞게 쓰시오.

〈 조건 〉
• 「자화상」 속 인물의 시선에 관해 언급할 것
• 40자 내외의 한 문장으로 쓸 것(띄어쓰기 포함)

교과서 날개 질문
필자는 윤두서가 왜 「자화상」에서 코털 서너 올까지 숨김없이 묘사했다고 했는지 말해 보자.

| 예시 답 | 윤두서 「자화상」에는 콧구멍의 코털까지 그대로 묘사될 정도로 극사실적으로 그려져 있다. 그 이유는 '터럭 한 올이라도 다르면 곧 다른 사람이 된다.'는 조선 초상화의 정신이 깃들어 있다고 보았기 때문이다.

| 도움말 | 콧구멍의 코털은 미학적으로 볼 때 그리 아름다운 모습은 아닌데도 세밀하게 그려진 것은 의도한 것임을 떠올려 본다.

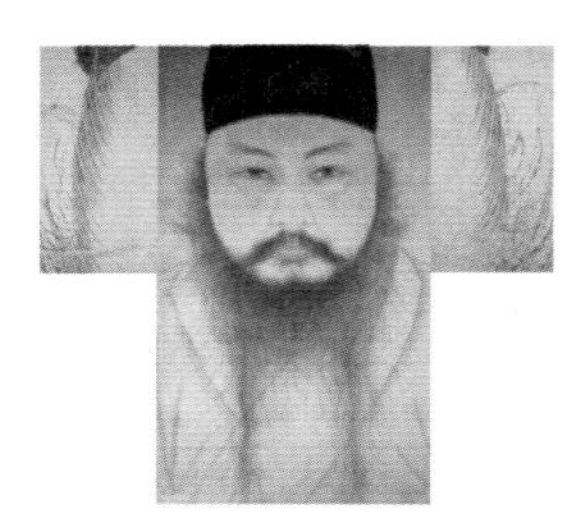

상체와 목 부분의 윤곽이 뚜렷하게 남아 있는 것으로 확인된 윤두서 「자화상」의 적외선 촬영 사진(가운데), 얼굴 양쪽 가장자리 부분을 현미경으로 확대한 결과 양쪽에 귀가 그려진 사실도 드러났다(오른쪽과 왼쪽 확대 사진).

교과서 날개 질문
조선의 초상화가 중국이나 일본의 초상화와 다른 점은 무엇인지 말해 보자.

| 예시 답 | 중국의 초상화는 인물을 미화되게 그리고, 일본의 초상화는 인물을 간략하게 그린다. 하지만 조선의 초상화는 원래의 인물에 가깝게 매우 극사실적으로 묘사한다.

차 그의 눈꼬리는 매섭게 치켜 올라갔다. 흑백이 분명하고 광채가 나며 혼이 살아 있고 위엄에 찬 눈이다. 그것은 생명력이다. 그러나 똑같은 눈이 어딘가 축축이 젖은 듯하고 붉은 기운이 배어 있어 마치 슬프고 아픈 사람의 그것과도 같다.(윤두서 「자화상」의 눈에서 느낀 감상 ①) 특히 눈 아래 와잠(臥蠶) 부분은 지난 세월의 무게로 약간 처져 있다.(윤두서 「자화상」의 눈에서 느낀 감상 ②) 그리고 눈 둘레는 거슴츠레한 피곤에 물들어 있다. 그것은 진실함이다.(윤두서 「자화상」의 와잠과 눈 둘레에서 느낀 감상)

➔ 윤두서의 눈에는 생명력이, 와잠에는 진실함이 묻어남.

카 윤두서의 눈빛은 고요하다.(윤두서 「자화상」의 눈빛에서 느낀 감상 ①) 안면의 어느 부분보다도 짙은 먹선으로 그려졌고 날카롭게 치켜진 생김새에도 불구하고 그의 눈빛은 침착하기 그지없다.(윤두서 「자화상」의 눈빛에서 느낀 감상 ②) 그것은 평생을 공(恭)과 경(敬)으로 일관한 삶의 정신이 절로 드러났기 때문이기도(작품을 작가의 생애와 밀접히 관련시키는 필자의 관점이 드러남.) 하겠지만 어쩌면 눈꼬리 쪽에 두세 줄씩 잡혀 있는 자잘한 눈주름 때문일지도 모른다. 윤두서는 허망한 세월 속에 달라져 가는 자신의 모습을 똑바로 바라보고 있다. 그러나 곱게 진 쌍꺼풀이 이채롭다. 그것은 중간쯤에서 풀려나와 눈썹과 평행선을 그렸다. 눈썹은 씩씩하게 치켜 올라간 검미(劍眉)다. 용맹스러운 무사의 그것과 같은 곧은 눈썹은 끝으로 갈수록 흐려지고 넓어진다. 강인하면서도 중후한 인상이다.(윤두서 「자화상」의 눈썹에서 느낀 감상)

➔ 윤두서의 눈빛은 고요하고, 눈썹은 씩씩하게 치켜 올라간 검미임.

타 윤두서의 수염은 마치 관우(?~221). 중국 삼국 시대 촉나라의 장수. 유비·관우와 의형제를 맺음.)와 장비의 수염을 합쳐 놓은 것 같다. 관우처럼 기품 있는 턱수염이 길게 가슴을 덮었고, 장비처럼 풍성한 구레나룻이 얼굴의 옆으로 뻗쳐 있다. 특히 뺨 위쪽으로 드날리는 수염은 마치 불길처럼 솟구쳐서 얼굴의 생명력을 북돋워 준다.(윤두서 「자화상」의 수염에서 느낀 감상) 수염은 한 올 한 올 헤아릴 수 있을 정도로 지극히 사실적이다. 그것은 펜으로 그린 양 분명하면서도 자연스럽게 굽이치는데 특히 그 끝이 예리하게 살아 있다. 그리고 굵기와 강도도 미묘하게 변화한다. 입술을 덮은 팔자 콧수염이 구레나룻이나 턱수염보다 더 빳빳하고 억세 보이는 것이 그 예이다.

(관우: ?~219). 중국 삼국 시대 촉나라의 장수 / 장비: (?~221). 중국 삼국 시대 촉나라의 장수. 유비·관우와 의형제를 맺음.)

➔ 윤두서의 수염은 관우와 장비의 수염을 합쳐 놓은 것 같음.

중간 2: 작가의 의도를 추측하면서 윤두서 「자화상」을 감상함.

끝 파 이처럼 작품 속의 윤두서는 실제 얼굴보다 약간 작지만 거의 실물 크기에 가깝게 극사실적으로 묘사되어 있다. 콧구멍을 보면 코털 서너 올까지 숨김없이 묘파(描破)되고 있을 정도다. 조선 초상화의 정신은 '터럭 한 올이라도 다르면 곧 다른 사람이 된다.'는 사실주의였다.(윤두서 「자화상」에서 콧구멍의 코털까지 그린 이유) 이것은 이웃 중국의 미화된 초상이나 일본의 간략하게 추상화된 초상과(우리나라 초상화와 구별되는 중국과 일본 초상화의 특징) 현격히 구별되는 우리 옛 초상화의 특색이다.

➔ 윤두서 「자화상」은 코털까지 그대로 그릴 정도로 실물을 극사실적으로 묘사함.

하 무엇보다도 윤두서의 「자화상」의 예술성은 회화의 가장 중요한 표현 수법 가운데 하나인 ㉠'대조(對照)'를 고차원적으로 활용한 데에 있다. 작품을 보는 이가 첫눈에는 무섭다 할 만큼 강렬한 인상을 받지만, 보면 볼수록 인자하고 부드러우며 고요한 느낌을 갖게 되는 것 또한 그 때문이다. 이는 어쩌면 선비의 학문과 무인의 기량을 함께 추구했던 윤두서의(윤두서 「자화상」에 대조의 기법이 사용된 이유에 관한 필자의 추측)

문무(文武) 일치 정신이 발현된 데 기인한 것일 수 있다. 그래서 윤두서와 절친했던 이서(李漵)는 그의 죽음을 이렇게 한탄했다.

(1662~1723). 실학자 성호 이익의 형. 실학에 뜻이 맞아 윤두서와 자주 교류하였음.

오호라! 하늘이 이 세상을 편안케 하고 싶지 않으셨는가? 공을 빼앗아 감이 어찌 이다지 빠른가? 하늘은 이미 공에게 재상의 국량을 주고, 또 적을 방비할 장수의 재주를 주지 않으셨던가…….

선비의 학문 / 무인의 기량

➜ 윤두서 「자화상」은 윤두서의 문무 일치 정신이 발현되어 있음.

끝: 윤두서 「자화상」의 예술성을 조선 초상화의 정신인 극사실주의와 대조 기법의 측면에서 살펴봄.

어휘 풀이

와잠(臥蠶): 관상에서, 눈 밑의 도드라진 부분을 이르는 말.

검미(劍眉): 짙고 뚜렷한 눈썹.

묘파(描破): 남김없이 밝히어 그려 냄.

국량(局量): 남의 잘못을 이해하고 감싸 주며 일을 능히 처리하는 힘.

핵심 쏙쏙

1 「자화상」 각 요소의 특징과 필자의 감상 내용

	특징	감상
눈과 눈빛	• 눈은 흑백이 분명하고 광채가 남. • 어딘가 축축이 젖은 듯하고 붉은 기운이 배어 있음. • 눈 부분이 안면의 어느 부분보다도 짙은 먹선으로 그려졌음.	• 눈에서 생명력이 느껴지기도 하지만 슬프고 아픈 것 같기도 함. • 눈빛은 고요하고 침착한데 그것에서 공(恭)과 경(敬)으로 일관한 삶의 정신이 느껴짐.
눈썹	씩씩하게 치켜 올라간 검미로 끝으로 갈수록 흐려지고 넓어짐.	강인하면서도 중후함이 느껴짐.
수염과 입술	수염이 한 올 한 올 헤아릴 수 있을 정도로 사실적이고 분명하면서도 자연스럽게 굽이치며, 굵기와 강도가 미묘하게 변화함.	턱수염은 관우처럼 기품이 있으며 구레나룻은 장비처럼 풍성하며 뺨 위의 수염은 마치 불꽃처럼 솟구치는 것 같아 얼굴의 생명력을 북돋워 주고 있음.

2 (하)에 나타난 윤두서 「자화상」의 표현 기법

• 강렬한 첫인상 + 볼수록 인자하고 부드러움.
• 선비의 학문 추구 + 무인의 기량 추구

대조 ➡ 문무 일치 정신의 발현

3 윤두서 「자화상」에 나타난 조선 초상화의 정신

사실주의	터럭 한 올이라도 다르면 곧 다른 사람이 된다.

⬇

콧구멍의 코털 서너 올까지 숨김없이 묘사함.

4 다른 나라와 구별되는 조선 초상화의 특징

조선 초상화	⇔	중국	미화됨.
극사실적 묘사		일본	간략히 추상화됨.

정답 및 해설 31쪽

확인 문제③

학습 활동 응용

1. 이 글에 드러나는 예술 감상 태도와 가장 유사한 관점은?

① 작품을 감상할 때는 작품 자체에 집중해야 한다.
② 작품을 감상할 때는 창작자의 의도를 고려해야 한다.
③ 작품을 감상할 때는 작품 외적 요소를 고려해서는 안 된다.
④ 작품을 감상할 때는 작품이 감상자에게 미치는 영향에 주의해야 한다.
⑤ 작품을 감상할 때는 창작 당시의 시대상이 어떻게 드러나는지 살펴봐야 한다.

2. 중국이나 일본의 초상화와 비교할 때 윤두서 「자화상」에 두드러진 표현 수법의 특징을 (파)에 나오는 단어를 사용하여 2어절로 쓰시오.

학습 활동 응용

3. 윤두서 「자화상」에 대한 감상을 〈보기〉에서 모두 골라 바르게 짝지은 것은?

〈보기〉
ㄱ. 눈빛은 고요하고 침착하다.
ㄴ. 눈썹은 강인하고 중후한 인상을 준다.
ㄷ. 수염은 얼굴의 생명력을 북돋아 준다.
ㄹ. 눈썹에서 세월에 대한 허망함이 엿보인다.

① ㄱ, ㄴ ② ㄱ, ㄹ ③ ㄷ, ㄹ
④ ㄱ, ㄴ, ㄷ ⑤ ㄴ, ㄷ, ㄹ

서술형

4. ㉠의 이유를 〈조건〉에 맞게 쓰시오.

〈조건〉
• 첫인상과 나중의 느낌이 달라지는 이유를 고려할 것
• 30자 내외로 쓸 것(띄어쓰기 포함)

교과서 131~133쪽

깊게 읽기

1. 이 글의 내용을 떠올리며 아래 활동을 해 보자.

가 현재 「자화상」

나 옛 사진 속의 「자화상」

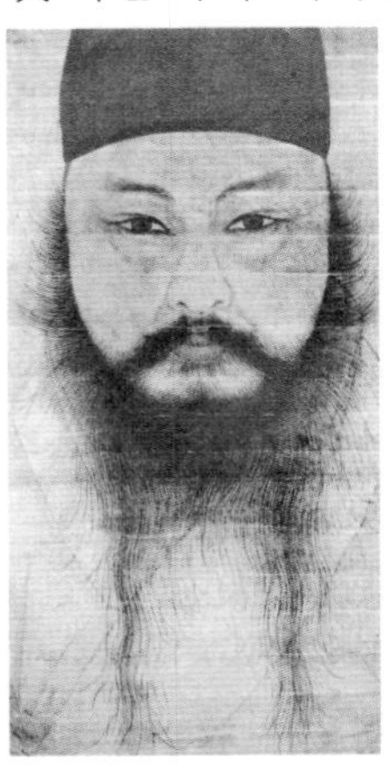

(1) 가와 나는 어떤 차이점이 있는지 말해 보자.

활동 도움말
그림의 색깔보다는 얼굴 인상과 몸통 부분의 형태에 초점을 두어 살펴본다.

가 | 예시 답 | 귀, 목, 상체가 없이 얼굴만 있어 마치 머리만 따로 허공에 들려 있는 듯이 보인다.

나 | 예시 답 | 단정하게 여민 옷깃과 정돈된 옷주름 선이 있는 도포가 있어 인물을 포근하게 감싸 안은 것처럼 보인다.

(2) 가와 나에 관한 필자의 인상을 정리해 보자.

가에 관한 인상	나에 관한 인상
	예시 답	귀가 없이 얼굴만 있어 섬뜩하고 무서웠다.		예시 답	얼굴에 인자함이 배어 나와 따뜻한 인상이 느껴졌다.

(3) 필자가 가의 인물 모습에 관해 의문을 가진 이유를 말해 보자.

| 도움말 | 필자는 작품을 감상할 때 현재의 관점이 아니라 작품이 그려진 당대의 관점에서 하고 있다. 즉 당대의 미감에 기준을 두고 작품을 감상하고 있다는 점을 염두에 두도록 한다.

| 예시 답 | 조선 시대 사대부의 예술적 미감은 당대의 윤리 의식을 기반으로 한다. 『효경』에 따르면 신체의 터럭이라도 훼손하지 않는 것이 효이다. 그런데 가는 신체가 생략되어 있어 당시의 미감에 맞지 않는다고 생각했기 때문이다.

2. 윤두서의 「자화상」에 관한 필자의 감상을 바탕으로 다음 활동을 해 보자.

(1) 필자가 윤두서의 「자화상」이 예술성이 있음을 드러내기 위해 어떤 방식을 사용했는지 말해 보자.

| 도움말 | 필자는 윤두서 「자화상」이 미완성작이지만 이것이 작품의 예술성을 떨어뜨리지 않는다고 주장하고 있다. 그리고 이 주장을 뒷받침할 근거를 들고 있는데 어떤 근거를 들었는지 찾아본다.

| 예시 답 | 윤두서 「자화상」은 파격적인 구도를 가진 완성작이라는 것이 기존의 평가였다. 그런데 필자는 『조선사료집진속』에서 윤두서 「자화상」의 옛 사진을 찾아냄으로써 이 작품을 유탄으로만 몸체의 형태를 잡고 먹선을 그리지 않은 미완성작이라고 추측하였다. 윤두서 「자화상」이 미완성작이라면 그 예술성이 폄하될 수도 있었지만, 이에 대해 필자는 이런 미완성성이 오히려 작품의 예술성을 높였다는 것을 미켈란젤로의 「노예상」과의 비교를 통해 보여 주고 있다.

(2) 「자화상」의 각 요소별 특징과 필자의 감상 내용을 정리해 보자. | 예시 답 |

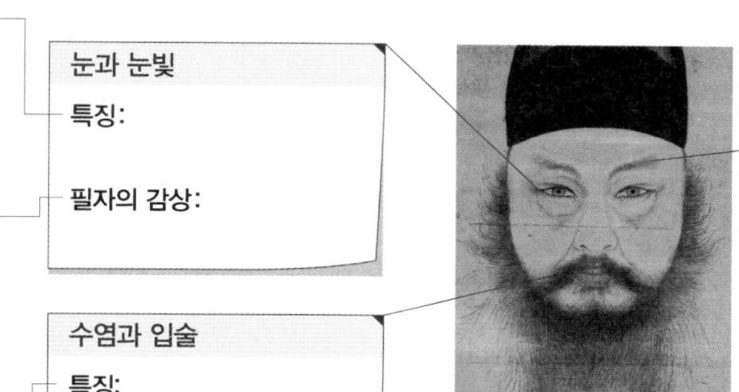

눈과 눈빛

특징: 눈은 흑백이 분명하고 광채가 나며 혼이 살아 있고 위엄에 차 있으면서도, 어딘가 축축이 젖은 듯하고 붉은 기운이 배어 있음. 눈 부분은 안면의 어느 부분보다도 짙은 먹선으로 그려졌고, 날카롭게 치켜져 있음.

필자의 감상: 눈에서 생명력이 느껴지기도 하지만 슬프고 아픈 것 같기도 함. 눈빛은 고요하고 침착한데 그것에서 공(恭)과 경(敬)으로 일관한 삶의 정신이 느껴짐.

눈썹

특징: 씩씩하게 치켜 올라간 검미(劍眉)로 끝으로 갈수록 흐려지고 넓어짐.

필자의 감상: 강인하면서도 중후함이 느껴짐.

수염과 입술

특징: 한 올 한 올 헤아릴 수 있을 정도로 사실적이며, 분명하면서도 자연스럽게 굽이치며 굵기와 강도가 미묘하게 변화함. 입술을 덮은 팔자 콧수염이 구레나룻이나 턱수염보다 더 빳빳하고 억세 보임.

필자의 감상: 턱수염은 관우처럼 기품이 있으며, 구레나룻은 장비처럼 풍성하며, 뺨 위의 수염은 마치 불길처럼 솟구치는 것 같아 얼굴의 생명력을 북돋아 주고 있음.

| **도움말** | 필자는 「자화상」을 감상하면서 작가 윤두서와 작품 속 윤두서의 대화를 상상하고 있다. 마치 작가 윤두서가 작품 속 윤두서에게 "너는 누구인가, 네가 나인가, 너는 도대체 어떠한 사람인가……."라고 말하는 것 같다는 대목을 참고한다.

(3) 필자는 「자화상」이 윤두서의 삶과 어떤 관련성이 있다고 생각했는지 말해 보자.

| 예시 답 | 필자는 「자화상」을 작가 윤두서의 창작 의도대로 감상하고자 한다. 그러면서 필자는 「자화상」은 작가 윤두서가 작품 속 윤두서에게 "너는 누구인가, 네가 나인가, 너는 도대체 어떠한 사람인가……."라고 말하는 것이라고 생각하고 있다. 따라서 필자는 윤두서가 자기 자신을 진지하고도 성실하게 성찰한 결과물이 「자화상」이라고 보고 있다.

(4) (1)~(3)의 활동을 바탕으로, 예술 작품을 감상할 때 고려해야 할 점은 무엇인지 친구들과 의견을 나누어 보자.

| 예시 답 | 필자는 '터럭 한 올이라도 다르면 곧 다른 사람이 된다.'는 조선 초상화의 정신에 입각하여 작가 윤두서가 최대한 사실적으로 그린 그림을 관찰하면서 작가 윤두서의 삶과 연관시키고 있다. 이런 점으로 볼 때, 작품을 감상하는 방법에는 여러 가지가 있지만, 필자는 당대의 예술관과 작가의 삶을 고려하여 예술 작품을 감상하고 있다.

3. 이 글과 다음 글을 비교하며 읽고 아래 활동을 해 보자.

우리나라 초상화 가운데 최고의 걸작인 윤두서 「자화상」은 종이 뒷면에 얼굴과 도포의 윤곽선을 스케치처럼 그리고 나서 다시 앞면에 인물의 모습을 제대로 그리는 조선 시대의 배면 선묘법이 사용되었다. 『조선사료집진속』의 사진 속 「자화상」에 보이는 도포는 당시 사진을 촬영하면서 뒷면에도 조명을 비추었기 때문에 보였을 것이다. 따라서 윤두서는 배선으로 그린 도포를 앞면에 그리지 않았던 것으로 보이며, 이는 그가 그림을 그리는 도중에 도포가 필요 없다고 판단한 것으로 보아야 한다.

배면 선묘법: 뒷면에서 먹선으로 틀을 잡아 앞면에 비치게 하고 그림을 그리는 기법.

활동 도움말

두 글의 필자는 도포의 윤곽선을 근거로 작품의 제작 과정을 추론하고 있다.

(1) 두 글의 필자가 윤두서의 「자화상」의 제작 과정을 추론한 내용에 어떤 차이점이 있는지 말해 보자. | 예시 답 | 이 글의 필자는 「자화상」의 몸체에 미처 먹선을 올리지 않은 상태에서 유탄이 지워졌다고 보고 있다. 반면에 다음 글의 필자는 「자화상」의 배선이 뒷면에 그려져 있기 때문에 지워지지 않은 것이며, 먹선으로 그리지 않은 것은 도포가 필요 없다고 생각했기 때문으로 보고 있다. 다시 말해, 이 글의 필자는 「자화상」을 도포가 그려지지 않은 미완성작으로, 다음 글의 필자는 「자화상」을 도포를 그릴 필요가 없어 그리지 않은 완성작으로 보고 있다.

발표 활동

(2) (1)을 참고하여 예술 관련 글을 읽는 바람직한 태도에 관해 발표해 보자.

| 예시 답 | 두 필자는 자신의 추론과 이를 뒷받침하는 자료를 바탕으로 「자화상」에 관한 각자의 의견을 제시하고 있다. 이로 보아, 예술 관련 글을 읽을 때는 널리 알려진 견해나 해석일지라도 합리적 근거를 바탕으로 비판적으로 읽을 필요가 있다고 하겠다.

제재 연구	
박희숙, 「자화상으로 자신의 속마음을 나타낸 동서양 화가들」	
갈래	설명문
성격	분석적
제재	알브레히트 뒤러의 「모피 코트를 입은 자화상」
주제	자신의 사회적 지위를 드러내기 위해 자화상을 그린 알브레히트 뒤러
특징	작품의 요소를 분석하여 작품의 의미를 드러냄.

넓혀 읽기

4. 이 글과 다음 글을 비교하며 읽고 아래 활동을 해 보자.

동서양을 막론하고 사람의 가장 큰 욕망은 남에게 자신의 존재를 드러내는 일이다. 생존 경쟁에서 우위를 차지하기 위해 자신의 존재를 부각할 수밖에 없는데 자신을 가장 잘 나타내는 것이 얼굴이다. 얼굴은 자신도 모르는 사이에 삶의 궤적을 남기고 있어서다. ➜ 얼굴로 자신을 드러내고 싶은 사람들의 욕망

『윤두서가 초상화를 통해 자신의 정신 세계를 보여 주었다면, 사람들에게 자신의 성공한 모습을 보여 주고 싶어 했던 화가는 알브레히트 뒤러(1471~1528)다.』 뒤러는 서양화 역사상 최초로 자신의 사회적 지위를 선전하는 도구로 자화상을 제작했다. 뒤러가 자화상을 통해 자신을 홍보한 작품이 「모피 코트를 입은 자화상」이다.

『 』: 자화상을 그린 동서양 화가의 차이점

➜ 서로 다른 의도로 자화상을 그린 동서양의 화가들 ■

▲ 「모피 코트를 입은 자화상」

모피 코트를 입은 뒤러가 정면을 바라보고 있다. 그는 그리스도 초상화법을 이용해 자신의 얼굴을 정면으로 배치하면서 좌우 대칭으로 얼굴을 그렸다. (작품의 요소 ①) ➜ 뒤러의 「모피 코트를 입은 자화상」에 쓰인 새로운 기법

뒤러가 이 같은 방식으로 자신을 표현한 것은 신을 닮은 인간은 화가밖에 없다고 생각했기 때문이다. (작품의 요소 ①의 의미) 하느님이 인간을 자신의 형상대로 창조하신 최초의 창시자라면 화가는 제2의 창조자, 신의 모방자라는 것이다. 뒤러의 이러한 생각은 이탈리아에서 경험한 새로운 인문주의적 자의식이 바탕이 됐다. (르네상스의 인문주의) ➜ 작품 창작에 토대가 된 작가의 자의식

이 작품에서 뒤러는 모피를 통해 (작품의 요소 ②) 자신의 부유함을 나타냈으며 (작품의 요소 ②의 의미) 잘 다듬어진 머리 모양과 수염으로 (작품의 요소 ③) 귀족의 모습을 표현했다. (작품의 요소 ③의 의미) 뒤러는 북유럽 미술과 르네상스의 혁신적인 요소를 결합시킨 화가다. 그는 오른쪽 배경에는 라틴어로 자신에 관해 설명하는 글을 남겼는데, (작품의 요소 ④) 자의식이 강했던 그는 그림과 동시에 글을 써 놓음으로써 자신의 모습이 영원히 남아 있을 것임을 나타내고자 했다. (작품의 요소 ④의 의미) 그는 자신의 존재를 다시 한번 강조하기 위해 그림 왼쪽 어두운 배경에 1,500년이라는 제작 연도와 알브레히트 뒤러의 이니셜인 에이디(AD)를 써 놓았다. ➜ 작가의 자의식을 바탕으로 작품 요소의 의미를 해석함.

평범한 사람들이 거울을 통해 자신의 외모를 들여다본다면 동서양 화가들은 자화상으로 자신의 인생을 표현하고자 했다. (자화상을 그린 동서양 화가의 공통점) ➜ 자화상으로 자신의 인생을 표현한 동서양의 화가들

– 박희숙, 「자화상으로 자신의 속마음을 나타낸 동서양 화가들」에서,
『한국경제매거진』, 2011. 12. 16.

그리스도 초상화법: 그리스도의 얼굴을 완벽하게 좌우 대칭으로 표현하는 방식.

(1) 두 글의 필자가 작품을 감상할 때 공통적으로 주목한 점을 파악해 보자.

| 예시 답 | 이 글의 필자는 윤두서의 「자화상」을 윤두서 자신에 대한 성실한 성찰의 결과로 보고 이에 따라 작품을 감상하고 있다. 한편 다음 글의 필자는 '동서양 화가들은 자화상으로 자신의 인생을 표현하고자 했다.'라고 했다. 이로 보아, 두 글의 필자는 모두 작품을 감상할 때 작가의 삶과 철저하게 연관 지어 감상하고 있다는 점에서 공통점이 있다.

(2) 두 글이 각각 윤두서의 「자화상」과 뒤러의 「모피 코트를 입은 자화상」을 감상하는 데 어떤 영향을 주었는지 말해 보자.

| 예시 답 | 작품에 대한 배경지식 없이 작품을 감상할 때는 자칫 인상만으로 판단할 수밖에 없는 경우가 많다. 하지만 작품에 대한 배경지식이 있으면 작품을 좀 더 심층적이고 다층적으로 감상할 수 있다. 이것은 어떤 작품을 감상할 때 사전 지식 없이 작품을 대하는 것보다는, 작품을 공부하고 보면 작품을 좀 더 잘 이해할 수 있다는 것을 의미한다고 할 수 있다.

| 도움말 | 르네상스 시대 이탈리아에 레오나르도 다빈치가 있다면, 독일에는 알브레히트 뒤러가 있다는 말이 있을 정도로, 뒤러는 독일 미술의 아버지라고 불리고 있다. 뒤러는 판화가이기도 하며 철학과 인문학에도 조예가 깊었던 미술 이론가이기도 하다. 이러한 사실들이 뒤러의 「모피 코트를 입은 자화상」을 감상하는 데 어떤 영향을 주는지 생각해 본다.

소단원 출제 포인트

윤두서의 「자화상」

1 전체 글의 개관

갈래	비평문	성격	논증적, 비평적
제재	윤두서 「자화상」	주제	윤두서 「자화상」에 대한 감상
특징	① 합리적인 의심과 구체적인 근거를 통해 본래의 윤두서 「자화상」을 설명하고 있음. ② 세밀한 관찰과 윤두서의 삶을 통해 윤두서 「자화상」을 예술적으로 비평하고 있음.		

2 전체 글의 의미 구조

의문 제기	• 윤두서 「자화상」의 몸 부분이 사라진 이유는 무엇일까?	• 윤두서 「자화상」이 오늘날 미완성인 상태로 전해지는 이유는 무엇일까?
	⬇	⬇
문제 해결	점착력이 약해서 쉽게 지워지는 유탄으로 그린 몸체 부분이 사라진 것임.	미완성 상태에서 작가가 완전성을 감지하여 더 이상 그리지 않음.

3 윤두서 「자화상」에 대한 필자의 감상

눈과 눈빛

필자의 감상: 눈에서 생명력이 느껴지기도 하지만 슬프고 아픈 것 같기도 함. 눈빛은 고요하고 침착한데 그것에서 공(恭)과 경(敬)으로 일관한 삶의 정신이 느껴짐.

수염과 입술

필자의 감상: 턱수염은 관우처럼 기품이 있으며, 구레나룻은 장비처럼 풍성하며, 뺨 위의 수염은 마치 불길처럼 솟구치는 것 같아 얼굴의 생명력을 북돋워 주고 있음.

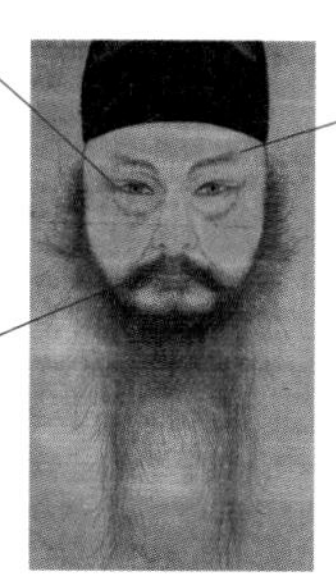

눈썹

필자의 감상: 강인하면서도 중후함이 느껴짐.

4 윤두서 「자화상」에 사용된 표현 기법

극사실적 묘사	• 터럭 한 올이라도 다르면 곧 다른 사람이 된다고 봄. • 콧구멍의 코털 서너 올까지 숨김없이 묘사함.
대조	① 강렬한 첫인상과 볼수록 인자하고 부드러운 느낌이 공존함. ② 선비의 학문과 무인의 기량을 함께 추구한 '문무 일치 정신'의 발현과 관련 있음.

5 필자의 예술 감상 태도

윤두서의 「자화상」	윤두서의 삶과 「자화상」
작가 윤두서가 작품 속 윤두서에게 '너는 누구인가, 네가 나인가, 너는 도대체 어떠한 사람인가…….'라고 말하는 것이라고 생각함.	윤두서가 자신의 삶을 진지하게 성찰한 결과물이 「자화상」임.
⬇	
필자의 예술 감상 태도	작가의 의도대로 작품을 감상해야 함.

내신 적중 문제

정답 및 해설 31쪽

[01-03] 다음 글을 읽고 물음에 답하시오.

가 역사상 특이한 현상들이 많지만 '마녀사냥'만큼 이해하기 힘든 현상도 드물 것이다. 이 세상에 악마와 내통하는 자들이 있어서 이들이 사회 전체를 위험에 빠뜨리려는 음모를 꾸미고 있으며, 이웃집 아줌마가 밤에 고양이로 변신해서 관악산의 마녀 모임에 다녀왔다는 혐의를 받는다면 그것을 믿을 수 있을까? 그런데 실제로 유럽에서는 사회 전체를 위협하는 악마적인 세력이 존재한다고 철석같이 믿고 종교 재판소를 설치하여 마녀들을 소탕하는 운동을 벌였다. 현재 개략적인 추산으로는 15세기 말부터 수백 년 동안 유럽에서 마녀로 판정을 받고 처형 당한 사람이 약 10만 명에 이른다고 한다.

나 사실, 마술이나 마법의 개념은 과거 여러 사회에서 볼 수 있다. 대부분의 평범한 사람들은 '이 세상에는 알 수 없는 어떤 신비한 힘이 있다.'라는 생각을 하게 마련이다. 그런데 유럽에서는 이런 비정상적인 힘의 존재를 '악마'와 연관 지어 이해하였는데, 이는 유럽 사회에서만 발견되는 아주 특징적인 현상이다.

다 마녀 집회 현상에 관해 전문 역사가들 사이에서도 아직까지 의견이 일치하지 않는다. ㉠어떤 연구자들은 여자들이 밤에 집회를 연 것이 사실이며, 또 그들이 어떤 특정한 믿음 체계를 실제로 가지고 있었으리라고 본다. 다만 그 내용이 악마 숭배하고는 거리가 멀고 고대로부터 은밀히 전해 내려오는 다산 숭배, 말하자면 농업적인 의식이라는 주장이다. 다시 말해, 나중에 지독한 오해를 사고 억울하게 희생 당하긴 했지만 마녀라고 오해 받을 만한 어떤 역사적인 내용이 실재했다는 견해이다.

라 이와 달리 ㉡어떤 연구자들은 그런 것은 전혀 존재하지 않으며 순전히 조작된 내용일 뿐이라고 주장한다. 신학자, 종교 재판관, 정부 당국자들이 그들이 읽은 종교 서적의 내용을 가지고 차츰 하나의 정형화된 개념을 만들어서 그것으로 무고한 사람들을 옭아맸다는 것이다. 이 견해에 따르면, 마녀 집회 같은 것은 순전히 상상력의 산물이라 할 수 있다.

마 그리고 ㉢두 견해의 중간적인 입장에 있는 사람들은 이렇게 주장한다. 우선 과거로부터 전해 오는 이교(異敎) 전통이 있었고, 이것을 권력 당국이 받아들여서 자신들의 생각대로 개념을 조작해서 일반 민중들을 공격했다는 것이다.

01 이 글의 서술상 특징으로 가장 적절한 것은?

① 대상을 구성하는 다양한 요소를 분석하고 있다.
② 대상의 변화 양상을 통시적 관점에서 설명하고 있다.
③ 대상에 대한 비유적 표현을 통해 필자의 견해를 드러내고 있다.
④ 대상에 대한 기존 견해들이 갖는 문제점을 비판하고 있다.
⑤ 대상과 유사한 현상을 언급하여 대상의 특징을 제시하고 있다.

02 ㉠~㉢에 대한 이해로 가장 적절한 것은?

① ㉠은 마녀로 지목된 사람들이 특정한 믿음 체계를 갖고 있었다고 주장한다.
② ㉡은 마녀사냥으로 오해 받을 만한 실제 역사적인 내용이 존재했었다고 주장한다.
③ ㉢은 마녀사냥은 종교인, 정부 당국자들이 종교 서적의 내용을 바탕으로 전적으로 조작한 사건이라고 주장한다.
④ ㉠은 ㉢과 달리 마녀사냥은 예전부터 존재한 이교의 전통을 권력 당국이 활용하여 민중을 공격한 것이라고 주장한다.
⑤ ㉢은 ㉡과 달리 마녀사냥이 죄가 있는 사람과 무고한 사람들을 함께 처벌하기 위해 의도적으로 행한 사건이라고 주장한다.

서술형

03 이 글을 바탕으로 유럽에서의 마술(마법) 개념의 특징을 〈조건〉에 따라 쓰시오.

조건
• 유럽에서만 발견되는 현상을 활용하여 한 문장으로 쓸 것

[04 - 06] 다음 글을 읽고 물음에 답하시오.

(가) 왜 이런 일이 일어났을까? 먼저 마녀사냥에 대한 그동안의 연구 성과들을 차근차근 살펴본 다음 다시 생각해 보도록 하자. 무엇보다 중요한 문제는 마녀사냥이 언제 일어났는가 하는 점이다. 흔히 마녀사냥을 중세적 현상이라고 생각하기 쉬우나 사실은 근대 초의 현상이다. 마녀사냥이 가장 극성을 부렸던 시점은 1590년대이며, 그 후 1630년대와 1660년대에 다시 정점에 올랐다. 다시 말해, 근대 유럽에서 계몽의 시대, 이성의 시대에 일어난 일이다.

(나) 그렇다면 누가 희생되었는가? 희생자들은 대개 여성, 빈민, 노인으로, 악마의 유혹에 쉽게 빠지게 된다고 여긴 부류들이었다. 가장 전형적인 인물형은 '가난한 차지농의 부인, 특히 과부로서 50~70세의 연령대이며, 성질이 사나운(또는 사나워 보이는) 할머니'이다. ㉠여성이 큰 비중을 차지했다는 것은 아주 중요한 문제이다. 마녀사냥의 광풍이 불었던 지역에서 희생자들을 보면 흔히 70퍼센트 이상, 심지어는 90퍼센트 이상이 여성이었다. 사실 지금까지 통례대로 '마녀'라는 용어를 그대로 사용한 것은 남성 희생자도 있었다는 점을 놓고 볼 때 엄밀히 따지자면 잘못된 일이지만, 그만큼 여성 희생자가 많았다는 또 하나의 방증이기도 하다. 왜 여성이 더 큰 희생을 치렀는지 막상 설명하려면 쉽지 않지만, 페미니즘 이론에서는 마녀사냥이라는 것이 근대 초에 가부장제 질서가 더욱 굳건해지면서 전반적으로 남성 세계가 여성을 공격한 현상이라는 주장을 편다.

(다) 또 부자들과 권력자들보다 힘없는 빈민들이 더 많이 희생 당했으리라는 점은 쉽게 상상할 수 있으나, 권력자들이라고 항상 무사한 것만은 아니었다. 멀쩡한 사람을 마녀로 몰기 위해서는 당연히 고문을 동원하였는데, 고문에 못 이겨 공범들의 이름을 불 때는 사회의 최상층부 시민들이라고 예외는 아니었다. 실제로 1611년에 독일의 엘방엔에서 70세 여인이 고문을 받으면서 사회의 상층 인사들까지 '공범자'로 거명하였다. 고문이 시작되면 누구라도 안심할 수 없었다. 겁에 질린 사람들 가운데는 지레 자기가 마법을 부렸다고 '자수'까지 하는 사람도 있었다.

(라) 그럼, 마녀사냥을 어떻게 해석해야 할까? 우리의 눈으로 보면 그냥 광기라고 할 수밖에 없다. 그러나 그렇게만 말하고 끝날 일은 아니다. 그 시대 사람들이 정말로 제정신이 아니어서 집단으로 광포한 짓을 했다고 말할 수는 없는 일이다. 마녀사냥을 주도했던 인물들은 대개 그 사회의 지도적인 위치에 있는 사람이었다. 그 사람들은 위험한 존재로부터 사회를 지키는 훌륭한 일을 하고 있다고 자부했을 것이다. 다시 말해서, 그 시대 그 사회의 관점에서 보면 마녀사냥은 광기가 아니라 합리적인 행위였을 수 있다.

04 이 글을 읽고 보일 수 있는 반응으로 적절하지 <u>않은</u> 것은?

① 마녀사냥으로 인해 빈민과 노인이 희생을 당했겠군.
② 마녀사냥의 전형적인 피해자는 50~70세의 과부였겠군.
③ 마녀사냥이 극성을 부린 시기는 중세 시대에 해당하겠군.
④ 마녀사냥으로 인해 사회의 권력자들이 피해를 보기도 했겠군.
⑤ 마녀사냥 때 공포감으로 인해 스스로 마녀임을 자백한 사람들도 있었겠군.

학습 활동 응용

05 이 글을 바탕으로 필자의 견해를 파악한 내용으로 가장 적절한 것은?

① 마녀사냥은 당대의 관점에서 보면 합리적인 행위에 해당한다고 볼 수 있다.
② 마녀사냥은 오늘날의 관점에서 보면 사회 질서 유지에 일조했으므로 바람직한 행위로 볼 수 있다.
③ 마녀사냥은 가해자의 관점에서 보면 집단의식에 따라 불가피하게 광포한 행위를 한 것으로 볼 수 있다.
④ 마녀사냥은 피해자의 관점에서 보면 서민들만 희생을 당했으므로 부당한 행위에 해당한다고 볼 수 있다.
⑤ 마녀사냥은 당대와 오늘날의 관점에서 보면 무고한 사람들이 피해를 입게 되는 부당한 행위에 해당한다고 볼 수 있다.

서술형

06 ㉠의 이유를 〈조건〉에 맞게 쓰시오.

〈조건〉
- (나)에 제시된 '페미니즘 이론'의 관점에서 이유를 밝힐 것
- 한 문장으로 쓸 것

[07 - 09] **다음 글을 읽고 물음에 답하시오.**

(가) 지금까지 말한 점들을 염두에 두고 마녀사냥에 대한 역사적인 평가를 시도해 보자. 앞에서 말한 것처럼 이것이 중세적 배경을 가졌지만 본질적으로 근대적 현상이라는 점을 다시 주목할 필요가 있다. 근대로 들어오면서 일반 민중들은 정치적으로, 종교적으로 큰 에너지를 띠게 된다. 다스리는 자 입장에서는 이들을 그 상태 그대로 방치해서는 안 되고 질서 체계 안으로 끌어들여야 할 것이다. 질서를 부과한다는 것은 곧, 그것을 거부하는 자들을 억압한다는 것을 뜻한다. 근대의 권력 당국, 곧 국가와 종교는 그들의 권위에서 벗어나려는 자들을 제거하고 모든 국민들의 복종을 확립하려고 하였다. 국가는 종교로부터 이념을 빌리고 종교는 국가로부터 힘을 얻는다. 한 국가 안에 있는 모든 사람은 사고마저도 함께해야 한다. 모두 같은 종교를 믿어야 하며, 종교의 신임을 받은 국왕을 잘 따라야 한다. 근대 국가는 '균질한 영혼'들이 국가 기구에 복종하도록 만들어야 했고, 이것이 마녀사냥이 결과적으로 행한 역할이라 할 수 있다.

(나) 인간의 지성은 갈수록 발달하고 사회는 더욱 문명화되는 것일까? 만일 그랬다면 지금쯤 우리는 지상 낙원에서 오순도순 살아가고 있을 것이며, 비참한 탄압과 야만적인 전쟁 같은 것은 아예 사라졌을 것이다. 마녀사냥과 같은 현상을 보노라면 우리 마음속에 집단 광기가 숨어 있는 것은 아닌지 자문하게 된다. 마녀사냥은 그 모습 그대로는 근대 초 유럽의 특이한 현상이지만 유사한 현상은 언제나 있었다. 사회 전체를 근본적으로 위협하는 불순한 세력! 그것은 히틀러에게는 유대인이었고, 파시스트들에게는 공산주의자들이었다. 때로 권력은 일부러 그런 위험 세력을 조작해 내서 사람들을 선동하려 한다. 그런 조작이 너무나도 쉽게 받아들여진다는 사실 자체가 우리 내면에 '마녀사냥'식의 충동이 잠재해 있음을 짐작하게 한다.

07 **이 글로 미루어 볼 때, 〈보기〉의 ㉠~㉢에 들어갈 말로 가장 적절한 것은?**

〈보기〉

필자는 인간의 지성이 갈수록 (㉠), 사회가 (㉡)고 본다. 왜냐하면 오늘날에 마녀사냥과 같은 현상이 (㉢) 있기 때문이다.

	㉠	㉡	㉢
①	발달하고	문명화되지 않는다	발생하고
②	발달하고	문명화된다	발생하고
③	발달하지 않고	문명화된다	발생하지 않고
④	발달하지 않고	문명화되지 않는다	발생하고
⑤	발달하지 않고	문명화되지 않는다	발생하지 않고

고난도 학습 활동 응용

08 **이 글을 바탕으로 〈보기〉를 이해한 것으로 가장 적절한 것은?**

〈보기〉

1919년에 무솔리니를 당수로 한 이탈리아의 파시스트당이 결성되었다. 이들은 반민주, 반공산, 반유대주의를 내세운 독일 민족 지상주의와 강력한 국가주의를 바탕으로 독재 체제를 확립하였다. 이들은 무고한 유대인들을 박해하고 강제 수용소에 감금했으며, 무자비하게 학살하는 만행을 저지르며 권력을 유지하다가 1945년 제2차 세계 대전의 패전과 함께 몰락하였다.

① 〈보기〉와 같은 비극적인 사건으로 인해 마녀사냥이 일어난 것이겠군.
② 〈보기〉로 인해 마녀사냥에 대한 역사적인 평가가 다시 이루어졌겠군.
③ 마녀사냥은 〈보기〉와 달리 전 세계적으로 전쟁이 발발하게 되는 직접적인 원인이 되겠군.
④ 〈보기〉는 마녀사냥과 달리 피해자에게 직접적이고 물리적인 공격을 가했다는 특징이 있겠군.
⑤ 마녀사냥과 〈보기〉는 모두 권력자들이 자신들의 권력 유지를 위해 특정 부류를 핍박했다는 공통점이 있겠군.

서술형

09 **이 글을 참고하여 '마녀사냥'에 대한 필자의 주장을 〈조건〉에 맞게 쓰시오.**

〈조건〉

- (가)의 중심 내용을 반영할 것
- '균질한 영혼'이라는 용어를 넣어 한 문장으로 쓸 것

[10-12] 다음 글을 읽고 물음에 답하시오.

(가) 여기 마흔을 넘긴 한 남자의 초상화가 있다. 그것도 자기 얼굴을 자신이 직접 그린 자화상이다. 공재(恭齋) 윤두서. 이분의 눈매는 상당히 매서워 첫인상만으로도 보는 이를 압도한다. 또 활활 타오르는 듯한 수염은 내면 깊은 곳으로부터 기(氣)를 발산하는 듯하다. 그렇게 작품을 계속 바라보노라면 점차 으스스한 느낌이 들고 결국은 어느 순간 섬뜩한 공포감에 사로잡히기까지 한다.

(나) 그러므로 다시 한번 찬찬히 ㉠「자화상」을 살펴보기로 하자. 아무런 선입견이나 편견을 갖지 않고서 말이다. 인물은 정면상이다. 그러므로 정확한 좌우 대칭을 이룬다. 좌우 대칭의 정면상은 입체감을 갖기 어렵다. 그러나 얼굴 전체에서 바깥으로 뻗어난 수염이 표정을 화면 위로 떠오르게 한다. 더하여 새까만 탕건 끝이 부드러운 곡선을 이루며 휘어져 있어 머리 전체의 볼륨을 요령 있게 시사한다. 그런데 극사실로 그려진 이 작품 속의 인물은 놀랍게도 귀가 없다. 목과 상체도 없다. 마치 두 줄기 긴 수염만이 기둥인 양 양쪽에서 머리를 떠받들고 있는 것처럼 보인다. 어쩌면 옥에 갇혀 칼을 쓴 인물처럼 머리만 따로 허공에 들려 있는 듯하다. 머리는 화면의 상반부로 치켜 올라갔다. 덩달아 탕건의 윗부분이 잘려져 나갔다. 눈에 가득 보이는 것이라고는 귀가 없는 사실적인 얼굴 표현뿐인데 그 시선은 정면을 뚫어져라 응시하고 있다. 이러한 초상이 무섭지 않다면 오히려 이상한 일이다.

(다) 그런 의심을 품고 있던 1995년 가을, 뜻밖에도 58년 전인 1937년 조선 총독부가 발행한 『조선사료집진속(朝鮮史料集眞續)』이라는 책에서 ㉡윤두서 「자화상」의 옛 사진을 발견하게 되었다. 옛 사진 속의 윤두서의 모습은 지금 작품과는 크게 달랐다. 그의 몸 부분이 선명하게 그려져 있었던 것이다. 그 결과 현 상태에서 몸 없이 얼굴만 따로 떠 있는, 거의 충격적이라 부를 만큼 지나치게 강하기만 하고 날카롭기만 했던 「자화상」 속 윤두서의 인상이 원래는 어질어 보이는 얼굴에 침착하고 단아한 분위기를 띠었다는 사실을 알게 되었다.

(라) 그렇다! 이것이 바로 조선의 선비다. 조선 선비라면 어디까지나 원만하게 중용의 미감을 지켜 나가야 그 학문인 성리학의 정신과 걸맞다. 윤두서는 옛 사진 속에서 도포를 입고 있었다. 단정하게 여민 옷깃과 정돈된 옷주름 선은 완만한 굴곡을 갖는 고르고 기품 있는 선으로 이루어졌다. 넓은 깃에 깨끗한 동정을 달았으므로 딱딱한 동정과 부드러운 천 사이에는 살짝 주름이 잡혔다. 그 동정과 깃의 턱이 진 이중 구조는 인물을 포근하게 감싸 안듯이 얼굴을 받쳐 주고 있다. 그러나 가장 두드러진 차이점은 안면에서 배어나는 인자함이었다. 너무나도 따뜻해 보이는 감성적인 얼굴과 총명하기 이를 데 없는 눈빛이 거기 있었던 것이다.

10 이 글의 서술상 특징을 〈보기〉에서 모두 골라 바르게 짝지은 것은?

〈보기〉
ㄱ. 대상의 특징들을 객관적으로 분석하고 있다.
ㄴ. 대상의 모습을 비유를 통해 쉽게 설명하고 있다.
ㄷ. 대상의 여러 요소를 구체적으로 묘사하고 있다.
ㄹ. 대상이 제작된 과정을 시간의 순서에 따라 설명하고 있다.

① ㄱ, ㄹ ② ㄴ, ㄷ ③ ㄱ, ㄴ, ㄷ
④ ㄴ, ㄷ, ㄹ ⑤ ㄱ, ㄴ, ㄷ, ㄹ

11 이 글의 내용과 일치하지 <u>않는</u> 것은?

① 윤두서 「자화상」에는 탕건의 전체가 묘사되지 않았다.
② 윤두서 「자화상」은 있는 그대로인, 극사실적으로 그려졌다.
③ 윤두서 「자화상」은 현재와 다른 전신 형태로 그려진 것이다.
④ 옛 사진 속 「자화상」의 미감은 조선 사대부들이 추구한 윤리 도덕과 일치한다.
⑤ 새로 발견한 「자화상」의 옛 사진에는 윤두서 「자화상」에 대한 새로운 정보가 담겨 있다.

학습 활동 응용

12 ㉠, ㉡에 대한 감상으로 가장 적절한 것은?

	㉠	㉡
①	입체감이 없음.	좌우가 비대칭적임.
②	매서운 첫인상을 줌.	몸 부분이 선명히 드러남.
③	귀, 목, 상체가 없음.	귀, 목, 상체가 있음.
④	얼굴이 어질어 보임.	섬뜩한 공포감을 느끼게 됨.
⑤	수염이 비현실적으로 그려짐.	단아한 분위기가 풍김.

[13 - 15] 다음 글을 읽고 물음에 답하시오.

(가) 원래 있었던 윤두서 「자화상」 사진 속의 상반신 윤곽선이 어떻게 해서 감쪽같이 없어졌을까? 비밀은 몸 부분이 유탄(柳炭)으로 그려진 데에 있었다. 유탄이란 요즘의 스케치 연필에 해당하는 것으로 버드나무 가지로 만든 가는 숯이다. 이것은 화면에 달라붙는 점착력이 약해서 쉽게 지워진다. 그래서 데생하다가 수정하기에 편리하므로 통상 밑그림을 잡을 때 사용한다. 자화상의 경우, 중요 부분인 얼굴부터 먹선을 올려 정착시키고 몸체는 우선 유탄으로만 형태를 잡는 과정에서 그 몸에 미처 먹선을 올리지 않은 상태, 즉 미완성 상태로 전해 오다가 언젠가 그 부분이 지워져 버린 것 같다. 그 결과, 원작품이 가졌던 풍부한 질감, 특히 안면의 부드러운 질감이 희생되고 뼈대가 되는 선적인 요소만 남게 된 것이다.

(나) 이제 지금껏 조선 초상화의 최고 걸작이며 파격적인 구도를 가진 완성작이라고 생각되어 온 「자화상」은 미완성작임이 확인되었다. 하지만 실망할 것은 없다. 작품의 예술성도 미완성이라고는 절대 말할 수 없기 때문이다. 「자화상」은 완벽하다. 미켈란젤로는 「노예상」을 조각하면서 미처 다 쪼아 내지 못한 대리석 조각을 남겼다. 그런데 이 미완성작은 오히려 드물게 보는 걸작이라고 평가된다. 다듬어지지 않은 돌이라는 작품 재질과 그로부터 영혼이 깃든 형상을 이끌어 내려는 작가 의식 사이에 말할 수 없이 팽팽한 긴장감이 감돌고 있기 때문이다. 「자화상」 또한 미완성작이지만 오히려 그 덕분에 마지막 손질이 더해지지 않은, 작가 자신에 대한 심오한 상념이 전개되는 과정, 그리고 생생한 자기 성찰의 흔적을 그대로 보여 준다.

(다) 이제 「자화상」에 대한 그릇된 첫인상을 말끔히 씻어 버리고 작가의 원래 의도를 따라 작품을 감상해 보자. 거울 속의 한 남자가 나를 뚫어져라 바라보고 있다. 그러나 찬찬히 살펴보니 그 눈빛은 전혀 나를 보고 있지 않다. 그는 골똘한 생각에 빠져 자기 자신을 보고 있는 것이다. 그래서 나는 용케 두 사람의 내밀한 대화 사이로 숨어들어 몰래 엿보기는 하지만 끝끝내 두 사람 간의 침묵의 대화 속에 끼어들 수가 없다. 그려진 윤두서의 고요함 속으로도, 그린 윤두서의 강한 의지 속으로도 들어갈 수 없다. 윤두서가 나지막이 윤두서에게 말을 건넨다. 너는 누구인가, 네가 나인가, 너는 도대체 어떠한 사람인가…….

(라) 이처럼 작품 속의 윤두서는 실제 얼굴보다 약간 작지만 거의 실물 크기에 가깝게 극사실적으로 묘사되어 있다. 콧구멍을 보면 코털 서너 올까지 숨김없이 묘파(描破)되고 있을 정도다. 조선 초상화의 정신은 '터럭 한 올이라도 다르면 곧 다른 사람이 된다.'는 사실주의였다. 이것은 이웃 중국의 미화된 초상이나 일본의 간략하게 추상화된 초상과 현격히 구별되는 우리 옛 초상화의 특색이다.

(마) 무엇보다도 윤두서의 「자화상」의 예술성은 회화의 가장 중요한 표현 수법 가운데 하나인 '대조(對照)'를 고차원적으로 활용한 데에 있다. 작품을 보는 이가 첫눈에는 무섭다 할 만큼 강렬한 인상을 받지만, 보면 볼수록 인자하고 부드러우며 고요한 느낌을 갖게 되는 것 또한 그 때문이다. 이는 어쩌면 선비의 학문과 무인의 기량을 함께 추구했던 윤두서의 문무(文武) 일치 정신이 발현된 데 기인한 것일 수 있다.

13 이 글을 통해 해결할 수 없는 질문은?

① 「자화상」의 몸 부분이 사라진 이유는 무엇일까?
② 「자화상」의 얼굴과 실제 윤두서의 얼굴은 크기가 동일할까?
③ 「자화상」의 예술성이 미완성이라고 보는 이유는 무엇일까?
④ 「자화상」을 그릴 때 유탄과 먹선 중 무엇을 먼저 사용했을까?
⑤ 「자화상」에 사용된 회화의 중요한 표현 수단에는 무엇이 있을까?

학습 활동 응용

14 이 글에서 필자가 「자화상」을 감상한 방식으로 가장 적절한 것은?

① 작가의 의도를 고려하여 감상하고 있다.
② 작가의 또 다른 작품과 비교하며 감상하고 있다.
③ 창작 당시의 시대적 상황을 고려하며 감상하고 있다.
④ 작품을 감상하는 기존의 견해를 인정하며 감상하고 있다.
⑤ 다른 나라의 작가가 구현하지 못한 특징을 부각하며 감상하고 있다.

서술형

15 이 글을 참고하여 윤두서 「자화상」의 특징을 〈조건〉에 맞게 쓰시오.

〈조건〉
• 다른 나라들의 초상화와 구별되는 조선 초상화의 특색을 언급하여 한 문장으로 쓸 것

사회 · 문화 분야의 글 읽기

교과서 134쪽

생각 열기 저출산 문제를 바라보는 시각이 다양할 수 있는 이유는 무엇일까?

위의 토론에서 발언자들은 저출산 문제에 관해 각기 다른 주장을 펴고 있다. 이는 같은 사회 · 문화 현상이라도 관점에 따라 다르게 접근할 수 있음을 보여 준다. 특히 오늘날처럼 복잡한 사회일수록 어느 한 관점이 아닌 다양한 관점으로 이해하는 것은 중요하다고 할 수 있다. 따라서 특정 사회 · 문화 현상을 좀 더 깊고 넓게 이해하기 위해서는 전문적이면서도 다양한 시각을 얻을 수 있는 폭넓은 독서가 필요하다.

그렇다면 **사회 · 문화적 현상을 제대로 이해하기 위해서는 어떤 책을 어떻게 읽어야 할까?**

| 예시 답 | 사회나 문화 현상을 다룬 책을 읽되, 한 권만 읽어서는 안 되고 다양한 시각으로 씌어진 여러 권의 책을 읽어야 한다.

| 도움말 | 한 가지 화제에 관해 여러 관점의 의견이 제시되는 상황을 제시하였다. 이를 통해 사회·문화 분야 글 읽기의 필요성을 이해하고, 사회·문화 분야 글 읽기의 방법에 관한 질문에 스스로 답해 봄으로써 학습 주제에 관한 흥미를 높이도록 한다.

| 이 단원의 학습 요소 |

학습 목표 **사회·문화 분야의 글에 담긴 사회적 요구와 신념, 사회적 현상의 특성, 역사적 인물과 사건의 사회·문화적 맥락 등을 비판적으로 이해하며 읽는다.**

'독일 기본법'에 담긴 사회적 요구와 신념을 이해하고, 우리 헌법을 발전적으로 수용하기	▶	'독일 기본법'에 담긴 사회적 요구와 신념을 이해하고, 이를 통해 우리 헌법을 발전적으로 수용해 본다.
'우산'의 수용 과정을 사회·문화적 맥락 등을 고려하여 비판적으로 이해하기	▶	우리나라에 도입된 '우산'의 수용 과정을 사회·문화적 맥락 등을 고려하면서 비판적으로 이해해 본다.

소단원 바탕학습

원리 이해

1 사회·문화 분야 글 읽기의 필요성

1. 사회·문화 분야 글 읽기의 의의
   - 인간의 삶을 더 넓은 시각에서 바라볼 수 있게 함.
   - 다양한 사회 현상들을 정확하게 통찰할 수 있게 함.
   - 타문화를 편견 없이 바라볼 수 있게 함.
2. 사회·문화 분야 글 읽기의 필요성

사회·문화의 특성	• 시간이나 지역에 따라 다양성을 띠며 발전함. • 오늘날에는 훨씬 복잡하고 다양한 양상으로 전개됨.

⬇

사회·문화 분야 글 읽기의 필요성	개인, 사회, 문화를 이해하는 데 도움을 줌.

2 사회·문화 분야 글의 특징

• 사회: 공동 생활을 영위하는 모든 형태의 인간 집단

사회 분야 글의 제재	사회 분야를 다룬 글의 영역
• 인간 사회의 복잡한 여러 현상을 인과 관계, 영향 관계 등에 따라 분석적이고 체계적으로 다루면서, 인간이 당면한 문제를 어떻게 해결할지를 알려 줌. • 국가 체제와 이념, 도시의 발달과 인구 증가, 부의 분배와 경제적 불평등, 계급적 갈등과 계층의 심화, 인간 소외, 환경오염으로 인한 생태계 파괴 등을 다룸.	정치학, 경제학, 사회학, 심리학, 인류학, 지리학, 여성학, 언론학 등

• 문화: 당대 사회가 만들어 낸 물질적, 정신적 산물 → 사회 구성원에 의하여 습득, 공유, 전달되는 행동 양식이나 생활 양식의 과정 및 그 과정에서 이룩해 낸 것들

문화 분야 글의 제재	문화 분야를 다룬 글의 영역
• 사회의 전반적인 문화 양상을 다룸. • 미래 산업으로서의 문화가 지니는 가치를 다룸.	문화 일반, 문화사, 문화 인류학, 대중문화 등 → 의식주 문화와 풍습, 청소년 문화, 양성평등 문화, 다문화 등 사회 전반적인 문화 양상을 다룸.

3 사회·문화 분야 글 읽기의 방법

1. 글 읽기의 단계

글에서 필자가 제시한 중심 화제를 파악하기	➡	중심 화제를 어떻게 설명하고, 필자의 의견을 어떻게 드러내는지를 파악하기	➡	글의 내용이나 필자의 관점이 타당하고 수용 가능한지 비판적인 태도로 읽기

2. 유의점: 동일한 화제에 대해 여러 사람의 글을 주제 통합적으로 읽기 → 사회 현상에 대한 타당한 이해 + 주체적인 사고 정립에 도움됨.

| 원리 확인 문제 |

1. 사회·문화 분야 글 읽기에 대한 설명으로 알맞지 않은 것은?

① 다양한 사회 현상을 이해하는 데 도움이 된다.
② 인간의 삶을 더 넓은 시각에서 바라볼 수 있게 한다.
③ 개인을 제외한 사회와 문화 현상을 이해하는 데 도움이 된다.
④ 미래 산업으로서의 문화가 지닌 가치를 다룬 글 등이 포함된다.
⑤ 인간 사회의 복잡한 여러 현상을 분석적으로 다룬 글 등이 포함된다.

2. 사회 분야를 다룬 글의 영역으로 적절하지 않은 것은?

① 정치학 ② 심리학
③ 경제학 ④ 지리학
⑤ 문학

3. 문화 분야 글의 제재로 가장 적절한 것은?

① 다문화와 양성 평등 문화의 양상
② 부의 분배와 경제적 불평등 현상
③ 계급적 갈등과 계층의 심화 문제
④ 도시의 발달과 인구 증가의 영향 관계
⑤ 인간 소외와 환경 오염으로 인한 생태계 파괴 문제

4. 다음 ㉠, ㉡에 들어갈 말을 쓰시오.

사회·문화 분야의 글을 읽을 때는 동일한 화제에 대해 여러 사람의 글을 주제 통합적으로 읽는 것이 좋다. 서로 다른 관점의 글들을 주제 통합적으로 읽게 되면 사회 현상에 대한 (㉠) 이해뿐만 아니라 (㉡) 사고 정립에도 도움이 된다.

정답 1. ③ 2. ⑤ 3. ① 4. ㉠ 타당한, ㉡ 주체적인

제재 미리보기

나라에 부치는 연애편지

1 해제

이 글은 독일 기본법이 만들어지는 과정을 통해 헌법이 지니는 가치와 헌법 수호의 중요성을 강조하고 있는 논설문이다. 독일 기본법의 힘으로 동독과의 통일이 이루어졌다는 의견을 제시하며, 현재 기본법이 약해지고 있으니 이를 지켜야 한다는 의지를 다지고 있다.

2 핵심 정리

(1) **갈래**: 논설문

(2) **성격**: 설명적, 설득적
이 글에서는 서독이 독일 기본법을 만들고 동독과 통일되는 과정을 설명하고 있으며, 기본법의 힘이 유지될 수 있도록 지켜 나가야 한다는 점을 설득적으로 제시하고 있다.

(3) **제재**: 독일 기본법

(4) **주제**: 독일 기본법의 제정 과정과 헌법 수호의 중요성
제2차 세계 대전 후 서독이 독일 기본법을 만들고, 이후 동독이 서독의 기본법 안으로 들어오는 과정을 설명한 후, 현재 약화되고 있는 기본법을 수호해야 함을 주장하고 있다.

(5) **특징**: ① 독일 기본법이 제정되는 과정을 통시적으로 설명하고 있다.
② 비유적 표현을 사용하여 대상의 특징을 효과적으로 드러내고 있다.

(6) **구성**
'서론'에서 헌법은 국민이 국가에 쓰는 연애편지와 같다고 밝히고, '본론'에서는 독일 기본법의 제정 과정과 헌법의 강력한 힘을 통해 이루어 낸 독일 통일을 설명한 후, '결론'에서 독일 헌법의 위상을 지켜야 한다는 점을 강조하고 있다.

서론	본론	결론
헌법은 국민이 국가에 쓰는 연애편지로서, 시처럼 아름답고 함축적인 문장이 포함됨.	• 독일 기본법의 제정 배경 및 과정, 특징(일기에 가까움.) • 독일 기본법의 과도기적 성격과 헌법의 강력한 힘을 보여 준 독일 통일	기본권이 제한되면서 점차 약해지는 독일 헌법의 위상을 지키기 위한 노력의 필요성

우산, 근대와 전근대가 만나다

1 해제

이 글은 우산이라는 서양 근대 문물이 우리 고유의 풍습과 혼합되면서 대중문화로 자리 잡는 과정을 보여 주는 설명문이다. 서양식 우산이 사회·문화적 인식 차이로 인해 도입 초기에 널리 사용되지 못했고, 우여곡절을 겪으면서 우리 문화로 자리 잡게 되는 과정을 설명하고 있다.

2 핵심 정리

(1) **갈래**: 설명문

(2) **성격**: 설명적, 통시적
이 글에서는 예전에는 우산이 전 계층에 걸쳐 사용되지 않다가 서양식 우산이 전래된 후 점차 대중문화로 자리 잡게 되었다는 점을 통시적으로 설명하고 있다.

(3) **제재**: 우산

(4) **주제**: 우산이라는 서양 문물이 우리 문화화되는 과정
사회·문화적 인식의 차이로 인해 우산의 사용 및 확산에 어려움이 있다가 점차 우산이 우리 문화화되어 대중문화로 자리 잡는 과정을 밝히고 있다.

(5) **특징**: ① 구체적인 근거와 일화를 바탕으로 우산에 대한 사회적 인식을 드러내고 있다.
② 우산에 대한 사회·문화적 인식 변화를 통시적으로 보여 주고 있다.

(6) **구성**
'머리말'에서 우리나라에서의 우산 사용을 통시적으로 살펴본 후, '본문'에서는 서양식 우산이 도입된 후의 여러 가지 현상을 소개하고, '맺음말'에서 우산이 우리의 풍습과 서양의 문물이 혼합되어 대중문화화된 것임을 설명하고 있다.

머리말	본문	맺음말
우리나라에서 상류층 외 일반인이 우산을 쓰기 시작한 것은 오래되지 않았음.	• 서양식 우산의 전래와 우산 사용에 대한 부정적 인식 • 우산이 개화기에 여성들 사이에서 유행하고, 민간 신앙과 접목되어 새로운 풍습이 생김.	우산은 우리 고유의 풍습과 서양 문물이 혼합되어 대중문화로 자리 잡는 과정을 보여 줌.

제재 1

교과서 136~140쪽

나라에 부치는 연애편지

_ 헤리베르트 프란틀 / 박종대 옮김

_헌법은 왜 필요하고 어떻게 만들어질까

소단원 포인트

- 독일 통일 전 서독의 기본법이 만들어진 과정 파악하기
- 헌법이 한 나라에서 갖는 사회적 의의 파악하기
- 독일 통일 전 서독 사회에서 요구하는 바가 헌법에 어떻게 반영되었는지 파악하기

필자 소개

헤리베르트 프란틀(1953~): 법학자. 검사와 판사를 거쳐 현재 기자로 활동 중이다.

▸**독일 기본법 탄생**: 제2차 세계 대전이 끝난 뒤 서방 연합군은 소련과 합의 아래 독일에서 단일 정부의 구성이 불가능하다고 판단하고, 점령 지역에서 국가를 출범시키기 위해 준비 작업을 시작하였다. 먼저 제헌 의회를 구성하고 헌법 작업에 대한 전권을 위임하였다. 제헌 의회는 1948년 9월 1일 본(Bonn)에서 첫 모임을 가졌고, 평의회는 나치 시대 때 저항 운동을 했던 기민당 출신의 아데나워를 의장으로 선출하였다. 사민당은 통일이 안 된 상황에서 과도기적 헌법을 주장했지만, 기민당은 기본법으로 하되 기본법 전문(前文)과 146조에서 통일에 대한 조항을 삽입하도록 하였다. 기민당의 안이 수용되어 기본법으로 채택되었다. 제헌 의회는 때로는 교착 상태에 빠진 경우가 종종 있었지만, 약 9개월 동안 헌법 준비 작업을 거쳐 1949년 5월 23일 기본법을 발표했다. 이로써 서방 연합국 점령 지역에서 독일연방공화국이 탄생하였다.

서론 ㉮ 헌법에는 무슨 일이 있어도 바꿀 수 없는 조항이 있다. 예를 들면 인간의 존엄에 관한 규정을 담은 기본법 제1조와 국가 체제의 기본 원칙들을 규정한 기본법 제20조가 그것이다. 제20조에는 이렇게 적혀 있다.

"독일 연방 공화국은 민주적·사회적 법치 국가다. 모든 국가 권력은 국민으로부터 나온다."

국가 체제의 기본 원칙에 관한 규정으로 수정이 불가능한 조항

➔ 기본법 제20조의 예시

㉯ 이 조항들은 헌법에도 분명히 명시되어 있듯이 결코 흔들리거나 수정되어서는 안 되고 영원히 지속되어야 한다. 이는 연인들끼리 굳게 약속하는 '사랑'에 대한 맹세보다 훨씬 더 영원하다. 연인들의 사랑에 관한 맹세란 길어야 몇 달 혹은 몇 년이 고작이기 때문이다.

➔ 헌법 조항의 지속성과 불변성

㉰ 헌법은 국민이 국가에 쓰는 연애편지다. 국민은 이 편지에서 자신이 나라에 무엇을 바라고, 자신과 정부가 나라를 위해 무엇을 하고 싶고, 무엇을 해야 하는지를 적는다. 가장 중요한 내용은 대개 첫 문장에 나오듯 이 연애편지의 첫 문장도 문자 메시지처럼 매우 짧게 압축되어 있다.

비유법 / 헌법의 사회적 의의

"인간의 존엄은 침범할 수 없다."

독일 헌법에 제일 처음 나오는 이 내용은 가장 중요한 문장이기에 '기본권'이라 불린다. 종종 헌법에 적힌 문장들은 시처럼 매우 아름답고 함축적이며 문학적이다. 그래서 헌법을 가리켜 모든 국민들을 위한 문집이라고 부르기도 한다.

➔ 헌법에 적힌 문장들은 시처럼 매우 아름답고 함축적임.

서론: 헌법은 국민이 국가에 쓰는 연애편지로서, 시처럼 매우 아름답고 함축적인 문장이 포함됨.

교과서 날개 질문

다른 헌법과 달리 독일 기본법이 시적이지 않은 이유를 말해 보자.

| 예시 답 | 제2차 세계 대전 직후 독일인들은 패전국으로서 히틀러와 나치를 추종한 잘못을 깨닫고 있었다. 따라서 독일의 기본법은 지난날을 반성하는 내용들이 미사여구 없이 서술되다 보니 마치 일기와 같아졌다.

본론 1 ㉱ 그러나 독일 기본법은 그렇게 시적이지 않다. 그것은 ㉠기본법이 탄생할 당시의 시대 상황이 미사여구로 치장할 만큼의 여유가 없고 힘들었다는 것을 뜻한다. 기본법이 제정될 당시 독일인들 가운데에서 이에 환호하며 우쭐해하는 사람은 아무도 없었다. 『전쟁이 끝난 지 불과 몇 년밖에 지나지 않았을 뿐만 아니라 대부분의 독일인들은 지난 시절 자신들이 얼마나 추악한 범죄자들을 지도자로 추종했는지 그리고 히틀러와 나치가 얼마나 끔찍한 범죄를 저질렀는지 충분히 깨닫고 있었던 것이다. 그래서 ㉡기본법은 인간을 경멸하고 탄압했던 시절을 되돌아보면서 유대인이라는 이유 하나만으로 수백만의 인간을 학살했던 그 시절을 반성했다.』 이런 점에서 독일의 기본법은 자신의 잘못을 되씹어 보는 일기에

미사여구: 아름다운 말로 듣기 좋게 꾸민 글귀

『 』: 독일 기본법이 시적이지 않고 일기에 가까운 이유 – 제2차 세계 대전에서 패한 후 과거의 잘못을 반성하기에도 바빴기 때문에

당시 유럽에 살고 있던 약 1,100여 만 명의 유대인들 가운데 절반이 넘는 600여 만 명의 유대인들이 학살됨.

지난날에 대한 반성을 담고 있기 때문에

가깝다. 기본법은 반성을 통해 모든 인간에게 똑같은 권리가 있다는 사실을 인정하기에 이르렀다.

➜ 독일의 기본법은 미사여구 없이 잘못을 반성하는 일기에 가까움.

어휘 풀이
독일 기본법: 독일 헌법의 이름. 1949년에 제정되어 여러 차례 수정을 거쳤음.

핵심 쏙쏙

1 헌법의 지속성과 불변성

헌법의 조항과 연인들의 맹세를 비교하며 헌법의 지속성과 불변성을 강조함.

지속성 · 불변성		가변성 · 유한성
헌법에는 절대로 바꿀 수 없는 조항이 있음. (헌법 제20조)	⬌	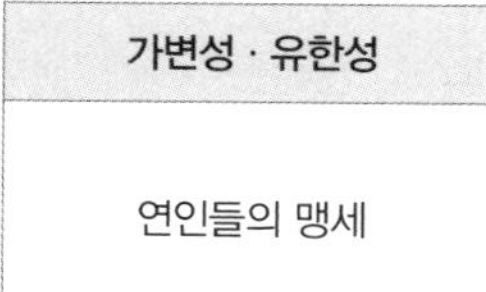 연인들의 맹세

2 헌법을 '연애편지'에 비유한 이유

헌법이 왜 필요한지를 '비유'를 통해 설명함.

헌법		
국민이 국가에 무엇을 바라고, 자신이 국가를 위해 무엇을 하고 싶고, 무엇을 해야 하는지를 적음.	=	 연애편지

3 일반적인 헌법과 독일 기본법의 문장

일반적인 헌법과 독일 기본법의 문장을 비교하며, 일기에 가까운 독일 기본법의 특징을 드러냄.

일반적인 헌법		독일 기본법
시처럼 아름답고 함축적인 문장이 있음.	⬌	미사여구 없이 잘못을 반성하는 일기에 가까움.

4 독일 기본법의 제정 배경

여유가 없고 힘들었던 당시의 시대 상황 (전쟁이 끝난 지 얼마 지나지 않음.)

↓

히틀러, 나치가 끔찍한 범죄를 저질렀다는 것을 독일인들이 깨달음.

↓

수백만 명의 인간을 학살한 점을 반성함.

확인 문제①

정답 및 해설 33쪽

1. 이 글을 통해 알 수 있는 내용이 아닌 것은?
① 헌법에는 절대로 바꿀 수 없는 조항이 존재한다.
② 국가 체제의 기본 원칙을 규정한 헌법은 수정할 수 없다.
③ 헌법에는 시처럼 아름답고 함축적인 문장이 포함되어 있다.
④ 기본권은 인간의 존엄을 침범할 수 없다는 내용을 담고 있다.
⑤ 독일 기본법은 다른 헌법과 마찬가지로 미사여구로 작성되었다.

2. (나)를 바탕으로 빈칸에 들어갈 알맞은 단어를 찾아 쓰시오.

> 헌법은 국민이 국가에 바라는 점, 하고 싶은 것과 해야 할 것을 적으므로, 국민이 국가에 쓰는 (　　　　)와/과 같다.

학습 활동 응용

3. ㉠에 대한 설명으로 적절하지 않은 것은?
① 사회 전반에 여유가 없고 힘든 시기였다.
② 제2차 세계 대전이 끝난 지 오래 되지 않았다.
③ 자신들의 과거 지도자에 대한 반성을 하던 시기였다.
④ 기본법 제정 소식에 환호하는 분위기가 지배적인 시기였다.
⑤ 수백만 명의 인간을 경멸하고 탄압했음을 돌이켜 보던 시기였다.

4. ㉡의 결과 독일 기본법에 담긴 생각과 가장 가까운 것은?
① 인간의 존엄성　② 미래에 대한 성찰
③ 민주주의의 위대함　④ 독일인에 대한 애정
⑤ 전쟁 참여국에 대한 사과

서술형

5. (라)를 참고하여 독일 기본법의 특징을 〈조건〉에 따라 한 문장으로 쓰시오.

〈조건〉
- 독일 기본법의 특징을 드러낼 수 있는 대상을 명시할 것
- 30자 내외로 쓸 것(띄어쓰기 포함)

교과서 날개 질문
독일 기본법 제3조가 갖는 의의를 말해 보자.

| 예시 답 | 지난날의 반성을 통해 모든 인간에게는 똑같은 권리가 있다는 것을 밝힌 것이다. 기본법에 기본 권리를 명시함으로써 합법적인 절차에 의해 부당한 차별이 행해지지 않도록 하고 있다.
| 도움말 | 독일 기본법 제3조는 독일이 지난날 저지른 잘못을 반성하며 만든 것임을 떠올려 본다.

바이마르 공화국 헌법: 제1차 세계 대전 후, 1919년에 바이마르에서 열린 국민회의에서 제정된 독일 공화국 헌법이다. 이 헌법은 사회 민주주의에 입각한 기본적 인권을 규정하였다는 점에서 20세기 민주주의 헌법의 전형이 되었다는 평을 받는다.

1849년 독일 제국 헌법: 1848년, 독일 민주주의자들은 왕과 제후와 그들의 군대에 맞서 격렬하게 투쟁했고, 마침내 1849년 독일 국민의회는 민족의 이름으로 프랑크푸르트 성 바울 교회에서 처음으로 헌법을 제정하게 된다.

교과서 날개 질문
서독 정치인이 독일 기본법을 만들 때 무엇을 고민했는지 말해 보자.

| 예시 답 | 동독을 점령하고 있던 소련인들은 다른 체제의 헌법을 만들고자 했기 때문에 서독 정치인은 서독에만 한정된 헌법을 제정할 수밖에 없었다. 그런데 서독 정치인들은 이런 행위가 독일이라는 나라의 분단을 고착화시키는 것이 될까 봐 상당히 염려하였다.

마 ㉠"인간은 성, 혈통, 인종, 언어, 출생지, 신앙, 그리고 종교적·정치적 신념 때문에 차별을 받아서는 안 된다."
지난날에 인간을 차별하고 탄압했던 것에 대한 반성의 의미를 담고 있는 기본법 제3조

기본법 제3조에 명시된 내용이다. 그리고 기본법은 모든 재판부에 이러한 원칙들이 제대로 지켜지는지 감시할 임무를 맡겼다. 그중에서 가장 큰 임무를 맡은 곳이 바로 헌법 재판소다. 그 외에 기본법은 독일이 다시는 잘못된 길로 빠져들지 않도록, 즉 독재자가 국가의 권력을 잡는 일이 없도록 여러 규정들을 제정했다.
명시: 분명하게 드러내 보임.
기본법에는 지난날에 대한 반성의 의미를 담고 있는 규정들이 있다는 의미
➔ 독일이 잘못에 빠지지 않도록 기본법에 여러 가지 규정들을 제정함.

바 그런데 제2차 세계 대전에서 패전한 독일인들은 이러한 생각을 자발적으로 하지는 못했다. 온 나라가 연합군의 폭격으로 파괴되고, 많은 도시가 잿더미로 바뀌었으며, 전 국민이 굶주림과 궁핍으로 고통 받던 시절에 어떻게 그런 데 생각이 미칠 수 있었겠는가? 대부분의 사람들은 독일이라는 국가를 어떻게 새로 조직하느냐 하는 것보다는 현실적인 굶주림을 어떻게 해결하느냐 하는 문제에 더 큰 관심을 가지고 있었다. 먹고사는 문제가 무엇보다 절박했던 것이다.
기본법을 스스로 제정할 생각을 하지 못한 이유
절박: 어떤 일이나 때가 가까이 닥쳐서 몹시 급함.
➔ 먹고사는 문제 때문에 독일은 자발적으로 기본법을 제정할 생각을 하지 못함.

사 하지만, 미국, 영국, 프랑스 같은 전승국들의 입장은 달랐다. 그들은 독일이 다시는 예전과 같은 범죄를 저지르지 못하도록 국가의 기틀을 다시 짜는 데 최우선 과제를 두었다. 그래서 민주주의와 인권을 중시하는 새로운 헌법을 독일인들 스스로 만들도록 했다. 이렇게 해서 기본법은 제2차 세계 대전의 전승국들이 서독의 정치가들에게 맡긴 일종의 숙제와 같은 것이 되었다. 숙제를 해 본 사람들은 모두 알겠지만, 다른 것을 보고 참조하기는 쉬운 법이다. ㉡독일의 기본법은 그렇게 만들어졌다.
독일 기본법 제정과 관련한 전승국의 요구
참조: 참고로 비교하고 대조하여 봄.
➔ 독일 기본법은 전승국의 요구에 의해 만들어짐.

본론 1: 독일 기본법의 제정 배경 및 과정, 특징(일기에 가까움)을 밝힘.

본론 2 **아** 과거 독일에는 기본법이 참조할 만한 민주적 헌법이 두 개 있었다. 제1차 세계 대전 직후에 탄생한 '바이마르 공화국 헌법'과 1849년 독일의 혁명적 민주주의자들에 의해 만들어진 '제국 헌법'이었다. 그 밖에 나치에 의해 탄압을 받았던 수많은 정치가 중에는 전쟁 동안에 장차 이 나라의 기틀을 어떻게 새로 짤 것인가를 두고 숙고해 온 사람들이 있었다. 히틀러와 나치 제국의 탄압에서 살아남은 그들은 전쟁이 끝나자 새로운 헌법을 구상하며 헌법 제정에 참여했다.
바이마르 공화국 헌법: 독일 혁명(1918년)으로 독일 제정(帝政)이 붕괴된 후, 보통·평등·비례 선거에 의하여 선출된 국민의회가 공포한 헌법
숙고: 곰곰 잘 생각함. 또는 그런 생각
독일 기본법의 제정자
제정: 제도나 법률 따위를 만들어서 정함.
➔ 나치의 탄압에서 생존한 사람들이 새로운 헌법 제정에 참여함.

자 이들은 1948년 9월 1일 본에서 만났다. 그러나 전쟁으로 황폐해진 독일에는 큰 회의장이 없었기 때문에 그들이 모인 곳은 특이한 장소인 쾨니히 박물관의 포유류 전시실이었다. 한 나라의 기초를 세우는 헌법을 이렇게 괴상한 장소에서 만든 나라는 아마 독일 말고는 지구상 어디에도 없을 것이다. 그날의 분위기는 숙연했다. 좋은 뜻을 갖고 모이기는 했지만, 마음 한 켠에는 뭔가 개운치 않은 구석이 있었다. 정말 제대로 된 헌법을 만들 수 있을까? 기본권, 행정과 정부에 관한 규정, 입법부와 사법부에 대한 규정 등을 포함해서 한 나
쾨니히 박물관: 독일 본에 위치한 자연사 박물관
숙연: 고요하고 엄숙함.
독일 기본법 제정자에게 부여된 과제

라의 모든 것을 총괄하는 좋은 헌법을 만들 수 있을까?

➜ 헌법 제정자들은 한 나라의 모든 것을 총괄하는 좋은 헌법을 만들기 위해 고민함.

차 그러나 그건 불가능한 일이었다. 독일이 동서로 나뉘어져 있었기 때문이다(독일 기본법 제정자들이 좋은 헌법을 만드는 것을 가로막는 장애 요인). 할 수 없이 독일의 동쪽 부분(동독)은 제외하고 서쪽 부분, 즉 서독에만 한정된 헌법을 제정하기로 했다. 동독을 점령하고 있던 소련인들(러시아 이전에 존재했던 국가를 '소련'이라고 했고, 여기에 국적을 둔 사람들을 소련인이라고 했음.)은 다른 체제의 헌법을 구상하고 있었기 때문에 동독과 서독의 정치인들이 한자리에 모여 하나의 헌법을 만들 수 없었다. 그래서 동물 박제들이 늘어서 있는 본의 한 박물관(쾨니히 박물관)에 모인 서독 정치인들은 서독에만 한정된 헌법을 만듦으로써 나라의 분단을 고착화(어떤 상황이나 현상이 굳어져 변하지 않는 상태가 됨.)하지 않을까 심각하게 염려했다(서독만의 헌법 제정으로 생길 수 있는 문제점).

➜ 독일이 동서로 나뉘어져 있어 독일을 총괄하는 헌법 제정은 불가능했음.

어휘 풀이

전승국(戰勝國): 전쟁에서 이긴 나라.

쾨니히 박물관: 정식 명칭은 알렉산더 쾨니히 동물원 연구 박물관. 각 기후별로 동물들의 생태계를 연구하고, 그 특성과 화석 등을 전시함.

핵심 쏙쏙

1 독일 기본법의 제정 과정

독일은 제2차 세계 대전의 패배로 자발적으로 기본법을 제정할 생각을 못함.

⬇

제2차 세계 대전 전승국들(미국, 영국, 프랑스 등)의 요구: 독일인들 스스로 새로운 헌법을 만들도록 함.

⬇

서독의 정치가(나치의 탄압에서 생존한 사람들)가 새로운 헌법 제정에 참여함.

2 독일 기본법에 제3조를 비롯한 여러 규정을 제정한 이유

다시는 독재자가 국가의 권력을 잡는 일이 없도록 하기 위해서임. → 민주주의와 인권을 중시하는 헌법을 만듦.

3 독일 기본법을 만들 때 참조한 자료

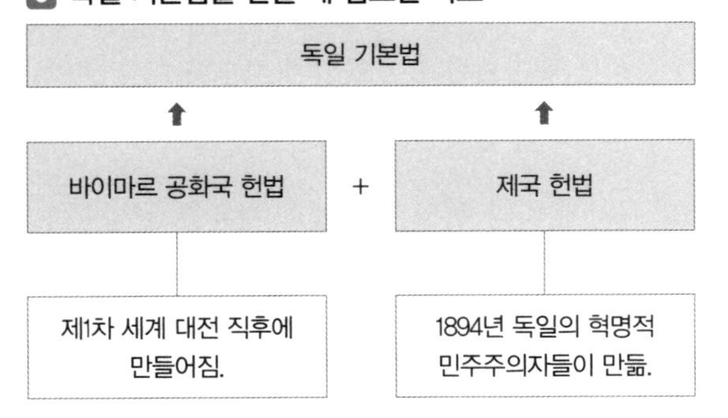

정답 및 해설 34쪽

확인 문제②

학습 활동 응용

1. 이 글에서 답을 찾을 수 있는 질문이 아닌 것은?

① 독일 기본법을 참조하여 만든 헌법들은 무엇인가?
② 독일 기본법 제정에서 고려되었던 점은 무엇인가?
③ 제2차 세계 대전 직후 독일의 사회적 상황은 어떠했는가?
④ 독일 기본법에서 사람들의 차별을 금지하는 요인들은 무엇인가?
⑤ 독일의 새로운 헌법을 제정하는 일에 참여한 사람들은 누구인가?

학습 활동 응용

2. 글의 흐름을 고려할 때, ㉠의 의의로 가장 적절한 것은?

① 과거 독일의 신념을 재현하는 새로운 시도
② 전승국의 억압에 굴복한 패전국 독일의 상처
③ 현재의 위기를 명시함으로써 미래에 대한 방향성 설정
④ 과거에 대한 반성을 통해 국민의 힘을 하나로 모으는 계기
⑤ 부당한 일이 다시는 행해지지 않도록 하는 합법적인 근거

3. ㉡에 대한 이해로 적절하지 않은 것은?

① 국가의 기틀을 새로 마련하는 법이군.
② 민주주의와 인권을 중시하는 법이겠군.
③ 분단이라는 특수한 상황에서 만들어졌군.
④ 동독의 헌법과는 대립적인 성격을 갖겠군.
⑤ 독일의 동쪽 부분은 제외하고 서독에만 한정된 법이군.

서술형

4. (마)를 참고하여 다음 물음에 대한 답을 한 문장으로 쓰시오.

독일 기본법에 제3조를 비롯한 여러 가지 규정들이 구체적으로 제정된 이유는 무엇인가?

카 분단된 한쪽 지역만을 상대로 사랑 고백을 하는 일은 어느 누구도 하고 싶지 않았을 것이다. 그 때문에 정치인들은 신중하게 작업에 들어갔다. 그들은 헌법을 만들기 위해 모인 대표들을 '국민 대표자 회의'가 아니라 '의회 대표자 회의'라고 불렀고, 헌법도 헌법이라 부르지 않고 그냥 기본법이라고 불렀다. 기본법이 완성되었을 때도 여느 헌법처럼 국민 투표에 부치지 않고 서독 주의회의 가결만 받았다. 새 출발을 하는 독일로서는 정말 여러모로 자랑스러운 헌법을 만들고 싶었지만 안타깝게도 분단이라는 특수 상황 때문에 반쪽짜리 기본법을 만들 수밖에 없었다.

독일 통일을 대비하여 헌법을 잠정적인 성격만 지닌 것으로 인정한 결과 ①

독일 통일을 대비하여 헌법을 잠정적인 성격만 지닌 것으로 인정한 결과 ②

독일 통일을 대비하여 헌법을 잠정적인 성격만 지닌 것으로 인정한 결과 ③

➜ 서독은 분단이라는 특수 상황으로 인해 반쪽짜리 기본법을 만들 수밖에 없었음.

타 기본법을 만드는 작업에 참여했던 사람들은 서독을 정식 국가로 보지 않았다. 서독은 부득이한 사정으로 임시로 만들어진 국가였고, 기본법 역시 통일되는 그날까지 잠정적으로 제정된 헌법일 뿐이었다. 따라서 기본법 전문(前文)에는 다음과 같은 내용이 명시되어 있었다.

독일이 통일이 되지 않고 분단된 상태였기 때문에

명시되어: 분명하게 드러내 보임.

『"독일 국민이 새로운 국가 체제를 만든 것은 '과도기적' 성격을 갖고 있으며, 기본법은 '제정 작업에 함께 참여하지 못했던 동독 주민들에게도' 적용된다."』

과도기적: 한 상태에서 다른 새로운 상태로 옮아가거나 바뀌어 가는 도중의 시기

『 』: 독일의 통일에 대비하기 위해 기본법 전문에 명시된 내용

➜ 독일 기본법은 잠정적이고 임시적인 성격을 지닌 헌법임.

파 기본법의 임시적인 성격에도 불구하고 정치인들은 하나의 꿈을 갖고 있었다. 정확하게 말하자면 '자석 이론'이라는 꿈이었다. 정치뿐만 아니라 경제적으로도 훌륭한 국가를 건설하면 동독 역시 자석에 이끌리듯 자연스레 서독으로 끌려 들어올 수밖에 없다고 생각한 것이다. 여기서 자석의 핵은 기본법이 되어야 했다. 기본법은 국가 행정을 규정하는 법률들보다 더 많은 것을 제공해야 했고, 가훈이나 학칙보다 훨씬 정교해야 했다. 이러한 꿈은 결국 실현되었다. 물론 기본법을 제정할 당시에 생각했던 것보다 훨씬 더 많은 시간이 필요했지만 말이다. 서독인들은 자신들이 얼마나 훌륭한 헌법을 가지고 있고, 헌법에서 보장한 기본권들이 얼마나 소중한 보물이었는지 깨닫게 되기까지 20~30년이 걸렸다. 그리고 기본법이 진정으로 힘을 발휘하기까지는 또 몇 십 년이 걸렸다. 기본법이 제정된 지 40년, 마침내 독일은 통일되었다. 기본법을 만든 선조들의 꿈이 실현된 것이다. 다시 말해서 동독이 자석에 이끌리듯 서독의 기본법 안으로 들어왔던 것이다.

임시적인: 미리 정하지 아니하고 그때그때 필요에 따라 정한 것

동독을 서독으로 흡수 통일하기 위한 소망

독일이 통일되는 데 기본법이 가장 중심이 되어야 함.

독일이 통일됨.

➜ 동독이 자석에 이끌리듯 서독의 기본법 안으로 들어옴.

하 한 나라의 헌법이 얼마나 엄청난 힘을 가질 수 있는지를 이것만큼 잘 보여 주는 예가 어디 있을까? 50년 전 기본법이 과도기적 의미로 제정되었다고 씌어진 전문의 바로 그 자리에는 이제 다음과 같은 자랑스러운 문구가 대신하고 있다.

"독일인들은 …… 자유로운 민족 자결의 원칙에 따라 독일의 통일과 자유를 달성했다. 이로써 기본법은 독일 민족 전체를 위한 법이 되었다."

기본법이 과도기적 성격을 벗어나 완성된 성격을 지니게 되었음.

➜ 독일 기본법은 헌법이 갖고 있는 강력한 힘을 보여 줌.

본론 2: 독일 기본법의 과도기적 성격과 헌법의 강력한 힘을 보여 준 독일 통일

동·서독 분단 시대: 제2차 세계 대전 이후 통일 독일 정부 수립을 위해 동, 서간이 교섭하였으나, 이는 결국 실패하게 되고 냉전이 구체화된다. 이에 따라 1949년, 서방 점령 지역은 통화 개혁을 단행하여 경제 통합을 실시하게 된다. 결국 1949년 5월 23일, '서독'으로 불리는 '독일 연방 공화국'이 수립되었고, 곧이어 1949년 10월 7일에는 '동독'으로 불리는 '독일 민주 공화국'이 수립되어 결국 독일은 서독과 동독으로 분단되었다.

독일 기본법: 1948년 5월 8일, 서독 지역 주의회가 구성한 제헌 의회(의장: 콘라트 아데나워)에서 기본법이 채택되었으며, 이 법은 이듬해인 1949년 5월 23일 주의회의 승인을 거쳐 공식 선포되었다. 당시 분단된 독일 상황에서 만들어진 이 법은 서독 지역만을 대상으로 정치 제도 등 국가(정부)의 기본 틀을 임시적으로 규정한 법이었다. 그래서 헌법 대신 기본법이라는 용어를 썼다. 시간이 흐르면서 기본법은 독일 민주주의가 안정적으로 정착하는 기반이 되었다. 이 법은 1990년 10월 3일 동·서독이 통일되면서부터 독일 전역에 발효되었다.

어휘 풀이

독일 통일: 1990년 10월 3일에, 과거 독일 민주 공화국(동독)에 속하던 주들이 독일 연방 공화국(서독)에 가입하는 형식으로 이루어졌음.

결론 ㈎ 그러나 기본법은 모든 것의 원칙이 되는 성격을 서서히 잃어 가고 있다. 지난 몇 년 사이에 개정된 기본법으로 ㉠국민의 기본권이 두 차례 제한되었다. 한 번은 난민의 망명권에 대한 제한이었고, 다른 한 번은 사유 주택이라 하더라도 범죄 행위에 이용되는 곳은 도청할 수 있다는 내용이었다. 그전까지 불가침의 영역으로 간주되던 주택에 관한 기본권이 제한된 것이다. 이렇게 변경된 기본권은 더 이상 문자 메시지처럼 짧지 않다. 예를 들어 개정된 망명권에 대한 규정은 과거의 것과 비교하면 무려 40배나 길어졌다. 짧은 규정이 훨씬 더 포괄적이고 강력하다는 사실을 떠올리면 기본권이 점점 줄어들고 있다는 느낌이다. ㉡규정이 길다는 것은 기본권을 제한하는 예외가 자꾸 늘어나는 것을 의미하기 때문이다. 이런 식으로 해서 하나의 헌법은 계속해서 그 힘을 잃어 가고 있다. 그러나 국민의 기본권을 지키는 헌법이 이런 식으로 약해지는 것을 마냥 두고 볼 수만은 없다.

(국민의 기본권을 포괄적으로 보장하던 기본법이 국민의 기본권을 제한했기 때문에 / 국민의 기본권의 제한 ① / 국민의 기본권의 제한 ② / 기본권에 관한 규정이 길어지는 것에 대해 비판하는 이유)

➔ 기본권이 제한되면서 독일 헌법의 힘이 점차 약해짐.

㈏ 기본권과 좋은 헌법이란 건강과도 같다. 한번 잃고 나면 되찾기 힘들고, 잃고 난 뒤에야 얼마나 소중한지를 깨닫게 된다는 점에서 말이다.

(기본권이 제한되는 상황을 방관해서는 안 된다는 것을 비유적으로 표현함.)

➔ 독일 헌법의 힘을 지키기 위해서 노력해야 함.

결론: 기본권이 제한되면서 점차 약해지는 독일 헌법의 위상을 지키기 위한 노력의 필요성을 강조함.

필자는 헌법은 짧은 문장에 기본권이 압축되어 제시되어야 한다고 생각함. 그런데 기본권이 제한되면서 더 이상 이런 모습을 찾을 수 없다고 비판함.

교과서 날개 질문

필자가 기본권을 건강에 비유한 이유를 추론해 보자.

| 예시 답 | 필자가 기본권을 건강에 비유한 것은, 기본권을 잃으면 되찾기 힘들기 때문에 잃기 전에 기본권을 지켜야 한다는 점을 강조하기 위해서이다.

| 도움말 | 어떤 현상이나 사물을 직접 설명하지 아니하고 다른 비슷한 현상이나 사물에 빗대어서 설명하는 일을 '비유'라고 한다.

핵심 쏙쏙

1 '반쪽짜리' 기본법이 만들어진 이유

독일이 동독과 서독으로 나누어진, 분단이라는 특수 상황에 놓여 있었기 때문임.

2 '자석 이론'의 의미

서독이 정치적 · 경제적인 조건을 잘 갖추면, 동독이 자석에 이끌리듯 서독 안으로 들어온다는 이론. 자석의 핵심에는 독일 기본법이 있음.

3 '국민의 기본권'의 제한

난민의 망명권에 대한 제한	+	주택에 대한 기본권 제한 (범죄 행위와 관련된 도청 허용)

→ 기본권이 모든 것의 원칙이 되는 성격을 잃기 시작함.

4 기본권의 길이와 권리 간의 관계

기존의 기본권	↔	현재의 기본권
짧다 → 포괄적이고 강력한 성격을 지님.		길다 → 기본권을 제한하는 예외 규정이 많음.
필자의 인식		필자의 인식
바람직하다.		바람직하지 않다.

정답 및 해설 35쪽

확인 문제③

1. 이 글의 내용과 일치하지 않는 것은?

① 기본법은 독일 통일 때까지만 잠정적으로 제정된 헌법이다.
② 기본법 제정자들은 서독을 하나의 정식 국가로 보지 않았다.
③ 기본법을 법률보다 정교하게 만들기 위해 40년의 시간이 걸렸다.
④ 불가침으로 여겨지던 기본권이 제정 이후에 몇 차례 제한되었다.
⑤ 기본법은 제정 작업에 참여하지 못한 동독 사람들에게도 동일하게 적용되었다.

학습 활동 응용

2. ㉠에 대한 설명으로 가장 적절한 것은?

① 계속해서 그 힘이 강화되는 추세이다.
② 한번 잃게 되면 회복하기가 쉽지 않다.
③ 경우에 따라 제한되는 것은 바람직하다.
④ 적용 범위가 최소화될 수 있도록 노력해야 한다.
⑤ 시간이 흐를수록 포괄적이고 강력한 성격을 갖는다.

서술형 학습 활동 응용

3. (거)를 바탕으로 ㉡을 부정적으로 보는 이유를 <조건>에 맞게 쓰시오.

< 조건 >
• 기본권 규정의 길이와 예외 조항 간의 관계를 고려할 것
• 40자 내외로 쓸 것(띄어쓰기 포함)

학습 활동

교과서 141~143쪽

깊게 읽기

1. 이 글을 바탕으로 '독일 기본법'이 만들어진 과정을 이해해 보자.

√ **독일 기본법을 제정할 당시의 사회적 상황:**

| 예시 답 | 전쟁 직후라서 독일은 먹고사는 문제가 절박하여 스스로 독일 기본법을 제정할 여력이 없었다. 그래서 결국은 전승국의 요구에 의해 독일 기본법을 만들어야 할 상황이었다.

√ **독일 기본법 제정의 참여자:**

| 예시 답 | 전쟁 중 히틀러와 나치 제국의 탄압에서 생존한 서독 정치가들이 독일 기본법 제정에 참여하였다.

√ **독일 기본법이 참조한 헌법:** | 예시 답 | 과거 독일 헌법 중에서 참조할 만한 민주적 헌법은 두 개 있어 이를 참조하였다. 하나는 제1차 세계 대전 직후에 탄생한 '바이마르 공화국 헌법'이고, 다른 하나는 1849년 독일의 혁명적 민주주의자들에 의해 만들어진 '제국 헌법'이다.

√ **독일 기본법이 갖는 한계:** | 예시 답 | 독일은 서쪽과 동쪽으로 나누어져 있어 이 둘을 총괄하는 헌법을 만들 수가 없었다. 다시 말해, 분단이라는 특수 상황으로 인해 독일 기본법은 임시적인 성격을 지닌 반쪽짜리 헌법이었다.

| 도움말 | 헌법은 한 나라에서 완전성을 가져야 함에도 불구하고 독일 기본법은 잠정적이고 임시적인 성격을 지니고 있다. 그러한 성격을 지니게 된 상황을 확인해 본다.

2. 필자의 의견을 중심으로 다음 활동을 해 보자.

(1) 다음 자료를 활용하여 독일 기본법을 만든 사람들의 '꿈'을 '자석 이론'과 관련지어 말해 보자.

활동 도움말

독일 기본법 제정 당시에 서독 정치인은 통일 독일에 대한 꿈을 가지고 있었는데, 그 꿈이 무엇이었는지 생각해 본다.

통일 전의 독일 기본법 전문	독일 국민이 새로운 국가 체제를 만든 것은 '과도기적' 성격을 갖고 있으며, 기본법은 '제정 작업에 함께 참여하지 못했던 동독 주민들에게도' 적용된다.
통일 후의 독일 기본법 전문	독일인들은 …… 자유로운 민족 자결의 원칙에 따라 독일의 통일과 자유를 달성했다. 이로써 기본법은 독일 전체를 위한 법이 되었다.

(↓ 자석 이론)

| 예시 답 | 통일 전의 독일 기본법 전문에는 기본법의 성격을 '과도기적'이라고 규정하고 있다. 이것은 독일이 분단 상황이라서 어쩔 수 없이 동독이 참여하지 못한 기본법을 만들었지만 언젠가는 동독이 참여하는, 즉 통일이 되면 완전한 기본법을 만들겠다는 의지의 표명이다. 다시 말해, 이런 과도기적 기본법이 자석의 역할을 하여 동독이 자석에 이끌리듯이 자연스럽게 서독으로 통일될 것이라는 꿈이 자석 이론이다.

(2) 필자가 현재의 기본권에 관한 규정이 길어지는 것에 부정적인 입장을 드러낸 이유는 무엇인지 말해 보자.

| 예시 답 | 필자는 규정이 긴 것보다는 짧은 것이 훨씬 더 포괄적이고 강력하다고 생각하고 있다. 그런데 현재의 기본법에서는 기본권에 관한 규정이 전보다 길어지고 있다. 이것은 결국 기본권이 제한되어 약해지고 있다고 판단하기 때문에 기본권에 관한 규정이 길어지는 것에 대해 부정적인 입장을 보이는 것이다.

3. 다음 글과 「나라에 부치는 연애편지」를 비교하며 읽고, 아래 활동을 해 보자.

제재 연구

문유석, 「헌법이라는 계약서의 갑(甲)은」

갈래	논설문
성격	비유적
제재	헌법
주제	헌법이라는 계약서의 갑은 국민임.
특징	헌법을 계약서에 비유하여, 헌법에 명기된 국민의 권리의 의의를 밝히고 있음.

헌법이라는 계약서의 갑(甲)은

차례나 등급을 매길 때 첫째를 이르는 말

정의, 역사, 진실, 섭리 등 크고 아름다운 말일수록 백만 가지 다른 뜻으로 쓰이기 마련이다. 사람들의 가치관은 다양하고 쉽게 변하지 않는다. 미국, 유럽 어디든 성숙한 민주주의 사회의 의견은 분열되어 있다. 애초에 다른 존재들끼리 같은 집에 살기 위해 최소한의 타협을 하고 살아가는 것이 사회다. 그래서 서로의 존재 자체를 싸움의 대상으로 삼을 것이 아니라 약속 위반을 따지는 게 낫다. 그 모두의 약속이 헌법이다. 따라서 헌법은 지켜져야 한다.

필자가 생각하는 헌법의 특성

➜ 모두의 약속으로서의 헌법

그동안 사람들이 헌법에 큰 관심을 갖지 않았던 데에는 이유가 있다. 법이란 그게 뭐든 학생들이 따라야 하는 교칙처럼 저 위의 누군가가 자신을 규율하는 갑갑한 구속으로만 생각했기 때문이다. 한번 인터넷 검색창에 '헌법'을 친 후 읽어 보라. 앞부분에는 국민의 자유와 권리를 한참 나열한 후에 혹시라도 빠뜨렸을까 봐 "이 밖에도 헌법에 열거되지 아니한 이유로 경시되지 아니한다."로 마무리한다. 뒷부분에는 국민이 시키는 일을 맡아 할 이들을 어떻게 고용하고 이들과의 계약 기간은 몇 년이며, 이들이 지켜야 할 의무는 무엇무엇이고, 근무 성적이 불량할 때는 어떻게 징계하는지 등이 시시콜콜하게 적혀 있다.

헌법 제37조의 내용임.

➜ 헌법에 대한 그간의 오해와 헌법에 명시된 국민의 자유와 권리

재판에서 이기는 당사자는 소리를 버럭버럭 지르거나 다짜고짜 우는 사람이 아니다. 빼도 박도 못할 계약서 조항을 들이미는 사람이 가장 강하다. 권리를 가진 자는 그걸 당당하게 주장하면 된다. 은혜를 베풀 것을 호소할 필요도 없고 힘으로 윽박지를 필요도 없다.

법적 권리의 근거

➜ 재판에서 발휘되는 계약서의 위력

집주인과 임대차 계약서, 업주와 아르바이트 계약서, 대기업과 납품 계약서를 써 본 분들은 바로 알 것이다. 헌법이라는 계약서의 갑(甲)은, 국민이다.

➜ 헌법이란 계약서의 갑은 국민임.

– 문유석, 「헌법이라는 계약서의 갑(甲)은」에서, 『중앙일보』, 2016. 12. 20.

(1) 두 글에서 헌법을 각각 무엇이라고 표현하고 있는지 찾아보고, 그렇게 표현한 이유를 써 보자.

| 도움말 | 어떤 대상을 명명하는 행위는 대상을 바라보는 행위자의 관점이 반영되어 있기 마련이다. 이런 점을 바탕으로 두 글이 헌법을 명명하는 행위에 내포된 의미를 따져 본다.

| 예시 답 | 본문에서는 헌법을 국민이 국가에 쓰는 연애편지라고 표현하고 있는데, 그 이유는 국민은 헌법에 자신이 나라에 무엇을 바라고, 자신과 정부가 나라를 위해 무엇을 하고 싶고, 무엇을 해야 하는지를 적고 있기 때문이다. 그리고 지난날에 대한 반성을 담은 일기라고도 했다. 한편, 다음 글에서는 헌법을 계약서라고 표현하고 있는데, 그 이유는 헌법을 사회 구성원 사이의 약속이라고 보고 있기 때문이다.

(2) 두 글에서 헌법이 지켜져야 할 당위성을 각각 어떻게 설명하고 있는지 말해 보자.

| 예시 답 | 본문에서는 독일 기본법은 국가가 잘못된 길로 빠져들지 않기 위한 조항들과 반드시 지켜져야 할 기본 원칙들을 담았다고 했다. 그리고 헌법의 조항은 연인들의 사랑의 맹세보다 더 영원한 것이며, 흔들리거나 수정되어서는 안 되고 영원히 지속되어야 한다고 했다. 한편, 다음 글에서는 헌법이란 최소한의 타협을 하고 살아가는 사회 구성원들의 약속, 즉 계약서이기 때문에 지켜야 한다고 주장하고 있다.

넓혀 읽기

4. 다음은 우리나라 헌법 총강의 일부분이다. 이를 읽고 아래 활동을 해 보자.

> **제재 해제**
> **헌법 총강:** 우리나라 헌법은 130개 조문을 항목에 따라 10개의 장으로 나누는데, 제1장은 총강이다. 총강은 '모든 내용을 총괄한 전체의 대강'이라는 의미로 헌법 전체 내용의 핵심을 요약해서 정리한 부분이며, 모두 9개 조문으로 구성되어 있다.

제1조 ① 대한민국은 민주 공화국이다.
② 대한민국의 주권은 국민에게 있고, 모든 권력은 국민으로부터 나온다.

제2조 ① 대한민국의 국민이 되는 요건은 법률로 정한다.
② 국가는 법률이 정하는 바에 의하여 재외국민을 보호할 의무를 진다.

제3조 대한민국의 영토는 한반도와 그 부속 도서로 한다.

제4조 대한민국은 통일을 지향하며, 자유 민주적 기본 질서에 입각한 평화적 통일 정책을 수립하고 이를 추진한다.

제5조 ① 대한민국은 국제 평화의 유지에 노력하고 침략적 전쟁을 부인한다.
② 국군은 국가의 안전 보장과 국토방위의 신성한 의무를 수행함을 사명으로 하며, 그 정치적 중립성은 준수된다.

제6조 ① 헌법에 의하여 체결·공포된 조약과 일반적으로 승인된 국제 법규는 국내법과 같은 효력을 가진다.
② 외국인은 국제법과 조약이 정하는 바에 의하여 그 지위가 보장된다.

제7조 ① 공무원은 국민 전체에 대한 봉사자이며, 국민에 대하여 책임을 진다.
② 공무원의 신분과 정치적 중립성은 법률이 정하는 바에 의하여 보장된다.

–「대한민국 헌법」에서

| 도움말 | 헌법에는 절대로 수정할 수 없는 조항이 있다. 예를 들면 인간의 존엄성에 관한 것이나, 국가 체제의 기본 원칙들에 관한 것이다. 이러한 점을 참고하며 우리나라 헌법 총강을 살펴본다.

(1) 위 조항 중 바꾸어서는 안 될 것은 무엇이라고 생각하는지 적어 보고, 그 이유를 말해 보자.

| 예시 답 | 제1조 ②항은 바꾸어서는 안 된다고 생각한다. 왜냐하면 대한민국이라는 국가의 주인은 국민이다. 따라서 주권이 국민에게 있으며 이에 따라 모든 권력은 국민에게서 나온다는 내용을 수정하는 것은 적절하지 않다고 보기 때문이다.

모둠 활동

(2) 우리 사회에서 요구하는 바나 신념에는 무엇이 있을지 생각해 보고, 이를 바탕으로 위 조항을 수정·첨가하는 방식으로 가상의 헌법 총강을 모둠별로 만들어 보자.

활동 도움말

예를 들어, 독도가 우리 영토임을 분명하게 할 필요성이 있다면 제3조를 수정해서 '대한민국 영토는 한반도와, 독도를 포함한 그 부속 도서로 한다.'는 식으로 만들어 본다.

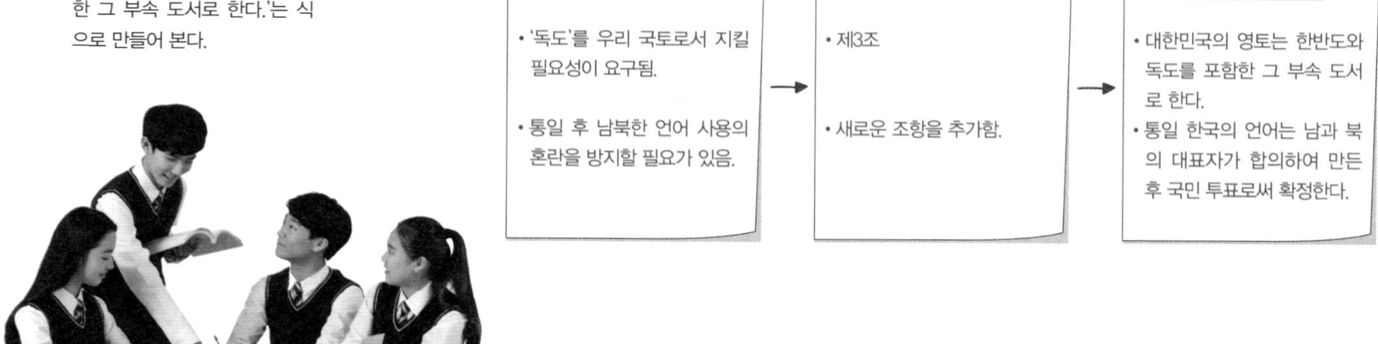

소단원 출제 포인트

나라에 부치는 연애편지 _ 헌법은 왜 필요하고 어떻게 만들어질까

1 전체 글의 개관

갈래	논설문	성격	설명적, 설득적
제재	독일의 기본법	주제	독일 기본법의 제정 과정과 헌법 수호의 필요성
특징	① 독일 기본법의 제정 과정을 통시적으로 설명하고 있음. ② 비유적 표현을 사용하여 대상의 특징을 효과적으로 드러내고 있음.		

2 헌법을 연애편지에 비유한 이유

헌법 = 연애편지	이유: 국민이 국가에 무엇을 바라고, 자신이 국가를 위해 무엇을 하고 싶고, 무엇을 해야 하는지를 헌법에 적기 때문임.

3 독일 기본법의 제정

제정 당시 상황	제2차 세계 대전 후 독일 전체가 여유가 없고 힘든 상황이었음.	과제	한 나라의 모든 것을 총괄하는 정상적인 헌법 제정
요구의 주체	미국, 영국, 프랑스 등 전승국들	장애	동서로 나뉜 분단 상황
요구의 이유	독일이 다시는 잘못된 길로 빠져들지 않고, 독재자가 국가의 권력을 잡는 일이 없게 하기 위해서임.	참조 헌법	바이마르 공화국 헌법, 제국 헌법
제정 참여자	서독의 정치가(히틀러와 나치의 탄압에서 살아남은 사람들) → 의회 대표자 회의를 구성함.	결과	통일 독일을 이룰 수 있는 과도기적 헌법 제정
특징	분단이라는 특수 상황으로 인해 반쪽짜리 기본법이 됨.	한계	분단이라는 특수 상황 때문에 임시적 헌법

4 '자석 이론'의 의미

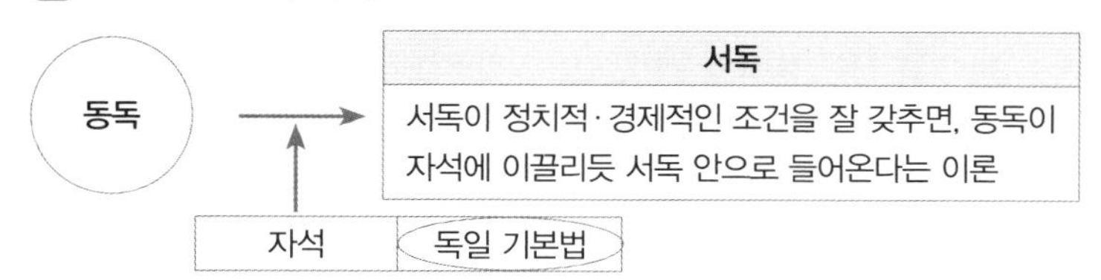

5 기본권의 길이와 권리 간의 관계

기존의 기본권	• 짧다 • 포괄적이고 강력한 성격 • 필자의 인식: 긍정적
↕	
현재의 기본권	• 길다 • 기본권을 제한하는 예외 규정이 많아짐. • 필자의 인식: 부정적

6 기본권과 헌법을 '건강'에 비유한 이유

한번 잃고 나면 되찾기 힘들고, 잃고 난 뒤에야 소중함을 깨닫게 됨.

⬇

기본권과 헌법을 지키기 위해 노력이 필요함.

제재 2

교과서 144~146쪽

우산, 근대와 전근대가 만나다 _ 김진섭

소단원 포인트

- 서양에서 들어 온 우산이 우리 사회에서 정착되는 과정을 파악하기
- 우산이 도입된 초기에 민간에서 우산을 금기시한 이유를 당시의 시대 상황과 문화 현상을 바탕으로 파악하기
- 우산에 관한 인식이 긍정적으로 바뀌게 된 사회 문화적 맥락을 파악하기

필자 소개

김진섭(1962~): 문화 예술 분야의 저술가. 주요 저서로 『조선 건국기 재상 열전』, 『정도전의 선택』 등이 있다.

머리말 우산, 권력을 상징하다

가 우리나라에서 일반인들이 우산을 쓰기 시작한 역사는 그리 오래되지 않았다. 기록에 의하면 삼국 시대 고분 벽화에 최초로 우산과 비슷한 형태의 그림이 등장하지만 이것은 햇빛을 가리는 것이 주목적인 일산(日傘)(햇볕을 가리기 위하여 세우는 큰 양산)으로 보는 것이 타당하다. 당시 일산은 왕의 권위와 위엄의 상징이었으며 상류 사회에서도 계급에 따라 모양이나 색상을 달리할 정도로 정치 권력과 밀접한 관련이 있었다. 이후 고려 시대에 들어오면 우산이나 일산에 관한 기록이 보이지 않아 더 이상 자세한 내용은 알 수 없다. 그렇지만 확실한 것은 왕을 비롯한 소수의 상류층만이 일산을 겸해 의례용(의식)으로 우산을 썼다는 점이다.(우산(일산)이 권력을 상징하기 때문에) 특히 관리들이 외출할 때 햇빛을 가리거나 비를 피하기 위해 일산과 우산을 겸한 장량항우산(고려 시대 볕을 가리는 양산과 우산을 겸하는 것으로 벼슬아치만 외출시 사용함.)이라는 도구를 주로 사용한 것도 그 예이다.

➜ 삼국 시대와 고려 시대에 왕과 상류 사회는 우산을 권위와 권력의 의미로 사용함.

▲ 의례용 일산

나 반면 서민들의 경우 조선 후기까지 비 오는 날에 우산을 쓰지 않았다. 민가에서는 오히려 ㉠ 비를 의도적으로 가리는 행동을 금하는 풍습까지 있었다. 이러한 풍습은 기후에 민감했던 농경 사회 문화와 밀접한 관련이 있다.(조선 후기까지 민가에서 비가 와도 우산을 사용하지 않은 배경) 근대 이전의 농경 사회에서 기후는 농사에 결정적 영향을 미쳤기 때문이다. 특히 과학 기술이 발달하지 못한 당시 사회에서 농민들은 하늘에 의존하며 살 수밖에 없었기 때문에 하늘의 뜻을 거스르지 않고 순종하기 위해 늘 조심하였다. 때문에 당시 사람들은 비가 내릴 때 도구를 써서 비를 의도적으로 가리는 행위는 하늘의 뜻을 거역하는 부도덕한 행위로 반드시 재앙이 따른다고 믿었던 것이다.(조선 후기까지 민가에서 비가 와도 우산을 사용하지 않은 이유)

➜ 조선 후기까지 농경 사회 문화의 영향으로 서민들은 비 오는 날에도 우산을 사용하지 않음.

머리말: 우리나라에서 일반인들이 우산을 쓰기 시작한 것은 그리 오래되지 않았으며, 조선 시대까지 우산은 상류층의 권력을 상징함.

교과서 날개 질문

조선 후기까지 민가에서 비를 의도적으로 가리는 행위를 금하는 풍습이 있었던 이유를 말해 보자.

| 예시 답 | 당시는 기후에 민감한 농경 사회로 비를 매우 중시하였다. 따라서 도구를 사용하여 비를 가리는 행위는 하늘의 뜻을 거스르는 부도덕한 것으로 인식했기 때문이다.

| 도움말 | 특정 지역이나 시기에 어떤 풍습이 있는 것은 그 지역이나 당대의 사회·문화적 환경과 매우 밀접한 관련이 있다는 점을 떠올려 본다.

본문 1 우산을 썼다가 몰매를 맞다

다 현재 우리가 쓰는 우산은 근대 서구에서 비롯되었다. 서구에서 우산이 일반화된 것은 산업 혁명(18세기 중엽 영국에서 시작된 기술 혁신과 이에 수반하여 일어난 사회·경제 구조의 변혁)을 통한 근대화와 밀접한 연관이 있다. 경제적으로 일정한 수입이 생기고 근로 시간과 휴일이 제도적으로 정착되면서 여행이나 운동 경기 관람을 비롯한 야외 활동을 즐기는 인구가 늘어나면서 비가 올 때를 대비하여 우산이 필요하였기 때문이다.(서구에서 산업 혁명 이후에 우산이 일반화된 이유)

➜ 현재 우리가 사용하는 우산은 근대 서구에서 유입됨.

라 이러한 서양식 우산이 우리나라에 들어온 것은 18세기 중반 선교사들을 통해서였다. 당시 우산은 박쥐 모양으로, 비닐이나 기름종이 또는 방수 처리한 헝겊을 나무나 쇠로 만

든 우산살에 덮어씌워 만들었다. 그러나 우산이 도입된 후에도 민가에서는 비를 가리는 행위를 금하는 풍습이 여전하였기 때문에 일반인들이 비를 가리는 용도로 우산을 사용하기까지는 적지 않은 우여곡절을 겪어야 했다.

당시에도 여전히 농사를 기반으로 하는 농경 사회였기 때문에

➜ 우리나라 일반인들이 비를 가리는 용도로 우산을 사용하기까지는 시간이 걸림.

마 기록에 따르면 우산이 도입된 초기에는 우리나라 사람들은 물론 우리나라에 와 있던 외국인들도 비 오는 날에 우산 사용을 꺼려했다고 한다. 당시 『독립신문』의 기사에 의하면 오랜 가뭄 끝에 비가 내렸을 때 외국인이 우산을 쓰고 거리에 나갔다가 몰매를 맞은 일까지 있었을 정도다. 그래서 외국인 선교사들도 선교 활동에 지장을 받을까 봐 우산 쓰고 다니는 것을 자제하였다고 하니 우산에 대한 사회적 거부 반응이 어느 정도였는지 짐작할 수 있다.

비를 의도적으로 가리는 것을 꺼리는 문화가 지배적이었기 때문임.

1896년에 창간되었던 우리나라 최초의 민영 일간지

➜ 우산 도입 초기에 우산을 쓴 외국인들이 몰매를 맞은 사건도 있었음.

교과서 날개 질문

서구에서 우산 사용이 일반화된 것과 산업 혁명이 어떤 관련이 있는지 설명해 보자.

| 예시 답 | 산업 혁명을 통해 일반 사람들이 경제적으로 여유가 생기고, 근로 시간과 휴일이 제도적으로 정착되면서 야외 활동을 즐기는 인구가 늘어났다. 그러면서 자연스럽게 비가 올 때를 대비하여 우산을 가지고 다니면서 우산의 사용이 일반화되었다.

| 도움말 | 사회 현상의 변화는 당대의 사회·문화적 영향을 받기 마련이라는 점을 떠올려 본다.

핵심 쏙쏙

1 우리나라의 '우산'에 대한 역사

삼국 시대	햇빛을 가리는 일산
삼국 시대 이후	일산 + 우산 = 장량항우산
18세기 중반	선교사들에 의해 서양식 우산이 도입됨.

2 계층에 따른 우산 사용 여부와 그 이유

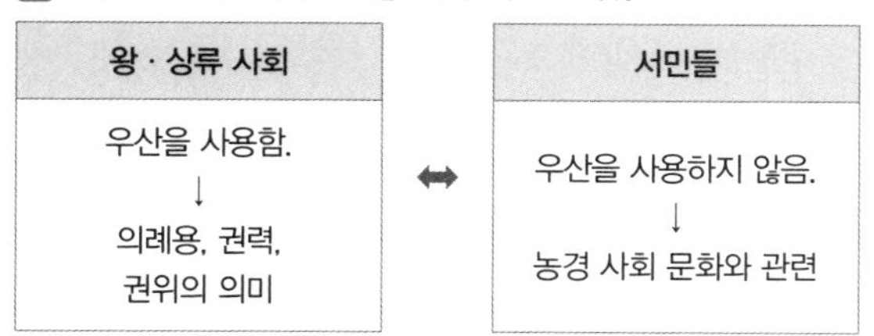

3 서구에서 우산 사용이 일반화된 이유

산업 혁명을 통한 근대화

⬇

경제적 여유와 휴일의 정착, 여행, 운동 등 야외 활동 인구의 증가

⬇

우산 사용이 일반화됨.

4 우산 사용에 대한 사람들의 인식

18세기에 서양식 우산이 도입되었으나 비를 가리지 않는 민가의 풍습 때문에 비를 가리는 용도로 널리 사용되기까지 오랜 시간이 걸렸음.

확인 문제 ①

정답 및 해설 35쪽

1. 이 글의 서술상 특징으로 적절한 것은?

① 대상의 개념을 구체적으로 풀이하고 있다.
② 대상의 사용 방법을 과정에 따라 설명하고 있다.
③ 대상의 사용 양상의 변화를 통시적으로 설명하고 있다.
④ 대상의 사용 여부를 대상의 특성에 따라 비교하고 있다.
⑤ 대상의 속성을 드러내기 위해 비유적인 대상을 제시하고 있다.

2. (가)~(마)의 중심 내용으로 적절하지 않은 것은?

① (가): 예전에 우산은 권위와 권력의 의미로 사용되었다.
② (나): 조선 후기에도 일반인들은 우산을 사용하지 않았다.
③ (다): 서구에서는 근대화를 거치면서 우산 사용이 일반화되었다.
④ (라): 서양식 우산은 전통 우산에 밀려 제대로 자리 잡지 못했다.
⑤ (마): 우산 도입 초기에는 우산 사용에 대한 거부감이 매우 컸다.

3. 다음 설명 중 '이것'에 해당하는 내용을 (나)에서 찾아 3어절로 쓰시오.

> 조선 후기까지 비 오는 날에도 서민들이 우산을 쓰지 않은 까닭은 '이것'과 밀접한 관련이 있다.

서술형 · 학습 활동 응용

4. ㉠의 이유를 〈조건〉에 따라 한 문장으로 쓰시오.

〈조건〉
- 우산에 대한 서민들의 사회적 인식을 고려할 것
- 40자 내외로 쓸 것(띄어쓰기 포함)

▲ 서양의 남성이 우산을 쓴 모습

▲ 1927년에 발간된 잡지 『별건곤』의 삽화

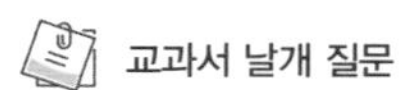

교과서 날개 질문

일상에서 쓰는 공예품이나 가구 장식 등에 박쥐 문양을 사용한 이유를 말해 보자.

| 예시 답 | 민간에서는 박쥐가 귀신을 쫓아 주고, 박쥐 지형에 묏자리를 쓰면 후손들에게 부귀영화를 준다고 믿었다. 이런 민간 신앙으로 인해 사람들은 일상에서 사용하는 물품에 박쥐 문양을 사용하였다.

| 도움말 | 박쥐 문양을 많이 사용한 이유를 그 당시의 사회·문화적 풍습과 관련하여 생각해 본다.

▲ 전통 공예품에 사용된 박쥐 문양

바 그러나 시간이 흐르면서 우산의 사용은 점차 확산된다. 이때 우산은 남녀 차별이라는
우리 사회의 사회·문화적 환경이 달라지면서 사람들의 인식이 변했기 때문에
봉건적 정서와 결합하여 사회 활동을 하는 남성들의 상징물이 되기도 했다. 이것은 서구에
남성들이 우산을 사용한 이유
서 우산이 권력이나 부를 소유한 남성들의 상징물이었던 것과 유사하다. 서구에서 둥근 우
추상적인 개념을 구체적으로 나타낸 물체
산은 태양의 원반, 즉 둥근 태양 자체를 상징하였고, 방사형 우산살은 햇빛을, 손잡이는 우
중앙의 한 점에서 사방으로 거미줄이나 바큇살처럼 뻗어 나간 모양
주의 축을 의미하였다. 하지만 우산의 사용이 확산되는 시기에도 계급과 계층에 따라 우산에 대한 부정적 인식은 여전히 남아 있었다.

➔ 우산의 사용이 점차 확산된 시기에도 계급과 계층에 따라 우산에 관한 부정적 인식은 여전히 남아 있었음.

사 우산이 사회에 정착되면서 민가에서는 우산과 관련하여 새로운 금기 사항이 등장하기
마음에 꺼려서 하지 않거나 피함.
도 하였다. 예를 들면 민가에서는 방 안에서 우산을 펴는 행위를 금하였다. 방 안에서 우산
우산에 관한 새로운 금기 사항이 생긴 사례 ①
을 펴면 죄를 지어 감옥에 간다는 속설 때문이었다. 방 안에서 우산을 펴는 것은 스스로 빛
세간에 전하여 내려오는 설이나 견해
을 가리는 행위로, 햇빛을 보기 힘든 감옥에 들어가는 것과 유사하다고 받아들인 것이다.
새로운 금기 ①이 생긴 이유
또한, 우산을 거꾸로 들면 벼락을 맞는다는 속설도 전한다. 거꾸로 든 우산은 하늘에 대한
우산에 관한 새로운 금기 사항이 생긴 사례 ② 새로운 금기 ②가 생긴 이유
거역으로, 하늘을 노하게 해 벼락을 맞는다고 생각했던 것이다.

➔ 우산이 정착되는 시기에도 민가에서는 우산에 대한 금기 사항이 있었음.

본문 1: 서양식 우산의 사용이 점차 확산되었으나 우산 사용에 대한 부정적 인식은 여전히 남아 있었음.

본문 2 여학생들 사이에서 유행하다

아 개화기에 들어서면서 여성도 신학문을 배울 수 있는 여학교가 설립되었다. 다만 얼굴을 드러내 놓고 외출하는 것을 꺼리는 사회 분위기 때문에 여학생들은 쓰개치마를 쓰고 등·
개화기 당시의 사회·문화적 환경
하교하였다. 그런데 1911년 배화 학당에서 쓰개치마를 교칙으로 금한 일이 있었다. 학생들
학생이 지켜야 할 학교의 규칙
과 가족들은 얼굴을 내놓고 거리를 다닐 수 없다며 반발하였고 이 때문에 학생들 상당수가
충격적인 일이 끼치는 영향 또는 그 영향이 미치는 정도나 동안을 비유적으로 이르는 말
학교를 그만둘 정도로 파장이 컸다. 결국 배화 학당은 쓰개치마 대안으로 얼굴을 가리고
우산이 여자들 사이에서 유행하게 된 계기
다닐 수 있도록 검정 우산을 나누어 주었다. 이후 ㉠우산은 여학생들은 물론 일반 여인들 사이에서도 널리 유행하였고, 얼굴을 가리는 용도와 더불어 햇빛을 가리는 양산으로까지 확대되어 멋을 내는 도구가 되었다. 이유야 어떻든 우산은 외출을 꺼리던 여인들이 집을
큰 걸음으로 힘차고 당당하게 걸음. 또는 그런 걸음
나와 거리를 자유롭게 활보할 수 있도록 도움을 준 셈이다.

➔ 개화기 여성들이 자유롭게 거리를 활보하는 데 우산이 도움이 되면서 여성들 사이에 우산이 유행함.

자 또한 우산은 민간 신앙과 접목되어 새로운 풍습을 만들어 내기도 하였다. 우산을 박쥐
둘 이상의 다른 현상 따위를 알맞게 조화하게 함을 비유적으로 이르는 말
'복(蝠)' 자를 써 '편복산'이라고 한 것은 모양이 박쥐와 비슷하기 때문이기도 하였지만 또
박쥐우산
다른 의미도 있었다. 우리나라에서 박쥐는 오복의 상징으로 경사(慶事)와 행운을 부르는
유교에서 이르는 다섯 가지의 복 축하할 만한 기쁜 일
존재였다. 박쥐가 이와 같이 긍정적인 이미지를 지니게 된 이유는 박쥐의 한자음 때문이다. 박쥐를 뜻하는 '복'이 행운의 '복(福)'과 발음이 같았던 것이다. 또한 박쥐는 덕을 많이
편복산이 민간 신앙과 접목됨.
쌓은 사람의 행복을 방해하는 귀신을 쫓아 주며, 산의 형상이 박쥐 모양인 곳에 묏자리를 쓰면 후손들이 벼슬길에 오르고 부귀영화를 누린다고 하였다. 한마디로 박쥐 지형은 명당
재산이 많고 지위가 높으며 귀하게 되어서 세상에 드러나 온갖 영광을 누림.
자리였다. 박쥐 '복' 자와 박쥐 문양은 일상에서 쓰는 공예품과 가구 장식, 회화에도 자주

등장하였다. 자개장이나 경대에 새겨 놓은 문양이나 손잡이에 날개를 펼친 박쥐가 많은 것도 그런 이유이다.

박쥐 '복' 자나 박쥐 문양이 복(행운)과 부귀영화를 가져다 줄 것이라는 민간 신앙에서 비롯됨.

➜ 우산을 '편복산'이라 부르며 긍정적으로 받아들임.

본문 2: 우산은 개화기 당시의 풍습과 맞물려 여학생들 사이에서 유행하게 되었고, 민간 신앙과 접목되어 새로운 풍습을 만들어 내기도 함.

어휘 풀이

쓰개치마: 예전에, 부녀자가 나들이할 때, 내외(남의 남녀 사이에 서로 얼굴을 마주 대하지 않고 피함.)를 하기 위하여 머리와 몸 윗부분을 가리어 쓰던 치마.

맺음말 (차) 이와 같이 우리 사회에서 우산은 단순히 비를 막아 주는 본연의 용도를 찾기까지 때때로 사회적 논란을 일으키며 다양한 일화를 만들어 냈다. 우산은 근대 서구에서 들어왔지만 그것을 수용하는 과정에서 전근대적인 우리 풍습과 민간 신앙이 접목되었다. 따라서 서양에서 들어온 우산이 우리 사회에 정착되는 과정은 우리 고유의 풍속과 서양 문물이 혼합되어 대중문화로 자리 잡는 과정을 잘 보여 주는 사례라 할 수 있다.

(본연: ① 인공을 가하지 아니한 본디 그대로의 자연 ② 본디 생긴 그대로의 타고난 상태)

(정착: 일정한 곳에 자리를 잡아 붙박이로 있거나 머물러 삶)

(필자가 이 글을 쓴 의의)

➜ 우산은 우리 고유의 풍습과 서양 문물이 혼합되어 대중문화로 자리 잡는 과정을 잘 보여 주는 사례임.

맺음말: 우산은 우리 고유의 풍습과 서양 문물이 혼합되어 대중문화로 자리 잡는 과정을 잘 보여 주는 사례임.

핵심 쏙쏙

1 우산과 민간 신앙의 접목

- 우산과 박쥐 모양이 유사함. → '편복산'이라 부름. (박쥐 '복' = 행운 '복': 발음이 같음. 경사와 행운을 부르는 복과 연관됨.)

2 (사)~(자)와 (차)의 의미 관계

과정 (사)~(자)	서양 문물인 우산이 고유의 풍습과 혼합되며 자리잡는 사례
결과 (차)	우산이 대중문화로 자리잡음.

3 우산에 대한 여러 가지 속설

방 안에서 우산을 펴면 죄를 지어 감옥에 간다. ➡

우산을 거꾸로 들면 벼락을 맞는다. ➡

우산이 우리 사회에 정착하는 과정에서 생겨난 현상임.

4 개화기 여성의 우산 사용

얼굴을 가리는 용도로 우산을 사용함. ⬇ 여성들의 외출이 자유로워짐. (여성의 사회적 활동이 확대됨.)

햇빛을 가리는 양산으로 사용함. ⬇ 멋을 내는 도구가 됨.

정답 및 해설 35쪽

확인 문제②

학습 활동 응용

1. 이 글을 통해 알 수 있는 내용이 아닌 것은?

① 우산을 편복산이라고 부르며 긍정적으로 인식하였다.
② 개화기 여학생들은 얼굴을 드러내고 외출하는 것을 기피하였다.
③ 우산을 방 안에서 펼치는 행위는 민가의 금기 사항 중 하나이다.
④ 여성들은 얼굴을 가리거나 멋을 내는 도구로 양산을 사용하였다.
⑤ 비를 가리는 우산 본연의 용도가 훼손되자 사회적 논란이 초래되었다.

학습 활동 응용

2. ㉠에 의해 파생된 결과로 가장 적절한 것은?

① 남성에 비해 여성의 외출 빈도가 증가하게 되었다.
② 사치 풍조가 심해져서 서민들의 생활이 어려워졌다.
③ 쓰개치마와 우산을 함께 사용하는 데 대한 불만이 심화되었다.
④ 여성이 사회생활을 더욱 자유롭게 할 수 있는 분위기가 조성되었다.
⑤ 여성의 외출을 허용하기 위해 민간 신앙과 결합된 새로운 풍습이 만들어지게 되었다.

서술형

3. 오늘날 우산이 우리 사회에 어떻게 정착했는지를 〈조건〉에 따라 한 문장으로 쓰시오.

〈조건〉
- '서양 문물', '풍습', '민간 신앙' 간의 관계를 고려할 것
- 40자 내외로 쓸 것(띄어쓰기 포함)

학습 활동

교과서 147~149쪽

깊게 읽기

1. '우산'과 관련된 사회적 인식을 중심으로 다음 활동을 해 보자.

(1) 근대 이전 우산(일산)의 사용 여부와 그에 관한 사회적 인식을 알아보자.

	사용 여부	사회적 인식
왕, 상류층	의례용 일산이 존재했음.	• 권위, 위엄, 정치 권력의 상징
서민	**| 예시 답 |** 비 오는 날에도 우산을 쓰지 않음.	**| 예시 답 |** 우산이라는 도구를 사용하여 비를 의도적으로 가리는 것은 하늘의 뜻을 거스르는 부도덕한 행위라고 인식함.

| 도움말 | 동일한 사회라도 계급과 계층에 따라 문화가 다르기 때문에 동일한 사물에 대한 인식도 다를 수밖에 없다. 이런 점들을 바탕으로 우산을 지배층과 피지배층이 어떻게 받아들였을지 생각해 본다.

(2) 우산이 도입된 초기에 우리나라에 와 있던 외국인들이 우산 사용을 꺼린 이유를 당시의 문화적 현상과 연관 지어 말해 보자.

| 예시 답 | 우산이 도입된 초기에 우리나라에 와 있던 외국인이 비 오는 날 우산을 썼다가 몰매를 맞는 일도 있었기 때문에 외국인들은 우산을 사용하는 것을 꺼렸다. 이것은 우산이 도입된 초기의 우리나라의 사회·문화적 현상과 관련이 깊다. 다시 말해 당대 우리나라는 농경 사회였기 때문에 비를 가리는 것은 하늘의 뜻을 거역하는 행위로 반드시 하늘의 재앙이 뒤따른다고 생각했기 때문이다.

| 도움말 | 우산이 도입될 때 우리나라는 여전히 남녀 차별적인 봉건 사회였다. 그래서 남자는 자유롭게 집 밖의 일을 볼 수 있었으나, 여자는 집안의 일만 하였다. 이런 사회·문화적 배경과 함께, 주로 외출할 때 우산을 사용한다는 점을 생각해 본다.

(3) 우산이 도입될 때, 우산이 사회 활동을 하는 남성들의 상징물로 인식된 이유를 말해 보자.

| 예시 답 | 우산은 집 안에서보다는 집 밖에서 사용한다. 따라서 우산은 집 안에 있는 여자들이 사용하기보다는 사회 활동을 하는 남성들이 사용하기에 적절할 수밖에 없다. 우산의 이러한 특성이 당대의 남녀 차별이라는 봉건적 정서와 결합하면서 우산이 사회 활동을 하는 남성들의 상징물로 인식되었다.

(4) 우산이 정착되던 시기에 우리나라 사람들이 우산에 관해 가졌던 생각을 참고하여, 다음과 같은 일이 벌어진 이유를 설명해 보자.

- 방 안에서 우산을 펴는 행위를 금함.
- 우산을 거꾸로 드는 것을 꺼려함.

| 예시 답 | 우산을 방 안에서 펴면 햇빛을 보기 어려워지는데, 이것이 마치 햇빛을 보기 어려운 감옥에 들어가는 것과 유사하다고 생각했기 때문이다.

| 예시 답 | 우산을 거꾸로 든다는 것은 하늘의 뜻을 거역하는 행위라고 보아, 하늘을 노하게 해 벼락을 맞는다고 생각했기 때문이다.

보충 자료 **사회·문화 분야 글을 읽는 방법**

- 필자의 견해를 객관적으로 이해하면서 동시에 비판적인 시각으로 재조명하면서 읽는다.
- 용어의 의미를 정확히 이해하고 읽는다.
- 글이 함축하고 있는 사회적·문화적 배경까지 추론하고 비판하며 읽는다.
- 필자에 따라 글의 의미와 결론이 다르므로, 유연성을 가지고 읽는다.
- 글의 방향을 잃어버리지 않도록 목적을 분명하게 인식하며 읽는다.

2. 개화기에 우산을 사용한 사회 현상과 관련하여 다음 활동을 해 보자.

| 도움말 | 우산이 여성들 사이에서 유행하게 되었을 때는 우산이 여성들에게 받아들여질 만한 이유가 있었을 것이라는 점을 고려해 본다.

(1) 여자들 사이에서 우산이 유행하게 된 이유를 말해 보자.

| 예시 답 | 개화기 때에는 여성들이 얼굴을 드러내 놓고 외출하는 것을 꺼리는 사회적 분위기 때문에 쓰개치마를 쓰고 다녔는데, 배화 학당에서 이를 교칙으로 금했다. 학생들과 가족들이 반발하자, 배화 학당은 쓰개치마 대안으로 얼굴을 가리고 다닐 수 있도록 검정 우산을 나누어 주었다. 이후 우산은 여학생들은 물론 일반 여인들 사이에서도 널리 유행하였고, 얼굴을 가리는 용도와 더불어 햇빛을 가리는 양산으로까지 확대되어 멋을 내는 도구가 되었다.

(2) 여자들 사이에서 우산이 유행하게 되면서 나타난 긍정적인 사회 현상을 말해 보자.

| 예시 답 | 개화기 때 여성들은 외출에 제약이 많았다. 하지만 우산으로 간편하게 얼굴을 가리게 되면서 여성들은 자유롭게 외출할 수 있었다. 즉 우산의 유행으로 여성들이 전보다 사회생활을 좀 더 적극적으로 할 수 있는 토대가 마련되었다.

3. 다음 내용을 참고하여 사회·문화적 관점의 차이를 이해해 보자.

- 중국어로 우산은 雨傘[위산]인데, 傘(산)이 '이별하다' 혹은 '흩어지다'의 산(散)과 독음이 유사하다. 그래서 중국에서는 우산을 선물하는 것은 곧 이별을 뜻하므로 금기시되고 있다.
- 서양에서는 박쥐가 악마나 마녀를 의미하며 대개 죽음 · 공포 · 불운 등 부정적 의미의 대명사였다. 그래서 서양에서는 일상생활에 박쥐 모양의 공예품이나 장식품을 사용하는 것을 보기 어렵다.

| 도움말 | 우리나라에서는 우산을 긍정적으로 인식하고 있지만, 중국과 서양은 전혀 다른 시각으로 보고 있다. 대상을 보는 시각이 다르면 상대방을 이해하는 데 어떤 어려움이 있을지 생각해 본다.

(1) 우산을 '편복산'이라 부르며 긍정적으로 바라본 현상을 중국과 서양에서는 어떻게 바라볼지 추론하여 말해 보자.

| 예시 답 | 개화기 때 우리나라에서는 우산을 '편복산'이라고 불렀다. 그런데 '박쥐 복(蝠)'이 '행운 복(福)'과 발음이 같았기 때문에 민간에서는 박쥐가 귀신을 쫓아 주고, 박쥐 모양의 지형에 묏자리를 쓰면 후손들이 부귀영화를 누린다고 생각하였다. 그래서 편복산이란 명칭이 붙은 우산을 긍정적으로 바라보았다. 하지만 중국에서는 동일한 사물인 '우산'이 이별하다와 발음이 유사하다는 이유로 우산을 선물하는 것을 금기시하고 있으며, 서양에서는 박쥐가 악마나 마녀, 죽음, 공포, 불운 등을 의미한다고 부정시하고 있다. 따라서 중국과 서양에서는 우리나라가 우산을 편복산이라 부르며 긍정적으로 바라보거나 선물로 주고받는 것을 이해하지 못할 수도 있다.

활동 도움말

외국 여행에서나 타문화권 사람들을 만났을 때 문화 차이로 당황했던 경험을 활용하는 것도 좋다.

(2) (1)의 활동을 통해 볼 때, 어떤 태도로 타문화를 바라보아야 할지 친구들과 의견을 나누어 보자.

| 예시 답 | 우산이라는 동일한 사물이라도 국가나 민족에 따라 다르게 인식할 수도 있고, 심지어 동일한 민족이라도 시대에 따라 다르게 인식할 수 있다. 이것은 사물을 바라보는 당대의 사회·문화적 배경과 관련되어 있기 때문이다. 따라서 타문화를 볼 때는 자신의 사회·문화적 관점에서 판단할 것이 아니라, 타문화의 사회·문화적 관점에서 이해하려는 노력이 필요할 것이다.

넓혀 읽기

제재 연구	
홍현성, 「조선 여심 사로잡은 가체……」	
갈래	기사문
성격	사실적
제재	가체
주제	가체의 유행에 따른 사회적 문제
특징	역사적 자료를 통해 문제의 심각성을 강조함.

가체(加髢): 예전에, 부인들이 머리를 꾸미기 위하여 자신의 머리 외에 다른 머리를 얹거나 덧붙이던 일. 또는 그런 모양.

▲ 신윤복의 「단오풍정」(일부)에 나오는 조선 시대 가체

4. 다음을 읽고 아래 활동을 해 보자.

조선 여심 사로잡은 가체…… 초가집 수십 채 가격 달해

조선 시대의 의복은 화려했다. 남성은 수정을 잇댄 갓끈과 옥으로 만든 관자, 귀걸이로 꾸몄다. 여성은 풍성한 가체와 현란한 비녀, 노리개로 치장했다. 길고 화려한 갓끈, 높고 풍성한 가체는 요샛말로 '잇템(꼭 갖고 싶은 아이템)'이었다.

(수정: 무색투명한 석영의 하나)

➜ 화려했던 조선의 의복

하지만 조선은 엄숙했다. 귀걸이는 선조, 가체는 정조 때에 금지했다. 귀를 뚫는 일은 몸을 훼손하는 불효였고 가체는 검소한 미풍을 해치는 사치였기 때문이다. 그래도 여성들은 가체를 버리지 못했다. 「정조실록」에는 가체 단속을 빙자해 돈을 뜯어낸 사기꾼 일당 이야기가 나오기도 한다. ➜ 정조 때 사치를 이유로 가체가 금지됨.

(엄숙: 분위기나 의식 따위가 장엄하고 정숙함. / 미풍: 아름다운 풍속 / 가체 금지의 이유)

가체는 체괄전(가발 전문 매장)에서 팔거나 여쾌(중매인), 수모(미용사)가 방문하여 판매했다. 가체는 고가에 거래됐다. 재료가 귀했고, 수준 높은 제작 기술이 필요했기 때문이다. 여기에 크기 경쟁까지 더해 가격 상승을 부채질했다. 갈수록 높고 풍성한 가체가 유행하자 어린 신부가 가체 무게로 목이 부러지는 사건이 발생할 정도였다. 또한 커진 크기만큼 가격은 치솟았다. 실학자 이덕무는 『청장관전서(靑莊館全書)』에서 장신구를 포함한 가체 가격이 7만~8만 전(錢)에 이르렀다고 개탄했다. 이는 초가집 수십 채와 맞먹는 값이었다.

(가체가 고가인 이유 ① / 가체가 고가인 이유 ② / 가체가 고가인 이유 ③ / 개탄: 분하거나 못마땅하게 여겨 한탄함.)

➜ 가체로 인한 사회 문제

▲ 머리 타래를 만드는 모습을 묘사한 그림

-『동아일보』, 2017. 9. 19.

(1) 조선의 가체 유행이 왜 문제가 되었는지 말해 보자.

| 예시 답 | 가체는 일상생활에서 꼭 필요한 생활용품이 아니라 자신을 밖으로 드러내기 위한 장식품이었다. 그러다 보니 사람들이 점점 더 비싼 가체를 찾게 되어 초가집 수십 채와 맞먹게 되었다. 이는 지나친 사치로 검소한 미풍양속을 해치는 결과를 초래하였다.

| 도움말 | 가체는 생활에 꼭 필요한 필수품이 아닌 데도 상당한 고가에 거래되고 있다. 그 이유가 어디에 있는지 생각해 본다.

모둠 토의 활동

(2) 오늘날 우리 사회에도 이런 가체 유행 같은 현상이 있는지 찾아보고, 그 원인과 해결 방법에 관해 모둠별로 토의해 보자.

| 예시 답 | 우리 사회에서도 매우 값비싼 사치품들이 소비되고 있다. 그런데 '사치'의 사전적 의미는 '필요 이상의 돈을 쓰거나 분수에 지나친 생활을 한다는 것'이다. 즉 사치는 자신의 삶에 보탬이 되지 않고 분수에 맞지 않는 행위로서 남에게 보이기 위한 행위이다. 이러한 현상은 작게는 자신과 가정을 어렵게 하고, 크게는 사회 전체를 병들게 할 수 있다. 그런데 이렇게 분수에 넘치는 행위는 당대 소비자의 시각에서 본다면 합리적이고 가치 있어 보일 수 있다. 하지만 조선 시대 가체의 유행이 과소비로 보이는 것처럼, 사회·문화적 배경이 바뀐 후손들의 시각에서는 오늘날의 사치품 소비가 매우 비합리적인 현상으로 비칠 수 있다. 따라서 소비 생활을 할 때는 당대의 사회·문화적 관점에서만 볼 것이 아니라 좀 더 크고 넓은 시각에서 분수에 맞는 소비 생활을 할 필요가 있다.

| 도움말 | 기사문에 나온 조선 시대 가체는 합리적인 소비가 아니라 사치라고 할 수 있다. 우리 사회에서 이런 사치품을 찾아보고, 현재 우리가 과거의 가체를 보는 것처럼, 후대 사람들이 현재의 사치품을 어떻게 볼지 생각해 본다.

소단원 출제 포인트

우산, 근대와 전근대가 만나다

1 전체 글의 개관

갈래	설명문	성격	설명적, 통시적
제재	우산	주제	우산이라는 서양 문물이 우리 문화화하는 과정
특징	① 구체적인 근거와 일화를 바탕으로 우산에 대한 사회적 인식을 드러내고 있음. ② 우산에 대한 사회·문화적 인식을 통시적으로 보여 주고 있음.		

2 전체 글의 의미 구조

중심 내용	우산이라는 서양 문물이 우리 문화화하는 과정
사례	① 왕, 상류층: 일산을 겸해 의례용으로 우산을 사용함. (장량항우산) ② 외국인 선교사들: 우산을 쓰고 거리에 나갔다가 몰매를 맞음. ③ 민가의 금기 사항: 방 안에서 우산을 펴거나, 우산을 거꾸로 드는 행위를 금함. ④ 여학생들: 쓰개치마의 대안으로 사용하다가 햇빛을 가리는 양산으로 사용하여 멋을 내는 도구가 됨. ⑤ 민간 신앙과 접목된 풍습: 우산을 '편복산'이라 불렀음. ['박쥐 복(蝠)' 자가 '행운 복(福)' 자와 발음이 유사함. → 긍정적으로 인식함.]

3 서구에서 우산 사용이 일반화된 이유

산업 혁명을 통한 근대화 ➡ 경제적 여유와 휴일의 정착, 여행, 운동 등 야외 활동 인구의 증가 ➡ 우산 사용이 일반화됨.

4 우산 사용에 대한 사람들의 인식과 관련 속설

- 18세기에 도입되었으나 비를 가리지 않는 민가의 풍습 때문에 널리 사용되기까지 오랜 시간이 걸렸음.
- 계급, 계층에 따라 우산 사용 여부가 달랐으며, 우산 사용에 대한 부정적 인식은 여전히 남아 있었음.

방 안에서 우산을 펴면 죄를 지어 감옥에 간다.
우산을 거꾸로 들면 벼락을 맞는다.
➡ 우산이 우리 사회에 정착하는 과정에서 생겨난 현상임.

5 개화기 여성들의 우산 사용

얼굴을 가리는 용도로 우산을 사용함.
⬇
여성들의 외출이 자유로워짐. (여성의 사회적 활동이 확대됨.)

햇빛을 가리는 양산으로 사용함.
⬇
멋을 내는 도구가 됨.

내신 적중 문제

정답 및 해설 36쪽

[01-05] **다음 글을 읽고 물음에 답하시오.**

가 헌법에는 무슨 일이 있어도 바꿀 수 없는 조항이 있다. 예를 들면 인간의 존엄에 관한 ⓐ규정을 담은 기본법 제1조와 국가 체제의 기본 원칙들을 규정한 기본법 제20조가 그것이다. 제20조에는 이렇게 적혀 있다.

"독일 연방 공화국은 민주적·사회적 법치 국가다. 모든 국가 권력은 국민으로부터 나온다."

이 조항들은 ㉠헌법에도 분명히 ⓑ명시되어 있듯이 결코 흔들리거나 수정되어서는 안 되고 영원히 지속되어야 한다. 이는 연인들끼리 굳게 약속하는 '사랑'에 대한 맹세보다 훨씬 더 영원하다. 연인들의 사랑에 관한 맹세란 길어야 몇 달 혹은 몇 년이 고작이기 때문이다.

헌법은 국민이 국가에 쓰는 연애편지다. 국민은 이 편지에서 자신이 나라에 무엇을 바라고, 자신과 정부가 나라를 위해 무엇을 하고 싶고, 무엇을 해야 하는지를 적는다. 가장 중요한 내용은 대개 첫 문장에 나오듯 이 연애편지의 첫 문장도 문자 메시지처럼 매우 짧게 압축되어 있다.

"인간의 존엄은 침범할 수 없다."

독일 헌법에 제일 처음 나오는 이 내용은 가장 중요한 문장이기에 '기본권'이라 불린다. 종종 헌법에 적힌 문장들은 시처럼 매우 아름답고 함축적이며 문학적이다. 그래서 헌법을 가리켜 모든 국민들을 위한 문집이라고 부르기도 한다.

나 그러나 ㉡독일 기본법은 그렇게 시적이지 않다. 그것은 기본법이 탄생할 당시의 시대 상황이 ⓒ미사여구로 치장할 만큼의 여유가 없고 힘들었다는 것을 뜻한다. 기본법이 제정될 당시 독일인들 가운데에서 이에 환호하며 우쭐해하는 사람은 아무도 없었다. 전쟁이 끝난 지 불과 몇 년밖에 지나지 않았을 뿐만 아니라 대부분의 독일인들은 지난 시절 자신들이 얼마나 추악한 범죄자들을 지도자로 추종했는지 그리고 히틀러와 나치가 얼마나 끔찍한 범죄를 저질렀는지 충분히 깨닫고 있었던 것이다.

다 "인간은 성, 혈통, 인종, 언어, 출생지, 신앙, 그리고 종교적·정치적 신념 때문에 차별을 받아서는 안 된다."

기본법 제3조에 명시된 내용이다. 그리고 기본법은 모든 재판부에 이러한 원칙들이 제대로 지켜지는지 감시할 임무를 맡겼다. 그중에서 가장 큰 임무를 맡은 곳이 바로 헌법 재판소다. 그 외에 기본법은 독일이 다시는 잘못된 길로 빠져들지 않도록, 즉 독재자가 국가의 권력을 잡는 일이 없도록 여러 규정들을 ⓓ제정했다.

라 그런데 제2차 세계 대전에서 패전한 독일인들은 이러한 생각을 자발적으로 하지는 못했다. 온 나라가 연합군의 폭격으로 파괴되고, 많은 도시가 잿더미로 바뀌었으며, 전 국민이 굶주림과 궁핍으로 고통 받던 시절에 어떻게 그런 데 생각이 미칠 수 있었겠는가? 대부분의 사람들은 독일이라는 국가를 어떻게 새로 조직하느냐 하는 것보다는 현실적인 굶주림을 어떻게 해결하느냐 하는 문제에 더 큰 관심을 가지고 있었다. 먹고사는 문제가 무엇보다 ⓔ절박했던 것이다.

01 이 글의 내용과 일치하지 않는 것은?

① 헌법은 연인 사이의 약속보다 지속성이 강하다.
② 기본법은 결코 수정되어서는 안 되는 내용을 다루고 있다.
③ 독일 기본법은 독재자가 다시는 권력을 잡지 못하게 하기 위해 여러 규정을 제정했다.
④ 독일 기본법이 제정되던 시기에는 경제적 궁핍 등의 현실적인 어려움이 심각했다.
⑤ 독일 기본법 규정이 포괄적이지 않다는 이유로 기본법의 제정을 반기지 않는 분위기가 지배적이었다.

02 이 글의 서술상 특징으로 적절한 것을 〈보기〉에서 모두 골라 짝지은 것은?

〈보기〉
ㄱ. 구체적 예를 들어 대상의 특징을 밝히고 있다.
ㄴ. 친숙한 대상에 빗대어 대상의 속성을 설명하고 있다.
ㄷ. 특정 상황을 가정하여 대상의 내용을 제시하고 있다.
ㄹ. 일정한 기준에 따라 대상의 구성 요소를 분류하고 있다.

① ㄱ, ㄴ ② ㄱ, ㄷ ③ ㄴ, ㄷ
④ ㄴ, ㄹ ⑤ ㄷ, ㄹ

03 ㉠과 ㉡을 비교한 내용으로 가장 적절한 것은?

① ㉡은 문학적인 표현을 주로 사용한다.
② 일반적으로 ㉠은 짧게 압축된 문장을 사용한다.
③ ㉡은 ㉠과 달리 다양한 미사여구로 치장되어 있다.
④ 일반적으로 ㉠은 ㉡과 달리 시적인 성격이 강하지 않다.
⑤ ㉠과 ㉡은 모두 내용을 구체적으로 풀어서 기술하고 있다.

04 ⓐ~ⓔ의 사전적 의미로 적절하지 않은 것은?

① ⓐ: 양이나 범위 따위를 제한하여 정함.
② ⓑ: 분명하게 드러내 보임.
③ ⓒ: 금이나 옥처럼 귀중히 여겨 꼭 지켜야 할 법칙
④ ⓓ: 제도나 법률 따위를 만들어서 정함.
⑤ ⓔ: 어떤 일이나 때가 가까이 닥쳐서 몹시 급함.

서술형 | 학습 활동 응용

05 이 글과 〈보기〉를 바탕으로 '헌법'의 특징을 〈조건〉에 맞게 쓰시오.

〈보기〉

재판에서 이기는 당사자는 소리를 버럭버럭 지르거나 다짜고짜 우는 사람이 아니다. 빼도 박도 못할 계약서 조항을 들이미는 사람이 가장 강하다. 권리를 가진 자는 그걸 당당하게 주장하면 된다. 은혜를 베풀 것을 호소할 필요도 없고 힘으로 윽박지를 필요도 없다.
집주인과 임대차 계약서, 업주와 아르바이트 계약서, 대기업과 납품 계약서를 써 본 분들은 바로 알 것이다. 헌법이라는 계약서의 갑(甲)은, 국민이다.

〈조건〉

• 이 글과 〈보기〉에서 헌법을 무엇에 비유했는지를 각각 밝힐 것
• 60자 내외의 한 문장으로 쓸 것(띄어쓰기 포함)

[06-10] 다음 글을 읽고 물음에 답하시오.

가 하지만, 미국, 영국, 프랑스 같은 전승국들의 입장은 달랐다. 그들은 독일이 다시는 예전과 같은 범죄를 저지르지 못하도록 국가의 기틀을 다시 짜는 데 최우선 과제를 두었다. 그래서 민주주의와 인권을 중시하는 새로운 헌법을 독일인들 스스로 만들도록 했다. 이렇게 해서 기본법은 제2차 세계 대전의 전승국들이 서독의 정치가들에게 맡긴 일종의 숙제와 같은 것이 되었다. 숙제를 해 본 사람들은 모두 알겠지만, 다른 것을 보고 참조하기는 쉬운 법이다. ㉠독일의 기본법은 그렇게 만들어졌다.

나 그러나 그건 불가능한 일이었다. 독일이 동서로 나뉘어져 있었기 때문이다. 할 수 없이 독일의 동쪽 부분은 제외하고 서쪽 부분, 즉 서독에만 한정된 헌법을 제정하기로 했다. 동독을 점령하고 있던 소련인들은 다른 체제의 헌법을 구상하고 있었기 때문에 동독과 서독의 정치인들이 한자리에 모여 하나의 헌법을 만들 수 없었다. 〈중략〉

그들은 헌법을 만들기 위해 모인 대표들을 '국민 대표자 회의'가 아니라 '의회 대표자 회의'라고 불렀고, 헌법도 헌법이라 부르지 않고 그냥 기본법이라고 불렀다. 기본법이 완성되었을 때도 여느 헌법처럼 국민 투표에 부치지 않고 서독 주의회의 가결만 받았다. 새 출발을 하는 독일로서는 정말 여러모로 자랑스러운 헌법을 만들고 싶었지만 안타깝게도 분단이라는 특수 상황 때문에 반쪽짜리 기본법을 만들 수밖에 없었다.

다 기본법을 만드는 작업에 참여했던 사람들은 서독을 정식 국가로 보지 않았다. 서독은 부득이한 사정으로 임시로 만들어진 국가였고, 기본법 역시 통일되는 그날까지 잠정적으로 제정된 헌법일 뿐이었다. 따라서 기본법 전문(前文)에는 다음과 같은 내용이 명시되어 있었다.

"독일 국민이 새로운 국가 체제를 만든 것은 '과도기적' 성격을 갖고 있으며, 기본법은 '제정 작업에 함께 참여하지 못했던 동독 주민들에게도' 적용된다."

기본법의 임시적인 성격에도 불구하고 정치인들은 하나의 꿈을 갖고 있었다. 정확하게 말하자면 '자석 이론'이라는 꿈이었다. 정치뿐만 아니라 경제적으로도 훌륭한 국가를 건설하면 동독 역시 자석에 이끌리듯 자연스레 서독으로 끌려 들어올 수밖에 없다고 생각한 것이다. 여기서 자석의 핵은 기본법이 되어야 했다. 기본법은 국가 행정을 규정하는 법률들보다 더 많은 것을 제공해야 했고, 가훈이나 학칙보다 훨씬 정교해야 했다. 이러한 꿈은 결국 실현되었다. 물론 기본법을 제정할 당시에 생각했던 것보다 훨씬 더 많은 시간이 필요했지만 말이다. 서독인들은 자신들이 얼마나 훌륭한 헌법을 가지고 있고, 헌법에서 보장한 기본권들이 얼마나 소중한 보물이었는지 깨닫게 되기까지 20~30년이 걸렸다. 그리고 기본법이 진정으로 힘을 발휘하기까지는 또 몇 십 년이 걸렸다. 기본법이 제정된 지 40년, 마침내 독일은 통일되었다. 기본법을 만든 선조들의 꿈이 실현된 것이다. 다시 말해서 동독이 자석에 이끌리듯 서독의 기본법 안으로 들어왔던 것이다.

라 그러나 ㉡기본법은 모든 것의 원칙이 되는 성격을 서서히 잃어 가고 있다. 지난 몇 년 사이에 개정된 기본법으로 국민의 기본권이 두 차례 제한되었다. 한번은 난민의 망명권에 대한 제한이었고, 다른 한 번은 사유 주택이라 하더라도 범죄 행위에 이용되는 곳은 도청할 수 있다는 내용이었다. 그전까지 불가침의 영역으로 간주되던 주택에 관한 기본권이 제한된 것이다. 이렇게 변경된 기본권은 더 이상 문자 메시지처럼 짧지 않다. 예를 들어 개정된 망명권에 대한 규정은 과거의 것과 비교하면 무려 40배나 길어졌다. 짧은 규정이 훨씬 더 포괄적이고 강력하다는 사실을 떠올리면 기본권이 점점 줄어들고 있다는 느낌이다. 규정이 길다는 것은 기본권을 제한하는 예외가 자꾸 늘어나는 것을 의미하기 때문이다. 이런 식으로 해서 하나의 헌법은 계속해서 그 힘을 잃어 가고 있다. 그러나 국민의 기본권을 지키는 헌법이 이런 식으로 약해지는 것을 마냥 두고 볼 수만은 없다.

마 기본권과 좋은 헌법이란 건강과도 같다. 한번 잃고 나면 되찾기 힘들고, 잃고 난 뒤에야 얼마나 소중한지를 깨닫게 된다는 점에서 말이다.

06 이 글을 통해 알 수 있는 내용이 아닌 것은?

① 독일이 기본법을 제정하도록 이끈 주체
② 서독 정치인들이 반쪽짜리 기본법을 만든 이유
③ 앞으로 제한될 것으로 예상되는 기본권의 내용
④ 기본법을 제정한 사람들이 서독을 바라보는 시각
⑤ 동독과 서독 사이에 자석 이론이 적용되기 위한 조건

학습 활동 응용

07 ㉠의 한계를 추측한 것으로 가장 적절한 것은?

① 동독과 서독의 분단 상황으로 인해 반쪽짜리 기본법이 된 것이 문제겠군.
② 일반적인 헌법에 비해 길이가 짧고 여러 차례 수정이 된다는 점이 문제겠군.
③ 제정 작업에 직접 참여한 서독 주민들에게만 법적인 효력이 미치는 것이 문제겠군.
④ 독일인이 아닌 외부 세력에 의해 만들어져서 독일 국민들의 협조가 부족한 것이 문제겠군.
⑤ 동독의 정치가들이 제정 주체가 되었기 때문에 서독의 정치가들의 동의를 얻지 못한 것이 문제겠군.

학습 활동 응용

08 ㉡의 이유를 다음과 같이 설명할 때, 빈칸에 들어갈 내용으로 가장 적절한 것은?

> 기본법의 길이가 ______________ 때문이다.

① 짧아짐에 따라 기본권을 제한하는 예외가 점차 줄어들기
② 길어짐에 따라 기본권을 제한하는 예외가 점차 증가하기
③ 짧아짐에 따라 기본법이 보장하는 권리의 범위가 확대되기
④ 길어짐에 따라 기본법이 보장하는 권리의 범위가 확대되기
⑤ 길어짐에 따라 기본법이 보장하는 권리의 강제성이 약화되기

고난도

09 속담을 활용하여 필자의 의도를 파악한 내용으로 가장 적절한 것은?

① '망치가 가벼우면 못이 솟는다'는 듯이 기본권의 힘이 강력하지 않다면 또 다른 문제가 초래될 수 있음을 경계하는 것이겠군.
② '알고 있는 일일수록 더욱 명치에 가둬야 한다'는 듯이 기본권을 적용하여 실행하는 일에 신중하게 접근하라고 권고하는 것이겠군.
③ '하나를 듣고 열을 안다'는 듯이 기본권이 보장되지 않으면 부차적인 권리 역시 보장되지 않는 문제가 발생할 수 있음을 알려 주는 것이겠군.
④ '소 잃고 외양간 고친다'는 듯이 기본권의 힘이 약해진 후에 후회하지 말고, 그 힘이 약해지지 않도록 미리 경계하는 태도가 필요하다는 것이겠군.
⑤ '자기 배 부르면 남의 배 고픈 줄 모른다'는 듯이 자국민의 기본권만 강조하면 타인의 권리를 침해할 수도 있음을 주의하게 하는 것이겠군.

10 이 글을 바탕으로 '좋은 헌법'에 대한 필자의 견해를 〈조건〉에 맞게 쓰시오.

> 조건
> • 헌법을 비유한 대상을 찾아 쓸 것
> • 헌법을 비유적으로 표현하여 강조한 점을 한 문장으로 쓸 것

[11 - 17] 다음 글을 읽고 물음에 답하시오.

가 우리나라에서 일반인들이 우산을 쓰기 시작한 역사는 그리 오래되지 않았다. 기록에 의하면 삼국 시대 고분 벽화에 최초로 우산과 비슷한 형태의 그림이 등장하지만 이것은 햇빛을 가리는 것이 주목적인 일산(日傘)으로 보는 것이 타당하다. 당시 일산은 왕의 권위와 위엄의 상징이었으며 상류 사회에서도 계급에 따라 모양이나 색상을 달리할 정도로 정치 권력과 밀접한 관련이 있었다. 이후 고려 시대에 들어오면 우산이나 일산에 관한 기록이 보이지 않아 더 이상 자세한 내용은 알 수 없다. 그렇지만 확실한 것은 왕을 비롯한 소수의 상류층만이 일산을 겸해 의례용으로 우산을 썼다는 점이다. 특히 관리들이 외출할 때 햇빛을 가리거나 비를 피하기 위해 일산과 우산을 겸한 장량항 우산이라는 도구를 주로 사용한 것도 그 예이다.

나 반면 ㉮서민들의 경우 조선 후기까지 비 오는 날에 우산을 쓰지 않았다. 민가에서는 오히려 비를 의도적으로 가리는 행동을 금하는 풍습까지 있었다. 이러한 풍습은 기후에 민감했던 농경 사회 문화와 밀접한 관련이 있다. 근대 이전의 농경 사회에서 기후는 농사에 결정적 영향을 미쳤기 때문이다. 특히 과학 기술이 발달하지 못한 당시 사회에서 농민들은 하늘에 의존하며 살 수밖에 없었기 때문에 하늘의 뜻을 거스르지 않고 순종하기 위해 늘 조심하였다. 때문에 당시 사람들은 비가 내릴 때 도구를 써서 비를 의도적으로 가리는 행위는 하늘의 뜻을 거역하는 부도덕한 행위로 반드시 재앙이 따른다고 믿었던 것이다.

다 현재 우리가 쓰는 우산은 근대 서구에서 비롯되었다. 서구에서 우산이 일반화된 것은 산업 혁명을 통한 근대화와 밀접한 연관이 있다. 경제적으로 일정한 수입이 생기고 근로 시간과 휴일이 제도적으로 정착되면서 여행이나 운동 경기 관람을 비롯한 야외 활동을 즐기는 인구가 늘어나면서 비가 올 때를 대비하여 우산이 필요하였기 때문이다.

라 그러나 시간이 ⓐ흐르면서 우산의 사용은 점차 확산된다. 이때 우산은 남녀 차별이라는 봉건적 정서와 결합하여 사회 활동을 하는 남성들의 상징물이 되기도 했다. 이것은 서구에서 우산이 권력이나 부를 소유한 남성들의 상징물이었던 것과 유사하다. 서구에서 둥근 우산은 태양의 원반, 즉 둥근 태양 자체를 상징하였고, 방사형 우산살은 햇빛을, 손잡이는 우주의 축을 의미하였다. 하지만 우산의 사용이 확산되는 시기에도 계급과 계층에 따라 우산에 대한 부정적 인식은 여전히 남아 있었다.

우산이 사회에 정착되면서 민가에서는 우산과 관련하여 새로운 금기 사항이 등장하기도 하였다. 예를 들면 민가에서는 방 안에서 우산을 펴는 행위를 금하였다. 방 안에서 우산을 펴면 죄를 지어 감옥에 간다는 속설 때문이었다. 방 안에서 우산을 펴는 것은 스스로 빛을 가리는 행위로, 햇빛을 보기 힘든 감옥에 들어가는 것과 유사하다고 받아들인 것이다. 또한, ㉠우산을 거꾸로 들면 벼락을 맞는다는 속설도 전한다. 거꾸로 든 우산은 하늘에 대한 거역으로, 하늘을 노하게 해 벼락을 맞는다고 생각했던 것이다.

마 개화기에 들어서면서 여성도 신학문을 배울 수 있는 여학교가 설립되었다. 다만 얼굴을 드러내 놓고 외출하는 것을 꺼리는 사회 분위기 때문에 여학생들은 쓰개치마를 쓰고 등·하교하였다. 그런데 1911년 배화 학당에서 쓰개치마를 교칙으로 금한 일이 있었다. 학생들과 가족들은 얼굴을 내놓고 거리를 다닐 수 없다며 반발하였고 이 때문에 학생들 상당수가 학교를 그만둘 정도로 파장이 컸다. 결국 배화 학당은 쓰개치마 대안으로 얼굴을 가리고 다닐 수 있도록 검정 우산을 나누어 주었다. 이후 ㉯우산은 여학생들은 물론 일반 여인들 사이에서도 널리 유행하였고, 얼굴을 가리는 용도와 더불어 햇빛을 가리는 양산으로까지 확대되어 멋을 내는 도구가 되었다. 이유야 어떻든 우산은 외출을 꺼리던 여인들이 집을 나와 거리를 자유롭게 활보할 수 있도록 도움을 준 셈이다.

바 또한 우산은 민간 신앙과 접목되어 새로운 풍습을 만들어 내기도 하였다. 우산을 박쥐 '복(蝠)' 자를 써 ㉡'편복산'이라고 한 것은 모양이 박쥐와 비슷하기 때문이기도 하였지만 또 다른 의미도 있었다. 우리나라에서 박쥐는 오복의 상징으로 경사(慶事)와 행운을 부르는 존재였다. 박쥐가 이와 같이 긍정적인 이미지를 지니게 된 이유는 박쥐의 한자음 때문이다. 박쥐를 뜻하는 '복'이 행운의 '복(福)'과 발음이 같았던 것이다. 또한 박쥐는 덕을 많이 쌓은 사람의 행복을 방해하는 귀신을 쫓아 주며, 산의 형상이 박쥐 모양인 곳에 묏자리를 쓰면 후손들이 벼슬길에 오르고 부귀영화를 누린다고 하였다. 한마디로 박쥐 지형은 명당 자리였다. 박쥐 '복' 자와 박쥐 문양은 일상에서 쓰는 공예품과 가구 장식, 회화에도 자주 등장하였다. 자개장이나 경대에 새겨 놓은 문양이나 손잡이에 날개를 펼친 박쥐가 많은 것도 그런 이유이다.

11 이 글에 대한 설명으로 가장 적절한 것은?

① 우산 사용에 대한 인식 차이를 사용 주체별로 구분하여 제시하고 있다.
② 과거에는 우산을 소수의 상류층만이 사용한 것에 대해 비판하고 있다.
③ 서민과 여성들이 앞으로 우산을 자유롭게 사용할 것을 설득하고 있다.
④ 과거에 우산을 사용하지 못한 경제적 원인과 그로 인한 결과를 설명하고 있다.
⑤ 서구의 문물로서의 우산과 우리 문물로서의 우산의 의미를 대조하여 설명하고 있다.

12 이 글을 통해 확인할 수 <u>없는</u> 질문으로 알맞은 것은?

① 상류층이 사용한 일산의 색상별 의미는 무엇일까?
② 우리나라에서 박쥐는 어떤 상징성을 띠고 있었을까?
③ 우산 사용과 관련된 민가의 금기 사항에는 무엇이 있을까?
④ 개화기 여학생들이 우산을 사용하기 전에는 여성들은 무엇을 가지고 외출했을까?
⑤ 과거에 관리들이 외출할 때 일산과 우산을 겸해서 사용하던 도구의 명칭은 무엇일까?

학습 활동 응용

13 ㉮와 ㉯에 대한 이해로 적절하지 <u>않은</u> 것은?

① ㉮는 주체가 의도적으로 한 행위이다.
② ㉯ 이후로 우산의 용도가 확대되었다.
③ ㉮는 금기와, ㉯는 금기를 깨는 것과 관련 있다.
④ ㉮와 ㉯의 행위는 모두 당시 사회적 분위기와 관련 있다.
⑤ ㉮와 ㉯의 행위는 모두 기존 관습을 유지하기 위한 대안으로 제시되었다.

14 다음 중 ㉠과 성격이 <u>다른</u> 하나는?

① 다리 떨면 복 나간다.
② 한숨 쉬면 복 달아난다.
③ 밤에 휘파람 불면 뱀 나온다.
④ 새가 낮게 날면 비바람이 분다.
⑤ 시험 날 미역국을 먹으면 미끄러진다.

고난도 | 학습 활동 응용

15 이 글의 ㉡과 〈보기〉를 이해한 내용으로 가장 적절한 것은?

〈보기〉

중국어로 우산은 雨傘[위산]인데, 傘(산)이 '이별하다' 혹은 '흩어지다'의 산(散)과 독음이 유사하다. 그래서 중국에서는 우산을 선물하는 것은 곧 이별을 뜻하므로 오늘날에도 금기시되고 있다.

① ㉡과 〈보기〉는 모두 발음의 유사성으로 인해 발생한 현상이겠군.
② ㉡은 우산의 모양과는 관련이 없지만, 〈보기〉는 모양과 관련이 있겠군.
③ ㉡은 우산에 대한 부정적 인식을, 〈보기〉는 긍정적 인식을 드러내겠군.
④ ㉡의 명칭에 따른 금기가 오늘날 해소되었지만, 〈보기〉는 여전히 금기로 남아 있겠군.
⑤ 사회·문화적 관점을 따를 때, ㉡과 〈보기〉의 풍습을 제대로 이해할 수 있겠군.

16 ⓐ의 문맥적 의미와 가장 유사한 것은?

① 그 친구를 알게 된 것은 한 삼 년쯤이 더 <u>흐른</u> 뒤였다.
② 자연의 법칙에 따라 물은 높은 데서 낮은 데로 <u>흐른다</u>.
③ 모둠원들 간의 이야기가 엉뚱한 방향으로 <u>흐르고</u> 있다.
④ 이곳을 <u>흐르는</u> 물은 오염이 심해서 대책 마련이 필요하다.
⑤ 진달래꽃이 만발한 화원에는 봄기운이 완연히 <u>흐르고</u> 있었다.

서술형

17 (다)를 바탕으로, 서구에서 우산 사용이 일반화된 계기를 〈조건〉에 맞게 쓰시오.

〈조건〉

- 우산 사용의 일반화와 관련 있는 사건을 언급할 것
- 30자 내외의 한 문장으로 쓸 것(띄어쓰기 포함)

과학·기술 분야의 글 읽기

교과서 150쪽

생각 열기 다음 그림은 우리가 알고 있는 태양계 그림과 어떻게 다를까?

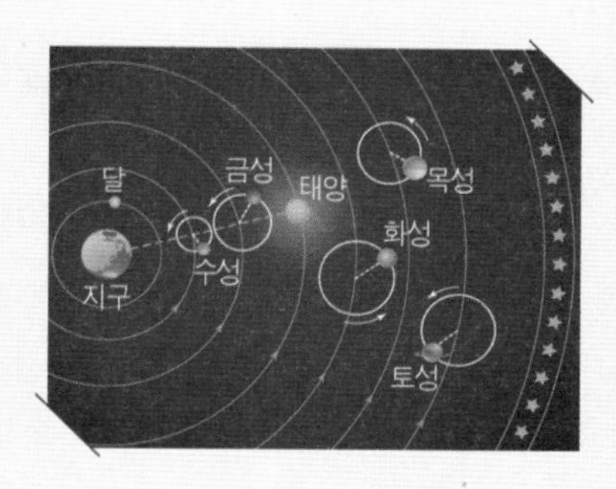

제시된 그림은 지구가 우주의 중심이고 모든 천체가 우주의 중심인 지구 주변을 회전한다는 천동설을 나타낸 것이다. 코페르니쿠스는 당시 누구나 다 과학적 사실로 인정한 이러한 천동설을 부정하고 혁명과도 같은 지동설을 주장하였다. 이를 '코페르니쿠스 혁명'이라고 부른다. 여기에 갈릴레이는 망원경을 만들어 지동설의 강력한 증거를 마련하였다. 이러한 사실은 과학이나 기술 분야의 지식이라도 무조건적으로 받아들이기보다는 비판적으로 바라보아야 한다는 점을 시사한다.

그렇다면 **과학·기술 분야의 지식이나 정보를 주체적이고 비판적으로 수용하기 위해서는 어떤 책을 어떻게 읽어야 할까?**

| 예시 답 | 관심 있는 과학 분야의 책을 읽는다. 제시하고 있는 근거가 타당한지 생각해 본다. 주장의 반대 사례는 없는지 찾아본다 등

| 도움말 | 기존의 과학 지식이 부정되고 새로운 과학 지식이 확립되는 상황을 제시하였다. 이를 통해 과학·기술 분야의 글을 읽을 때 가져야 하는 읽기 자세를 이해하고, 과학·기술 분야 글 읽기의 방법에 관한 질문에 스스로 답해 봄으로써 학습 주제에 관한 흥미를 높이도록 한다.

| 이 단원의 학습 요소 |

학습 목표 **과학·기술 분야의 글에 담긴 지식과 정보의 객관성, 논거의 입증 과정과 타당성, 과학적 원리의 응용과 한계 등을 비판적으로 이해하며 읽는다.**

새로운 '원자 모형'이 만들어질 때 논거가 입증되는 과정을 파악하기	▶	새로운 '원자 모형'이 만들어질 때 논거가 입증되는 과정을 파악해 본다.
'네트워크 이론'의 효용 가치와 응용의 한계 비판하기	▶	'네트워크 이론'의 효용 가치를 알고, 이의 응용이 지니는 한계를 비판적으로 이해해 본다.

소단원 바탕학습

원리 이해

1 과학 · 기술 분야 글 읽기의 필요성

1. 과학 · 기술의 의의: 인류가 현대 문명사회를 이룩하는 데 지대한 역할을 해 왔음.
2. 과학 · 기술의 양면성:

인간의 편리한 삶 영위에 도움	↔	인간 소외, 환경 파괴 등 문제 유발
모든 사람의 기본적인 소양이 요구됨.		인류를 생존의 위험에 빠뜨리게 할지 모름.

3. 필요성: ① 과학 · 기술에 대한 지식, 이해를 제공함.
② 과학 · 기술에 관한 성찰을 통해 발전 방향에 대한 통찰을 키워 줌.

2 과학 · 기술 분야 글의 특징

1. 과학 분야의 글의 대상: 자연 현상, 물리적 세계

과학 분야 글의 특징	과학 분야를 다룬 글의 제재
• 대부분 설명적인 글 • 구성이 체계적임. • 내용은 분석적임.	(→ 자연 과학의 변천과 발달에 관한 역사를 다룸.) 과학사, 과학적 원리, 과학이 실생활과 관련 맺는 내용 등

2. 기술 분야의 글의 대상: 과학적 이론을 응용한 원리나 방법

기술 분야 글의 특징	기술 분야를 다룬 글의 제재
• 기본적으로 과학 분야 글과 유사함. • 과정이나 절차 중심의 성격이 과학 분야 글보다 더 강함.	다양한 기술의 작동 원리 설명 등

3 과학 · 기술 분야 글 읽기의 방법

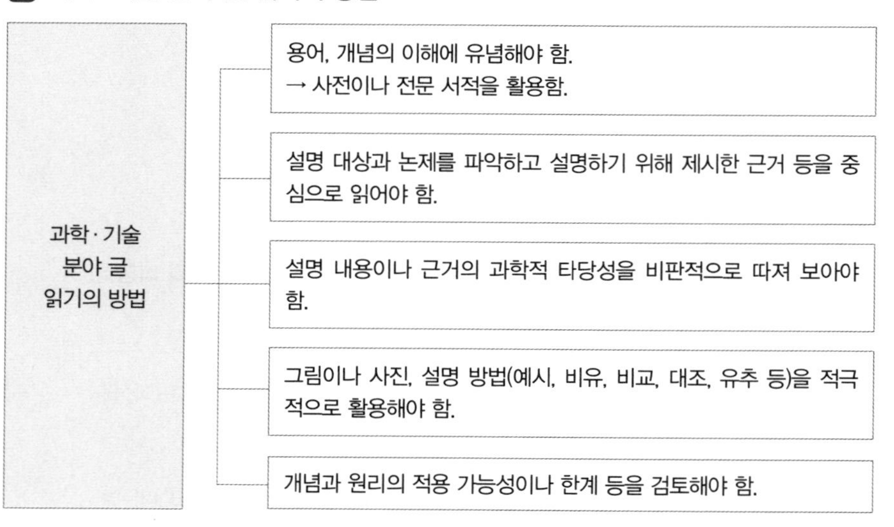
과학 · 기술 분야 글 읽기의 방법

- 용어, 개념의 이해에 유념해야 함. → 사전이나 전문 서적을 활용함.
- 설명 대상과 논제를 파악하고 설명하기 위해 제시한 근거 등을 중심으로 읽어야 함.
- 설명 내용이나 근거의 과학적 타당성을 비판적으로 따져 보아야 함.
- 그림이나 사진, 설명 방법(예시, 비유, 비교, 대조, 유추 등)을 적극적으로 활용해야 함.
- 개념과 원리의 적용 가능성이나 한계 등을 검토해야 함.

| 원리 확인 문제 |

1. 다음 글의 ㉠, ㉡에 들어갈 말을 각각 쓰시오.

> 과학 분야의 글은 자연 현상이나 물리적 세계를 대상으로 하기 때문에 객관적인 진리 추구를 목적으로 삼는다. 그래서 과학 분야의 글은 대부분 설명적인 글로서 그 구성이 (㉠)이고 내용은 (㉡)인 경우가 많다.

2. 다음 중 과학 분야 글에서 주로 다루는 내용과 거리가 먼 것은?

① 물리 현상의 원리
② 생명 현상의 법칙
③ 자연 과학의 발달
④ 기술의 작동 원리
⑤ 과학이 실생활에서 활용되는 예

3. 과학 분야 글과 비교할 때 기술 분야 글에 더 강하게 드러나는 것은?

① 개념 ② 과정 ③ 현상
④ 가설 ⑤ 법칙

4. 과학 · 기술 분야 글 읽기 방법으로 적절하지 않은 것은?

① 용어와 개념을 정확히 이해하며 읽는다.
② 독자의 이해를 돕기 위한 자료를 활용하며 읽는다.
③ 화제에 관한 자신의 주관에 따라 소신 있게 읽는다.
④ 개념과 원리의 적용 가능성 및 한계를 검토하며 읽는다.
⑤ 대상을 설명하기 위해 제시한 근거가 타당한지 파악하며 읽는다.

정답 1. ㉠ 체계적 ㉡ 분석적 2. ④ 3. ② 4. ③

제재 미리보기

원자 모형의 변천 과정

1 해제

이 글은 톰슨의 원자 모형에서 러더퍼드의 원자 모형을 거쳐 보어의 원자 모형 이론에 이르기까지, 과학적 가설을 검증하고 새로운 가설을 제기하는 과정을 반복하며 과학이 발전해 나가는 모습을 설명하고 있다.

2 핵심 정리

(1) **갈래**: 설명문

(2) **성격**: 설명적, 논리적, 통시적
이 글에서는 '가설의 제시와 이에 대한 비판을 통한 새로운 가설 제시, 그리고 또 이에 대한 비판을 통한 새로운 가설 제시'의 반복을 통해 과학이 발전되는 과정을 원자 모형의 변천 과정을 예로 들어 통시적으로 설명하고 있다.

(3) **제재**: 원자 모형

(4) **주제**: 원자 모형의 변천 과정을 통해 본 과학의 발전 과정
톰슨이 처음 원자 모형을 제기한 후 새로운 실험 증거를 바탕으로 러더퍼드의 원자 모형이 제안되고, 이후 보어의 원자 모형이 제시되며 과학이 발전하는 과정을 보여 주고 있다.

(5) **특징**: ① 원자 모형이 변화되어 온 과정을 시간의 흐름에 따라 드러내고 있다.
② 각 원자 모형이 탄생하게 된 근거와 이에 대한 한계를 밝히고 있다.

(6) **구성**
'머리말'에서 원자 이론의 대두 배경을 제시하고, '본문'에서 톰슨, 러더퍼드, 보어의 원자 모형 이론을 설명한 후, '맺음말'에서 이를 통해 과학의 발전 과정을 요약하고 있다.

머리말	본문	맺음말
모든 물질의 구성 단위인 원자를 설명하기 위해 원자 모형이 제안됨.	• 톰슨: 양전하 속에 전자들이 박혀 있다는 원자 모형을 제안함. • 러더퍼드: 질량이 큰 원자핵이 전자들을 공전시킨다는 원자 모형을 제안함. • 보어: 전자는 특정한 에너지 준위를 갖는 원형 궤도를 돈다는 원자 모형을 제안함.	과학의 발전 과정을 요약하여 제시함.

네트워크는 힘이 세다

1 해제

이 글은 네트워크 이론과 개념들을 소개하고, 해결이 쉽지 않은 교통 체증 문제도 네트워크 이론을 활용하면 매우 쉽고도 현명하게 해결할 수 있음을 설명하고 있다.

2 핵심 정리

(1) **갈래**: 설명문

(2) **성격**: 설명적, 실증적
이 글에서는 네트워크 이론에서의 노드, 연결선 등의 개념을 설명하고, 이를 교통 체증 문제 해결에 활용해 봄으로써 네트워크 이론은 매우 다양한 분야에 응용할 수 있음을 실증적으로 밝히고 있다.

(3) **제재**: 네트워크 이론

(4) **주제**: 네트워크 이론의 활용 가치
네트워크 이론은 일상생활에 활용할 수 있으며, 이를 통해 우리 사회의 다양한 문제를 해결하는 시각을 좀 더 넓힐 수 있다며 활용 가치에 관해 서술하고 있다.

(5) **특징**: ① 네트워크 이론이 실제 현실에 어떻게 응용될 수 있는지 사례를 들어 실증하고 있다.
② 네트워크 이론에 대한 명확한 정의를 바탕으로 설명을 전개하고 있다.

(6) **구성**
'머리말'에서 세상이 복잡계 네트워크임을 밝히고, '본문'에서 네트워크 이론을 활용하면 교통 체증 문제를 해결할 수 있음을 보여 준 후, '맺음말'에서 네트워크 이론의 다양한 활용 분야와 가능성을 전망하고 있다.

머리말	본문	맺음말
세상은 복잡계 네트워크임.	• 네트워크 이론을 활용하면 교통 체증의 문제를 해결할 수 있음. • 네트워크 이론을 활용하여 교통 흐름의 절대적 최적화와 상대적 최적화 사이의 차이를 보여 줌. • 도로를 넓히고 다리를 건설하는 것이 오히려 교통 체증을 더 유발할 수 있음.	네트워크 이론의 다양한 활용 분야와 가능성을 전망함.

제재 1

교과서 152~155쪽

소단원 포인트

- 과학자들이 제안한 원자 모형들을 순차적으로 파악하기
- 과학자들이 어떤 근거를 바탕으로 각 원자 모형을 주장하고 있는지 파악하기
- 새로운 원자 모형들은 기존의 원자 모형이 갖고 있는 한계를 어떻게 극복하고 있는지 파악하기

필자 소개

정갑수(1959~): 과학 저술가. 일반인들을 위해 과학을 쉽고 재미있게 소개하는 대중서를 저술하고 있다. 주요 저서로 『세상을 움직이는 물리』, 『호모 사이언티피쿠스』 등이 있다.

교과서 날개 질문

돌턴의 원자론과 톰슨의 원자론의 핵심적인 차이가 무엇인지 말해 보자.

| 예시 답 | 돌턴의 원자론은 물질이 더 이상 쪼갤 수 없는 원자로 구성되었다는 주장이다. 반면에 톰슨의 원자론은 원자가 양전하와 전자로 구성되었다는 주장이다.

| 도움말 | 톰슨의 원자론은 돌턴의 원자론에서 언급되지 않은 내용 중 어떤 것에 주목하고 있는지 떠올려 본다.

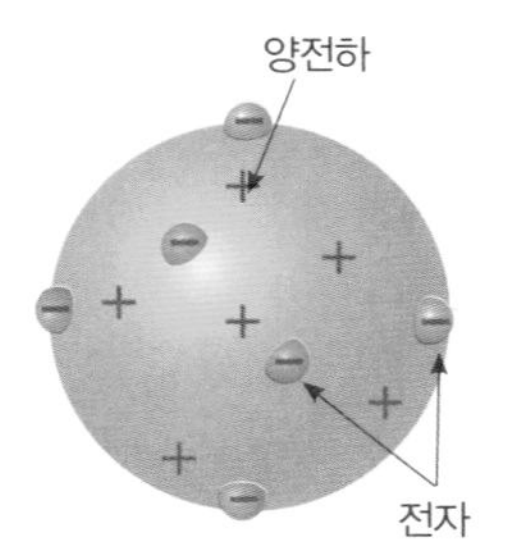

▲ [그림 1] 톰슨 원자 모형

▲ 톰슨(1856~1940)

원자 모형의 변천 과정 _ 정갑수

머리말 가 우리 인간을 포함하여 생물체이건 무생물체이건 간에 원자로 이루어지지 않은 것이 없다. (원자에 대한 이해, 즉 원자 모형이 중요한 이유 제시) 그래서 화학뿐만 아니라 물리학, 지구 과학, 생물학 등 과학은 원자 개념 없이는 성립하기 어렵다. "이 세상 모든 것은 원자로 이루어져 있다."는 리처드 파인만(1918~1988) 미국의 물리학자. 노벨 물리학상 수상)의 말은 이를 잘 보여 준다고 할 수 있다.

➜ 생물체와 무생물체는 모두 원자로 이루어져 있음.

나 그렇다면 원자란 무엇일까? 사람들은 아주 오랜 전부터 원자에 관해 연구해 왔다. 『그리스 철학자 데모크리토스(기원전 460?~370?) 고대 그리스 철학자)는 물질은 아주 작고 단단하며 눈에 보이지 않는 알갱이들로 이루어져 있다고 보았고, 이 알갱이를 '원자'라고 불렀다. 시간이 지난 후 19세기에 돌턴(1766~1844) 영국의 화학자, 물리학자)은 물질은 더 이상 쪼갤 수 없는 입자들이 모여 이루어져 있다는 근대 원자설을 주장하면서, 데모크리토스가 말한 원자라는 용어를 그대로 사용했다.』 (『 』: '원자'라는 용어의 등장 배경) 그러다가 19세기 말과 20세기 초에 원자를 구성하는 기본 입자들의 실체가 밝혀지기 시작하면서 원자를 설명하기 위한 원자 모형들이 만들어졌다. (원자 모형이 만들어지게 된 계기)

➜ 19세기 말과 20세기 초 원자를 구성하는 입자들이 밝혀지면서 이를 설명하기 위한 원자 모형이 만들어짐.

> **머리말**: 물질의 구성 단위인 원자를 설명하기 위해 원자 모형이 제안됨.

본문 1 다 원자를 구성하는 입자들 중 가장 먼저 실체가 밝혀진 것은 질량이 가장 작은 전자였다. 전자가 가장 먼저 발견된 데는 핵을 구성하는 기본 입자인 양성자와 중성자가 핵력에 의해 강하게 속박되어 있어서 실험적으로 측정하기 곤란하다는 점도 한몫했다. (전자는 다른 입자에 비해 핵력에 강력하게 속박되지 않아 외부에서 측정하기 쉬움.) 1897년 ㉠ 톰슨은 음전하를 가진 전자를 발견하였다. 그런데 원자가 전기적으로 중성이라는 점을 감안했을 때 그 속에는 양전하를 가진 물질도 포함되어 있어야만 했다. (톰슨이 원자 모형을 주장하게 된 근거) 그러나 당시에는 원자의 구성 요소이면서 양전하를 가진 존재는 아직 발견되지 않았다. 그래서 톰슨은 마치 쿠키 속에 박힌 건포도처럼, 원자 내부에 구름처럼 퍼져 있는 양전하 속에 음전하를 띤 전자들이 박혀 있다는 원자 모형을 주장하였다. (톰슨이 주장한 원자 모형)

➜ 톰슨이 원자 내부에 구름처럼 퍼져 있는 양전하 속에 음전하를 띤 전자들이 박혀 있다는 원자 모형을 주장함.

> **본문 1**: 톰슨은 양전하 속에 전자들이 박혀 있다는 원자 모형을 제시함.

본문 2 라 톰슨의 제자 ㉡ 러더퍼드는 방사능 물질에서 방출되는 방사선(알파선, 베타선, 감마선) 중 알파선을 이용해 톰슨의 원자 모형을 검증했다. (러더퍼드는 아이러니하게도 톰슨 원자 모형을 검증하는 과정에서 톰슨 원자 모형의 한계를 발견함.) 그는 금으로 된 얇은 막에 알파선을 충돌시켰다. 알파선은 전자보다 8,000배나 더 무거우므로 (러더퍼드가 3가지 방사선 중에서 알파선을 선택해서 실험한 이유) 톰슨의 원자 모형에 의하면 알파선이 전자와 충돌하더라도 거의 휘어지지 않을 것이라고 (톰슨 원자 모형에서 기대할 수 있는 실험값) 러더퍼드는 예상하였다. 그

러나 실험 결과는 예상과 많이 달랐다. 대부분의 알파선은 휘어지지 않고 직진했지만, 몇 개는 전자와 충돌했다는 것만으로는 도저히 설명할 수 없을 만큼 큰 각도로 휘어져 나왔다.
톰슨 원자 모형으로 설명할 수 없는 실험값 – 한계

➔ 톰슨 원자 모형을 검증하려는 러더퍼드의 실험에서 예상 외의 실험 결과가 나옴.

마 그는 알파선이 큰 각도로 휘어지려면 원자 속의 양전하가 아주 작은 부피 속에 모여 있지 않으면 불가능하다는 것을 깨달았다. 그래서 양전하가 원자 내부에 골고루 퍼져 있는 것이 아니라 원자핵이라고 하는 중심부에 뭉쳐 있다고 결론지었다. 이후 실험에서 실제로 원자핵이 존재하고, 이것이 원자 지름의 약 10만 분의 1밖에 차지하지 않는다는 사실이 밝혀졌다. 더 정확하게 표현하면 지름 10^{-15}미터인 핵이 지름 10^{-10}미터의 전자 구름 속에 박혀 있는 것인데, 이것은 마치 ⓐ종합 운동장 가운데 ⓑ모래 한 알이 있는 것과 같다고 할 수 있다.
러더퍼드 원자 모형의 근거 / 원자핵에 대한 러더퍼드의 생각 / 원자핵이 매우 작다는 것을 비유적으로 표현

➔ 러더퍼드는 실험 결과를 바탕으로 양전하가 중심부에 뭉쳐 있을 것이라 주장하였고, 이후 실험에서 이를 증명함.

교과서 날개 질문

'마치 종합 운동장 가운데 모래 한 알이 있는 것과 같다.'는 비유 표현이 원자의 실제 모습을 이해하는 데 어떤 효과가 있는지 생각해 보자.

| 예시 답 | '원자핵이 원자 지름의 약 10만 분의 1밖에 차지하지 않는다'라든지, '지름 10^{-15}미터인 핵이 지름 10^{-10}미터의 전자 구름 속에 박혀 있는 것'이 과학적으로는 정확한 표현일지라도 원자핵이 어느 정도의 크기인지 잘 와 닿지 않는다. 하지만 비유적 표현이 사용되어서 원자핵이 크기를 좀 더 생생하게 이해하는 데 도움이 되고 있다.

핵심 쏙쏙

1 (나)에 사용된 서술상의 특징

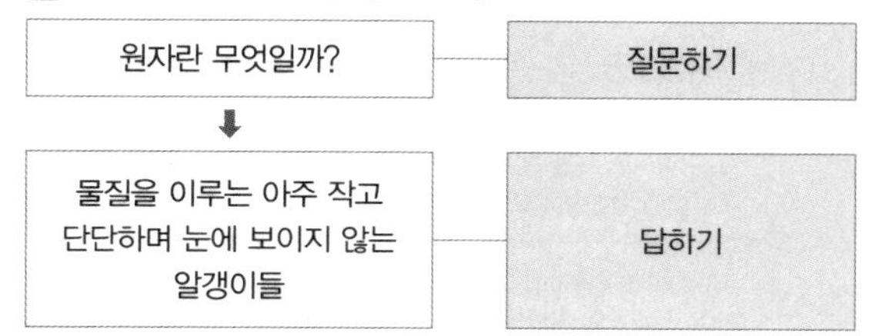

2 원자 모형

- 원자의 성질과 내부 구조를 설명하기 위해 제안된 모형
- 톰슨, 러더퍼드, 보어 등이 고안하여 제시함.
- 전자, 양전하, 원자핵 등을 차별적으로 활용함.

3 러더퍼드 실험의 의의

톰슨 원자 모형의 한계를 발견하고, 새로운 원자 모형을 제안하는 계기가 됨.

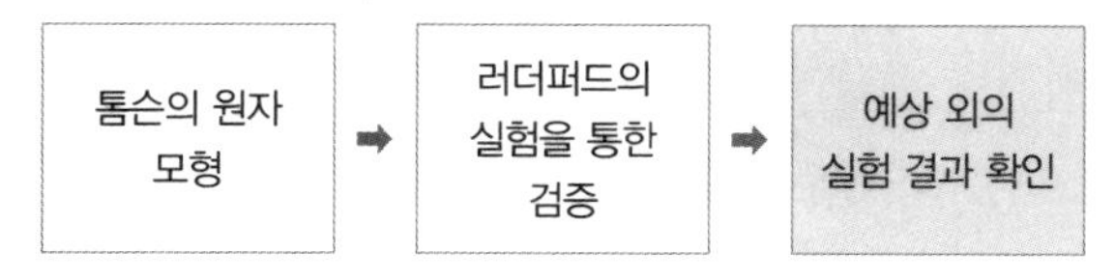

4 러더퍼드의 원자 모형에 대한 비유

마치 종합 운동장 가운데 모래 한 알이 있는 것과 같음. → 커다란 전자 구름 속에 매우 작은 핵이 박혀 있음을 의미함.

확인 문제①

정답 및 해설 39쪽

1. 이 글을 통해 확인할 수 없는 질문은?

① 근대 원자설의 주요 내용은 무엇일까?
② 러더퍼드가 예상한 실험 결과는 어떤 것이었을까?
③ 원자 개념을 사용하지 않고 과학을 설명할 수 있을까?
④ 원자핵이 전자 구름에 비해 크기가 작은 이유는 무엇일까?
⑤ 원자의 구성 요소 중 가장 먼저 실체가 발견된 것은 무엇일까?

학습 활동 응용

2. ㉠, ㉡의 원자 모형에 대한 설명으로 가장 적절한 것은?

① ㉠은 원자의 모습을 운동장에 박혀 있는 모래 한 알에 비유하였다.
② ㉠은 양전하가 원자핵에 뭉쳐 있다는 원자 모형을 주장하였다.
③ ㉠은 양전하와 음전하를 모두 활용한 원자 모형을 주장하였다.
④ ㉡은 원자 모형을 쿠키 속에 박힌 건포도에 비유하였다.
⑤ ㉡은 양전하가 구름처럼 퍼져 있다는 원자 모형을 주장하였다.

3. ⓐ와 ⓑ의 비유적 표현이 의미하는 바를 찾아 각각 쓰시오.

서술형 학습 활동 응용

4. 이 글에서 알 수 있는 톰슨 원자 모형이 갖는 과학적 한계를 〈조건〉에 맞게 쓰시오.

조건
- 러더퍼드의 실험 결과를 활용할 것
- 50자 내외로 쓸 것(띄어쓰기 포함)

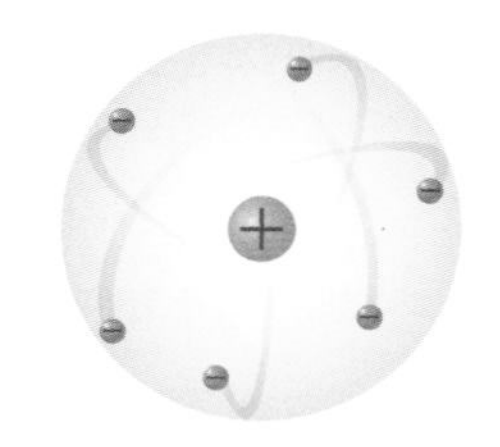

▲ [그림 2] 러더퍼드 원자 모형

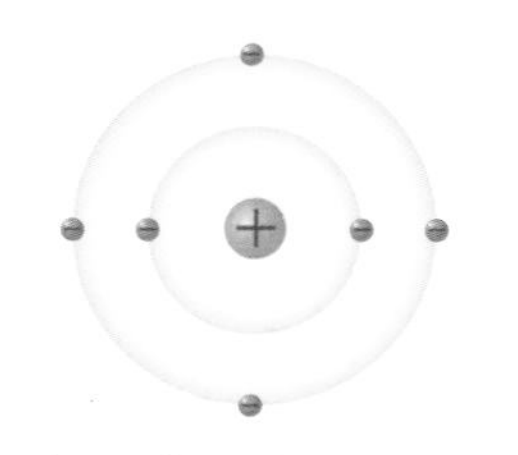

▲ 러더퍼드(1871～1937)

▲ [그림 3] 보어 원자 모형

▲ 보어(1885～1962)

교과서 날개 질문

보어 원자 모형에는 어떤 문제가 있는지 자료를 더 찾아보자.

| 예시 답 | 먼저 핵 하나에 전자 하나가 돌고 있는 수소 원자는 핵과 전자 사이의 인력과 전자가 궤도를 도는 힘만 고려하면 보어의 원자 모형이 잘 설명된다. 하지만 그보다 복잡한 원자에는 설명이 잘 맞지 않다는 문제가 있다. 다음으로, 보어의 원자 모형에 의하면 전자의 운동량과 위치를 정확하게 파악할 수 있어야 한다. 하지만 하이젠베르크의 불확정성의 원리에 따르면 이를 정확하게 측정할 수 없다는 문제가 있다.

바 1911년 러더퍼드는 새로운 원자 모형을 가정하기 시작했다. 양전하가 원자 중심부의 좁은 영역에 집중되어 있다면 음전하, 즉 전자들은 어떤 형태를 띠고 있을 것인가라는 질문이 자연스럽게 대두되었다. 만약 전자들이 톰슨 원자 모형처럼 이곳저곳에 분포되어 있다면 양전하를 띤 원자핵이 잡아당기는 전기력 때문에 원자핵 쪽으로 이동할 것이고, 그러면 원자들은 즉시 쪼그라들 수밖에 없을 것이다. 그래서 결국 러더퍼드는 태양이 행성을 공전시키듯이, 질량이 큰 원자핵이 전자들을 공전시킨다는 이론을 제시하였다.

(대두: 머리를 쳐든다는 뜻으로, 어떤 세력이나 현상이 새롭게 나타남을 이르는 말)
(러더퍼드의 원자 모형)

➜ 러더퍼드는 태양이 행성을 공전시키듯이, 질량이 큰 원자핵이 전자들을 공전시킨다는 원자 모형을 제시함.

본문 2: 러더퍼드는 톰슨 원자 모형의 한계를 극복하고, 질량이 큰 원자핵이 전자들을 공전시킨다는 원자 모형을 제시함.

본문 3 사 원자를 태양계의 축소판처럼 다루려는 러더퍼드의 생각은 아주 매력적이었다. 왜냐하면 이를 통해 태양계라는 큰 것으로부터 원자라는 작은 것에 이르기까지 일관되게 대칭적 형태로 설명할 수 있기 때문이었다. 하지만 태양계와 원자는 근본적으로는 다른 점이 있어 이런 ㉠그의 생각은 문제가 있었다.

(러더퍼드 원자 모형의 특징)
(러더퍼드 원자 모형의 한계 ①)

➜ 러더퍼드의 원자 모형은 매력적이지만, 태양계와 원자는 근본적으로 달라 이론적 문제점이 있음.

아 뉴턴의 만유인력의 법칙에 의하면, 태양이 행성을 끌어당기는 인력과 행성이 밖으로 빠져나가려는 원심력의 균형에 의해 행성들이 계속적으로 태양의 주위를 돌 수 있다. 하지만 음전하를 띤 전자들의 행동은 전하를 띠지 않은 물체와는 매우 다르다. 전자는 전자기 법칙을 따르기 때문에 원자핵 주변을 돈다면 계속해서 전자기파를 복사하게 될 것이다. 그런데 전자가 계속 『전자기파를 방출하면 에너지를 잃게 되고 결국 에너지를 다 잃은 전자는 원자핵 쪽으로 이동하여 원자가 쪼그라들 수밖에 없다. 이처럼 러더퍼드 원자 모형에 의하면 원자는 안정된 상태로 오랫동안 존재할 수 없다. 하지만 실제 원자는 매우 안정적이다.』

(일반적인 물질과 다른 전자의 속성)
(『 』: 러더퍼드 원자 모형의 한계 ②)

➜ 러더퍼드 원자 모형에 의하면 원자는 오랫동안 안정된 상태를 유지할 수 없지만, 실제 원자는 매우 안정적임.

자 1913년 보어는 매우 기발한 방법으로 러더퍼드 원자 모형의 한계를 극복하였다. 그는 러더퍼드의 원자 모형이 지닌 한계를 극복하기 위해 두 가지 가설을 제시하였다. 먼저 전자가 러더퍼드의 원자 모형과 같이 원자핵 주위를 원운동하고 있는데, 이때 전자는 무질서하게 운동하는 것이 아니라 특정한 에너지 준위를 갖는 원형 궤도, 즉 전자껍질을 따라 핵 주위를 돈다는 것이다. 또 하나의 가설은 전자가 동일한 전자껍질을 돌고 있을 때는 전자기파, 즉 에너지를 흡수하거나 방출하지 않지만 다른 전자껍질로 이동할 때는 두 전자껍질의 에너지 준위 차이만큼 에너지를 흡수하거나 방출한다는 것이다. 이런 가설로 만들어진 보어 원자 모형은 러더퍼드 원자 모형으로는 설명할 수 없는 원자의 안정성을 설명할 수 있다. 하지만 이 모형 역시 문제점이 발견되어 이를 해결할 수 있는 새로운 모형들이 제시되고 있다.

(두 가지 가설: 원자의 안정성을 설명하기 위한 가설)
(보어의 첫 번째 가설)
(보어의 두 번째 가설)
(문제점: 보어는 전자의 위치와 운동량을 동시에 알 수 있다는 가정을 했으나, 이 가정 자체가 전자의 양자역학적인 성질을 잘 반영하지 못한 점이 가장 대표적인 문제점임.)
(새로운 모형들: 현재는 핵 주위의 전자를 확률 분포에 따라 나타나게 하는 전자 구름 모형이 제시되어 있음.)

➜ 보어는 두 가지 가설을 토대로 러더퍼드 원자 모형의 한계를 극복할 수 있는 모형을 제시했지만, 이 역시 문제점이 발견되어 이를 해결할 수 있는 새로운 모형들이 제시됨.

본문 3: 보어는 러더퍼드 원자 모형의 한계를 극복하고, 전자는 특정한 에너지 준위를 갖는 원형 궤도를 돈다는 원자 모형을 제시함.

맺음말 **차** 이렇게 톰슨에서 시작된 원자 모형은 러더퍼드를 거쳐 보어를 비롯해 수많은 물리학자에 의해 변화를 겪어 왔다. 이는 과학이 어떻게 발전하는지를 보여 준다. 한 과학자가 가설을 내세우면, 다른 과학자는 실험과 관찰을 통해 이 가설의 한계를 밝히고 이를 바탕으로 새로운 가설을 내세운다. 그러면 다른 과학자가 또다시 이 가설의 비판을 통해 새로운 가설을 제시한다. 바로 이런 과정이 반복되면서 과학은 점점 발전한다.

(과학이 발전되는 일반적인 과정)

➜ 원자 모형의 변천 과정은 과학이 어떻게 발전하는지를 보여 주는 사례임.

맺음말: 과학의 발전 과정을 요약하여 제시함.

어휘 풀이

준위(準位): 어떤 물리적 양을 이미 주어진 양의 상대적인 양으로 표시한 값.

핵심 쏙쏙

1 이 글에서 각 원자 모형이 만들어지는 과정

톰슨 원자 모형		러더퍼드 원자 모형		보어 원자 모형
한계: 몇 개의 알파파가 매우 큰 각도로 휘어짐.	한계 → 극복	한계: 실제 원자는 매우 안정적임.	한계 → 극복	

2 러더퍼드 원자 모형의 특징과 한계

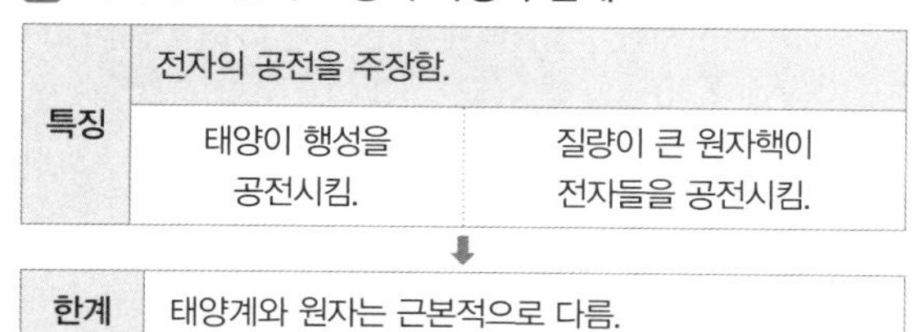

특징	전자의 공전을 주장함.	
	태양이 행성을 공전시킴.	질량이 큰 원자핵이 전자들을 공전시킴.

⬇

한계	태양계와 원자는 근본적으로 다름.

3 보어 원자 모형의 등장

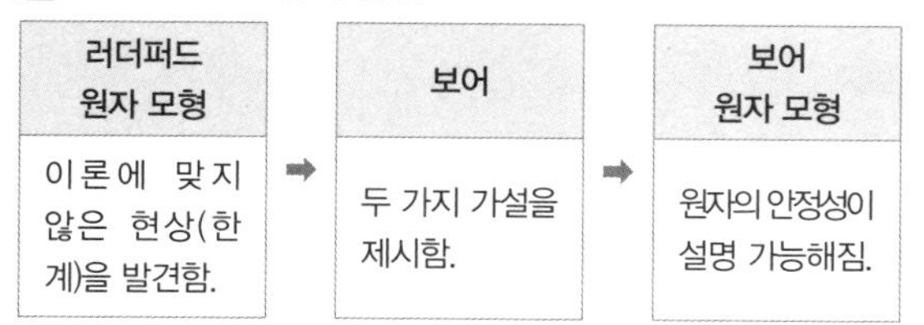

러더퍼드 원자 모형	➡	보어	➡	보어 원자 모형
이론에 맞지 않은 현상(한계)을 발견함.		두 가지 가설을 제시함.		원자의 안정성이 설명 가능해짐.

4 보어의 두 가지 가설

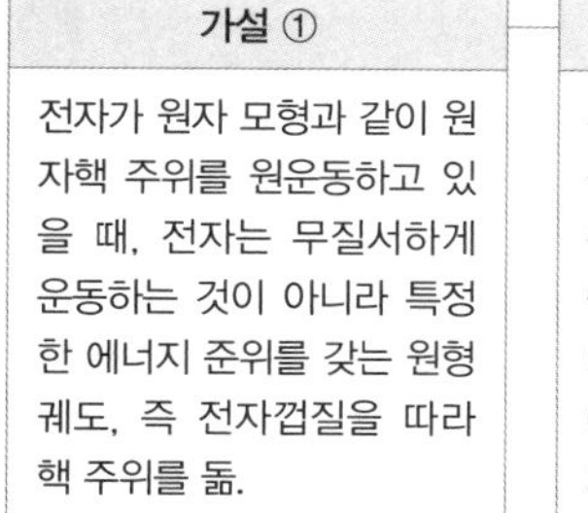

가설 ①	가설 ②
전자가 원자 모형과 같이 원자핵 주위를 원운동하고 있을 때, 전자는 무질서하게 운동하는 것이 아니라 특정한 에너지 준위를 갖는 원형 궤도, 즉 전자껍질을 따라 핵 주위를 돎.	전자가 동일한 전자껍질을 돌고 있을 때는 전자기파 즉, 에너지를 흡수하거나 방출하지 않지만, 다른 껍질로 이동할 때는 두 전자껍질의 에너지 준위 차이만큼 에너지를 흡수하거나 방출함.

5 과학의 발전 과정

'가설의 제시 → 이에 대한 비판을 통한 새로운 가설 제시 → 또 이에 대한 비판을 통한 새로운 가설 제시'

이러한 과정의 반복을 통해 과학은 발전함.

확인 문제②

정답 및 해설 39쪽

1. 이 글에 대한 이해로 적절하지 않은 것은?

① 러더퍼드는 원자핵이 전자들을 공전시켰다고 보았군.
② 행성의 운동은 인력과 원심력이 균형을 이룬 상태로군.
③ 러더퍼드는 전자 운동을 행성의 운동 원리에 입각하여 설명했군.
④ 보어 원자 모형은 기존 이론의 한계를 극복한 완성된 법칙이군.
⑤ 보어는 두 가지 가설로 러더퍼드 원자 모형의 한계를 극복했군.

학습 활동 응용

2. (차)의 내용을 참고할 때 과학의 변천 과정을 제시하는 글을 읽을 때 독자의 자세로 가장 적절한 것은?

① 과학자의 의견을 다른 문제 상황에 적용하는 능동적인 자세로 읽는다.
② 각 이론의 한계를 극복하는 과정의 타당성을 판단하며 읽는다.
③ 인간과 세계에 대한 필자의 해석을 주의 깊게 살펴보며 읽는다.
④ 문제 상황에 접근하는 필자의 가치관을 분석하며 읽는다.
⑤ 심미적 관점에서 각 이론의 장점을 분석하며 읽는다.

학습 활동 응용

3. ㉠의 이유로 가장 적절한 것은?

① 원자와 태양계는 근본적으로 다른 부분이 있기 때문에
② 전자가 무질서하게 운동하는 까닭을 밝히지 못했기 때문에
③ 전자들이 어떤 성질을 띠고 있을지를 설명하지 못했기 때문에
④ 양전하가 원자 중심부에 집중되는 원인을 밝히지 못했기 때문에
⑤ 실제 원자는 불안정적인 상태로 오랫동안 존재할 수 있기 때문에

서술형 학습 활동 응용

4. (차)를 참고하여, 과학자가 가설을 만드는 과정을 〈조건〉에 맞게 쓰시오.

〈조건〉
- 과학자가 사용하는 방법 두 가지를 쓸 것
- 40자 내외인 한 문장으로 쓸 것(띄어쓰기 포함)

학습 활동

교과서 156~159쪽

활동 도움말

과학 분야의 글은 용어와 개념을 정확히 이해하고, 근거와 주장의 관계를 잘 파악하면서 읽어야 한다.

깊게 읽기

1. 다음은 한 학생이 이 글을 읽으면서 톰슨의 원자 모형에 관해 정리한 내용이다. 러더퍼드와 보어의 원자 모형을 정리해 보자.

원자 모형	원자 모형을 착안하게 된 근거 및 주장
▲ 톰슨 원자 모형	〈근거〉 • 톰슨은 실험을 통해 원자 속에 음전하를 띠는 전자가 있음을 발견. 원자는 전기적으로 중성임. 〈톰슨의 주장〉 • 원자 내부에는 양전하가 전체적으로 골고루 퍼져 있고, 전자가 쿠키 속의 건포도처럼 박혀 있을 것임.
▲ 러더퍼드 원자 모형	〈근거〉 • 알파선은 전자의 질량보다 8,000배나 무거우므로 전자와 충돌하더라도 거의 휘어지지 않아야 함. • 대부분의 알파선과 달리 몇 개의 알파선이 큰 각도로 휘어짐. 〈러더퍼드의 주장〉 • 양전하가 원자 중심부에 뭉쳐 있는 원자핵이 존재하고, 전자가 이 주위를 도는, 즉 태양계와 비슷한 모습일 것임.
▲ 보어 원자 모형	〈근거〉 • 첫 번째 가설 – 전자는 특정한 에너지 준위를 갖는 원형 궤도를 따라 움직일 것임. • 두 번째 가설 – 전자가 동일한 원형 궤도(전자껍질)를 돌고 있을 때는 에너지를 흡수하거나 방출하지 않지만 다른 원형 궤도(전자껍질)로 이동할 때는 두 원형 궤도(전자껍질)의 에너지 준위 차이만큼 에너지를 흡수하거나 방출함. 〈보어의 주장〉 • 전자는 아무 궤도에나 있을 수 없고 특정한 에너지 준위를 갖는 원형 궤도(전자껍질)를 따라 핵 주위를 돌 것임.

2. 다음은 한 학생이 이 글을 읽으면서 어렵게 느꼈던 부분을 이해해 나간 과정을 정리한 것이다. 이를 바탕으로 아래 활동을 해 보자.

[어렵게 느꼈던 부분]

"전자는 전자기 법칙을 따르기 때문에 원자핵 주변을 돈다면 계속해서 전자기파를 복사하게 될 것이다."

머릿속에 떠올린 의문	'전자의 운동과 전자기파는 어떤 관계가 있을까?'	'복사'라는 말은 무슨 뜻일까?'
이해를 위해 찾은 자료	[인터넷 검색 자료] 전자기파의 발생 원인은 전자처럼 전하를 띤 입자의 가속 운동이다. 전자는 원자핵 주위를 돌며 계속해서 방향을 바꾸는 가속 운동을 하는데, 이로 인해 변화하는 전기장이 변화하는 자기장을 만들어 내며, 변화하는 자기장은 다시 전자기 유도 법칙에 따라 변화하는 전기장을 만든다. 이렇게 주기적으로 세기가 변화하는 전기장과 자기장의 한 쌍이 공간 속으로 전파되는 것을 전자기파라고 한다. 전자기파의 예로 빛, 엑스(X)선, 적외선, 자외선, 라디오파, 마이크로파 등을 들 수 있다.	[국어사전 자료] **복사(輻射)**: 輻 바퀴살 복 / 射 쏠 사 [물리] 물체로부터 열이나 전자기파가 사방으로 방출됨. 또는 그 열이나 전자기파.

자료를 참고하여 이해한 내용		

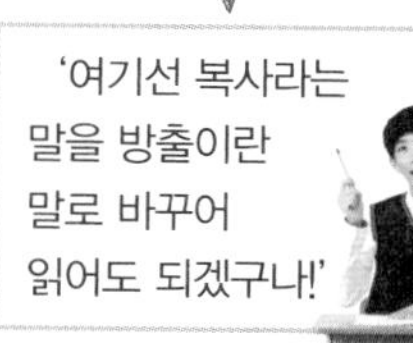

(1) '자료를 참고하여 이해한 내용'의 빈칸을 적절히 채워 보자.

| 예시 답 | 전자는 가속 운동을 하기 때문에 빛, 엑스선, 적외선, 자외선, 라디오파, 마이크로파 등과 같은 전자기파, 즉 에너지를 복사한다는 의미이구나. 만약에 원자에 있는 전자가 계속해서 가속 운동을 하여 전자기파, 즉 에너지를 모두 방출하면 전자가 원자핵으로 이끌려 들어가 원자가 쪼그라들겠구나.

(2) 과학적인 글을 읽으면서 적극적으로 의문을 제기하고, 이를 해결하기 위해 자료를 찾는 활동이 어떤 효용이 있는지 친구들과 의견을 나누어 보자.

| 예시 답 | 러더퍼드나 보어는 기존의 원자 모형에 대한 주장을 그대로 받아들이지 않고 이에 대해 적극적으로 실험해 보고 의문을 제기하는 가운데 자신만의 새로운 원자 모형을 만들어 낼 수 있었다. 다시 말해 기존의 지식이나 현상에 대해 적극적으로 의문을 제기하고, 이를 해결하려고 노력하는 가운데 새로운 과학적 지식이 만들어지는 것이다. 따라서 우리가 과학 분야의 글을 읽으면서 적극적으로 의문을 제기하고 이를 해결하려 노력하는 것은 새로운 과학적 지식을 만들어 내는 기초적인 활동이라고 할 수 있다.

3. 다음은 원자 모형의 변천 과정을 나타낸 것이다. 이를 참고하여 아래 활동을 해 보자.

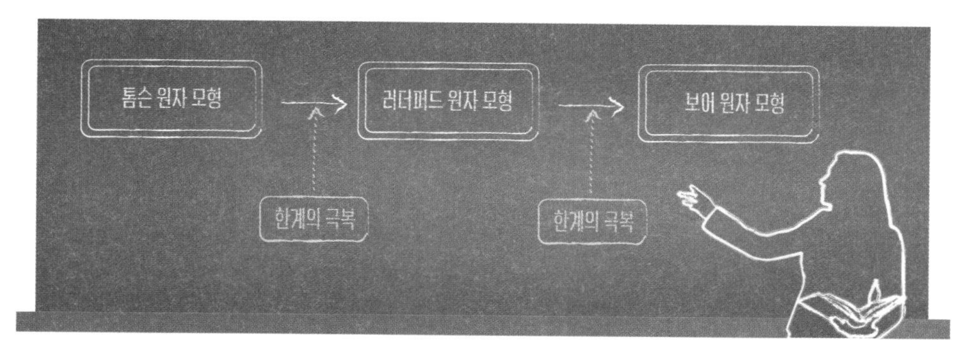

| 도움말 | 톰슨 원자 모형이나 러더퍼드 원자 모형이 완벽했다면 이후에는 새로운 모형이 등장하지 않았을 것이다. 계속해서 새로운 모형이 등장하는 것은 각 모형들에 한계가 있음을 의미한다.

(1) 톰슨 원자 모형과 러더퍼드 원자 모형에 각각 어떤 과학적 한계가 있는지 써 보자.

원자 모형	한계
톰슨 원자 모형	**| 예시 답 |** 톰슨의 원자 모형은 원자 내부에 구름처럼 퍼져 있는 양전하 속에 음전하를 띤 전자들이 박혀 있다는 가설이다. 만약 이것이 사실이라면 전자보다 8,000배 무거운 알파선을 원자에 충돌시켰을 때 알파선은 휘지 않고 그대로 통과해야 한다. 그런데 몇 개의 알파선은 매우 큰 각도로 휘어지는 현상이 확인되었고, 그의 원자 모형은 이를 설명하지 못함.
러더퍼드 원자 모형	**| 예시 답 |** 전자가 계속 전자기파를 방출하면 에너지를 잃게 되고 결국 에너지를 다 잃은 전자는 원자핵 쪽으로 이동하여 원자가 쪼그라들어야 함. 하지만 실제 원자는 매우 안정적으로 그 형태를 유지하고 있음.

활동 도움말

러더퍼드와 보어는 기존 모형의 문제점을 그대로 받아들이지 않고 이를 극복하려고 했다는 점에 착안한다.

(2) 원자 모형의 변천 과정을 볼 때, 과학자가 어떤 과정을 거쳐 가설을 만들어 가는지 말해 보자.

| 예시 답 | 러더퍼드는 톰슨 원자 모형에 관한 실험과 관찰을 통해 한계를 발견하고 이를 극복하는 과정에서 가설을 내세웠다. 보어도 러더퍼드의 가설에 관한 실험과 관찰을 통해 한계를 발견하고 이를 극복하는 과정에서 가설을 내세웠다. 종합하자면 과학자들이 처음부터 특정한 가설을 만들어 내는 경우도 있지만, 대부분의 과학자들은 기존의 가설에 관한 실험과 관찰을 통해 한계를 발견하고, 이를 극복하는 과정을 통해 끊임없이 새로운 가설을 만들어 내고 있다.

넓혀 읽기

4. 다음 글을 읽고 아래 활동을 해 보자.

제재 연구

권오병, 『토머스 쿤과 패러다임』

갈래	기사문
성격	사실적
제재	패러다임
주제	토머스 쿤의 패러다임의 의미와 패러다임의 전환
특징	패러다임의 의미를 제시하고, 패러다임의 전환을 설명함.

토머스 쿤의 『과학 혁명의 구조』는 1962년에 세상에 나오자마자, 패러다임(paradigm)이란 말을 유행시켰고 지금은 사회 전반에서 일상적인 용어로 익숙해져 있다. 패러다임이란 한 시대 특정 분야의 학자들이나 사회가 공유하는 이론이나 법칙, 지식 체계, 가치를 의미하는 말이다.(패러다임의 개념) 넓게는 시대의 주류적 가치관이나 사고방식을 의미하기도 한다. 예를 들면 고대부터 중세에 이르기까지 태양이 지구를 중심으로 돈다고 생각하는 천동설이 지배하던 시대에 지구가 태양 주위를 중심으로 돈다는 지동설이 등장한 것은 패러다임의 코페르니쿠스적 전환으로 볼 수 있다. **➔ 패러다임의 의미**

모든 과학 활동은 패러다임에 의해 규정된다. 사회 집단도 마찬가지로 시대적 패러다임에 의해 사고의 틀을 제한 받는다. 그래서 과학은 절대적 진리가 아니라 시대적 이념의 틀에 규정되고 제한을 받는다는 주장이다. 항시 당대를 지배하는 이념은 사실의 수집이나 관찰조차 제한하며 인식의 기준을 강제하기(패러다임의 기능) 때문에, 경우에 따라서는 과학자들이 침묵하거나 과학적 진실조차 왜곡하기도 한다.(패러다임의 역기능) **➔ 패러다임에 의해 규정되고 제한 받는 과학**

새로운 진실이 거짓을 이기고 새 패러다임으로 전환되는 것은 상당한 시간 동안 더 많은 관련 진실이 봇물처럼 쏟아지고 난 후에도, 시대적 편견의 혹독한 공격에 의한 희생을 당한 후에야 가능하다.(패러다임 전환의 어려움.) 즉 패러다임의 전환은 매우 더디고 어려운 복잡한 사회적 과정을 거쳐야 한다. '전 패러다임 → 패러다임 → 위기의 패러다임 → 신 패러다임'의 과정을 거치게 된다. 이를 과학 혁명이라 부른다. **➔ 과학 혁명의 의미**

– 권오병, 「토머스 쿤과 패러다임」에서, 『한국조경신문』, 2011. 11. 30.

토머스 쿤(1922~1996): 미국의 과학사학자 겸 철학자. '패러다임'이라는 새로운 개념을 창안해 냄.

(1) 돌턴의 원자론에서 톰슨의 원자론으로 변해 가는 과정을 패러다임의 전환으로 설명해 보자.

| 도움말 | '패러다임'과 패러다임의 전환 과정'을 정확하게 이해해 본다. 그런 후에 이를 바탕으로 돌턴의 원자론과 톰슨의 원자론의 차이점을 생각해 본다.

| 예시 답 | 돌턴은 19세기에 원자는 더 이상 쪼개지지 않는 입자라고 주장했는데, 이것이 그 당대의 원자에 대한 패러다임이라고 할 수 있다. 하지만 톰슨이 원자를 구성하는 입자인 전자를 발견하면서 원자에 대한 패러다임이 전환되었다고 할 수 있다.

(2) 과학에서의 '패러다임의 전환'이 우리 사회에서 적용될 수 있는 예를 찾아 써 보자.

| 도움말 | '패러다임이나 패러다임의 전환은 과학에서 등장한 용어이지만, 현재는 우리 사회의 여러 분야에서 광범위하게 사용하고 있다. 이런 점을 바탕으로 과거와 달라진 현재 우리 사회의 모습을 생각해 본다.

| 예시 답 | • 과거에는 직업 선택의 기준이 사회적 인정이나 수입이었다면, 현재는 자아 성취나 안정성으로 바뀌는 것을 패러다임 전환의 관점에서 설명할 수 있다.
• 성장 우선주의 발전에 대한 생태주의의 반론이 꾸준히 확대되고 있는 것을 패러다임 전환의 관점에서 설명할 수 있다.

소단원 출제 포인트

원자 모형의 변천 과정

1 전체 글의 개관

갈래	설명문	성격	설명적, 논리적, 통시적
제재	원자 모형	주제	원자 모형의 변천 과정을 통해 본 과학의 발전 과정
특징	① 원자 모형이 변화되어 온 과정을 시간의 흐름에 따라 드러내고 있음. ② 각 모형이 탄생하게 된 근거와 이에 대한 한계를 밝히고 있음.		

2 원자 모형의 개념 및 특징

- 원자의 성질과 구조를 설명하기 위해 제안된 모형임.
- 톰슨, 러더퍼드, 보어 등이 고안하여 순차적으로 제시함.
- 전자, 양전하, 원자핵 등을 차별적으로 활용하여 각자의 원자 모형을 설명함.

3 원자 모형의 변천 과정

톰슨 원자 모형
양전하가 구름처럼 퍼져 있고 여기에 전자가 군데군데 박혀 있을 것임.

➡

러더퍼드 원자 모형
양전하가 중심부에 뭉쳐 있는 원자핵을 전자가 돌고 있을 것임.

➡

보어 원자 모형
전자가 특정한 에너지 준위를 갖는 원형 궤도를 돌 것임.

이상 현상(한계) (톰슨 → 러더퍼드)
- **이론**: 알파선이 직진하여 통과함.
- **실제**: 전자보다 8,000배나 무거운 알파선이 큰 각도로 휨.

이상 현상(한계) (러더퍼드 → 보어)
- **이론**: 전자가 운동으로 에너지를 소비하면 전자 형태를 유지할 수 없음.
- **실제**: 전자는 안정적으로 형태를 유지함.

4 전자껍질의 개념

- 특정한 에너지 준위를 갖는 원형 궤도
- 보어는 전자가 전자껍질을 따라 에너지 손실 없이 핵 주위를 돈다고 보고, 러더퍼드의 원자 모형이 갖는 한계를 해결하려 함.

5 과학의 발전 과정

가설의 제시 ➡ 가설에 대한 비판을 통해 새로운 가설 제시 ➡ 새로운 가설에 대한 비판을 통해 또 다른 새로운 가설 제시 … (앞의 과정) 반복 …

제재 2

교과서 160~164쪽

네트워크는 힘이 세다 _ 정하웅

소단원 포인트

- 네트워크 이론과 그것의 활용 방안에 관해 파악하기
- 우리가 살고 있는 현실이 네트워크 이론으로 설명될 수 있는 이유를 파악하기
- 네트워크 이론을 활용할 수 있는 분야 파악하기

필자 소개

정하웅(1968~): 물리학자. 복잡계 네트워크에 관련된 연구를 하고 있다. 주요 저서로 『구글 신은 모든 것을 알고 있다』, 『전염의 상상력』 등의 공저가 있다.

머리말 세상은 복잡계 네트워크

가 실제 세상인 사회와 가상 공간인 인터넷을 비교한다면 뜬금없다는 생각이 들 만큼 둘의 성격은 서로 다르다. 그런데 신기하게도 이 둘을 한 가지 틀로 볼 수 있는데, 그 이유는 모두가 ㉠네트워크라는 공통점이 있기 때문이다. 네트워크란 점과 선으로 연결된 형태를 말한다. 사회 네트워크에서는 개인들 하나하나가 점이 되고 그 개인의 사회관계가 선이 되어, 가족, 친지, 친구, 직장 동료 등이 선으로 연결된 네트워크가 된다.(인간이 살고 있는 현실 세계를 네트워크 이론으로 설명할 수 있는 이유) 인터넷에서는 점이 컴퓨터이고 컴퓨터를 연결하는 랜 케이블이나 기기를 연결하는 전자기파가 선이 되어, 결국 점과 선으로 표현되는 네트워크가 된다. 네트워크 이론에서는 점을 '노드'라고 하고, 선을 '연결선'이라고 한다.('노드'와 '연결선'에 대한 정의)

➔ 실제 사회와 가상의 공간인 인터넷은 모두 네트워크라는 공통점이 있음.

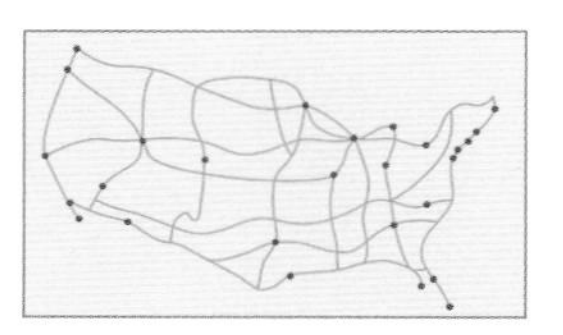

▲ 고속도로망 같은 네트워크

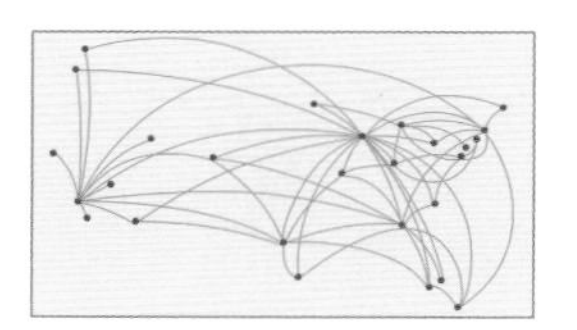

▲ 항공망 같은 네트워크

나 네트워크는 생긴 모양에 따라 고속도로망 같은 네트워크와 항공망 같은 네트워크로 나눌 수 있다.(생긴 모양에 따른 네트워크의 분류) 고속도로망 같은 네트워크는 각 노드에 연결되는 선의 수가 거의 균일한 형태를 띠는 것을 말한다.(고속도로망 같은 네트워크에 대한 정의) 그리고 항공망 같은 네트워크는 각 노드에 연결되는 선이 몇 개의 노드에 집중되는 허브를 가지고 있어 복잡한 형태를 띠고 있는 것을 말하는데,(항공망 같은 네트워크에 대한 정의) 이를 '척도(① 자로 재는 길이의 표준 ② 평가하거나 측정할 때 의거할 기준) 없는 복잡계 네트워크'라고 한다. 척도가 없다는 것은, 평균 연결선 개수를 쉽게 정할 수 있는 고속도로망과는 달리 항공망에서는 각 노드를 연결하는 선의 개수가 적은 노드부터 연결이 많은 허브까지, 분포가 넓어서 특정한 숫자(척도)를 정할 수 없다는 뜻이다.

➔ 네트워크는 생긴 모양에 따라 '고속도로망 같은 네트워크'와 '항공망 같은 네트워크'로 나뉨.

교과서 날개 질문
생긴 모양을 기준으로 분류한 두 가지의 네트워크는 어떤 것인지 말해 보자.

| 예시 답 | 하나는 각 노드에 연결되는 선의 수가 거의 균일한 형태를 띠는 '고속도로망 같은 네트워크'이고, 다른 하나는 각 노드에 연결되는 선이 몇 개의 노드에 집중되는 허브가 있어 복잡한 형태를 띠는 '항공망 같은 네트워크'이다.

다 그런데 우리가 살고 있는 세상을 네트워크로 표현해 보면 많은 경우 복잡한 형태인 항공망 같은 척도 없는 네트워크가 된다. 그래서 세상은 복잡계 네트워크라고 할 수 있다.(현실 세계에서 주로 나타나는 네트워크 형태) ㉡그렇다면 세상이 왜 항공망처럼 허브를 가진 복잡계 네트워크가 될까? 논문을 쓸 때 연구자들은 유명하지 않은 논문보다는 유명한 논문을 인용하고 싶어 한다. 한번 유명한 논문이 되면 그 논문은 계속해서 더 많이 인용되면서 자연스럽게 그 논문에 연결선이 많아지는 네트워크가 되는 것이다. 이것은 누리 문서(웹 페이지)라든가 친구 관계에도 마찬가지이다. 다시 말해 소위 빈익빈 부익부 법칙 때문에 허브를 가진 복잡계 네트워크가 형성된다고 할 수 있다.(현실 세계가 복잡계 네트워크가 되는 이유)

➔ 우리 사회는 허브를 가진 복잡계 네트워크로 볼 수 있음.

머리말: 세상은 복잡계 네트워크로 볼 수 있음.

어휘 풀이
랜(LAN): 근거리 통신망(local area network)의 약자.

본문 1 교통 체증과 네트워크

라 네트워크 이론을 활용하면 우리 사회의 문제를 쉽게 해결할 수 있는 경우가 많다. 그중

의 하나가 교통 체증이다. 교통 체증을 줄이려면 당연히 도로망을 잘 설계하고 흐름이 막히지 않게 잘 운영해야 하지만 그것이 쉽지 않다. 상식과 어긋나는 역설들이 생기기 때문이다.

브라에스 역설 – 새로운 도로를 추가하면 전체적인 교통 정체 수준이 오히려 올라갈 수 있다는 역설적인 상황

➜ 네트워크 이론 활용 방안의 예 – 교통 체증 같은 사회 문제 해결

마 그런데 교통 체증도 알고 보면 도로 교통 네트워크 위에서 움직이는 자동차들의 동역학 문제이다. 다음과 같은 문제를 생각해 보자. 어떤 복잡한 도로망이 있을 때, 어떤 길을 선택해야 자동차가 그 도로망에서 잘 간 것일까? 길이가 길면, 즉 가야 할 거리가 멀면 당연히 시간이 오래 걸리고, 도로가 넓을수록 빨리 갈 수 있을 것이다. 따라서 걸리는 총 시간은 거리에 비례하고 도로의 폭에는 반비례한다. 차가 많아지면 시간이 오래 걸리기 때문에 동일한 도로에 차들이 몇 대가 함께 지나가는가도 중요하다. 그래서 결국 도로 교통망에서 운행 시간을 결정하는 것에는 거리와 도로 폭, 차량 수가 중요한 변수가 된다.

교통 체증 문제에 네트워크 이론을 활용할 수 있는 이유

교통 체증을 네트워크로 나타낼 때 고려해야 할 변수들

➜ 도로 교통망에서 운행 시간을 결정하는 중요한 변수 – 거리, 도로 폭, 차량 수

노드(node): 데이터 통신망에서, 데이터를 전송하는 통로에 접속되는 하나 이상의 기능 단위. 주로 통신망의 분기점이나 단말기의 접속점을 이름.

허브(hub): 네트워크에서 연결선을 많이 가진 특별한 노드.

체증(滯症): 교통의 흐름이 순조롭지 아니하여 길이 막히는 상태.

동역학(動力學): 물체의 운동과 힘의 관계를 다루는 학문. 역학의 한 분야. 뉴턴의 운동 법칙에 따라 물체에 힘이 작용할 때 그 힘에 비례하고 질량에 반비례하는 가속도를 계산하여 물체의 운동을 해석함.

핵심 쏙쏙

1 네트워크의 관점에서 본 실제 사회와 가상 공간

	사회	인터넷	네트워크 이론
점	각 개인	컴퓨터	노드
선	개인의 사회관계	랜 케이블, 전자기파	연결선

2 네트워크의 종류

고속도로망 같은 네트워크	각 노드에 연결되는 선의 수가 거의 균일함.
항공망 같은 네트워크	허브를 가지고 있어 복합한 형태를 띠고 있음.(→ 척도 없는 복잡계 네트워크)

3 (다)에 나타난 추론: 세상은 복잡계 네트워크임.

대상의 특징	우리가 사는 세상은 복잡한 형태임.
⬇	
네트워크 형태에 따른 분류 적용	항공망 같은 네트워크에 해당함.
⬇	
네트워크 이론에 의한 판단	세상은 복잡계 네트워크임.

4 도로 교통망에서 운행 시간을 결정하는 중요한 변수

거리, 도로 폭, 차량 수

정답 및 해설 40쪽

확인 문제 ①

1. 이 글의 내용과 일치하지 않는 것은?

① 사회와 인터넷은 모두 네트워크라는 공통점이 있다.
② 실제 세상에서 가족, 친구 등은 사회관계로 연결되어 있다.
③ 네트워크 이론은 교통 체증 문제를 해결하는 데 활용할 수 있다.
④ 도로 교통망에서는 차량 수가 운행 시간에 가장 큰 영향을 미친다.
⑤ 고속도로망 같은 네트워크는 각 노드에 연결되는 선의 수가 거의 균일하다.

학습 활동 응용

2. ㉠에 대한 이해로 적절하지 않는 것은?

① '점'과 '선'으로 연결되는 형태를 말한다.
② 네트워크 이론에서 점은 '노드'라고 부른다.
③ 사회 네트워크와 인터넷 사이의 공통점은 '선'뿐이다.
④ 인터넷에서 랜 케이블 또는 전자기파가 '선'에 해당한다.
⑤ 사회 네트워크에서는 각 개인들이 하나의 '점'에 해당한다.

3. ㉡에 대한 답변에 해당하는 법칙을 찾아 쓰시오.

서술형

4. (마)를 참고하여, 교통 체증으로 인해 걸리는 총 시간의 변화 양상을 〈조건〉에 맞게 쓰시오.

〈조건〉
- 총 시간과 거리, 도로의 폭 간의 비례 관계를 고려할 것
- 40자 내외의 한 문장으로 쓸 것(띄어쓰기 포함)

어떤 조건 아래에서 주어진 함수를 가능한 최대 또는 최소로 하는 일

바 여기서 반드시 짚고 넘어가야 할 요소가 있는데 절대적 최적화와 상대적 최적화라는 개념이다. 예를 들어 갑과 을에게 '청바지를 하나 사 와라.'라는 과제를 준다고 하자. 갑은 가장 가까운 곳에서 6분 만에 청바지를 샀는데, 을은 자신의 마음에 맞는 청바지를 사느라고 여러 곳을 돌아다녀 3시간이 걸렸다고 하자. 시간만을 고려할 때 수학적으로는 갑이 가장 좋은 선택이지만, 만족도라는 측면을 고려하면 을이 가장 좋은 선택이 된다.

이 두 가지의 개념을 활용하여 효율성을 판단하기 때문에. 절대적 최적화의 값과 상대적 최적화의 값이 같을 때 가장 효율적임.

절대적 최적화 값이 작은 것으로 효율이 좋음. 만족도를 기준으로 한 상대적 최적화 값이 높음.

➜ 수학적인 측면에서 가장 좋은 선택을 절대적 최적화, 만족도 측면에서 가장 좋은 선택을 상대적 최적화라고 함.

사 『절대적 최적화는 갑의 선택처럼 수학적으로 가장 작은 값을 찾는 것이고, 상대적 최적화는 을의 선택처럼 이기적인 행동으로 개인의 만족도가 가장 높은 값을 추구하는 것』이다. 앞서 든 예에서는 6분이 절대적 최적화, 3시간이 상대적 최적화의 값이 된다. 네트워크 이론가들은 두 사람을 모두 만족시킬 수 있는 최적의 경우를 찾기 위해 상대적 최적화 값을 절대적 최적화 값으로 나눈 값인 ㉠피오에이(PoA, Price of Anarchy)를 활용한다. 피오에이의 에이(A)는 무질서를 의미한다. 이런 점에서 피오에이는 이기적인 무질서에 대한 대가라고 할 수 있다. 즉, 『피오에이가 크면 개인의 만족도는 높지만, 시간이 많이 낭비되어 수학적으로는 비효율적이라는 뜻이다. 또 피오에이가 작으면 효율은 높으나 개인의 만족도가 낮을 수 있다는 뜻이고, 극단적으로 피오에이가 1이면 이는 효율과 개인의 만족도가 모두 충족되었다는 의미이다.』 위 사례의 피오에이는 상대적 최적화 값인 3시간을 절대적 최적화 값인 6분으로 나누어 나온 값으로, 1보다 훨씬 큰 숫자가 나온다. 만족도를 높이는 대신 낭비되는 시간을 대가로 치른다는 뜻이다.

『 』: 절대적 최적화와 상대적 최적화의 개념

절대적 최적화와 상대적 최적화 값을 활용한 피오에이를 사용하는 이유

피오에이의 정의

피오에이의 값이 클수록 무질서가 커짐. 즉 여기서는 교통의 흐름이 효율적이지 못하다는 의미

『 』: 피오에이 값의 의미

가장 이상적인 경우

➜ 네트워크 이론에서는 상대적 최적화 값을 절대적 최적화 값으로 나눈 값인 피오에이(PoA)를 활용하여 최적의 경우를 찾음.

> 본문 1: 네트워크 이론을 활용하면 교통 체증의 문제를 쉽게 해결할 수 있는데, 피오에이(PoA)를 활용하여 최적의 경우를 찾음.

교과서 날개 질문
피오에이가 1보다 크면 왜 비효율적인지 말해 보자.

| 예시 답 | 수학적으로 가장 짧게 걸린 시간이 효율적이므로, 절대적 최적화의 값이 가장 효율적이다. 그런데 피오에이는 상대적 최적화 값을 절대적 최적화 값으로 나눈 값이므로, 피오에이가 1보다 크다는 것은 절대적 최적화의 값보다 더 큰 시간이 소요되었다는 의미이므로 비효율적이라고 할 수 있다.

| 도움말 | 절대적 최적화 값과 상대적 최적화 값 중에서 어느 것이 효율적인지를 떠올려 본다.

본문 2 교통 체증의 해결 방안에 관한 이론과 실제

아 아래 [그림 1]은 출근길을 표현한 것인데, 왼쪽이 집이고 오른쪽이 직장이다. 출근을 하는 데 두 가지 선택지가 있다. 『윗길은 고속도로로 넓은 대신에 길게 돌아가야 한다. 그리고 아랫길은 지름길로 짧지만 대신 좁다. 고속도로는 넓기 때문에 차가 1대가 가든 4대가 가든 언제나 10분이 걸린다. 그런데 지름길은 좁아, 이용 차량이 많을수록 길이 막혀 1대가 가면 1분이 걸리고, 2대가 가면 2분이 걸리고, 3대가 가면 3분이 걸리고, x대가 가면 x분이 걸린다.』

『 』: 거리, 도로 폭, 차량 수의 3가지 변수에 의해 운행 시간이 결정되는 상황을 설정함.

➜ 출근길에 두 가지 선택 상황을 가정한 [그림 1]

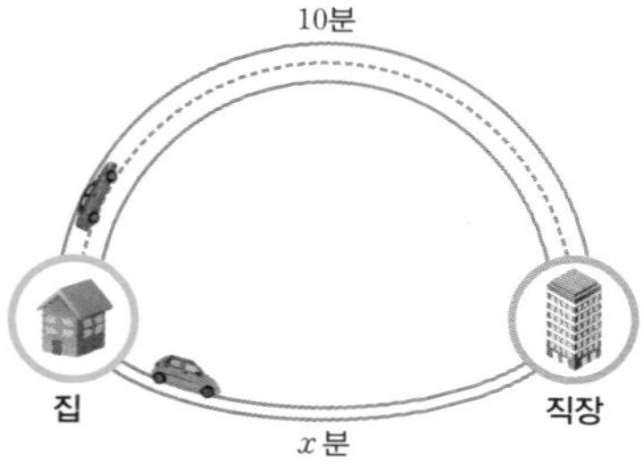

10분

집

직장

x분

▲ [그림 1]

자 만약 이 동네에 직장에 가는 사람이 10명이고, 이들이 각자 차를 타고 출근한다면 어떻게 가는 것이 가장 좋은 방법일까? 10대 모두 같이 출근한다면 최적화가 될 수 있도록 두 길로 적당히 나누어서 가야 한다. 가장 쉬운 방법은 하나씩 해 보는 것이다. 1 : 9, 2 : 8, 3 : 7 등으로 가능한 것을 모두 해 보면 각각 총 소요 시간이 나온다. 수식을 써서 푼다면 이차식으로 정리되어 시간이 가장 적게 걸리는 최솟값이 나오는데, 그때 x=5가 된다. 즉 5명은 위로, 5명은 아래로 가야 한다. 그러면 위로 가는 사람은 고속도로이므로 10분씩 걸리고, 아래로 가는 사람은 5명이므로 5분씩 걸린다. 그래서

효율이 가장 높은 절대적 최적화가 가장 좋은 방법임.

절대적 최적화

10분으로 가는 사람 5명하고, 5분으로 가는 사람 5명을 합치면 총 75분, 한 사람당 7.5분이 걸린다. 이것이 수학적으로 가장 좋은 절대적 최적화의 답이다.

절대적 최적화의 값

가장 효율적인 출근 방법

➜ [그림 1]에서의 절대적 최적화 – 고속도로로 5명, 지름길로 5명이 출근함.

차 그러나 ㉡실제 운전자들은 이 방법을 사용하지 않는다. 뭔가 불공평하기 때문인데, 고속도로로 가던 한 명이 지름길로 옮겨 가면 아래 지름길에는 차량 수가 5대에서 6대로 늘어나 6분이 걸리지만, 원래 고속도로에서는 10분이 걸렸던 사람이니 지름길을 선택하지 않을 이유가 없다. 도로 교통을 총괄하는 기관에서는 5 : 5로 질서 있게 나누어 가는 것이 모두에게 가장 좋은 답이라고 하겠지만, 이기적인 개인에게는 이것이 좋은 답이 아니어서 지름길로 옮겨 갈 수밖에 없는 것이다. 그런데 문제는 한 사람만 이런 선택을 하는 게 아니라는 점이다. 두 번째 사람이 옮겨 가면 지름길에는 총 7대가 되어 7분이 걸리지만 고속도로로 갈 때보다 3분이 이익이므로 두 번째 사람도 지름길로 가게 된다. 이렇게 되면 세 번째, 네 번째, 다섯 번째 사람까지 모두 지름길을 택해, 10명이 모두 10분씩 총 100분이 소요되는 상황에 처하게 된다.

상대적 최적화를 추구하기 때문에

상대적 최적화의 값

➜ [그림 1]에서의 상대적 최적화 – 개인적 이기심으로 10명 모두 지름길로 감.

교과서 날개 질문

[그림 1]의 상황에서 사람들이 절대적 최적화를 따르지 않고 상대적 최적화를 선택하는 이유를 말해 보자.

| 예시 답 | 고속도로로 5명이, 지름길로 5명이 가는 절대적 최적화를 선택하면 가장 효율적이다. 하지만 개인의 입장으로 볼 때, 고속도로로 가면 10분이 걸리지만 지름길로 가면 최대가 10분이 걸린다. 그러므로 개인은 전체적 이익보다는 자신의 이기심으로 지름길을 가는 상대적 최적화를 선택한다.

핵심 쏙쏙

1 절대적 최적화와 상대적 최적화의 개념

절대적 최적화	수학적으로 가장 작은 값
상대적 최적화	개인의 만족도가 가장 높은 값

2 피오에이(PoA)의 의미

피오에이(PoA): 상대적 최적화 값÷절대적 최적화 값

피오에이가 큼.	개인의 만족도 높음.	⇔ 시간이 많이 낭비됨.
피오에이가 작음.	효율이 높음.	⇔ 개인의 만족도가 낮을 수 있음.

3 [그림 1]의 절대적 최적화 계산법

윗길의 출근 시간	10분 × 5명 = 50분	총 75분
아랫길의 출근 시간	5분 × 5명 = 25분	

⬇

75분 / 총 10명 = 1인당 7.5분

4 (차)에서 알 수 있는 교통 체증의 원인

수학적으로 가장 좋고 바람직한 방법은 절대적 최적화를 따르는 것임. ⇔ 실제 운전자들은 개인의 이기심 때문에 모두 지름길을 선택하게 되므로 교통 체증이 발생함.

정답 및 해설 40쪽

확인 문제②

1. 이 글을 읽고 답변을 할 수 없는 질문은?

① 절대적 최적화의 개념은 무엇일까?
② 피오에이가 큰 것의 의미는 무엇일까?
③ 피오에이가 1이 될 수 없는 이유는 무엇일까?
④ [그림 1]에서 절대적 최적화의 답은 무엇일까?
⑤ [그림 1]에서 상대적 최적화는 절대적 최적화에 비해 얼마나 낭비될까?

학습 활동 응용

2. [그림 1]에서 윗길과 아랫길로 각각 몇 명씩 출근해야 총 소요 시간이 가장 적게 걸리는지 쓰시오.

학습 활동 응용

3. ㉠을 계산하는 방법으로 적절한 것은?

① 상대적 최적화 값 ÷ 절대적 최적화 값
② 상대적 최적화 값 × 절대적 최적화 값
③ 상대적 최적화 값 + 절대적 최적화 값
④ 절대적 최적화 값 – 상대적 최적화 값
⑤ 절대적 최적화 값 ÷ 상대적 최적화 값

서술형 학습 활동 응용

4. ㉡의 이유를 〈조건〉에 맞게 쓰시오.

〈조건〉
- 자신의 이익과 다른 사람의 이익을 비교할 것
- 40자 내외인 한 문장으로 쓸 것(띄어쓰기 포함)

타 여기서 7.5분씩 걸리는 첫 번째 답안이 절대적 최적화이고, 모두 지름길로 몰려서 10분씩 걸리는 답안이 상대적 최적화이다. 상대적 최적화는 사람들이 좋아서 선택하는 이기적인 답으로, 개인이 자신의 이익을 극대화하는 과정에서 발생한다. 결국 평균 7.5분이면 갈 수 있는 거리를 10분에 가게 되어 교통 체증이 일어날 수밖에 없다. 이것을 피오에이로 계산해 보면 1.33(100분÷75분)쯤 되어 33퍼센트의 비용이 낭비되는 것으로 볼 수 있다.

사람들이 가장 효율적인 절대적 최적화를 추구하지 않고 상대적 최적화를 선택하는 이유

➔ [그림 1]에서 상대적 최적화의 결과 – 피오에이가 1.33쯤이 되어 33퍼센트의 비용이 낭비됨.

본문 2: 사례를 통해 교통 흐름의 절대적 최적화와 상대적 최적화의 차이를 보여 줌.

본문 3 도로를 막아야 교통 흐름이 나아진다?

파 차가 막히면 보통 도로를 넓히고 다리를 놓는다. 그러나 이것은 비용도 문제지만 실제로도 쓸데없는 작업일 수 있다. 다음의 [그림 2]와 [그림 3]은 출근길을 표현한 것으로, 도로 조건은 [그림 1]과 동일하다. 다만 집에서 직장까지는 두 개의 고속도로와 두 개의 지름길이 놓여 있다.

브라에스 역설이 발생할 경우

➔ [그림 2]와 [그림 3]에 관한 설명

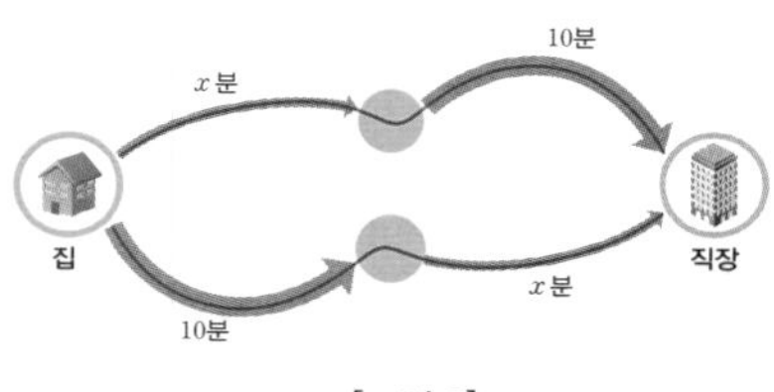

▲ [그림 2]

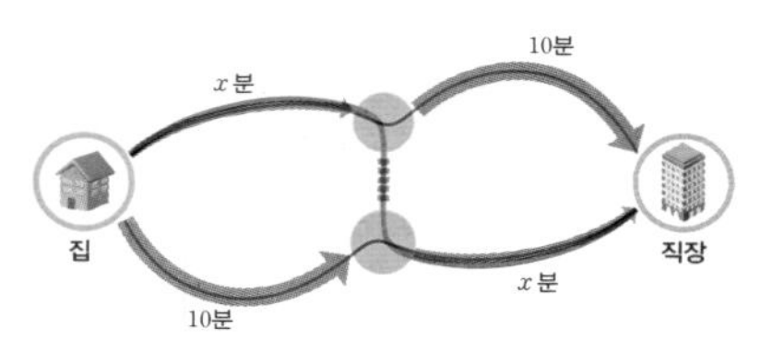

▲ [그림 3]

하 [그림 2]의 경우 10대의 차에게 가장 좋은 출근 방법은 위아래로 각기 5대씩 나누어 가는 것이다. 윗길은 5명이 가기 때문에 지름길에서는 x=5분이 걸리고, 고속도로로 가는 데 10분이 걸리므로 총 15분이 걸린다. 10명이 모두 15분으로 공평할 뿐 아니라, 이 시스템은 절대적 최적화 답도 150분이고 사람들이 좋아하는 상대적 최적화 답도 150분으로 매우 좋다. 피오에이가 1로 낭비가 전혀 없는 완벽한 도로이다.

[그림 2]의 도로망이 가장 이상적인 이유

➔ [그림 2]는 피오에이가 1로 가장 완벽한 도로임.

거 그런데 만약 시간을 단축시키겠다고 [그림 3]처럼 중간 지점을 연결하는 다리를 놓으면 어떻게 될까?

오히려 출근 시간이 늘어나는 브라에스 역설이 발생함.

사람들은 종전과는 다른 방식으로 가게 된다. [그림 3]을 보면 다리가 놓이는 바람에 처음의 사례처럼 모두 지름길 한 곳으로만 몰리게 되어 (x=10분)+(x=10분)해서 총 20분이 걸린다. 원래 150분이던 소요 시간 총합이 200분이 된다. 다시 말해 공평하고 효율적이던 도로가 다리 건설로 인해 오히려 낭비와 교통 체증이 더 생긴 것이다. 이것을 브라에스 역설이라고 한다.

피오에이가 증가함.

➔ [그림 3]처럼 시간 단축을 위한 다리를 놓자 오히려 피오에이가 나빠짐.

본문 3: 네트워크 이론을 활용하여 새 길을 내는 것이 오히려 교통 체증을 더 유발할 수 있음을 보여 줌.

맺음말 네트워크는 힘이 세다

너 교통 체증 사례를 통해 실제로 네트워크 안에서 무엇인가 움직이는 동역학 문제를 풀어보았다. 그냥 다리 놓고 도로를 뚫으면 문제가 풀릴 것이라는 1차원적 사고로는 문제가 해

네트워크 이론을 활용해야 하는 이유

교과서 날개 질문

[그림 2]의 상황에서 이 도로망을 완벽하다고 한 이유를 말해 보자.

| 예시 답 | 가장 완벽한 도로는 피오에이의 값이 1인 경우이다. 즉, 절대적 최적화 값과 상대적 최적화 값이 같을 때이다. 따라서 절대적 최적화 값과 상대적 최적화 값이 모두 150분으로 동일하기 때문에 [그림 2]를 완벽한 도로라고 한 것이다.

| 도움말 | 도로의 효율이 좋은 것은 피오에이 값이 1인 경우인데, 어떤 경우에 피오에이 값이 1이 나올 수 있는지를 떠올려 본다.

브라에스 역설: 새로운 도로를 추가하게 되면 전체적인 교통 정체 수준이 오히려 올라가는 상황을 의미한다. 이는 도로와 같은 네트워크상에서 움직이는 개체들이 그들의 경로를 이기적으로 선택하게 되면, 네트워크의 크기를 단순히 늘리는 것은 오히려 전체적인 효율의 감소를 야기할 수 있다는 것을 역설적으로 보여 준다.

결되기는커녕 오히려 악화될 수 있음을 보았다. 그런데 네트워크 이론을 잘 활용하면 이런 문제들을 현명하게 해결할 수 있다. 예를 들어 청계천의 고가 도로를 막았더니 예상과는 달리 시내 교통 흐름이 오히려 더 나아진 사례에서처럼 적절한 조치를 통해 교통 체증을 줄여 나갈 수 있다. 네트워크 이론으로 해결할 수 있는 것이 교통 문제만이 아니다. 『허브를 찾아 우선적으로 치료해서 전염병의 확산을 효과적으로 예방하거나, 월드와이드웹(WWW) 네트워크 구조를 파악하여 좋은 검색 결과를 쉽게 찾아내는 인터넷 검색 엔진을 개발하거나, 생명 공학적 연구에서 바이오 네트워크를 분석하여 신약 후보 물질을 찾거나, 입소문 마케팅을 활용하여 기업의 제품을 홍보할 때 등에서도 많은 도움을 받을 수 있다.』

네트워크 이론을 실제 현실에 사용하여 성공한 사례

『 』: 네트워크 이론을 실생활에 활용할 수 있는 다양한 사례

➜ 네트워크 이론을 활용하면 다양한 분야에서 많은 도움을 받을 수 있음.

맺음말: 네트워크 이론의 다양한 활용 분야와 가능성을 전망함.

어휘 풀이

브라에스 역설: 독일 수학자 디트리히 브라에스가 제시한 역설로, 새로운 도로를 추가하면 전체적인 교통 정체 수준이 오히려 올라갈 수 있다는 역설적인 상황을 이르는 말.

핵심 쏙쏙

1 (타)의 절대적 최적화와 상대적 최적화의 비교

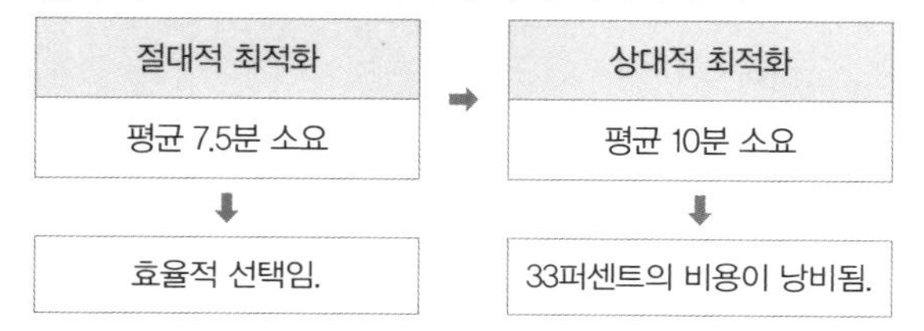

2 피오에이가 1인 [그림 2]에 대한 설명

상대적 최적화 값: 150분 / 절대적 최적화 값: 150분 ➡ 피오에이(PoA) = 1

→ 낭비가 전혀 없는 완벽한 도로임.

3 브라에스 역설

- [그림 2]와 [그림 3]을 비교하여 브라에스 역설 상황을 보여 줌.

[그림 2]: 총 소요 시간 = 150분 ➡ [그림 3]: 총 소요 시간 = 200분

- 브라에스 역설 상황이 나타나는 이유: 모든 사람이 지름길인 다리로만 몰리기 때문에 낭비되는 시간이 발생함.
  → 기존에 공평하고 효율적인 도로에 시간을 단축시키기 위해 새 도로를 건설하여 오히려 낭비와 교통 체증이 더 생김.
  → 브라에스 역설이 나타남.

4 네트워크 이론의 활용 분야

교통 체증 문제 해결, 전염병의 확산 예방, 효율적인 인터넷 검색 엔진 개발, 기업의 제품 홍보 등

확인 문제 ③

정답 및 해설 40쪽

1. 이 글을 통해 알 수 있는 내용이 아닌 것은?

① 교통 체증 문제를 해결하기 위해 네트워크 이론을 활용할 수 있다.
② [그림 3]처럼 다리를 놓으면 총 소요 시간이 기존보다 줄어든다.
③ 전염병 발생과 같은 문제는 허브를 찾아 조치하면 효과적으로 해결할 수 있다.
④ 10대의 차가 위아래로 나누어 가는 경우 [그림 2]는 피오에이가 1인 완벽한 도로이다.
⑤ 10대의 차가 위아래로 나누어 가는 경우 [그림 2]를 사용하면 각자 소요되는 시간은 동일하다.

2. 이 글의 설명 방식으로 적절한 것을 골라 바르게 묶은 것은?

ㄱ. 대상의 실제 적용 사례를 제시하고 있다.
ㄴ. 대상의 다양한 활용 분야를 열거하고 있다.
ㄷ. 대상과 관련된 용어의 개념을 정의하고 있다.
ㄹ. 대상을 활용했을 때 예상되는 문제점을 지적하고 있다.

① ㄱ, ㄴ ② ㄴ, ㄷ ③ ㄷ, ㄹ
④ ㄱ, ㄴ, ㄷ ⑤ ㄴ, ㄷ, ㄹ

학습 활동 응용

3. 필자의 궁극적인 주장과 가장 가까운 것은?

① 네트워크 이론과 실제 상황은 이론과 실제라는 차이가 있다.
② 네트워크 이론에서 고려하지 않은 변수는 인간의 이기심이다.
③ 네트워크 이론을 알면 사회 문제 해결을 위한 시야가 넓어진다.
④ 네트워크 이론을 실생활에 적용하면 문제 상황을 완벽하게 해결할 수 있다.
⑤ 네트워크 이론을 적용하면 1차원적인 사고로 인한 문제를 더 악화시킬 수 있다.

교과서 165~167쪽

깊게 읽기

1. 이 글을 읽고 내용을 이해하는 활동을 해 보자.

(1) 다음에 제시된 어휘를 활용하여 '네트워크'의 개념을 정의해 보자.

점, 선

| 예시 답 | 네트워크란 점과 선으로 연결된 형태를 의미한다. 네트워크 이론에서는 점을 '노드'라고 하고, 선을 '연결선'이라고 한다. 이를 확장해서 적용하면 인터넷에서는 점이 컴퓨터이고 컴퓨터를 연결하는 랜 케이블이나 기기를 연결하는 전자기파가 선이 되며, 사회 네트워크에서는 개인들 하나하나가 점이 되고 그 개인들이 맺고 있는 관계가 선이 된다.

| 도움말 | 네트워크 이론에서는 '점'과 '선'이 가장 핵심적인 요소이다. 이 요소가 어떻게 연결되느냐에 따라 네트워크의 형태가 달라진다는 점을 참고한다.

(2) 이 글에서 네트워크 이론가들이 활용하는 '피오에이(PoA)'를 주어진 활동을 하며 정리해 보자.

활동 도움말
피오에이란 상대적 최적화 값을 절대적 최적화 값으로 나눈 값으로, 무질서에 대한 대가를 의미한다.

상황: 10명이 집에서 직장으로 출근하는 도로에 지름길과 고속도로가 있다. 지름길은 짧은 대신에 좁기 때문에 1대가 가면 1분이 걸리고, 2대, 3대가 가면 갈수록 시간도 2분, 3분으로 늘어난다. 반면에 고속도로는 길지만 넓기 때문에 차량 통행 수와 상관없이 10분이 걸린다.

• 다음 그림에서 피오에이가 1인 경우를 찾아보자.

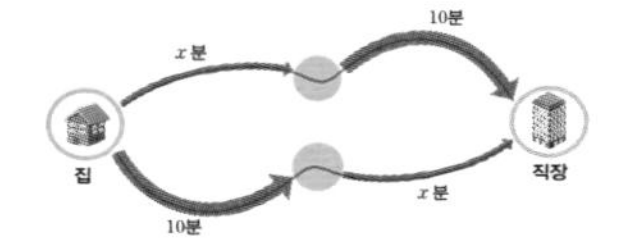

| 예시 답 | 피오에이가 1인 경우는 절대적 최적화의 값과 상대적 최적화의 값이 같을 때이다. 여기에서는 10대의 차가 위아래로 각각 5대씩 나누어 가는 것이 가장 좋다. 왜냐하면 이렇게 가면 10명이 모두 공평하게 15분씩 총 150분이 걸리는데, 절대적 최적화 값과 상대적 최적화 값이 모두 150분이기 때문이다.

• 다음 그림처럼 중간에 다리를 놓았을 때 어떤 일이 벌어질지 생각해 보고, 이때 피오에이가 어떻게 되는지 말해 보자.

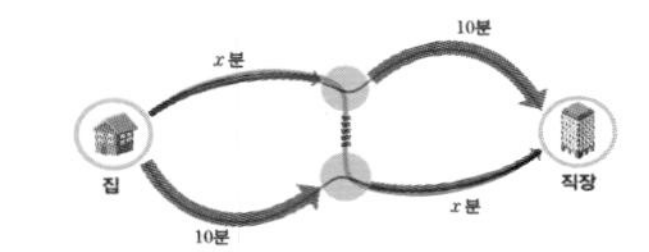

| 예시 답 | 중간에 다리를 놓으면 사람들이 모두 지름길로 몰리게 되어 10명이 모두 20분씩 총 200분이 걸린다. 이렇게 되면 피오에이는 대략 1.33(200분÷150분)쯤이 되어 33퍼센트의 비용이 낭비된다.

• 위 활동을 참고하여 피오에이를 활용하면 어떤 이점이 있을지 말해 보자.

피오에이를 활용할 때의 이점
| 예시 답 | 피오에이는 이기적인 무질서에 대한 대가이기 때문에, 피오에이가 크면 개인의 만족도는 높지만 시간이 많이 낭비되어 수학적으로는 비효율적이라는 뜻이다. 반면에 피오에이가 작으면 효율은 높으나 개인의 만족도가 낮을 수 있다는 뜻이고, 피오에이가 1이면 이는 효율과 개인의 만족도가 모두 충족되었다는 의미이다. 따라서 이런 점을 활용하면 피오에이를 통해 자원 낭비를 줄이거나 개인의 만족도를 높이는 방법을 찾는 데 도움이 될 수 있다.

활동 도움말
피오에이가 클수록 비효율적이고, 피오에이가 작아질수록 만족도가 낮아진다.

(3) 사람들이 절대적 최적화를 따르지 않고 상대적 최적화를 선택하는 이유는 무엇인지 말해 보자.

| 예시 답 | 사회 전체로 본다면 절대적 최적화를 따르는 것이 가장 효율적이다. 그러나 (2)에서 다리를 놓았을 때처럼, 개인은 사회 전체보다는 자신에게 이익이 되는 것을 선택한다. 다시 말해, 개인의 만족도 때문에 절대적 최적화보다는 상대적 최적화를 선택하게 되는 것이다.

| 도움말 | 절대적 최적화는 개인의 만족도를 전혀 고려하지 않은 수학적 최적화의 개념이다. 반면에 상대적 최적화는 수학적인 효율성을 따지지 않고 오로지 개인의 만족도에만 맞추어진 최적화 개념이라는 점을 참고한다.

2. 이 글의 내용을 떠올려 보면서 다음 활동을 해 보자.

(1) 필자는 허브를 가진 복잡계 네트워크가 형성된 이유를 무엇 때문이라 하였는지 말해 보자.

| 예시 답 | 논문을 쓸 때 연구자들은 유명하지 않은 논문보다는 유명한 논문을 인용하고 싶어 한다. 한번 유명한 논문이 되면 그 논문은 계속해서 더 많이 인용되면서 자연스럽게 그 논문에 연결선이 많아지는 네트워크가 되는 것이다. 이것은 누리 문서라든가 친구 관계에도 마찬가지이다. 다시 말해 소위 빈익빈 부익부 법칙 때문에 허브를 가진 복잡계 네트워크가 형성되는 것이다.

활동 도움말

복잡계 네트워크는 항공망 같은 네트워크로서 각 노드에 연결되는 선이 몇 개의 노드에 집중되는 허브를 가지고 있다는 점에 착안한다.

(2) 다음 밑줄 친 홍보 전략을 선택한 이유를 허브를 가진 복잡계 네트워크와 연관 지어 말해 보자.

> ○○ 회사는 새로운 제품을 홍보하기 위해 길거리에서 시제품을 나누어 주고 있다. 그런데 시제품을 2개 주면서 "하나는 당신이 쓰고 하나는 친구 아무나 주세요."라고 한다.

| 도움말 | 회사 입장에서는 허브에 해당하는 사람에게 시제품을 줄 때 홍보 효과가 극대화된다. 이런 점을 고려할 때, 시제품을 받은 사람과 시제품을 전달 받은 친구 중에서 허브에 해당할 확률이 높은 사람이 누구일지를 생각해 본다.

| 예시 답 | 허브에 해당하는 사람은 다른 노드와의 연결선이 많기 때문에 허브에 해당하는 사람에게 시제품을 주면 홍보 효과가 무척 클 것이다. 그러나 ○○ 회사로서는 허브에 해당하는 사람을 식별할 수 없다. 그래서 일부러 길거리에서 만난 사람에게 시제품을 2개 주면서 하나를 친구에게 주라고 하는 것이다. 만약 시제품을 받은 사람이 허브에 해당하면 ○○ 회사로서는 목적을 달성한 것이다. 시제품을 받은 사람이 허브에 해당하지 않았더라도 그 사람은 연결선이 가장 많은 허브에 해당하는 사람과 연결될 확률이 높다. 그러면 친구에게 주는 시제품이 허브에게 전달될 확률도 그만큼 높아지기 때문에 ○○ 회사가 시제품을 2개씩 주면서 하나를 친구에게 주라고 하는 것이다.

(3) 허브를 가진 복잡계 네트워크를 활용한 사례를 찾아보고, 허브를 가진 복잡계 네트워크를 활용함으로써 얻을 수 있는 이점을 말해 보자.

| 예시 답 | 복잡계 네트워크는 허브를 찾아 우선적으로 치료해서 전염병의 확산을 효과적으로 예방하거나, 월드와이드웹(WWW) 네트워크 구조를 파악하여 좋은 검색 결과를 쉽게 찾아내는 인터넷 검색 엔진을 개발하거나, 생명 공학적 연구에서 바이오 네트워크를 분석하여 신약 후보 물질을 찾는 데 활용할 수 있다. 복잡계 네트워크를 활용하면 기존의 해결 방식으로는 해결할 수 없는 문제를 상당히 쉽고 합리적으로 해결할 수 있다.

| 도움말 | 인간관계 '네트워크'를 작성하면서 자신이 허브에 해당하는지, 친구와의 교류가 활발한지의 여부를 파악해 볼 수 있다.

(4) 자신을 중심으로 인간관계 '네트워크'를 만들어 보자. 그리고 자신이 만든 '네트워크'와 친구가 만든 '네트워크'를 서로 비교하여 어떤 차이점이 있는지 의견을 나누어 보자.

| 예시 답 | 자신이 만든 네트워크와 친구가 만든 네트워크 모두가 복잡계 네트워크일 것이다. 이러한 네트워크 형태를 활용하면 자신이 친구 관계에서 허브에 해당하는지의 여부를 알 수 있으며, 자신에게 연결된 선과 친구에게 연결된 선을 비교하면 자신이 친구와 관계 맺기를 활발하게 하고 있는지의 여부를 확인할 수 있다.

보충 자료 **과학 분야 글을 읽는 방법**

- 용어나 개념을 정확히 정리하며 읽는다.
- 글의 중심 내용을 파악하는 데 초점을 두어 읽는다.
- 설명 방법이나 주장에 대한 근거의 과학적 타당성을 따져 보면서 글의 가치를 평가하고, 글의 내용을 수용할지의 여부를 판단하며 읽는다.

넓혀 읽기

3. 다음 글을 읽고 아래 활동을 해 보자.

> 미국에는 질병 예방 센터라는 기관이 있다. 이곳에서는 매주 미국 각 지역의 독감 환자 수, 독감 유사 증상 환자 수를 파악해서 보고서를 낸다.『지역별 독감 환자 수를 확인하다가 어느 지역에서 환자 수가 급증하면 그 주변을 차단해서 독감이 전국으로 확산되는 것을 막기 위해서이다.』 그런데 이 보고서 작성에는 상당한 시간이 걸린다.『먼저 일선에서 근무하는 지역 의사들에게 독감 환자가 오면 동사무소에 보고하도록 하고, 동사무소는 그 정보를 모아서 구청에 보고하고, 구청은 시청에, 시청은 주 정부에, 최종적으로 주 정부는 질병 예방 센터로 넘긴다. 그러면 질병 예방 센터에서 통계를 내서 지역마다 독감 환자 상황에 관한 보고서를 낸다. 이렇게 보고서를 작성하는 데 2주가 걸린다.』 하지만 2주면 독감이 미국 전역으로 퍼진 후이기 때문에 독감 예방 대책을 세우는 것이 무의미해진다.
>
> 『 』: 보고서 작성의 목적
> 『 』: 보고서 작성의 과정
> 질병 예방 센터가 작성하는 보고서의 문제점
> **➔ 미국 질병 예방 센터 보고서의 작성 과정과 문제점**
>
> 그런데 검색 사이트 ○○이 이를 해결할 수 있는 방안을 제시하였다. 사람들은 열이 나거나 몸에 이상이 나타나면 내가 무슨 병에 걸린 건 아닌지를 검색한다. 독감에 걸렸다면 '기침', '고열', '해열제' 등 독감과 관련된 증상이나 치료 방법을 검색하게 된다. 그런데 검색 사이트의 서버는 각 검색어가 어느 아이피(IP) 주소에서 왔는지 알기 때문에 그것을 분석해서 해당 지역을 찾아낼 수 있다. 실제로 이 검색 사이트가 예측한 독감 환자 수와 질병 예방 센터가 발표한 독감 환자 수는 거의 일치하였다. 이것은 네트워크 이론과 빅데이터를 결합하여 활용하였기 때문에 가능한 성과였다.
>
> 검색 사이트 ○○이 주장한 독감 예방 대책 방안
> 검색 사이트 ○○의 주장에 대한 근거
> **➔ 검색 사이트 ○○이 제시한 문제 해결 방안**
>
> – 정하웅, 「구글의 데이터 활용」에서

제재 연구

정하웅, 「구글의 데이터 활용」

갈래	설명문
성격	예증적
제재	독감 예방 대책
주제	네트워크 이론과 빅데이터를 이용하여 독감 예방 대책을 효과적으로 세울 수 있음.
특징	문제를 제기하고 그것의 해결 방안을 소개하고 있음.

빅데이터: 기존의 데이터베이스로는 수집 · 저장 · 분석 따위를 수행하기가 어려울 만큼 방대한 양의 데이터. 또는 심지어 데이터베이스 형태가 아닌 비정형의 데이터 집합조차 포함한 데이터로부터 가치를 추출하고 결과를 분석하는 기술.

(1) 이 글에서 네트워크 이론과 빅데이터가 어떻게 응용되었는지 말해 보고, 이를 활용할 수 있는 분야를 찾아 발표해 보자.

| 예시 답 | 이 글의 사례를 네트워크 이론의 관점에서 보면 개별 아이피(IP) 주소와 검색 사이트 ○○가 각각 노드가 된다. 그런데 모든 아이피 주소가 검색 사이트 ○○와 연결되므로 검색 사이트 ○○는 소위 허브가 된다. 그러면 모든 정보가 이 허브에 모이게 되어 어마어마한 양의 빅데이터가 되고, 이를 처리하여 독감 발생 지역을 빠른 시간 내에 파악하여 예방 대책을 세울 수 있다. 네트워크 이론과 빅데이터를 이용하면, 기존 고객의 구매 데이터를 분석해 의료, 도서, 화장품, 영화, 여행지 등을 추천하는 시스템에 활용할 수 있다.

모둠 토의 활동

(2) 다음의 사례를 통해 네트워크 이론과 빅데이터를 응용할 때의 한계점을 말해 보고, 이를 해소할 수 있는 방안에 관해 모둠별로 토의해 보자.

> 2013년에 검색 사이트 ○○이 예측한 독감 환자 수는 질병 예방 센터가 발표한 독감 환자 수의 거의 두 배 정도였다. 이런 현상이 나타난 까닭은 실제로는 질병에 걸리지 않았음에도 불구하고 언론의 관심이나 사람들의 호기심, 해당 질병에 대한 공포심 등으로 질병을 검색했기 때문이다.

| 예시 답 | 다음의 사례는 빅데이터 자료가 검증되지 않고 무분별하게 사용되었을 때 나타날 수 있는 문제점이다. 이런 문제를 해결하는 가장 대표적인 방법은 자료의 신뢰성을 높이는 것이다. 예를 들어 동일한 자료를 한 곳에서만 아니라 여러 곳에서 입수하여 그 자료의 정확성을 따지거나, 해당 자료의 배포처에 대한 신뢰성을 분석하여 그 자료의 신뢰성 여부를 따지는 경우 등이 있을 것이다.

소단원 출제 포인트

네트워크는 힘이 세다

1 전체 글의 개관

갈래	설명문	성격	설명적, 실증적
제재	네트워크 이론	주제	네트워크 이론의 활용 가치
특징	① 네트워크 이론이 실제 현실에 어떻게 응용될 수 있는지 사례를 들어 실증하고 있음. ② 네트워크 이론에 대한 명확한 정의를 바탕으로 설명을 전개하고 있음.		

2 네트워크의 종류

고속도로망 같은 네트워크	각 노드에 연결되는 선의 수가 거의 균일함.
항공망 같은 네트워크	허브를 가지고 있어 복합한 형태를 띠고 있음. → 척도 없는 복잡계 네트워크

3 절대적 최적화와 상대적 최적화, 피오에이(PoA)의 개념

절대적 최적화	수학적으로 가장 작은 값	상대적 최적화	개인의 만족도가 가장 높은 값
피오에이(PoA)	• 상대적 최적화 값을 절대적 최적화 값으로 나눈 값 • 피오에이가 크면 개인의 만족도는 높지만 시간이 많이 낭비되어 수학적으로는 비효율적임. • 피오에이가 작으면 효율은 높으나 개인의 만족도가 낮을 수 있음. • 극단적으로 피오에이가 1이면 효율과 개인의 만족도가 모두 충족되는 것임.		

4 [그림 1]의 상황에서 교통 체증이 발생하는 까닭

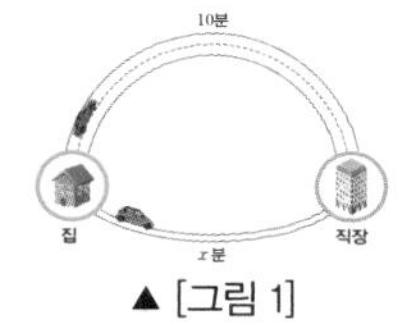

▲ [그림 1]

수학적으로 가장 좋고 바람직한 방법은 절대적 최적화를 따르는 것임. ➡ 실제로는 운전자들이 개인의 이기심 때문에 모두 지름길을 선택하게 됨. ➡ 교통 체증이 발생함.

5 복잡계 네트워크의 형성 원인

허브를 가진 복잡계 네트워크가 형성된 이유	빈익빈 부익부 법칙 때문에 허브를 가진 복잡계가 생겨남.

6 네트워크 이론의 활용 분야

네트워크 이론을 현실에 적용한 사례 ➡

• 효율적이고 적절한 조치로 교통 체증 문제 해결
• 허브를 찾아 우선적으로 치료함으로써 전염병의 확산 예방
• 검색 결과를 쉽게 찾을 수 있는 인터넷 검색 엔진 개발
• 입소문 마케팅을 활용한 기업의 제품 홍보

내신 적중 문제

정답 및 해설 41쪽

[01 - 03] 다음 글을 읽고 물음에 답하시오.

가 그렇다면 원자란 무엇일까? 사람들은 아주 오랜 전부터 원자에 관해 연구해 왔다. 그리스 철학자 데모크리토스는 물질은 아주 작고 단단하며 눈에 보이지 않는 알갱이들로 이루어져 있다고 보았고, 이 알갱이를 '원자'라고 불렀다. 시간이 지난 후 19세기에 돌턴은 물질은 더 이상 쪼갤 수 없는 입자들이 모여 이루어져 있다는 근대 원자설을 주장하면서, 데모크리토스가 말한 원자라는 용어를 그대로 사용했다. 그러다가 19세기 말과 20세기 초에 원자를 구성하는 기본 입자들의 실체가 밝혀지기 시작하면서 원자를 설명하기 위한 원자 모형들이 만들어졌다.

나 원자를 구성하는 입자들 중 가장 먼저 실체가 밝혀진 것은 질량이 가장 작은 전자였다. 전자가 가장 먼저 발견된 데는 핵을 구성하는 기본 입자인 양성자와 중성자가 핵력에 의해 강하게 속박되어 있어서 실험적으로 측정하기 곤란하다는 점도 한몫했다. 1897년 톰슨은 음전하를 가진 전자를 발견하였다. 그런데 원자가 전기적으로 중성이라는 점을 감안했을 때 그 속에는 양전하를 가진 물질도 포함되어 있어야만 했다. 그러나 당시에는 원자의 구성 요소이면서 양전하를 가진 존재는 아직 발견되지 않았다. 그래서 톰슨은 마치 쿠키 속에 박힌 건포도처럼, 원자 내부에 구름처럼 퍼져 있는 양전하 속에 음전하를 띤 전자들이 박혀 있다는 원자 모형을 주장하였다.

다 톰슨의 제자 러더퍼드는 방사능 물질에서 방출되는 방사선(알파선, 베타선, 감마선) 중 알파선을 이용해 톰슨의 원자 모형을 검증했다. 그는 금으로 된 얇은 막에 알파선을 충돌시켰다. 알파선은 전자보다 8,000배나 더 무거우므로 톰슨의 원자 모형에 의하면 알파선이 전자와 충돌하더라도 거의 휘어지지 않을 것이라고 러더퍼드는 예상하였다. 그러나 실험 결과는 예상과 많이 달랐다. 대부분의 알파선은 휘어지지 않고 직진했지만, 몇 개는 전자와 충돌했다는 것만으로는 도저히 설명할 수 없을 만큼 큰 각도로 휘어져 나왔다.

라 그는 알파선이 큰 각도로 휘어지려면 원자 속의 양전하가 아주 작은 부피 속에 모여 있지 않으면 불가능하다는 것을 깨달았다. 그래서 양전하가 원자 내부에 골고루 퍼져 있는 것이 아니라 원자핵이라고 하는 중심부에 뭉쳐 있다고 결론지었다. 이후 실험에서 실제로 원자핵이 존재하고, 이것이 원자 지름의 약 10만 분의 1밖에 차지하지 않는다는 사실이 밝혀졌다. 더 정확하게 표현하면 지름 10^{-15}미터인 핵이 지름 10^{-10}미터의 전자 구름 속에 박혀 있는 것인데, 이것은 마치 종합 운동장 가운데 모래 한 알이 있는 것과 같다고 할 수 있다.

마 1911년 러더퍼드는 새로운 원자 모형을 가정하기 시작했다. 양전하가 원자 중심부의 좁은 영역에 집중되어 있다면 음전하, 즉 전자들은 어떤 형태를 띠고 있을 것인가라는 질문이 자연스럽게 대두되었다. 만약 전자들이 톰슨 원자 모형처럼 이곳저곳에 분포되어 있다면 양전하를 띤 원자핵이 잡아당기는 전기력 때문에 원자핵 쪽으로 이동할 것이고, 그러면 원자들은 즉시 쪼그라들 수밖에 없을 것이다. 그래서 결국 러더퍼드는 태양이 행성을 공전시키듯이, 질량이 큰 원자핵이 전자들을 공전시킨다는 이론을 제시하였다.

01 이 글의 내용과 일치하지 않는 것은?

① 돌턴은 데모크리토스의 원자 개념을 계승하여 근대 원자설을 주장하였다.
② 핵의 기본 입자 중 양성자와 중성자는 핵력에 의해 강하게 속박되어 있다.
③ 러더퍼드는 알파선이 전자와 충돌해도 거의 휘어지지 않을 것이라고 예상했다.
④ 러더퍼드는 실험을 통해 양전하가 원자 내부에 균등하게 퍼져 있다고 결론지었다.
⑤ 톰슨은 구름처럼 퍼져 있는 양전하 속에 음전하를 띤 전자가 박혀 있다고 주장하였다.

서술형

02 (라)와 (마)를 바탕으로 러더퍼드가 새롭게 제안한 원자 모형을 〈조건〉에 맞게 쓰시오.

〈조건〉
- 원자핵과 원자 지름의 크기 차이를 비유한 표현을 찾아 쓸 것
- 60자 내외의 한 문장으로 쓸 것(띄어쓰기 포함)

03 이 글의 설명 방식으로 적절한 것을 〈보기〉에서 골라 바르게 묶은 것은?

〈보기〉
ㄱ. 핵심 용어에 대한 개념을 정의하고 있다.
ㄴ. 친숙한 사례에 빗대어 대상을 설명하고 있다.
ㄷ. 대립되는 주장이 지닌 장점과 단점을 나열하고 있다.
ㄹ. 대상의 여러 가지 특징을 분석하여 설명하고 있다.
ㅁ. 모순되는 현상을 나열함으로써 문제를 제기하고 있다.

① ㄱ, ㄴ ② ㄴ, ㄷ ③ ㄷ, ㄹ
④ ㄱ, ㄴ, ㅁ ⑤ ㄹ, ㅁ

[04-06] 다음 글을 읽고 물음에 답하시오.

㉮ 원자를 태양계의 축소판처럼 다루려는 ㉠ 러더퍼드의 생각은 아주 매력적이었다. 왜냐하면 이를 통해 태양계라는 큰 것으로부터 원자라는 작은 것에 이르기까지 일관되게 대칭적 형태로 설명할 수 있기 때문이었다. 하지만 태양계와 원자는 근본적으로는 다른 점이 있어 이런 그의 생각은 문제가 있었다.

㉯ 뉴턴의 만유인력의 법칙에 의하면, 태양이 행성을 끌어당기는 인력과 행성이 밖으로 빠져나가려는 원심력의 균형에 의해 행성들이 계속적으로 태양의 주위를 돌 수 있다. 하지만 음전하를 띤 전자들의 행동은 전하를 띠지 않은 물체와는 매우 다르다. 전자는 전자기 법칙을 따르기 때문에 원자핵 주변을 돈다면 계속해서 전자기파를 복사하게 될 것이다. 그런데 전자가 계속 전자기파를 방출하면 에너지를 잃게 되고 결국 에너지를 다 잃은 전자는 원자핵 쪽으로 이동하여 원자가 쪼그라들 수밖에 없다. 이처럼 러더퍼드 원자 모형에 의하면 원자는 안정된 상태로 오랫동안 존재할 수 없다. 하지만 실제 원자는 매우 안정적이다.

㉰ 1913년 ㉡ 보어는 매우 기발한 방법으로 러더퍼드 원자 모형의 한계를 극복하였다. 그는 러더퍼드의 원자 모형이 지닌 한계를 극복하기 위해 두 가지 가설을 제시하였다. 먼저 전자가 러더퍼드의 원자 모형과 같이 원자핵 주위를 원운동하고 있는데, 이때 전자는 무질서하게 운동하는 것이 아니라 특정한 에너지 준위를 갖는 원형 궤도, 즉 전자껍질을 따라 핵 주위를 돈다는 것이다. 또 하나의 가설은 전자가 동일한 전자껍질을 돌고 있을 때는 전자기파, 즉 에너지를 흡수하거나 방출하지 않지만 다른 전자껍질로 이동할 때는 두 전자껍질의 에너지 준위 차이만큼 에너지를 흡수하거나 방출한다는 것이다. 이런 가설로 만들어진 보어 원자 모형은 러더퍼드 원자 모형으로는 설명할 수 없는 원자의 안정성을 설명할 수 있다. 하지만 이 모형 역시 문제점이 발견되어 이를 해결할 수 있는 새로운 모형들이 제시되고 있다.

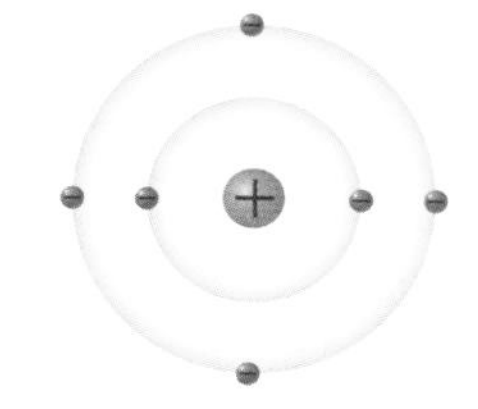
▲ 보어 원자 모형

㉱ 이렇게 톰슨에서 시작된 원자 모형은 러더퍼드를 거쳐 보어를 비롯해 수많은 물리학자에 의해 변화를 겪어 왔다. 이는 과학이 어떻게 발전하는지를 보여 준다. 한 과학자가 가설을 내세우면, 다른 과학자는 실험과 관찰을 통해 이 가설의 한계를 밝히고 이를 바탕으로 새로운 가설을 내세운다. 그러면 다른 과학자가 또다시 이 가설의 비판을 통해 새로운 가설을 제시한다. 바로 이런 과정이 반복되면서 과학은 점점 발전한다.

학습 활동 응용

04 이와 같은 분야의 글을 읽는 방법으로 적절하지 않은 것은?

① 제시된 원자 모형 그림을 활용하며 읽는다.
② '전자껍질'의 개념을 정확하게 이해하며 읽는다.
③ 러더퍼드 원자 모형에 대한 당대인들의 반응을 추측하며 읽는다.
④ 원자를 태양계의 축소판처럼 다루려는 생각이 타당한지 살펴보며 읽는다.
⑤ 원자 모형의 변천 과정이 과학의 발전 과정에 대한 예시로 적절한지 살펴보며 읽는다.

학습 활동 응용

05 ㉠, ㉡에 대한 이해로 가장 적절한 것은?

① ㉠과 ㉡의 원자 모형은 모두 특별한 문제점이 발견되지 않았다.
② ㉠은 ㉡의 원자 모형이 설명할 수 없는 원자의 안정성을 설명할 수 있다.
③ ㉠과 ㉡은 모두 전자껍질이라는 개념을 도입하여 원자 모형을 주장하였다.
④ ㉡은 ㉠과 달리 뉴턴의 만유인력의 법칙을 활용하여 원자 모형을 제시하였다.
⑤ ㉡은 ㉠의 원자 모형이 지닌 한계를 극복하고자 새로운 원자 모형을 제안하였다.

고난도

06 〈보기〉를 참고하여 이 글을 이해한 내용으로 적절하지 않은 것은?

〈보기〉

새로운 진실이 거짓을 이기고 새 패러다임으로 전환되는 것은 상당한 시간 동안 더 많은 관련 진실이 봇물처럼 쏟아지고 난 후에도, 시대적 편견의 혹독한 공격에 의한 희생을 당한 후에야 가능하다. 즉 패러다임의 전환은 매우 더디고 어려운 복잡한 사회적 과정을 거쳐야 한다. '전 패러다임 → 패러다임 → 위기의 패러다임 → 신 패러다임'의 과정을 거치게 된다. 이를 과학 혁명이라 부른다.

① 톰슨의 원자 모형은 '전 패러다임'에 해당할 것이다.
② 러더퍼드가 구축한 원자 모형의 패러다임은 새 패러다임에 의해 전환되고 있다.
③ 보어의 원자 모형 패러다임이 받아들여지기까지 오랜 시간이 걸렸을 것이다.
④ 보어는 러더퍼드 원자 모형의 한계로 인해 한때 시대적 편견의 혹독한 공격을 받고 희생되었을 것이다.
⑤ 톰슨-러더퍼드-보어에 이르는 원자 모형 이론의 발전은 '과학 혁명'으로 볼 수 있다.

[07-12] 다음 글을 읽고 물음에 답하시오.

가 네트워크는 생긴 모양에 따라 고속도로망 같은 네트워크와 항공망 같은 네트워크로 나눌 수 있다. ㉮고속도로망 같은 네트워크는 각 노드에 연결되는 선의 수가 거의 균일한 형태를 ⓐ띠는 것을 말한다. 그리고 ㉯항공망 같은 네트워크는 각 노드에 연결되는 선이 몇 개의 노드에 집중되는 허브를 가지고 있어 복잡한 형태를 띠고 있는 것을 말하는데, 이를 '척도 없는 복잡계 네트워크'라고 한다. 척도가 없다는 것은, 평균 연결선 개수를 쉽게 정할 수 있는 고속도로망과는 달리 항공망에서는 각 노드를 연결하는 선의 개수가 적은 노드부터 연결이 많은 허브까지, 분포가 넓어서 특정한 숫자(척도)를 정할 수 없다는 뜻이다.

그런데 우리가 살고 있는 세상을 네트워크로 표현해 보면 많은 경우 복잡한 형태인 항공망 같은 척도 없는 네트워크가 된다. 그래서 세상은 복잡계 네트워크라고 할 수 있다.

나 절대적 최적화는 갑의 선택처럼 수학적으로 가장 작은 값을 찾는 것이고, 상대적 최적화는 을의 선택처럼 이기적인 행동으로 개인의 만족도가 가장 높은 값을 추구하는 것이다. 앞서 든 예에서는 6분이 절대적 최적화, 3시간이 상대적 최적화의 값이 된다. 네트워크 이론가들은 두 사람을 모두 만족시킬 수 있는 최적의 경우를 찾기 위해 상대적 최적화 값을 절대적 최적화 값으로 나눈 값인 피오에이(PoA, Price of Anarchy)를 활용한다. 피오에이의 에이(A)는 무질서를 의미한다. 이런 점에서 피오에이는 이기적인 무질서에 대한 대가라고 할 수 있다. 즉, 피오에이가 크면 개인의 만족도는 높지만, 시간이 많이 낭비되어 수학적으로는 비효율적이라는 뜻이다. 또 피오에이가 작으면 효율은 높으나 개인의 만족도가 낮을 수 있다는 뜻이고, 극단적으로 피오에이가 1이면 이는 효율과 개인의 만족도가 모두 충족되었다는 의미이다. 위 사례의 피오에이는 상대적 최적화 값인 3시간을 절대적 최적화 값인 6분으로 나누어 나온 값으로, 1보다 훨씬 큰 숫자가 나온다. 만족도를 높이는 대신 낭비되는 시간을 대가로 치른다는 뜻이다.

다 만약 이 동네에 직장에 가는 사람이 10명이고, 이들이 각자 차를 타고 출근한다면 어떻게 가는 것이 가장 좋은 방법일까? 10대 모두 같이 출근한다면 최적화가 될 수 있도록 두 길로 적당히 나누어서 가야 한다. 가장 쉬운 방법은 하나씩 해 보는 것이다. 1 : 9, 2 : 8, 3 : 7 등으로 가능한 것을 모두 해 보면 각각 총 소요 시간이 나온다. 수식을 써서 푼다면 이차식으로 정리되어 시간이 가장 적게 걸리는 최솟값이 나오는데, 그때 x=5가 된다. 즉 5명은 위로, 5명은 아래로 가야 한다. 그러면 위로 가는 사람은 고속도로이므로 10분씩 걸리고, 아래로 가는 사람은 5명이므로 5분씩 걸린다. 그래서 10분으로 가는 사람 5명하고, 5분으로 가는 사람 5명을 합치면 총 75분, 한 사람당 7.5분이 걸린다. 이것이 수학적으로 가장 좋은 절대적 최적화의 답이다.

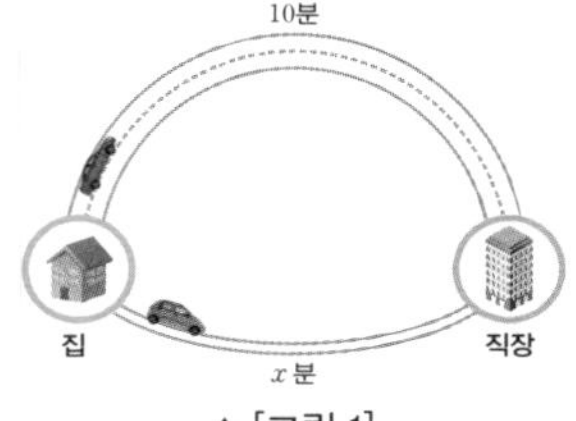

▲ [그림 1]

라 그러나 실제 운전자들은 이 방법을 사용하지 않는다. 뭔가 불공평하기 때문인데, 고속도로로 가던 한 명이 지름길로 옮겨 가면 아래 지름길에는 차량 수가 5대에서 6대로 늘어나 6분이 걸리지만, 원래 고속도로에서는 10분이 걸렸던 사람이니 지름길을 선택하지 않을 이유가 없다. 도로 교통을 총괄하는 기관에서는 5 : 5로 질서 있게 나누어 가는 것이 모두에게 가장 좋은 답이라고 하겠지만, 이기적인 개인에게는 이것이 좋은 답이 아니어서 지름길로 옮겨 갈 수밖에 없는 것이다. 그런데 문제는 한 사람만 이런 선택을 하는 게 아니라는 점이다.

마 여기서 7.5분씩 걸리는 첫 번째 답안이 절대적 최적화이고, 모두 지름길로 몰려서 10분씩 걸리는 답안이 상대적 최적화이다. 상대적 최적화는 사람들이 좋아서 선택하는 이기적인 답으로, 개인이 자신의 이익을 극대화하는 과정에서 발생한다. 결국 평균 7.5분이면 갈 수 있는 거리를 10분에 가게 되어 교통 체증이 일어날 수밖에 없다. 이것을 피오에이로 계산해 보면 1.33(100분÷75분)쯤 되어 33퍼센트의 비용이 낭비되는 것으로 볼 수 있다.

바 교통 체증 사례를 통해 실제로 네트워크 안에서 무엇인가 움직이는 동역학 문제를 풀어 보았다. 그냥 다리 놓고 도로를 뚫으면 문제가 풀릴 것이라는 1차원적 사고로는 문제가 해결되기는커녕 오히려 악화될 수 있음을 보았다. 그런데 네트워크 이론을 잘 활용하면 이런 문제들을 현명하게 해결할 수 있다. 예를 들어 청계천의 고가 도로를 막았더니 예상과는 달리 시내 교통 흐름이 오히려 더 나아진 사례에서처럼 적절한 조치를 통해 교통 체증을 줄여 나갈 수 있다.

07 이 글에 대한 설명으로 가장 적절한 것은?

① 네트워크 이론의 적용 상황을 구체적으로 제시하고 있다.
② 네트워크 이론의 형성 과정을 시간의 순서에 따라 분석하고 있다.
③ 네트워크 이론과 대비되는 이론을 제시하여 공통점과 차이점을 비교하고 있다.
④ 네트워크 이론을 실생활에서 활용했을 때의 예상되는 문제점을 언급하고 있다.
⑤ 네트워크 이론의 한계를 지적하고 이를 해결할 수 있는 새로운 이론을 소개하고 있다.

학습 활동 응용

08 이 글을 읽고 보일 수 있는 반응으로 적절하지 않은 것은?

① 네트워크를 구분하려면 각 노드에 연결된 선의 수가 균일한지를 따져 봐야겠군.
② 피오에이는 상대적 최적화 값으로 절대적 최적화 값을 나눈 값에 해당하겠군.
③ 도로 상황에서 실제 운전자들은 절대적 최적화의 답이 불공평하다고 생각하겠군.
④ 네트워크 이론에 따라 허브를 치료하면 전염병의 확산을 효과적으로 예방할 수 있겠군.
⑤ 상대적 최적화는 개인의 만족도가 가장 높은 값을 추구하는 것으로 이기적인 행동에 해당하겠군.

고난도 학습 활동 응용

09 ㉮와 ㉯에 대한 설명으로 적절하지 않은 것은?

① ㉮와 ㉯를 나누는 기준은 생긴 모양이다.
② ㉮와 ㉯는 노드와 선으로 구성된다는 공통점이 있다.
③ ㉮와 ㉯는 각 노드에 연결되는 선의 분포 면에서 차이가 있다.
④ ㉮에 비해 ㉯는 각 노드에 연결되는 선의 분포가 불규칙적이다.
⑤ ㉮에 비해 ㉯는 노드가 많아 중심을 찾기 어려워 '척도가 없다'고 한다.

학습 활동 응용

10 이 글로 미루어 볼 때, 〈보기〉의 ㉠~㉢에 들어갈 말로 가장 적절한 것은?

〈보기〉
피오에이(PoA)가 작으면 효율은 [㉠], 개인의 만족도가 [㉡] 있다. 그리고 피오에이가 1이면 효율과 개인의 만족도가 모두 [㉢] 되었다는 의미이다.

	㉠	㉡	㉢
①	높고	높을 수	충족
②	낮고	낮을 수	충족
③	높으나	낮을 수	충족
④	낮으나	높을 수	불충족
⑤	높으나	낮을 수	불충족

11 ⓐ의 문맥적 의미와 가장 유사한 것은?

① 이 일은 보수적 성격을 띠고 있다.
② 그는 중대한 임무를 띠고 출국했다.
③ 우리의 대화는 열기를 띠기 시작했다.
④ 할머니는 얼굴에 홍조를 띤 채 서 있었다.
⑤ 치마가 흘러내리지 않게 허리에 띠를 띠었다.

서술형

12 이 글을 바탕으로 우리 사회를 네트워크와 연관 지어 〈조건〉에 맞게 쓰시오.

〈조건〉
- 우리가 사는 세상이 어떤 네트워크에 해당하는지 (가)를 기준으로 구분할 것
- 30자 내외의 한 문장으로 쓸 것(띄어쓰기 포함)

창의·융합 | 교실 밖 독서 활동

나만의 추천 도서 목록을 만들어 보자

활동 목표
추천 도서 선정을 통해 독서 경험을 성찰하고 독서 계획을 수립하기

요즘은 다양한 기관이나 단체, 지역 도서관 등이 추천 도서 목록을 발표하는 것은 물론이고, 책을 즐겨 읽는 사람들도 누리 소통망을 통해 책을 추천하는 것을 쉽게 찾아볼 수 있다. 청소년의 수준에 맞으면서도 가치 있는 내용을 담고 있는 여러 분야의 책들에 관한 소개를 살펴보자.

인문 · 예술

『삼국유사』(일연)

이 책은 고조선에서부터 고려에 이르기까지 우리 민족의 흥망성쇠의 역사를 폭넓게 다루었으며, 당시의 다른 역사서에서는 보기 어려운 설화, 불교와 민속 신앙 자료를 한데 아울렀다. 무신 정권과 몽골 침입 등으로 정세가 불안해지자, 필자는 오랜 연구 과정에서 모아 놓은 자료를 체계적으로 정리하여 이 책을 펴냄으로써 우리나라의 유구한 역사를 드러내고 민족적 자부심을 고취하였다.

『미술관에 간 인문학자』(안현배)

역사와 예술사를 전공한 필자가 루브르 박물관에 전시된 작품들을 중심으로 펼쳐 나가는 미술 이야기이다. 회화나 조각을 그저 바라보는 데 그치지 않고, 작품 곳곳에 담긴 의미를 읽어 낼 수 있도록 필자는 신화, 종교, 문학, 역사 등 인문학의 여러 분야를 아우르면서 그에 맞닿아 있는 미술의 매력을 하나하나 들려준다.

인문 · 예술 분야 더 읽어 보기

도서명	필자
1. 『논어』	공자
2. 『소크라테스의 변명』	플라톤
3. 『꿈의 해석』	프로이트
4. 『철학, 영화를 캐스팅하다』	이왕주
5. 『나의 서양 음악 순례』	서경식

사회 · 문화

『10대와 통하는 일하는 청소년의 권리 이야기』(이수정)

일하는 청소년, 즉 학업과 아르바이트를 병행하거나 아르바이트를 주업으로 삼는 모든 청소년이 자신의 권리를 지키기 위해 알아야 할 노동법의 내용을 담고 있는 책이다. 공인 노무사인 필자는 다양한 사례를 통해 노동법의 규정과 괴리되어 있는 사회 현실을 지적하고, 노동에 관한 우리 사회의 인권 감수성이 향상되어야 함을 강조한다.

『음식 문화의 수수께끼』(마빈 해리스/서진영 옮김)

인류학자인 필자가 세계 곳곳의 기이한 음식 문화에 관해 문화 생태학적 관점에서 풀어 쓴 책이다. 모든 인간 집단이 동물성 단백질의 충분한 섭취를 위해 각자의 생태학적 조건 속에서 적응해 왔다는 주장을 기반으로 여러 문화권의 다양한 식습관에 관한 수수께끼를 풀어 나간다. 필자는 어느 한 문화의 잣대로 다른 문화를 평가할 수 없으며, 모두들 각자의 조건에서 적응해 온 방식을 인정해야 한다는 깨달음을 전한다.

사회 · 문화 분야 더 읽어 보기

도서명	필자
1. 『리바이어던』	토머스 홉스
2. 『청소년을 위한 국부론』	김수행 / 애덤 스미스(원저)
3. 『지금 다시, 헌법』	차병직, 윤재왕, 윤지영
4. 『침묵의 봄』	레이첼 카슨
5. 『나의 문화유산 답사기』	유홍준

과학 · 기술

『코스모스』(칼 세이건/홍승수 옮김)

인기리에 방영된 텔레비전 교양 프로그램을 바탕으로 출간된 이 책은 별과 지구, 그리고 인간이 어우러져 만들어 내는 우주의 역사를 담고 있다. 이 책은 단순히 은하계 및 태양계의 모습, 별들의 삶과 죽음 등을 설명하는 데 그치지 않고, 이 사실들을 밝혀 낸 과학자들의 다양한 연구 과정을 소개한다. 또한 우주에 또 다른 생명체가 존재할 것인지, 우주의 미래는 어떻게 될 것인지 등과 같은 철학적인 질문도 던진다.

『로봇 시대, 인간의 일』(구본권)

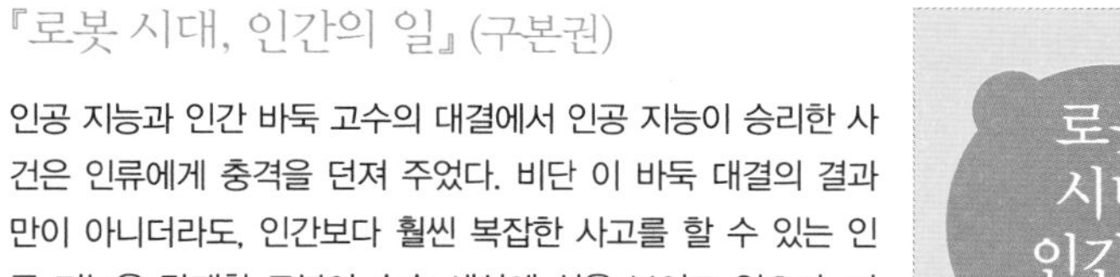

인공 지능과 인간 바둑 고수의 대결에서 인공 지능이 승리한 사건은 인류에게 충격을 던져 주었다. 비단 이 바둑 대결의 결과만이 아니더라도, 인간보다 훨씬 복잡한 사고를 할 수 있는 인공 지능을 탑재한 로봇이 속속 세상에 선을 보이고 있으며, 머지않아 많은 영역에서 로봇이 인간을 대치하게 될 것이다. 아울러 그에 따라 우리는 다양한 도덕적, 철학적인 문제에 부딪히게 될 것이다. '인공 지능 시대를 살아가야 할 이들을 위한 안내서'란 부제를 단 이 책은 인류의 미래를 전망할 새로운 관점을 제시하고 있다.

과학 • 기술 분야 더 읽어 보기

도서명	필자
1. 『종의 기원』	찰스 다윈
2. 『이기적 유전자』	리처드 도킨스
3. 『세계를 움직인 과학의 고전들』	가마타 히로키
4. 『수학이 불완전한 세상에 대처하는 방법』	박형주
5. 『뇌를 바꾼 공학, 공학을 바꾼 뇌』	임창환

활동

'나만의 추천 도서 목록'을 작성하면서 지금까지의 독서 이력을 성찰해 보고, 이를 바탕으로 앞으로의 독서 계획을 세워 보자.

1. **앞에 소개된 책 중에서 이미 읽었거나 나중에 읽어 보고 싶은 책이 있다면 적어 보자.**

| 예시 답 | 『음식 문화의 수수께끼』(마빈 해리스)는 국어 과목의 과제이어서 재미있게 읽은 적이 있다. 이번에는 『로봇 시대, 인간의 일』(구본권)을 읽고 싶다. 그 이유는 그동안 주로 인문학 위주로 읽어서 균형을 맞추기 위해 과학 분야 책도 읽어야 한다는 생각이 들기도 했고, 또한 오늘날 제4차 산업혁명 시대가 되어 인공지능을 기반으로 한 로봇이 우리 시대의 중요한 이슈가 되었기 때문이다.

2. **지금까지 내가 읽은 책 중에서 '나만의 추천 도서 목록'에 올릴 만한 책을 분야별로 두 권씩 선택해 보자.** | 예시 답 |

	도서명	필자	간략한 책 소개
인문 · 예술	돼지가 철학에 빠진 날	스티븐 로	신의 존재, 사후 세계의 존재, 우주의 탄생 등 인류의 가장 근본적인 질문을 철학적 관점에서 답변하고 있다.
사회 · 문화	세상을 바꾼 미디어	김경화	현재의 미디어가 어떤 과정을 통해 진화되어 왔는가를 통시적으로 살펴보고, 이런 다양한 미디어가 우리 삶에 준 영향을 고찰하고 있다.
과학 · 기술	상상 오디세이	최재천	세계적 석학들과 선구적 경영자들이 생물학, 정보통신, 에너지, 우주 산업 등 여러 분야에서 미래가 어떻게 변화되는가를 보여 주고 있다.

3. **1과 2를 종합하여 '나만의 추천 도서 목록'을 만들면서 되돌아본 나의 독서 이력에 문제점은 없는지 점검해 보고, 앞으로의 독서 계획을 세워 보자.** | 예시 답 |

나의 독서 이력 성찰

1. 나는 지금까지 다양한 분야의 글을 골고루 읽었는가? (예) / 아니요
2. 나는 읽을 책을 고를 때 유용한 정보를 검색하여 참고했는가? (예) / 아니요
3. 나는 읽은 내용을 내면화하고 그에 관해 타인과 소통하기도 했는가? 예 / (아니요)

나의 독서 계획

| 예시 답 | '나의 독서 이력 성찰'을 보니, 책을 고를 때 검색을 통해 유용한 정보를 잘 활용한 것 같다. 그런데 책을 읽고도 이를 곱씹어보는 활동이나 다른 사람과 이야기해 보는 시간을 갖지 못했던 것 같다. 그래서 앞으로는 인문, 예술, 문화 등 다양한 분야의 책을 읽을 계획이다. 또한 책을 읽은 다음에는 이를 독서장에 기록하여 읽은 내용을 내 것으로 만들 것이며, 친구들과 함께 읽은 후에 토론하는 시간을 갖도록 하겠다.

[01 - 03] 다음 글을 읽고 물음에 답하시오.

(가) 그렇다면 누가 희생되었는가? 희생자들은 대개 여성, 빈민, 노인으로, 악마의 유혹에 쉽게 빠지게 된다고 여긴 부류들이었다. 가장 전형적인 인물형은 '가난한 차지농의 부인, 특히 과부로서 50~70세의 연령대이며, 성질이 사나운(또는 사나워 보이는) 할머니'이다. ㉠여성이 큰 비중을 차지했다는 것은 아주 중요한 문제이다. 마녀사냥의 광풍이 불었던 지역에서 희생자들을 보면 흔히 70퍼센트 이상, 심지어는 90퍼센트 이상이 여성이었다. 사실 지금까지 통례대로 '마녀'라는 용어를 그대로 사용한 것은 남성 희생자도 있었다는 점을 놓고 볼 때 엄밀히 따지자면 잘못된 일이지만, 그만큼 여성 희생자가 많았다는 또 하나의 방증이기도 하다. 왜 여성이 더 큰 희생을 치렀는지 막상 설명하려면 쉽지 않지만, 페미니즘 이론에서는 마녀사냥이라는 것이 근대 초에 가부장제 질서가 더욱 굳건해지면서 전반적으로 남성 세계가 여성을 공격한 현상이라는 주장을 편다.

(나) 그럼, 마녀사냥을 어떻게 해석해야 할까? 우리의 눈으로 보면 그냥 광기라고 할 수밖에 없다. 그러나 그렇게만 말하고 끝날 일은 아니다. 그 시대 사람들이 정말로 제정신이 아니어서 집단으로 광포한 짓을 했다고 말할 수는 없는 일이다. 마녀사냥을 주도했던 인물들은 대개 그 사회의 지도적인 위치에 있는 사람이었다. 그 사람들은 위험한 존재로부터 사회를 지키는 훌륭한 일을 하고 있다고 자부했을 것이다. 다시 말해서, 그 시대 그 사회의 관점에서 보면 마녀사냥은 광기가 아니라 합리적인 행위였을 수 있다.

(다) 그러나 그 시대 사람이 아니라 역사학자의 입장에서는 단죄는 아니더라도 어떻게든 설명과 해석, 평가해야 한다. 먼저 마녀사냥에 관한 기존 설명들을 보자. 흉년, 전쟁, 전염병 등과 같은 재난이 심해졌을 때 그에 대한 반응으로 마녀재판이 많이 벌어졌으리라는 설명이 있다. 1590년대처럼 기근과 전염병이 심했던 때가 마녀재판의 극성기였고 또 많은 마녀가 전염병을 일으켰다는 고소를 받은 점을 보면 일리가 있어 보이지만, 그렇지 않은 시기에도 마녀사냥이 많이 있었던 점을 보건대 이는 완전한 설명은 못 된다.

01 이와 같은 분야의 글 읽기 방법으로 적절하지 <u>않은</u> 것은?

① 인용 자료의 정확성을 따져 보며 읽는다.
② 글에 제시된 작품을 일일이 찾아보며 읽는다.
③ 대상을 해석하는 필자의 관점을 주의하며 읽는다.
④ 대상에 관한 해석을 다른 상황에 적용해 보며 읽는다.
⑤ 대상에 대한 설명과 그 근거가 타당한지 따져 보며 읽는다.

02 이 글에서 사용된 내용 전개 방식을 〈보기〉에서 골라 바르게 묶은 것은?

〈보기〉
ㄱ. 자문자답을 통해 대상의 특징을 설명하고 있다.
ㄴ. 대상이 지닌 의미를 당대의 관점과 현대의 관점에서 대조하고 있다.
ㄷ. 특정 이론의 관점에서 대상을 해석한 내용을 소개하고 있다.
ㄹ. 대상과 상반되는 개념을 언급하여 대상의 속성을 부각하고 있다.

① ㄱ, ㄴ ② ㄷ, ㄹ ③ ㄱ, ㄴ, ㄷ
④ ㄴ, ㄷ, ㄹ ⑤ ㄱ, ㄴ, ㄷ, ㄹ

고난도

03 〈보기〉의 관점에서 ㉠의 이유를 파악한 것으로 가장 적절한 것은?

〈보기〉
페미니즘(Feminism) 이론에서는 성별로 인해 발생하는 정치·경제·사회 문화적 차별을 없애야 한다고 주장한다.

① 남성에 비해 여성의 경제적 상황이 좋지 않았기 때문이겠군.
② 가부장제가 굳건해짐에 따라 남성 세계가 여성을 공격했기 때문이겠군.
③ 남성과 여성 간의 대립이 지속되다가 여성 세력의 힘이 쇠퇴하였기 때문이겠군.
④ 국가와 종교의 권위를 인정하지 않는 여성 인구가 남성보다 상대적으로 많았기 때문이겠군.
⑤ 급변하는 사회·문화적 분위기에 적응하지 못하는 여성의 비중이 남성에 비해 높았기 때문이겠군.

[04 - 07] 다음 글을 읽고 물음에 답하시오.

(가) 이제 지금껏 조선 초상화의 최고 걸작이며 파격적인 구도를 가진 완성작이라고 생각되어 온 「자화상」은 미완성작임이 확인되었다. 하지만 실망할 것은 없다. 작품의 예술성도 미완성이라고는 절대 말할 수 없기 때문이다. 「자화상」은 완벽하다. 미켈란젤로는 「노예상」을 조각하면서 미처 다 쪼아 내지 못한 대리석 조각을 남겼다. 그런데 이 미완성작은 오히려 드물게 보는 걸작이라고 평가된다. 다듬어지지 않은 돌이라는 작품 재질과 그로부터 영혼이 깃든 형상을 이끌어 내려는 작가 의식 사이에 말할 수 없이 팽팽한 긴장감이 감돌고 있기 때문이다. 「자화상」 또한 미완성작이지만 오히려 그 덕분에 마지막 손질이 더해지지 않은, 작가 자신에 대한 심오한 상념이 전개되는 과정, 그리고 생생한 자기 성찰의 흔적을 그대로 보여 준다. 그렇다면 미켈란젤로나 윤두서는 어쩌면 똑같이 미완성작 속에서 더 이상 손댈 수 없는 완전성을 감지하고서 그 이상의 작업을 스스로 포기했던 것인지도 모른다.

(나) 이제 「자화상」에 대한 그릇된 첫인상을 말끔히 씻어 버리고 작가의 원래 의도를 따라 작품을 감상해 보자. 거울 속의 한 남자가 나를 뚫어져라 바라보고 있다. 그러나 찬찬히 살펴보니 그 눈빛은 전혀 나를 보고 있지 않다. 그는 골똘한 생각에 빠져 자기 자신을 보고 있는 것이다. 그래서 나는 용케 두 사람의 내밀한 대화 사이로 숨어들어 몰래 엿보기는 하지만 끝끝내 두 사람 간의 침묵의 대화 속에 끼어들 수가 없다. 그려진 윤두서의 고요함 속으로도, 그린 윤두서의 강한 의지 속으로도 들어갈 수 없다. 윤두서가 나지막이 윤두서에게 말을 건넨다. 너는 누구인가, 네가 나인가, 너는 도대체 어떠한 사람인가…….

(다) 이처럼 작품 속의 윤두서는 실제 얼굴보다 약간 작지만 거의 실물 크기에 가깝게 극사실적으로 묘사되어 있다. 콧구멍을 보면 코털 서너 올까지 숨김없이 묘파(描破)되고 있을 정도다. 조선 초상화의 정신은 '터럭 한 올이라도 다르면 곧 다른 사람이 된다.'는 사실주의였다. 이것은 이웃 중국의 미화된 초상이나 일본의 간략하게 추상화된 초상과 현격히 구별되는 우리 옛 초상화의 특색이다.

무엇보다도 윤두서의 「자화상」의 예술성은 회화의 가장 중요한 표현 수법 가운데 하나인 '대조(對照)'를 고차원적으로 활용한 데에 있다. 작품을 보는 이가 첫눈에는 무섭다 할 만큼 강렬한 인상을 받지만, 보면 볼수록 인자하고 부드러우며 고요한 느낌을 갖게 되는 것 또한 그 때문이다. 이는 어쩌면 선비의 학문과 무인의 기량을 함께 추구했던 윤두서의 문무(文武) 일치 정신이 발현된 데 기인한 것일 수 있다.

04 이 글에서 다룬 내용으로 적절하지 않은 것은?

① 조선 초상화의 정신의 내용
② 윤두서 「자화상」의 완성 여부
③ 중국과 일본의 초상화의 특징
④ 윤두서 「자화상」과 「노예상」의 공통점
⑤ 「자화상」을 그린 윤두서가 자기 성찰을 한 이유

05 윤두서 「자화상」에 대한 필자의 감상으로 적절하지 않은 것은?

① 작가 자신에 대한 심오한 상념이 전개되는 과정을 보여 준다.
② 작가 자신의 생생한 자기 성찰의 흔적을 그대로 보여 준다.
③ 첫인상과 달리 인자하고 부드러우며 고요한 느낌을 갖게 한다.
④ 작가는 선비 정신을 궁극적으로 구현하기 위해 작품 창작에 임했을 것이다.
⑤ 작가는 창작 당시에 마지막 손질을 하지 않은 채 작품의 완전성을 확신했을 것이다.

06 이 글을 바탕으로 할 때, 〈보기〉의 빈칸에 들어갈 말로 가장 적절한 것은?

〈보기〉

「자화상」 속 윤두서는 정면을 뚫어지게 바라보고 있어서 작품을 감상하는 사람을 응시하는 느낌을 준다. 이에 대해 필자는 윤두서가 자기 자신을 바라보고 있는 것이며, 자기성찰을 하기 위해 이와 같은 모습의 자화상을 그렸다고 해석한다. 이는 필자가 (   ) 작품을 해석하는 방식에 해당한다.

① 작가의 원래 의도를 고려하여
② 자신의 사상과 가치관을 반영하여
③ 관련 분야의 권위자의 견해에 따라
④ 작품이 창작된 시대적 상황을 고려하여
⑤ 작품의 여러 요소들을 객관적으로 분석하여

서술형

07 **이 글을 바탕으로 윤두서 「자화상」에 사용된 표현 기법이 무엇인지 〈조건〉에 맞게 쓰시오.**

〈 보기 〉
- 윤두서 「자화상」에 사용된 회화의 표현 기법을 두 가지 모두 쓸 것
- 30자 내외의 한 문장으로 쓸 것(띄어쓰기 포함)

[08 - 10] 다음 글을 읽고 물음에 답하시오.

㉮ 그러나 독일 기본법은 그렇게 시적이지 않다. 그것은 기본법이 탄생할 당시의 시대 상황이 미사여구로 치장할 만큼의 여유가 없고 힘들었다는 것을 뜻한다. 기본법이 제정될 당시 독일인들 가운데에서 이에 환호하며 우쭐해하는 사람은 아무도 없었다. 전쟁이 끝난 지 불과 몇 년밖에 지나지 않았을 뿐만 아니라 대부분의 독일인들은 지난 시절 자신들이 얼마나 추악한 범죄자들을 지도자로 추종했는지 그리고 히틀러와 나치가 얼마나 끔찍한 범죄를 저질렀는지 충분히 깨닫고 있었던 것이다. 그래서 기본법은 인간을 경멸하고 탄압했던 시절을 되돌아보면서 유대인이라는 이유 하나만으로 수백만의 인간을 학살했던 그 시절을 반성했다. 이런 점에서 독일의 기본법은 자신의 잘못을 되씹어 보는 일기에 가깝다. 기본법은 반성을 통해 모든 인간에게 똑같은 권리가 있다는 사실을 인정하기에 이르렀다.

㉯ 기본법의 임시적인 성격에도 불구하고 정치인들은 하나의 꿈을 갖고 있었다. 정확하게 말하자면 '자석 이론'이라는 꿈이었다. 정치뿐만 아니라 경제적으로도 훌륭한 국가를 건설하면 동독 역시 자석에 이끌리듯 자연스레 서독으로 끌려 들어올 수밖에 없다고 생각한 것이다. 여기서 자석의 핵은 기본법이 되어야 했다. 기본법은 국가 행정을 규정하는 법률들보다 더 많은 것을 제공해야 했고, 가훈이나 학칙보다 훨씬 정교해야 했다. 이러한 꿈은 결국 실현되었다. 물론 기본법을 제정할 당시에 생각했던 것보다 훨씬 더 많은 시간이 필요했지만 말이다. 서독인들은 자신들이 얼마나 훌륭한 헌법을 가지고 있고, 헌법에서 보장한 기본권들이 얼마나 소중한 보물이었는지 깨닫게 되기까지 20~30년이 걸렸다. 그리고 기본법이 진정으로 힘을 발휘하기까지는 또 몇 십 년이 걸렸다. 기본법이 제정된 지 40년, 마침내 독일은 통일되었다. 기본법을 만든 선조들의 꿈이 실현된 것이다. 다시 말해서 동독이 자석에 이끌리듯 서독의 기본법 안으로 들어왔던 것이다.

㉰ 그러나 기본법은 모든 것의 원칙이 되는 성격을 서서히 잃어 가고 있다. 지난 몇 년 사이에 개정된 기본법으로 국민의 기본권이 두 차례 제한되었다. 한번은 난민의 망명권에 대한 제한이었고, 다른 한 번은 사유 주택이라 하더라도 범죄 행위에 이용되는 곳은 도청할 수 있다는 내용이었다. 그전까지 불가침의 영역으로 간주되던 주택에 관한 기본권이 제한된 것이다. 이렇게 변경된 기본권은 더 이상 문자 메시지처럼 짧지 않다. 예를 들어 개정된 망명권에 대한 규정은 과거의 것과 비교하면 무려 40배나 길어졌다. 짧은 규정이 훨씬 더 포괄적이고 강력하다는 사실을 떠올리면 기본권이 점점 줄어들고 있다는 느낌이다. 규정이 길다는 것은 기본권을 제한하는 예외가 자꾸 늘어나는 것을 의미하기 때문이다. 이런 식으로 해서 하나의 헌법은 계속해서 그 힘을 잃어 가고 있다. 그러나 국민의 기본권을 지키는 헌법이 이런 식으로 약해지는 것을 마냥 두고 볼 수만은 없다.

기본권과 좋은 헌법이란 건강과도 같다. 한번 잃고 나면 되찾기 힘들고, 잃고 난 뒤에야 얼마나 소중한지를 깨닫게 된다는 점에서 말이다.

08 **이 글과 〈보기〉를 읽는 방법으로 적절하지 않은 것은?**

〈 보기 〉
애초에 다른 존재들끼리 같은 집에 살기 위해 최소한의 타협을 하고 살아가는 것이 사회다. 그래서 서로의 존재 자체를 싸움의 대상으로 삼을 것이 아니라 약속 위반을 따지는 게 낫다. 그 모두의 약속이 헌법이다. 따라서 헌법은 지켜져야 한다.

① 글의 중심 화제를 파악하며 읽는다.
② 중심 화제를 어떻게 설명하는지를 파악하며 읽는다.
③ 글의 서술 방식에 따라 읽는 방법을 달리하여 읽는다.
④ 동일한 화제에 대한 두 글을 주제 통합적으로 읽는다.
⑤ 글의 내용이 타당하고 수용 가능한지 비판적 태도로 읽는다.

09 **이 글을 통해 확인할 수 없는 질문은?**

① 기본권에서 제한된 권리는 무엇인가?
② 기본권과 건강의 공통점은 무엇인가?
③ 독일 기본법이 일기와 구분되는 특징은 무엇인가?
④ 기본법 제정이 독일 통일에 미친 영향은 무엇인가?
⑤ 과거의 기본권과 오늘날 기본권의 길이에는 어떤 차이가 있는가?

서술형

10 **이 글을 참고하여 기본법을 제정할 당시 정치인들의 바람이 무엇인지 〈조건〉에 맞게 쓰시오.**

조건
- 관련된 이론을 언급할 것
- '누가, 어디로, 어떻게'의 요소들을 모두 포함하여 한 문장으로 쓸 것

[11 - 14] 다음 글을 읽고 물음에 답하시오.

가 이러한 서양식 우산이 우리나라에 들어온 것은 18세기 중반 선교사들을 통해서였다. 당시 우산은 박쥐 모양으로, 비닐이나 기름종이 또는 방수 처리한 헝겊을 나무나 쇠로 만든 우산살에 덮어씌워 만들었다. 그러나 우산이 도입된 후에도 민가에서는 비를 가리는 행위를 금하는 풍습이 여전하였기 때문에 일반인들이 비를 가리는 용도로 우산을 사용하기까지는 적지 않은 ⓐ우여곡절을 겪어야 했다.

기록에 따르면 ㉠우산이 도입된 초기에는 우리나라 사람들은 물론 우리나라에 와 있던 외국인들도 비 오는 날에 우산 사용을 꺼려했다고 한다. 당시 『독립신문』의 기사에 의하면 오랜 가뭄 끝에 비가 내렸을 때 외국인이 우산을 쓰고 거리에 나갔다가 몰매를 맞은 일까지 있었을 정도다. 그래서 외국인 선교사들도 선교 활동에 지장을 받을까 봐 우산 쓰고 다니는 것을 ⓑ자제하였다고 하니 우산에 대한 사회적 거부 반응이 어느 정도였는지 짐작할 수 있다.

나 또한 우산은 민간 신앙과 ⓒ접목되어 새로운 풍습을 만들어 내기도 하였다. 우산을 박쥐 '복(蝠)' 자를 써 '편복산'이라고 한 것은 모양이 박쥐와 비슷하기 때문이기도 하였지만 또 다른 의미도 있었다. 우리나라에서 박쥐는 오복의 상징으로 경사(慶事)와 행운을 부르는 존재였다. 박쥐가 이와 같이 긍정적인 이미지를 지니게 된 이유는 박쥐의 한자음 때문이다. 박쥐를 뜻하는 '복'이 행운의 '복(福)'과 발음이 같았던 것이다. 또한 박쥐는 덕을 많이 쌓은 사람의 행복을 방해하는 귀신을 쫓아 주며, 산의 형상이 박쥐 모양인 곳에 묏자리를 쓰면 후손들이 벼슬길에 오르고 ⓓ부귀영화를 누린다고 하였다. 한마디로 박쥐 지형은 명당 자리였다. 박쥐 '복' 자와 박쥐 문양은 일상에서 쓰는 공예품과 가구 장식, 회화에도 자주 등장하였다. 자개장이나 경대에 새겨 놓은 문양이나 손잡이에 날개를 펼친 박쥐가 많은 것도 그런 이유이다.

다 이와 같이 우리 사회에서 우산은 단순히 비를 막아 주는 본연의 용도를 찾기까지 때때로 사회적 논란을 일으키며 다양한 일화를 만들어 냈다. 우산은 근대 서구에서 들어왔지만 ㉡그것을 수용하는 과정에서 전근대적인 우리 풍습과 민간 신앙이 접목되었다. 따라서 서양에서 들어온 우산이 우리 사회에 ⓔ정착되는 과정은 우리 고유의 풍속과 서양 문물이 혼합되어 대중문화로 자리 잡는 과정을 잘 보여 주는 사례라 할 수 있다.

11 **이 글에 대한 설명으로 가장 적절한 것은?**

① 대상과 관련 있는 일화를 소개하고 있다.
② 대상의 사용 확대로 인한 효과를 말하고 있다.
③ 대상을 도입해야 하는 필요성을 부각하고 있다.
④ 대상에 대한 특정 입장을 바탕으로 문제점을 지적하고 있다.
⑤ 대상의 기능이 발전하는 양상을 시간 순으로 제시하고 있다.

12 **이 글의 필자가 궁극적으로 설명하고자 하는 바로 가장 적절한 것은?**

① 외래 문화는 어느 장소에서든 환영 받는다.
② 외래 문화는 수용 과정에서 기존의 문화와 결합되어 받아들여진다.
③ 우리나라는 외래 문화에 배타적이어서 문화 수용이 불가능했다.
④ 외래 문화를 도입할 때에는 문화의 종류에 따라 취사 선택이 필요하다.
⑤ 우리나라보다 앞선 외래 문화를 유입함으로써 문화의 수준이 높아졌다.

고난도

13 **㉠, ㉡에 대한 이해로 적절하지 않은 것은?**

① ㉠에는 우산 사용에 대한 사회적 거부 반응이 존재하였다.
② ㉠에는 의도적으로 비를 가리는 행위가 금기시되었고, 이와 관련된 풍습이 있었다.
③ ㉠에는 우산의 모양 때문에 우산 사용을 꺼리는 경향이 나타났다.
④ ㉡에서 우산은 우리의 풍습 및 민간 신앙과 접목되는 모습을 보였다.
⑤ ㉡ 이후 서양 문물인 우산은 우리 문화화되어 생활 속에 자리 잡았다.

14 ⓐ~ⓔ의 사전적 의미로 적절하지 않은 것은?

① ⓐ: 뒤얽혀 복잡하여진 사정
② ⓑ: 자기의 감정이나 욕망을 스스로 억제함.
③ ⓒ: 둘 이상의 다른 현상 따위를 알맞게 조화하게 함.
④ ⓓ: 출세하여 이름을 세상에 떨침.
⑤ ⓔ: 새로운 문화 현상, 학설 따위가 당연한 것으로 사회에 받아들여짐.

[15-17] 다음 글을 읽고 물음에 답하시오.

가 원자를 구성하는 입자들 중 가장 먼저 실체가 밝혀진 것은 질량이 가장 작은 전자였다. 전자가 가장 먼저 발견된 데는 핵을 구성하는 기본 입자인 양성자와 중성자가 핵력에 의해 강하게 속박되어 있어서 실험적으로 측정하기 곤란하다는 점도 한몫했다. 1897년 ㉠[톰슨]은 음전하를 가진 전자를 발견하였다. 그런데 원자가 전기적으로 중성이라는 점을 감안했을 때 그 속에는 양전하를 가진 물질도 포함되어 있어야만 했다. 그러나 당시에는 원자의 구성 요소이면서 양전하를 가진 존재는 아직 발견되지 않았다. 그래서 톰슨은 마치 쿠키 속에 박힌 건포도처럼, 원자 내부에 구름처럼 퍼져 있는 양전하 속에 음전하를 띤 전자들이 박혀 있다는 원자 모형을 주장하였다.

나 1911년 ㉡[러더퍼드]는 새로운 원자 모형을 가정하기 시작했다. 양전하가 원자 중심부의 좁은 영역에 집중되어 있다면 음전하, 즉 전자들은 어떤 형태를 띠고 있을 것인가라는 질문이 자연스럽게 대두되었다. 만약 전자들이 톰슨 원자 모형처럼 이곳저곳에 ⓐ분포되어 있다면 양전하를 띤 원자핵이 잡아당기는 전기력 때문에 원자핵 쪽으로 이동할 것이고, 그러면 원자들은 즉시 쪼그라들 수밖에 없을 것이다. 그래서 결국 러더퍼드는 태양이 행성을 공전시키듯이, 질량이 큰 원자핵이 전자들을 공전시킨다는 이론을 제시하였다.

원자를 태양계의 축소판처럼 다루려는 러더퍼드의 생각은 아주 매력적이었다. 왜냐하면 이를 통해 태양계라는 큰 것으로부터 원자라는 작은 것에 이르기까지 일관되게 대칭적 형태로 설명할 수 있기 때문이었다. 하지만 태양계와 원자는 근본적으로는 다른 점이 있어 이런 그의 생각은 문제가 있었다.

다 1913년 ㉢[보어]는 매우 기발한 방법으로 러더퍼드 원자 모형의 한계를 극복하였다. 그는 러더퍼드의 원자 모형이 지닌 한계를 극복하기 위해 두 가지 가설을 제시하였다. 먼저 전자가 러더퍼드의 원자 모형과 같이 원자핵 주위를 원운동하고 있는데, 이때 전자는 무질서하게 운동하는 것이 아니라 특정한 에너지 준위를 갖는 원형 궤도, 즉 전자껍질을 따라 핵 주위를 돈다는 것이다. 또 하나의 가설은 전자가 동일한 전자껍질을 돌고 있을 때는 전자기파, 즉 에너지를 흡수하거나 방출하지 않지만 다른 전자껍질로 이동할 때는 두 전자껍질의 에너지 준위 차이만큼 에너지를 흡수하거나 방출한다는 것이다. 이런 가설로 만들어진 보어 원자 모형은 러더퍼드 원자 모형으로는 설명할 수 없는 원자의 안정성을 설명할 수 있다. 하지만 이 모형 역시 문제점이 발견되어 이를 해결할 수 있는 새로운 모형들이 제시되고 있다.

고난도

15 ㉠~㉢의 인물이 제안한 원자 모형에 대한 이해와 판단으로 적절하지 않은 것은?

	대상	이해	판단
①	㉠	음전하 속에 양전하를 띤 전자들이 박혀 있다고 봄.	예 □ 아니요 ■
②	㉡	전자들이 어떤 형태를 띠고 있는지 의문을 갖게 됨.	예 ■ 아니요 □
③	㉡	원자를 태양계처럼 대칭적 형태로 설명하고자 함.	예 □ 아니요 ■
④	㉢	전자는 전자껍질을 따라 핵 주위를 돈다고 봄.	예 ■ 아니요 □
⑤	㉢	러더퍼드와 마찬가지로 원자의 안정성을 설명하지 못함.	예 □ 아니요 ■

16 이 글에서 보어가 러더퍼드 원자 모형의 한계를 극복하기 위해 했던 실험 방법에 대한 진술로 가장 적절한 것은?

① 두 개의 가설을 세우고 검증하는 방법
② 특수 사례를 일반화하여 이론화하는 방법
③ 일반화된 이론을 특수 상황에 적용하는 방법
④ 개별 사례의 공통점을 추출하여 일반화하는 방법
⑤ 실험군과 대조군을 설정하여 차이를 추출하는 방법

17 ⓐ를 대신하여 쓸 수 있는 표현으로 가장 적절한 것은?

① 흩어져 퍼져
② 갈라져서 흩어져
③ 서로 나뉘어 떨어져
④ 종류에 따라 갈라져
⑤ 다른 것과 구별되어져

[18-19] 다음 글을 읽고 물음에 답하시오.

가 네트워크는 생긴 모양에 따라 고속도로망 같은 네트워크와 항공망 같은 네트워크로 나눌 수 있다. 고속도로망 같은 네트워크는 각 노드에 연결되는 선의 수가 거의 균일한 형태를 띠는 것을 말한다. 그리고 항공망 같은 네트워크는 각 노드에 연결되는 선이 몇 개의 노드에 집중되는 허브를 가지고 있어 복잡한 형태를 띠고 있는 것을 말하는데, 이를 '척도 없는 복잡계 네트워크'라고 한다. 척도가 없다는 것은, 평균 연결선 개수를 쉽게 정할 수 있는 고속도로망과는 달리 항공망에서는 각 노드를 연결하는 선의 개수가 적은 노드부터 연결이 많은 허브까지, 분포가 넓어서 특정한 숫자(척도)를 정할 수 없다는 뜻이다.

그런데 우리가 살고 있는 세상을 네트워크로 표현해 보면 많은 경우 복잡한 형태인 항공망 같은 척도 없는 네트워크가 된다. 그래서 세상은 복잡계 네트워크라고 할 수 있다.

나 절대적 최적화는 갑의 선택처럼 수학적으로 가장 작은 값을 찾는 것이고, 상대적 최적화는 을의 선택처럼 이기적인 행동으로 개인의 만족도가 가장 높은 값을 추구하는 것이다. 앞서 든 예에서는 6분이 절대적 최적화, 3시간이 상대적 최적화의 값이 된다. 네트워크 이론가들은 두 사람을 모두 만족시킬 수 있는 최적의 경우를 찾기 위해 상대적 최적화 값을 절대적 최적화 값으로 나눈 값인 피오에이(PoA, Price of Anarchy)를 활용한다. 피오에이의 에이(A)는 무질서를 의미한다. 이런 점에서 피오에이는 이기적인 무질서에 대한 대가라고 할 수 있다. 즉, 피오에이가 크면 개인의 만족도는 높지만, 시간이 많이 낭비되어 수학적으로는 비효율적이라는 뜻이다. 또 피오에이가 작으면 효율은 높으나 개인의 만족도가 낮을 수 있다는 뜻이고, 극단적으로 피오에이가 1이면 이는 효율과 개인의 만족도가 모두 충족되었다는 의미이다. 위 사례의 피오에이는 상대적 최적화 값인 3시간을 절대적 최적화 값인 6분으로 나누어 나온 값으로, 1보다 훨씬 큰 숫자가 나온다. 만족도를 높이는 대신 낭비되는 시간을 대가로 치른다는 뜻이다.

다 교통 체증 사례를 통해 실제로 네트워크 안에서 무엇인가 움직이는 동역학 문제를 풀어 보았다. 그냥 다리 놓고 도로를 뚫으면 문제가 풀릴 것이라는 1차원적 사고로는 문제가 해결되기는커녕 오히려 악화될 수 있음을 보았다. 그런데 ㉠네트워크 이론을 잘 활용하면 이런 문제들을 현명하게 해결할 수 있다. 예를 들어 청계천의 고가 도로를 막았더니 예상과는 달리 시내 교통 흐름이 오히려 더 나아진 사례에서처럼 적절한 조치를 통해 교통 체증을 줄여 나갈 수 있다. 네트워크 이론으로 해결할 수 있는 것이 교통 문제만이 아니다.

18 이 글의 내용과 일치하지 않는 것은?

① 우리가 살고 있는 사회는 '척도 없는 복잡계 네트워크'이다.
② '항공망 같은 네트워크'는 허브를 가지고 있어 복잡한 형태를 띠고 있다.
③ '고속도로망 같은 네트워크'의 각 노드는 연결선 개수를 비슷하게 지닌다.
④ 피오에이에 따르면 개인의 만족도와 효율을 모두 충족하는 것은 불가능하다.
⑤ 기존의 도로를 막았더니 예상과는 달리 오히려 교통의 흐름이 양호해지는 경우도 있다.

19 이 글을 참고할 때 ㉠의 예로 가장 적절한 것은?

① 교통 체증이 심한 곳에 도로를 넓히고, 우회 도로를 신설할 수 있다.
② 인터넷 방문객 수가 많은 파워 블로거에게 기업이 제품의 홍보를 요청할 수 있다.
③ 인터넷 검색이 쉽지 않은 콘텐츠를 미리 찾아 두었다가 사용자에 제공할 수 있다.
④ 전염병 발생 지역별로 무차별적으로 방역 활동을 하여 사회 전체에 전염병의 확산을 막을 수 있다.
⑤ 생명 공학 연구에서 개별 연구자들의 실험 결과를 취합하여 신약 후보 물질을 찾아낼 수 있다.

Ⅳ.

다양한 특성의 글 읽기

자료 · 정보 활용 역량 — 의사소통 역량 — 문화 향유 역량

대단원 소개

이 단원에서는 독서의 원리와 방법에 대한 이해를 바탕으로 다양한 특성을 지닌 글들을 실제로 읽어 보도록 한다.

바로 앞 단원인 'Ⅲ. 다양한 분야의 글 읽기'에서는 인문 · 예술, 사회 · 문화, 과학 · 기술 분야의 글들을 읽어 봄으로써 분야별로 글이 대체로 지니게 되는 성격을 파악하고 그에 알맞은 독서를 수행하였다면, 이 단원에서는 시대, 지역, 매체에 따라 글들이 어떤 특성을 지니게 되는지를 큰 틀에서 이해하고 다양한 글에 담긴 지식과 지혜를 수용하는 능력을 기르도록 한다.

교과서 176쪽

독서를 통해 동서고금의 지혜를 고루 섭렵하려면 어떻게 해야 할까?

만일 어느 날 갑자기 나에게 아주 특별한 능력이 생겨서, 어느 시대로든 또 어느 나라로든 마음대로 다녀올 수 있다면 얼마나 좋을까? 어렸을 때 우리는 누구나 이런 공상을 한 번쯤은 해 본 적이 있다. 그런데 독서를 열심히 하는 사람에게는 이런 바람이 그저 허황된 것만은 아니다. 글을 통해서는 시간이나 공간의 장벽을 가볍게 뛰어넘을 수 있기 때문이다. 그 과정에 필요한 것은 시대, 지역, 매체에 따라 달라지는 글의 특성에 적합한 독서법을 익혀 두는 일뿐이다.

이 단원에서는 시대별로 다양한 글을 읽어 봄으로써 선인들의 삶을 만나고, 다양한 지역에서 생산된 글을 통해 고유의 문화적 특성을 발견해 볼 것이다. 또한, 매체에 따라 적절하게 자료를 수용하는 방법도 익히게 될 것이다.

소단원	학습 목표	읽기 제재
1. 다양한 시대의 글 읽기	• 다양한 시대에 생산된 글을 읽고 그 가치를 파악한다. • 시대의 사회·문화적 특성이 독서 문화나 글쓰기 관습에 반영될 수 있음을 이해한다.	**[제재 1]** 요물이 나라를 망치고 있으니(이존오) **[제재 2]** 조침문(유씨 부인)
2. 다양한 지역의 글 읽기	• 다양한 지역에서 생산된 글을 읽고 그 가치를 파악한다. • 지역의 사회·문화적 특성이 글의 내용과 형식에 반영될 수 있음을 이해한다.	**[제재 1]** 모든 것은 카오스에서 시작되었다(오비디우스) **[제재 2]** 검은 별봄맞이꽃(넬슨 만델라)
3. 다양한 매체 자료 읽기	• 매체의 특성에 따라 글의 수용과 생산 과정이 달라질 수 있음을 이해한다. • 다양한 매체의 자료를 주체적이고 비판적으로 수용한다.	**[제재 1]** 세계 명화의 비밀 – 「모나리자」 편(모니카 봄 두첸) **[제재 2]** 가짜 뉴스 – 뉴스의 얼굴을 한 흑색선전(『블로터』 기획 취재팀)

다양한 시대의 글 읽기

교과서 178쪽

생각 열기 시간 여행을 소재로 한 드라마에서 웃음을 유발하는 주된 요소는 무엇일까?

텔레비전 드라마들은 조선 시대 한양에 살던 사람이 갑자기 21세기 서울에 뚝 떨어진다거나, 현대인이 이유 없이 훌쩍 고려 시대로 가게 된다는 식의 설정을 심심찮게 활용한다. 그리고 이런 드라마는 대개 등장인물들의 언어 관습이 지닌 차이로 인한 의사소통의 문제점, 특정 문물에 대한 이해의 차이 때문에 벌어지는 황당한 사건 등을 통해 시청자들에게 재미를 준다. 혹시 이 '차이'가 우리가 옛글을 읽는 일과 어떤 관련이 있는 것은 아닐까?

그렇다면 **다양한 시대의 글을 읽을 때는 어떤 점을 고려해야 할까?**

| 예시 답 | 글이 창작된 시대의 분위기나 상황을 염두에 둔다 등

| 도움말 | 텔레비전 드라마에서 서로 다른 시대를 사는 인물들이 만나게 된 상황은 시대를 달리하는 책을 읽는 독자의 상황과 유사하다고 볼 수 있다. 이를 통해 다양한 시대의 글을 읽을 때의 유의점을 이해하고, 다양한 시대의 글 읽기의 방법에 관한 질문에 스스로 답해 봄으로써 학습 주제에 관한 흥미를 높이도록 한다.

| 이 단원의 학습 요소 |

학습 목표
- **다양한 시대에 생산된 글을 읽고 그 가치를 파악한다.**
- **시대의 사회·문화적 특성이 독서 문화나 글쓰기 관습에 반영될 수 있음을 이해한다.**

학습 요소		내용
글을 통해 고려와 조선의 사회상 파악하기	▶	해당 시대에 창작된 글을 통해 고려와 조선의 사회상을 파악해 본다.
옛글에 반영되어 있는 선인들의 독서 문화와 글쓰기 관습 이해하기	▶	옛글에 반영되어 있는 선인들의 독서 문화와 글쓰기 관습을 이해해 본다.

소단원 바탕학습

원리 이해

1 다양한 시대의 글을 읽어야 하는 이유

- 우리의 과거(선조들의 일상적인 삶의 모습과 애환)를 알 수 있음.
  - 어느 시대든 사람들은 살면서 마주하게 되는 생각과 감정을 글에 담음.
- 우리의 현재와 미래도 더 잘 볼 수 있음(선조들에게서 인간과 자연에 관한 지식을 얻고, 우리의 앞날을 내다볼 수 있는 지혜를 구할 수 있음.).
  - 오랜 세월에 걸쳐 인류는 지혜와 지식을 축적하고, 주로 글을 통해 그것을 보존·계승·확장해 옴.
- 후손에게 전해 줄 만한 창의적 사유(→思惟: 대상을 두루 생각하는 일)에 도달할 수 있음.
  - 옛글에 실린 사상이나 체험은 오늘의 관점에서 재해석하고 새로운 가치를 부여할 수 있음.

2 독서 문화와 글쓰기 관습의 변화

- 소수의 지배 계층이 지식을 독점함.
  - 독서 문화: 정전(正典)이나 고전(古典) 같은 한정된 읽을거리를 반복적으로 소리 내어 읽으며 그것을 완벽하게 수용함(반복적, 수용적 독서).
    (→ 정전: 암묵적인 합의를 통해 위대하다고 인정한 작품과 작가)
  - 글쓰기 관습: 옛 성현의 글을 본뜨거나 인용하는 것을 모범으로 삼음.

⬇

- 인쇄술의 발달로 다양한 종류의 책이 대량으로 생산됨.
  - 독서 문화: 묵독(默讀), 속독(速讀), 다독(多讀)이 보편화되었으며, 자신에게 필요한 책을 골라서 읽고 내용을 비판적으로 수용하게 됨(선택적, 주체적 독서).
  - 글쓰기 관습: 옛것을 모방하지 않고 개성이나 창의성을 중시함.

  (→ • 묵독: 소리를 내지 않고 속으로 글을 읽음. • 속독: 책 따위를 빠른 속도로 읽음. • 다독: 많이 읽음.)

⬇

- 인터넷 정보 사회의 도래로 독서 문화에 큰 변화가 이루어짐.
  - 독서 문화: 다양한 연결망을 통해 자신이 읽을 글을 선택함으로써 독서의 흐름을 수시로 자유롭게 변경하는 검색형 독서 방법이 생겨남.
  - 글쓰기 관습: 독자와 필자의 경계가 사라지면서 새로운 글쓰기 관습이 확대되고 있음.

3 다양한 시대의 글을 읽을 때 유의할 점

한 편의 글이 창작되고 향유(누리어 가짐.)되는 데는 여러 가지 맥락이 작용함.

⬇

- 창작 당시의 사회·문화적 배경, 글쓰기 관습, 독서 문화 등을 종합적으로 고려하여 최대한 그 시대의 맥락을 재구성하거나 상상해 내야 함.
- 자신이 모르는 것이 있다면 관련 자료를 탐색하여 공부하는 태도를 지녀야 함.
  → 글의 내용을 생생하게 수용할 수 있고, 오늘날의 잣대로 글을 재단하는 우를 범하지 않기 위함임.

⬇

글이 오늘날 우리에게 주는 가치가 무엇인지 읽어 낼 수 있어야 함.

| 원리 확인 문제 |

1. 다양한 시대의 글을 읽어야 하는 이유로 적절하지 않은 것은?

① 미래를 살아가기 위한 삶의 지혜를 배울 수 있다.
② 옛사람들의 다양한 삶의 모습과 애환을 알 수 있다.
③ 각 시대의 글쓰기의 관습이나 독서 문화를 이해할 수 있다.
④ 오늘의 관점에서 재해석함으로써 새로운 가치를 창출할 수 있다.
⑤ 옛글에 나타난 삶의 모습을 통해 현재의 중요성을 절감할 수 있다.

2. 정보화 시대의 독서에 관한 설명으로 적절하지 않은 것은?

① 독자가 정보와 지식의 생산에도 관여하게 되었다.
② 전자 독서 매체의 발달로 독자와 필자의 경계가 사라졌다.
③ 독서의 흐름을 수시로 변경하는 검색형 독서 방법이 생겨났다.
④ 전자 독서 매체는 이에 적응한 일부 독자의 전유물이 되었다.
⑤ 문자와 이미지, 소리 등이 결합하여 생성하는 의미가 중요해졌다.

3. 다양한 시대의 글을 읽을 때의 유의점으로 적절하지 않은 것은?

① 오늘날의 잣대로 글의 내용을 평가한다.
② 관련 자료를 탐색하여 모르는 것을 이해한다.
③ 당시의 사회·문화적 배경을 상상하며 읽는다.
④ 글이 오늘날 우리에게 주는 가치가 무엇인지 파악한다.
⑤ 창작 당시의 글쓰기 관습과 독서 문화를 종합적으로 고려한다.

정답 1. ⑤ 2. ④ 3. ①

제재 미리보기

요물이 나라를 망치고 있으니

1 해제

이 글은 고려 말 공민왕 때 사간원 관리였던 이존오가 신돈의 무단과 전횡을 비판하고, 그를 관직에서 내쳐 나라의 기강을 바로잡아야 한다고 임금께 아뢴 상소문이다.

2 핵심 정리

(1) **갈래**: 상소문

(2) **성격**: 비판적, 설득적, 예시적, 인용적
이 글에서 필자는 신돈의 무단과 전횡을 비판하고, 그의 관직을 삭탈함으로써 국가의 기강을 바로잡아야 한다는 점을 다양한 근거를 제시하면서 설득하고 있다. 다른 관리들의 사례를 근거로 신돈의 오만함을 부각하고 있으며, 경전이나 성현의 말을 인용하여 군신의 예법에 관한 당위적 규범을 강조하고 있다.

(3) **제재**: 신돈의 죄

(4) **주제**: 군신의 예법을 어기고 조정을 어지럽히는 신돈의 관직 삭탈을 건의함.
필자는 임금께 올리는 상소문을 통해, 무례한 행동으로 군신의 예를 어기고 무단과 전횡을 일삼는 신돈을 관직에서 내칠 것을 건의하고 있다.

(5) **특징**: ① 특정 인물의 그릇된 행동을 직접 비판하고 있다.
② 대비되는 사례를 들어 비판을 강화하고 있다.
③ 성현의 글을 인용하여 당위적 규범을 강조하고 있다.
④ 초자연적인 기상 이변을 언급하며 사태의 심각성을 강조하고 있다.

(6) **구성**
'처음'에서는 신돈의 무례한 행동을 지적한 후, '중간'에서 신돈의 탄핵을 주장하고 있다. '끝'에서 자신의 직분을 언급하며 상소문을 지어 바치게 된 이유를 제시하고 있다.

처음	중간	끝
군신의 예법에 어긋난 신돈의 무례한 행동과 그 부당함을 지적함.	군신의 예를 어기고 조정을 어지럽히는 신돈의 벼슬을 삭탈할 것을 주장함.	사간원 관리로서의 직분을 강조하며 상소문을 올리는 의도를 제시함.

조침문(弔針文)

1 해제

이 글은 조선 순조 때 미망인인 유씨 부인이 지은 한글 수필로, 죽은 사람을 추모하는 제문(祭文) 형식을 통해 부러진 바늘에 대한 애통한 심정을 절절하게 표현하고 있다. 뛰어난 우리말의 구사와 감각적 표현, 과장적 표현을 통해 여성 특유의 섬세한 감정을 효과적으로 표출하고 있다.

2 핵심 정리

(1) **갈래**: 한글 수필, 여류 수필

(2) **성격**: 추모적, 고백적
이 글에서는 일찍이 남편을 여읜 미망인인 필자가 바느질로 생계를 꾸려가던 중 애착이 깊은 바늘이 부러지자, 제문(祭文) 형식을 통해 추모의 정을 절절하게 고백하여 표현하고 있다.

(3) **제재**: 부러진 바늘

(4) **주제**: 부러진 바늘에 대한 애도(추모)
필자는 남편의 죽음 이후 남편과도 같은 바늘이 부러지자 제문(祭文) 형식을 빌어 애통한 심정을 마치 죽은 사람을 애도(추모)하듯 표현하고 있다.

(5) **특징**: ① 여성 특유의 섬세한 감성이 돋보인다.
② 바늘을 의인화하여 그 행장을 예찬하고 있다.
③ 과장적 표현을 통해 필자의 정서를 애절하게 표현하고 있다.
④ 제문(祭文) 형식을 통해 슬픔을 효과적으로 표현하고 있다.

(6) **구성**
'서사'에서는 조문을 쓰는 이유를 제시하고, '본사'에서 바늘의 행장과 필자의 애정을 표현하고 있으며, '결사'에서 애도의 심정과 재회에 대한 기약을 바라면서 글을 끝맺고 있다.

서사	본사	결사
아끼던 바늘이 부러져 애통한 심정으로 그를 영결(永訣)함.	바늘의 행장과 부러진 바늘에 대한 필자의 애정	바늘과 후세에서 다시 재회할 것을 기약함.

교과서 180~182쪽

제재 1

요물이 나라를 망치고 있으니 _ 이존오

처음 **가** ㉠신(臣) 등이 3월 18일에 궁전 안에서 문수회(文殊會)를 열었을 때 당한 일입니다. 『영도첨의 신돈이 재상 반열(班列)에 앉아 있지 않고 감히 전하와 더불어 나란히 앉았는데, 그 거리가 몇 자 되지 않아』 온 나라 사람이 놀래어 인심이 술렁술렁하고 매우 소란스러웠습니다. 상하를 구별하고 백성의 뜻을 안정시키는 것이 예인데, 예법이 없다면 대체 무엇으로 군신(君臣)이 되고 무엇으로 부자(父子)가 되며 또한 무엇으로 국가를 다스리겠습니까. ㉡성인이 예법을 마련하시어 상하 명분을 엄격하게 한 것은 그 도모함이 깊고 그 사려가 원대한 것이었습니다.

(영도첨의: 고려 시대에 둔 도첨의부의 으뜸 벼슬. 충렬왕 원년(1275)에 중서령을 고친 것으로, 충렬왕 때 도첨의령, 판도첨의사사로 고쳤다.)

『 』: 신돈의 무례한 행동 ① – 임금과 신하의 구별을 무시함.

➜ 문수회 때 신돈이 범한 무례한 행동과 예법의 필요성

처음: 군신의 예법에 어긋난 신돈의 무례한 행동과 그 부당함을 지적함.

중간 **나** 가만히 보옵건대 신돈은 임금의 은혜를 지나치게 입어 나라 정사를 제멋대로 하고 임금을 무시하는 마음이 있었습니다. ㉢『당초에 영도첨의 판감찰로 임명되던 날에 예법으로서는 마땅히 조복(朝服)을 차리고 나아가 은혜를 사례해야 함에도 불구하고 반 달 동안 나오지 않았습니다.』 급기야 『대궐 뜰에 들어와서는 그 무릎을 조금도 굽히지 않은 채 늘 말을 타고 궐문을 출입하여 전하와 함께 의자에 걸터앉았고, 집에 있을 때는 재상들은 마루 밑에서 절을 하였으나 신돈은 모두 앉아서 접대하였습니다.』 최항이나 김인준, 임연 같은 이들도 이렇게 행한 적은 없었습니다. ㉣『그가 전에는 중의 신분이어서 마땅히 치지도외(置之度外)하여 그 무례함을 꼭 책망할 필요는 없었지마는, 이젠 재상이 되어 명분과 지위가 정해졌는데 감히 예법을 잃고 윤리를 허물기를 이와 같이 할 수 있겠습니까.』 그러하게 된 이유를 따져 보자면 신돈은 필시 자신이 임금의 스승이기 때문이라고 하겠지마는, ㉤『유승단은 고종의 스승이요 정가신은 충선왕의 스승이었으나 신 등은 저들 두 사람이 감히 이런 일을 하였다는 말을 아직 못 들었습니다. 이자겸은 인종의 외조부였으므로 왕께서 겸양하여 할아버지와 손주의 예로써 서로 만나려 하였으나, 공론이 두려워서 감히 그렇게 하지 못하였습니다.』 대개 군신의 명분이란 본디부터 정한 것이 있었기에 그 예법은 군신이 생긴 이래로 만고를 지나도 바뀌지 않으니, 신돈과 전하께서 사사로이 고칠 바는 아니라 생각됩니다. 신돈이 어떠한 사람이건대 감히 스스로 높이기를 이와 같이 합니까.

『 』: 신돈의 무례한 행동 ② – 임명에 대한 사례를 하지 않음.

『 』: 신돈의 무례한 행동 ③ – 신하로서 지켜야 할 법도를 어김.

최항, 김인준, 임연: 고려 시대의 권신들

『 』: 관직에 들기 전과 후는 지켜야 할 예법이나 윤리가 다를 수 있다는 말 – 신돈의 행동에 대한 판단 기준이 달라져야 한다는 의도가 담김.

자신이 임금의 스승이기 때문: 공민왕의 신임을 얻은 신돈은 처음에는 사부(師傅)로서 국정에 참여하였음.

『 』: 신돈과 비슷한 지위에서도 방자하게 행동하지 않은 이들의 사례를 들어, 신돈의 오만함을 부각함.

만고: 아주 오랜 세월 동안

➜ 그와 유사한 처지에서도 무례하지 않았던 이들과 대비되는 신돈의 무례한 행동

소단원 포인트

- '신돈'이라는 인물과 관련된 글의 중심 화제 파악하기
- 당시의 글쓰기 관습이 지닌 특성 이해하기
- 글 속에 반영된 당시의 사회·문화적 상황 파악하기

필자 소개

이존오(1341~1371): 고려 말기의 문신. 1360년(공민왕 9년)에 문과에 급제하고 사관(史官)에 발탁되었다. 1366년 우정언이 되어 신돈의 횡포를 탄핵하다가 왕의 노여움을 샀으나, 이색 등의 옹호로 극형을 면하였다. 그 뒤 공주에서 은둔하며 울분 속에 지내다가 죽었다. 정몽주, 박상충 등과 교분이 두터웠다.

교과서 날개 질문

필자는 유승단, 정가신, 이자겸 등이 신돈과 어떤 점에서 비슷하고 어떤 점에서 다르다고 하고 있는지 말해 보자.

| 예시 답 | 왕과 특수한 관계에 있었다는 점에서 비슷하지만, 권력을 믿고 오만한 행동을 하지 않았다는 점에서 신돈과 다르다 하고 있다.

| 도움말 | 당대의 사회·문화적 맥락과 신돈의 비행이 어떤 관련성을 맺고 있는지, 또 필자는 신돈의 비행을 어떤 관점으로 바라보고 이에 대응하고자 하는지를 이해함으로써 문제를 해결할 수 있다.

어휘 풀이

신: 신하가 임금을 상대하여 자기를 가리키는 일인칭 대명사.

문수회: 석가모니여래의 왼쪽에 있는, 지혜를 맡은 보살인 문수보살을 기리는 집회.

반열: 품계나 신분, 등급의 차례.

조복: 관원이 조정에 나아가 하례할 때에 입던 예복. 붉은빛의 비단으로 만들며, 소매가 넓고 깃이 곧음.

치지도외: 마음에 두지 아니함.

정답 및 해설 45쪽

1 (가)의 역할

- 필자가 직접 경험한 사실을 제시하여 예상 독자(임금)의 관심을 유도함.
- 특정 인물의 행위에 초점을 맞추어 글을 시작함으로써 자연스럽게 화제에 접근하게 해 줌.
- 뒤에 이어질 글의 내용을 미리 암시함.

2 신돈의 무례한 행동

- 문수회 때 재상의 반열에 앉지 않고 왕과 더불어 나란히 앉음.
- 영도첨의 판감찰로 임명되던 날, 조복(朝服)을 차려 입고 사례하는 예를 지키지 않음.
- 대궐 안을 말을 타고 출입함.
- 대궐 안에서 왕과 함께 의자에 걸터앉음.
- 집에 있을 때, 마루 밑에서 예를 차리는 일반적인 경우와 달리 마루 위에서 예를 차림.

⬇

예법에 어긋나는 행동임.

3 신돈에 대한 비판

- 다른 사례와 비교하며 신돈의 오만함을 부각하고, 그에 대한 비판을 강화함.

- 최항, 김인준, 임연의 사례
  → 신돈은 고려 시대의 다른 권신들보다도 더 큰 무례함을 범함.
- 유승단, 정가신, 이자겸의 사례
  → 신돈은 유사한 지위에 있던 사람들과 달리 더 큰 무례함을 저지름.

⬇

대비되는 사례를 제시하여
신돈의 무례한 행동에 대한 비판을 강화함.

보충 자료

- **최항:** 고려 시대의 권신. 승려 생활을 하다가 환속하여 1249년 아버지 최우가 죽자 정권을 이어받았다.
- **김인준:** 고려 시대의 무신. 최항의 아들인 최의를 살해해 최씨의 무단 정치를 타도하고 왕권을 회복시키는 공을 세웠으나 그의 외교 정책이 원종의 미움을 받자 임연 일파에게 살해되었다.
- **임연:** 고려 시대의 권신. 원종을 폐하고 안경공 창을 즉위시킨 뒤 교정별감이 되어 정치·군사의 실권을 장악했다. 그러나 몽골의 위협에 안경공을 폐위시키고 원종을 복위시켰다.

1. 이 글에 대한 설명으로 가장 적절한 것은?

① 특정 인물의 행위에 대해 문제를 제기하고 있다.
② 가정적 상황을 통해 독자의 흥미를 유발하고 있다.
③ 통념에 근거한 주장에 대해 반론을 제기하고 있다.
④ 전문가의 말을 인용하며 중심 화제에 접근하고 있다.
⑤ 문제 상황에 대한 대응 방안의 허점을 지적하고 있다.

2. ㉠~㉤에 대한 설명으로 적절하지 않은 것은?

① ㉠: 직접 경험한 사실을 언급하며 화제에 접근하고 있군.
② ㉡: 성인의 예법은 수직적 질서에 의한 기강 확립을 중시하는군.
③ ㉢: 관원이 조정에 나아가 하례할 때는 조복을 차려 입었군.
④ ㉣: 관직의 등급에 따라 지켜야 할 예법이 달라짐을 알 수 있군.
⑤ ㉤: 대비되는 사례를 통해 특정 인물의 행위를 부각하고 있군.

3. 다음 '오륜(五倫)'의 덕목 중, 이 글에서 필자가 가장 중시하고 있는 것과 가장 관련 깊은 것을 찾아 쓰시오.

부자유친(父子有親)	군신유의(君臣有義)
부부유별(夫婦有別)	장유유서(長幼有序)
붕우유신(朋友有信)	

4. 이 글에 나타난 인물들에 대한 이해로 적절하지 않은 것은?

① 최항, 김인준, 임연은 고려의 권신(權臣)들이다.
② 김인준, 임연, 이자겸은 임금의 인척(姻戚)이다.
③ 유승단, 정가신은 고려 임금들의 스승을 지냈다.
④ 최항, 김인준, 임연은 신돈과 유사한 지위에 있었다.
⑤ 이자겸은 천륜(天倫)보다 군신(君臣) 간의 예법을 더 중시하였다.

서술형 | 학습 활동 응용

5. 이 글을 읽고, 다음 문장의 빈칸에 들어갈 말을 〈조건〉에 맞게 쓰시오.

신돈이 국정에서 무단과 전횡을 일삼은 것은 (　　　　　　　　)

〈조건〉
- '~기 때문이다.'로 끝을 맺는 문장으로 서술할 것
- 40자 내외로 쓸 것(띄어쓰기 포함)

다 「홍범」에 이르기를, 『"오직 임금만이 복을 내릴 수 있고 오직 임금만이 위세를 부릴 수 있으며 오직 임금만이 진귀한 음식을 받을 수 있는데, 신하로서 복을 내리거나 위세를 부리고 진귀한 음식을 받는 자가 있다면 반드시 가문을 해치고 나라를 해칠 것이다. 관리들이 기울어지고 비뚤어지고 치우쳐지면 백성들은 넘보고 어긋나게 될 것이다."』라고 하였습니다. 그러니 신하로서 임금의 권력을 참람(僭濫)하여 쓴다면 모든 관원이 편안한 마음으로 제 분수를 지키지 못할 뿐 아니라, 백성들 역시 그들을 좇아 분수에 넘치는 일을 할 것입니다. 그런데 신돈은 능히 복을 내리고 위세를 부리고 또 전하와 더불어 대등한 예를 행하니, 이는 나라에 두 임금이 있는 것입니다. 그 능멸함과 참람함이 극에 달하여 교만이 습관이 되었으므로, 백관들이 분수를 지키지 않고 백성들이 분수에 넘치는 일을 하는 것이 어찌 두렵지 않겠습니까.

(『 』: 자신의 주장을 뒷받침하기 위해 인용함. / 위세: 지위와 권세를 아울러 이르는 말 / 복을 내리고 위세를 부리고: 임금만이 할 수 있는 일 / 능멸함과 참람함이 극에 달하여 교만이 습관이 되었으므로: 신돈에 대한 부정적 평가 / 백관들이 ~ 하는 것이: 신돈의 무례함이 초래할 사태에 대한 우려)

➔ 「홍범」에서 이른 군신의 예법에 어긋나는 신돈의 행동과, 그로 인한 우려

라 송나라 사마광은 말하기를, 『"기강이 서지 않으면 호걸 중 간교한 뜻을 가진 간웅(奸雄)이 망측한 마음을 품게 된다. 그런즉 예법은 불가불 엄격해야 하고, 습관은 불가불 삼가야 할 것이다."』라고 하였습니다. 만일 전하께서 이 사람(신돈)을 공경하고 백성에게 재해도 없게 하려면, 그의 머리를 깎고 그의 옷을 물들이고 그의 벼슬을 삭탈(削奪)하여 절에다 두고서 공경해야 합니다. 반드시 이 사람을 써야만 국가가 평안하겠다면 그 권력을 억눌러 상하의 예법을 엄격하게 한 뒤에 부리셔야만 백성의 마음이 안정되고 나라의 어려움도 펴질 것입니다.

(사마광: 북송 때의 학자. 당시의 봉건제 질서를 '천명(天命)'이라 하고 이것을 근거로 하여, '천명'에 근거하지 않은 '변법'을 단행한 강남의 신흥 지주파인 왕안석에 반대한 대지주파의 철학을 역설함. / 간교: 간사하고 교활함. / 불가불: 부득불(하지 아니할 수 없어) / 『 』: 권위자의 의견을 인용함. 자신의 의견을 효과적으로 전달함. / 그의 머리를 깎고 그의 옷을 물들이고: 중의 신분으로 되돌림. / 써야만: 관직에 앉혀 두어야만)

➔ 신돈의 관직을 삭탈할 것에 관한 건의

마 또 전하께서 신돈을 어진 이라 하였지만, 『신돈이 국사를 맡은 이래로 음양이 때를 잃어서 겨울철에 우레가 일고 누른 안개가 사방에 꽉 차고 해가 열흘 이상 어두웠으며, 밤중에 붉은 기운이 돌고 천구성(天狗星)이 땅에 떨어지며 나무의 고드름이 지나치게 심합니다. 청명이 지난 뒤에도 우박과 찬바람이 일어 하늘의 기후가 여러 차례 변하고, 산새와 들짐승이 대낮에 성 안으로 날아들고 달려드니,』 신돈에게 내린 '논도섭리공신(論道燮理功臣)'이라는 호가 과연 천지와 조종(祖宗)의 뜻에 합하는 것입니까.

(국사: 나라에 관한 일. 또는 나라의 정치에 관한 일 / 『 』: 신돈이 어진 이가 아니라는 근거로 기상 현상의 이상 징후들을 들고 있음. / 청명: 이십사 절기의 하나. 4월 5일 무렵이다.)

➔ 신돈이 어진 이가 아니라는 증거가 되는 이상한 기상 현상

중간: 군신의 예를 어기고 조정을 어지럽히는 신돈의 벼슬을 삭탈할 것을 주장함.

끝 **바** 『신 등은 직책이 사간원(司諫院)에 있는지라, 전하께서 자격이 안 되는 인물을 재상으로 삼아 장차 사방에 웃음거리가 되고 만세에 기롱(譏弄)의 대상이 될까 안타깝게 여깁니다. 이에 침묵을 지키고 말을 하지 않는다는 책망을 면하고자 합니다.』 이미 말씀을 드렸는지라, 대처하시는 바를 삼가 듣겠나이다.

(『 』: 사간원에 속한 자신의 직분에 충실하고자 하는 의지 / 책망: 잘못을 꾸짖거나 나무라며 못마땅하게 여김.)

➔ 자신의 직분과 집필 의도

끝: 사간원 관리로서의 직분을 강조하며 상소문을 올리는 의도를 제시함.

신돈: 성은 신(辛), 법명은 편조(遍照)이다. 이름 돈(旽)은 집권 후에 정한 속명이다. 1365년 공민왕의 신임을 받아 청한거사(淸閑居士)라는 호를 하사 받았고 사부(師傅)로서 국정에 참여하게 되었다. 공민왕은 마침 원(元)의 세력이 약화되는 틈을 이용하여 개혁 정치를 추진하였다. 밖으로는 원의 지배, 간섭에서 벗어나려고 하였고, 안으로는 원 세력의 힘을 등에 업고 세도를 부리는 권문세족을 척결하려 하였다. 이때 왕의 신임을 받고 있던 신돈을 중용하여 국내 개혁을 추진토록 하였다. 이후 몇 년간 신돈이 개혁 정치를 추진했음에도 불구하고 민생 문제는 나아지지 않았고, 새롭게 등장한 명(明)에서는 신돈의 집권을 비판하였다. 결국 공민왕은 1370년 친정(親政)의 뜻을 밝히고 신돈 집권 시대는 끝이 나게 되었다.

어휘 풀이

「홍범(洪範)」: 『서경』(유학의 다섯 경전 중 하나로, 공자가 요임금과 순임금 때부터 주나라에 이르기까지의 정사(政事)에 관한 문서를 수집하여 편찬한 책)의 1편으로서 유가(儒家)의 천하적 세계관에 의거한 정치 철학을 말한 글.

참람하다: 분수에 넘쳐 너무 지나치다.

간웅: 간사한 꾀가 많은 영웅.

삭탈: 죄를 지은 자의 벼슬과 품계를 빼앗고 벼슬아치의 명부에서 그 이름을 지우던 일.

누르다: 황금이나 놋쇠의 빛깔과 같이 다소 밝고 탁하다.

천구성: 재해(災害)의 징조로 나타난다고 하는 별.

논도섭리공신: 도를 논하고 고르게 다스리는 관리, 즉 재상의 지위를 가리킴.

조종: ① 시조가 되는 조상. ② 임금의 조상. ③ 가장 근본적이며 주요한 것을 비유적으로 이르는 말.

사간원: 국왕의 과오나 비행을 비판하는 간쟁(諫諍), 옳지 않음을 글을 올려 논박하는 봉박(封駁) 같은 일을 주로 하던 관서.

기롱: 실없는 말로 놀림.

정답 및 해설 46쪽

1 글쓰기 맥락

필자	국왕의 과오나 비행을 비판하는 임무를 지닌 사간원의 관리
예상 독자	신돈의 비행을 방치하는 임금
글을 쓴 목적	사간원의 관리로서 신돈의 죄를 임금께 고하여 신돈의 관직을 박탈하거나 그 권력을 누르고자 함.

2 신돈에 대한 탄핵의 근거

주장	신돈의 관직을 삭탈하여 국가 기강을 바로잡을 것을 건의함.
⬆	
근거	• 유교 경전인 「홍범」을 인용하여 신돈의 권력 남용을 비판적으로 드러냄. • 신망 있는 유학자인 사마광의 말을 인용하여 군신의 예법을 강조함. • 초자연적인 기상 이변을 들어 신돈에 대한 탄핵이 천명(天命)과 조종의 뜻에 부합함을 강조함.

3 오늘날의 관점에서의 비판적 수용

신돈이 어질지 못하여 국사를 맡은 후 기이한 자연현상이 일어났음.

⬇

천재지변은 누군가의 처신으로 인해 일어나는 자연현상이 아니므로 비합리적인 근거라고 판단됨.

4 당시의 글쓰기 관습과 독서 문화

- 자기 주장의 타당성을 뒷받침하기 위해 「홍범」을 인용함.
  → 유교 경전의 권위에 대한 수용적인 태도
- 사간원에 속한 관리로서의 직책을 다하기 위해 상소문을 씀.
  → 예상 독자와 필자는 군신 관계이므로 시종일관 공손한 태도를 유지함.

보충 자료 소[疏] - 상소문

'소(疏)'라는 글자에는 '통하게 하다.'라는 뜻이 있다. 이 말이 문체의 이름으로 쓰인 것은 한(漢)나라 때부터이다. 전국 시대 이전에는 임금에게 올리는 글을 '상서(上書)'라고 하였다. 진나라 때에는 '주(奏)'라고 하였다. 한나라에 와서 '상소(上疏)'라고 하였다. 후세에 그 말이 점차로 신하가 임금에게 올리는 글의 통칭으로 쓰이게 되었다.

소의 내용은 특정한 것으로 국한되어 있지는 않다. 대체로 정치 문제에 대한 것과 벼슬을 사양하는 것이 압도적으로 많다. 그 외에 사은(謝恩)이나 대죄(待罪) 등 여러 가지 내용도 있다.

학습 활동 응용

1. 이 글의 필자의 글을 쓴 목적을 나타낼 때 가장 적절한 것은?

① 신하로서의 어긋난 행동에 대해 비판하고 있다.
② 백성을 수탈하는 관리들의 비행을 비판하고 있다.
③ 임금의 통치 철학 부재를 우회적으로 비판하고 있다.
④ 군·신·민이 각자의 본분에 충실할 것을 강조하고 있다.
⑤ 관리들 간의 다툼이 커져 가는 조정의 현실을 고발하고 있다.

2. (다)~(바)에 대한 이해로 적절하지 않은 것은?

① (다)와 (라)에서 필자는 자신의 주장을 강화하기 위해 권위 있는 경전의 글과 인물의 말을 인용하고 있다.
② (라)에서 필자는 특정 인물의 행위로 인한 문제 상황을 해결하기 위한 대응책을 건의하고 있다.
③ (마)에서 필자는 기상 현상의 초자연적인 이상 징후를 언급하면서 자신의 주장을 강화하고 있다.
④ (마)와 (바)에서 필자는 왕권과 민생의 회복을 위한 최선의 방안에 대한 자신의 의견을 제시하고 있다.
⑤ (바)에서 필자는 이 글을 쓰게 된 것이 마땅히 해야 할 자신의 직분임을 인식한 데서 비롯된 행위임을 강조하고 있다.

학습 활동 응용

3. 이 글에 나타난 당대의 사회 · 문화적 관습과 거리가 먼 것은?

① 상하 구분의 신분 질서가 뚜렷하였다.
② 백관과 백성이 분수에 넘치는 생활을 하였다.
③ 「홍범」과 같은 유교 경전의 권위가 인정받고 있었다.
④ 관리가 임금의 잘못을 지적하는 일을 하는 관청이 존재했다.
⑤ 기후 변화를 나라의 정사(政事)의 잘잘못과 연관 지어 생각하였다.

4. 신돈을 바라보는 필자의 관점이 드러난 말로 볼 수 없는 것은?

① 간웅(奸雄)
② 자격이 안 되는 인물
③ 기울어지고 비뚤어진 관리
④ 논도섭리공신(論道燮理功臣)
⑤ 신하로서 복을 내리거나 위세를 부리고 진귀한 음식을 받는 자

서술형 학습 활동 응용

5. 이 글에 나타난 필자의 주장을 〈조건〉에 맞게 쓰시오.

〈조건〉
- '근거+주장'의 구조를 지닌 두 문장으로 서술할 것
- 70자 내외로 쓸 것(띄어쓰기 포함)

교과서 183~185쪽

깊게 읽기

1. 이 글의 글쓰기 맥락을 분석해 보자.

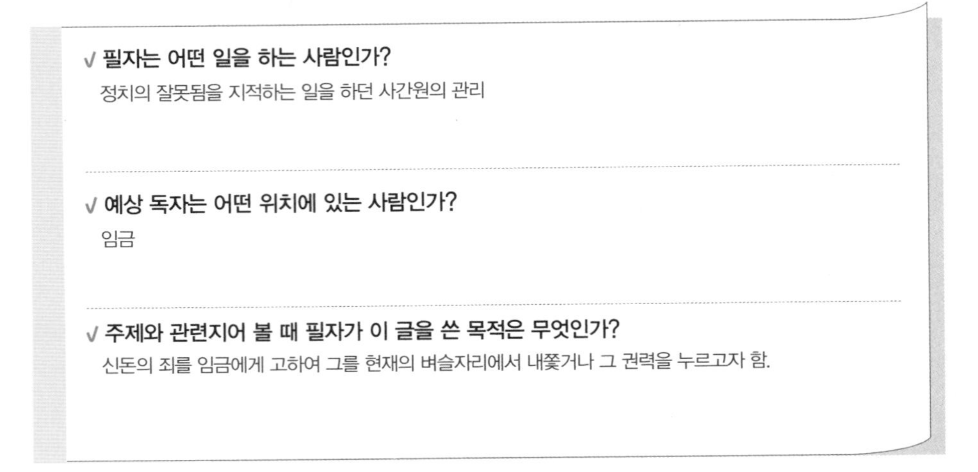

√ **필자는 어떤 일을 하는 사람인가?**
정치의 잘못됨을 지적하는 일을 하던 사간원의 관리

√ **예상 독자는 어떤 위치에 있는 사람인가?**
임금

√ **주제와 관련지어 볼 때 필자가 이 글을 쓴 목적은 무엇인가?**
신돈의 죄를 임금에게 고하여 그를 현재의 벼슬자리에서 내쫓거나 그 권력을 누르고자 함.

2. 이 글과 다음 시조는 주제 면에서 관련이 깊다고 알려져 있다. 밑줄 친 시어들의 숨은 의미를 추론하여, 시조에 담긴 필자의 생각을 파악해 써 보자.

활동 도움말
시조에서 구름이 마음대로 다니면서 해를 덮는다고 한 것은 앞서 배운 상소문 속의 어떤 상황을 빗댄 것인지 생각해 본다.

구름이 무심(無心)탄 말이 아마도 허랑하다.
중천(中天)에 떠 있어 임의로 다니면서
구태여 광명한 날빛을 따라가며 덮나니.

– 이존오

허랑하다: 언행이나 상황 따위가 허황하고 착실하지 못하다.
날빛: 햇빛

제재 연구

이존오, 「구름이 무심탄 말이」

갈래	시조
성격	상징적, 비판적
주제	임금의 총명을 가리고 조정을 어지럽히는 신돈의 행각에 대한 비판
특징	자연물을 이용하여 당시의 상황을 우의적으로 비판함.

보충 자료 **상소문(上疏文)**

상소는 중요한 언로(言路)의 하나로 문무 백관에서 평민에 이르기까지 폭넓게 운영되었다. 그러나 상소는 나름대로 엄격한 규칙과 절차가 있었다. 익명서는 접수하지 않았으며 왕의 행차에 함부로 뛰어들어 직접 말이나 글로 상언(上言)하는 것을 원칙적으로 금지했다. 조선시대 상소는 승정원을 경유하여 왕에게 전달되고, 왕의 비답(批答)도 승정원을 통해 하달되었다. 승정원에서는 먼저 규격, 문장의 법식, 오자, 성명 오기 등을 심사했다. 서식과 규격, 전달 방식, 처리 방식도 상소자의 수준과 상소의 종류에 따라 차별적으로 규정되어 있었다. 이런 내용은 시대에 따라 조금씩 바뀌었다.

| 도움말 | 글에 반영되어 있는 사회·문화적 특성을 파악해 보는 활동이다. 모든 글에는 창작 당시의 사회·문화적 특성이 직·간접적으로 반영될 수밖에 없다는 점을 이해한 후, 이 글에 드러나 있는 시대적 특성을 찾아본다.
(1)에서 필자가 주장하는 예법의 기능과 성격이 어떤 것인지를, 신돈의 행각을 비판하는 부분에서 찾아본다.
(2)에서 현대적 관점에서 볼 때 과학적 근거가 부족함에도 불구하고 이 글이 창작되던 당시에는 설득력이 있을 만한 부분이 어디인지 찾아본다.

3. **당시의 사회·문화적 특성이 이 글에 어떻게 반영되어 있는지 생각하면서 다음 활동을 해 보자.**

(1) 예법의 기능과 성격에 관한 당대 사람들의 생각이 드러난 부분을 찾아 그 내용을 정리해 보자.

| 예시 답 | 예법은 상하를 구별하고 국가를 다스리는 근본 수단이다. 한번 정해진 예법은 사사로이 바꿀 수 없으며 올바른 기강을 위해 엄격하게 지켜져야 한다.

(2) 오늘날의 관점으로 볼 때 합리적인 근거가 아니라고 판단할 수 있는 내용을 찾아보고, 왜 그렇게 생각하는지 이유를 설명해 보자.

| 예시 답 | 신돈이 어질지 못하여 그가 국사를 맡은 후로 기이한 자연 현상이 많이 벌어졌다고 한 부분이 비합리적인 근거이다. 천재지변은 누군가의 인간됨이나 처신으로 인해 일어나는 자연 현상이 아니기 때문이다.

4. **이 글을 통해 당시의 글쓰기 관습과 독서 문화를 짐작해 보자.**

(1) 이 글이 상소문임을 고려할 때, 독자와의 사회적 관계가 필자의 글쓰기 태도에 어떤 영향을 미치고 있는지 설명해 보자.

| 예시 답 | 상소문은 신하가 임금께 올리는 글이다. 이 글에서 예상 독자는 임금이고, 필자는 신하로, 예상 독자와 필자의 관계는 군신 관계라 할 수 있다. 따라서 필자는 자신의 주장을 뚜렷이 밝히며 임금이 생각을 바꿀 것을 요청하면서도 시종일관 공손한 태도를 유지하고 있다.

활동 도움말

상소문은 주로 관원이 임금에게 잘못된 정사(政事)를 고치도록 말하기 위해 쓴 글임을 참고한다.

(2) 필자가 주장의 설득력을 높이기 위해 활용한 글쓰기 방식의 효과를 파악해 보자.

| 예시 답 | 문수회 당일의 사건, 영도첨의 판감찰로 임명된 직후의 사건 등을 통해 신돈의 언행에 관한 경험을 제시함. ▶ 신돈의 무례한 행실과 과오를 직접적으로 지적할 수 있음.

유승단, 정가신, 이자겸 등 신돈과 유사한 위치에 있었던 이들을 언급함. ▶ | 예시 답 | 다른 이들과 달리 신돈이 특별히 무례하다는 점을 부각할 수 있음.

(3) 필자가 「홍범」을 인용한 의도를 파악하고, 이를 통해 당시의 지식인들이 주로 어떤 종류의 책을 어떤 목적과 태도로 읽었을지 추론해 보자.

활동 도움말

인용된 「홍범」의 내용이 어떤 분야에 관한 것인지, 필자는 「홍범」에 담긴 주장을 어떤 태도로 받아들이고 있는지 등을 생각해 본다.

「홍범」을 인용한 의도		예시 답	신하의 올바른 도리에 관한 자신의 생각을 뒷받침하고, 그것에 어긋나는 신돈의 행실을 비판하기 위해서이다.
당시 지식인들의 독서 목적과 태도		예시 답	나라를 바르게 다스리는 방법에 관한 성현들의 지혜를 얻기 위해 유교의 경전에 해당하는 책들을 많이 읽었을 것이며, 자신의 글에 그 내용을 인용하기도 하는 것으로 보아 책의 내용에 관해서는 대체로 수용적인 태도였을 것이다.

넓혀 읽기

5. 다음은 고등학교 『한국사』 교과서의 일부분이다. 이를 바탕으로 신돈이 이존오의 글에 반박하는 상황을 상상해 보고, 신돈의 입장에서 임금에게 올리는 글을 써 보자.

활동 도움말

신돈의 눈에는 당시의 정치적·사회적 상황이 어떻게 보였을지 생각해 본다.

| 도움말 | 이 활동은 첫째, 동일한 문제 상황에 대해 관점의 차이가 있을 수 있음을 이해하고 이를 글에 반영해 보고, 둘째, 다른 교과와의 연계를 통해 상호 텍스트성을 확인하고 확장적 읽기를 습관화하기 위한 활동이다. 가상의 상소문 쓰기에서 글 자체의 완성도가 높을 필요는 없지만, 임금에게 올리는 글이라는 점을 고려하여 필자와 독자 간의 관계 설정에 알맞은 표현을 구사해야 한다. 그리고 앞서 읽은 이존오의 글을 논리적으로 반박하되, 이 활동의 제재 글인 한국사 교과서에 제시된 내용을 주장의 근거로 활용해 본다.

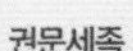

공민왕의 개혁 정치

권문세족
원 간섭기에 형성된 새로운 지배층이다. 종래의 문벌 귀족 가문, 무신 정권기에 새로 등장한 가문, 원과의 관계를 통하여 성장한 가문 등이 포함되었다.

▲ 공민왕과 왕비(노국대장공주)

공민왕은 원·명 교체기를 이용하여 대외적으로 반원 자주를 실현하고 대내적으로 권문세족을 약화시켜 왕권을 강화하는 정책을 시행하였다.

공민왕은 기철을 비롯한 친원 세력을 숙청하였고, 정동행성 이문소를 폐지하였다. 또한 원의 간섭으로 바뀌었던 관제를 복구하였으며, 변발 등 몽골 풍습을 금지하였다. 그리고 쌍성총관부를 공략하여 철령 이북의 땅을 수복하였다.

공민왕은 정방을 폐지하여 인사권을 회복하였으며, 전민변정도감을 설치하여 토지와 노비의 원상회복을 추진하였다. 그러나 권문세족의 반발로 개혁의 중심인물인 신돈이 제거되고, 공민왕이 시해됨으로써 개혁은 중단되었다.

한편 공민왕의 개혁 정치가 추진되는 과정에서 신진 사대부의 정계 진출이 확대되었다. 이들은 성리학을 수용하여 학문의 기반으로 삼고 권문세족의 횡포와 불교의 폐단을 시정하려고 하였다.

신진 사대부들 중 급진 개혁파(혁명파)는 홍건적과 왜구의 침입을 격퇴하는 과정에서 성장한 이성계와 결탁하여 고려를 멸망시키고 조선을 건국(1392)하여 새로운 사회 건설을 모색하였다.

| 함 | 께 | 하 | 는 | 탐 | 구 | 활 | 동 | 신돈의 개혁

신돈이 전민변정도감을 두기를 청하고 스스로 판사가 되어 다음과 같이 방을 내렸다. "요사이 기강이 크게 무너져 사람들이 탐욕스럽고 포학하게 되어 종묘, 학교, 창고, 사원 등의 토지와 조상 대대로 내려오는 토지와 노비를 권세가가 거의 다 빼앗아 차지하고는, 혹 이미 돌려주도록 판결난 것도 그대로 가지고 있으며, 양민을 노예로 삼고 있다. 향리, 역리, 관노, 백성 가운데 역을 피해 도망한 자들이 모두 숨어들어 크게 농장이 설치되니, 백성들을 병들게 하고 나라를 여위게 하며, 홍수와 가뭄을 부르고 질병도 그치지 않고 있다. 이제 도감을 두어 고치도록 하니, 잘못을 알고 스스로 고치는 자는 죄를 묻지 않을 것이나 기한이 지나 일이 발각되는 자는 엄히 다스릴 것이다." -「고려사」

활동 1. 밑줄 친 부분의 권세가는 누구를 가리키는지 말해 보자.

활동 2. 신돈의 개혁이 실패한 이유를 설명해 보자.

전하, | 예시 답 | 지금 저를 내쫓으려는 권세가들은 과거에 빼앗아 가진 토지와 노비를 지키려고 혈안이 된 자들이옵니다. 저들은 전하께서 제게 맡겨 추진하시는 개혁의 칼날을 피하고자 저를 헐뜯고 있사옵니다. 부디 현명하게 판단하시어 간교한 말을 일삼는 이존오의 무리를 엄벌하여 주소서.

소단원 출제 포인트

요물이 나라를 망치고 있으니

1 전체 글의 개관

갈래	상소문	성격	비판적, 설득적, 예시적, 인용적
제재	신돈의 죄	주제	군신의 예법을 어기는 신돈의 관직 삭탈을 건의함.
특징	① 대비되는 사례를 통해 비판을 강화함. ② 인용, 예시 등을 통해 논지를 뒷받침함.		③ 특정 인물의 그릇된 행동을 직접 비판함. ④ 초자연적 기상 이변을 언급하며 사태의 심각성을 강조함.

2 표현상의 특징과 효과

표현상의 특징		효과
다른 사례와의 비교	• 최항, 김인준, 임연의 사례 → 신돈은 당대의 다른 권신들보다도 더 큰 무례함을 행함. • 유승단, 정가신, 이자겸의 사례 → 신돈은 그와 유사한 지위에 있던 사람들과 달리 더 큰 무례함을 저지름.	신돈의 오만함을 부각하고, 그에 대한 비판을 강화함.
직접적인 표현	• '요물', '참람(僭濫)', '그의 머리를 깎고 그의 옷을 물들이고 그의 벼슬을 삭탈(削奪)하여 절에다 두고서', '자격이 안 되는 인물', '웃음거리', '기롱(譏弄)의 대상' 등의 직설적인 표현을 사용하여 신돈에 대한 비판을 강하게 표출함.	신돈의 비행을 지적함으로써 그에 대한 비판을 강화함.
권위 있는 책이나 인물의 말을 인용	• 유교 경전인 「홍범」과 신망 받는 유학자인 사마광의 말을 인용하여 권력 남용을 비판하면서 군신(君臣) 간의 예법을 강조함.	당위적인 규범을 제시하고, 신돈의 탄핵에 대한 이론적 근거로 삼음.

3 글쓰기 맥락

필자의 직책	국왕의 과오나 비행을 비판하는 일이 주 임무인 사간원의 관리
예상 독자	(신돈의 무례함을 옹호하며 조정의 혼란을 방치한다고 생각하는) 임금
집필 목적	사간원의 관리로서 신돈의 죄를 임금께 사실대로 아뢰어 관직을 박탈하거나 그 권력을 누르고자 함.

4 이 글에 반영된 사회·문화적 특성

- 국가를 다스리는 근본 수단인 예법은 사사로이 바꿀 수 없고 올바른 기강을 위해 엄격하게 지켜야 한다고 생각함.
- 이상 기후 현상을 언급하며 이를 근거로 신돈의 직위가 천지와 조종의 뜻에 부합하지 않는다고 주장함.

5 당시의 글쓰기 관습과 독서 문화

- 사간원에 속한 관리로서의 직책을 다하기 위해 상소문을 씀. → 군신 간의 관계를 고려한 공손한 글쓰기 태도
- 자기 주장의 타당성을 뒷받침하기 위해 「홍범」을 인용함. → 유교 경전의 권위에 대한 수용적인 태도

제재 2

교과서 186~188쪽

조침문(弔針文)
_ 유씨 부인

소단원 포인트
- '부러진 바늘'과 관련된 글의 중심 화제 파악하기
- '제문(祭文)' 형식을 선택한 이유 파악하기
- 글 속에 반영된 당시 여성들의 삶을 이해하기

필자 소개
유씨 부인: 조선 후기 순조 연간(1800~1834)의 여류 문인. 명문가에서 태어나 사대부 가문에 출가했으나 가난하고 자녀도 없는 데다 남편마저 일찍 여의었다. 문장력이 뛰어났으며 작품으로 「조침문」을 남겼다.

서사 **가** 유세차(維歲次) 모년 모월 모일에 미망인(남편이 죽고 홀로 남은 여자. 필자) 모씨는 두어 자 글로써 침자(針子)(바늘을 의인화함.)께 고하노니, 인간 부녀의 손 가운데 종요로운 것이 바늘이로되, 세상 사람이 귀히 아니 여기는 것은 도처에 흔한 바이로다.(일상에 매우 흔하게 사용되어 귀한 줄 모름.)
➔ 침자께 제문을 올림.

나 이 바늘은 한낱 작은 물건이나, 이렇듯이 슬퍼함은 나의 정회(정과 회포)가 남과 다름이라. 오호통재(嗚呼痛哉)라, 아깝고 불쌍하다. 너를(바늘(의인법)) 얻어 손 가운데 지닌 지 우금(于今) 이십칠 년이라. 어이 인정이 그렇지(아깝고 불쌍하지) 아니하리오. 슬프다. 눈물을 잠깐 거두고 심신을 겨우 진정하여 너의 행장(行狀)과 나의 회포를 총총히 적어 영결(죽은 사람과 산 사람이 서로 영원히 헤어짐.)하노라.
➔ 제문을 짓게 된 동기

서사: 애통한 심정으로 부러진 바늘을 영결(永訣)함.

본사 **다** 연전(몇 해 전)에 우리 시삼촌께옵서 동지상사(冬至上使) 낙점(落點)을 무르와 북경을 다녀오신 후에, 바늘 여러 쌈을 주시거늘, 친정과 원근 일가(가깝고 먼 친척)에게 보내고, 비복(계집종과 사내종)들도 쌈쌈이 낱낱이 나눠 주고, 그중에 너를 택하여 손에 익히고 익히어 지금까지 해포(한 해가 조금 넘는 동안. 여기서는 여러 해 동안이라는 뜻)되었더니, 슬프다. 연분이 비상하여(인연이 각별하여) 너희를 무수히 잃고 부러뜨렸으되, 오직 너 하나를 영구히 보존하니, 비록 무심한(마음이 없는) 물건이나 어찌 사랑스럽고 미혹지 아니하리오. 아깝고 불쌍하며, 또한 섭섭하도다.
➔ 바늘을 얻은 내력

라 『나의 신세 박명하여(복이 없고 팔자가 사나움.) 슬하에 한 자녀 없고, 인명이 흉완(凶頑)하여 일찍 죽지 못하고, 가산이 빈궁하여』(『 』: 필자의 외롭고 고달픈 신세가 직접 드러남.) 『침선(針線)(바느질)에 마음을 붙여 널로 하여 시름을 잊고 생애를 도움이 적지 아니하더니,』(『 』: 바늘에서 위안을 얻었음을 드러냄.) 오늘날 너를 영결하니, 오호통재라, 이는 귀신이 시기하고 하늘이 미워하심이로다.
➔ 필자의 삶과 바늘로부터 얻은 위안

마 아깝다 바늘이여, 어여쁘다 바늘이여. 너는 미묘한 품질과 특별한 재치(여기서는 재주와 솜씨를 이름.)를 가졌으니, 물중(物中)의 명물(名物)이요, ㉠ 철중(鐵中)의 쟁쟁(錚錚)이라. 민첩하고 날래기는 백대의 협객(백 년에 한 번 나오는 호탕한 무인(武人))이요, 굳세고 곧기는 만고의 충절을 듣는 듯한지라. 능라(綾羅)와 비단에 난봉(鸞鳳)(중국 전설에 나오는 새인 난새와 봉황)과 공작을 수놓을 제, 그 민첩하고 신기함은 귀신이 돕는 듯하니, 어찌 인력이 미칠 바리오.
➔ 바늘의 신묘한 재주

바 오호통재라, 자식이 귀하나 손에서 놓일 때도 있고, 비복이 순하나 명을 거스를 때 있나니, 너의 미묘한 재질이 나의 전후에 수응(酬應)함을 생각하면, 자식에게 지나고 비복에게 지나는지라.(자식보다 낫고 비복보다 낫다.)
➔ 바늘이 필자에게 지니는 의미

어휘 풀이

유세차: '이해의 차례는'이라는 뜻으로, 제문(祭文)의 첫머리에 관용적으로 쓰는 말.

종요롭다: 없어서는 안 될 정도로 매우 긴요하다.

오호통재: '아, 비통하다'라는 뜻으로, 슬플 때나 탄식할 때 하는 말.

우금: 지금까지.

행장: 몸가짐과 품행을 통틀어 이르는 말.

동지상사: 조선 시대에, 해마다 동짓달에 중국으로 보내던 사신의 우두머리.

낙점: 조선 시대에, 이품 이상의 벼슬아치를 뽑을 때 임금이 이조에서 추천된 세 후보자 가운데 마땅한 사람의 이름 위에 점을 찍던 일.

쌈: 바늘을 묶어 세는 단위. 한 쌈은 바늘 스물네 개를 이름.

흉완: 흉악하고 모짊.

쟁쟁: 쇠붙이 따위가 맞부딪쳐 맑게 울리는 소리. 여기서는 여럿 가운데서 매우 뛰어나다는 의미임.

1 제문(祭文) 형식을 택하여 글을 쓴 이유

- '유세차 모년 모월 모일에 ~는 ~에게 고하노니'라는 제문의 상투적 형식으로 시작함.
- 오호통재(嗚呼痛哉)라
- 총총히 적어 영결(永訣)하노라

⬇

바늘이 부러진 데 대한 필자의 안타까움과 슬픔을 절실하게 드러내기 위함.

2 바늘의 의인화

- 바늘을 '너', '침자(針子)'로 표현함.
- '바늘의 부러짐'과 '사람의 죽음'을 동일시함.

⬇

바늘에 대한 필자의 애정을 드러냄.

3 이 글에 반영된 사회 · 문화적 특성

- 노비 제도가 있음.
- 일정한 시기마다 중국에 사신을 보내는 제도가 있음.
- 외국을 다녀온 이가 가족이나 친지에게 선물을 주거나 좋은 것을 비복에게 나누어 주는 풍습이 있음.
- 여인들이 바느질을 익히는 풍습이 있음.

4 필자의 처지와 바늘의 가치

- 나의 신세 박명하여 슬하에 한 자녀 없고
- 가산이 빈궁하여
- 침선에 마음을 붙여 널로 하여 시름을 잊고 생애를 도움이 적지 아니하더니

⬇

자식에게 지나고 비복에게 지나는지라.
→ 필자에게 바늘은 자식이나 비복보다 더 귀중한 존재임.

보충 자료 제문(祭文)

제문은 죽은 이를 추모하고 애도하며 제전(祭典)을 올리는 글로서, 작가와의 절친한 가족, 친구, 사제 등 관계를 맺은 인간에 대한 진솔하고 짙은 애상이 묻어나는 문학적 양식이다.

서사	제문(祭文)의 첫머리에 관용적으로 '유세차'를 씀.('이해의 차례는'이라는 뜻임.).
본사	죽은 사람의 살아 생전 모습을 회상하면서 여러 가지 감정을 표현함.
결사	죽은 사람에 대한 슬픔의 정을 드러내며, 실제 제문(祭文)의 경우에는 마지막에 '상향(尙饗)'이라는 단어로 끝맺음.

정답 및 해설 46쪽

확인 문제①

학습 활동 응용

1. 이 글에 대한 설명으로 적절하지 않은 것은?

① 일상 속의 사물을 소재로 삼고 있다.
② 필자의 심리를 고백하듯 서술하고 있다.
③ 대상에 대한 추모의 정을 드러내고 있다.
④ 개인적 체험이 공동체의 문제로 확대되고 있다.
⑤ 여성 특유의 섬세한 감각과 정서가 드러나 있다.

2. 이 글을 효과적으로 감상하기 위한 태도와 거리가 먼 것은?

① 바늘을 얻은 경위와 정황을 생각해 본다.
② 바늘에 대하는 필자의 태도와 마음 생각해 본다.
③ 바늘을 부러뜨린 필자의 심리 상태를 추측해 본다.
④ 바느질에 필요한 다른 도구들은 무엇인지 알아본다.
⑤ 바느질로 생계를 꾸려 간 필자의 처지를 짐작해 본다.

3. ㉠과 관계 깊은 한자 성어로 가장 적절한 것은?

① 천의무봉(天衣無縫) ② 금옥군자(金玉君子)
③ 군계일학(群鷄一鶴) ④ 선남선녀(善男善女)
⑤ 동량지재(棟梁之材)

학습 활동 응용

4. 이 글에 반영된 사회 · 문화적 특성으로 적절하지 않은 것은?

① 집안에서 부리는 노비들이 있었다.
② 중국에 사신을 보내는 제도가 있었다.
③ 여인들이 바느질을 익히는 풍습이 있었다.
④ 좋은 것을 친지에게 나눠 주는 풍습이 있었다.
⑤ 여자들은 바느질을 통해 생계를 유지해야 했다.

서술형 학습 활동 응용

5. 이 글의 필자가 '제문(祭文)'의 형식을 택해 글을 쓴 이유를 〈조건〉에 맞게 쓰시오.

〈조건〉
- 제문의 대상과 필자의 감정을 드러낼 것
- '~ 기 위해서이다.'의 문장 형태로 서술할 것
- 40자 내외의 한 문장으로 쓸 것(띄어쓰기 포함)

사 천은(天銀)으로 집을 하고, 오색으로 파란을 놓아 곁고름에 채웠으니, 부녀의 노리개라. 밥 먹을 적 만져 보고 잠잘 적 만져 보아, 널로 더불어 벗이 되어, 여름 낮에 주렴이며, 겨울밤에 등잔을 상대하여 누비며, 호며, 감치며, 박으며, 공글릴 때에, 겹실을 꿰었으니 봉미(鳳尾)를 두르는 듯 땀땀이 떠 갈 적에 수미가 상응하고, 솔솔이 붙여 내매 조화가 무궁하다.

바늘(바늘집)의 또다른 용도 / 바늘과의 관계가 매우 각별했음을 드러냄. / 구슬 따위를 꿰어 만든 발 / 다양한 바느질 종류를 열거함. / 봉황의 꼬리

➔ 바늘과의 각별한 인연

아 이 생애 백 년 동거하렸더니, 오호애재(嗚呼哀哉)라, 바늘이여. 금년 시월 초십일 술시(戌時)에 희미한 등잔 아래서 관대(冠帶) 깃을 달다가 무심 중간에 자끈동 부러지니 깜짝 놀라워라. 아야 아야 바늘이여 두 동강이 났구나.

얼떨결에

➔ 바늘이 부러진 경위

자 『정신이 아득하고 혼백이 산란하여 마음을 빻아 내는 듯 두골을 깨쳐 내는 듯 ㉠ 이슥도록 기색혼절(氣塞昏絕)하였다가 겨우 정신을 차려,』 만져 보고 이어 본들 속절없고 하릴없다. 편작(扁鵲)의 신술(神術)로도 장생불사 못 하였네. 동네 장인(匠人)에게 때이런들 어찌 능히 때일쏜가. 한 팔을 베어 낸 듯 한 다리를 베어 낸 듯 아깝다 바늘이여 옷섶을 만져 보니 꽂혔던 자리 없네.

흩어져 어지러움. / 『 』: 비유와 과장을 통해, 바늘을 부러뜨린 필자의 애통한 심정을 부각함. / 오래도록 살고 죽지 아니함. / 때우려한들

➔ 바늘을 잃은 허전함.

> **본사**: 바늘의 행장과 부러진 바늘에 대한 애정

결사 **차** 오호통재라. 내 삼가지 못한 탓이로다. ㉡ 무죄한 너를 마치니 백인(伯仁)이 유아이사(由我而死)라. 누를 한(恨)하며 누를 원(怨)하리오. 능란한 성품과 공교한 재질을 나의 힘으로 어찌 다시 바라리오. 절묘한 의형(儀形)은 눈 속에 삼삼하고 특별한 품재(稟才)는 심회가 삭막하다.

솜씨나 꾀 따위가 재치 있고 교묘함. / 누구도 원망할 수 없음. / 익숙하고 솜씨가 있음. / 잊히지 않고 눈에 보이는 듯 뚜렷함.

➔ 바늘을 부러뜨린 자책과 바늘에 대한 그리움.

카 네 비록 물건이나 무심치 아니하면 후세에 다시 만나 평생 동거지정을 다시 이어 백년고락과 일시생사를 한가지로 하기를 바라노라. 오호애재라, 바늘이여.

다음 생애에도 함께하고 싶은 마음 / 한때의 죽고 사는 일

➔ 바늘과의 재회 기약

> **결사**: 바늘과 후세에서 다시 재회할 것을 기약함.

필자와 '바늘'의 관계

필자(유씨 부인)
남편을 여의고 홀로 지내는 외로움과 시름을 바늘로 달램.

바늘
품재가 뛰어나 필자의 사랑을 받으며 27년간 함께하다가 부러짐.

어휘 풀이

천은: 품질이 가장 뛰어난 은.

파란: 광물을 원료로 하여 만든 유약(釉藥). 법랑.

오호애재: '아, 슬프도다'라는 뜻으로, 슬플 때나 탄식할 때 하는 말.

술시: 십이시(十二時)의 열한째 시. 오후 일곱 시부터 아홉 시까지임.

관대: '관디[옛날 벼슬아치들의 공복(公服)]'의 원말.

기색혼절: 숨이 막혀 까무러침.

편작: 중국 전국 시대의 유명한 의사.

마치다: 사람이 생(生)을 더 누리지 못하고 끝내다.

백인이 유아이사: 백인이 나로 말미암아 죽다. 백인(『진서』에 실린 고사에 나오는 사람 이름)을 직접 죽이지 않았지만 죽은 사람에 대해 자신이 책임이 커서 죄책감을 느낀다는 말. 남의 잘못이 아니라 나의 탓임.

의형: 몸을 가지는 태도.

품재: 타고난 재주.

1 바늘에 대한 필자의 태도

- 바늘집을 꾸며 노리개처럼 지니고 다님.
- 항상 바느질을 하며 바늘과 함께 함.

⬇

바늘에 대한 필자의 각별한 애정이 드러남.

2 (아)~(카)에 나타난 필자의 정서 변화

아끼던 바늘이 갑자기 부러져 매우 놀라고 비통해함.

⬇

정신을 차리고 바늘의 죽음을 받아들임.

⬇

자신이 조심하지 못하여 바늘이 부러졌다고 생각하며 자책함.

⬇

후세에 다시 만날 것을 기약하며 슬퍼함.

3 주제의 이중성

남편을 일찍 여의고 홀로 남겨진 애통함이 바늘에 대한 과도한 애정과 의존으로 이어지고, 바늘을 부러뜨린 슬픔이 사별한 남편에 대한 간절한 그리움을 우회적으로 환기한다고 해석할 수 있음.

표면적 주제	부러진 바늘에 대한 애도의 정
이면적 주제	죽은 남편에 대한 그리움과 한(恨)

4 이 글의 미적 구조

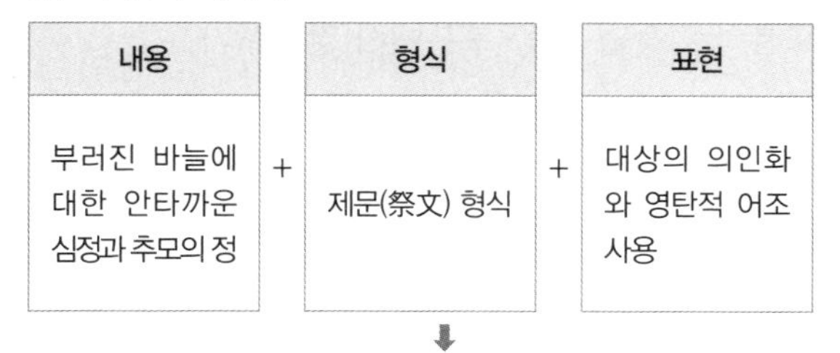

⬇

내용, 형식, 표현이 유기적으로 결합되어 독특한 감동을 주는 미적 구조를 이룸.

1. 이 글에 대한 설명으로 적절하지 않은 것은?

① 대상을 의인화하여 표현하였다.
② 특정한 형식을 차용하여 쓴 글이다.
③ 간결하고 중후한 궁중어를 사용하였다.
④ 필자의 감정을 직접적으로 드러내고 있다.
⑤ 해당 시대의 양반가 여성의 생활을 엿볼 수 있다.

학습 활동 응용

2. 이 글에 반영된 당시 여성들의 삶의 모습으로 적절하지 않은 것은?

① 바늘을 보관하는 집을 화려하게 만들었다.
② 바늘집을 노리개처럼 옷에 달기도 하였다.
③ 사시사철을 가리지 않고 바느질을 하였다.
④ 집안의 남자가 입을 옷을 늦게까지 만들었다.
⑤ 바느질로 일과를 지내는 여성들의 삶을 한스러워하였다.

3. 이 글과 〈보기〉를 비교하여 감상한 내용으로 적절하지 않은 것은?

〈 보기 〉

죽고 사는 길은 / 예 있으매 머뭇거리고
나는 간다는 말도 / 못다 이르고 갑니까.
어느 가을 이른 바람에 / 여기저기 떨어질 잎처럼
한 가지에 나고 / 가는 곳을 모르는구나.
아아, 미타찰에서 만날 나 / 도 닦아 기다리겠노라.

– 월명사, 〈제망매가〉

① 이 글은 〈보기〉와 달리 대상을 예찬하는 태도를 드러내고 있다.
② 〈보기〉는 이 글에 비해 화자의 감정이 절제되어 나타나 있다.
③ 이 글과 〈보기〉는 모두 대상의 부재가 창작의 동기가 되고 있다.
④ 이 글과 〈보기〉는 모두 대상과의 재회를 소망하고 있다.
⑤ 이 글과 〈보기〉는 모두 초월적 공간을 설정하여 슬픔을 극복하고자 하는 의지를 드러내고 있다.

4. ㉠의 의미로 알맞은 것은?

① 손에 익도록
② 시간이 오래도록
③ 잘게 쪼개지도록
④ 모양이 보기 좋도록
⑤ 참을 수 없을 정도로

서술형 학습 활동 응용

5. ㉡에서 알 수 있는 당시의 글쓰기 관습을 〈조건〉에 맞게 쓰시오.

〈 조건 〉

- 표현상 특징을 구체적으로 밝힐 것
- 표현을 사용한 의도가 드러나게 할 것
- 40자 내외의 한 문장으로 쓸 것(띄어쓰기 포함)

학습 활동

교과서 189~191쪽

| 도움말 | 이 글의 주요 내용을 점검해 보는 활동이다. 필자의 창작 동기가 드러난 부분을 확인하고, 필자가 바늘에 대해 보이는 예찬적 태도가 필자 자신의 처지와 어떤 관계에 있는지를 생각해 봄으로써 글의 주제와 지배적 정서를 이해할 수 있다.

깊게 읽기

1. 이 글의 내용을 점검하며 다음 활동을 해 보자.

(1) 필자가 이 글을 쓰게 된 계기는 무엇인지 말해 보자.

| 예시 답 | 자신이 각별히 아끼던 바늘이 부러졌기 때문이다.

(2) 필자가 꼽은 바늘의 덕성이나 장점은 무엇인지 써 보자.

| 예시 답 | 미묘한 품질과 특별한 재치를 지녔음. 민첩하고 날래고 굳세고 곧음.

(3) 필자가 바늘에 부여한 가치를 필자의 처지와 관련하여 설명해 보자.

| 예시 답 | 필자는 자녀가 없고 가산이 빈궁하여 바느질로 시름을 잊고 생계유지에도 도움을 받았다. 그런 필자에게 바늘은 자식이나 비복보다 더 귀중한 존재로 여겨졌으며 백년고락을 함께할 대상으로 생각되었다.

2. 당시의 글쓰기 관습과 관련하여 이 글의 형식과 표현을 이해해 보자.

활동 도움말

제문(祭文)은 죽은 사람에 대하여 애도의 뜻을 나타낸 글임을 고려한다.

(1) 필자가 제문 형식을 택하여 글을 쓴 이유를 추론해 보고, 이를 위해 필자가 어떤 표현 방법을 활용했는지 파악해 보자.

제문 형식을 택한 이유	| 예시 답 | 자신이 느낀 안타까움과 슬픔을 절실하게 드러내기 위해서이다.
제문 형식에 어울리도록 활용한 표현 방법	| 예시 답 | 부러진 바늘을 죽은 사람인 것처럼 의인화하고, 슬픔의 탄식을 반복하였다.

(2) 필자가 자신의 심리적 상황을 신체적 감각에 빗댄 표현들을 찾아 써 보자.

| 예시 답 | '두골을 깨쳐 내는 듯', '한 팔을 베어 낸 듯 한 다리를 베어 낸 듯'

(3) 당시에 관습적으로 사용되던 표현 방법들을 다음 부분에서 찾아보자.

> 무죄한 너를 마치니 백인(伯仁)이 유아이사(由我而死)라. 누를 한(恨)하며 누를 원(怨)하리오. 능란한 성품과 공교한 재질을 나의 힘으로 어찌 다시 바라리오. 절묘한 의형(儀形)은 눈 속에 삼삼하고 특별한 품재(稟才)는 심회가 삭막하다.

| 예시 답 | '백인이 유아이사라.'처럼 고사를 인용하여 자신의 처지나 심리를 대신 표현하는 방법이 사용되었고, '누를 한하며 누를 원하리오.'나 '절묘한 의형은 눈 속에 삼삼하고 특별한 품재는 심회가 삭막하다.'처럼 대구를 활용하였다.

3. 당시의 사회·문화적 특성이 이 글에 어떻게 반영되어 있는지 파악하면서 다음 활동을 해 보자.

활동 도움말

글 속에 등장하는 사람들의 행동과 그들 사이의 관계에 주목해 본다.

(1) 다음 부분에 드러나 있는 제도나 풍습을 설명해 보자.

> 연전에 우리 시삼촌께옵서 동지상사(冬至上使) 낙점(落點)을 무르와 북경을 다녀오신 후에, 바늘 여러 쌈을 주시거늘, 친정과 원근 일가에게 보내고, 비복들도 쌈쌈이 낱낱이 나눠 주고, 그중에 너를 택하여 손에 익히고 익히어 지금까지 해포되었더니, 슬프다.

| 예시 답 | '조선에는 노비 제도, 일정한 시기마다 중국에 사신을 보내는 제도 등이 있었으며, 외국을 다녀온 이가 가족이나 친지에게 선물을 준다든지 좋은 것을 비복들에게 나눠 주기도 했던 풍습, 여인들은 바느질을 익혔던 풍습 등이 있었다.

| 도움말 | 이 소단원의 학습 목표인, 글에 담긴 사회·문화적 특성 파악하기에 해당하는 활동이다. 제재 글이 조선이라는 봉건 사회에서 여인으로 살아가는 삶의 모습을 여실히 담고 있는 작품이므로, 그 점에 초점을 맞추어 파악해 본다.
(1)이 제도나 풍습 차원의 물음이라면, (2)는 여성의 삶이 지녔던 양상에 대한 물음이다. (3)은 이를 확장하여 다른 글들과 비교해 보는 활동이다.

(2) 다음 부분에 반영되어 있는 당시 여성들의 삶은 어떤 모습인지 설명해 보자.

> 천은(天銀)으로 집을 하고, 오색으로 파란을 놓아 곁고름에 채웠으니, 부녀의 노리개라. 밥 먹을 적 만져 보고 잠잘 적 만져 보아, 널로 더불어 벗이 되어, 여름 낮에 주렴이며, 겨울밤에 등잔을 상대하여 누비며, 호며, 감치며, 박으며, 공글릴 때에, 겹실을 꿰었으니 봉미(鳳尾)를 두르는 듯 땀땀이 떠 갈 적에 수미가 상응하고, 솔솔이 붙여 내매 조화가 무궁하다.
>
> 이 생애 백 년 동거하렸더니, 오호애재(嗚呼哀哉)라, 바늘이여. 금년 시월 초십일 술시(戌時)에 희미한 등잔 아래서 관대(冠帶) 깃을 달다가 무심 중간에 자끈동 부러지니 깜짝 놀라워라. 아야 아야 바늘이여 두 동강이 났구나.

| 예시 답 | '바늘을 보관하는 집을 화려하게 만들어 노리개처럼 옷에 달기도 했고, 사시사철 언제든 다양한 종류의 바느질을 했으며, 집안의 남자가 입을 옷을 늦은 시간까지 만들기도 했다.

발표 활동

(3) 조선 시대에 여성이 쓴 또 다른 글을 찾아 읽어 보고, 그 글에 드러나 있는 당시 사회상을 「조침문」과 비교하여 발표해 보자.

| 예시 답 | 허난설헌이 지은 가사 「규원가」에는 침선을 비롯한 일을 하며 주로 규방에서 지내던 조선 시대 여성들의 삶이 드러나 있는데, 이는 「조침문」과 유사한 점이라고 할 수 있다. 한편 「조침문」과 달리 「규원가」는 자신을 한없이 기다리게 만드는 야속한 남편에 대한 원망의 감정과 신세 한탄이 직접적으로 드러나 있다. 이는 조선 시대의 봉건적 질서에서 여성으로서의 삶을 감당해야 했던 한스러운 상황이 반영된 것이라고 할 수 있다.

보충 자료 동지사(冬至使)

조선 시대에 명(明)나라와 청(淸)나라에 정기적으로 파견한 사신. 대체로 동지(冬至) 절기를 전후하여 보냈으므로 동지사라 하였다. 정사(正使)는 3정승(政丞) 또는 6조(曹)의 판서(判書) 중에서 임명했으며, 정사 이외에 부사(副使)·서장관(書狀官)·종사관(從事官)·통사(通事)·의원(醫員)·사자관(寫字官)·화원(畵員) 등 40여 명이 수행하였다. 조선의 특산품인 인삼·호피(虎皮)·수달피(水獺皮)·화문석(花紋席)·종이·모시·명주·금 등을 선물로 가져갔는데, 1429년(세종 11)에 금은 면제되었다. 이와 같은 선물을 받은 명·청나라에서는 그에 맞먹는 중국의 특산품을 조선에 선물했으므로 이 선물 교환은 일종의 공무역(公貿易)이었다. 동지사의 파견은 1894년(고종 31) 갑오개혁(甲午改革) 때까지 계속되었다.

– 『두산백과사전』

넓혀 읽기

4. 다음 글을 「조침문」과 비교하며 읽고 아래 활동을 해 보자.

보고 싶은 나비야.
편지글의 형식(받는 이)

이렇게 빨리 너와 헤어질 줄 알았다면 조금 더 잘해 줬을 텐데, 미안해서 속상하고 안타깝다.
나비를 잃고 난 뒤의 심정

애교 많고 장난도 잘 치는 네가 너무 사랑스러워서, 어디서 이렇게 작고 따뜻한 털 뭉치가 나에게로 왔나 싶어 늘 신기했어. 만져 달라고 배를 내밀고 뒹굴뒹굴하던 너는 정말 사랑스러웠단다.

나비야, 너를 자유로운 '마당냥이'로 키우자고 고집을 부렸던 걸 얼마나 후회했는지 모르겠다. 네가 위험에 노출되어 있었다는 건 상상도 못 했어. 집 밖으로 놀러 나갔다가도 어두워지기 전에 배고파지면 들어오곤 하니까 별걱정 없이 지냈는데, 밖에서 뭘 잘못 먹고 들어왔는지 너는 토하고 힘들어하다가 병원에 갈 겨를 없이 하룻밤 사이에 허무하게 떠나 버렸지. 그날의 기억은 아직도 나를 힘들게 하는구나.
실외에서 키움.
자유로운 '마당냥이'의 생활

네 고통을 내가 조금만 더 빨리 알아챘다면, 그래서 병원에 데리고 갔으면 그날 그렇게 떠나진 않았을 텐데……. 집 안에서 키웠으면 그런 사고는 당하지 않았겠지……. 하나부터 열까지 후회스럽지 않은 게 없어.

그래도 너와 함께한 추억들 소중히 간직하고 힘내서 열심히 살아 볼게. 네가 있는 그곳에서 잘 지내고 있으면 언젠가 다시 만나게 되겠지? 그때는 정말 후회 없이 사랑해 줄게. 잘 지내고 있어라.

너를 누구보다 사랑했던 언니가.
편지글의 형식(보내는 이)

– 하미, 『네가 떠난 빈자리』에서

제재 연구

하미, 『네가 떠난 빈자리』

갈래	편지글
성격	추모적, 고백적
제재	나비(고양이)
주제	나비(고양이)를 그리워하는 마음
특징	대상에게 말을 거는 듯한 말투를 사용함.

| 도움말 | 「조침문」은 필자가 자신이 아끼는 물건을 잃고 느낀 깊은 상실감을 제문 형식으로 쓴 것이다. 이 점을 고려해 보면 창작된 시대와 잃은 대상, 글의 구체적 형식은 달라도 이 활동에 제시된 글 역시 「조침문」과 상통하는 부분이 있다고 볼 수 있다. (1)에서 두 글을 비교해 보는 활동을 하는 과정에서 자연스럽게 시대에 따른 사회·문화적 특성의 차이가 있음을 알 수 있다.

(1) 내용적·형식적 측면에서 두 글은 어떤 유사점과 차이점을 지니고 있는지 생각해 보자.

| 예시 답 | 자신이 소중히 여기던 대상을 잃은 안타까운 마음과 그 대상에 대한 짙은 그리움이 드러나 있다는 점, 그 대상에게 말을 거는 듯한 말투를 사용한 점에서 유사하다. 한편 편지 형식인 이 글은 제문인 「조침문」보다 조금 더 자유로운 형식 속에 일상적인 언어 표현을 담았다는 차이가 있다.

(2) 자기가 소중하게 생각하던 사람, 동식물, 사물 등을 잃거나 이별한 경험을 떠올려 보고, 그 대상에게 보내는 편지를 써 보자.

활동 도움말

형식에 얽매일 필요 없이 자신의 정서를 가장 잘 드러낼 수 있는 글을 쓰기 위한 계획을 먼저 세워 본다.

| 예시 답 | 생략

소단원 출제 포인트

조침문(弔針文)

1 전체 글의 개관

갈래	한글 수필, 여류 수필	성격	추모적, 고백적
제재	부러진 바늘	주제	부러뜨린 바늘에 대한 애도(추모)
특징	① 제문 형식을 빌려 슬픔의 정서를 효과적으로 드러냄. ② 바늘을 의인화하여 그 행장을 예찬함.		③ 여성 특유의 섬세한 감성이 돋보임. ④ 과장적 표현을 통해 슬픔을 효과적으로 표현함.

2 표현상의 특징과 효과

표현상의 특징		효과
과장	• '정신이 아득하고 혼백이 산란하여 ~ 겨우 정신을 차려'	바늘을 잃은 슬픔을 강조함.
비유/대구	• '한 팔을 베어 낸 듯 한 다리를 베어 낸 듯'	바늘을 잃은 슬픔을 효과적으로 표현함.
의인화	• 바늘을 '너', '침자(針子)'로 표현함. / 바늘의 특성을 '능란한 성품과 공교한 재질'로 표현함. / '바늘의 부러짐'과 '사람의 죽음'을 동일시하여 슬픔의 감정을 제문 형식으로 표현함.	바늘에 대한 애정과 그것을 잃은 슬픔을 효과적으로 표현함.
고사의 인용	• '편작(扁鵲)의 신술(神術)' / '백인(伯仁)이 유아이사(由我而死)라'	조선 시대 규방 여인의 풍부한 학식을 보여 주면서, 작가의 개성과 정서를 품격 있게 드러냄.
의성어, 의태어의 활용	• '총총히 적어 영결하노라' / '자끈동 부러지니 깜짝 놀라워라' / '철중(鐵中)의 쟁쟁(錚錚)이라'	작가의 감정을 감각적으로 표현함.

3 필자의 정서 변화

아끼던 바늘이 갑자기 부러져 매우 놀라고 비통해 함. ➡ 정신을 차리고 바늘의 죽음을 받아들임. ➡ 자신이 조심하지 못하여 바늘이 부러졌다고 생각하며 자책함. ➡ 후세에 다시 만날 것을 기약하며 슬퍼함.

4 이 글에 반영된 사회·문화적 특성

당시의 사회상	• 노비 제도가 있었음. • 여인들이 바느질을 익힘.	• 일정한 시기마다 중국에 사신을 보내는 제도가 있었음.
바느질과 관련한 여성들의 생활	• 바늘집을 만듦. • 다양한 종류의 바느질을 함.	• 장식물로서 노리개가 있었음. • 밤늦게까지 바느질을 함.

5 당시의 글쓰기 관습

예		관습
'백인이 유아이사(由我以死)라.'	➡	고사를 인용하여 자신의 처지나 심리를 대신 표현함.
• '누를 한하며 누를 원하리오.' • '절묘한 의형은 눈 속에 삼삼하고 특별한 품재는 심회가 삭막하다.'	➡	대구를 활용함.

내신 적중 문제

정답 및 해설 48쪽

[01－04] 다음 글을 읽고 물음에 답하시오.

신(臣) 등이 3월 18일에 궁전 안에서 문수회(文殊會)를 열었을 때 당한 일입니다. 영도첨의 신돈이 재상 반열(班列)에 앉아 있지 않고 감히 전하와 더불어 나란히 앉았는데, 그 거리가 몇 자 되지 않아 온 나라 사람이 놀래어 인심이 술렁술렁하고 매우 소란스러웠습니다. 상하를 구별하고 백성의 뜻을 안정시키는 것이 예인데, 예법이 없다면 대체 무엇으로 군신(君臣)이 되고 무엇으로 부자(父子)가 되며 또한 무엇으로 국가를 다스리겠습니까. 성인이 예법을 마련하시어 상하 명분을 엄격하게 한 것은 그 도모함이 깊고 그 사려가 원대한 것이었습니다.

가만히 보옵건대 신돈은 임금의 은혜를 지나치게 입어 나라 정사를 제멋대로 하고 임금을 무시하는 마음이 있었습니다. 당초에 영도첨의 판감찰로 임명되던 날에 예법으로서는 마땅히 조복(朝服)을 차리고 나아가 은혜를 사례해야 함에도 불구하고 반 달 동안 나오지 않았습니다. 급기야 대궐 뜰에 들어와서는 그 무릎을 조금도 굽히지 않은 채 늘 말을 타고 궐문을 출입하여 전하와 함께 의자에 걸터앉았고, 집에 있을 때는 재상들은 마루 밑에서 절을 하였으나 신돈은 모두 앉아서 접대하였습니다. 최항이나 김인준, 임연 같은 이들도 이렇게 행한 적은 없었습니다. 그가 전에는 중의 신분이어서 마땅히 치지도외(置之度外)하여 그 무례함을 꼭 책망할 필요는 없었지마는, 이젠 재상이 되어 명분과 지위가 정해졌는데 감히 예법을 잃고 윤리를 허물기를 이와 같이 할 수 있겠습니까. 그러하게 된 이유를 따져 보자면 신돈은 필시 자신이 임금의 스승이기 때문이라고 하겠지마는, 유승단은 고종의 스승이요 정가신은 충선왕의 스승이었으나 신 등은 저들 두 사람이 감히 이런 일을 하였다는 말을 아직 못 들었습니다. 이자겸은 인종의 외조부였으므로 왕께서 겸양하여 할아버지와 손주의 예로써 서로 만나려 하였으나, 공론이 두려워서 감히 그렇게 하지 못하였습니다. 대개 군신의 명분이란 본디부터 정한 것이 있었기에 그 예법은 군신이 생긴 이래로 만고를 지나도 바뀌지 않으니, 신돈과 전하께서 사사로이 고칠 바는 아니라 생각됩니다. 신돈이 어떠한 사람이건대 감히 스스로 높이기를 이와 같이 합니까.

01 이 글의 내용과 일치하지 <u>않는</u> 것은?

① 옛 성인들은 깊은 사려를 통해 상하 명분이 엄격한 예법을 마련하였다.
② 유승단, 정가신 등은 임금의 스승이었지만 신돈과 같은 행동을 하지 않았다.
③ 신돈은 임금의 스승이라는 명분을 내세워 주변의 진심어린 조언을 외면하였다.
④ 이자겸은 왕의 외척이었지만 공론이 두려워 할아버지의 위치에서 임금을 만나지 않았다.
⑤ 최항, 김인준, 임연 등은 권신들이었지만, 신돈처럼 무례한 행동을 함부로 하지 않았다.

02 이 글에 나타난 신돈의 행동과 거리가 <u>먼</u> 것은?

① 문수회에서 재상의 신분으로 임금과 같은 반열에 앉았다.
② 궐문에 들었을 때 임금과 함께 의자에 걸터앉는 행동을 했다.
③ 영도첨의 판감찰로 임명된 후 임명에 대한 사례를 하지 않았다.
④ 집에 있을 때 재상들로 하여금 마루 밑에서 절을 하도록 강요하였다.
⑤ 대궐에 들어와서 무릎을 조금도 굽히지 않은 채 늘 말을 타고 궐문을 출입하였다.

03 이 글에 나타난 신돈의 태도와 가장 관계 깊은 한자 성어는?

① 양두구육(羊頭狗肉)　② 표리부동(表裏不同)
③ 천방지축(天方地軸)　④ 안하무인(眼下無人)
⑤ 구밀복검(口蜜腹劍)

서술형　학습 활동 응용

04 이 글에서 예상 독자와의 사회적 관계가 글쓰기 태도에 어떤 영향을 미치고 있는지 〈조건〉에 맞게 쓰시오.

〈조건〉
- '군신의 예'를 포함하여 서술할 것
- 글쓰기 태도가 드러나게 할 것
- 45자 내외의 한 문장으로 쓸 것(띄어쓰기 포함)

[05 - 07] **다음 글을 읽고 물음에 답하시오.**

(가) 「홍범」에 이르기를, "오직 임금만이 복을 내릴 수 있고 오직 임금만이 위세를 부릴 수 있으며 오직 임금만이 진귀한 음식을 받을 수 있는데, 신하로서 복을 내리거나 위세를 부리고 진귀한 음식을 받는 자가 있다면 반드시 가문을 해치고 나라를 해칠 것이다. 관리들이 기울어지고 비뚤어지고 치우쳐지면 백성들은 넘보고 어긋나게 될 것이다."라고 하였습니다. 그러니 ㉠신하로서 임금의 권력을 참람(僭濫)하여 쓴다면 모든 관원이 편안한 마음으로 제 분수를 지키지 못할 뿐 아니라, 백성들 역시 그들을 좇아 분수에 넘치는 일을 할 것입니다. 그런데 신돈은 능히 복을 내리고 위세를 부리고 또 전하와 더불어 대등한 예를 행하니, 이는 나라에 두 임금이 있는 것입니다. 그 능멸함과 참람함이 극에 달하여 교만이 습관이 되었으므로, 백관들이 분수를 지키지 않고 백성들이 분수에 넘치는 일을 하는 것이 어찌 두렵지 않겠습니까.

(나) 또 전하께서 신돈을 어진 이라 하였지만, 신돈이 국사를 맡은 이래로 음양이 때를 잃어서 겨울철에 우레가 일고 누른 안개가 사방에 꽉 차고 해가 열흘 이상 어두웠으며, 밤중에 붉은 기운이 돌고 천구성(天狗星)이 땅에 떨어지며 나무의 고드름이 지나치게 심합니다. 청명이 지난 뒤에도 우박과 찬바람이 일어 하늘의 기후가 여러 차례 변하고, 산새와 들짐승이 대낮에 성 안으로 날아들고 달려드니, 신돈에게 내린 '논도섭리공신(論道燮理功臣)'이라는 호가 과연 천지와 조종(祖宗)의 뜻에 합하는 것입니까.

(다) 신 등은 직책이 사간원(司諫院)에 있는지라, 전하께서 자격이 안 되는 인물을 재상으로 삼아 장차 사방에 웃음거리가 되고 만세에 기롱(譏弄)의 대상이 될까 안타깝게 여깁니다. 이에 침묵을 지키고 말을 하지 않는다는 책망을 면하고자 합니다. 이미 말씀을 드렸는지라, 대처하시는 바를 삼가 듣겠나이다.

05 **(가)~(다)에 대한 설명으로 적절하지 않은 것은?**

① (가): 권위 있는 글을 인용하여 신뢰감을 주고 있다.
② (가): 당대의 논리에 근거하여 예상되는 결과를 환기하고 있다.
③ (나): 기상 이변을 들어 주장을 뒷받침하고 있다.
④ (나): 예상 독자가 자신이 한 일을 후회할 것임을 전제로 인물의 잘못을 지적하고 있다.
⑤ (다): 예상 독자에게 일어날 수 있는 일을 가정하여 주장을 강화하고 있다.

고난도 | 학습 활동 응용

06 **〈보기〉는 이 글의 필자가 쓴 시조이다. (가)와 〈보기〉에 대한 감상으로 적절하지 않은 것은?**

〈보기〉

구름이 무심(無心)탄 말이 아마도 허랑하다.
중천(中天)에 떠 있어 임의로 다니면서
구태여 광명한 날빛을 따라가며 덮나니.

① '구름'은 신하의 신분으로 임금의 위세를 부림으로써 나라를 어지럽히는 신돈을 가리킨다.
② '무심(無心)탄 말이 아마도 허랑하다.'는 신돈의 교만이 습관이 되었다는 내용과 관련된다.
③ '중천(中天)'은 '구름'이 떠다니는 공간으로서, 신돈이 무단과 전횡을 일삼고 있는 조정을 가리킨다.
④ '임의로 다니면서'는 신하로서 임금의 권력을 참람하여 쓰는 행위와 관련된다.
⑤ '광명한 날빛'은 임금과 더불어 대등한 예를 행하는 신돈의 권력을 상징한다.

07 **㉠과 관계 깊은 속담으로 가장 적절한 것은?**

① 마디가 있어야 새순이 난다.
② 개미구멍이 둑을 무너뜨린다.
③ 윗물이 맑아야 아랫물이 맑다.
④ 산토끼 잡으려다 집토끼 놓친다.
⑤ 개도 닷새가 되면 주인을 알아본다.

[08 - 12] **다음 글을 읽고 물음에 답하시오.**

(가) 유세차(維歲次) 모년 모월 모일에 미망인 모씨는 두어자 글로써 침자(針子)께 고하노니, 인간 부녀의 손 가운데 종요로운 것이 바늘이로되, 세상 사람이 귀히 아니 여기는 것은 도처에 흔한 바이로다.

[A] 이 바늘은 한낱 작은 물건이나, 이렇듯이 슬퍼함은 나의 정회가 남과 다름이라. 오호통재(嗚呼痛哉)라, 아깝고 불쌍하다. 너를 얻어 손 가운데 지닌 지 우금(于今) 이십칠 년이라. 어이 인정이 그렇지 아니하리오. 슬프다. 눈물을 잠깐 거두고 심신을 겨우 진정하여 너의 행장(行狀)과 나의 회포를 총총히 적어 영결하노라.

연전에 우리 시삼촌께옵서 동지상사(冬至上使) ㉠낙점(落點)을 무르와 북경을 다녀오신 후에, 바늘 여러 쌈을 주시거늘, 친정과 원근 일가에게 보내고, 비복들도 쌈쌈이 낱낱이 나눠 주고, 그중에 너를 택하여 손에 익히고 익히어 지금까지 해포되었더니, 슬프다. 연분이 비상하여 너희를 무수히 잃고 부러뜨렸으되, 오직 너 하나를 영구히 보존하니, 비록 ㉡무심한 물건이나 어찌 사랑스럽고 미혹지 아니하리오. 아깝고 불쌍하며, 또한 섭섭하도다.

[B] 나의 신세 박명하여 슬하에 한 자녀 없고, 인명이 흉완(凶頑)하여 일찍 죽지 못하고, 가산이 빈궁하여 ㉢침선(針線)에 마음을 붙여 널로 하여 시름을 잊고 ㉣생애를 도움이 적지 아니하더니, 오늘날 너를 영결하니, 오호통재라, 이는 귀신이 시기하고 하늘이 미워하심이로다.

아깝다 바늘이여, 어여쁘다 바늘이여. 너는 미묘한 품질과 특별한 재치를 가졌으니, 물중(物中)의 명물(名物)이요, 철중(鐵中)의 쟁쟁(錚錚)이라. 민첩하고 날래기는 백대의 협객이요, 굳세고 곧기는 만고의 충절을 듣는 듯한지라. 능라(綾羅)와 비단에 난봉(鸞鳳)과 공작을 수놓을 제, 그 민첩하고 신기함은 귀신이 돕는 듯하니, 어찌 인력이 미칠 바리오.

오호통재라, 자식이 귀하나 손에서 놓일 때도 있고, 비복이 순하나 명을 거스를 때 있나니, 너의 미묘한 재질이 나의 전후에 수응(酬應)함을 생각하면, ㉤자식에게 지나고 비복에게 지나는지라.

(나) 이 생애 백 년 동거하렸더니, 오호애재(嗚呼哀哉)라, 바늘이여. 금년 시월 초십일 술시(戌時)에 희미한 등잔 아래서 관대(冠帶) 깃을 달다가 무심 중간에 자끈동 부러지니 깜짝 놀라워라. 아야 아야 바늘이여 두 동강이 났구나.

[C] 정신이 아득하고 혼백이 산란하여 마음을 빻아 내는 듯 두골을 깨쳐 내는 듯 이윽도록 기색혼절(氣塞昏絕)하였다가 겨우 정신을 차려, 만져 보고 이어 본들 속절없고 하릴없다. 편작(扁鵲)의 신술(神術)로도 장생불사 못 하였네. 동네 장인(匠人)에게 때이런들 어찌 능히 때일쏜가. 한 팔을 베어 낸 듯 한 다리를 베어낸 듯 아깝다 바늘이여 옷섶을 만져 보니 꽂혔던 자리 없네.

08 이 글의 표현상 특징으로 적절하지 않은 것은?

① 바늘을 의인화하여 친밀감을 드러내고 있다.
② 문답법을 적절히 활용하여 바늘과의 각별한 인연을 강조하고 있다.
③ 과장적 표현을 통해 대상과의 이별에 대한 참담한 심정을 표출하고 있다.
④ 바늘과 자식, 비복을 대조하여 바늘에 대한 지극한 애정을 드러내고 있다.
⑤ 영탄적 표현을 통해 바늘을 잃은 화자의 비통한 심정을 직접적으로 표출하고 있다.

고난도 학습 활동 응용

09 [A]를 읽고 〈보기〉의 활동을 할 때, 적절하지 않은 것은?

보기
[학습 활동] 한 편의 글에는 창작 당시의 사회·문화적 특성이 반영된다고 할 수 있다. 이 시간에는 [A]에 반영된 사회·문화적 특성이 무엇인지 알아보기로 하자.

① 연수: 당시에는 일정한 시기에 중국에 사신을 보내는 제도가 있던 것 같아.
② 지연: 당시에는 양반가에서 비복들을 부릴 수 있는 노비 제도가 있었던 것 같아.
③ 성하: 당시에는 여인들이 자신들의 뜻과 관계없이 바느질을 해야만 했던 것 같아.
④ 다솜: 당시에는 외국을 다녀오면 가족이나 친지에게 선물을 주는 풍습이 있었던 것 같아.
⑤ 혜수: 당시에는 좋은 물건이 생기면 비복들에게도 나누어 주는 문화가 존재했던 것 같아.

서술형 학습 활동 응용

10 [B]에 나타난 필자의 처지를 〈조건〉에 맞게 쓰시오.

조건
- '일찍이 ~ 해 왔다.'의 문장 형태로 서술하되, 반드시 대등하게 연결된 이어진문장을 사용할 것
- 55자 내외의 한 문장으로 쓸 것(띄어쓰기 포함)

학습 활동 응용

11 [C]에 대한 설명으로 적절하지 않은 것은?

① 한자 문화에 익숙한 필자의 교양이 잘 드러나 있다.
② 대구를 사용하여 리듬감 있는 문장을 구사하고 있다.
③ 바늘로 인한 신체적 고통을 감각적으로 드러내고 있다.
④ 바늘을 잃은 안타까운 마음을 직접적으로 표출하고 있다.
⑤ 고사의 인물을 인용하여 부러진 바늘을 복구할 수 없음을 드러내고 있다.

12 ㉠~㉤의 현대어 해석으로 적절하지 않은 것은?

① ㉠: 임명을 받아 ② ㉡: 욕심이 없는
③ ㉢: 바느질 ④ ㉣: 생계
⑤ ㉤: 자식보다 낫고

다양한 지역의 글 읽기

교과서 192쪽

생각 열기 동일한 대상을 향해 서로 다른 태도를 보이는 이유는 무엇일까?

어떤 이들에게는 맛있는 요리의 재료로 여겨지는 소가 어떤 문화권에서는 경배의 대상이 된다. 그중 어느 한쪽이 옳거나 우월하고 다른 한쪽은 그르거나 열등하다고 오해하지 않으려면 지역에 따라 사람들이 서로 다르게 형성해 온 문화와 풍습을 고려하는 자세가 필요하다. 이는 세계 여러 지역의 글을 대할 때도 마찬가지이다.

그렇다면 **다양한 지역의 글을 읽을 때는 어떤 점을 고려해야 할까?**

| **예시 답** | 그 글이 생산된 사회의 사회·문화적 특성을 고려하여 내용과 형식을 이해한다.

| **도움말** | 지역에 따른 문화 차이 때문에 한 가지 사물에 관해 서로 다른 의견이 제시되는 상황을 제시하였다. 이를 통해 다양한 지역의 글을 읽을 때의 유의점을 이해하고, 다양한 지역의 글 읽기의 방법에 관한 질문에 스스로 답해 봄으로써 학습 주제에 관한 흥미를 높이도록 한다.

| 이 단원의 학습 요소 |

학습 목표
- 다양한 지역에서 생산된 글을 읽고 그 가치를 파악한다.
- 지역의 사회·문화적 특성이 글의 내용과 형식에 반영될 수 있음을 이해한다.

글에 담긴 고대 서양의 문화적 특성과 아프리카의 사회상 파악하기	▶	글에 담긴 고대 서양의 문화적 특성과 아프리카의 사회상을 파악해 본다.
유사한 문제에 관한 다른 지역 사람들의 글과 비교하여 읽기	▶	제재 글을 유사한 문제에 관한 다른 지역 사람들의 글과 비교하여 읽어 본다.

소단원 바탕학습

원리 이해

1 다양한 지역의 글을 읽어야 하는 이유

독서(간접 경험)를 통해 우리와 다른 역사와 문화에 대해 새롭게 알게 되고, 그 가치를 깨닫게 됨.

⬇

우리 자신의 역사와 문화가 지닌 특수한 가치를 확인하게 됨.

⬇

각 지역(사회)이 지닌 특수성을 이해할 수 있음.
(특수성 → 일반적이고 보편적인 것과 다른 성질)

⬇

인간 사회의 보편성에 관한 인식에 도달할 수 있음.

2 글에 반영되는 지역별 특성

모든 필자는 자신이 속한 지역의 사회·문화적 맥락 속에 존재함.

⬇

사회·문화적 특성은 외적인 측면(그 지역의 풍물 등)과 정신적인 측면(그 지역이 공유하는 가치관이나 역사적 기억 등)으로 이루어져 있음.

⬇

각 지역(사회)에서 생산되고 향유되는 글에는 그 지역의 사회·문화적 특성이 반영되어 있음.
→ 글의 내용과 형식에 반영됨.

내용에 반영되는 사례	필자가 경험한 역사적 사건이나 사회적 조건, 민족이나 국가의 문화적 전통 등이 글의 소재나 주제에 반영될 수 있음.
형식에 반영되는 사례	• 일상적인 경험에서 보편적인 깨달음을 얻는 것을 중시하는 문화적 전통 → '설(說)'에 반영됨. • 인과적 사고와 논리적 완결성을 중시하는 지역의 문화적 전통 → '서론 – 본론 – 결론'의 논리적인 삼단 구성에 반영됨.

3 다양한 지역의 글을 읽을 때 유의할 점

• 문화 다원주의적 관점을 갖추어야 함. (다원주의 → 개인이나 여러 집단이 기본으로 삼는 원칙이나 목적이 서로 다를 수 있음을 인정하는 태도)
→ 우리와 다른 삶의 모습을 있는 그대로 받아들이고 그 삶의 가치를 존중해야 함.
→ 자기중심적 시각에서 접근하지 말고, 필자가 속한 지역의 문화적 관점에서 글을 읽고 자신이 속한 지역과 비교해 봄으로써 그 글의 의미와 가치를 되새겨 보아야 함.
• 지역적으로 편중되지 않고 균형 잡힌 독서를 해야 함.
→ 지역적으로 편중된 독서는 근거 없는 편견이나 획일적 사고에 빠질 수 있음.

⬇

• 다양한 문화에 대한 소양을 기를 수 있음.
• 문화적 보편성과 특수성의 관점에서 우리가 속한 지역의 삶과 문화를 되돌아볼 수 있음.

| 원리 확인 문제 |

1. 다양한 지역의 글을 읽어야 하는 이유로 적절하지 않은 것은?

① 인간 사회의 보편성에 관한 인식에 도달할 수 있다.
② 다양한 사회가 지닌 문화의 특수성을 이해할 수 있다.
③ 우리 자신의 역사와 문화를 시·공간적으로 확장할 수 있다.
④ 우리와 다른 지역의 역사와 문화의 가치를 깨달을 수 있다.
⑤ 우리가 알지 못했던 지역의 역사와 문화를 새롭게 알 수 있다.

2. 글에 반영되는 지역별 특성에 대한 설명으로 적절하지 않은 것은?

① 각 지역의 사회·문화적 특성은 글의 내용이나 형식에 반영된다.
② 작가는 자신이 속한 지역의 사회·문화적 맥락 속에 존재한다.
③ 글에는 작가가 속한 지역의 사회·문화적 특성이 반영되어 있다.
④ 사회·문화적 특성은 외적 측면과 정신적 측면으로 이루어져 있다.
⑤ 글의 주제는 그 지역의 사회·문화적 특성이 형식에 반영된 사례이다.

3. 다음은 다양한 지역의 글을 읽을 때의 유의점이다. ㉠과 ㉡에 들어갈 알맞은 말을 쓰시오.

< 보기 >
지역적으로 편중되지 않고 다양한 지역의 책을 읽음으로써 근거 없는 (㉠)이나 (㉡) 사고에 빠지지 않고 다양한 문화에 대한 소양을 기를 수 있다.

정답 1. ③ 2. ⑤ 3. ㉠ 편견(혹은 선입견), ㉡ 획일적

제재 미리보기

모든 것은 카오스에서 시작되었다

1 해제

이 글은 고대 로마의 시인 오비디우스가 쓴 『변신 이야기』의 첫 부분 중 천지 창조로, 고대 그리스와 로마 사람들의 자연과 인간의 시원(始原)에 관한 상상력을 엿볼 수 있다.

→ 사물, 현상 따위가 시작되는 처음

2 핵심 정리

(1) **갈래**: 서사시

(2) **성격**: 신화적, 환상적, 인간 중심주의적

이 글은 신화적 상상력을 바탕으로 환상적인 상상의 세계를 그려 내고 있으며, 다른 생물을 지배할 만한 존재가 없어서 인간을 창조했다는 데서 인간 중심주의적 시각을 드러내고 있다.

(3) **제재**: 천지 창조의 과정

(4) **주제**: 혼돈의 우주에 질서가 생겨나고 만물이 생성되는 과정에 대한 신화적 상상

태초에 자연이라는 신이 카오스 상태에 있던 우주에 질서를 부여함으로써 지구와 만물이 탄생되는 과정을 신화적 상상을 통해 그려 내고 있다.

(5) **특징**: ① 자연에 대한 관찰과 탐색을 기반으로 신화적 상상이 이루어지고 있다. ② 시간의 흐름에 따라 순차적으로 서사가 진행되고 있다. ③ 인간 중심주의적 시각에서 우주 탄생에 관한 상상력의 세계가 전개되고 있다.

(6) **구성**

어떤 형상도 질서도 없는 카오스(혼돈) 상태였던 태초의 우주에 자연이라는 신이 질서를 부여하여 지구와 지형, 대기와 기후를 창조하고, 질서 있는 우주에 거처할 생물을 창조한 다음, 마지막으로 생물들을 지배할 인간을 창조한 과정이 순차적으로 전개되고 있다.

서사	본사 1	본사 2	결사
태초의 우주는 어떤 형상도 질서도 없는 카오스(혼돈) 상태였음.	자연이라는 신이 혼돈에 질서를 부여하여 지구와 여러 가지 지형들을 창조함.	신은 다섯 지대의 기후와 대기를 창조하고, 다양한 생물들이 거처하게 함.	신은 인간을 창조함.

검은 별봄맞이꽃

1 해제

이 글은 남아프리카공화국의 흑인 해방을 위해 평생을 헌신한 인권 운동가이자 첫 번째 흑인 대통령인 넬슨 만델라의 자서전이다. 흑인 인권 회복을 위한 투쟁의 과정에서 겪어야만 했던 지하 생활의 고충을 사실적으로 고백하고 있다.

2 핵심 정리

(1) **갈래**: 수필(자서전)

(2) **성격**: 체험적, 회고적, 일화적

이 글은 필자가 직접 체험했던 삶을 회고하면서 쓴 자서전으로, 필자가 도피 생활 중에 겪어야 했던 경험(일화)을 열거하는 방법으로 내용을 전개하고 있다.

(3) **제재**: 만델라의 지하 생활

(4) **주제**: 흑인 인권을 위한 투쟁의 과정에서 겪어야 했던 지하 생활의 고충

흑인 인권 회복을 위해 긴 세월 동안 투쟁의 길을 걸어온 인물이 투쟁의 과정에서 겪어야 했던 지하 생활의 고충이 잘 나타나 있다.

(5) **특징**: ① 인종 차별과 관련된 남아프리카공화국의 사회·문화적 맥락이 잘 드러나고 있다.

② 도피 생활 중에 겪어야 했던 다양한 경험을 열거하며 글을 전개하고 있다.

(6) **구성**

첫 부분에서 자신의 흑인 인권 투쟁에 큰 힘이 되었던 목회자 회합의 개막 기도를, 이어 자신의 반(反)인종주의의 신념과 아프리카 민족 회의에서의 투쟁 활동, 지하 생활 당시의 고충과 투쟁 활동 등을 회고하고 있다.

일화 1	일화 2	일화 3	일화 4	일화 5
케이프타운에서 만난 목회자와 혼혈인 지배인 이야기	투쟁 노선에 대한 아프리카 민족 회의의 비밀회의 내용	지하 생활의 어려움과 변장의 전략	도피 생활 중 체포될 뻔한 경험과 흑인 경찰의 도움	성공적인 변장으로 인해 무시당한 경험

제재 1

교과서 194~197쪽

모든 것은 카오스에서 시작되었다

_ 오비디우스 / 이윤기 옮김

소단원 포인트

- '천지 창조'와 관련된 글의 중심 화제 파악하기
- 글 속에 나타난 신화적 상상력 이해하기
- 글의 내용에 반영된 고대 서양인들의 인식 체계 이해하기

필자 소개

오비디우스(기원전 43~기원후 17): 고대 로마의 시인. 세련된 감각과 풍부한 수사로 후대에 큰 영향을 끼쳤다. 『사랑도 가지가지』, 『여류의 편지』 등을 썼으며, 특히 그의 대표작 『변신 이야기』는 서사시 형식을 통해 그리스·로마 신화를 집대성한 것으로 유명하다.

서사 **가** 바다도 없고 땅도 없고 만물을 덮는 하늘도 없었을 즈음 자연은, 온 우주를 둘러보아도 그저 막막하게 퍼진 듯한 펑퍼짐한 모양을 하고 있었다. (태초에 우주의 상태가 어떠했는지에 관한 고대 서양인들의 사고를 엿볼 수 있음.) 이 막막하게 퍼진 것을 카오스라고 하는데, 이 카오스는 형상도 질서도 없는 하나의 덩어리에 지나지 못했다. 말하자면 생명이 없는 퇴적물(많이 덮쳐 쌓인 물건), 사물로 굳어지지 못한 모든 요소가 구획(토지 따위를 경계를 지어 가름.)도 없이 밀치락달치락하고 있는 상태일 뿐이었다. ㉠여기에는 아직 이 세상에다 넉넉하게 빛을 던져 줄 티탄도 없었고, 날이 감에 따라 초승달의 활시위를 부풀려 가는(기울었던 달이 차는 변화를 가리킴.) 포이베도 없었다. 대지는 아직, 그 대지를 감싸주는 대기 안에서 제 무게를 감당할 형편이 못 되었고 암피트리테도 땅의 가장자리(해안선을 가리킴.)를 따라 그 팔을 뻗을 형편이 못 되었다. 대지와 바다와 공기를 이루는 요소가 있기는 했다. 그러나 땅 위로는 걸을 수가 없었고 바다에서는 헤엄칠 수가 없었으며 대기에는 빛도 없었다. 말하자면, 제 모습을 제대로 갖추고 있는 것은 하나도 없었다. 만물은 서로 반목하고 서로 방해만 했을 뿐이었다. 한 가지 질료 안에 있으면서도 추위는 더위와, 습기는 건기(乾氣)와, 부드러움은 딱딱함과, 무거움은 가벼움과 싸우고 있었다. (서로 반목하고 서로 방해만 하는 상태)

➜ 형상도 질서도 없었던 카오스 상태

> **서사**: 태초의 우주는 어떤 형상도 질서도 없는 카오스(혼돈) 상태였음.

본사 1 **나** 이 같은 반목에 종지부를 찍은 이는, 이런 요소들보다는 훨씬 빼어난 자연이라는 신이었다. 신에 다름 아닌 이 자연은 하늘로부터는 땅을, 땅으로부터는 물을, 무지근한 대기로부터는 맑은 하늘을 떼어 놓았다. (온갖 것이 뒤엉킨 상태에 질서를 부여하기 위해 우선 서로가 분리되게 만듦.) 자연은, 서로 떨어질 수 없는 지경에서 이들을 떼어 내고는 서로 다른 자리를 주어 평화와 우애를 누리게 했다. 『무게라는 것이 없는 창궁(蒼穹)(맑고 푸른 하늘)의 불과, 사물을 태우는 힘(태양을 가리킴.)은 가장 높은 하늘로 날아올라가 거기에 자리를 잡았다. 가볍기로 말하면 불 다음인 공기(대기를 가리킴.)는 바로 그 밑에 자리했다. 이 두 가지보다도 밀도가 높은 대지는 단단한 물질을 끌어당겨 붙이면서 스스로의 무게 때문에 하강했다. 사방으로 퍼져 있던 물은 맨 나중 자리를 잡고 이미 굳어진 대지를 싸안았다.』 (『 』: '태양 → 대기 → 대지 → 바다'의 순서로 자리를 잡는 과정이 제시됨.)

➜ 땅 · 하늘 · 물을 서로 갈라놓음으로써 카오스 상태에 질서를 부여하기 시작한 신(자연)

다 『이 조물주(우주의 만물을 만들고 다스리는 신)가 어떤 신이었든, 좌우지간 이 신은 혼돈을 이루고 있던 물질의 덩어리를 정리하고 구분하고 각각 그 있을 곳에다 배치한 뒤 우선 대지를, 어느 쪽에서 보아도 그 모양이 똑같도록 커다란 공 꼴로 만들었다. (지구가 공 모양이라는 인식이 반영된 상상력을 엿볼 수 있음.) 그러고는 바다를 사방으로 펼치고 거친 바람으로 풍랑을 일으킨 뒤 땅 주변에 펼쳐진 해안선을 빠짐없이 둘러싸게 했다. 이어서는 샘, 큰 호수, 그리고 연못을 파고, 흐르는 강 양쪽으로는 꾸불꾸불한 둑을 만들었다. 강은 제각기 다른 방향으로 흘러갔다. 강 가운데에는, 흘러가다가 대지 속으로 빨려 들어가 버리는 강도 있었고 멀리 흘러가 이윽고 망망한 대해원(大海源)(바다)의 품에 안겨 초록빛 강변 대신에 단애 (『 』: 대지, 바다, 샘, 호수, 연못, 강과 둑, 단애, 평지, 골짜기, 숲, 산 등 온갖 지형이 생겨난 과정이 드러나 있음.)

교과서 날개 질문

여러 가지 지형이 차례로 생겨나는 과정을 상상하며 읽어 보자.

| 예시 답 | 커다란 공 모양의 지구가 생겨난 후 바다, 땅, 샘, 호수, 연못, 강, 평지, 골짜기, 숲, 산 등이 차례로 창조되는 과정을 상상하며 읽어 본다.

어휘 풀이

카오스: 혼돈.

밀치락달치락: 자꾸 밀고 잡아당기고 하는 모양.

티탄: 영어로는 타이탄. '거신족(巨神族)'이라는 뜻. 하늘인 우라노스, 땅인 가이아 및 그 사이에서 난 여섯 남매를 가리킴.

포이베: 여기에서는 달의 여신. '빛나는 자'.

암피트리테: 원래는 바다의 신 넵투누스의 아내이나 여기에서는 '바다'.

반목(反目): 서로서로 시기하고 미워함.

자연: 천지 창조의 주재자인 신으로서의 자연.

단애: 깎아 세운 듯한 낭떠러지.

(斷崖)의 바위를 씻는 것도 있었다. 신은 또 땅을 골라 평지를 만들고, 골짜기를 파고, 숲에는 나무가 빽빽하게 들어차게 하고, 험한 산을 세우기도 했다.』

➜ 공 모양의 지구에 여러 가지 지형들이 생겨나는 과정

본사 1: (자연이라는) 신이 혼돈에 질서를 부여하여 공 모양의 지구와 여러 가지 지형들을 창조함.

핵심 쏙쏙

1 카오스 상태인 태초의 우주

태초의 우주는 카오스 상태임.
(형상도 질서도 없는 하나의 덩어리)

⬇

바다, 대지, 대기, 하늘, 달, 빛 등 제 모습을 갖추고 있는 것은 아무것도 없었음.

⬇

- 바다와 대지와 공기 등을 이루는 요소(질료)만 존재함.
- 한 가지 질료 안에서 형상도 질서도 없는 만물은 서로 반목하고 방해하는 카오스(무질서, 혼돈) 상태에 있었음.

2 (가)~(다)에 나타난 고대 서양인들의 인식 체계

카오스(무질서, 혼돈)의 우주
→ 우주는 그저 막막하게 퍼진 듯한 펑퍼짐한 모양을 하고 있었음.

⬇

태초의 우주에 대한 고대 서양인들의 사고 체계를 엿볼 수 있음.

⬇ [천지 창조의 시작]

코스모스(질서, 조화)의 우주
→ 자연이라는 신이 혼돈 상태의 우주에 질서를 부여함으로써 하나의 질료 안에서 서로 반목하며 무질서하게 뒤엉켜 있던 만물이 분리되어 각각 제 모습을 드러냄.
→ 하늘, 땅, 물 등을 분리한 후, 둥근 공 모양의 지구와 그곳의 다양한 지형을 창조함으로써 만물이 반목을 벗어나 평화와 우애를 누리는 코스모스(질서, 조화)의 상태로 변화시킴.

⬇

- 무질서에서 질서가 있는 상태로 전환되었다는 서양인들의 사고 체계를 엿볼 수 있음.
- 지구가 둥근 공 모양으로 창조되었다는 인식이 반영된 고대 서양인들의 상상력을 엿볼 수 있음.

3 그리스 · 로마 시대의 신에 대한 인식

- 그리스 · 로마 신화에 복수의 '신들'이 등장함.
- 신들이 모두 자연물이나 자연 현상과 관련 있음.
- 만물을 창조하고 주재하는 신(조물주) 역시 '자연'으로 제시됨.

⬇

- 세계와 사물에 대한 궁금증이나 호기심을, 초자연적인 존재를 상정한 신화적 상상력을 통해 풀어냄.

정답 및 해설 49쪽

확인 문제①

1. 이 글을 바탕으로 신문 기사를 작성하고자 한다. 표제와 부제로 가장 적절한 것은?

① 카오스의 실체 – 과학과 신화 사이에서
② 태초의 우주 – 혼돈과 무질서의 세계를 찾아서
③ 우주, 그 상상과 현실 – 가능성과 한계 사이에서
④ 천지 창조의 시작 – 신화적인 상상의 세계를 찾아서
⑤ 자연이라는 신의 위대한 여정 – 지구 탄생의 역사를 찾아서

2. [카오스]에 대한 설명으로 적절하지 않은 것은?

① 형상이나 질서가 없다.
② 빛도 생명도 없는 세계이다.
③ 구획이 없는 하나의 덩어리였다.
④ 만물을 이루는 요소를 지니고 있다.
⑤ 하나의 질료 안에서 균형을 이루고 있다.

학습 활동 응용

3. 〈보기〉는 이 글에 나타난 '천지 창조'의 과정을 드러낸 것이다. 이를 시간 순으로 나열할 때 가장 적절한 것은?

〈보기〉
㉮ 그저 막막하게 퍼진 듯한 펑퍼짐한 모양의 우주가 존재했다.
㉯ 커다란 공 모양의 지구와 그것을 둘러싼 바다가 만들어졌다.
㉰ 가벼운 것은 위로, 무거운 것은 아래로 내려와 제 자리를 잡았다.
㉱ 샘, 호수, 연못, 강, 골짜기, 험한 산 등의 지형이 만들어졌다.
㉲ 하늘로부터 땅을, 땅으로부터 물을, 대기로부터 하늘을 분리하였다.

① ㉮–㉯–㉰–㉱–㉲
② ㉮–㉲–㉰–㉯–㉱
③ ㉯–㉮–㉲–㉰–㉱
④ ㉰–㉲–㉮–㉯–㉱
⑤ ㉲–㉰–㉯–㉱–㉮

서술형

4. 〈보기〉를 참고하여 ㉠을 통해 엿볼 수 있는 신(神)에 대한 고대 서양인들의 인식을 한 문장으로 쓰시오.

〈보기〉
이 글에는 '신(神)'에 대한 그리스 · 로마인들의 인식이 드러나 있다. 이는 기독교 탄생 이전 상황에서의 신(神)에 대한 고대 서양인들의 인식 체계를 엿볼 수 있는 단서가 된다.

본사 2 라 신은, 이번에는 하늘을 나누어 오른쪽에 두 권역, 왼쪽에 두 권역을 만들고, 가운데에는 이 네 권역보다 훨씬 뜨거운 다섯 번째의 권역을 두었다. 이어서는 이 다섯 권역의 하늘로 덮인 땅덩어리 역시 같은 권역으로 나누었다. 이로써 땅에도 다섯 지대가 생긴 셈이었다. 『가운데에 위치한 지대는 너무 더워 산 것이 살 수가 없었고, 양쪽 끝의 두 지대는 아주 눈으로 덮여 있었다. 그러나 신은 그 사이에다 남은 두 지대를 두고 더위와 추위가 번차례로 들게 하여 산 것이 살기에 적당한 기후를 베풀었다.』

권역: 어떤 특정한 범위 안의 지역
이로써 땅에도 다섯 지대가 생긴 셈이었다: 다양한 기후대에 대한 인식이 반영되어 있는 상상력을 엿볼 수 있음.
『 』: 각기 열대, 냉 · 한대, 온대 기후에 대응되는 설명으로 볼 수 있음.
번차례: 돌려가며 갈마드는 차례

→ 다양한 기후대를 만든 신

마 이 다섯 지대 위로는 공기가 퍼져 있다. 공기는 그 무게가 흙이나 물보다는 가볍지만 하늘의 불보다는 무거웠다. 공기가 있는 이곳은, 안개나 구름, 인간에게 겁을 주기 위해 만들어진 천둥, 그리고 구름에서 나오는 벼락과 추위를 나를 바람, 이 모든 것을 위해 신이 예비한 거처이기도 하다. 그러나 바람에 대해서만은, 천지의 조물주도 대기 속을 제멋대로 불게는 내버려 두지 않았다. 이렇게 해서 바람은 각기 다른 지대에 거처하면서 제 나름의 방법으로 불게 되어 있다. 그러나 이 바람이 온 땅을 부수어 버리기로 작정하면 어느 누구도 이를 저지할 수가 없다. 바람의 형제들은 그만큼 사이가 나쁜 것이다. 바람의 형제들이 사는 땅은 각각 이러하다. 에우로스는 새벽의 땅, 다시 말해서 나바타에아인들의 나라나 페르시아, 아침 햇살을 처음 받는 산들에 머물고, 제피로스는 베스페르 근방이나 석양 무렵에 따뜻하게 달아오르는 해변에 살고 있다. 무서운 보레아스는 스퀴티아 땅과 북방을 점거하고 그 반대쪽에 있는 땅에는 큰비를 몰고 오는 아우스테르가 비구름에 젖은 채 웅크리고 있다.

공기는 그 무게가 흙이나 물보다는 가볍지만 하늘의 불보다는 무거웠다: 대기가 태양의 아래이자 대지와 바다의 위에 차 있는 이유를 알 수 있음.
공기가 있는 이곳은, … 신이 예비한 거처이기도 하다: 안개, 구름, 천둥, 벼락, 바람 등이 모두 대기에서 발생하는 기상 현상에 해당한다는 인식을 엿볼 수 있음.

→ 다양한 기상 현상과 바람의 종류를 만든 신

바 이 밖에도 신은 맑고 투명한 아이테르를 만들었다. 이 아이테르는 무게가 없는 것으로서, 어떤 지상적인 것으로도 더럽힐 수 없는 아주 특별한 존재다.

→ 푸른 하늘을 만든 신

사 이렇듯이 모든 것들이 제 몫의 거처에 자리를 잡자, 오랫동안 혼돈의 덩어리 안에 갇혀 있던 별들이 하늘 하나 가득 찬연히 빛나기 시작했다. 빈 곳이 있으면 거기에 사는 것이 있어야 마땅한 법이다. 그래서 신들과 별들이 천상에 자리를 잡았다. 물은 아름다운 비늘을 번쩍거리는 물고기들의 거처가 되었고, 대지는 짐승들 몫으로 돌아갔다. 흐르는 대기는 새들을 맞아들였다.

빈 곳이 있으면 거기에 사는 것이 있어야 마땅한 법이다: 하늘이 신들과 별들의, 물이 물고기들의, 대지가 짐승들의, 대기가 새들의 거처가 된 까닭

→ 각자의 거처를 갖게 된 다양한 존재들

본사 2: 신이 다섯 지대의 기후와 대기를 창조하고, 다양한 생물들이 거처하게 함.

결사 아 그러나 이 짐승들보다는 신들에 가깝고, 또 지성이라는 것이 있어서 다른 생물을 지배할 만한 존재는 없었다. 인류가, 인간이 창조된 것은 이즈음이었다. 『이 인간은, 세계의 시원(始原)이자 만물의 조물주인 신이, 신의 씨앗으로 만든 것인지도 모르겠고, 이아페토스의 아들 프로메테우스가 천공에서 갓 떨어져 나온, 따라서 그때까지는 여전히 천상적(天上的)인 것이 조금은 남아 있는 흙덩어리를 강물에다 이겨, 만물을 다스리는 조물주와 그 모양이 비슷하게 만든 것인지도 모르겠다.』 어쨌든 이렇게 만들어진 인간은, 다른 동물

이 짐승들보다는 신들에 가깝고, 또 지성이라는 것이 있어서 다른 생물을 지배할 만한 존재: 인간을 가리킴.
시원(始原): ■ 사물, 현상 따위가 시작되는 처음
『 』: 인간의 창조 과정에 관해 당시까지 다양한 설이 존재했다는 것을 짐작할 수 있음.

여러 가지 지형과 사물이 생겨나는 과정

- 땅 · 하늘 · 물을 서로 갈라놓음으로써 카오스 상태에 질서를 부여하기 시작한 신(자연)
- → 공 모양의 지구에 여러 가지 지형들이 생겨남.
- → 다양한 기후대가 생김.
- → 다양한 기상 현상과 바람의 종류, 푸른 하늘이 생김.
- → 다양한 존재들이 각자의 거처를 갖게 됨.
- → 다른 생물을 지배할 수 있는 존재인 인간의 탄생

프로메테우스(Prometheus): 그리스 신화에 나오는 티탄족의 영웅. 인간에게 불을 훔쳐다 주어 인간에게는 문화를 준 은인이 되었으나, 그로 인하여 제우스의 노여움을 사 코카서스의 바위에 묶여 독수리에게 간을 쪼이는 고통을 받았다고 함.

어휘 풀이

에우로스: '동풍' 혹은 동풍의 신.

나바타에아인: 아라비아의 한 종족.

아침 햇살을 처음 받는 산들: 인도 서북부의 산들.

제피로스: '서풍', 혹은 서풍의 신.

베스페르: '금성'. 그리스어로는 헤스페로스.

보레아스: '북풍', 혹은 북풍의 신.

스퀴티아 땅: 흑해 동쪽 및 북쪽. 지금의 우크라이나.

아우스테르: 그리스어로는 노토스. '남풍', 혹은 남풍의 신.

아이테르: 푸른 하늘.

이아페토스: 티탄의 시조(始祖)인 우라노스와 가이아의 아들.

들이 머리를 늘어뜨린 채 늘 시선을 땅에다 박고 다니는 데 비해 머리가 하늘로 솟아 있어서 별을 향하여 고개를 들 수도 있었다. 이로써, 모양도 제대로 갖추지 못한 흙덩어리였던 대지는 본 적도 들은 적도 없는 인간이라는 것을 그 품안에 거느리게 된 것이다.

여타의 동물과는 다른, 인간만의 특징

➔ 다른 생물을 지배할 수 있는 존재인 인간의 탄생

결사: 신이 인간을 창조함.

핵심 쏙쏙

1 글의 전개 방식과 서사의 흐름

• 시간의 흐름에 따라 서사가 전개됨.

(라)	하늘과 땅을 각각 다섯 개의 권역으로 나누어 다양한 기후대를 창조함.
	⬇
(마)	다양한 기상 현상과 동·서·남·북의 바람을 창조함.
	⬇
(바)	무게가 없어 지상적인 것으로 더럽힐 수 없는, 맑고 투명한 하늘을 창조함.
	⬇
(사)	신들과 별들이 천상에 자리를 잡고, 물, 대지, 대기에 물고기, 짐승들, 새들이 각각 거처하게 함.
	⬇
(아)	신들의 속성과 지성을 지닌 인간을 창조하여 지구에 있는 다양한 생물들을 지배하게 함.

2 (아)에 반영된 그리스의 사회·문화적 맥락

인간에 대한 인식 체계

① 짐승들보다는 신들에 가까움.
② 지성을 지니고 있어 다른 생물을 지배할 수 있음.
③ 천상적인 것이 조금은 남아 있는 흙덩어리를 이겨서 만듦.
④ 만물의 조물주인 신의 씨앗으로 만듦.
⑤ 만물을 다스리는 조물주(신)의 형상과 비슷하게 만듦.

⬇

고대 그리스인의 인간 중심주의적 사고

• 인간을 다른 짐승들보다 신들에 가깝고, 지성을 통해 다른 생물들을 지배할 수 있는 존재로 파악함(①, ②).
• 인간을 신의 연장선상에서 이해함(③, ④, ⑤).

확인 문제②

정답 및 해설 50쪽

1. 이 글의 중심 화제로 가장 적절한 것은?

① 천지 창조의 시기
② 천지 창조에 대한 견해 차이
③ 우주 탄생 신화에 대한 의문점
④ 천지 창조의 과정과 인간의 탄생
⑤ 인간과 우주의 진화에 얽힌 비밀

2. 이 글에 대한 이해로 적절하지 않은 것은?

① 신은 하늘과 땅을 각각 다섯 권역으로 나누어 다양한 기후대를 창조하였다.
② 신은 어떤 지상적인 것으로도 더럽힐 수 없는 아주 특별한 존재인 하늘을 창조하였다.
③ 신은 다른 생물들을 다 창조한 후 마지막으로 신을 대리하여 지구를 지배할 인간을 창조하였다.
④ 신은 다양한 기상 현상을 만들고, 바람은 동·서·남·북의 방향에 따라 각각 다른 종류의 바람을 창조하였다.
⑤ 신은 하늘을 창조한 후 물고기와 짐승들, 그리고 새들을 창조하여 각각 물과 대지, 그리고 대기에 거처하게 하였다.

3. (마)를 읽고 이끌어 낼 수 있는 내용으로 적절하지 않은 것은?

① 바람은 그 위치에 따라 부는 방법이 모두 다르다.
② 대기는 태양의 아래, 대지와 바다의 위에 위치한다.
③ 기상 현상에는 안개, 구름, 천둥, 벼락, 바람 등이 있다.
④ 바람은 구름에서 나오는 벼락과 추위를 나르는 역할을 한다.
⑤ 바람을 제외한 안개, 구름, 천둥 등은 모두 대기에서 발생한다.

서술형 학습 활동 응용

4. 〈보기〉에 나타난 인간 중심주의적 사고가 (아)에서 어떻게 나타나고 있는지 〈조건〉에 맞게 쓰시오.

〈보기〉

"로마가 정복한 그리스 문화가 로마를 지배했다."라는 말이 있을 정도로 그리스를 정복한 로마의 문화는 그리스의 영향을 많이 받았다. 특히 그리스의 인간 중심주의를 물려받았다.

〈조건〉

• 인간 중심주의적 사고 두 가지를 서술할 것
• 각각 30자 내외, 60자 내외로 쓸 것(띄어쓰기 포함)

교과서 198~201쪽

활동 도움말

사람들의 대체적인 기질이나 성향이 어떻게 그 지역의 문화적 특성으로 이어지는지 유의하며 읽어 본다.

제재 연구

박준우, 「그리스 자연 철학과 과학의 태동」

갈래	설명문
성격	논리적, 설명적
제재	고대 그리스와 로마의 과학
주제	고대 서양인들이 지녔던 태도가 과학의 태동에 미친 영향

제재 연구

김덕수, 「로마를 정복한 그리스 문화」

갈래	설명문
성격	논리적, 설명적
제재	그리스와 로마의 인간관
주제	그리스의 인간 중심주의를 고스란히 물려받은 로마의 문화

깊게 읽기

1. 다음은 이 글 속에서 일어난 일들이다. 이를 시간 순으로 나열해 보자.

ㄱ. 인간이라는 존재가 만들어지다.
ㄴ. 평지, 산, 골짜기가 생기고 숲에 나무가 들어차다.
ㄷ. 하늘과 땅이 각각 다섯 개씩의 권역으로 나누어지다.
ㄹ. 별이 하늘에 자리를 잡고, 물고기, 짐승, 새의 살 곳이 결정되다.
ㅁ. 카오스 상태에서 하늘, 땅, 물이 서로 떨어지고 각기 자리가 정해지다.

(ㅁ)→(ㄴ)→(ㄷ)→(ㄹ)→(ㄱ)

2. 다음 자료를 바탕으로, 이 글과 관련 있는 고대 서양의 사회·문화적 특성을 이해하는 활동을 해 보자.

• 지중해 주변의 그리스와 로마는 서양의 고대(古代) 역사가 펼쳐진 지역이다. 사물의 본질과 진리를 이해하고 설명하는 데 관심이 많았던 그리스인들은 과학의 기본적 방법을 최초로 마련하였다. 그들은 자연에 관해 일관되게 합리적인 해석을 시도하고, 현상들을 체계적으로 분류하며, 몇 개의 제한된 원리들을 설정하여 그 결과를 연역하려 했다. – 박준우, 「그리스 자연 철학과 과학의 태동」에서

연역: 어떤 명제로부터 추론 규칙에 따라 결론을 이끌어 냄.

• "로마가 정복한 그리스 문화가 로마를 지배했다."는 말이 있을 정도로, 로마의 문화는 그리스의 영향을 많이 받았으며, 특히 그리스의 인간 중심주의를 물려받았다. 그들은 그리스의 신화와 신관을 받아들이고, 신들의 본성이나 모습을 인간의 연장선상에서 이해했다. – 김덕수, 「로마를 정복한 그리스 문화」에서

(1) 이 글에는 고대 서양인들의 과학적 탐구와 신화적 상상 간 관련성이 어떻게 드러나 있는지 찾아 정리해 보자.

과학적 탐구 내용		신화적 상상의 결과
'시간이 지나면 초승달이 보름달이 되네.'	→	"날이 감에 따라 초승달의 활시위를 부풀려 가는 포이베"
'자연계에서 가벼운 물질은 위에, 무거운 물질은 아래에 위치하는군.'	→	"무게라는 것이 없는 창궁(蒼穹)의 불과, 사물을 태우는 힘은 가장 높은 하늘로 …… 밀도가 높은 대지는 단단한 물질을 끌어당겨 붙이면서 스스로의 무게 때문에 하강했다."
'우리가 사는 지구는 둥근 모양을 하고 있는 것 같아.'	→	"신은 혼돈을 이루고 있던 물질의 덩어리를 정리하고 …… 대지를, 어느 쪽에서 보아도 그 모양이 똑같도록 커다란 공 꼴로 만들었다."
'지역마다 덥고 추운 정도가 달라 갖가지 기후가 존재하는군.'	→	"가운데에 위치한 지대는 너무 더워 산 것이 살 수가 없었고, …… 더위와 추위가 번차례로 들게 하여 산 것이 살기에 적당한 기후를 베풀었다."
'바람은 불어오는 방향에 따라 그 종류를 나눌 수 있겠어.'	→	"바람은 각기 다른 지대에 거처하면서 …… 아우스테르가 비구름에 젖은 채 웅크리고 있다."

활동 도움말

인간 창조의 주체, 재료, 시기, 인간과 다른 생물 간의 차이점 등이 글에 어떻게 드러나 있는지에 주목해 본다.

(2) 이 글에는 고대 그리스의 인간 중심주의가 어떻게 반영되어 있는지 설명해 보자.

| 예시 답 | 글의 끝부분에서 인간은 자신을 창조한 조물주와 비슷한 점을 가진 존재로 그려져 있다. 이는 신을 인간의 연장선상에서 이해한 결과이다. 또 인간은 짐승들보다는 신들에 가깝고, 지성을 통해 다른 생물을 지배할 수 있는 존재라고 하였는데, 이 또한 고대 서양인들의 인간 중심주의가 반영된 것이다.

활동 도움말

철학이 진리나 사물의 본질에 관한 탐구와 밀접한 관련이 있다는 점을 떠올려 본다.

(3) 서양의 고대 역사가 펼쳐진 그리스와 로마에서 철학이 발달한 이유를 위 자료들의 내용과 관련지어 추론해 보자.

| 예시 답 | 위에 제시된 자료는 사물의 본질과 진리에 관한 고대 그리스인들의 관심이 과학의 발달로 이어진 사실과, 로마인들에게까지 이어진 그들의 인간 중심주의에 관한 설명이다. 그러나 사물의 본질과 진리, 그리고 인간이란 존재에 관한 탐구는 비단 과학의 몫은 아니다. 철학 역시 그와 같은 관심에서 출발하는 것이다. 따라서 이들의 진리 탐구 성향은 철학의 발달로도 이어졌을 것이라고 추론할 수 있다.

활동 도움말

잘 모르는 용어나 개념이 글에 있더라도 우선은 내용의 선후나 인과 관계에 유의하면서 글 전체의 흐름을 자기 나름대로 이해해 본다. 그 후에 관련 자료 검색을 통해 어려운 개념에 관한 설명을 보고 나서 자신의 내용 이해가 적절했는지 확인해 본다.

3. 다음 글을 「모든 것은 카오스에서 시작되었다」와 비교하며 읽고, 아래 활동을 해 보자.

지금부터 140억 년 전, 시간이 생겨날 때에, 우주의 모든 공간과 모든 물질, 그리고 모든 에너지가 손톱만 한 크기의 공간에 모여 있었다. 이때에는 우주의 온도가 아주 높아 우주를 운행하는 자연의 기본적인 힘들이 하나의 통합된 힘으로 존재했다. 우주의 나이가 10^{-43}초 되었을 때 우주의 온도는 10^{30}도였고, 통일장 안에 있는 에너지로부터 블랙홀이 순간적으로 만들어졌다가 사라지는 일이 반복되고 있었다. 이런 극한 상황에서는 이론 물리학적으로 볼 때 공간과 시간이 거품이나 스펀지와 같은 구조로 심하게 휘어져 있었다. 이 시기에는 아인슈타인의 일반 상대성 이론(현대적 인력 이론)과 양자 역학(가장 작은 단위에서의 물질의 성질을 설명하는 이론)에 의해 설명되는 현상들을 따로 구별할 수 없었다. ➔ 140억 년 전 우주의 상태

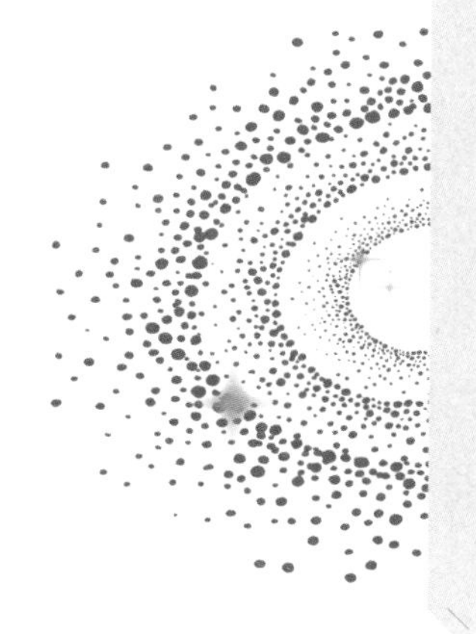

우주가 팽창하고 온도가 내려감에 따라 만유인력은 다른 힘으로부터 분리되었다. 곧이어 강한 핵력과 전자기 약력이 서로 분리되었고, 엄청난 에너지가 방출되면서 우주가 10^{50}배로 팽창하는 사건이 일어났다. '인플레이션 단계'라고 부르는 이러한 급속한 팽창은 물질과 에너지를 균일하게 늘려 우주의 어느 한 점의 밀도와 다른 점의 밀도 차이를 10만 분의 1보다 작게 만들었다. – 닐 디그래스 타이슨 외 1인, 『오리진』에서

➔ 우주의 팽창 – '인플레이션 단계'

| 도움말 | 닐 디그래스 타이슨(1958~): 미국 자연사 박물관 부설 헤이든 천문관의 천체 물리학자이자, 천문학을 비롯한 과학의 대중화에 앞장서고 있는 세계적인 과학 저술가이다.

『오리진』: 지질학, 생물학, 화학, 그리고 천체물리학 등 여러 과학 분야들을 아우르면서, 우주와 지구, 생명의 기원을 추적하여 140억 년이라는 엄청난 시간을 거슬러 올라가 새로운 우주의 지형도를 그려 보여 주는 책이다.

(1) 오비디우스가 묘사했던 '카오스'의 의미가 현대 과학의 관점에서는 어떻게 해석될 수 있는지 설명해 보자.

| 예시 답 | '카오스'는 오비디우스가 들려주는 신화 속에서 '그저 막막하게 퍼진 듯한 펑퍼짐한 모양'을 한 '형상도 질서도 없는 하나의 덩어리'로 묘사되어 있다. 그런데 위에 제시된 현대 과학의 설명 속에서도 '카오스'에 해당하는 것을 찾아볼 수 있다. 그것은 약 140억 년 전 우주의 모든 공간과 모든 물질, 그리고 모든 에너지가 심하게 휘어진 채 손톱만 한 크기의 공간에 아주 높은 온도로 모여 있으면서 블랙홀이 만들어졌다 사라지는 일이 반복되던 상황으로 제시되어 있다.

(2) 세상의 기원에 관한 궁금증에서 비롯된 서양인들의 생각이 두 글에서 각각 어떤 형식으로 구현되었는지 써 보자.

- 「모든 것은 카오스에서 시작되었다」 서사의 흐름이 있는 신화의 형식
- 『오리진』 현상 간의 인과 관계에 초점을 맞춘 과학적 설명의 형식

넓혀 읽기

4. 다음은 우리나라의 한 지역에서 전승되는 설화이다. 이를 「모든 것은 카오스에서 시작되었다」와 비교하며 읽고 아래 활동을 해 보자.

제재 연구

작자 미상, 「세상 모양이 생긴 이야기(경상남도 거창군)」

갈래	설화
성격	신화적
제재	하늘나라 공주가 잃어버린 반지
주제	세상 모양이 생긴 내력
특징	선조들의 상상이 잘 드러남.

옛날에 맨 처음 세상이 생겼을 때는 육지도 바다도 없이 평평하게 진흙만 있었는데, (태초의 세상에 대한 묘사) 하늘나라 공주가 하루는 아주 아끼고 아끼던 반지를 그만 떨어뜨려 버렸다. 공주는 반지를 어디다 잃어버렸는지 알 수가 없어서 매우 안타까워했다. 잃어버린 반지 때문에 근심에 빠진 공주는 옥황상제님께 반지를 찾아 달라고 애원했다. 옥황상제는 '누구를 보낼까. 누구를 세상으로 보내서 반지를 찾아오게 할까' 하고 가만히 생각하던 끝에, 장수 중에서도 가장 힘이 좋고 머리도 좋고 용감한 사람을 골라내어 지상의 나라로 보냈다. 그 장수를 보낼 때, 옥황상제는 세상을 다 뒤져서라도 꼭 반지를 찾아오라고 명령했다. **➔ 옥황상제가 장수에게 지상에 내려가 공주의 잃어버린 반지를 찾아올 것을 명령함.**

옥황상제의 분부를 받고 지상에 내려온 장수는 반지를 찾기 위해 천하의 땅덩어리를 모두 다 뒤졌다. 옥황상제의 명을 받고 내려온 이상, 반지를 찾지 못한다면 그는 하늘나라로 갈 수 없었기 때문이다. 『장수는 이리저리 다니면서 진흙을 헤집어 가면서 반지를 찾았다. 그 바람에 세상이 그만 완전히, 거꾸로 뒤집혔다. 반지를 찾으려고 진흙을 모은 데는 [산]이 되고, 또 손으로 쓰다듬은 데는 [들판]이 되었다. 산이 된 곳 중에 장수의 발자국이 깊게 팬 데는 [골짜기]가 되고 [도랑]이 되고, 발자국으로 무너진 곳은 [바다]가 되기도 하였다. 그 장수는 반지를 찾기 위해 몇 년 동안 지상 세계를 뒤집어 놓았고, 그러는 사이 지상 세계에는 산과 들과 강, 바다가 생겨났다.』 마침내 어느 날 저녁, 반지를 찾은 장수는 하늘로 올라갔다고 한다.

(『 』: 지상 세계에서 산과 들과 강, 바다가 생겨나는 과정)
([ ]: 장수 때문에 생겨난 지형)

➔ 장수가 반지를 찾는 과정에서 지상에 여러 가지 지형이 생겨남.

– 작자 미상, 「세상 모양이 생긴 이야기(경상남도 거창군)」에서

(1) 다양한 지형들의 생성 과정에 관한 상상이 두 글에서 어떻게 다르게 드러나는지 정리해 보자.

| 예시 답 | 「세상 모양이 생긴 이야기」에서는 공주가 잃어버린 반지를 찾으려고 장수가 진흙을 헤집는 과정에서 산, 들판, 골짜기, 도랑, 바다 등이 우연히 생겼다고 했지만, 「모든 것은 카오스에서 시작되었다」는 신(조물주)이 혼돈을 정리해 가는 과정에서 의도적이고 계획적인 행위를 통해 여러 지형들을 만들었다고 하였다.

활동 도움말

행위의 주체가 어떤 존재인지, 여러 가지 지형을 만드는 데 그 주체의 의지가 작용하는지 등을 중심으로 두 글의 차이점을 생각해 본다.

토의 활동

(2) (1)을 통해, 동양과 서양의 사고방식에 어떤 차이가 있다고 추론할 수 있을지 친구들과 토의해 보자.

| 예시 답 | 「모든 것은 카오스에서 시작되었다」에서 세상의 여러 지형은 우연의 산물이 아니라 의도적인 창조 행위의 결과물이라고 한 것은 동양에 비해 서양이 이성과 질서를 좀 더 중시하는 사고방식을 지녔기 때문이라고 볼 수 있을 것이다.

소단원 출제 포인트

모든 것은 카오스에서 시작되었다

1 전체 글의 개관

갈래	서사시	성격	신화적, 환상적, 인간 중심주의적
제재	천지 창조의 과정	주제	혼돈의 우주에 질서가 생겨나고 만물이 생성되는 과정에 대한 신화적 상상
특징	① 자연에 대한 관찰과 탐색을 바탕으로 신화적 상상이 이루어짐. ② 시간의 흐름에 따라 서사가 진행됨.		

2 이 글에 반영된 고대 그리스·로마의 사회·문화적 특성

• 고대 그리스·로마인들은 자연에 대한 과학적이고 합리적인 관찰과 탐구를 시도했는데, 이는 그리스·로마 신화에도 그대로 반영되어 있음.

과학적 관찰과 탐구		신화적 상상
시간이 지나면 초승달이 보름달로 변함.	➡	날이 감에 따라 초승달의 활시위를 부풀려 가는 포이베
자연계에서 가벼운 물질은 위로 올라가고, 무거운 물질은 아래로 내려옴.	➡	무게라는 것이 없는 창궁(蒼穹)의 불과, 사물을 태우는 힘은 가장 높은 하늘로 …… 밀도가 높은 대지는 단단한 물질을 끌어당겨 붙이면서 스스로의 무게 때문에 하강했다.
인간이 사는 지구는 둥근 모양을 하고 있음.	➡	대지를 어느 쪽에서 보아도 그 모양이 똑같도록 커다란 공 꼴로 만들었다.
지구 가운데의 열대 지역, 남·북 양 극지대의 냉·한대 지역, 두 지역의 중간에 있는 온대 지역(사계절이 순환함.)에 따라 서로 다른 기후가 존재함.	➡	가운데에 위치한 지대는 너무 더워 산 것이 살 수가 없었고, 양쪽 끝의 두 지대는 아주 눈으로 덮여 있었다. 그러나 신은 그 사이에다 남은 두 지대를 두고 더위와 추위가 번차례로 들게 하여 산 것이 살기에 적당한 기후를 베풀었다.
바람은 불어오는 방향에 따라 그 종류를 네 가지로 나눌 수 있음.	➡	에우로스는 새벽의 땅, …… 큰비를 몰고 오는 아우스테르가 비구름에 젖은 채 웅크리고 있다.

3 이 글의 서사 과정과 고대 서양인들의 인식 체계

카오스(무질서, 혼돈)의 우주
• 우주는 그저 막막하게 퍼진 듯한 펑퍼짐한 모양을 하고 있었음.
  – 형상도 질서도 없는 하나의 덩어리
  – 하나의 질료 안에서 서로 반목하며 무질서하게 뒤엉켜 있는 혼돈 상태에 있었음.

⬇

태초의 우주에 대한 고대 서양인들의 사고 체계를 엿볼 수 있음.

➡ ['자연'이라는 신에 의한 천지 창조의 시작]

코스모스(질서, 조화)의 우주
• '자연'이라는 신이 혼돈 상태의 우주에 질서를 부여함.
  – 하늘, 땅, 물 등을 분리한 후, 둥근 공 모양의 지구와 그곳의 다양한 지형을 창조함.
  – 만물이 평화와 우애를 누리는 코스모스(질서, 조화)의 상태로 변화시킴.

⬇

• 신에 대한 고대 서양인들의 사고 체계를 엿볼 수 있음.
• 지구의 모양에 대한 고대 서양인들의 상상력을 엿볼 수 있음.

4 이 글에 나타난 고대 서양인의 사고 체계

인간은 짐승들보다 신들에 가까우며, 지성을 지니고 있어 다른 생물을 지배할 수 있음. ➡ 그리스적인 인간 중심주의적 사고

제재 2

검은 별봄맞이꽃 _ 넬슨 만델라 / 김대중 옮김

교과서 202~207쪽

소단원 포인트

- '만델라의 흑인 해방 운동'과 관련된 중심 내용 파악하기
- 글에 반영된 사회 · 문화적 배경 파악하기
- 글 속에 나타난 필자의 관점과 태도 파악하기

필자 소개

넬슨 만델라(1918~2013): 남아프리카공화국의 흑인 인권 운동가이자 첫 번째 흑인 대통령이다. 종신형을 받고 27년간 복역하면서 세계 인권 운동의 상징적인 존재가 되었다. 출소 후 노벨 평화상을 수상하였고, 대통령으로 선출되어 인종 분리 정책을 종식시켰다. 저서로는 『만델라 자서전 – 자유를 향한 머나먼 길』이 있다.

일화 1 **가** 그날 밤 나는 케이프타운에서 열린 아프리카인 지역 목회자 회합에 연설자로 나섰다. 내가 이 이야기를 하는 이유는 그 회합에 참석했던 목회자 가운데 한 사람이 개막 기도를 했는데, 그 기도는 최근 몇 년 동안 내 머릿속에서 잊히지 않으며, 시련이 닥칠 때마다 힘을 주는 원동력이 되었기 때문이다. 그는 신의 은총과 선함, 신의 자비로움 그리고 모든 인간에 대한 신의 애정에 감사하는 기도를 올렸다. 그리고 그는 주의 종 가운데 일부는 다른 이들보다 더욱 유린당하고 있으며, 이 때문에 마치 주님이 그들에게 관심을 기울이지 않는 것처럼 여겨진다고까지 고하는 자유로움을 보여 주었다. 그런 다음 그는 이렇게 기도했다. "만일 주님이 흑인을 구원으로 이끄는 데 조금 더 적극성을 띠지 않으신다면, 흑인은 이제 자신의 손으로 자신의 일을 직접 감당해야만 합니다. 아멘."

(회합: 토론이나 상담을 위하여 여럿이 모이는 일 또는 그런 모임 / 원동력: 어떤 움직임의 근본이 되는 힘 / 주의 종 가운데 일부: 남아프리카공화국의 흑인들을 가리킴. / 다른 이들: 흑인을 제외한 인종 / 만일 주님이 흑인을 구원으로 이끄는 데 조금 더 적극성을 띠지 않으신다면: 신의 도움으로 인종 차별 문제가 해결되지 않는다면)

➜ 케이프타운 목회자 회합의 개막 기도에 담긴 인종 차별 문제의 심각성

나 케이프타운에서 보낸 마지막 날 아침, 나는 남아프리카 혼혈인 기구의 창립 회원인 조지 피크와 함께 머무르고 있던 호텔을 떠났다. 호텔에 머무르는 동안 극진히 대접해 준 혼혈인 지배인에게 감사를 표하기 위해 그에게 들렀다. 그는 내가 찾아 준 것에 고마워했으며 동시에 호기심을 나타냈다. 그는 내가 누구인지 알아보았고, 그곳의 혼혈인들은 아프리카인이 이끄는 정권하에서도 현재 백인 정권 때와 마찬가지로 억압을 받게 될지도 모른다는 생각으로 두려워하고 있다고 말했다. 그는 중산층 사업가이지만 아마도 아프리카인들과 별다른 접촉을 갖지 못했을 것이고, 그래서 백인들과 똑같이 그들을 두려워했다. 이처럼 두려움을 표출하는 현상은 특별히 케이프타운에 거주하는 혼혈인들 사회에서 자주 나타났다. 그리하여 이 친구에게 '자유 헌장'을 설명해 주면서 우리는 반(反)인종주의를 강력히 표방하고 있다고 힘주어 말했다. 자유 투사로서 나는 국민들에게 내 자신의 입장을 밝힐 수 있는 기회가 있다면 그 기회를 모조리 이용해야 했다.

(극진히: 어떤 대상에 대하여 정성을 다함. / 그곳의 혼혈인들은 ~ 두려워하고 있다: 흑인 정권의 수립에 대해서도 마찬가지의 공포를 갖고 있는 혼혈인들 / 그리하여 ~ 힘주어 말했다: 관련 자료를 언급하며 상대방의 우려를 불식시킴.)

➜ 혼혈인에게 설명한 반(反)인종주의의 신념

> **일화 1**: 케이프타운에서 만난 목회자와 혼혈인 지배인에 관한 이야기

일화 2 **다** 다음날 나는 아프리카 민족 회의(ANC, African National Congress) 전국 집행위원회와 더반 지부 운영 위원들이 모이는 비밀회의에 참석했다. 그 회의는 우리가 미리 준비한 팻말을 들고 공개적인 파업과 시위를 할 것이냐 아니면 무단결근 투쟁 전략을 쓸 것이냐를 논의하기 위한 자리였다. 파업을 주장하는 사람들은 1950년대 이후 우리가 사용해 온 무단결근 투쟁은 이제 약효가 다 떨어졌다고 보았다. 또한 그들은 범(汎)아프리카주의자 의회(PAC, Pan-Africanist Congress)가 대중에게 호소력을 갖게 되면서부터 더욱 더 호전적인 형태의 투쟁이 필요하게 되었다고 주장했다. 이에 대한 대안으로 내가 동조했

(비밀회의: 백인들의 탄압 때문에 흑인 인권 운동가들이 지하 활동을 해야 하는 상황 / 무단결근: 사전에 허락을 받거나 사유를 말하지 않고 결근함. 또는 그런 결근 / 약효: 약의 효험 / 더욱 더 호전적인 형태의 투쟁: 파업 투쟁을 가리킴. / 동조: 남의 주장에 자기의 의견을 일치시키거나 보조를 맞춤.)

어휘 풀이

케이프타운: 남아프리카공화국 서남부에 있는 도시.

유린(蹂躪): 남의 권리나 인격을 짓밟음.

표방(標榜): 어떤 명목을 붙여 주의나 주장 또는 처지를 앞에 내세움.

아프리카 민족 회의: 민족 운동과 아프리카인들의 권리 옹호를 목적으로 1912년에 결성된 남아프리카공화국의 정치 조직. 인종 차별 철폐를 주장하며 범아프리카 회의, 게릴라 조직 '민족의 창' 등을 결성하는 등 저항 운동을 펼쳤음.

던 무단결근 투쟁 전략은 적의 역습을 방지하면서 동시에 우리가 적을 공격할 수 있다는
현 상황에서 보다 온건한 노선에 해당하는 투쟁 전략임.
장점이 있었다. 나는 우리가 국민들의 생명을 존중한다는 것을 국민들이 인식했기 때문에 우리의 운동에 대한 국민들의 신뢰가 증진되고 있다고 주장했다. 그리고 시위자들의 영웅주의가 샤프빌에서 적으로 하여금 우리 국민을 쏘아 죽이게 만들었다고 주장했다. 또한,
흑인 해방을 앞당긴 영웅이 되겠다는
시위자들의 심리 때문에 시위가 지나치게 과격해지는 바람에 진압하는 측의 발포에 빌미를 제공하고 말았다는 관점을 제시함.
나는 우리 국민들이 수동적 형태의 저항에 대해서는 점차 인내심을 잃어 가고 있다는 사실을 알면서도 무단결근 투쟁 전략을 옹호했다. 포괄적인 계획도 없이 이미 효과가 인정된 전략을 포기해야 한다고 생각하지는 않았기 때문이다. 더욱이 우리에게는 그럴 만한 시간도 재원도 없었다. 결정은 무단결근 투쟁 전략 쪽으로 내려졌다.
두둔하고 편들어 지킴.
보다 온건하고 수동적인 투쟁 노선
무단결근 투쟁 전략을 가리킴.
재화나 자금이 나올 원천

➔ 흑인 해방 운동의 투쟁 노선을 두고 벌어진 논쟁에서 이긴 만델라

일화 2: 투쟁 노선에 대한 아프리카 민족 회의의 비밀회의 내용

샤프빌: 요하네스버그 근처의 도시. 1960년 3월 21일, 이곳에서 백인 경찰이 흑인 시위대를 향해 무차별 사격을 가해 69명이 죽고 200여 명이 다치는 사건이 일어났음.

핵심 쏙쏙

1 목회자 회합의 개막 기도의 의미

인간은 누구나 신의 은총 가운데서 '주의 종'으로 사랑을 받을 만한 가치가 있는 평등한 존재임을 전제로 남아프리카공화국의 흑인들의 인권 유린 현실을 지적하고 흑인들의 주체적인 행동을 강조한 기도였음.

⬇

흑인 인권을 위한 투쟁 과정에서 시련을 이겨 낼 수 있는 원동력이 되었음.

2 (다)에 나타난 필자의 투쟁 전략

'아프리카 민족 회의'의 비밀회의에서의 필자의 주장과 근거

- 주장: 온건 노선인 무단결근 투쟁 전략을 주장함.
- 근거
  - 적의 역습을 방지하면서 적을 공격할 수 있음.
  - 강경 투쟁이 과격 시위를 불러일으킴으로써 진압 측에 발포의 빌미를 제공하여, 국민들의 희생을 발생시킬 수 있음.
  - 무단결근 투쟁은 이미 효과가 인정된 전략으로, 국민들의 생명을 존중한다는 인식을 심어 줌으로써 신뢰감을 높이고 있음.
  - 강경 투쟁을 할 만한 시간과 재원이 부족함.

⬇

필자가 주장한 무단결근 투쟁 전략으로 결정됨.

3 무단결근 투쟁 전략의 특징

- 투쟁의 성공 요건으로 국민의 신뢰가 필요함을 인식함.
- 현실적 여건을 고려한 투쟁 전략임.

확인 문제①

정답 및 해설 50쪽

1. 이 글에 대한 설명으로 적절하지 않은 것은?

① 필자 자신이 일인칭 화자로 등장한다.
② 화자가 직접 경험한 사건을 중심으로 전개된다.
③ 과거의 사건을 회고하며 담담한 어조로 서술한다.
④ 자신의 생각과 느낌을 고백하듯 진솔하게 표현한다.
⑤ 함축적 어휘를 주로 구사하여 자신의 생각을 드러낸다.

학습 활동 응용

2. 이 글을 통해 추론할 수 있는 당대의 사회 · 문화적 배경으로 적절한 것을 〈보기〉에서 골라 바르게 묶은 것은?

〈보기〉
ㄱ. 남아프리카공화국은 흑인과 혼혈인에 대한 차별 정책을 시행하고 있었다.
ㄴ. 흑인과 혼혈인들은 인종 차별 정책에 대한 대응 방식을 두고 갈등을 겪고 있었다.
ㄷ. 아프리카인 지역 목회자들은 정부의 인종 차별 정책에 방관자적 입장을 견지하고 있었다.
ㄹ. 남아프리카공화국의 혼혈인들은 인종 차별에 대응하기 위해 남아프리카 혼혈인 기구를 창립하였다.

① ㄱ, ㄴ ② ㄱ, ㄹ ③ ㄴ, ㄷ ④ ㄴ, ㄹ ⑤ ㄷ, ㄹ

3. (다)에 드러난 필자의 '투쟁 전략'에 대한 인식으로 적절하지 않은 것은?

① 무단결근 투쟁은 적의 역습을 방지하면서 적을 공격할 수 있는 바람직한 투쟁 방법이다.
② 파업과 같은 강경 투쟁은 과격 시위를 야기함으로써 진압 측에 발포의 빌미를 제공할 수 있다.
③ 강경 투쟁은 진압 측의 강경 대응으로 인해 국민들의 생명을 앗아가는 불상사가 발생할 수 있다.
④ 무단결근 투쟁은 이미 효과가 인정된 전략이며, 현실적으로도 강경 투쟁을 할 만한 시간과 재원이 부족하다.
⑤ 강경 투쟁은 대중적 호소력이 많이 약화되었기 때문에 좀 더 전략적인 방법을 통해 투쟁의 동력을 확보해 나가야 한다.

일화 3 **라** 지하 생활은 엄청난 심리적 변화가 요구된다. 『우리는 모든 행동에 대해, 그것이 아무리 사소하고 하찮은 것처럼 여겨질지라도 치밀한 계획을 세워야만 한다. 순수한 마음으로 믿을 만한 것은 아무것도 없다. 모든 것이 의심의 대상이다. 자신의 본모습을 잃게 된다. 어떠한 역할이든 맡겨진 역할에 충실히 따라야만 한다.』 어떤 면에서 이러한 생활 양식은 남아프리카의 흑인에게는 그다지 낯설지 않은 것 같다. 아파르트헤이트 아래에서 흑인은 합법과 불법, 개방과 은폐 사이에서 그림자와 같은 삶을 살아왔다. 남아프리카에서 흑인으로서의 삶은 전 생애를 지하에서 살아가는 삶과 같이 어떤 것도 전적으로 믿어서는 안 된다는 것을 의미했다.

(『 』: 지하 생활에 따른 심리 변화 / 은폐: 덮어 감추거나 가리어 숨김. / 그림자와 같은 삶: 주체적이지 못하고 뚜렷한 존재감을 가질 수 없는 소외된 삶 / 어떤 것도 전적으로 믿어서는 안 된다: 쫓는 눈을 피해 숨어 지내야 하는 지하 생활과 남아프리카공화국에서 흑인으로 사는 삶 사이의 공통점)

→ 지하 생활의 고충과 아프리카 흑인의 비참한 삶

마 나는 점차 야행성으로 변해 갔다. 낮에는 은신처에 몸을 숨기고, 어둠이 내리기 시작하면 서서히 활동을 개시했다. 나의 활동 무대는 주로 요하네스버그였는데, 필요하다면 여행도 불사했다. 텅 빈 아파트든 일반 주택이든 나 홀로 있을 수 있고 몸을 숨기기 쉬운 곳이라면 어디든 머물렀다. 비록 나도 사람들과 어울리기를 꽤나 즐겼지만 이러한 고독 역시 좋았다. 나는 홀로 되고, 무언가 계획하고, 사색도 하고, 각본도 짤 수 있는 기회를 반겼다. 그러나 나의 고독한 삶은 지나친 감이 없지 않았다. 아내와 가족이 그리워 미치도록 외로울 때도 있었다.

(은신처: 몸을 숨기는 곳 / 불사했다: 사양하지 아니하였다 / 나 홀로 있을 수 있고 몸을 숨기기 쉬운 곳: 은신처의 특징)

→ 지하 생활의 고독감

바 지하 생활의 핵심은 남의 눈에 띄지 않는 것이다. 자신을 드러내려고 방 안에서 거니는 방법이 있듯이 자신을 숨기면서 움직이고 행동하는 방식이 있게 마련이다. 지도자들은 대개 남의 눈에 띄기를 갈망한다. 그러나 범법자는 정반대를 원한다. 『지하에 있을 때 나는 똑바로 서 있거나 허리를 세우고 걷지 않았다. 나는 명료함과 차별성이 떨어지더라도 가능한 한 부드럽게 표현했다. 또한 조금 수동적이고 더욱 신중하게 행동했다. 사람들에게 어떻게 하기를 요구하는 대신에 그들이 내게 부탁하도록 했다. 면도도 이발도 생략했다. 내가 가장 자주 변장했던 사람은 운전사, 요리사 그리고 정원사였다. 나는 농부들이 입는 아래위가 붙은 푸른색 작업복을 입었으며, 종종 '마자와티차(茶) 안경'이라고 알려진 둥근 모양의 가장자리 테가 없는 안경을 쓰기도 했다. 나는 자동차가 있었기에 이러한 작업복 차림에 운전사 모자를 쓰고 다녔다. 운전사 모습은 주인 차를 몬다는 구실로 마음껏 여행할 수 있었기 때문에 내게는 편리한 변장이었다.』

(갈망한다: 간절히 바람. / 『 』: 지하 생활 중의 철저한 은신 노력과 방법)

→ 지하 생활 동안 남의 눈에 띄지 않기 위해 한 노력

일화 3: 지하 생활의 어려움과 변장의 전략

일화 4 **사** 지하에서 활약하던 초기 몇 개월 동안 지명 수배를 받아 경찰에게 쫓기게 되었을 때 나의 불법적 지위는 언론의 상상력의 표적이 되었다. 가끔 내가 여기에도 나타나고 저기에도 머물렀다는 기사가 신문의 1면을 장식했다. 검문소가 전국에 설치되었으나 경찰의 노력은 늘 헛수고로 끝났다. 당시 내게는 '검은 별봄맞이꽃(Black Pimpernel)'이라는 별명이 붙여졌다. 이는 바로네스 오르치(Baroness Orczy)의 소설에 나오는, 프랑스 혁명 당시 체포망을 용감히 피했던 '주홍색 별봄맞이꽃(Scarlet Pimpernel)'에 빗대어 다소 경멸적인

(표적: 목표로 삼는 물건 / 여기에도 나타나고 저기에도 머물렀다는: 신출귀몰(神出鬼沒)했다는)

남아프리카공화국: 아프리카 남쪽 끝에 있는 공화국. 1961년까지는 영연방(英聯邦) 내의 남아프리카 연방이었다. 금·다이아몬드를 비롯한 지하자원이 풍부하고 광공업이 발달하였으며, 아프리카 최대의 공업국으로 주민의 80%가 반투계(Bantu系) 흑인이고 나머지는 백인이며, 주요 언어는 영어와 아프리칸스어이다. 수도는 3개로 행정 수도 프리토리아(Pretoria), 입법 수도 케이프타운(Cape Town), 사법 수도 블룸폰테인(Bloemfontein). 면적은 122만 1,043km².

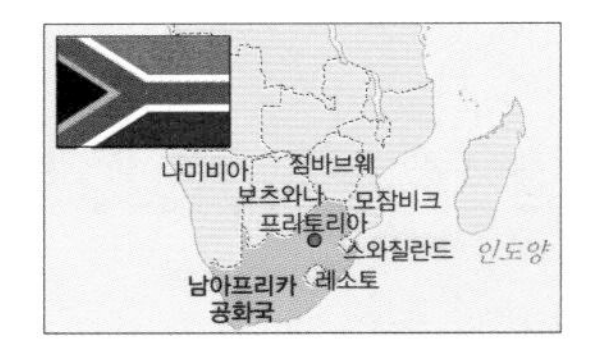

교과서 날개 질문
지하 생활을 하는 동안 필자의 심리 상태는 어떠했는지 말해 보자.

| 예시 답 | 밤에 주로 활동하고 혼자 지내야 했으므로, 고독을 어느 정도 반기면서도 지나친 고독으로 가족에 대한 그리움에 시달리는 상태이다.

「스칼렛 핌퍼넬」: 바로네스 오르치의 장편 소설이다. 프랑스 혁명기에 복면(覆面)을 쓰고 프랑스 귀족을 구출하는 한 영국인의 모험을 그린 작품이다.

어휘 풀이

지하(地下): 사회 운동, 정치 운동, 저항 운동 따위를 비합법적으로 숨어서 하는 영역.

아파르트헤이트: 인종 분리 정책. 인종에 따라 사회적인 여러 권리를 차별하는 정책.

요하네스버그: 남아프리카공화국 동쪽에 있는 큰 도시. 1886년 금광이 발견된 후부터 발전하여 교통과 상공업의 중심지가 되었음.

바로네스 오르치: 헝가리 출신의 영국 소설가.

함의를 담아 붙인 별명이었다.

→ '검은 별봄맞이꽃'이라는 별명이 붙은 내력

아 나는 전국 방방곡곡을 비밀리에 여행했다. 케이프에서는 회교도들과, 나탈에서는 설탕 농장 일꾼들과, 포트엘리자베스에서는 공장 노동자들과 함께했다. 밤마다 비밀 회합에 참석하면서 전국 방방곡곡을 돌아다녔다. 나는 3페니짜리 동전 '티키 20'을 주머니 가득 넣고 다니면서 신문 기자들에게 공중전화를 걸어 그들에게 우리가 무엇을 계획하고 있는지를 알린다거나 경찰이 얼마나 무능한가를 이야기함으로써, '검은 별봄맞이꽃'의 신화를 더욱 부채질했다. 경찰을 교란시키고 국민에게 기쁨을 주고자 동에 번쩍 서에 번쩍 출몰하고는 했다.

■ 무능: 어떤 일을 해결하는 능력이 없음.
국민: 만델라의 투쟁을 응원하는 흑인들을 가리킴.

→ 도피 생활 중의 투쟁 활동

함의(含意): 말이나 글 속에 어떠한 뜻이 들어 있음. 또는 그 뜻.

교란(攪亂): 마음이나 상황 따위를 뒤흔들어서 어지럽고 혼란하게 함.

출몰(出沒): 어떤 현상이나 대상이 나타났다 사라졌다 함.

핵심 쏙쏙

1 글쓴이의 지하 생활

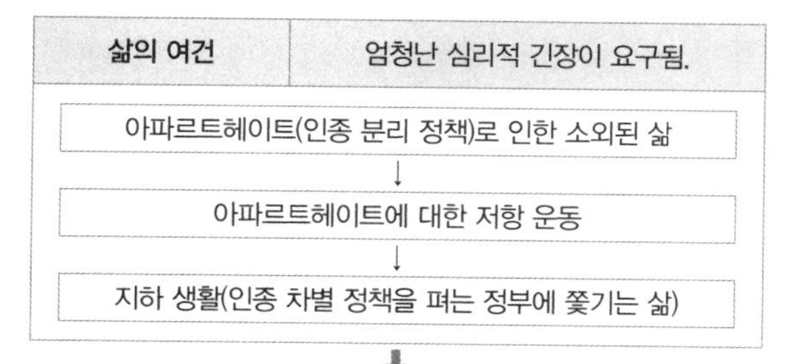

삶의 여건	엄청난 심리적 긴장이 요구됨.

아파르트헤이트(인종 분리 정책)로 인한 소외된 삶
↓
아파르트헤이트에 대한 저항 운동
↓
지하 생활(인종 차별 정책을 펴는 정부에 쫓기는 삶)

⬇

행동 양식	지하 생활의 지침

- 어떤 것도 전적으로 믿어서는 안 됨.
- 사소한 일이라도 치밀한 계획을 세워야 함.
- 맡겨진 역할에 충실히 따라야 함.

2 지하 생활의 고충과 외로움

- 낮에는 은신처에 몸을 숨기고, 밤에 활동함.
  → 고독을 무언가를 계획하고 사색하는 기회로 삼음.
  → 아내와 가족에 대한 그리움으로 외로움을 느낌.

3 지하 생활 중의 철저한 은신 노력과 방법

- 똑바로 서 있거나 허리를 세우고 걷지 않음.
- 가능한 한 부드럽게 표현함.
- 수동적이고 신중하게 행동함.
- 사람들에게 요구하는 대신 내게 부탁하게 함.
- 면도나 이발을 하지 않음.
- 변장을 철저히 함(운전사, 요리사, 정원사).
- 농부들의 푸른색 작업복을 착용함.
- '마자와티차(茶) 안경'을 쓰고, 운전사 모자를 씀.

4 '검은 별봄맞이꽃'이라는 별명이 붙은 내력

검은 별봄맞이꽃	신출귀몰한 도피 행적으로 언론의 관심을 받는 만델라를 유명 소설 속 인물에 빗대어 별명을 붙임. → 다소 경멸적인 의미를 함축함.

정답 및 해설 51쪽

확인 문제②

1. (라)~(바)의 중심 내용으로 가장 적절한 것은?

① 지하 생활에서의 심리적 변화
② 지하 생활의 고충과 극복 노력
③ 지하 생활과 언론의 지대한 관심
④ 지하 생활 중에 별명이 붙은 이유
⑤ 지하 생활 중의 가족에 대한 그리움

학습 활동 응용

2. 이 글의 내용을 바탕으로 필자가 지하 생활을 하게 된 과정과 지하 생활을 하는 과정을 〈보기〉와 같이 정리하였다. ⓐ~ⓔ 중, 적절하지 않은 것은?

〈보기〉

ⓐ 정부의 인종 분리 정책으로 인해 흑인들의 인권이 억압 당하는 상황이 발생하였다.
ⓑ 흑인들은 한 나라의 국민이면서도 백인과 동등한 지위를 보장받지 못하고 소외된 삶을 살게 되었다.
ⓒ 필자는 정부의 인종 분리 정책에 저항하여 흑인 인권 회복을 위한 투쟁 활동에 나섰다.
ⓓ 경찰은 인종 분리 정책을 규정한 법률을 근거로 필자를 체포하기 위한 지명 수배를 내렸다.
ⓔ 필자는 경찰의 지명 수배를 피해 도피 생활을 하느라 한시적으로 투쟁 활동을 중단하기도 하였다.

① ⓐ ② ⓑ ③ ⓒ ④ ⓓ ⑤ ⓔ

서술형

3. 이 글을 읽고 다음 빈칸에 들어갈 말을 경어체의 문장으로 쓰시오.

만델라: "지하 생활에는 엄청난 심리적 긴장감이 동반됩니다. 따라서 지하 생활을 하기 위해서는 지침을 반드시 지켜야합니다. 첫째, 아무리 사소한 일이라도 치밀한 계획을 세워 실행해야 합니다. 둘째, (　　　　　　　　　　　　　　　　) 셋째, 맡겨진 역할에 충실히 따라야 합니다."

> 1950~60년대 남아프리카공화국의 정치·사회적 상황
> 1955년 흑인 거주지인 요하네스버그 소웨토(Soweto) 구역에서 남아프리카 인종주의 정책에 반대하는 '자유 헌장'이 선포되었고, 만델라는 '자유 헌장' 발표에 관련되어 두 번째로 체포되고 감옥에 수감되었다. 그의 죄목은 국가 반역죄였는데 1961년 최종 무죄로 판결 받았다.
> 1957년 만델라가 속한 아프리카 민족 회의 외에 또 다른 단체인 범아프리카주의자 의회(Pan Africanist Congress, PAC)가 출범하였는데 이들은 강경한 투쟁을 전개했다.

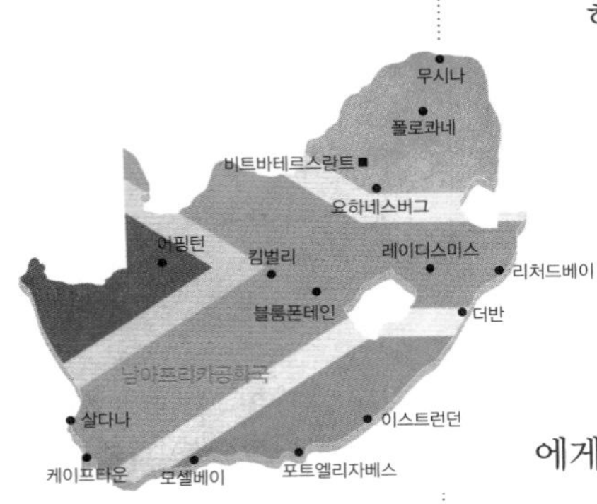

▲ 남아프리카공화국

자 지하 활동을 하던 시절의 내 경험에 대해서 전혀 근거 없고 정확하지 않은 이야기들이(신출귀몰하는 만델라에 대한 기대나 호기심에 의해 부풀려진 이야기들) 많이 떠돈다. 사람들은 감히 일어날 수 없는 일을 윤색(사실을 과장하거나 미화함을 비유적으로 이르는 말)하여 말하기를 즐긴다. 그러나 나도 모르긴 해도 가까스로 위기를 모면한(어떤 일이나 책임을 꾀를 써서 벗어남.) 경험이 여러 차례 있었다. 한번은 시내에서 차를 몰고 가다가 신호등에서 멈춰 섰다. 무심코 왼쪽을 쳐다보니 바로 옆 차에 비트바테르스란트 보안 지부 지부장인 스팽글러 대령이 타고 있었다. 만일 '검은 별봄맞이꽃'을 체포했더라면 그에게는 커다란 횡재였을 것이다. 나는 당시 노동자 모자와 푸른 작업복에 안경을 쓰고 있었다. 그는 내 쪽을 돌아보지 않았다(변장이 성공적이었기 때문에). 그런데도 신호등이 바뀌기를 기다리던 단 몇 초의 시간이 내게는 마치 몇 시간이나 되는 듯했다. ➔ 도피 생활 중 위기를 모면했던 경험

차 어느 날 오후, 요하네스버그에서 운전사 차림으로 긴 먼지막이 외투를 입고 모자를 쓴 채(경찰의 눈을 피하기 위해 위장한 모습) 길모퉁이에서 나를 태우러 오는 사람을 기다리고 있었다. 그때 한 경찰(신분상 드러내 놓고 응원할 수는 없어도 만델라의 투쟁을 지지하는 흑인 경찰)이 분명 나를 향해 걸어오고 있는 것을 보았다. 나는 도망갈 장소가 있는지 살피려고 주위를 둘러보았다. 그러나 내가 미처 도망가기 전에 그는 내게 미소를 띤 채 몰래 아프리카 민족 회의의 건승(탈 없이 건강함.)을 비는, 엄지손가락을 치켜드는(위로 올려 드는) 표시를 보내고는 조용히 사라졌다. 이런 일은 수없이 많이 일어났다. 이로써 나는 많은 아프리카인 경찰들이 우리를 지지하고 있다는 것을 확인할 수 있었다. 내 아내 위니에게 경찰이 무슨 일을 꾸미고 있는지 사전에 정보를 빼 주던 흑인 경사가 있었다. 그는 위니(만델라의 아내)에게 귓속말로 "수요일 밤에는 경찰이 수색할 예정이니 마디바가 알렉산드라에 가지 못하도록 해야 해요." 하고 가르쳐 주고는 했다. 흑인 경찰들은 투쟁 기간에 혹독한(성질이나 하는 짓이 몹시 모질고 악한) 비판을 자주 받았다. 그러나 그들 대부분은 이루 말할 수 없이 귀중한 역할을 숨어서 드러나지 않게 수행(생각하거나 계획한 대로 일을 해냄.)했다. ➔ 만델라의 도피를 몰래 도운 흑인 경찰들

> 일화 4: 신출귀몰했던 도피 기간에 체포될 뻔했던 경험들과 흑인 경찰의 도움

일화 5 **카** 지하 생활을 하는 동안 나는 가능한 한 누추하게 입고 다녔다. 내 작업복은 평생을 어렵게 고생한 흔적이 역력하게 보였다. 경찰은 수염을 기르고 찍은 내 사진을 한 장 가지고 있었는데, 이것을 전국에 배포했다. ㉠동료들은 내게 면도를 하라고 강권(내키지 아니한 것을 억지로 권함.)했다. 그러나 나는 수염에 대한 애착(몹시 사랑하거나 끌리어서 떨어지지 아니함. 또는 그런 마음)이 강했기 때문에 절대 면도를 하지 않았다. ➔ 지하 생활 당시의 겉모습

타 나는 사람들의 눈에 띄지 않았을 뿐만 아니라 때로는 무시당하기도 했다. 언젠가 요하네스버그에서 상당히 떨어진 곳에서 열린 회합에 참석하기로 되어 있었다. 그 회합은 꽤 유명한 목사가 그의 친구들과 그날 밤 나를 초대한 것이었다. 내가 그 집 문 앞에 도착하여 누구인가를 미처 밝히기도 전에 나이가 든 한 여자가 "우리는 당신 같은 사람이 이곳에 오는 것을 원치 않아요!"(너무 누추하게 변장하고 다녀서 만델라를 전혀 알아보지 못하고 무시하여 한 말)라고 소리치고는 문을 닫아 버렸다. ➔ 완벽하게 누추한 변장으로 인한 일화

> 일화 5: 성공적인 변장으로 인해 무시를 당했던 경험

어휘 풀이

비트바테르스란트: 남아프리카공화국 동북부 고원에 있는 금광 지대.

경사(警査): 경찰 공무원 계급의 하나. 경위의 아래, 경장의 위.

마디바: '존경받는 어른'이라는 뜻의, 만델라에 대한 존칭.

1 필자가 지하 생활을 하게 된 이유

이상	백인과 흑인이 모두 평등한 대우를 받는 국가를 실현하고자 함.	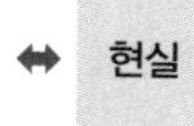	현실	국가의 인종 분리 정책(백인 우대, 흑인 차별)으로 흑인들의 인권이 억압받고 있음.

- 필자의 흑인 인권 투쟁은 인종 분리 정책을 규정한 법에 반(反)하는 행위이므로 경찰에 쫓기는 신세로 전락함.

  → 지하 생활(도피 생활)을 하며 투쟁함.

2 (자)~(타)의 구성 방식

- 필자의 지하 생활 중에 겪었던 에피소드(일화)를 나열하는 병렬적 구성으로 이루어짐.

(자)–일화 ①	도피 생활 중 체포 위기를 모면했던 경험
(차)–일화 ②	남몰래 필자의 도피를 도운 흑인 경찰들
(타)–일화 ③	초대 받은 집에서 무시당한 경험

3 흑인 경찰들의 행동에 담긴 심리나 의도

- 지명 수배 중인 필자를 보고도 일부러 모른 척 지나가며 건승을 기원하는 손동작을 함.
- 필자의 아내에게 경찰의 검거 계획을 몰래 알려 주어 필자의 도피를 도움.

⬇

인종 차별 정책의 부당성을 인식하고 필자의 투쟁을 응원하기 위함.

4 이 글에 반영된 사회·문화적 배경

케이프타운 호텔 지배인은 흑인들이 권력을 잡게 되어도 혼혈인인 자신들이 받게 되는 차별과 억압에는 아무 변화가 없을 것을 두려워함.	➡	당시 남아프리카공화국의 국민은 소수의 지배층인 백인과 차별 받는 피지배층인 흑인과 혼혈인으로 구성됨.
지하 생활 중 남의 눈에 띄지 않게 흑인의 직업과 관련된 옷으로 변장함.	➡	당시 남아프리카공화국에서는 흑인이 가질 수 있는 직업에는 제한이 있었음.

정답 및 해설 51쪽 확인 문제③

1. 이 글에 대한 설명으로 가장 적절한 것은?

① 하나의 사건을 중심으로 하여 필자의 생각과 대응 과정을 서술하고 있다.

② 현재의 상황 인식을 기준으로 지난 사건의 의미와 가치를 재구성하고 있다.

③ 과거에 체험한 단일 사건의 인과적 과정을 분석하면서 글을 진행하고 있다.

④ 필자의 경험을 일화 형식을 통해 병렬적으로 나열하면서 이야기를 전개하고 있다.

⑤ 필자가 경험하거나 상상한 내용을 서술하여 독자들의 호기심을 유발하고 있다.

학습 활동 응용

2. 이 글을 통해 이끌어 낼 수 없는 내용은?

① 백인들도 인종 차별 정책의 부당성을 인식하고 있었다.

② 필자는 지하 생활을 위해 누추한 옷차림을 하고 다녔다.

③ 필자가 잘 알지 못하는 이야기들이 사람들 사이에 떠돌고 있다.

④ 필자는 자신을 잡기 위한 경찰관들의 시선을 피하기 위해 변장을 하였다.

⑤ 흑인 경찰관 중에는 신분상 드러내 놓고 응원할 수 없지만 흑인 인권 운동을 지지한 경찰관도 있었다.

3. ㉠의 이유로 가장 적절한 것은?

① 경찰에 잡힐까 봐

② 너무 지저분해 보여서

③ 누추한 모습이 안쓰러워서

④ 사람들에게 무시당할까 봐

⑤ 지도자의 품위가 훼손될까 봐

서술형

4. 이 글을 읽고, 다음 밑줄 친 부분에 나타난 흑인 경찰들의 행위를 구체적으로 쓰되, 한 문장으로 쓰시오.

> 남아프리카공화국의 흑인 경찰들 중에는 흑인 인권 운동을 하는 사람들을 잡아들여야 하는 직업상의 임무 때문에 많은 비판을 받으면서도 실제로는 그들의 도피를 몰래 돕는 행위를 통해 지지 의사를 분명히 하는 경찰관도 있었다.

학습 활동

교과서 208~211쪽

깊게 읽기

1. 케이프타운에서 열린 지역 목회자 모임의 개막 기도에는 당시 상황에 관한 어떤 판단이 담겨 있는지 설명하고, 필자에게 그 기도는 어떤 의미가 있었는지 말해 보자.

| 예시 답 | 종교적 관점에서 볼 때 누구든 '주의 종'으로 평등함에도 그 일부인 흑인만 부당하게 억압을 받고 있는 상황이며, 이에 관해 극적인 구원이 이루어지지 않는다면 흑인들이 주체적인 투쟁에 나서야 한다는 생각이 기도에 담겨 있다. 필자인 만델라는 이 기도 내용이 자신으로 하여금 시련을 이겨 낼 수 있게 해 주는 원동력이 되었다고 평가했다.

2. 필자의 지하 생활이 제시된 부분과 관련하여 다음 활동을 해 보자.

(1) 다음을 참고하여 필자가 지하 생활을 하게 된 이유를 설명해 보자.

> "나는 모든 사람이 함께 화목하게, 그리고 동등한 기회를 부여받으며 살아가는 자유 민주 사회에 대한 이상을 간직해 왔습니다. 그것은 내가 희망하고, 달성하고자 하는 이상입니다. 필요하다면, 나는 그 이상을 위해 목숨을 바칠 준비도 되어 있습니다."
>
> 넬슨 만델라, 1964년 4월 20일, 「태업(怠業) 혐의에 대한 법정 진술」 중에서
>
> – 사이먼 마이어 외 1인, 『위대한 연설 100』에서

| 예시 답 | 법정 진술에서도 알 수 있듯이 만델라는 모든 사람이 동등한 대우를 받는 자유 민주 사회를 향한 자신의 이상을 실현하려 노력하였다. 따라서 그는 아프리카 민족 회의를 이끌며 흑인의 인권 신장을 위해 투쟁하게 되는데, 이로 인해 백인 우대 정책을 펴는 정부에 쫓겨 지하 생활을 하게 된 것이다.

(2) 필자에게 '검은 별봄맞이꽃'이라는 별명이 붙게 된 내력을 정리해 보자.

| 예시 답 | 흑인 인권 운동으로 지명 수배를 받고도 경찰의 눈을 잘 피해 다니는 만델라를 사람들이 유명 소설 속 인물에 빗대어 붙인 별명이며, 여기에는 다소 경멸적인 뜻이 담겨 있었다.

3. 이 글에 등장하는 흑인 경찰들의 행동에 담긴 심리나 의도를 추론해 보자.

| 예시 답 | 지명 수배 중인 만델라를 보고도 일부러 모른 척 지나가며 건승을 기원하는 손동작을 한다든지, 만델라의 아내에게 경찰의 검거 계획을 몰래 알려 준 것은 자신들이 비록 국가의 인종 차별 정책을 집행하는 경찰관들이지만 그 정책의 부당성을 인식하고 만델라의 투쟁을 응원하기 때문에 한 행동일 것이다.

4. 이 글에 반영된 사회·문화적 배경에 관해 심화 학습을 하기 위해 다음과 같은 자료를 찾았다. 이를 참고하여 아래 활동을 해 보자.

> 아파르트헤이트는 1948년 국민당 정부 수립 이후 국민을 반투(순수한 아프리카 흑인)와 유색인(혼혈 인종) 및 백인으로 구분하는 1950년의 주민 등록법으로 시행되었다.
>
> ➜ 아파르트헤이트 정책의 시행
>
> 그 밖에 여러 인종 차별 법률로써 흑인 등 토착민에 대한 직업 제한, 노동조합 결성 금지, 도시 외곽 지역의 토지 소유 금지, 백인과의 결혼 금지, 공공시설 사용 제한, 백인과 흑인의 버스 승차 분리, 선거인 명부의 차별적 작성 등을 실시하였다. 이는 철저한 인종 차별로 전 국민의 16퍼센트에 불과한 백인의 특권을 보장한 정책이었다.
>
> ➜ 아파르트헤이트 정책의 주요 내용
>
> 이처럼 흑인을 철저히 차별 대우해 온 남아프리카공화국은 세계적으로 비난을 받았고, 1976년 6월 흑인 집단 거주 지역인 소웨토에서 폭동이 발생하는 등 국민의 저항이 거세어지며 국제 연합(UN)을 비롯해 국외에서도 압력이 잇따랐다.
>
> ➜ 아파르트헤이트 정책에 대한 국내외의 반발
>
> 1990~1991년 클레르크 대통령이 인종 차별적인 법률들을 대부분 폐지하고, 아프

제재 연구

넬슨 만델라, 「태업(怠業) 혐의에 대한 법정 진술」

갈래	연설문(법정 진술)
주제	평등하고 자유로운 사회에 대한 열망과 희생 의지
특징	① 격식을 갖춘 정중한 말투를 사용함. ② 자신의 신념을 분명히 밝힘.

활동 도움말

흑인 경찰들이 사회적 상황과 자신들의 임무에 관해 어떤 생각을 가지고 있었을지 생각해 본다.

▲ 백인과 흑인의 승차를 분리한 버스

리카 민족 회의(ANC)의 의장이었던 넬슨 만델라가 1994년 5월에 처음으로 실시된 자유 총선거에서 압도적인 지지를 받아 최초의 흑인 대통령으로 뽑히면서 아파르트헤이트는 철폐되었다. ➔ 넬슨 만델라의 대통령 당선과 아파르트헤이트 정책의 철폐

– 피엠지(PMG)지식엔진연구소, 『시사 상식 사전』에서

(1) 케이프타운의 호텔 지배인이 만델라에게 두려움을 토로한 이유를, 남아프리카공화국의 국민 구성과 관련지어 설명해 보자.

| 예시 답 | 위의 자료에 의하면 당시 남아프리카공화국의 국민은 소수의 지배층인 '백인', 차별 받는 피지배층인 '흑인'과 '혼혈인', 이렇게 세 부류로 나눌 수 있다. 혼혈인이었던 호텔 매니저는 인종 차별에 맞서 격렬한 저항을 하고 있는 흑인들이 승리하여 권력을 잡게 될 경우에 흑인과 백인의 지위만 서로 바뀌고 자신들 혼혈인이 받는 차별과 억압에는 아무런 변화도 없을까 봐 두려워한 것이다.

(2) 만델라가 아프리카 민족 회의의 비밀회의에서 투쟁 방식에 관해 폈던 주장의 내용이 1994년 자유 총선거 결과와 어떤 관련이 있을지 추론해 보자.

| 예시 답 | 만델라는 비밀회의에서 무단결근 투쟁을 하자고 주장하면서, 아프리카 민족 회의의 투쟁 방식이 국민들의 생명을 존중하기 때문에 자신들을 향한 국민들의 신뢰가 증진되고 있다고 하였다. 이러한 지지의 기반이 훗날 그가 대통령으로 당선되는 결과로 이어졌을 것이다.

활동 도움말

만델라는 보다 많은 국민의 신뢰와 지지를 염두에 두고 무단결근 투쟁을 주장했음을 떠올려 본다.

(3) 만델라가 지하 생활 중에 시도했던 변장이 흑인의 직업에 관한 정책과 어떤 관련이 있을지 생각해 보자.

| 예시 답 | 만델라가 남의 눈에 띄지 않기 위해 주로 운전사, 요리사, 정원사 등으로 변장했던 것은 당시 남아프리카공화국 사회에서 흑인이 가질 수 있는 직업이 제한되어 있었다는 위의 자료와 관련이 있을 것이다.

넓혀 읽기

5. 다음은 케냐의 소설가 응구기 와 티옹오(Ngugi Wa Thiongo)가 쓴 글의 일부이다. 읽고 아래 활동을 해 보자.

활동 도움말

필자가 회상하는 가족의 생활 모습, 노동의 종류, 이야기의 전승, 교육과 언어 등을 통해 당시 아프리카인의 삶과 문화가 어떠했는지 파악해 본다.

나는 한 대농가에서 태어났다. 아버지 하나에 네 명의 부인들, 그리고 약 스물여덟 명의 자녀들이 줄줄이 딸린 농가에. 그 농가는 또다시 보다 큰 가족 단위 혹은 한 집단에 편입된다. 그 시대에는 어느 집이나 그랬다. (과거 케냐에서 보편적이었던 일부다처 풍습과 대가족 제도에 대한 설명) ➔ 케냐의 전형적인 대농가에서 태어남.

우리는 당시 농장과 집 안팎에서 기쿠유어(語)(케냐의 토착어)를 사용했다. 장작더미 주위에 앉아 옛날이야기를 주고받던 밤들을 나는 아직도 잊을 수 없다. 옛날이야기를 해 주던 사람들은 주로 어른들이었지만 아이들을 포함해 그곳에 앉아 있던 사람들 중 그 이야기 속에 흠뻑 빠져들지 않는 사람은 아무도 없었다. 이야기를 들었던 아이들은 다음 날 유럽인 주인들이나 흑인 주인들의 농장에서 제충국이나 찻잎 혹은 커피콩을 따느라 그 자리에 없었던 아이들을 위해 그 이야기를 다시 해 주었다. ➔ 어린 시절 기쿠유어로 된 옛날이야기를 듣던 일

이 이야기는 대부분 동물을 주인공으로 하고 있으며(대체로 우화(寓話)였다는 것을 알 수 있음.) 기쿠유어로 진행되었다. 가령 조그맣고 연약하지만 번뜩이는 재치와 지혜를 갖춘 토끼가 그 예이다. 사자와 표범, 그리고 하이에나 같은 맹수의 손아귀를 빠져나가는 토끼를 아이들은 자신들과 동일시한다. 토끼의 승리가 바로 자신의 승리가 되는 것이다. 그 속에서 아이들은 약자도 강자를 이길 수 있다는(식민지 백성들에게 용기를 주는 교훈이었을 것임.) 교훈을 얻는다. 아이들은 또한 이야기 속의 동물들을 따라다니는 가뭄, 홍수, 광염, 그리고 태풍 등과 같은 열악한 환경에 대해서도 생각하게 된다. 그리고 그들은 왜 자신들이 서로 '협력'해야 하는지도 깨닫게 된다. 그뿐만이 아니다. 아이들은 동물 자신들끼리의 싸움에 대해서도 흥미진진함을 보인다.

제재 연구

응구기 와 티옹오, 「아프리카의 문학어」

갈래	수필
성격	자전적, 회고적
제재	기쿠유어로 구전, 향유되던 우화들
주제	어린 시절 기쿠유어로 구전, 향유되던 우화들을 통해 은연중에 이뤄지던 섬세한 언어 교육을 회고함.
특징	케냐의 사회상이 잘 드러남.

특히 야수와 먹이 간의 싸움에 대해서는 넋을 잃을 정도이다. 열악한 환경과의 투쟁 및 다른 동물과의 투쟁, 이 두 쌍의 투쟁을 통해 아이들은 삶의 실상을 간접적으로 체험하게 된다.

아프리카의 열악한 자연환경과의 싸움, 다른 인종과의 싸움을 우화적 방식으로 경험함.

➜ 기쿠유어 옛날이야기에 담긴 교훈과 삶의 모습

이야기꾼 중에는 훌륭한 이야기꾼이 있는가 하면 그렇지 못한 이야기꾼도 있다. 훌륭한 이야기꾼은 똑같은 이야기를 여러 번 반복해도 그것이 듣는 이들에게는 매번 새롭다. 그들은 남들에게 들은 이야기도 자기식으로 바꾸어서 아주 생생하고 극적으로 전달한다. 그 차이는 그들이 사용하는 단어 및 이미지, 그리고 상황에 따른 음성 변조 능력에 달려 있다.

➜ 훌륭한 이야기꾼의 능력

『따라서 아프리카 아이들은 상황에 따라 한 단어가 갖는 의미와 뉘앙스의 차이를 안다. 언어란 그저 말의 배열에 불과한 것이 아니며, 즉자적이고 사전적인 의미를 초월한 어떤 함축적인 힘을 가졌음도 안다. 아프리카 아이들은 한 언어가 지닌 마술적인 함축미를 감상하는 방법을 자연스럽게 터득한다. 그 아이들은 때때로 말의 의미보다 음악성이 더 우위에 있는 이유도 이해한다. 언어란 이미지와 상징을 통해서 세계를 투사하는 그 무엇임이 틀림없지만, 그보다 더 중요한 자족 미를 갖추고 있는 그 무엇이라는 사실도 잘 알고 있기 때문이다.』 따라서 아프리카 아이들에게 집과 농장은 예비 학교인 셈이다.

『 』: 토착어로 된 우화를 통해 자연스럽게 이루어지는 언어 교육의 내용

➜ 옛날이야기를 들으며 자라는 집과 농장이 예비 학교였음.

그러나 아프리카 아이들이 학교, 그것도 식민주의자들이 세운 학교에 다니게 되면 이 조화는 여지없이 깨진다. 아이들이 받는 교육의 언어가 그들이 자란 문화의 언어와 다르기 때문이다. 1952년 케냐에 계엄령이 공표된 이후로 애국적인 민족주의자들이 운영하던 학교는 식민주의자들의 손아귀로 넘어갔다. 그 이후로 영어가 공식적인 교육어가 되었다. 그것은 영어가 매우 구체적이고 고유한 언어적 차원을 갖게 됨을 의미한다. 기타 모든 다른 언어가 그 앞에서 머리를 조아리고 경배해야 하는 차원을 말이다.

영어가 공식적인 교육어의 위치를 차지하게 됨으로써 언어들 사이에 위계 관계가 성립됨.

➜ 식민주의자들이 세운 학교에서 영어를 배우면서 아프리카 언어와 문화 사이의 조화가 깨짐.

– 응구기 와 티옹오, 「아프리카의 문학어」에서

응구기 와 티옹오(1938～): 케냐의 소설가, 수필가, 극작가. 영국령 동아프리카 고지대의 리무루에서 태어남. 그의 아버지는 이 비옥한 고지대의 원래 주인이었다가 땅을 백인에게 빼앗긴 기쿠유족 출신이며 기독교 신자로 자라남(나중에 그는 영어와 기독교를 배척하고 이름도 본명인 제임스 응구기에서 응구기 와 티옹오로 바꿈.). 케냐 독립 이후로는 부패한 정치인들을 강력히 비판하는 문학 활동을 하였고, 사상 최초의 기쿠유어 소설을 집필하였으며, 1992년부터는 뉴욕 대학에서 비교문학과 공연학 교수로 있음. 작품으로 「아이야 울지마라」, 「사이의 강」, 「한 알의 밀」, 「피의 꽃잎」, 「십자가의 악마」 등의 소설이 있음.

(1) 아프리카 지역의 자연환경이 어떻게 '옛날이야기'에 반영되어 있는지 파악해 보자. | 예시 답 | 야생 동물들이 많은 환경이므로 동물을 주인공으로 하는 우화가 많으며, 가뭄이나 홍수 같은 열악한 자연 환경도 그 우화의 내용에 반영되어 있다.

(2) 이 글에 반영된 사회·문화적 배경을 정리하고, 이와 관련지어 볼 때 '옛날이야기'들의 교훈이 어떤 의의를 지닐지 추론해 보자.

- **사회·문화적 배경:** | 예시 답 | 대가족 제도, 일부다처제 같은 아프리카의 가족 제도, 흑인들이 유럽인 농장주 밑에서 노동을 하는 체제, 식민주의자들의 언어인 영어의 위세에 자신들의 고유어가 눌리는 상황 등
- **'옛날이야기'의 교훈이 지닌 의의:** | 예시 답 | 약자들이 협력을 통해 역경을 이기고 강자를 이길 수 있다는 교훈은 유럽의 지배에 맞서 자신들의 권리와 문화를 지켜야 한다는 의식 고취로 이어졌을 것이다.

활동 도움말

'옛날이야기'를 듣는 아이들은 어려움을 극복하고 결국 승리하게 되는 약자를 자신들과 동일시했다는 점을 떠올려 본다.

토의 활동

(3) 각 지역의 문화적 특성이 그곳에서 생산·향유되는 언어 예술에 어떤 영향을 미치는지 친구들과 토의한 뒤 그 결과를 정리해 보자.

| 예시 답 | 필자는 모어인 기쿠유어가 지닌 마술적인 함축미에 대한 아프리카인들의 공통된 감각이야말로 옛날이야기가 생생하고 극적으로 전달되는 데 결정적인 역할을 했다고 보고 있다. 만일 공식적인 교육어가 된 영어로 그 옛날이야기들이 전달되었다면 이야기의 크고 작은 여러 부분이 달라졌을 것이며, 아프리카 아이들은 표현의 섬세한 의미와 뉘앙스 차이를 감지할 수 없었을 것이다. 이는 보다 보편적이고 일반적인 경우에 쉽게 적용될 수 있다. 즉 어떤 지역이든 그 지역만의 문화적 특성을 지니게 되며 그것은 자신들이 사용하는 언어에 고스란히 흔적을 남기게 되므로, 각 지역의 언어 예술은 그 지역 사람들의 모어로 생산되고 향유될 때 가장 생생하게 소통될 수 있음을 보여 준다고 할 수 있다.

활동 도움말

기쿠유어와 '옛날이야기' 간의 관계에 관한 필자의 생각을 참고한다.

소단원 출제 포인트

검은 별봄맞이꽃

1 전체 글의 개관

갈래	수필(자서전)	성격	체험적, 회고적, 일화적
제재	만델라의 지하 생활	주제	흑인 인권을 위한 투쟁 과정에서 겪어야 했던 지하 생활의 고충
특징	① 인종 차별과 관련된 남아프리카공화국의 사회·문화적 맥락이 잘 드러남. ② 도피 생활 중에 겪어야 했던 다양한 경험을 열거하며 글을 전개함.		

2 필자의 지하 생활 회고

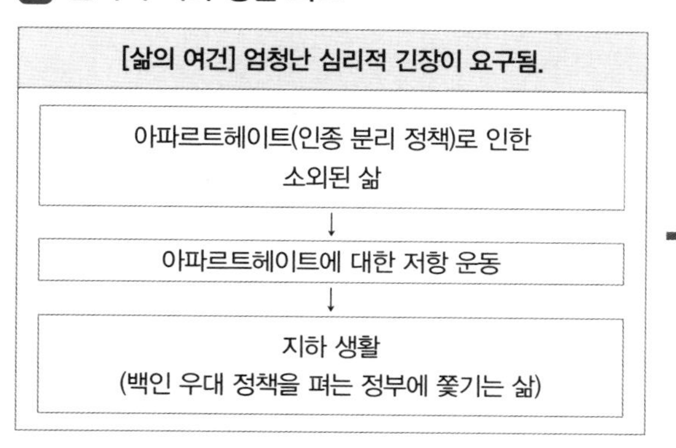

➡

[행동 양식] 지하 생활의 지침이 됨.

- 어떤 것도 전적으로 믿어서는 안 됨.
- 사소한 일이라도 치밀한 계획을 세워야 함.
- 맡겨진 역할에 충실히 따라야 함.

3 '일화'의 나열에 의한 병렬식 구성

일화 ①	도피 생활 중 위기를 모면했던 경험	시내에서 차를 몰고 가다가 보안지부 지부장이 탄 차 옆에 멈춰 섰는데, 철저한 변장(노동자 모자와 푸른 작업복에 안경을 씀.) 때문에 걸리지 않고 위기를 모면함.
일화 ②	남몰래 필자의 도피를 도운 흑인 경찰들	• 운전사 차림으로 긴 먼지막이 외투를 입고 모자를 쓴 채 사람을 기다리고 있었는데, 한 흑인 경찰이 필자를 알아보고 다가왔으나 오히려 건승을 빌며 조용히 사라짐. • 필자의 아내에게 사전 정보를 빼 주던 흑인 경사가 경찰의 수색 일정을 가르쳐 주어 필자의 도피를 도움.
일화 ③	초대 받은 집에서 무시당한 경험	한 유명 목사가 초대한 집에 누추한 변장을 하고 찾아 갔을 때 그 집의 사람이 필자를 알아보지 못하고 무시하는 말을 하며 문을 닫아버림.

4 이 글에 반영된 사회·문화적 배경

당시 남아프리카공화국의 국민은 소수의 지배층인 백인과 차별 받는 피지배층인 흑인과 혼혈인으로 구성됨.

—

당시 남아프리카공화국에서는 흑인이 가질 수 있는 직업에는 제한이 있었음.

내신 적중 문제

정답 및 해설 52쪽

[01 - 03] 다음 글을 읽고 물음에 답하시오.

바다도 없고 땅도 없고 만물을 덮는 하늘도 없었을 즈음 자연은, 온 우주를 둘러보아도 그저 막막하게 퍼진 듯한 평퍼짐한 모양을 하고 있었다. 이 막막하게 퍼진 것을 카오스라고 하는데, 이 카오스는 형상도 질서도 없는 하나의 덩어리에 지나지 못했다. 말하자면 생명이 없는 퇴적물, 사물로 굳어지지 못한 모든 요소가 구획도 없이 밀치락달치락하고 있는 상태일 뿐이었다. 여기에는 아직 이 세상에 다 넉넉하게 빛을 던져 줄 티탄도 없었고, ㉠날이 감에 따라 초승달의 활시위를 부풀려 가는 포이베도 없었다. 대지는 아직, 그 대지를 감싸주는 대기 안에서 제 무게를 감당할 형편이 못 되었고 암피트리테도 땅의 가장자리를 따라 그 팔을 뻗을 형편이 못 되었다. 대지와 바다와 공기를 이루는 요소가 있기는 했다. 그러나 땅 위로는 걸을 수가 없었고 바다에서는 헤엄칠 수가 없었으며 대기에는 빛도 없었다. 말하자면, 제 모습을 제대로 갖추고 있는 것은 하나도 없었다. 만물은 서로 반목하고 서로 방해만 했을 뿐이었다. 한 가지 질료 안에 있으면서도 추위는 더위와, 습기는 건기(乾氣)와, 부드러움은 딱딱함과, 무거움은 가벼움과 싸우고 있었다.

이 같은 반목에 종지부를 찍은 이는, 이런 요소들보다는 훨씬 빼어난 자연이라는 신이었다. 신에 다름 아닌 이 자연은 ㉡하늘로부터는 땅을, 땅으로부터는 물을, 무지근한 대기로부터는 맑은 하늘을 떼어 놓았다. 자연은, 서로 떨어질 수 없는 지경에서 이들을 떼어 내고는 서로 다른 자리를 주어 평화와 우애를 누리게 했다. ㉢무게라는 것이 없는 창궁(蒼穹)의 불과, 사물을 태우는 힘은 가장 높은 하늘로 날아올라가 거기에 자리를 잡았다. 가볍기로 말하면 불 다음인 공기는 바로 그 밑에 자리했다. 이 두 가지보다도 밀도가 높은 대지는 단단한 물질을 끌어당겨 붙이면서 스스로의 무게 때문에 하강했다. 사방으로 펴져 있던 물은 맨 나중 자리를 잡고 이미 굳어진 대지를 싸안았다.

이 조물주가 어떤 신이었든, 좌우지간 이 신은 혼돈을 이루고 있던 물질의 덩어리를 정리하고 구분하고 각각 그 있을 곳에다 배치한 뒤 우선 대지를, ㉣어느 쪽에서 보아도 그 모양이 똑같도록 커다란 공 꼴로 만들었다. 그러고는 바다를 사방으로 펼치고 거친 바람으로 풍랑을 일으킨 뒤 땅 주변에 펼쳐진 해안선을 빠짐없이 둘러싸게 했다.

01 이 글의 전개 방식으로 가장 적절한 것은?

① 현상의 관찰 결과에 대한 원인을 밝히고 있다.
② 대상이 지닌 특징을 분석적으로 설명하고 있다.
③ 사건 진행을 시간의 흐름에 따라 서술하고 있다.
④ 두 대상을 대비하여 그 차이점을 밝혀 내고 있다.
⑤ 여러 대상을 일정한 기준에 따라 분류하고 있다.

고난도 | 학습 활동 응용

02 〈보기 1〉를 바탕으로 이 글을 이해할 때, ㉠~㉣ 중 적절한 것을 모두 고른 것은?

보기 1

사물의 본질과 진리를 이해하고 설명하는 데 관심이 많았던 그리스인들은 자연과 자연 현상에 대해 과학적 관찰과 탐구를 시도했는데, 이는 신화적 상상이 가미된 환상적 세계를 그린 그리스 신화에도 반영되어 있다.

보기 2

㉠: 초승달이 보름달로 변하는 자연 현상에 대한 과학적 관찰 결과를 반영한 것이다.
㉡: 하늘로부터 땅을, 땅으로부터 물을 떼어 놓았다는 신화적 상상은 하늘에서 비가 내리고, 땅의 수증기가 하늘로 올라 서로 순환하는 자연 현상에 대한 과학적 탐구 결과를 반영한 것이다.
㉢: 가벼운 물질은 위로, 무거운 물질은 아래로 내려오는 자연계의 법칙에 대한 과학적 탐구 결과를 반영한 것이다.
㉣: 둥근 모양을 하고 있는 지구에 대한 과학적 관찰과 탐구 결과를 반영한 것이다.

① ㉠, ㉡ ② ㉡, ㉢ ③ ㉢, ㉣
④ ㉠, ㉡, ㉣ ⑤ ㉠, ㉢, ㉣

서술형

03 카오스에 질서를 부여한 후 신(神)이 어떤 행동을 했으며, 그 결과는 어떠했는지 〈조건〉에 맞게 쓰시오.

조건

- 카오스 이전과 이후 상태를 대립적으로 기술하는 단어를 포함할 것
- 본문에 있는 표현을 최대한 활용하여 서술할 것
- 75자 내외의 한 문장으로 쓸 것(띄어쓰기 포함)

[04-05] 다음 글을 읽고 물음에 답하시오.

모든 것들이 제 몫의 거처에 자리를 잡자, 오랫동안 혼돈의 덩어리 안에 갇혀 있던 별들이 하늘 하나 가득 찬연히 빛나기 시작했다. 빈 곳이 있으면 거기에 사는 것이 있어야 마땅한 법이다. 그래서 신들과 별들이 천상에 자리를 잡았다. 물은 아름다운 비늘을 번쩍거리는 물고기들의 거처가 되었고, 대지는 짐승들 몫으로 돌아갔다. 흐르는 대기는 새들을 맞아들였다.

그러나 이 짐승들보다는 신들에 가깝고, 또 지성이라는 것이 있어서 다른 생물을 지배할 만한 존재는 없었다. 인류가, 인간이 창조된 것은 이즈음이었다. ㉠이 인간은, 세계의 시원(始原)이자 만물의 조물주인 신이, 신의 씨앗으로 만든 것인지도 모르겠고, 이아페토스의 아들 프로메테우스가 천공에서 갓 떨어져 나온, 따라서 그때까지는 여전히 천상적(天上的)인 것이 조금은 남아 있는 흙덩어리를 강물에다 이겨, 만물을 다스리는 조물주와 그 모양이 비슷하게 만든 것인지도 모르겠다. 어쨌든 이렇게 만들어진 인간은, 다른 동물들이 머리를 늘어뜨린 채 늘 시선을 땅에다 박고 다니는 데 비해 머리가 하늘로 솟아 있어서 별을 향하여 고개를 들 수도 있었다. 이로써, 모양도 제대로 갖추지 못한 흙덩어리였던 대지는 본 적도 들은 적도 없는 인간이라는 것을 그 품안에 거느리게 된 것이다.

04 다음 중 사물과 사물의 거처가 잘못 짝지어진 것은?

	사물	거처
①	신들과 별들	천상
②	물고기들	물
③	짐승들	대지
④	새들	흐르는 대기
⑤	인간	천공

서술형

05 다음 글을 참조하여 ㉠의 의미와 필자의 태도를 〈조건〉에 맞게 쓰시오.

㉠에서 필자는 인간의 창조 과정에 대해 '~인지도 모르겠고, ~인지도 모르겠다.'라고 말하고 있다.

〈조건〉
- '인간의 창조 과정'이라는 내용을 포함할 것
- 70자 내외의 한 문장으로 쓸 것(띄어쓰기 포함)

[06-10] 다음 글을 읽고 물음에 답하시오.

[A] 다음날 나는 아프리카 민족 회의(ANC, African National Congress) 전국 집행 위원회와 더반 지부 운영 위원들이 모이는 비밀회의에 참석했다. 그 회의는 우리가 미리 준비한 팻말을 들고 공개적인 파업과 시위를 할 것이냐 아니면 무단결근 투쟁 전략을 쓸 것이냐를 논의하기 위한 자리였다. 파업을 주장하는 사람들은 1950년대 이후 우리가 사용해 온 무단결근 투쟁은 이제 약효가 다 떨어졌다고 보았다. 또한 그들은 범(汎)아프리카주의자 의회(PAC, Pan-Africanist Congress)가 대중에게 호소력을 갖게 되면서부터 더욱더 호전적인 형태의 투쟁이 필요하게 되었다고 주장했다. 이에 대한 대안으로 내가 동조했던 무단결근 투쟁 전략은 적의 역습을 방지하면서 동시에 우리가 적을 공격할 수 있다는 장점이 있었다. 나는 우리가 국민들의 생명을 존중한다는 것을 국민들이 인식했기 때문에 우리의 운동에 대한 국민들의 신뢰가 증진되고 있다고 주장했다. 그리고 시위자들의 영웅주의가 샤프빌에서 적으로 하여금 우리 국민을 쏘아 죽이게 만들었다고 주장했다. 또한, 나는 우리 국민들이 수동적 형태의 저항에 대해서는 점차 인내심을 잃어 가고 있다는 사실을 알면서도 무단결근 투쟁 전략을 옹호했다. 포괄적인 계획도 없이 이미 효과가 인정된 전략을 포기해야 한다고 생각하지는 않았기 때문이다. 더욱이 우리에게는 그럴 만한 시간도 재원도 없었다. 결정은 무단결근 투쟁 전략 쪽으로 내려졌다.

지하 생활은 엄청난 심리적 변화가 요구된다. 우리는 모든 행동에 대해, 그것이 아무리 사소하고 하찮은 것처럼 여겨질지라도 치밀한 계획을 세워야만 한다. 순수한 마음으로 믿을 만한 것은 아무것도 없다. 모든 것이 의심의 대상이다. 자신의 본모습을 잃게 된다. 어떠한 역할이든 맡겨진 역할에 충실히 따라야만 한다. 어떤 면에서 ㉠이러한 생활 양식은 남아프리카의 흑인에게는 그다지 낯설지 않은 것 같다. 아파르트헤이트 아래에서 흑인은 합법과 불법, 개방과 은폐 사이에서 그림자와 같은 삶을 살아왔다. 남아프리카에서 흑인으로서의 삶은 전 생애를 지하에서 살아가는 삶과 같이 어떤 것도 전적으로 믿어서는 안 된다는 것을 의미했다.

나는 점차 야행성으로 변해 갔다. 낮에는 은신처에 몸을 숨기고, 어둠이 내리기 시작하면 서서히 활동을 개시했다. 나의 활동 무대는 주로 요하네스버그였는데, 필요하다면 여행도 불사했다. 텅 빈 아파트든 일반 주택이든 나 홀로 있을 수 있고 몸을 숨기기 쉬운 곳이라면 어디든 머물렀다. 비록 나도 사람들과 어울리기를 꽤나 즐겼지만 이러한 고독 역시 좋았다. 나는 홀로 되고, 무언가 계획하고, 사색도 하고, 각본도 짤 수 있는 기회를 반겼다. 그러나 나의 고독한 삶은 지나친 감이 없지 않았다. 아내와 가족이 그리워 미치도록 외로울 때도 있었다. 〈중략〉

지하에서 활약하던 초기 몇 개월 동안 지명 수배를 받아 경찰에게 쫓기게 되었을 때 나의 불법적 지위는 언론의 상상력의 표적이 되었다. 가끔 내가 여기에도 나타나고 저기에도 머물렀다는 기사가 신문의 1면을 장식했다. 검문소가 전국에 설치되었으나 경찰의 노력은 늘 헛수고로 끝났다. 당시 내게는 '검은 별봄맞이꽃(Black Pimpernel)'이라는 별명이 붙여졌다. 이는 바로네스 오르치(Baroness Orczy)의 소설에 나오는, 프랑스 혁명 당시 체포망을 용감히 피했던 '주홍색 별봄맞이꽃(Scarlet Pimpernel)'에 빗대어 다소 경멸적인 함의를 담아 붙인 별명이었다.

06 이 글을 읽고 알 수 있는 내용이 아닌 것은?

① 인종 차별 정책의 확대 전략
② 인종 차별 정책에 저항한 필자의 생활상
③ 인종 차별 정책으로 인한 흑인의 소외된 삶
④ 흑인 해방 운동을 주도하는 두 개의 정치 조직
⑤ 흑인 해방 운동의 투쟁 전략을 둘러싼 의견 차이

고난도

07 이 글에 나타난 상황 속에서 필자가 다음 시를 썼다고 가정할 때, 이에 대한 반응으로 적절하지 않은 것은?

> 지금 눈 내리고
> 매화 향기 홀로 아득하니
> 내 여기 가난한 노래의 씨를 뿌려라.
>
> 다시 천고(千古)의 뒤에
> 백마 타고 오는 초인(超人)이 있어
> 이 광야에서 목 놓아 부르게 하리라.
>
> – 이육사, 「광야」 중에서

① '지금 눈 내리고'에서는 남아프리카공화국의 인종 차별 정책으로 인해 흑인들이 겪어야만 하는 고통스런 현실을 엿볼 수 있군.
② '매화 향기 홀로 아득하니'에서는 인종 차별 정책하에서 현실과 타협하지 않고 고난과 시련을 극복해 내겠다는 필자의 고고한 기상을 엿볼 수 있군.
③ '내 여기 가난한 노래의 씨를 뿌려라.'에서는 흑인 해방의 밝은 미래를 위해 기꺼이 자신을 희생하겠다는 의지를 엿볼 수 있군.
④ '다시 천고(千古)의 뒤'에서는 흑인 해방의 꿈이 지금 이루어지지 않으면 죽을 때까지 계속해서 투쟁을 이어가겠다는 생각을 엿볼 수 있군.
⑤ '백마 타고 오는 초인(超人)'으로 하여금 '노래'를 '목 놓아 부르게 하리라.'에서는 흑인 해방이 반드시 이루어질 것이라는 신념과 의지를 엿볼 수 있군.

08 이 글에 나타난 필자의 지하 생활에 대한 설명으로 적절하지 않은 것은?

① 정치적 투쟁을 하는 삶에 전적으로 만족하였다.
② 신출귀몰한 도피 행적으로 언론의 관심을 받았다.
③ 지하 생활에 알맞은 행동 양식을 체득하게 되었다.
④ 일반인의 생활과 다르게 낮과 밤이 바뀌는 생활을 하게 되었다.
⑤ 사소한 일을 할 때조차도 심리적으로 계속 긴장해야 하는 생활을 하였다.

09 ㉠에 해당하는 내용을 〈보기〉에서 모두 고른 것은?

〈보기〉
ⓐ 어떤 역할이든 자신에게 맡겨진 역할에는 충실히 따라야 한다.
ⓑ 아무리 사소하게 여겨지는 일이라도 치밀한 계획을 세워서 하라.
ⓒ 어떤 위기 상황 속에서도 죽음에 대한 두려움을 가져서는 안 된다.
ⓓ 순수한 마음으로 믿을 만한 것은 아무것도 없으므로 철저히 의심하라.

① ⓐ, ⓑ　② ⓐ, ⓓ　③ ⓑ, ⓒ
④ ⓐ, ⓑ, ⓓ　⑤ ⓑ, ⓒ, ⓓ

서술형

10 [A]에서 제시되는 필자의 '투쟁 전략'은 무엇인지 〈조건〉에 맞게 쓰시오.

〈조건〉
• 필자가 주장하는 투쟁 전략을 반드시 제시할 것
• 필자가 자신의 투쟁 전략을 고수한 이유를 언급할 것(2가지 이상)
• 50자 내외의 한 문장으로 쓸 것(띄어쓰기 포함)

다양한 매체 자료 읽기

교과서 212쪽

생각 열기 하나의 이야기를 서로 다른 방식으로 수용하게 될 때 우리는 어떤 차이를 느끼게 될까?

줄거리가 같은 이야기라도 문자로 되어 있는 책으로 읽는 것과 애니메이션으로 보는 것 등은 서로 꽤 다른 경험을 우리에게 제공한다. 각각의 경우, 수용자의 상상력이 자극되는 방식이나 정도, 내용이 생생하게 전달되는 정도 등이 똑같지 않다. 이처럼 우리가 어떤 정보 전달 수단, 즉 매체를 통해 자료를 접하는가에 따라 수용의 방식이나 효과가 각기 달라진다.

그렇다면 **다양한 매체의 자료를 읽을 때 유의할 점은 무엇일까?**

| 예시 답 | 각 매체별 특성에 대한 정확한 이해를 바탕으로 효과적인 자료 독해 방법을 활용해야 하며, 능동적이고 비판적인 수용 자세를 가져야 한다.

| 도움말 | 한 가지 콘텐츠가 매체를 달리하여 수록된 상황을 제시하였다. 이를 통해 다양한 매체 자료를 접하는 상황에서 매체의 특성에 따른 글 읽기의 필요성을 이해하고, 매체에 따른 읽기 방법에 관한 질문에 스스로 답해 봄으로써 학습 주제에 관한 흥미를 높이도록 한다.

| 이 단원의 학습 요소 |

학습 목표
- **매체의 특성에 따라 글의 수용과 생산 과정이 달라질 수 있음을 이해한다.**
- **다양한 매체의 자료를 주체적이고 비판적으로 수용한다.**

매체의 특성에 주목하며 전자책의 자료 읽기	▶	매체의 특성에 주목하며 전자책의 자료를 읽어 본다.
주체적이고 비판적인 태도로 각종 매체의 정보 수용하기	▶	주체적이고 비판적인 태도로 각종 매체의 정보를 수용해 본다.

소단원 바탕학습

원리 이해

1 독서 매체의 변화

1. 매체의 의미: 사람들의 생각이나 정서, 정보와 지식 등을 다수의 사람에게 전파하여 공유할 수 있도록 하는 수단
   전파: 전하여 널리 퍼뜨림.
2. 책의 발달 과정

인쇄술 발달 이전	➡ 금속 활자 발명	인쇄술 발달 이후
• 죽간(竹簡)으로 만들어진 책이 존재 • 일일이 손으로 베껴 쓴 필사본이 유통됨.		• 책이 보편화됨. – 다량의 책이 출판됨.

죽간: 중국에서 종이가 발견되기 전에 글자를 기록하던 대나무 조각. 또는 대나무 조각을 엮어서 만든 책

3. 오늘날 독서 매체의 변화
   - 인터넷과 전자책, 스마트 기기와 같은 새로운 전자 매체가 보편화됨.
     → 문자 위주의 텍스트가 그림, 사진, 음악 등이 함께하는 텍스트로 변화함.
   - 정보의 생산, 유통, 소비의 방식에서도 커다란 변화가 일어남.

2 매체의 종류에 따른 독서 방식과 유의점

- 독서 매체의 변화에 따라 독서 방법도 변화함.
  → 종이책에 의한 전통적인 독서 방법과 달리 정보의 양이 방대하고 유통 속도가 매우 빨라진 정보화 시대에는 그에 걸맞은 독서 방법이 필요해짐.
- [인터넷의 예]

쌍방향: 한쪽으로만 향하는 것이 아니라 양쪽을 서로 향하는 것

특징	• 쌍방향성: 발신자와 수신자의 상호 작용이 수월하게 이루어짐. • 개방성: 그림이나 소리, 동영상 같은 다양한 형식의 자료와 많은 양의 정보를 신속하게 유통하고 공유할 수 있음. • 유연성: 인터넷에서 얻은 정보에 자신의 생각을 덧붙여 새로운 정보를 생산해 낼 수 있음.
유의점	• 양질의 가치 있는 정보를 찾고 선별할 수 있는 독서 능력이 요구됨. • 소비자로서의 독자만이 아니라 생산자로서의 독자로서 적극적이고 주체적인 독서 문화 활동에 참여해야 함.

3 매체 자료의 주체적 · 비판적 수용

과거의 독서 문화	➡	오늘날의 독서 문화
한 권의 책을 반복하여 숙독함. 숙독: 자세히 읽음.		다양하고 방대한 정보를 검색하여 자신에게 가치가 있는 정보를 선택적으로 읽는 능력이 요구됨.

- 매체의 특성에 맞게 효과적으로 정보를 수용하는 방법을 익힐 수 있어야 함.
- 다양한 매체를 통해 수집한 자료들의 정확성, 타당성, 공정성, 윤리성 등을 비판적으로 판단함으로써 수용 여부를 주체적으로 결정할 힘을 기를 수 있어야 함.
- 다양한 매체와 문화를 창의적으로 향유하는 능력을 신장하도록 노력해야 함.
  향유: 누리어 가짐.

| 원리 확인 문제 |

1. 독서 매체의 변화에 대한 설명으로 적절하지 않은 것은?

① 개인의 정보 소비 방식은 동일하다.
② 인쇄술의 발달 이전에는 필사본이 많이 유통되었다.
③ 오늘날에는 새로운 전자 매체가 보편화되었다.
④ 책이 보편화된 것은 금속 활자의 발명 이후의 일이다.
⑤ 매체의 발달로 정보의 생산과 소비에서도 변화가 일어났다.

2. 다음 〈보기〉의 빈칸을 채우시오.

〈보기〉
독서의 매체가 달라지면 독서의 (   )도 달라질 수밖에 없다. 오늘날의 전자 매체 시대에 독자는 소비자로서뿐 아니라 (   )로서 주체적인 독서 문화 활동에 참여하는 것이 바람직하다.

3. 인터넷 매체의 장점으로 적절하지 않은 것은?

① 자료의 형식이 다양하다.
② 개방성과 유연성을 지니고 있다.
③ 많은 양의 정보를 신속하게 유통할 수 있다.
④ 양질의 가치 있는 정보를 선별하기가 용이하다.
⑤ 발신자와 수신자 간의 쌍방향 의사소통이 가능하다.

4. 다음 글을 참조하여, 전자 매체 자료에 대한 올바른 수용 방법을 한 문장으로 쓰시오.

전자 매체를 통해 검색되는 방대한 양의 정보나 자료 중에는 거짓 정보나 왜곡·편향된 정보가 섞여 있을 수 있다.

정답 1. ① 2. 방법, 생산자 3. ④ 4. 전자 매체를 통해 검색되는 정보나 자료는 주체적이고 비판적인 태도로 수용해야 한다.

제재 미리보기

세계 명화의 비밀

1 해제

이 글은 세계인의 사랑을 받고 있는 레오나르도 다빈치의 그림 「모나리자」의 제작 과정과 기법을 소개하고 있는 전자책의 일부이다. 필자는 「모나리자」의 세계적인 명성과는 달리 확실히 알려진 것이 거의 없다는 사실을 지적하면서, 작품의 인체 묘사나 기술적인 면을 살펴보면서 작품에 대한 이해를 도와주고 있다.

2 핵심 정리

(1) **갈래**: 설명문

(2) **성격**: 분석적, 인용적
이 글에서 필자는 레오나르도 다빈치의 그림 「모나리자」의 제작 과정과 기법을 분석적으로 설명하면서, 관련 인물의 말이나 글, 그리고 풍부한 자료를 인용하여 독자의 이해를 돕고 있다.

(3) **제재**: 레오나르도 다빈치의 그림 「모나리자」

(4) **주제**: 「모나리자」의 제작 과정과 기법
이 글에서 필자는 레오나르도 다빈치의 그림 「모나리자」 제작 과정과 기법에 대해 설명하고 있다.

(5) **특징**: ① 글의 내용과 관련 있는 그림 자료를 제시하여 독자의 이해를 돕고 있다.
② 서적이나 인물의 말을 직접 인용하여 내용을 뒷받침하고 있다.

(6) **구성**
'본문 1'에서는 작품의 인체 묘사나 기술적인 면을 바탕으로 「모나리자」의 제작 과정을 추정하고 있으며, '본문 2'에서는 「모나리자」의 표현 기법으로 '공기 중의 원근법'과 '스푸마토' 기법을 설명하고 있다.

본문 1	본문 2
「모나리자」의 제작 방법과 과정에 대한 추측	「모나리자」의 구도와 기법상의 특징

가짜 뉴스

1 해제

이 글은 한 인터넷 언론 매체의 기획 기사로, 가짜 뉴스의 특징과 발생 원인, 그리고 해결책을 다루고 있다. 필자는 급변하는 매체 환경 속에서 가짜 뉴스가 심각한 사회적 폐해를 끼치고 있다는 점을 제시하고, 이러한 현상이 일어난 원인 분석을 통해 해결책을 제시하고 있다. 특히 가짜 뉴스가 주로 경제적 이익 추구를 위해 생산·유통되는 시스템과 그 사례를 제시하여 문제의 심각성을 강조하고 있다.

2 핵심 정리

(1) **갈래**: 기사문(기획 기사)

(2) **성격**: 분석적, 논리적, 비판적, 예시적, 인용적
이 글에서 필자는 논리적 추론 과정을 통해 가짜 뉴스가 발생한 원인을 분석하고 있으며, 비판적 관점에서 그 폐해를 제시하고 있다. 또 가짜 뉴스의 사례를 제시하거나, 자료 등을 인용하면서 논지를 전개하고 있다.

(3) **제재**: 가짜 뉴스

(4) **주제**: 21세기형 가짜 뉴스의 특징과 발생 원인 및 해결 방안
이 글에서 필자는 21세기형 가짜 뉴스의 특징을 설명하고, 이어 그 원인 및 해결책을 제시하고 있다.

(5) **특징**: ① 실제 사례를 제시하여 논지를 뒷받침하고 있다.
② 전문 용어의 개념을 정의하여 독자의 이해를 돕고 있다.

(6) **구성**
'도입'에서 탈진실의 시대에 가짜 뉴스가 범람하는 현상에 대한 사회적 논란을 제기하고 있다. 그리고 '본문'에서는 21세기형 가짜 뉴스의 특징과 발생 원인, 그 폐해를 분석한 후, 가짜 뉴스의 유통과 확산을 막기 위한 뉴스 소비자의 대응책(해결책)을 제시하고 있다.

도입	본문 1	본문 2	본문 3
탈진실의 시대에 범람하는 가짜 뉴스에 대한 사회적 논란	가짜 뉴스의 정의와 역사, 그리고 21세기형 가짜 뉴스의특징	가짜 뉴스의 발생 원인과 그 폐해	가짜 뉴스의 유통과 확산을 막기 위한 뉴스 소비자의 대응책

교과서 214~219쪽

제재 1

세계 명화의 비밀
_ 모니카 봄 두첸 / 김현우 옮김

_「모나리자」 편

소단원 포인트

- 그림 「모나리자」와 관련된 글의 중심 화제 파악하기
- '전자책'이라는 새로운 독서 매체의 특성 및 기능 이해하기
- 글의 논리적 전개 양상 파악하기
- 글에 제시된 관련 자료 이해하기

필자 소개

모니카 봄 두첸(1957~): 작가·강사·전시 기획자. 영국 런던에서 「아우슈비츠 이후: 현대 예술에 드러난 유대인 대학살에 대한 반응」 전시회를 기획하였으며, 주요 저서에 『근대 미술의 이해』, 『열려라 현대 미술』, 『샤갈』 등이 있다.

• 차례 •

내 책장 | 책갈피 | 검색 | 새로 고침 | 필기 | 설정 | 홈

본문 1 **가** 2. 「모나리자」의 제작 과정과 방법

[A] 「모나리자」는 아시아에서 아메리카에 이르기까지 모든 사람들을 놀라게 한 작품이다.(세계인의 관심을 받은 작품) 이 작품에 비하면 「밀로의 비너스」나 시스티나 성당도 그냥 그 지역에서만 유명한 작품일 뿐이다.(「모나리자」만큼은 유명하지 못함.) 모나리자 우편엽서는 관광지의 사진을 담은 우편엽서만큼이나 많이 팔리고 있으며, 전 세계의 미해결 살인 사건을 쫓는 탐정들만큼이나 많은 연구자가 이 작품의 수수께끼를 푸는 일에 매달렸다.

– 로이 맥멀런, 1976

특정인의 말을 인용하여 글을 시작하는 이유 – 제재인 「모나리자」에 대한 독자의 관심 유발, 뒤에 이어질 내용에 대한 근거 제시

「모나리자」를 이해하려는 시도는 항상 한 가지 역설(어떤 주의나 주장에 반대되는 이론이나 말)에 부딪히게 된다. 그 역설이란 바로 세상에서 가장 유명한 이 작품에 대해서 확실히 알려진 것이 거의 없다는 사실이다.(논리적 모순) 그러므로 이 작품을 이해하려면(전자책의 기능 ②: 중요 내용에 표시할 수 있음.), 지난 수 세기 동안 이 작품에 대해 쏟아졌던 과장된 말들에 속지 않기 위해서라도 검증이 가능한 작품의 인체 묘사나 기술적인 면(「모나리자」 이해의 기초)에서부터 시작해야 한다.

➔ 작품의 인체 묘사나 기술적인 면을 통한 「모나리자」의 이해

나 사람들 사이에 「모나리자」라는 제목으로 알려진 이 그림은 패널(그림을 그리는 판자)에 유화로 그려졌다. 패널은 초기 르네상스 화가들이 선호했던 백색 포플러 나무(패널의 재질)로 제작된 것인데, 크기는 요즘 사용되는 척도(길이의 표준)로 말하면 77×53센티미터(패널의 크기)이다. 실제 작품을 처음 본 사람들은 크기가 생각보다 작아서 놀라기도 한다.

➔ 모나리자가 그려진 패널의 재질과 크기

원래 모나리자 옆에 기둥이 서 있었다는 기록을 신빙성 있게 하는 근거 자료 →

다 하지만 옛날 기록을 보면 원래 인물 양쪽으로 고전적인 기둥이 서 있었다고 한다.(전자책의 기능 ③: 클릭하면 관련 이미지를 (크게) 볼 수 있음.) 지금은 작품의 양쪽에 기둥이 서 있었다는 증거를 찾아볼 수 없지만, 어쨌든 우리로서는 17세기 초에 어떤 생각 없는 기술자가 액자를 만들면서 작품 양쪽 몇 인치(기둥이 있는 부분)를 잘라 냈을 것이라고 짐작할 수밖에 없다. 확인 필요!

형광펜 | 필기 | 검색 | 공유

➔ 원래 인물 양쪽에 기둥이 서 있었을 것으로 추측되는 「모나리자」

▲ 「모나리자」의 영향을 받은 라파엘로의 「유니콘과 함께 있는 젊은 여인의 초상」(1505~1506)에는 기둥이 그려져 있음.

라 레오나르도 다빈치가 『회화론』에서 제시한 방법을

「모나리자(Mona Lisa)」: 이탈리아의 화가 레오나르도 다빈치가 피렌체의 부호 프란체스코 델조콘도의 부인 엘리사베타를 그린 초상화. 정숙한 여인의 신비스러운 미소로 유명하다.

밀로의 비너스: 고대의 비너스(아프로디테) 상. 기원전 150년경 멘데레스 강 유역 안티오키아의 한 조각가가 만들었으며, 1820년 에게해의 밀로스섬에서 파손된 채 발견되어, 현재 파리의 루브르 박물관에 소장되어 있다.

시스티나 성당: 바티칸 시국에 있는 교황의 관저인 사도 궁전 안에 있는 성당. 식스토 4세의 명을 받은 피렌체 출신의 건축가 바치오 폰텔리의 설계로 1477년에 착공해 1481년에 완공되었음. 미켈란젤로, 라파엘로, 산드로 보티첼리 등 르네상스 시대의 예술가들이 그린 프레스코 벽화가 구석구석에 그려져 있다.

보면, 패널 자체도 꽤 복잡하고 힘든 과정을 거쳐 제작되었던 것으로 보인다. 이 책에 따르면, 먼저 나무에 유향과 테레빈유 그리고 납 성분과 석회가 섞인 약품을 바르고, 이어서 알코올과 비소 혹은 수은과 염화물을 바른다. 그리고 마지막으로 잘 정제하여 끓인 기름을 바르는데, 각각의 약품들을 바를 때마다 중간중간에 바니시와 흰색 납을 칠해야만 한다.

➜ 패널의 표면을 만드는 과정

이전 다음

어휘 풀이

유향(乳香): 열대 식물인 유향수의 분비액을 말려 만든 수지. 노랗고 투명한 덩어리로, 약재·방부제·접착제 따위로 사용함.

테레빈유(terebene油): 송진을 수증기로 증류하여 얻는 정유. 맛이 시고 특이한 향기가 나는 무색 또는 연한 노란색의 끈끈한 액체.

바니시(varnish): 광택이 있는 투명한 피막을 형성하는 도료.

핵심 쏙쏙

1 '전자책'의 기능

①	2. 「모나리자」의 제작 과정과 방법 → 차례에서 선택된 항목으로 바로 이동함. → 비순차적인 검색이 가능한 하이퍼텍스트의 성격을 드러냄.
②	이 작품을 이해하려면 → 중요한 내용에 대한 표시가 가능함.
③	사진 자료 → 클릭하면 관련 이미지를 크게 볼 수 있음.

2 「모나리자」의 제작 과정 ①

추론 방법	제작 과정에 대한 기록이 없으므로 검증 가능한 작품의 인체 묘사나 기술적인 면을 통해 추론해야 함.
추론 ①	패널의 크기가 작음. ⬇ [이유 제시] • 액자 제작 과정에서 양쪽 몇 인치는 잘라냈을 가능성이 있음. • [근거] '옛 기록'에 인물 양쪽에 기둥이 서 있었음.
추론 ②	• 복잡하고 힘든 과정을 거쳐 패널의 표면이 만들어지는 과정을 추론함. • [근거] 레오나르도 다빈치의 『회화론』

3 시각 자료를 인용한 이유 ①

• 라파엘로, 「유니콘과 함께 있는 젊은 여인의 초상」 → 「모나리자」의 영향을 받은 작품으로, 「모나리자」의 얼굴 양쪽에 기둥이 서 있었다는 옛 기록을 신빙성 있게 하는 자료이기 때문임.

정답 및 해설 53쪽

확인 문제 ①

학습 활동 응용

1. 이 글과 같은 매체의 특성으로 적절하지 않은 것은?

① 소형 컴퓨터 단말기를 활용한 출판물로 휴대가 용이하다.
② 목차를 클릭하면 독자가 선택한 항목으로 바로 이동할 수 있다.
③ 문자 크기를 마음대로 바꾸거나 중요한 부분에 표시를 할 수 있다.
④ 모르는 단어나 추가 정보, 그리고 사진 자료 등을 쉽게 검색할 수 있다.
⑤ 소리를 제외한 글과 영상을 함께 저장하여 종이책의 단점을 보완하고 있다.

2. 이 글의 전개 과정에 대한 설명으로 적절하지 않은 것은?

① (가)에서는 「모나리자」의 제작 동기에 대한 추론 방향을 제시하고 있다.
② (나)에서는 「모나리자」를 그린 패널의 크기가 작다는 데에 의문을 표시하고, (다)에서 옛 기록을 근거로 그 이유를 추론하고 있다.
③ (다)에서는 그림 자료를 인용하여 주장의 신빙성을 더하고 있다.
④ (라)에서는 레오나르도 다빈치의 『회화론』을 근거로 「모나리자」를 그린 패널 표면이 복잡하고 힘든 과정을 거쳐 만들어졌음을 추론하고 있다.
⑤ (나)~(라)에서는 (가)에서 제시한 작품의 기술적 측면을 구체적으로 드러내고 있다.

3. [A]에 대한 이해로 적절하지 않은 것은?

① 「모나리자」에 대한 세계인의 관심도를 짐작할 수 있다.
② 「모나리자」에 대한 독자의 관심을 유발하는 효과가 있다.
③ 「모나리자」에 대한 많은 연구가 진행되어 왔음을 알 수 있다.
④ 「모나리자」에 대한 풀리지 않은 궁금증이 많음을 짐작케 한다.
⑤ 「모나리자」에 대한 주장의 신빙성을 판단하는 기준을 제공한다.

마 이렇게 패널의 표면이 완성되면 패널에 남아 있을지도 모르는 기름기를 빼기 위해 소변으로 한 번 닦아 내고 미색 종이처럼 보일 때까지 갈고 또 갈았다. 엑스선 검사를 비롯해 루브르(루브르 박물관) 연구실에서 행한 몇 가지 검사에 따르면 안료(색채가 있고 물이나 그 밖의 용제에 녹지 않는 미세한 분말)를 매우 유동적인(끊임없이 흘러 움직이는) 기름에 섞어서 사용했기 때문에 몇 번이고 덧칠해 가면서 작품을 그렸을 가능성이 높다고 한다.(「모나리자」를 그린 방법에 대한 추측) 이는 유화의 선구자였던 15세기 플랑드르 화가들이 사용했던 방법과 유사하다.

➜ 「모나리자」를 그린 방법에 대한 추측

▲ 레오나르도 다빈치, 「최후의 만찬」

바 「모나리자」를 그리던 당시의 과정을 적어 놓은 기록은 없다. 하지만 마테오 반델로라는 작가가(누구?) 「최후의 만찬」을 그리던 당시의 레오나르도에 대해 적어 놓은 글을 보면, 「모나리자」를 그리는 작업이 아주 천천히 진행되었음을 짐작할 수 있다.(「모나리자」를 그린 과정에 대한 추측)

> 이른 아침부터 그가 작업대에 올라가는 것을 여러 차례 보았다. 그는 동이 틀 무렵부터 해가 질 때까지 붓을 내려놓지 않고,(하루 종일 그림을 그림.) 끼니를 거르면서까지 작업에 열중하곤 했다. 『하루를 그렇게 일하고 나면 다음 사나흘은 작품에 손을 대지 않고 몇 시간 동안 지켜보면서 스스로 작품을 검토했다. 코르테 베키아 궁에서 거대한 말을 표현한 작품(당시 밀라노의 지도자였던 루도비코 스포르차에게 바치기 위한 작품이었지만, 미완성으로 남았다.)을 제작하다가도 영감이 떠오르면 그곳을 나와 그라치에(밀라노에 있는 산타마리아 델레 그라치에 성당)에 가서 그림 속 인물들을 손질하곤 했다.』(『 』: 작품을 그리는 데 시간이 많이 걸린 이유) 그 일을 마치고 나면 그는 갑자기 또다시 어디론가 사라져 버렸다.

➜ 「모나리자」를 그린 과정에 대한 추측

본문 1: 「모나리자」의 제작 방법과 과정에 대한 추측

본문 2 **사** 초상화에서 인물을 배경보다 높게 배치하는 방식은 오늘날에는 전형적인 것으로 받아들여지고 있지만, 레오나르도의 시대(15세기)에만 하더라도 매우 드문 방식이었다. 이에 관한 이탈리아에서의 선구적인 작품은 피에로 델라 프란체스카의 「몬테펠트로 딥틱」이다.

➜ 「모나리자」와 「몬테펠트로 딥틱」의 공통점

▶ 피에로 델라 프란체스카, 「페데리코 다 몬테펠트로와 그의 부인 바티스타 스포르차의 두 폭 제단화」(1472)

「모나리자」의 구도상 특징을 설명하기 위해 활용한 그림

이전 / 다음

레오나르도 다빈치(1452~1519): 이탈리아 르네상스를 대표하는 근대적 인간의 전형으로, 화가이자 조각가, 발명가, 건축가, 기술자, 해부학자, 식물학자, 도시 계획가, 천문학자, 지리학자, 음악가였다. 그는 호기심이 많고 창조적인 인간이었으며, 어려서부터 인상 깊은 사물, 관찰한 것, 착상 등을 즉시 스케치하였다고 한다. 그는 세계 미술사에서 가장 뛰어난 그림 가운데 하나로 손꼽히는 「암굴의 성모」(1483년, 루브르 박물관)와 「최후의 만찬」(1495~1498년, 밀라노)을 제작하였는데, 「암굴의 성모」에서는 레오나르도 특유의 화법인 이른바 환상적인 색감을 살리는 스푸마토(Sfumato) 기법에 의한 화풍을 보여주었으며, 뒤에 이 화법을 바탕으로 유명한 「모나리자」(1500~1503년, 루브르 박물관)가 그려졌다.

마테오 반델로(1485~1561): 이탈리아 출생. 『노벨레(Novelle)』라는 단편 소설집으로 16세기 서술체 문학에 새로운 조류를 형성했고, 작가이자 수도승·외교관·군인이기도 했던 반델로는 영국·프랑스·스페인에까지 폭넓은 영향을 끼쳤음. 니콜로 마키아벨리와도 아는 사이였다.

어휘 풀이

플랑드르(Flandre): 벨기에 서부를 중심으로 네덜란드 서부와 프랑스 북부에 걸쳐 있는 지방. 르네상스 시대에는 미술과 음악의 중심지였음.

딥틱(diptych): 두 폭 제단화. 나무나 상아로 만들어진 패널 두 개가 마치 책과 같은 형태로 접히도록 고안된 패널화 한 쌍.

1 패널 표면 완성 이후의 작업

소변으로 한 번 닦아 내고 미색 종이처럼 보일 때까지 갈고 또 갈았음.
⬇ 이유
패널에 남아 있을지도 모르는 기름기를 빼기 위해

2 「모나리자」의 제작 과정 ②

추론 ①	• 완성된 패널의 표면에 「모나리자」를 그린 방법을 추론함. → 몇 번이고 덧칠해 가면서 작품을 그렸을 것임. • [근거] 루브르 연구실에서 행한 몇 가지 검사 결과
추론 ②	• 「모나리자」를 그린 작업이 아주 천천히 진행되었을 가능성이 높음. • [근거] 레오나르도 다빈치의 「최후의 만찬」 제작 과정에 대한 작가 마테오 반델로의 글

3 시각 자료를 인용한 이유 ②

▲ 피에로 델라 프란체스카, 「페데리코 다 몬테펠트로와 그의 부인 바티스타 스포르차의 두 폭 제단화」(1472)

→ 초상화의 배경으로 풍경을 사용하였으며, 인물을 배경(풍경)보다 높게 배치한 작품으로, 「모나리자」와 비교하여 그 영향 관계와 구도상 특징을 설명하기 위함.

보충 자료 전자책의 특징

• 전자책: 휴대용 소형 컴퓨터 단말기에 문서·화상·음성 등을 기억시킨 출판물. 컴퓨터 화면에 떠올려 읽을 수 있게 만든 전자 매체형 책으로, 디지털 북(digital book)이라고도 부름.
• 특징
 – 검색을 빨리 할 수 있고 정보를 바로 수정하거나 최신 내용으로 바꿀 수 있음.
 – 각종 효과 장치를 설치하여 현실감을 살릴 수 있음.
• 기능

내 책장	자신이 구매한 전자책을 모아 놓은 공간임.
책갈피	다시 읽고 싶은 페이지를 표시함.
색칠하기	글을 읽으며 중요한 내용에 색을 칠해 표시함.
이미지 확대	해당 그림의 이미지를 크게 볼 수 있음.

1. 이 글에서 알 수 있는 「모나리자」에 대한 설명으로 적절하지 않은 것은?

① 「모나리자」는 밀라노에 있는 성당에서 제작되었다.
② 「모나리자」는 당시에는 혁신적인 구도로 그려졌다.
③ 「모나리자」는 여러 차례의 붓칠을 거쳐 완성되었다.
④ 「모나리자」는 유화의 표현 기법을 사용하여 그려졌다.
⑤ 「모나리자」는 안료를 유동적인 기름과 섞어서 그려졌다.

학습 활동 응용

2. 이 글에서 확인할 수 있는 전자책의 기능이 아닌 것은?

① 사진(📷)을 클릭하면 그림을 확인할 수 있다.
② 펜 기능을 활용하여 자신만의 메모를 남길 수 있다.
③ 펜 기능을 활용하여 작품의 중요 내용에 표시를 해 둘 수 있다.
④ 사진 자료의 '🔍🔍'를 클릭하면 사진 자료를 확대하거나 축소하여 볼 수 있다.
⑤ 인용된 그림이나 자료를 클릭하여 그림과 자료의 출처를 확인할 수 있다.

학습 활동 응용

3. 이 글을 읽고, 〈보기〉 그림에 대한 반응으로 적절한 것은?

〈보기〉

라파엘로의 「유니콘과 함께 있는 젊은 여인의 초상」(1505~1506)

이 그림은 「모나리자」의 영향을 받은 작품으로, 이 그림을 통해 '모나리자' 옆에 기둥이 있었다는 기록을 신빙성 있게 해 주었다.

① 「모나리자」 이후 인물을 중앙에 배치하는 방식이 유행이었군.
② 「몬테펠트로 딥틱」 이후 옆모습의 초상화는 그려지지 않았겠군.
③ 「몬테펠트로 딥틱」과 〈보기〉의 그림은 플랑드르에서 그려진 그림이겠군.
④ 초상화에서 인물을 배경보다 높게 배치하는 방식의 그림이 「몬테펠트로 딥틱」 이후에도 계속해서 그려졌군.
⑤ 〈보기〉의 그림에서 유니콘이 추가된 것을 보니, 인물의 개성을 부각하기 위한 방식이 계속해서 바뀌었군.

서술형

4. 피에로 델라 프란체스카의 「몬테펠트로 딥틱」을 시각 자료로 인용한 이유를 〈조건〉에 맞게 쓰시오.

〈조건〉
• '구도'라는 말을 포함시킬 것
• '~기 위해서이다.'의 문장 형태로 서술할 것
• 50자 내외의 한 문장으로 쓸 것

>**얀 반 에이크**(1395년경~1441): 네덜란드의 최초의 플랑드르 화가. 15세기 플랑드르 지방에 사실주의 양식을 정착시켜 북유럽 회화의 르네상스를 이끈 인물. 당시 이탈리아는 회화에 있어 장식적인 우아함을 특징으로 하는 비현실적인 고딕 양식에서 자연과 인물을 객관적이고 정밀하게 묘사하는 양식으로 전환되던 시점이었는데, 플랑드르 지역은 이탈리아의 이러한 사실적인 표현 양식에 크게 영향을 받지 않았음. 얀 반 에이크는 사실주의를 바탕으로 한 정밀 묘사와 냉엄하고 신비로운 분위기를 결합하여 이탈리아와 구별되는 플랑드르만의 양식을 창출했음. 주요 작품은 「어린 양에 대한 경배」, 「아르놀피니 부부의 초상」이 있다.

>**한스 멤링**(1430년경~1494): 15세기 브뤼헤에서 활동했던 플랑드르 미술의 화가. 주요 작품은 「예수 수난」이 있다.

>**단선적 원근법**: 시선을 고정시켜 놓고 이에 대응하는 일정한 점을 화면 중앙에 설정한 후, 지평선을 상정하여 화면 규격에 평행하는 몇 개의 선과 한 점에 집중하는 선형체(線形體)와의 관계를 표현한 원근법

>**투시법**: 물체를 원근법(遠近法)에 따라 눈에 보이는 그대로 그리는 방법. 한 점을 시점(視點)으로 하여 그 밖의 어느 한 점을 잇는 선에 따라 그리는 것이다. 원근감(遠近感)이 잘 나타나기 때문에 건축물 등 기하학적인 모형이나 풍경화를 그릴 때 많이 쓰인다.

어휘 풀이

투시법(透視法): 투시 도법. 한 점을 시점으로 하여 물체를 원근법에 따라 눈에 비친 그대로 그리는 기법.

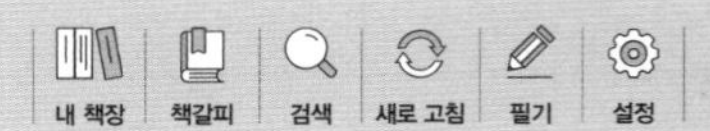

아 하지만 ㉠이 작품과 ㉡「모나리자」를 비교해 보면 비슷한 점보다는 차이점이 더 많다는 것을 쉽게 알 수 있다(다른 건 다 제쳐 두더라도 머리를 표현하는 방식이 너무 다르다.). 사실 초상화의 배경으로 풍경을 사용하는 것은 플랑드르 지방에서 유래한 것으로, 얀 반 에이크나 한스 멤링 같은 화가들이 즐겨 사용한 방식이다. 풍경에 등장하는 청록색의 낭떠러지 또한 플랑드르 지방의 작품이나—매우 흥미롭게도—동양의 두루마리 그림을 생각나게 한다.

㉠「몬테펠트로 딥틱」

배경으로 풍경을 사용함.

레오나르도의 「모나리자」는 피에로 델라 프란체스카보다 플랑드르 지방의 화풍에 영향을 받았음을 엿볼 수 있음.

➔ 「모나리자」와 「몬테펠트로 딥틱」의 차이점

자 「모나리자」에서는 신비로운 유려함을 통해 ㉢풍경과 인물이 하나가 되고 있는데, 이는 "모든 것은 자신이 아닌 다른 무엇에서부터 비롯된 것이므로, 세상의 어떤 것이든 다른 것으로 바뀔 수 있다."라는 레오나르도의 확신과 일맥상통하는 것이다.

유려함: 곡선 등이 거침없이 미끈하고 아름다움

모든 것(풍경과 인물)은 개별적으로 존재하는 것이 아니라 서로 영향을 주고받음(신비로운 유려함)으로써 제3의 다른 존재가 될 수 있음.

➔ 유려함을 통해 풍경과 인물이 하나 되는 「모나리자」

❶ 의자 팔걸이 부분의 경계선이 흐릿하다.
❷ 왼쪽 어깨에 두른 천과 그 뒤로 보이는 다리는 서로 이어져 있는 것처럼 보인다.
❸ 눈이나 입 주변에 딱딱한 경계선이 보이지 않아 표정이 모호하다.

▲ 레오나르도 다빈치, 「모나리자」(1503~1506)

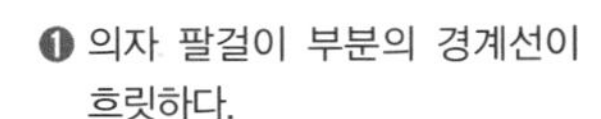

차 묘하게도 작품 속의 공간들은 하나로 일치되어 있는 것같이 보이는데, 예를 들면 이 작품을 보는 이는 여인이 앉아 있는 의자를 쉽게 알아볼 수가 없다. 레오나르도는 르네상스의 화가들이 좋아했던 단선적 원근법을 버리고 그 자신이 '공기 중의 원근법'이라고 불렀던 독특한 투시법을 사용했다. 즉, 경계선을 흐릿하게 하고 밝은색을 사용함으로써 작품 속의 공간이 뒤로 물러나는 듯한 환상이 들게끔 한 것이다.

공기 중의 원근법 – 인물과 풍경의 경계를 흐릿하게 하고 멀리 있는 풍경의 명도를 밝게 하여 인물이 풍경보다 훨씬 앞에 위치한 것처럼 보이게 함.

➔ '공기 중의 원근법'을 사용하여 그린 「모나리자」

이전 다음

1 「모나리자」의 제작 방법 ①

<table>
<tr><td rowspan="3">(사),
(아)</td><td>인물을 배경보다 높게 배치함.</td></tr>
<tr><td>• 피에로 델라 프란체스카의 「몬테펠트로 딥틱」과의 공통점과 차이점
공통점 | 인물을 배경보다 높게 배치함.
차이점 | 머리를 표현하는 방식이 너무 다름.
⬇
공통점보다 차이점이 더 많음.</td></tr>
<tr><td>• 초상화의 배경으로 풍경을 사용하는 것은 플랑드르 지방에서 유래함.
• 피에로 델라 프란체스카보다는 플랑드르 지방의 화풍에 더 영향을 받았을 것으로 추정됨.</td></tr>
<tr><td rowspan="2">(자),
(차)</td><td>'공기 중의 원근법'(투시법)을 사용함.</td></tr>
<tr><td>방법 | 경계선을 흐릿하게 하고, 밝은 색을 사용함.
근거 | "모든 것은 자신이 아닌 다른 무엇에서부터 비롯된 것이므로, 세상의 어떤 것이든 다른 것으로 바뀔 수 있다." (레오나르도의 미학적 관점)
⬇
효과 | • 경계선을 흐릿하게 하여 '배경과 인물이 하나'가 되게 함.
예 여인이 앉아 있는 의자를 쉽게 알아볼 수가 없음.
• 밝은색을 사용하여 풍경을 그림으로써 인물이 풍경보다 훨씬 앞에 위치한 것처럼 보임.</td></tr>
</table>

보충 자료 정보화 시대의 '독서'

인터넷	• 발신자와 수신자 간의 상호 작용이 수월하게 이루어지는 쌍방향적 매체 • 고도의 개방성, 유연성을 지니고 있음. – 많은 양의 정보를 신속하게 공유할 수 있으며, 자신의 생각을 덧붙여 새로운 정보를 생산해 내기가 쉬움. • 부정확하거나 잘못된 정보가 혼재되어 있으므로 가치 있는 정보를 선별하는 능력이 필요함.
전자책	• 종이책에 비해 가격이 저렴하고, 필요한 부분만 별도로 구입할 수 있음. • 휴대가 간편해 언제 어디서나 쉽게 원하는 책을 찾아볼 수 있음. • 하이퍼링크 기능, 확대 표시, 자동 페이지 넘김, 검색 및 편집 등 다양한 기능이 있어서 전자책을 효과적으로 읽을 수 있음. – 다양한 기능을 무분별하게 사용하면 오히려 독서에 방해가 될 수 있음.

1. 이 글의 중심 화제로 가장 적절한 것은?

① 「모나리자」의 제작 규모
② 「모나리자」의 제작 방법
③ 「모나리자」의 제작 시기
④ 「모나리자」의 제작 동기
⑤ 「모나리자」의 제작 배경

학습 활동 응용

2. 〈보기〉는 작가가 「모나리자」를 그릴 때 사용한 기법이다. 이에 대한 설명으로 적절하지 않은 것은?

〈보기〉
㉮ 인물의 배경으로 풍경을 사용한다.
㉯ 인물과 배경의 경계선을 흐리게 한다.
㉰ 밝은색을 사용하여 자연 풍경을 그린다.

① ㉮는 배경을 이루는 자연 풍경보다 인물을 더 높게 배치하게 된 이유이다.
② ㉯는 배경과 인물이 분리되지 않고 하나로 느껴지게 하는 효과로 나타난다.
③ ㉯는 세상의 모든 것은 완전히 분리되어 있지 않다는 작가의 관점을 이론적 근거로 삼고 있다.
④ ㉯는 「모나리자」에서 여인이 앉아 있는 의자의 팔걸이 부분이 흐릿하게 그려져 있는 데서 확인된다.
⑤ ㉰는 인물보다 배경이 더 멀리 위치해 있는 것처럼 보이는 효과로 나타난다.

3. ㉠, ㉡에 대한 설명으로 적절하지 않은 것은?

① ㉠과 ㉡의 공통점은 인물을 배경보다 높게 배치하는 방식이다.
② ㉠과 ㉡의 차이점은 인물의 머리를 표현하는 방식이다.
③ ㉠보다 ㉡에서 풍경과 인물이 하나가 되고 있는 경향이 강하게 나타난다.
④ 필자는 ㉠보다 ㉡이 플랑드르 지방 작가들의 영향을 더 받았다고 여기고 있다.
⑤ ㉡의 배경은 동양의 두루마기 그림에서 유래한 것이다.

서술형

4. ㉢과 같은 음영 표시를 통해 알 수 있는 전자책의 기능을 한 문장으로 쓰시오.

내 책장 책갈피 검색 새로 고침 필기 설정

홈

카 레오나르도는 열정으로 가득 차서 쓴 자신의 글에서, 소우주(인간의 몸)와 대우주(대지) 사이의 유사성에 깊은 관심을 두었던 르네상스의 시대정신(인본주의 – 자연의 재발견, 개인의 창조성을 중시)에 따라 회화에서 대지를 표현하는 것과 인간의 몸을 표현하는 것이 얼마나 유사한 것인지를 밝히고 있다.

> 고대인들은 인간의 몸을 세계의 축소판이라고 불렀는데, 이는 매우 정확한 표현이다. 인간의 몸이 흙과 물, 공기 그리고 불로 이루어져 있는 이상 그것은 대지를 닮았다고 할 수 있다.
>
> 회화에서 인간과 자연을 표현하는 방식이 유사하다는 레오나르도의 주장을 뒷받침하는 말

→ 회화에서 대지와 인간의 몸을 표현하는 방식이 유사하다고 말한 레오나르도

타 특히 "물결이 일어나는 모습(대지의 모습)과 머리카락의 결(인간 몸의 모습)이 비슷하다."라는 그의 섬세한 관찰은, 흐르는 물을 연상시키는 「모나리자」의 섬세하게 일렁이는 머릿결을 보면 알 수 있다. 목선을 따라 왼쪽 가슴까지 늘어진 머릿결을 한 번 보라. 작품의 구도 면에서도 그림의 왼쪽에 나 있는 구불구불한 길은 그녀의 목선과 닮았으며, 오른쪽에 보이는 다리는 마치 그녀가 왼쪽 어깨에 두르고 있는 천과 이어져 있는 것처럼 보인다.

인간의 몸과 자연을 유사한 방식으로 표현함.

→ 대지와 인간의 몸을 유사한 방식으로 표현한 레오나르도의 「모나리자」

파 무엇보다도 인물과 배경의 일체감은 레오나르도만의 독창적인 회화 방식('스푸마토' 기법)에 의해서 가능해졌다. 레오나르도 자신이 즐겨 사용했던 '스푸마토'(sfumato)라는 말은 이탈리아어로 '흐릿한' 혹은 '자욱한'이란 뜻으로, 특별한 명암법, 즉 밝은 톤에서 점차 어두운 톤으로 변화시키면서 분명하지 않은 색을 제한적으로 사용해서 경계를 없애는 방법이다. 이 방법을 사용하면 사실상 그림에서 선을 찾아볼 수 없게 된다.

인물과 배경 사이의 경계를 없애 둘 사이에 일체감을 느끼게 함.

→ 레오나르도만의 독창적 회화 방식인 '스푸마토' 기법

하 15세기 유화의 도입 덕택에 가능해진 이 방식은 레오나르도에 의해 한층 더 발전하게 된다. 그는 "경계선은 사물에서 가장 중요하지 않은 부분이다. 화가들이여! 뚜렷한 선으로 대상의 경계를 짓지 마시라."라고 말했다. 「모나리자」가 그 유명한 표정의 모호함과 유동성(어떤 표정을 짓는지 명확히 규정할 수 없음.)을 가질 수 있었던 것도 눈이나 입 주변에서 딱딱한 경계를 지우는 방식('스푸마토' 기법)으로 그림을 그렸기 때문이다.

→ '스푸마토' 기법의 효과

본문 2: 「모나리자」의 구도와 기법상의 특징

이전 다음

르네상스 미술과 「모나리자」

인체에 대한 관심과 긍정은 르네상스 미술의 대표적 특징이다. 중세 화가가 인체를 부정하고 혐오하는 생각으로 작업했다면 르네상스 화가는 인체의 아름다움을 드러내고자 했다. 레오나르도 다빈치의 「모나리자」는 인체의 아름다움을 잘 표현하고 있다.

「모나리자」의 미소도 르네상스의 분위기를 반영한다. 중세의 조각과 회화에서는 웃는 얼굴을 찾아보기가 어렵다. 하지만 「모나리자」는 입술 꼬리를 살짝 올림으로써 미소를 담아냈다.

배경으로 등장하는 산이나 나무 등의 자연도 눈여겨볼 필요가 있다. 중세의 그림은 대부분 배경에서 자연을 생략한 채 종교적 메시지를 던지는 데만 집중했다. 하지만 「모나리자」의 배경이 되는 자연도 인간과 함께 예술의 영역에서 적극적 역할을 한다.

이렇듯 「모나리자」는 여러 면에서 인간과 자연을 향한 르네상스 정신을 체화하고 있었다.

– 박홍순, 『사유와 매혹 1』

핵심 쏙쏙

1 레오나르도의 세계관

인간과 자연에 대한 일원론적(一元論的) 세계관

인간의 몸을 구성하는 성분은 흙·물·불·공기임. = 자연(대지)을 구성하는 성분은 흙·물·불·공기임.

⬇

르네상스 미술의 구현
(인간과 자연의 재발견)

자연에의 과학적인 접근과 원근법, 인간 신체의 해부학적 구조 등 인간과 자연을 사실적이고 정확하게 묘사함.

2 「모나리자」의 제작 방법 ②

(카) **레오나르도 회화의 이론적 근거**

르네상스의 시대정신 수용
(인간의 몸은 세계의 축소판)

⬇

인간의 몸과 대지의 유사성에 깊은 관심
(회화에서 대지를 표현하는 것과 인간의 몸을 표현하는 것은 유사함.)

(타) **자신의 회화 이론을 「모나리자」에 적용함.**
(대지와 여인의 몸을 유사한 방식으로 표현함.)

- '목선을 따라 왼쪽 가슴까지 늘어진 머릿결'이 물결이 일어나는 대지의 모습과 유사하게 그려짐.
- 그림 왼쪽의 '구불구불한 길'은 그림 속 여인의 '목선'과 유사하게 그려짐.
- 그림 오른편의 '다리'는 그림 속 여인의 '왼쪽 어깨에 두르고 있는 천'과 이어져 있는 것처럼 그려짐.

(파) **'스푸마토' 기법**
(경계면을 '흐릿하게' 만드는 기법)

- '풍경(배경)과 인물이 하나(일체감)'가 되게 하는 회화의 기법
- 밝은 톤에서 점차 어두운 톤으로 변화시키면서 분명하지 않은 색을 제한적으로 사용
  → 풍경(배경)과 인물의 경계를 없애고 일체감을 완성함.

(하) **「모나리자」에 나타난 '스푸마토' 기법의 효과**

눈이나 입 주변의 딱딱한 경계를 지우는 방식으로 그림.

⬇

표정의 모호함과 유동성을 갖게 됨.

확인 문제 ④

정답 및 해설 54쪽

1. 이 글에 나타난 내용으로 가장 적절한 것은?

① 레오나르도 회화의 이론적 근거
② 레오나르도 회화에 대한 당대의 평가
③ 레오나르도 회화가 현대 미술에 미친 영향
④ 레오나르도 회화에 나타난 인체의 아름다움
⑤ 레오나르도 회화에 나타난 이원론적(二元論的) 세계관

학습 활동 응용

2. 이 글을 참조할 때, 〈보기 1〉의 ⓐ~ⓒ와 관계 깊은 것을 〈보기 2〉의 ㉮~㉰에서 각각 골라 바르게 짝지은 것은?

〈보기 1〉

ⓐ 여인의 '목선을 따라 왼쪽 가슴까지 늘어진 머릿결'이 물결이 일어나는 대지의 모습과 유사하게 그려져 있다.
ⓑ 여인이 앉아 있는 의자를 쉽게 알아볼 수 없도록 그려져 있다.
ⓒ 여인의 표정에서 모호성과 유동성이 느껴지게 그려져 있다.

〈보기 2〉

㉮ 인체와 대지의 유사성에 깊은 관심을 두었던 르네상스의 시대정신이 잘 반영되어 있다.
㉯ 스푸마토 기법이 사용됨으로써 인물과 배경의 경계가 분명하게 나타나 있지 않다.
㉰ 스푸마토 기법을 통해 눈이나 입 주변에서 딱딱한 경계를 지웠다.

① ⓐ-㉮, ⓑ-㉯, ⓒ-㉰
② ⓐ-㉮, ⓑ-㉰, ⓒ-㉯
③ ⓐ-㉯, ⓑ-㉮, ⓒ-㉰
④ ⓐ-㉯, ⓑ-㉰, ⓒ-㉮
⑤ ⓐ-㉰, ⓑ-㉯, ⓒ-㉮

서술형 학습 활동 응용

3. (파)와 〈보기〉를 참고하여 '스푸마토'의 기법의 핵심은 무엇이고, 이러한 '스푸마토 기법'의 효과는 무엇인지 쓰시오.

〈보기〉

'스푸마토' 기법을 사용하면 수학적인 비례를 적용한 원근법을 쓰지 않고서도 공간에 거리감을 나타내는 효과를 얻을 수 있다. 즉, 색채를 밝은 톤에서 어두운 톤으로 변화시키면서 대기와 맞닿은 부분의 윤곽선을 문질러 배경과의 경계를 흐릿하게 만드는 것이다. 이 기법을 쓰면 대상의 윤곽선은 흐려지고 아스라이 먼 곳으로 물러난 듯한 느낌을 주게 된다.

〈조건〉

- (1) '스푸마토'의 기법의 핵심과, (2) 그 효과를 각각 간략하게 서술할 것
- (1), (2) 모두 10~20자 내외로 쓸 것

학습 활동

교과서 220~223쪽

활동 도움말

글에 표시한 부분은 글의 핵심 어휘나 핵심 어구로, 이를 바탕으로 글의 내용을 요약할 수 있다.

깊게 읽기

1. 다음은 전자책으로 이 글을 읽으면서 [표시] 으로 표시한 부분이다. 이를 바탕으로 이 글의 중심 내용을 간략하게 정리해 보자.

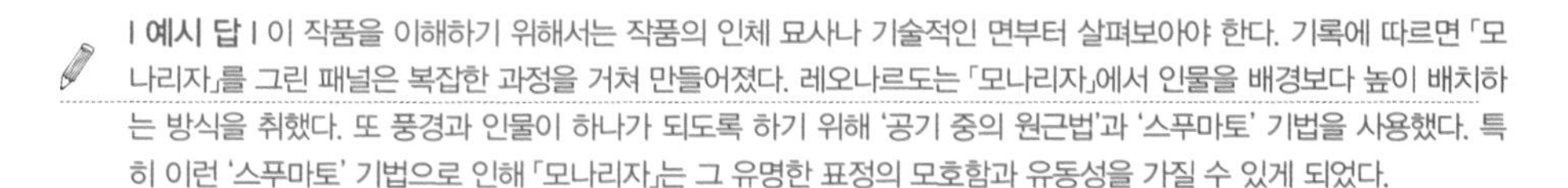

이 작품을 이해, 작품의 인체 묘사나 기술적인 면, 패널,
인물을 배경보다 높게 배치하는 방식, 풍경과 인물이 하나,
'공기 중의 원근법', '스푸마토', 표정의 모호함과 유동성

| 예시 답 | 이 작품을 이해하기 위해서는 작품의 인체 묘사나 기술적인 면부터 살펴보아야 한다. 기록에 따르면 「모나리자」를 그린 패널은 복잡한 과정을 거쳐 만들어졌다. 레오나르도는 「모나리자」에서 인물을 배경보다 높이 배치하는 방식을 취했다. 또 풍경과 인물이 하나가 되도록 하기 위해 '공기 중의 원근법'과 '스푸마토' 기법을 사용했다. 특히 이런 '스푸마토' 기법으로 인해 「모나리자」는 그 유명한 표정의 모호함과 유동성을 가질 수 있게 되었다.

2. 다음은 전자책으로 이 글을 읽으며 확인한 시각 자료이다. 이 자료를 통해 알 수 있었던 정보를 정리해 보자.

예 '모나리자'에는 원래 인물 양쪽에 기둥이 서 있었다고 전해짐.

「모나리자」와 같이 초상화에서 인물을 배경보다 높게 배치하는 방식을 사용했음.

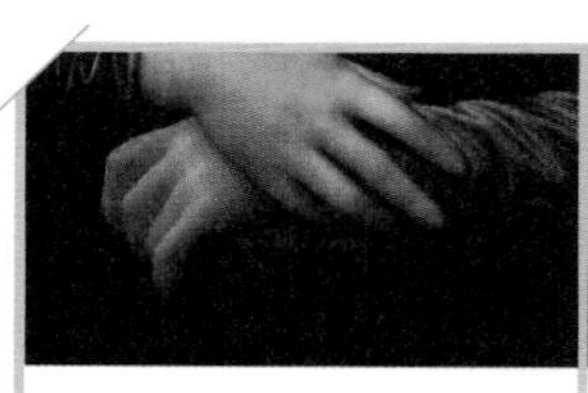

'공기 중의 원근법'을 사용해 경계선을 흐릿하게 하고 밝은색을 사용하여 작품 속의 공간이 뒤로 물러나는 듯한 환상이 들게 함.

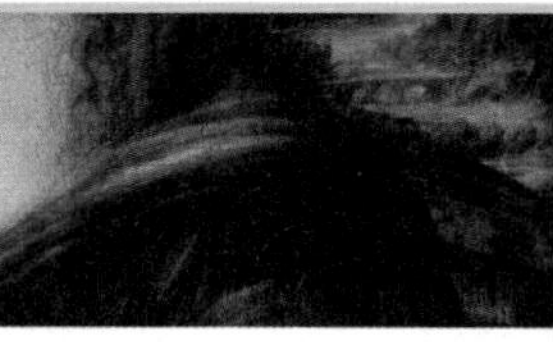

대지와 인간의 몸을 유사한 방식으로 표현하려고 하였음.

밝은 톤에서 점차 어두운 톤으로 변화시키면서 분명하지 않은 색을 제한적으로 사용하여 표정이 모호하고 유동적으로 보이도록 함.

활동 도움말

전자책에서 활용 가능한 기능을 모두 찾아보고, 종이책에서도 가능한 것과 그렇지 않은 것으로 나누어 생각해 본다.

3. 이 글을 읽으며 확인한 전자책의 기능 중에서 종이책에 비해 편리하거나 불편하게 느껴지는 점이 있는지 말해 보자.

√ **편리한 점** | 예시 답 | 차례에서 원하는 단원의 제목을 클릭하면 곧바로 읽고 싶은 단원으로 이동할 수 있다.

√ **불편한 점** | 예시 답 | 책을 이리저리 넘겨보는 것이 종이책처럼 자유롭지 못하다.

4. 다음은 이 글과 관련하여 인터넷에서 찾은 정보이다. 이를 바탕으로 아래 활동을 해 보자.

보충 자료 「모나리자」가 유명한 이유

「모나리자」가 유명한 이유는 마치 살아 있는 사람처럼 생생한 느낌을 주는 최초의 초상화였기 때문입니다. 레오나르도 다빈치는 다른 화가들처럼 생명력 없이 굳어 있는 표정을 그리는 대신 모나리자에게 순간적인 표정을, 막 시작된 것인지 아니면 끝나는 것인지 알 수 없는 신비로운 미소를 주었습니다. 모든 것들이 잔잔한 가운데 그녀를 둘러싸고 있는 빛이 서서히 변하는 듯한 인상을 줍니다. 흘러가는 시간을 암시하는 이런 그림을 이전에는 그 누구도 본 적이 없었습니다.

– 프랑수아즈 바르브 갈/이상해 역, 『엄마의 미술관』

모나리자

미술에 관한 완벽주의자, 레오나르도 다빈치 – ㉠

레오나르도는 평생 동안 사람과 동물의 해부도를 끊임없이 그렸다. 〈중략〉 그는 "화가는 해부학에 무지해서는 안 된다."라고 말했다. 레오나르도는 "나이를 가리지 않고 남자와 여자의 시체를 30구 넘게 해부해 보았다." 더보기

➜ 그림에 대한 레오나르도의 열정과 집념

"모나리자는 유부녀였다." 이탈리아 학자, '실존 인물' 주장 – ㉡

다빈치의 명화 「모나리자」가 부유한 집안의 부인을 실존 모델로 했다고 이탈리아 학자 주세페 팔란티가 주장했다. 팔란티는 최근 자신의 저서에서 「모나리자」의 모델은 1479년 피렌체에서 태어나 16세에 부유한 비단 상인인 프란체스코 델 지오콘도의 두 번째 아내가 된 리자 게라르디니라고 주장했다. 더보기

➜ 「모나리자」의 실제 모델에 관한 새로운 주장

"다빈치 「모나리자」 '최초 판' 발견" 미술계 술렁 – ㉢

레오나르도 다빈치의 대표작 「모나리자」의 초기 판이 발견됐다는 주장이 나와 미술계가 술렁이고 있다. 「모나리자」보다 10년 앞선 것으로 추정되는 이 작품은 영국 그레이터 런던주의 아일워스에서 최초로 발견되어 「아일워스 모나리자」라고 부른다. 〈하략〉 더보기

➜ 「모나리자」에 대한 논란이 현재까지 지속되고 있음을 보여 주는 사례

앤디 워홀의 「모나리자, 서른이 하나보다 낫다」 – ㉣

미국 팝 아트의 선구자

앤디 워홀은 끊임없이 복제되는 「모나리자」를 통해 상품화, 기계화가 중시되는 현대 사회를 풍자하였다. 〈하략〉 더보기

➜ 「모나리자」를 활용해 특정한 목적의 그림을 그린 후대 화가의 사례

(1) 위의 자료들은 각각 이 글의 어느 부분을 읽을 때 활용하면 좋을지 판단해 보자.

• 차례 •

1. 「모나리자」를 그린 작가, 레오나르도 다빈치 ㉠
2. 「모나리자」의 제작 과정과 방법 ㉡
3. 「모나리자」의 모델에 관한 논란들 ㉡
4. 후대 예술가에게 영감을 주는 「모나리자」 ㉣
5. 아직도 지속되는 「모나리자」에 관한 논란들 ㉢

활동 도움말

매체가 정보를 담는 방식, 우리가 그 매체에 접근하고 정보를 탐색하는 방식 등이 매체별로 어떻게 다른지 파악해 본다.

(2) '차례'에 나타난 내용을 더 깊이 있게 이해할 목적으로 다양한 매체를 통해 자료들을 찾는다고 할 때, 매체별 특징이나 유의점은 무엇일지 생각해 보자.

매체의 종류	매체의 특징, 자료 탐색 시 유의점
교양서, 전문 서적 등의 단행본	– 특징: 다양한 방면에서 「모나리자」를 다룬 전문적이고 깊이 있는 지식들이 방대하게 담겨 있다. – 유의점: 목적과 필요에 따라 정확하고 세부적인 검색어를 활용하여 도서 검색을 하는 것이 효과적이다.
신문, 잡지 등의 정기 간행물	– 특징: 그림이나 사진 자료를 활용하여 크게 어렵지 않은, 교양 수준의 「모나리자」 관련 정보를 전달할 수 있다. – 유의점: 종합 일간지에서는 미술 · 문화 분야 코너를, 잡지 중에서는 미술 관련 간행물을 집중 검색하여 「모나리자」 관련 자료를 찾는 것이 효과적이다.
텔레비전, 디지털 비디오 등의 영상물	– 특징: 「모나리자」 제작 과정을 생생하게 재연한 영상이라든지, 전문가의 인터뷰 영상 등을 담을 수 있다. – 유의점: 영상물의 제작 의도와 방향을 파악하여 자료 탐색의 목적에 부합하는지 판단한다.
지식 기반 공동체나 블로그 등의 인터넷 사이트	– 특징: 비전문가의 관점에서 「모나리자」에 대해 가질 법한 다양한 궁금증과 그에 관한 나름의 해답을 담고 있다. – 유의점: 중복된 정보가 많고 정확하지 않은 정보가 포함되어 있을 가능성이 높으므로, 정보의 선별과 점검이 필수적이다.

넓혀 읽기

5. 다음 글을 읽고 아래 활동을 해 보자.

활동 도움말

독서 대상과 환경의 변화가 어떻게 독서 방법의 변화로 이어졌는지에 주목하면서 글을 읽어 본다.

전자 기술의 발달로 세상은 더 좁아지고, 더 빨라지고, 더 복잡해졌다. 빠르고 복잡한 세상에서 생활해야 한다는 것은, 모든 것에 대해서 즉각적인 반응을 해야 한다는 것을 뜻한다. 바쁜 가운데서 책을 읽을 수 없는 것은 아니지만, 바쁘게 수행되는 독서는 정보의 섭렵에 그칠 뿐 딴 세상으로의 여행이 되기는 어렵다. 〈중략〉

(전자 기술의 발달이 인간의 삶에 미친 영향 / 당장에 곧 하는. 또는 그런 것 / 사색적 독서가 아니라 실용적 독서를 하게 됨. / → 전자 매체의 발달이 독서에 미친 영향)

이런 상황 속에서도 사실 문자로 된 읽을거리는 더 많아졌다. 책도 더 많이 생산되고 있다. 불과 몇십 년 전만 하더라도 책은 귀한 것이었다. 그리 흔치 않았다는 점에서도 그러했고, 책 속의 내용 때문에도 그러했다. 그러나 지금은 읽을거리가 너무 많아서 어떤 책이 있는지, 무슨 책을 읽어야 하는지 더 알 수 없게 되었다. 책, 신문, 잡지 등의 인쇄 매체뿐 아니라 텔레비전, 인터넷, 팩스, 전자 우편 등의 전자 매체를 통해서 쏟아지는 정보까지 생각하면 더욱 막막하다. 이런 환경에서 독서는 표피적일 수밖에 없다. 독자들은 표면만 스치며 대강 읽게 되고, 내면에서 말뜻을 곰곰이 새겨볼 겨를도 없이 다른 읽을거리로 이동하게 된다. 얇고 넓게 읽게 되고, 그 결과 무수한 비트(bit)의 정보를 알게 된다. 이러한 수직적 독서로부터 수평적 독서로의 전환은 친숙하고 한정된 공간 속에서의 삶으로부터 낯설고 광범위한 공간 속에서의 삶으로의 전환과 대응된다. 오늘날 사람들은 무한정한 정보의 바다와 광활한 전 지구적 공간 속에서 생활하며, 무한한 가능성과 다양성 속에 살고 있다. 넓고 다양해질수록 깊이는 줄어들기 마련이다. 이제 사람들은 진지하고 심각한 독서를 하지도 않고 할 능력도 약화되었다.

(인쇄 기술이 발달하지 않았음. / 특정 분야의 도서만 만들어짐. / 어떤 일이나 현상의 핵심이 되지 못하는 것 / 대량으로 쏟아지는 정보 중 어느 정보를 선택해야 할지 몰라 답답함. / 사색적인 독서가 불가능해짐. / 수박 겉핥기식 독서 / 깊이 있는 사고를 통한 통합된 정보가 아닌 분절된 정보를 뜻함. / 수직적 독서가 이루어지는 환경 / 수평적 독서가 이루어지는 환경 / 수평적 독서의 장점 / 수평적 독서의 한계 / → 수직적 독서에서 수평적 독서로의 전환에 따른 장단점)

– 이남호, 『문자 제국 쇠망 약사』에서

제재 연구

이남호, 『문자 제국 쇠망 약사』

갈래	중수필
성격	분석적, 논리적
제재	인쇄 매체와 전자 매체
주제	전자 매체가 독서에 미친 영향
특징	① 인쇄 매체와 전자 매체의 차이점을 중심으로 서술함. ② 비유적 표현을 활용하여 독자의 이해를 도움.

(1) 이 글의 필자가 언급한 '수직적 독서'와 '수평적 독서'의 의미를 말해 보자.

수직적 독서	I 예시 답 I 내면의 말뜻을 곰곰이 새겨보는 깊이 있는 독서이다.
수평적 독서	I 예시 답 I 글의 표면만 스치듯 얇고 넓게 읽는 독서이다.

토의 활동

(2) 이 글에서 알 수 있는 인쇄 매체와 전자 매체의 특징을 고려하여, 전자 매체의 글을 읽는 바람직한 방법에 대해 토의해 보자.

I 예시 답 I 전자 매체의 글은 언제 어디서든 손쉽게 읽을 수 있고, 필요한 부분만 선택적으로 읽을 수도 있다. 하지만 이런 방법에 익숙해지면 깊이 있는 지식을 얻기 어려울 뿐 아니라 제대로 된 지식을 선별하는 능력도 갖출 수 없게 된다. 이런 문제를 해결하기 위해서는 지식을 알아내는 기본적인 능력을 기를 수 있는 독서를 해야 한다. 즉, 전자 매체의 글을 읽더라도 인쇄 매체를 읽을 때처럼 깊이 있는 독서를 해야 하는 것이다.

소단원 출제 포인트

세계 명화의 비밀 _「모나리자」 편

1 전체 글의 개관

갈래	설명문	성격	분석적, 인용적
제재	레오나르도 다빈치의 그림 「모나리자」	주제	「모나리자」의 제작 과정과 기법
특징	① 그림 자료를 제시하여 독자의 이해를 도움. ② 서적이나 인물의 말을 직접 인용하여 내용을 뒷받침함.		

2 '전자책'의 기능

전자책		기능
2. 「모나리자」의 제작 과정과 방법	➡	• 차례에서 선택된 항목으로 바로 이동함. • 비순차적인 검색이 가능한 하이퍼텍스트의 성격을 드러냄.
이 작품을 이해하려면 [색으로 표시하는 방법 활용]	➡	• 중요한 내용에 대한 표시가 가능함.
사진 자료	➡	• 클릭하면 관련 이미지를 크게 볼 수 있음.

3 「모나리자」의 제작 기법

인물을 배경보다 높게 배치하는 방식을 활용함.	• 초상화의 배경으로 풍경을 사용하는 것은 플랑드르 지방에서 유래함. • 플랑드르 지방의 화풍에 더 영향을 받았을 것으로 추정됨.
'공기 중의 원근법'이라는 투시법을 사용함.	• 경계선을 흐릿하게 하여 '풍경과 인물이 하나'가 되게 함. 예 「모나리자」에서 여인이 앉아 있는 의자를 쉽게 알아볼 수가 없음. • 밝은색을 사용하여 풍경을 그림으로써 인물이 풍경보다 훨씬 앞에 위치한 것처럼 보임.
'스푸마토' 기법을 사용함.	• 밝은 톤에서 점차 어두운 톤으로 변화시키면서 분명하지 않은 색을 제한적으로 사용해서 풍경(배경)과 인물의 경계를 없애고 일체감을 완성함. • 「모나리자」에 나타난 '스푸마토' 기법의 효과 눈이나 입 주변의 딱딱한 경계를 지우는 방식으로 그림. ⬇ 표정의 모호함과 유동성을 갖게 됨.

4 레오나르도 다빈치의 회화 이론과 적용

"고대인들은 인간의 몸을 세계의 축소판이라고 불렀는데, 이는 매우 정확한 표현이다. 인간의 몸이 흙과 물, 공기 그리고 불로 이루어져 있는 이상 그것은 대지를 닮았다고 할 수 있다."

➡ 레오나르도 다빈치의 르네상스 예술관: 회화에서 대지를 표현하는 것과 인간의 몸을 표현하는 것은 유사하다고 생각함.

➡

자신의 회화 이론을 「모나리자」에 적용함. (대지와 여인의 몸을 유사한 방식으로 표현함.)	• '목선을 따라 왼쪽 가슴까지 늘어진 머릿결'이 물결이 일어나는 대지의 모습과 유사하게 그려짐. • 그림 왼쪽의 '구불구불한 길'은 그림 속 여인의 '목선'과 유사하게 그려짐. • 그림 오른편의 '다리'는 그림 속 여인의 '왼쪽 어깨에 두르고 있는 천'과 이어져 있는 것처럼 그려짐.

제재 2

교과서 224~227쪽

가짜 뉴스

_ 『블로터』 기획 취재팀

_뉴스의 얼굴을 한 흑색선전

소단원 포인트

- '가짜 뉴스'와 관련한 글의 중심 화제 파악하기
- 글의 구조적 특징과 전개 방법 파악하기
- 글에 명시된 '소제목'의 효과 파악하기

필자 소개

『블로터』: 인터넷 언론 매체

교과서 날개 질문

나는 주로 어떤 매체를 통해 뉴스를 접하는지 생각해 보자.

| 예시 답 | 주로 인터넷에서 포털 사이트의 뉴스 묶음을 통해 보게 된다.

| 도움말 | 지문의 내용을 수동적으로 이해하기만 할 것이 아니라, 자신의 매체 수용 습관을 성찰해 본다. 이를 통해, 자신이 가짜 뉴스에 현혹되지 않을 만큼 비판적인 매체 수용 능력을 갖추고 있는지 생각해 본다.

「서동요」: 최초의 4구체 향가로, 백제의 서동(薯童: 백제 무왕의 어릴 때 이름)이 신라 제26대 진평왕 때 지었다는 민요 형식의 노래이다. 내용은 선화 공주가 밤마다 몰래 서동의 방을 찾아간다는 것으로, 이 노래가 대궐 안에까지 퍼지자 왕은 마침내 공주를 귀양 보내게 되었다. 이에 서동이 길목에 나와 기다리다가 함께 백제로 돌아가서 그는 임금이 되고 선화는 왕비가 되었다는 이야기가 전한다.

어휘 풀이

국지적(局地的): 일정한 지역에 한정된. 또는 그런 것.

오보(誤報): 어떠한 사건이나 소식을 그릇되게 전하여 알려 줌. 또는 그 사건이나 소식.

맹위(猛威): 사나운 위세.

온상지(溫床地): 어떤 현상이나 사상, 세력 따위가 자라나는 바탕이 되는 곳.

도입 **가** 우리는 거짓이 사실을 압도하는 사회에서 살고 있다. 그렇다 보니 사실에 사회적 맥락이 더해진 진실도 자연스레 설 자리를 잃고 있다. 옥스퍼드 사전은 2016년을 대표할 단어로 '탈진실(Post-truth)'을 선정하고, 탈진실화가 국지적 현상이 아니라 세계적으로 나타나는 시대적 특성이라고 진단했다. 탈진실의 시대가 시작된 것을 입증하기라도 하듯 '가짜 뉴스'에 관한 사회적 논란이 뜨겁다.

(거짓이 사실을 압도하는 사회: 거짓이 사실보다 더 많거나 더 큰 위력을 발휘하는 사회)

➜ 가짜 뉴스에 대한 사회적 논란

> 도입: 탈진실의 시대에 범람하는 가짜 뉴스에 대한 사회적 논란

본문 1 **허위 정보, 그 오랜 역사**

나 가짜 뉴스의 정의와 범위에 대해서는 의견이 여러 갈래로 나뉜다. 언론사의 오보에서부터 인터넷상의 뜬소문까지, 가짜 뉴스라는 용어는 넓은 의미 영역 안에서 혼란스럽게 사용되고 있다. 전문가들은 가짜 뉴스의 기준을 정하고 범위를 좁히지 않으면 비생산적인 논란만 가중될 수밖에 없다고 지적한다. 이에 2017년 2월 한국 언론 학회와 한국 언론 진흥 재단 주최로 열린 토론회에서는 가짜 뉴스를 『'정치·경제적 이익을 위해 의도적으로 언론 보도의 형식을 하고 유포된 거짓 정보'라고 정의하였다.』

(정치·경제적 이익: 가짜 뉴스를 생산, 배포하는 이유이자 목적)
(『 』: 비생산적인 논란을 차단하기 위해 마련한 가짜 뉴스의 정의)

➜ 가짜 뉴스의 개념

다 가짜 뉴스의 역사는 무척이나 길다. 백제 무왕이 지은 「서동요」는 선화 공주와 결혼하기 위해 그가 거짓 정보를 노래로 만든 가짜 뉴스였다. 1923년 관동 대지진이 났을 때 조선인에 관한 악의적인 허위 정보가 유포된 일 또한 가짜 뉴스의 예이다. 이렇듯 역사를 조금만 들여다봐도 가짜 뉴스 사례를 흔히 찾을 수 있다. 하지만 최근 일어나고 있는 가짜 뉴스 현상을 살펴보면 이전 사례들과는 확연히 다른 점을 발견할 수 있다.

(1923년 관동 대지진: 일본 관동 지역에서 발생한 대지진. 40만 명의 사상자가 발생함.)

➜ 가짜 뉴스의 역사

라 '21세기형 가짜 뉴스'의 특징은 그 논란의 중심에 국제적인 정보 통신 기업이 있다는 점이다. 가짜 뉴스는 더 이상 동요나 입소문을 통해 퍼지지 않는다. 누구나 쉽게 이용하는 매체에 '정식 기사'의 얼굴을 하고 나타난다. 감쪽같이 변장한 가짜 뉴스들은 사람들의 입맛에만 맞으면 쉽게 유통·확산된다. 대중이 뉴스를 접하는 경로가 신문·방송 같은 전통적 매체에서 인터넷 사이트, 누리 소통망(SNS) 등 디지털 매체 쪽으로 옮겨 가면서 벌어진 일이다. 세계적으로 맹위를 떨치는 정보 통신 기업들은 '디지털 뉴스 중개자'로 부상하는 동시에 가짜 뉴스의 온상지가 됐다. 2016년 미국 대통령 선거 기간 중에 교황이 특정 후보 지지를 선언했다는 가짜 뉴스가 유력 누리 소통망에서 가장 많이 공유된 소식이라는 사실은 이를 잘 보여 준다.

(동요나 입소문: 과거 가짜 뉴스들의 유통 방식과 매체)
(대중이 뉴스를 접하는 경로가 ~ 벌어진 일이다: 21세기형 가짜 뉴스의 출현 배경)
(2016년 미국 대통령 선거 ~ 사실: 새로운 디지털 매체들을 통해 가짜 뉴스가 활발히 유통된 사례)

➜ 21세기형 가짜 뉴스의 특징

> 본문 1: 가짜 뉴스의 정의와 역사, 그리고 21세기형 가짜 뉴스의 특징

정답 및 해설 55쪽

1 (가)의 역할

• '가짜 뉴스'에 관한 사회 현상을 화제로 제시함.

2 '가짜 뉴스'의 개념과 역사

• 가짜 뉴스에 대한 논란 확산 방지 차원에서 비생산적인 논란 차단을 위한 토론회 개최
→ 가짜 뉴스의 기준과 범위를 나타낸 개념을 정의하여 발표함.

가짜 뉴스의 개념	정치·경제적 이익을 위해 의도적으로 언론 보도의 형식을 하고 유포된 거짓 정보
가짜 뉴스로 추정되는 역사적 사례	백제 무왕의 「서동요」, 관동 대지진 당시 조선인에 관한 악의적 허위 정보 유포 등 → 동요나 입소문에 의해 유포됨.

3 21세기형 가짜 뉴스의 특징

• 국제적인 정보 통신 기업이 논란의 중심에 있음.
• 대중 매체에 '정식 기사'의 형태로 유포됨으로써 유통 및 확산이 쉽게 이루어짐.

4 21세기형 가짜 뉴스의 출현 배경

• 대중이 뉴스를 접하는 경로가 전통적 매체에서 디지털 매체로 변경됨.
→ 신문, 방송 등에서 인터넷 사이트, 누리 소통망(SNS) 등으로 바뀜.
• 국제적인 정보 통신 기업이 디지털 뉴스 중개자로 급부상하고 그 역할이 강화됨.
→ 가짜 뉴스의 온상지가 되는 부작용이 생겨남.

5 글의 전개 방식

정의	(나)에서 '가짜 뉴스'의 개념을 알기 쉽게 설명함.
예시	• (다)에서 가짜 뉴스로 추정되는 역사적 사례로 「서동요」와 관동 대지진의 예를 듦. • (라)에서 2016년 미국 대통령 선거 기간 중 교황이 특정 후보 지지 선언을 했다는 가짜 뉴스가 유력 SNS에 유포된 사례를 제시함. → 국제적인 정보 통신 기업이 가짜 뉴스의 유포 및 확산의 온상지가 되었다는 점을 강조함.

1. 이 글을 읽고 알 수 있는 내용으로 적절하지 않은 것은?

① 가짜 뉴스의 기준과 범위가 모호하여 논란이 가중될 수 있다.
② 21세기형 가짜 뉴스는 디지털 뉴스 중개자인 국제적인 정보 통신 기업들이 유통과 확산을 담당하고 있다.
③ 관련 언론 단체 주최로 토론회가 열린 것은 가짜 뉴스와 관련하여 비생산적인 논란을 차단하기 위해서이다.
④ 오늘날의 가짜 뉴스는 대중적인 매체를 통해 정식 기사의 형태로 유포됨으로써 유통이 쉽게 이루어지고 있다.
⑤ 가짜 뉴스의 시작은 지구에 인류가 터전을 잡고 살아가면서부터이며, 일제 강점기에는 조선인에 관한 허위 정보가 유포되기도 했다.

학습 활동 응용

2. 이 글을 이해한 내용으로 적절하지 않은 것은?

① 탈진실화의 시대적 분위기 속에서 가짜 뉴스가 사회적 논란거리가 되고 있는 현상을 다루고 있군.
② 가짜 뉴스와 관련된 사례들을 근거로 제시하면서 이를 해결할 수 있는 합리적인 대안을 제시하고 있군.
③ 시의성이 있고 독자들의 관심이 큰 가짜 뉴스의 범람 현상에 대해 관련 정보를 추적하면서 심층 보도하고 있군.
④ 가짜 뉴스의 범위와 역사적 사례, 그리고 21세기형 가짜 뉴스의 특징 등을 통해 가짜 뉴스 현상의 실체에 접근하고 있군.
⑤ 가짜 뉴스에 대한 전문가의 문제 제기 및 전문가 집단의 발표 등을 인용하여 가짜 뉴스 논란에 대한 사회적 인식을 보여 주있군.

3. '역사 속의 가짜 뉴스'와 '21세기형 가짜 뉴스'의 차이로 가장 적절한 것은?

① 가짜 뉴스가 발생하게 된 이유
② 가짜 뉴스가 생산되는 시스템
③ 가짜 뉴스로 인한 폐해의 심각성
④ 가짜 뉴스가 유통되는 방식과 매체
⑤ 가짜 뉴스에 대한 인식과 대응 방안

서술형 학습 활동 응용

4. 이 글을 통해 알 수 있는 '가짜 뉴스'의 개념을 〈조건〉에 맞게 쓰시오.

〈조건〉
• 본문에 제시된 문장을 반영하여 서술할 것
• 50자 내외의 한 문장으로 쓸 것(띄어쓰기 포함)

본문 2 누가, 왜 가짜 뉴스를 만드나

마 가짜 뉴스 논란이 뜨겁지만 그 정체는 모호하다. 어떤 뉴스가 가짜였는지, 그것을 누가, 왜 만들었는지 아는 사람은 적다. 한 언론의 분석에 따르면, 2016년 미국 대선 기간 중 가짜 뉴스가 공유된 수는 870만 건이었다. 이는 주요 언론사 뉴스의 공유 수를 앞선 수치다. (거짓이 사실을 압도하는 사회라는 근거가 될 수 있음.) 많은 사람이 제대로 된 정보를 공유 받지 못했다는 말이다.

➜ 가짜 뉴스의 정체에 대한 논란

바 그런데 2016년 미국 대선을 흔든 가짜 뉴스 사태의 지리적 진원지는 황당하게도 마케도니아에 위치한 벨레스라는 소도시였다. 심지어 범인은 대부분이 도시에 거주하는 10대 후반 청소년이었다. 이들은 미국 극우 성향의 엉터리 뉴스 사이트나 누리 소통망의 글을 긁어모아 적절히 짜깁기하고 윤색해 가짜 뉴스를 만들었다. 한 소도시의 청소년들에게 전 세계가 농락을 당한 셈이다. 영국의 한 일간지가 조사한 바로는, 벨레스에서 100개 이상의 가짜 뉴스사이트가 개설, 운영되고 있었다.

■극단적으로 보수주의적이거나 국수주의적인 성향. 또는 그 성향을 가진 사람이나 세력

➜ 가짜 뉴스의 사례 – 미국 대선 기간 중 가짜 뉴스를 대량 유포한 마케도니아 벨레스의 청소년들

사 벨레스의 청소년들이 극우 성향의 뉴스를 생산한 이유는 단순하다. 그들이 정치적으로 특정 후보를 지지해서가 아니다. 그들은 누가 미국 대통령이 되든지 상관하지 않았다. 단지 교황이 누구를 지지하기로 했다거나, 어떤 후보가 테러 단체에 무기를 몰래 판매했다는 식의 가짜 뉴스가 돈이 되었기 (경제적 이익) 때문이다. 시장 논리에 따라 뉴스가 유통되는 과정에서 교황이 피해자로 이름을 올리게 될 것은 고민하지도 않았을 것이다.

➜ 벨레스 청소년들의 가짜 뉴스 유포 이유

아 도대체 왜 가짜 뉴스가 돈이 되는 걸까? 뉴스와 관련된 돈은 대부분 광고에서 발생한다. 하지만 광고주들이 가짜 뉴스 사이트에 직접 광고하지는 않는다. 모든 광고는 광고 중개 서비스를 통하는데, 광고주가 중개 업체에 돈을 지불하면, 중개 업체는 금액에 따라 광고를 배치한다. 높은 조회 수가 나오는 사이트일수록 높은 금액의 광고를 배치하는 식이다. 뉴스가 범람하는 상황에서 바쁜 현대인들은 선택과 집중을 할 수밖에 없기 때문에 눈길을 끄는 뉴스가 잘 팔리는 뉴스가 된다. 따라서 가짜 뉴스는 어떤 식으로든 눈에 띄어 '돈'이 되기 위해 (높은 조회 수를 기록하여 높은 금액의 광고를 배치 받기 위해) 자극적인 요소들을 포함하면서 소비자를 치밀하게 속인다. 설령 그 내용이 비윤리적이어도, 또 진실이 아니어도 개의치 않는다. 과정이야 어떻든 이윤만 내면 성공이기 때문이다. 이런 이유로 인해 대체로 혐오나 선동과 같은 자극적인 요소를 담아 만든 가짜 뉴스가 판을 치게 되며, 이는 결국 사회 구성원의 통합을 방해하고 극단주의를 초래하기까지 한다. (혐오나 선동을 담은 가짜 뉴스의 폐해)

➜ 가짜 뉴스 유포 동기와 그로 인한 폐해

> 본문 2: 가짜 뉴스가 만들어지는 이유와 그 사회적 폐해

보충 자료 가짜 뉴스로 돈 버는 '디지털 골드러시'

2016년 미국 대선 기간 중 트럼프에 편향된 가짜 뉴스를 가장 많이 쏟아냈던 곳 중 하나는 뜻밖에도 마케도니아의 소도시 벨레스였다. 컴퓨터를 능숙하게 다루는 10대 청소년들이 가짜 뉴스를 마구 찍어 내며 막대한 광고 수익을 올린 것이다. BBC와 인터뷰를 한 19세 청년은 미국 우익 사이트의 게시물을 복붙(복사하기+붙이기)해 만든 가짜 뉴스들로 월 평균 급여가 350유로인 마케도니아에서 월 1,800유로를 벌었다고 자랑했다. "사실이든 아니든 누가 신경 쓰나요? 미국인들이 어떻게 투표하든 상관없어요." BBC는 이러한 청소년들이 쓴 돈으로 거리 풍경까지 달라졌다며 이를 '디지털 골드러시'라고 명명했다. 글로벌 시대에는 한 국가의 선거가 그 국가만의 사건이 아닌 것이다. –「한국일보」

가짜 뉴스의 확산 속도

미국 매사추세츠공과대학(MIT)의 사이넌 아랄 연구팀은 300만 명의 트위터 사용자가 2006년부터 2017년까지 공유한 12만 6,000개의 뉴스 항목을 조사했다.

연구팀은 사설 검증 기관 6곳에 의뢰해 뉴스의 진실성을 판명했다. 이를 토대로 뉴스 항목을 비교 분석한 결과, 진실 뉴스가 가짜보다 더 느리게 그리고 더 적은 수의 사람에게 확산하는 경향을 확인했다. 이런 패턴은 정치, 연예, 경제를 비롯한 여러 뉴스 카테고리에서 공통으로 나타났다.

가장 널리 알려진 진실 뉴스라도 1,000명 이상에게 퍼지는 경우는 거의 없는 반면, 가장 드물게 알려진 가짜 뉴스라도 1,000명에서 10만 명 이상에게 전파됐다. 가짜 뉴스가 1,500명에게 퍼지는 속도는 진실보다 6배나 더 빨랐다.

–「과학향기」(2018. 4. 9)

어휘 풀이

진원지(震源地): 사건이나 소동 따위를 일으킨 근원이 되는 곳을 비유적으로 이르는 말.

마케도니아: 세르비아 남쪽에 있는 공화국. 농업이 주산업이며, 크롬, 아연 따위가 난다. 수도는 스코페(Skopje). 면적은 2만 5,714km².

윤색(潤色): 사실을 과장하거나 미화함을 비유적으로 이르는 말.

범람(汎濫): 바람직하지 못한 것들이 마구 쏟아져 돌아다님.

극단주의(極端主義): 모든 생각이나 행동이 한쪽으로 지나치게 치우치는 태도.

정답 및 해설 55쪽

1 (마)의 역할

- 가짜 뉴스 정체의 모호성
  → 어떤 뉴스가 가짜 뉴스인지, 누가 왜 만드는지 알지 못함.
- 가짜 뉴스의 범람 실태
  → 2016년 가짜 뉴스의 공유 수가 주요 언론사 뉴스의 공유 수를 앞지름(한 언론이 분석한 통계 자료 인용).

⬇

- 대중이 제대로 된 정보를 얻지 못하는 현실을 사실적으로 보여 줌.
- 가짜 뉴스 범람의 심각성에 대한 우리 사회의 경각심을 불러일으킴.

2 가짜 뉴스의 사례 분석

(바)	**마케도니아 소도시 벨레스 청소년들의 사례** 2016년 미 대선 관련 일부 가짜 뉴스가 벨레스 청소년들의 소행으로 밝혀짐.
(사)	**벨레스 청소년들이 가짜 뉴스를 생산한 이유** 벨레스 청소년들이 극우 성향의 뉴스를 생산한 이유는 누구를 지지하기 위한 정치적 목적이 아니라, 가짜 뉴스를 유포함으로써 얻을 수 있는 경제적 이익(돈)을 위해서였음.

3 '가짜 뉴스'의 발생 원인과 폐해 ①

	'광고 배치 과정'을 통한 가짜 뉴스의 생산
원인	광고주의 의뢰를 받은 광고 중개 서비스 업체는 금액에 따라 사이트에 광고를 배치함. ⬇ 뉴스가 범람하는 상황에서 바쁜 현대인들은 눈길을 끄는 뉴스를 보게 됨. ↓ 사람들의 눈길을 끌며 잘 팔리는 뉴스는 높은 조회 수를 기록하게 됨. ↓ 광고 중개 서비스 업체는 높은 조회 수를 기록하는 뉴스에 높은 금액의 광고를 배치함. ↓ 가짜 뉴스 생산자들은 높은 금액의 광고를 배치받기 위해 혐오, 선동 등 자극적인 요소를 담아 가짜 뉴스를 생산함. ↓ 가짜 뉴스를 만들어 높은 금액의 광고를 배치 받으면 경제적 이익(돈)을 얻게 됨.
폐해	사회 구성원의 통합을 저해하거나, 극단주의를 초래하기도 함.

학습 활동 응용

1. 이 글의 내용과 일치하지 않는 것은?

① 가짜 뉴스에 관한 많은 논란에도 불구하고 아직도 그 정체는 분명히 밝혀지지 않았다.
② 가짜 뉴스는 일반적인 시장 논리에 따르지 않고 유통되는 경우가 대부분인 것으로 밝혀졌다.
③ 일부 사례에서 밝혀진 가짜 뉴스의 생산 동기는 정치적 목적이 아니라 경제적 이익을 얻기 위해서였다.
④ 일부 언론의 분석에 의하면, 오늘날 많은 사람이 가짜 뉴스로 인해 제대로 된 정보를 공유 받지 못하고 있다.
⑤ 혐오나 선동과 같은 자극적인 요소를 담은 가짜 뉴스는 극단주의를 초래하는 등 우리 사회에 많은 폐해를 끼칠 수 있다.

2. '가짜 뉴스'가 만들어지는 과정으로 적절하지 않은 것은?

① 현대의 뉴스 소비자들은 눈길을 끄는 뉴스를 더 많이 보게 되며, 그 뉴스는 높은 조회 수를 기록한다.
② 광고주의 의뢰를 받은 광고 중개 서비스 업체는 조회 수가 많은 뉴스에 높은 금액의 광고를 배치한다.
③ 가짜 뉴스 생산자들은 뉴스의 조회 수를 높이기 위해 자극적인 요소를 담아 가짜 뉴스를 생산한다.
④ 가짜 뉴스 생산자들은 윤리성을 제외한, 사실이나 진실 여부 등을 전혀 개의치 않고 가짜 뉴스를 생산한다.
⑤ 가짜 뉴스 생산자들은 자신들의 가짜 뉴스에 높은 금액의 광고를 배치 받으면 그에 상응하는 큰 경제적 이익을 얻게 된다.

3. 이 글에서 (마)의 기능을 〈보기〉에서 골라 바르게 묶은 것은?

〈보기〉
ㄱ. 거짓이 진실을 압도하는 비정상적 현실이라는 현실 진단의 근거를 제공하고 있다.
ㄴ. 가짜 뉴스에 대한 대책을 마련하는 일이 아직은 시기상조라는 주장의 근거를 제공하고 있다.
ㄷ. 가짜 뉴스 범람의 심각성에 대한 사회적 경각심을 불러일으키기 위한 근거를 제공하고 있다.
ㄹ. 진실에 대한 사람들의 믿음과 신념이 가짜 뉴스에 대한 근본적인 해결책으로 작용할 수 있다는 근거를 제공하고 있다.

① ㄱ, ㄴ ② ㄱ, ㄷ ③ ㄴ, ㄷ ④ ㄴ, ㄹ ⑤ ㄷ, ㄹ

학습 활동 응용

4. 이 글을 읽고 다음 빈칸에 들어갈 말을 본문에서 찾아 2어절로 쓰시오.

이 글에 의하면, 가짜 뉴스가 생산되는 시스템을 움직이는 가장 중요한 요소는 '(　　), 높은 조회 수, 돈'이라고 할 수 있다.

필터 버블

'필터 버블(Filter Bubble)'은 인터넷 정보 제공자가 맞춤형 정보를 이용자에게 제공해 이용자는 필터링이 된 정보만을 접하게 되는 현상을 지칭한다. 이 용어는 미국의 시민 단체 무브온(Move on)의 이사장인 엘리 프레이저(Eli Pariser)가 쓴 『생각 조종자들(원제: The Filter Bubble)』에 등장하는 단어이다.

엘리 프레이저의 테드(Ted) 강연

"저는 진보적 정치 성향을 가지고 있습니다. 놀랄 만한 일인가요. 하지만 저는 늘 보수적 성향의 사람들을 만나려고 노력했습니다. 저는 그들이 생각하는 바를 경청하기 좋아합니다. 저는 그들이 연관된 것을 확인하기 좋아합니다. 저는 이것저것 배우는 것을 좋아합니다. 그래서 어느날 보수주의자들이 제 페이스북 화면에서 사라졌다는 것을 알았을 때 깜짝 놀랐습니다. 페이스북이 제가 어떤 링크를 클릭하는지 살펴보고 있었고, 그것은 실제로 제가 보수적 성향의 친구들보다 진보적 성향을 가진 친구들의 링크를 더 많이 클릭했다는 것을 나타내는 것이었죠. 그리고 제 의견을 묻지도 않고 페이스북은 그것을 편집해 버렸습니다. 그들은 사라졌죠."

교과서 날개 질문

가짜 뉴스의 확산이 사회적 폐해로 이어진 사례를 조사해 보자.

| 예시 답 | 미국에서 대규모 총격 사건이 발생한 후 범인의 범행 의도에 관한 가짜 뉴스가 퍼져서 이념 싸움으로 번지게 된 경우가 있다.

| 도움말 | 실제 국내외 사례를 조사하여 봄으로써 가짜 뉴스의 사회적 폐해에 관한 글 속의 정보가 우리의 현실과 동떨어진 것이 아님을 알 수 있다.

본문 3 **정보 처리 규칙의 함정, '필터 버블'**

자 누리 소통망의 정보 처리 규칙도 혐오와 차별, 극단적 주장을 확대 재생산하는 데 기여했다. 정보는 일정한 단계를 거쳐 선별적으로 전달된다. 이때 정보 처리 규칙은 이용자가 좋아하고 자주 보는 것 위주로 보여 주는 방식을 통해 개인 맞춤형 정보를 제공한다. 문제는 이 과정에서 개인의 편견과 고정 관념 역시 강화된다는 점이다. 이른바 '필터 버블(Filter Bubble)' 현상이 일어나는 것이다. 필터 버블은 정보를 제공하는 인터넷 검색 업체나 누리 소통망 등이 이용자 맞춤형 정보를 제공하는 과정에서 이용자가 특정 정보만 편식하게 되는 현상을 말한다. 이 용어를 처음 사용한 엘리 프레이저는 2011년 한 강연에서, 자신의 누리 소통망 계정에 보수 성향의 글이 올라오지 않는 이유는 정보 통신 업체 측이 자신의 이용 내역을 분석하는 정보 처리 규칙으로 보수 성향의 정보들을 걸러 냈기 때문이라고 지적했다.

(개인 맞춤형 정보 처리 규칙으로 인한 폐해)

→ 뉴스를 선택적으로 선별하는 필터 버블 현상

차 개인 맞춤형의 정보 처리 규칙은 정치·사회 분야의 뉴스와 만나 필터 버블 현상을 극대화한다. 진위 여부보다 자신의 호불호가 뉴스를 보고 믿는 기준으로 더 강력히 작용하다 보니 잘못된 사실이 진실의 자리를 차지하게 되는 것이다. 이때 가짜 뉴스의 소비는 일종의 심리적 보상 행위이기도 하다. 여론의 장에서 자신의 의견이 차지하는 위치를 확인하고 자기와 유사한 의견들만을 받아들임으로써 심리적인 불안정성을 제거하려는 행위인 것이다. 이 과정에서 확증 편향이 작용하고, 사실을 해석할 때도 편향적 결과를 낳는다. 이는 한쪽으로 쏠린 정치·사회 소식이 전체 여론을 호도할 수 있게 함으로써, 개인의 편견과 고정 관념을 넘어 민주주의를 위협하는 사회적 차원의 부정적 결과로 이어질 수 있다.

(정치·사회 분야에서 벌어지는 필터 버블 현상의 폐해)

(호도: 糊塗. 풀을 바른다는 뜻으로, 명확하게 결말을 내지 않고 일시적으로 감추거나 흐지부지 덮어 버림을 비유적으로 이르는 말)

→ 필터 버블 현상으로 인한 폐해

본문 3: 정보 처리 규칙으로 인해 발생하는 필터 버블 현상의 문제점

본문 4 **가짜 뉴스 걸러 내기**

카 2016년 미국 대선 이후, 가짜 뉴스의 유통과 확산이 민주주의에 악영향을 끼쳤다며 누리 소통망을 제공하는 기업을 비판하는 목소리가 나오기도 하였다. 실제로 이 기업들은 이미지에 부정적인 영향을 받아 장기적으로 기업 이익에 해를 입을 수 있다. 이에 정보 통신 기업들은 가짜 뉴스에 관한 책임감을 느끼고 해결에 나서고 있다. 이들은 가짜 뉴스의 심각성을 인정하고 자체적으로 언론 연구팀을 출범시켰다. 또 『이용자가 가짜 뉴스를 신고하면 유명 언론사나 비영리 언론 기관 등과 협력하여 내용에 관한 사실 검증을 하고, 가짜 뉴스로 판명될 경우에는 다른 이용자들이 이 뉴스를 공유할 때 경고 메시지가 뜨면서 정보 처리 과정에서도 제외되는 방식으로 가짜 뉴스 걸러 내기』를 시도하고 있다.

(정보 통신 기업들이 시도하는 가짜 뉴스 해결책 ①)

(『 』: 정보 통신 기업들이 시도하는 가짜 뉴스 해결책 ② (신고 → 사실 검증 → 판별 → 가짜 뉴스 공유 시 경고 및 제외))

→ 정보 통신 기업들의 자정 노력

타 하지만 이 같은 조치들이 얼마나 실효성이 있을지는 두고 볼 일이다. 『이용자의 사후 신고에 기댄 사실 검증으로는 가짜 뉴스의 생산과 확산 속도를 따라잡기 어렵기 때문이다. 광고 중개 업체의 과도한 수익성을 제한하는 구체적인 실행 방안이 마련되어야 하지만, 물론 이것이 쉬운 일은 아닐 것이다.』

(『 』: 정보 통신 기업들의 대책이 지닌 한계)

→ 정보 통신 기업들의 자정 노력이 갖는 한계

파 요즘 우리나라도 갖가지 사회적 혼란을 초래하는 가짜 뉴스의 단속을 강화하고 있다. 그러나 처벌에만 초점을 맞춘 대응책은 가짜 뉴스의 근본적인 차단에 한계를 드러낼 수밖에 없다. 정부 당국에만 맡겨 둘 일도 아니다. 『가짜 뉴스를 걸러 내고 점차 줄여 나가기 위해서는 우리 모두가 정보 통신 기업들의 개인 맞춤형 정보 처리 규칙에 관해 지속적으로 관심을 갖고, 상업적으로 뉴스가 소비되는 환경을 비판적으로 바라볼 수 있어야 한다.』

『 』: 뉴스 소비자들의 지속적 관심과 비판적 수용 필요

➔ 가짜 뉴스 확산 방지를 위한 개인들의 노력 필요

본문 4: 최근 정보 통신 기업들의 자정 노력과 뉴스 소비자의 비판적 수용 필요성

어휘 풀이

확증 편향(確證 偏向): 자신의 신념과 일치하는 정보는 받아들이고 신념과 일치하지 않는 정보는 무시하는 경향.

출범(出帆): 단체가 새로 조직되어 일을 시작함을 비유적으로 이르는 말.

핵심 쏙쏙

1 '가짜 뉴스'의 발생 원인과 폐해 ②

'정보 처리 규칙'을 통한 가짜 뉴스의 확대 재생산

원인

정보 제공 업체(인터넷, 누리 소통망)는 '정보 처리 규칙'에 의해 이용자 맞춤형 정보를 제공함(이용자가 좋아하고 자주 보는 것 위주로 정보를 제공함.).

↓

- 이 과정에서 혐오와 차별, 극단적 주장과 같은 자극적인 가짜 뉴스가 확대 재생산되어 이용자에게 제공됨.
- 이용자는 진위 여부보다 자신의 호불호를 기준으로 뉴스를 수용함.

폐해

'필터 버블' 현상이 발생하고 극대화됨.
(이용자 맞춤형 정보 제공 과정에서 특정 정보만 편식하게 되는 현상)

↓

- 이용자의 편견과 고정 관념이 강화됨.
- 가짜 뉴스의 소비를 통해 심리적 보상을 얻고, 이 과정에 확증 편향이 작용함.
- 정치·사회 분야의 편향된 가짜 뉴스는 전체 여론을 호도함으로써 개인과 사회에 부정적 결과를 초래함.

2 가짜 뉴스의 유통 및 확산에 대한 대응책

정보 통신 기업들의 자정 노력
(이용자의 '신고'와 기업의 '사실 검증' 체계)

⬇

대책의 한계(실효성에 대한 의문)

사후 신고에 의존하는 사실 검증은 가짜 뉴스의 생산과 확산 속도를 따라잡을 수 없음.

⬇

뉴스 소비자의 올바른 수용 태도

개인 맞춤형 '정보 처리 규칙'에 대한 지속적 관심과 비판적 수용의 필요성

정답 및 해설 55쪽

확인 문제③

1. 이 글을 읽고 답할 수 있는 질문이 아닌 것은?

① 가짜 뉴스의 발생 원인
② 가짜 뉴스의 사회적 폐해
③ 가짜 뉴스의 개인적 폐해
④ 가짜 뉴스에 대한 정부의 대책
⑤ 가짜 뉴스에 대한 개인의 대응책

2. '필터 버블' 현상에 대한 설명으로 적절하지 않은 것은?

① '필터 버블' 현상이 발생하는 과정에서 개인의 편견과 고정 관념이 강화된다.
② '필터 버블' 현상이 발생하는 과정에서 개인 맞춤형 정보 처리 규칙이 수정되기도 한다.
③ '필터 버블'은 인터넷이나 누리 소통망의 이용자가 특정 정보만 편식하는 현상을 말한다.
④ '필터 버블' 현상은 개인 맞춤형 정보 처리 규칙이 정치·사회 분야의 뉴스와 만날 때 극대화된다.
⑤ '필터 버블' 현상은 누리 소통망의 정보 처리 규칙에 의해 개인 맞춤형 정보가 제공되는 과정에서 발생한다.

학습 활동 응용

3. 다음은 이 글을 바탕으로 누리 소통망과 관련된 몇 가지 질문에 답을 한 것이다. 적절하지 않은 것은?

①	누리 소통망은 모든 사람에게 공평한 정보를 제공하는가?	→	예/아니요(○)
②	누리 소통망은 개인의 편견을 바꾸는 데 기여할 수 있는가?	→	예/아니요(○)
③	누리 소통망은 가짜 뉴스에 대한 비판적 수용이 가능한 환경을 제공하고 있는가?	→	예(○)/아니요
④	누리 소통망의 가짜 뉴스를 소비하는 과정에서 개인의 확증 편향이 작용하는가?	→	예(○)/아니요
⑤	누리 소통망에서 제공되는 정치 분야 뉴스는 여론을 호도하고 민주주의를 위협하는 결과를 초래할 수 있는가?	→	예(○)/아니요

학습 활동

교과서 228~231쪽

깊게 읽기

1. 이 글에서 가짜 뉴스의 정의가 인용된 부분을 찾아 옮겨 적고, '21세기형 가짜 뉴스'가 출현하게 된 사회적 배경을 정리해 보자.

√ **가짜 뉴스란?**
정치·경제적 이익을 위해 의도적으로 언론 보도의 형식을 하고 유포된 거짓 정보

√ **'21세기형 가짜 뉴스'의 출현 배경**
대중들이 뉴스를 접하는 주요 경로가 디지털 매체로 바뀌면서 국제적인 정보 통신 기업들이 뉴스를 중개하는 일을 도맡게 된 사회적 변화와 관련이 있다.

2. 다음 활동을 통해 필자의 관점을 파악해 보자.

(1) 이 글에서는 가짜 뉴스가 개인과 사회에 어떤 해를 끼친다고 했는지 정리해 보자.

| 예시 답 | 필자는 개인의 호불호에 의해 선택적으로 소비되는 가짜 뉴스가 편견과 고정 관념을 조장하며, 이윤을 위해 자극적인 요소를 포함한 가짜 뉴스는 사회적 통합을 방해하고 극단주의를 초래한다고 언급하고 있다.

(2) 최근 정보 통신 기업들이 시도하고 있는 가짜 뉴스 걸러 내기에 관한 필자의 견해를 파악해 보자.

| 예시 답 | 이용자의 사후 신고에 의해 사실 검증을 하는 방식으로는 가짜 뉴스의 생산과 확산 속도를 따라잡기 어렵다고 보고 있다. 또 광고 중개 업체가 과도한 수익을 얻지 못하게 해야 하는데 구체적 실행 방안 마련이 쉽지 않을 것이라고 생각하고 있다.

(3) 필자는 가짜 뉴스의 폐해를 줄이기 위해서 뉴스 수용자가 어떤 태도를 지녀야 한다고 보았는지 적어 보자.

| 예시 답 | 필자는 뉴스 사용자가 정보 통신 기업들이 누리 소통망의 정보를 개인 맞춤형으로 처리하는 규칙에 관해 지속적으로 관심을 가지면서, 뉴스의 상업적 소비 환경을 비판적으로 바라볼 수 있어야 한다고 하였다.

3. 이 글에서는 가짜 뉴스가 생산되는 가장 중요한 원인으로 무엇이 제시되어 있는지 쓰고, 또 다른 원인을 찾는다면 무엇이 있을지 자기 생각을 말해 보자.

| 예시 답 | 필자는 가짜 뉴스가 만들어지는 원인이 광고를 통한 경제적 수익을 얻으려는 욕망이라고 보고 있다. 그러나 그 외에도 누리 소통망을 통해 세상의 관심을 끌고 자기를 알리거나 인정을 받고자 하는 욕구, 다른 사람들을 그럴듯하게 속여 보고 싶은 비뚤어진 호기심이나 장난기, 거짓 소문을 냄으로써 자신들에게 돌아올 정치적·사회적 이익 등이 또 다른 원인으로 작용할 수 있을 것이다.

활동 도움말
가짜 뉴스가 생산되고 확산되는 매체의 특성을 다양한 측면에서 떠올려 본다.

4. 다음 글을 읽고, 누리 소통망을 통한 정보 수용의 바람직한 방법과 관련하여 아래 활동을 해 보자.

공론장은 이용자 참여에 의해 사적 영역과 연결되는 사회적 공간으로, 개인이 사회 문제들을 쉽게 감지할 수 있게 해 주어 국가와 시민 사회를 매개하면서 여론을 형성한다. 이렇게 볼 때, 누리 소통망도 정보가 여러 사람들에게 공개·전파될 뿐만 아니라 정보가 역동적으로 형성되고 감성적 동조를 이끌어 낸다는 점에서 공론장의 하나라고 할 수 있다. 이러한 누리 소통망을 통한 공론장에서는 뉴스의 가치가 언론사에 의해 지정되지 않고, 이용자가 뉴스의 중요도를 판단하는 주체가 된다.

(공론장의 개념 / 공론장의 기능 / 누리 소통망을 공론장으로 볼 수 있는 이유 / 공론장으로서 누리 소통망이 지닌 특성)

➔ 공론장으로서 누리소통망의 특성과 이용 주체의 성격

– 김유정, 「누리 소통망과 정치」에서

제재 연구

김유정, 「누리 소통망과 정치」

갈래	설명문
성격	사실적
제재	공론장과 누리 소통망
주제	누리 소통망에서 뉴스의 중요도 판단의 주체는 언론사가 아닌 이용자임.
특징	주요 용어의 개념을 정의하여 독자의 이해를 도움.

(1) 신문이나 텔레비전 같은 전통적 뉴스 매체와 비교할 때 누리 소통망이 지닌 강점과 약점은 무엇일지 써 보자. | 예시 답 | 누리 소통망은 기존의 전통적 뉴스 매체들에 비해 훨씬 신속하게 여론을 형성하고 전파할 수 있으며, 대중이 뉴스를 일방적으로 전달받는 존재가 아니라 뉴스의 가치를 매기고 나아가 뉴스를 생산할 수 있는 능동적인 존재가 될 수 있게 도와준다는 점에서 공론장으로서의 강점을 지녔다. 그러나 누리 소통망을 통해 형성된 여론은 연속성을 띠지 못하고 빨리 소멸되기도 하고, 누리 소통망에서는 이슈의 본질에서 벗어난 의견이 지나치게 분분할 수 있다는 약점도 존재한다.

(2) 누리 소통망을 통해 공유한 뉴스에 관한 친구 간의 대화에서 빈칸에 들어갈 내용을 써 보자.

활동 도움말

뉴스 내용 중에 어색하거나 이상한 점은 없는지, 상식에 비추어 볼 때 공정성, 타당성, 윤리성 등에 문제가 될 만한 부분은 없는지 생각해 본다.

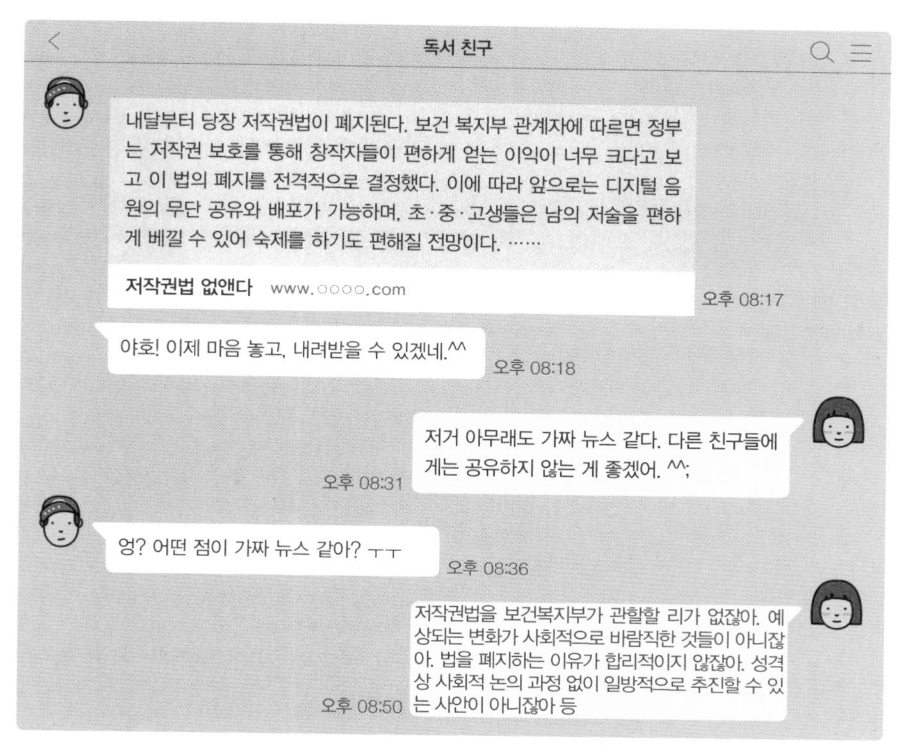

제재 연구

김인철, 「"기사인지 광고인지"……」

갈래	기사문
성격	사실적
제재	기사형 광고
주제	기사형 광고가 기승을 부리고 있는 사회 현상의 문제점
특징	구체적인 자료를 인용하여 근거를 제시함.

언론 중재 위원회: 언론 매체의 보도로 인한 피해자의 권익을 보호하기 위해 1981년에 설립한 법정 기관. 주로 피해자들의 반론 보도, 정정 보도, 추후 보도 및 손해 배상 청구에 관한 사건을 접수하여 조정하거나 중재하고, 언론 보도로 인한 침해 사항을 심의하는 일을 함.

넓혀 읽기

5. 다음 자료를 읽고 아래 활동을 해 보자.

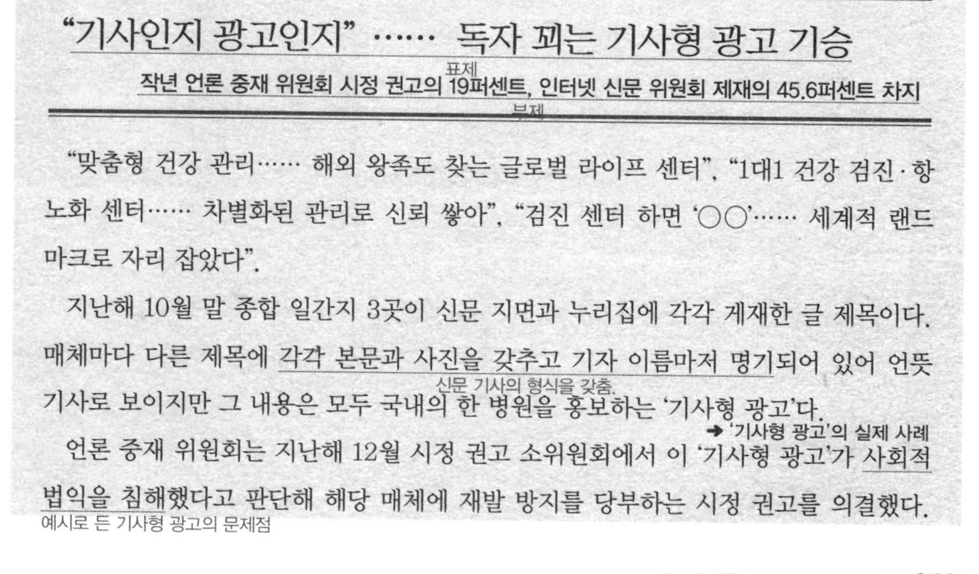

"기사인지 광고인지"…… 독자 꾀는 기사형 광고 기승

표제

작년 언론 중재 위원회 시정 권고의 19퍼센트, 인터넷 신문 위원회 제재의 45.6퍼센트 차지

부제

"맞춤형 건강 관리…… 해외 왕족도 찾는 글로벌 라이프 센터", "1대1 건강 검진·항노화 센터…… 차별화된 관리로 신뢰 쌓아", "검진 센터 하면 '○○'…… 세계적 랜드마크로 자리 잡았다".

지난해 10월 말 종합 일간지 3곳이 신문 지면과 누리집에 각각 게재한 글 제목이다. 매체마다 다른 제목에 각각 본문과 사진을 갖추고 기자 이름마저 명기되어 있어 언뜻 기사로 보이지만 그 내용은 모두 국내의 한 병원을 홍보하는 '기사형 광고'다.

신문 기사의 형식을 갖춤.

➜ '기사형 광고'의 실제 사례

언론 중재 위원회는 지난해 12월 시정 권고 소위원회에서 이 '기사형 광고'가 사회적 법익을 침해했다고 판단해 해당 매체에 재발 방지를 당부하는 시정 권고를 의결했다.

예시로 든 기사형 광고의 문제점

기운이나 힘 따위가 성해서 좀처럼 누그러들지 않음. 또는 그 기운이나 힘.

이처럼 독자들을 현혹하는 '기사형 광고'가 점차 기승을 부리고 있다.

➔ 각종 매체에서 독자를 현혹하는 '기사형 광고'

19일 언론 중재 위원회와 인터넷 신문 위원회 등에 따르면 지난해 언론 중재 위원회가 언론 보도와 관련해 시정 권고를 의결한 912건 가운데 19.0퍼센트인 173건이 이 같은 '기사형 광고'다. 이는 2015년의 95건에 비하면 약 2배로 늘어난 것이다.

➔ 언론 중재 위원회의 시정 권고를 받은 '기사형 광고'의 증가 추세

인터넷 신문 위원회의 자율 제재를 받은 '기사형 광고'는 훨씬 많다. 지난해 위원회가 기사 심의에서 경고·주의·권고 등을 의결한 조항별 위반 건수 3천 229건 중 '기사형 광고'가 45.6퍼센트인 1천 473건으로 가장 많았다. 2015년 전체 위반 건수 3천 214건 중 1천 356건(42.2퍼센트)이었던 것과 비교하면 건수와 비율 모두 늘어난 것이다.

➔ 인터넷 신문 위원회의 자율 제재를 받은 '기사형 광고'의 증가

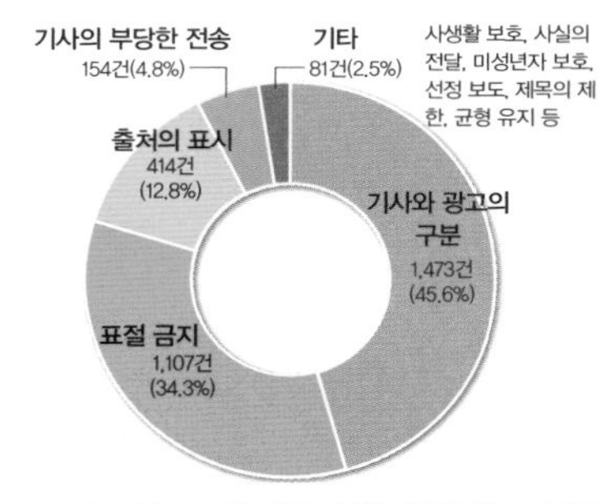

▲ 2016년도 인터넷 신문 위원회 조항별 심의 위반 현황

특히 '기사형 광고'는 비교적 영세한 인터넷 신문에서 횡행하고 있다. 지난해 언론 중재 위원회의 '기사형 광고' 시정 권고 가운데 인터넷 신문이 144건으로 대부분을 차지했다.

➔ 영세한 인터넷 신문에서 게재 빈도가 높은 '기사형 광고'

현행 '신문 등의 진흥에 관한 법률'과 언론 중재 위원회의 '시정 권고 심의 기준' 등에는 '독자가 기사와 광고를 혼동하지 아니하도록 명확하게 구분하여 편집하여야 한다'고 규정되어 있다.

➔ '기사형 광고' 제재 기준이 되는 규정

○○○ 언론 중재 위원회 홍보팀장은 위원회 소식지 『언론 사람』 최근 호에서 "기사형 광고는 독자들이 평범한 기사로 착각할 가능성이 크다."라며 "기사형 광고를 기사로 볼 것인지 광고로 볼 것인지 단정할 수 없는 문제지만, 분명한 것은 언론사가 거기에 상응하는 책임을 져야 한다는 것"이라고 밝혔다.

신문 기사에 대한 신뢰성을 이용할 가능성이 커짐.

➔ '기사형 광고' 게재에 관한 언론사의 책임

– 『연합뉴스』, 2017. 3. 19.

(1) 기사형 광고와 가짜 뉴스가 어떤 점에서 서로 비슷하거나 다른지 자기 생각을 말해 보자.

| 예시 답 | 두 가지 모두 경제적 이익을 목적으로 하며 정보 수용자에게 피해를 줄 위험이 크다는 점이 비슷하지만, 기사형 광고의 내용은 가짜 뉴스와 달리 거짓말이 아닐 가능성도 있다.

활동 도움말

독자가 광고를 기사로 오인했을 때 어떤 일이 벌어질 수 있는지 생각해 본다.

(2) 어떤 기사형 광고가 제재 대상이 되는지 설명하고, 그것이 제재를 받아야 하는 이유를 제시해 보자.

| 예시 답 | 기사인지 광고인지 명확히 구별이 되도록 작성·편집되지 않은 기사형 광고가 제재의 대상이 된다. 그것을 읽은 독자가 특정 제품에 관한 광고 내용을 공정하고 객관적인 정보로 오인함으로써 그릇된 소비를 하거나 피해를 입는 경우가 생길 수 있기 때문에 심의를 통해 제재를 받아야 하는 것이다.

활동 도움말

해당 광고와 관련된 제도의 측면, 광고 제작과 유통의 측면, 수용의 측면 등으로 나누어 토의를 진행해 본다.

토의 활동

(3) 위의 기사가 다루고 있는 문제 상황을 해결하기 위해서 정부 당국, 광고주, 언론사, 독자는 각각 어떤 노력을 해야 할지 모둠별로 토의한 뒤 그 결과를 정리해 보자. **| 예시 답 |**

- **정부 당국:** 정확한 심의 기준과 엄격한 처벌 규정을 마련하고 공정하게 집행해야 한다.
- **광고주:** 당장의 이익을 위해 소비자를 현혹하는 정보를 담는 행위를 하지 않아야 한다.
- **언론사:** 독자들의 피해가 발생할 경우 해당 언론사의 신뢰도가 낮아질 수 있음을 명심하여 기사형 광고의 게재를 자제해야 한다.
- **독자:** 신문 기사에 관한 매체 독해력을 높여 사실과 의견, 참과 거짓, 취재와 광고 등을 명확히 구별할 수 있는 힘을 길러야 한다.

소단원 출제 포인트

가짜 뉴스 _ 뉴스의 얼굴을 한 흑색선전

1 전체 글의 개관

갈래	기사문(기획 기사)	성격	분석적, 논리적, 비판적 예시적, 인용적
제재	가짜 뉴스	주제	21세기형 가짜 뉴스의 특징과 발생 원인 및 해결 방안
특징	① 다양한 실제 사례들을 활용하여 논지를 뒷받침함. ② 주요 용어들의 개념을 정의하여 독자의 이해를 도움. ③ 가짜 뉴스의 생산·유포는 물론 정보 통신 기업들의 자정 노력에 대해서도 비판적 관점을 유지함.		

2 21세기형 가짜 뉴스의 특징과 출현 배경

특징	• 국제적인 정보 통신 기업이 논란의 중심에 있음. • 대중적인 매체에 '정식 기사'의 형태로 유포됨으로써 유통 및 확산이 쉽게 이루어짐.
출현 배경	• 대중이 뉴스를 접하는 경로가 신문 , 방송 등 전통적 매체에서 인터넷, 누리 소통망 등의 디지털 매체로 변경됨. → 디지털 뉴스 중개자로 급부상한 국제적인 정보 통신 기업들이 가짜 뉴스의 온상지가 됨.

3 가짜 뉴스의 발생 원인과 폐해

원인과 폐해 ①	• [원인] '광고 배치 과정'을 통한 가짜 뉴스의 생산 광고 중개 서비스 업체는 높은 조회 수를 기록하는 뉴스에 높은 금액의 광고를 배치함. ➡ 가짜 뉴스 생산자들은 높은 금액의 광고를 배치 받기 위해 혐오, 선동 등 자극적인 요소를 담아 가짜 뉴스를 생산함. ➡ 가짜 뉴스를 만들어 높은 금액의 광고를 배치 받으면 경제적 이익(돈)을 얻게 됨. • [폐해] 사회 구성원의 통합을 저해하거나, 극단주의를 초래하기도 함.
원인과 폐해 ②	• [원인] '정보 처리 규칙'을 통한 가짜 뉴스의 확대 재생산 • 정보 제공 업체는 '정보 처리 규칙'에 의해 이용자 맞춤형 정보를 제공함. • 이용자는 자신의 호불호를 기준으로 뉴스를 수용함. ➡ 이 과정에서 혐오와 차별, 극단적 주장과 같은 자극적인 가짜 뉴스가 확대 재생산되어 이용자에게 제공됨. • **[폐해] '필터 버블' 현상이 발생하여 이용자의 편견과 고정 관념이 강화되고, 개인과 사회에 부정적 결과를 초래함.**

4 '가짜 뉴스'의 유통 및 확산에 대한 대응책

이용자의 '신고'와 기업의 '사실 검증' 체계에 의한 정보 통신 기업들의 자정 노력 ➡ 사후 신고에 의존하는 사실 검증은 가짜 뉴스의 생산과 확산 속도를 따라잡을 수 없어 그 실효성에 한계가 있음. ➡ 뉴스 소비자는 개인 맞춤형 '정보 처리 규칙'에 대한 지속적 관심과 뉴스 정보에 대한 비판적 수용이 필요함.

내신 적중 문제

정답 및 해설 56쪽

[01 - 04] 다음 글을 읽고 물음에 답하시오.

· 차례 ·

1. 「모나리자」를 그린 작가, 레오나르도 다빈치
㉠ 2. 「모나리자」의 제작 과정과 방법
3. 「모나리자」의 모델에 관한 논란들
4. 후대 예술가에게 영감을 주는 「모나리자」
5. 아직도 지속되는 「모나리자」에 관한 논란들

2. 「모나리자」의 제작 과정과 방법

「모나리자」는 아시아에서 아메리카에 이르기까지 모든 사람들을 놀라게 한 작품이다. 이 작품에 비하면 「밀로의 비너스」나 시스티나 성당도 그냥 그 지역에서만 유명한 작품일 뿐이다. 모나리자 우편엽서는 관광지의 사진을 담은 우편엽서만큼이나 많이 팔리고 있으며, 전 세계의 미해결 살인 사건을 좇는 탐정들만큼이나 많은 연구자가 이 작품의 수수께끼를 푸는 일에 매달렸다.

– 로이 맥멀런, 1976

「모나리자」를 이해하려는 시도는 항상 한 가지 역설에 부딪히게 된다. 그 역설이란 바로 세상에서 가장 유명한 이 작품에 대해서 확실히 알려진 것이 거의 없다는 사실이다. 그러므로 이 작품을 이해하려면, 지난 수 세기 동안 이 작품에 대해 쏟아졌던 과장된 말들에 속지 않기 위해서라도 검증이 가능한 작품의 인체 묘사나 기술적인 면에서부터 시작해야 한다.

사람들 사이에 「모나리자」라는 제목으로 알려진 이 그림은 패널에 유화로 그려졌다. 패널은 초기 르네상스 화가들이 선호했던 백색 포플러 나무로 제작된 것인데, 크기는 요즘 사용되는 척도로 말하면 77×53센티미터이다. 실제 작품을 처음 본 사람들은 크기가 생각보다 작아서 놀라기도 한다.

[A] 하지만 옛날 기록을 보면 원래 인물 양쪽으로 고전적인 기둥이 서 있었다고 한다. 지금은 작품의 양쪽에 기둥이 서 있었다는 증거를 찾아볼 수 없지만, 어쨌든 우리로서는 17세기 초에 어떤 생각 없는 기술자가 액자를 만들면서 작품 양쪽 몇 인치를 잘라 냈을 것이라고 짐작할 수밖에 없다.

레오나르도 다빈치가 『회화론』에서 제시한 방법을 보면, 패널 자체도 꽤 복잡하고 힘든 과정을 거쳐 제작되었던 것으로 보인다. 이 책에 따르면, 먼저 나무에 유향과 테레빈유 그리고 납 성분과 석회가 섞인 약품을 바르고, 이어서 알코올과 비소 혹은 수은과 염화물을 바른다. 그리고 마지막으로 잘 정제하여 끓인 기름을 바르는데, 각각의 약품들을 바를 때마다 중간중간에 바니시와 흰색 납을 칠해야만 한다.

이렇게 패널의 표면이 완성되면 패널에 남아 있을지도 모르는 기름기를 빼기 위해 소변으로 한 번 닦아 내고 미색 종이처럼 보일 때까지 갈고 또 갈았다. 엑스선 검사를 비롯해 루브르 연구실에서 행한 몇 가지 검사에 따르면 안료를 매우 유동적인 기름에 섞어서 사용했기 때문에 몇 번이고 덧칠해 가면서 작품을 그렸을 가능성이 높다고 한다. 이는 유화의 선구자였던 15세기 플랑드르 화가들이 사용했던 방법과 유사하다.

01 이 글의 서술 방식으로 가장 적절한 것은?

① 관련 인물의 저술을 인용하여 작품의 제작 과정을 추론하고 있다.
② 유추의 방식을 활용하여 작품의 제작 과정과 방법을 추론하고 있다.
③ 대상에 대한 다양한 논의들이 어떻게 이루어져 왔는지를 분석하고 있다.
④ 상반되는 몇 가지 관점의 차이를 분석하면서 작품의 내용을 설명하고 있다.
⑤ 작품에 대한 기존 논의의 문제점을 비판하면서 새로운 해석을 제시하고 있다.

02 이 글을 읽고 「모나리자」의 기술적인 제작 과정에 대해 추론한 내용으로 적절하지 않은 것은?

① 패널에 유화를 사용하여 그렸다.
② 패널은 백색 포플러 나무로 제작되었다.
③ 패널의 표면에는 적당한 기름기를 입혔다.
④ 패널은 복잡하고 힘든 과정을 거쳐 제작되었다.
⑤ 패널에 그림을 그릴 때는 반복적으로 덧칠을 하였다.

고난도 | 학습 활동 응용

03 [A]에 나타난 필자의 생각을 정리할 때, 적절하지 않은 것은?

① 지금은 인물 양쪽으로 기둥이 서 있었다는 증거를 찾을 수가 없다.
② 원래 인물 양쪽으로 기둥이 서 있었음을 기록으로 짐작할 수 있다.
③ 어떤 생각 없는 기술자가 액자를 만드는 과정에서 작품의 양쪽 일부를 잘라내 양쪽 기둥이 사라졌을 것이다.
④ 원래 인물 양쪽으로 기둥이 서 있었다는 사실을 추측할 때 지금보다 이전의 패널 크기는 컸을 것이다.
⑤ 인물 양쪽으로 기둥이 서 있었다는 기록에 대한 구체적인 출전을 명시하는 것은 「모나리자」 이해에 중요하지는 않다.

서술형

04 ㉠에 나타난 전자책의 기능을 〈조건〉에 맞게 쓰시오.

〈조건〉
- 비순차적인 검색이 가능한 하이퍼텍스트의 성격을 고려하여 서술할 것
- 30자 내외의 한 문장으로 쓸 것(띄어쓰기 포함)

[05-07] 다음 글을 읽고 물음에 답하시오.

(가) 「모나리자」를 그리던 당시의 과정을 적어 놓은 기록은 없다. 하지만 마테오 반델로라는 작가가 「최후의 만찬」을 그리던 당시의 레오나르도에 대해 적어 놓은 글을 보면, 「모나리자」를 그리는 작업이 아주 천천히 진행되었음을 짐작할 수 있다.

> 이른 아침부터 그가 작업대에 올라가는 것을 여러 차례 보았다. 그는 동이 틀 무렵부터 해가 질 때까지 붓을 내려놓지 않고, 끼니를 거르면서까지 작업에 열중하곤 했다. 하루를 그렇게 일하고 나면 다음 사나흘은 작품에 손을 대지 않고 몇 시간 동안 지켜보면서 스스로 작품을 검토했다. 〈하략〉

(나) 초상화에서 인물을 배경보다 높게 배치하는 방식은 오늘날에는 전형적인 것으로 받아들여지고 있지만, 레오나르도의 시대에만 하더라도 매우 드문 방식이었다. 이에 관한 이탈리아에서의 선구적인 작품은 ㉠ 피에로 델라 프란체스카의 「몬테펠트로 딥틱」이다.

하지만 이 작품과 「모나리자」를 비교해 보면 비슷한 점보다는 차이점이 더 많다는 것을 쉽게 알 수 있다(다른 건 다 제쳐 두더라도 머리를 표현하는 방식이 너무 다르다.). 사실 초상화의 배경으로 풍경을 사용하는 것은 플랑드르 지방에서 유래한 것으로, 얀 반 에이크나 한스 멤링 같은 화가들이 즐겨 사용한 방식이다. 풍경에 등장하는 청록색의 낭떠러지 또한 플랑드르 지방의 작품이나—매우 흥미롭게도—동양의 두루마리 그림을 생각나게 한다.

「모나리자」에서는 신비로운 유려함을 통해 풍경과 인물이 하나가 되고 있는데, 이는 "모든 것은 자신이 아닌 다른 무엇에서부터 비롯된 것이므로, 세상의 어떤 것이든 다른 것으로 바뀔 수 있다."라는 레오나르도의 확신과 일맥상통하는 것이다.

05 (가), (나)에 대한 설명으로 가장 적절한 것은?

① (가)는 직관적인 통찰을 통해, (나)는 논리적인 분석을 통해 내용을 전개하고 있다.
② (가)는 일상적 체험을 바탕으로, (나)는 내면적 사유를 바탕으로 내용을 전개하고 있다.
③ (가)는 관련 인물의 글을 인용하면서, (나)는 다른 작품과 비교하면서 내용을 전개하고 있다.
④ (가)와 (나)는 모두 대상에 대한 새로운 시각을 통해 내용을 전개하고 있다.
⑤ (가)와 (나)는 모두 관련된 구체적 사례를 제시하면서 내용을 전개하고 있다.

06 (나)의 내용을 볼 때, ㉠을 인용한 의도로 가장 적절한 것은?

① 「모나리자」의 구도상 특징을 설명하기 위해
② 「모나리자」의 신비로운 분위기를 설명하기 위해
③ 「모나리자」의 초상에 대한 특징을 설명하기 위해
④ 「모나리자」에 나타난 작가의 사상을 설명하기 위해
⑤ 「모나리자」에 나타난 미학적 이상을 설명하기 위해

서술형

07 **다음의 '활동'을 수행한 후 그 결과를 〈조건〉에 맞게 쓰시오.**

[활동] 이 그림은 피에로 델라 프란체스카의 「바티스타 스포르차」이다. 이 작품과 레오나르도 다빈치의 「모나리자」의 공통점을 알아보자.

〈조건〉
- 본문의 표현을 사용하여 공통점 두 가지를 서술할 것
- 각각 25~30자 내외의 문장으로 쓸 것(띄어쓰기 포함)

[08-09] 다음 글을 읽고 물음에 답하시오.

묘하게도 작품 속의 공간들은 하나로 일치되어 있는 것같이 보이는데, 예를 들면 이 작품을 보는 이는 여인이 앉아 있는 의자를 쉽게 알아볼 수가 없다. 레오나르도는 르네상스의 화가들이 좋아했던 단선적 원근법을 버리고 그 자신이 ⓐ'공기 중의 원근법'이라고 불렀던 독특한 투시법을 사용했다. 즉, 경계선을 흐릿하게 하고 밝은 색을 사용함으로써 작품 속의 공간이 뒤로 물러나는 듯한 환상이 들게끔 한 것이다.

레오나르도는 열정으로 가득 차서 쓴 자신의 글에서, 소우주와 대우주 사이의 유사성에 깊은 관심을 두었던 르네상스의 시대정신에 따라 회화에서 ㉠대지를 표현하는 것과 ㉡인간의 몸을 표현하는 것이 얼마나 유사한 것인지를 밝히고 있다.

> 고대인들은 인간의 몸을 세계의 축소판이라고 불렀는데, 이는 매우 정확한 표현이다. 인간의 몸이 흙과 물, 공기 그리고 불로 이루어져 있는 이상 그것은 대지를 닮았다고 할 수 있다.

특히 "물결이 일어나는 모습과 머리카락의 결이 비슷하다."라는 그의 섬세한 관찰은, 흐르는 물을 연상시키는 「모나리자」의 섬세하게 일렁이는 머릿결을 보면 알 수 있다. 목선을 따라 왼쪽 가슴까지 늘어진 머릿결을 한 번 보라. 작품의 구도 면에서도 그림의 왼쪽에 나 있는 구불구불한 길은 그녀의 목선과 닮았으며, 오른쪽에 보이는 다리는 마치 그녀가 왼쪽 어깨에 두르고 있는 천과 이어져 있는 것처럼 보인다.

무엇보다도 인물과 배경의 일체감은 레오나르도만의 독창적인 회화 방식에 의해서 가능해졌다. 레오나르도 자신이 즐겨 사용했던 ⓑ'스푸마토'라는 말은 이탈리아어로 '흐릿한' 혹은 '자욱한'이란 뜻으로, 특별한 명암법, 즉 밝은 톤에서 점차 어두운 톤으로 변화시키면서 분명하지 않은 색을 제한적으로 사용해서 경계를 없애는 방법이다. 이 방법을 사용하면 사실상 그림에서 선을 찾아볼 수 없게 된다.

15세기 유화의 도입 덕택에 가능해진 이 방식은 레오나르도에 의해 한층 더 발전하게 된다. 그는 "경계선은 사물에서 가장 중요하지 않은 부분이다. 화가들이여! 뚜렷한 선으로 대상의 경계를 짓지 마시라."라고 말했다.

「모나리자」가 그 유명한 표정의 모호함과 유동성을 가질 수 있었던 것도 눈이나 입 주변에서 딱딱한 경계를 지우는 방식으로 그림을 그렸기 때문이다.

08 **㉠과 ㉡의 관계를 뒷받침하는 근거로 가장 적절한 것은?**

① 대립적인 관계를 이루고 있다.
② 상호 의존적인 관계를 이루고 있다.
③ 동일한 구성 요소로 이루어져 있다.
④ 전체와 부분의 관계를 이루고 있다.
⑤ 유사한 질료와 형상으로 이루어져 있다.

09 **이 글을 바탕으로 ⓐ와 ⓑ를 이해한 것을 〈보기〉에서 찾아 바르게 묶은 것은?**

〈보기〉
ㄱ. ⓐ는 색채의 농담을 활용한다는 점에서 르네상스 회화에 대한 혁신적 시도로 볼 수 있군.
ㄴ. ⓐ는 경계선을 흐릿하게 처리한다는 점에서 ⓑ를 활용하였다고 볼 수 있군.
ㄷ. ⓐ는 색채의 명암을 활용한다는 점에서 ⓑ의 연장선상에 있다고 할 수 있군.
ㄹ. ⓐ, ⓑ는 대상의 경계를 지양한다는 점에서 르네상스 정신과는 거리가 있다고 할 수 있군.

① ㄱ, ㄴ ② ㄱ, ㄷ ③ ㄴ, ㄷ ④ ㄴ, ㄹ ⑤ ㄷ, ㄹ

[10-13] **다음 글을 읽고 물음에 답하시오.**

[A] 우리는 거짓이 사실을 압도하는 사회에서 살고 있다. 그렇다 보니 사실에 사회적 맥락이 더해진 진실도 자연스레 설 자리를 잃고 있다. 옥스퍼드 사전은 2016년을 대표할 단어로 '탈진실(Post-truth)'을 선정하고, 탈진실화가 국지적 현상이 아니라 세계적으로 나타나는 시대적 특성이라고 진단했다. 탈진실의 시대가 시작된 것을 입증하기라도 하듯 '가짜 뉴스'에 관한 사회적 논란이 뜨겁다.

허위 정보, 그 오랜 역사

가짜 뉴스의 정의와 범위에 대해서는 의견이 여러 갈래로 나뉜다. 언론사의 오보에서부터 인터넷상의 뜬소문까지, 가짜 뉴스라는 용어는 넓은 의미 영역 안에서 혼란스럽게 사용되고 있다. 전문가들은 가짜 뉴스의 기준을 정하고 범위를 좁히지 않으면 비생산적인 논란만 가중될 수밖에 없다고 지적한다. 이에 2017년 2월 한국 언론 학회와 한국 언론 진흥 재단 주최로 열린 토론회에서는 가짜 뉴스를 '정치·경제적 이익을 위해 의도적으로 언론 보도의 형식을 하고 유포된 거짓 정보'라고 정의하였다.

가짜 뉴스의 역사는 무척이나 길다. 백제 무왕이 지은 「서동요」는 선화 공주와 결혼하기 위해 그가 거짓 정보를 노래로 만든 가짜 뉴스였다. 1923년 관동 대지진이 났을 때 조선인에 관한 악의적인 허위 정보가 유포된 일 또한 가짜 뉴스의 예이다. 이렇듯 역사를 조금만 들여다봐도 가짜 뉴스 사례를 흔히 찾을 수 있다. 하지만 최근 일어나고 있는 가짜 뉴스 현상을 살펴보면 이전 사례들과는 확연히 다른 점을 발견할 수 있다.

'21세기형 가짜 뉴스'의 특징은 그 논란의 중심에 국제적인 정보 통신 기업이 있다는 점이다. 가짜 뉴스는 더 이상 동요나 입소문을 통해 퍼지지 않는다. 누구나 쉽게 이용하는 매체에 '정식 기사'의 얼굴을 하고 나타난다. 감쪽같이 변장한 가짜 뉴스들은 사람들의 입맛에만 맞으면 쉽게 유통·확산된다. 대중이 뉴스를 접하는 경로가 신문·방송 같은 전통적 매체에서 인터넷 사이트, 누리 소통망(SNS) 등 디지털 매체 쪽으로 옮겨 가면서 벌어진 일이다. 세계적으로 맹위를 떨치는 정보 통신 기업들은 '디지털 뉴스 중개자'로 부상하는 동시에 가짜 뉴스의 온상지가 됐다. 2016년 미국 대통령 선거 기간 중에 교황이 특정 후보 지지를 선언했다는 ㉠가짜 뉴스가 유력 누리 소통망에서 가장 많이 공유된 소식이라는 사실은 이를 잘 보여 준다.

10 이 글에 나타난 내용으로 적절하지 않은 것은?

① 가짜 뉴스의 일반적 정의
② 가짜 뉴스의 역사적인 유통 사례
③ 가짜 뉴스가 유통되는 사회적 맥락
④ 가짜 뉴스가 유통되는 매체의 변화
⑤ 가짜 뉴스에 관한 사회적 논란의 폐해

11 이 글에 대한 이해로 적절하지 않은 것은?

① 전문가들은 가짜 뉴스 논란이 비생산적이라는 견해를 피력하고 있다.
② 21세기형 가짜 뉴스는 유통 및 확산이 쉽게 이루어진다는 점에서 더욱 문제라고 할 수 있다.
③ 정보 통신 기업들이 운영하는 인터넷 사이트나 누리 소통망이 가짜 뉴스의 온상이 되고 있다.
④ 관련 언론 단체들은 토론회를 열고 가짜 뉴스에 관한 논란을 해결하기 위한 논의를 진행하였다.
⑤ 최근에 논란이 되고 있는 가짜 뉴스는 정식 기사로 변장하여 유통됨으로써 식별이 용이하지 않다.

학습 활동 응용

12 ㉠에 대한 반응으로 적절하지 않은 것은?

① 가짜 뉴스의 심각성에 대한 경각심을 불러일으키고 있군.
② 가짜 뉴스에 무방비로 노출되어 있는 현실이 무섭게 느껴지는군.
③ 거짓이 진실을 압도하는 비정상적인 사회 현상을 보여주고 있군.
④ 가짜 뉴스가 넘쳐나는 데는 주요 언론사의 책임도 무시할 수 없군.
⑤ 여론이 왜곡됨으로써 건강한 여론 형성이 저해될 가능성이 존재하겠군.

서술형

13 [A]에서 옥스퍼드 사전이 선정한 단어인 '탈진실'을 제시하며 글을 시작한 까닭을 쓰시오.

조건
- [A]에 제시된 단어를 활용할 것
- '~ 기 위해서이다.'의 문장 형태로 40자 내외로 서술할 것

[14－17] 다음 글을 읽고 물음에 답하시오.

가짜 뉴스 논란이 뜨겁지만 그 정체는 모호하다. 어떤 뉴스가 가짜였는지, 그것을 누가, 왜 만들었는지 아는 사람은 적다. 한 언론의 분석에 따르면, 2016년 미국 대선 기간 중 가짜 뉴스가 공유된 수는 870만 건이었다. 이는 주요 언론사 뉴스의 공유 수를 앞선 수치다. 많은 사람이 제대로 된 정보를 공유 받지 못했다는 말이다.

그런데 2016년 미국 대선을 흔든 가짜 뉴스 사태의 지리적 진원지는 황당하게도 마케도니아에 위치한 벨레스라는 소도시였다. 심지어 범인은 대부분이 도시에 거주하는 10대 후반 청소년이었다. 이들은 미국 극우 성향의 엉터리 뉴스 사이트나 누리 소통망의 글을 긁어모아 적절히 짜깁기하고 윤색해 가짜 뉴스를 만들었다. 한 소도시의 청소년들에게 전 세계가 농락을 당한 셈이다. 영국의 한 일간지가 조사한 바로는, 벨레스에서 100개 이상의 가짜 뉴스 사이트가 개설, 운영되고 있었다.

벨레스의 청소년들이 극우 성향의 뉴스를 생산한 이유는 단순하다. 그들이 정치적으로 특정 후보를 지지해서가 아니다. 그들은 누가 미국 대통령이 되든지 상관하지 않았다. 단지 ㉠교황이 누구를 지지하기로 했다거나, 어떤 후보가 테러 단체에 무기를 몰래 판매했다는 식의 가짜 뉴스가 돈이 되었기 때문이다. 시장 논리에 따라 뉴스가 유통되는 과정에서 교황이 피해자로 이름을 올리게 될 것은 고민하지도 않았을 것이다.

[A] 도대체 왜 가짜 뉴스가 돈이 되는 걸까? 뉴스와 관련된 돈은 대부분 광고에서 발생한다. 하지만 광고주들이 가짜 뉴스 사이트에 직접 광고하지는 않는다. 모든 광고는 광고 중개 서비스를 통하는데, 광고주가 중개 업체에 돈을 지불하면, 중개 업체는 금액에 따라 광고를 배치한다. 높은 조회 수가 나오는 사이트일수록 높은 금액의 광고를 배치하는 식이다. 뉴스가 범람하는 상황에서 바쁜 현대인들은 선택과 집중을 할 수밖에 없기 때문에 눈길을 끄는 뉴스가 잘 팔리는 뉴스가 된다. 따라서 가짜 뉴스는 어떤 식으로든 눈에 띄어 '돈'이 되기 위해 자극적인 요소들을 포함하면서 소비자를 치밀하게 속인다. 설령 그 내용이 비윤리적이어도, 또 진실이 아니어도 개의치 않는다. 과정이야 어떻든 이윤만 내면 성공이기 때문이다. 이런 이유로 인해 대체로 혐오나 선동과 같은 자극적인 요소를 담아 만든 가짜 뉴스가 판을 치게 되며, 이는 결국 사회 구성원의 통합을 방해하고 극단주의를 초래하기까지 한다.

14 이 글을 읽고 알 수 있는 내용을 〈보기〉에서 골라 바르게 묶은 것은?

〈보기〉
ㄱ. 가짜 뉴스의 다양한 유형
ㄴ. 가짜 뉴스 발생의 정치적 요인
ㄷ. 가짜 뉴스의 원인
ㄹ. 가짜 뉴스의 폐해

① ㄱ, ㄴ ② ㄱ, ㄷ ③ ㄴ, ㄷ ④ ㄴ, ㄹ ⑤ ㄷ, ㄹ

15 [A]를 읽고 보인 반응으로 적절하지 않은 것은?

① 가짜 뉴스의 발생은 광고 수익에 대한 욕망과 직접적인 관련이 있군.
② 누리 소통망의 광고 배치 과정에서 가짜 뉴스가 발생한다고 할 수 있군.
③ 광고주의 지나친 욕망은 누리 소통망에서의 가짜 뉴스 확산에 기여하는군.
④ 가짜 뉴스 작성자들의 목적을 달성하기 위해 꼭 필요한 과정은 높은 조회 수를 확보하는 것이겠군.
⑤ 가짜 뉴스에 나타난 혐오, 선동 등의 자극적인 요소가 광고 배치에 큰 영향을 미친다고 할 수 있군.

16 이 글의 집필 전략과 그 효과로 적절하지 않은 것은?

① 구체적인 통계 수치를 인용하여 가짜 뉴스의 심각성을 환기시키고 있다.
② 전문가의 견해를 인용하여 가짜 뉴스에 대한 대처법을 알려 주고 있다.
③ 가짜 뉴스에 관한 관련 기관의 조사 및 분석 자료를 인용하여 독자에게 신뢰감을 주고 있다.
④ 스스로 묻고 답하는 방식을 활용하여 가짜 뉴스의 생산 과정에 대한 독자의 관심을 유도하고 있다.
⑤ 구체적인 사례를 비교적 상세하게 소개하여 가짜 뉴스의 발생 원인에 대한 독자의 이해를 높이고 있다.

서술형

17 ㉠이 뉴스 작성자에게 경제적 이익을 가져다 주게 된 이유를 〈조건〉에 맞게 쓰시오.

〈조건〉
• 뉴스 소비자의 반응을 고려하여 서술할 것
• 40자 내외의 한 문장으로 쓸 것(띄어쓰기 포함)

[18-20] 다음 글을 읽고 물음에 답하시오.

필터 버블은 정보를 제공하는 인터넷 검색 업체나 누리 소통망 등이 이용자 맞춤형 정보를 제공하는 과정에서 이용자가 특정 정보만 편식하게 되는 현상을 말한다. 이 용어를 처음 사용한 엘리 프레이저는 2011년 한 강연에서, 자신의 누리 소통망 계정에 보수 성향의 글이 올라오지 않는 이유는 정보 통신 업체 측이 자신의 이용 내역을 분석하는 정보 처리 규칙으로 보수 성향의 정보들을 걸러 냈기 때문이라고 지적했다.

개인 맞춤형의 정보 처리 규칙은 정치·사회 분야의 뉴스와 만나 필터 버블 현상을 극대화한다. 진위 여부보다 자신의 호불호가 뉴스를 보고 믿는 기준으로 더 강력히 작용하다 보니 잘못된 사실이 진실의 자리를 차지하게 되는 것이다. 이때 가짜 뉴스의 소비는 일종의 심리적 보상 행위이기도 하다. 여론의 장에서 자신의 의견이 차지하는 위치를 확인하고 자기와 유사한 의견들만을 받아들임으로써 심리적인 불안정성을 제거하려는 행위인 것이다. 이 과정에서 확증 편향이 작용하고, 사실을 해석할 때도 편향적 결과를 낳는다. 이는 한쪽으로 쏠린 정치·사회 소식이 전체 여론을 호도할 수 있게 함으로써, 개인의 편견과 고정 관념을 넘어 민주주의를 위협하는 사회적 차원의 부정적 결과로 이어질 수 있다.

가짜 뉴스 걸러 내기

2016년 미국 대선 이후, 가짜 뉴스의 유통과 확산이 민주주의에 악영향을 끼쳤다며 누리 소통망을 제공하는 기업을 비판하는 목소리가 나오기도 하였다. 실제로 이 기업들은 이미지에 부정적인 영향을 받아 장기적으로 기업 이익에 해를 입을 수 있다. 이에 정보 통신 기업들은 가짜 뉴스에 관한 책임감을 느끼고 해결에 나서고 있다. 이들은 가짜 뉴스의 심각성을 인정하고 자체적으로 언론 연구팀을 출범시켰다. 또 ㉠<u>이용자가 가짜 뉴스를 신고하면 유명 언론사나 비영리 언론 기관 등과 협력하여 내용에 관한 사실 검증을 하고, 가짜 뉴스로 판명될 경우에는 다른 이용자들이 이 뉴스를 공유할 때 경고 메시지가 뜨면서 정보 처리 과정에서도 제외되는 방식으로 가짜 뉴스 걸러 내기를 시도하고 있다.</u>

하지만 이 같은 조치들이 얼마나 실효성이 있을지는 두고 볼 일이다. 이용자의 사후 신고에 기댄 사실 검증으로는 가짜 뉴스의 생산과 확산 속도를 따라잡기 어렵기 때문이다. 광고 중개 업체의 과도한 수익성을 제한하는 구체적인 실행 방안이 마련되어야 하지만, 물론 이것이 쉬운 일은 아닐 것이다.

18 **이 글을 읽고 이해한 내용으로 적절하지 <u>않은</u> 것은?**

① 누리 소통망에서 정보에 대한 개인의 확증 편향은 사실에 대한 해석 과정에서 개선될 수 있다.
② 누리 소통망을 제공하는 기업 역시 가짜 뉴스의 유통과 확산에 대한 책임론에서 자유롭지 못하다.
③ 가짜 뉴스의 유통과 확산에는 과도한 수익성을 추구하는 광고 중개 업체의 책임을 무시할 수 없다.
④ 정보 통신 업체 측은 자신들의 정보 통신을 이용하는 개인의 구체적인 이용 내역을 분석하기도 한다.
⑤ 누리 소통망을 제공하는 정보 통신 업체들에 의한 가짜 뉴스 검증 시스템은 그 실효성을 확신할 수 없다.

고난도

19 **이 글을 바탕으로 〈보기〉를 이해한 것으로 적절하지 <u>않은</u> 것은?**

〈보기〉

얼마 전 한 지인이 누리 소통망(SNS) 친구로서 나와의 관계를 끊었다. 그가 게시하는 글에 대한 알림이 내 SNS 화면에 보이지 않아 그의 페이지를 방문해 보았더니 실제로 친구 관계가 끊겨 있었다. 직접 만나 그 이유를 물어보니 그는 웃으며 이렇게 말했다.
"알다시피 내가 자네랑 정치 성향이 정반대잖아. 자네가 '좋아요'를 누르는 게시물들이 자꾸 내 SNS 화면에 뜨는 게 거북해서 아예 끊어버렸지."

① 지인의 정보 수용 행위는 일종의 심리적 보상 행위라고 할 수 있겠군.
② 지인의 신념과 일치하는 정보만 받아들이는 확증 편향이 작용하고 있군.
③ 진위 여부보다 지인의 호불호가 정보를 수용하는 기준으로 작용하고 있군.
④ SNS를 통해 수용한 정보가 축적될수록 지인의 편견과 고정관념은 더욱 강화될 수 있겠군.
⑤ 지인과 같이 적극적으로 편향된 정보만을 받아들이는 사람에게 정보 처리 규칙은 큰 영향을 미치지 못하겠군.

서술형

20 **이 글의 맥락을 참조할 때, ㉠의 시도에서 간과하고 있는 사실을 〈조건〉에 맞게 쓰시오.**

〈조건〉

- 본문에 나타나 있는 관련 문장을 그대로 반영하여 서술할 것
- 50자 내외의 한 문장으로 쓸 것(띄어쓰기 포함)

창의·융합 | 교실 밖 독서 활동

우리들의 독서 축제를 만들어 보자

활동 목표
독서 축제를 기획해 보는 활동을 통해 독서 문화 활동에 참여하기

독서 견문을 넓히고 새로운 교류의 장이 되는 독서 축제는 활기가 넘친다. 국내외에서 열리는 다양한 독서 문화 행사의 현장을 들여다보자.

1. 서울 북 축제

서울 북 축제는 서울특별시와 서울도서관에서 책의 날(10월 11일)을 기념하여 2008년부터 매년 개최하고 있는 시민 참여형 책 축제이다. 서울 광장과 서울도서관을 배경으로 출판사, 서점, 독서 동아리 들이 참여하여 다양한 프로그램을 통해 시민들에게 책 읽는 문화를 전파한다.

2. 남이섬 세계 책 나라 축제

“남이섬 전체가 도서관입니다.”라는 말처럼 남이섬 전체에서 2년에 한 번씩 5월 한 달 내내 세계 책 나라 축제가 펼쳐진다. 2005년부터 시작된 이 축제는, 어린이 책을 매개로 하여 문학과 미술, 음악이 어우러지는 경험을 할 수 있다.

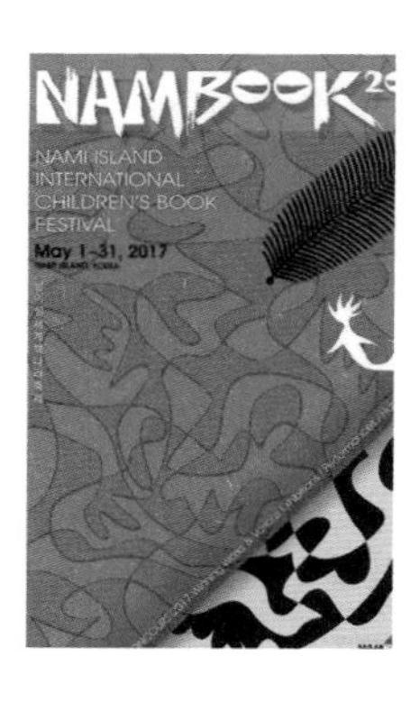

3. 책 나라 군포 독서 대전

책 읽는 도시를 표방하는 군포시의 책 축제이다. 작가와의 만남, 낭독회, 신인 문학상 시상식 등 책과의 거리를 좁히기 위한 다양한 행사가 열린다.

4. 해이 북 축제

해이 북 축제는 영국의 조그마한 시골 마을에서 주민들이 주최하는 축제지만, 세계적인 명성을 얻고 있다. 경제적인 이익이 발생되지 않는데도 전 세계의 책 애호가들이 모이는 책 축제로서, 책 축제의 모범이 되고 있다. 이 축제는 ‘문화와 지역의 힘’을 보여 주는 대표적인 문화 행사가 되었다.

활동 **책을 좋아하는 사람들과 한 공간에 모여 책을 주제로 이야기하고 즐기는 활동을 구상해 보고, 지금까지의 독서 생활을 성찰해 보자.**

1. 우리들의 독서 축제를 만들어 보자. | 예시 답 |

축제의 주제	축제의 목적	축제에 참가하는 대상
가족, 책으로 만나다	책을 매개로 가족애를 재확인하고 북돋는다.	사랑하는 가족에게 책을 선물하고 싶은 사람들

2. 내가 만들고 싶은 축제의 형태를 정하고, 축제에서 운영할 특별한 프로그램에는 무엇이 있을지 써 보자.

- 나는 축제를 어떤 형태로 만들고 싶은가?
  | 예시 답 | 가족애를 주제로 한 책들만을 모아서 전시한다.
- 축제에서 운영할 특별한 프로그램은 무엇인가?
  | 예시 답 | 참가자들은 자신이 사랑하는 가족에게 선물하고 싶은 책을 선정하여 소개·발표하는 자리를 만든다.

3. 독서 축제를 기획해 보면서 나의 독서 생활을 성찰해 보고, 앞으로의 독서 계획을 세워 보자. | 예시 답 |

나의 독서 이력 성찰

1. 나는 다양한 종류의 책을 꾸준히 읽고 있는가? (예) / 아니요
2. 나는 독서의 기쁨이나 감동을 타인과 나누려고 노력하는가? 예 / (아니요)
3. 나는 우리 공동체의 독서 문화 활성화에 관심을 갖고 있는가? 예 / (아니요)

나의 독서 계획

| 예시 답 | 가족을 소재로 한 문학 작품들을 많이 접해 왔으면서도 그 안에 담긴 가족애와 관련된 주제를 나의 삶으로 진정성 있게 받아들이지 못했던 것 같다. 앞으로는 독서 과정에서 얻은 깨달음이 삶의 작은 실천으로 이어질 수 있도록 노력해야겠다.

그리고 앞으로는 다양한 시대, 다양한 지역에서 생산된, 가족에 관련된 글들을 찾아 읽음으로써 시대별·지역별 사회·문화적 특성에 대한 이해를 넓히고 정서 함양도 해야겠다.

정답 및 해설 58쪽

[01-03] 다음 글을 읽고 물음에 답하시오.

(가) 가만히 보옵건대 신돈은 임금의 은혜를 지나치게 입어 나라 정사를 제멋대로 하고 임금을 무시하는 마음이 있었습니다. 당초에 영도첨의 판감찰로 임명되던 날에 예법으로서는 마땅히 조복(朝服)을 차리고 나아가 은혜를 사례해야 함에도 불구하고 반 달 동안 나오지 않았습니다. 급기야 대궐 뜰에 들어와서는 그 무릎을 조금도 굽히지 않은 채 늘 말을 타고 궐문을 출입하여 전하와 함께 의자에 걸터앉았고, 집에 있을 때는 재상들은 마루 밑에서 절을 하였으나 신돈은 모두 앉아서 접대하였습니다. 최항이나 김인준, 임연 같은 이들도 이렇게 행한 적은 없었습니다.

(나) 송나라 사마광은 말하기를, "기강이 서지 않으면 호걸 중 간교한 뜻을 가진 간웅(奸雄)이 망측한 마음을 품게 된다. 그런즉 예법은 불가불 엄격해야 하고, 습관은 불가불 삼가야 할 것이다."라고 하였습니다. 만일 전하께서 이 사람(신돈)을 공경하고 백성에게 재해도 없게 하려면, 그의 머리를 깎고 그의 옷을 물들이고 그의 벼슬을 삭탈(削奪)하여 절에다 두고서 공경해야 합니다. 반드시 이 사람을 써야만 국가가 평안하겠다면 그 권력을 억눌러 상하의 예법을 엄격하게 한 뒤에 부리셔야만 백성의 마음이 안정되고 나라의 어려움도 펴질 것입니다.

또 전하께서 신돈을 어진 이라 하였지만, 신돈이 국사를 맡은 이래로 음양이 때를 잃어서 겨울철에 우레가 일고 누른 안개가 사방에 꽉 차고 해가 열흘 이상 어두웠으며, 밤중에 붉은 기운이 돌고 천구성(天狗星)이 땅에 떨어지며 나무의 고드름이 지나치게 심합니다. 청명이 지난 뒤에도 우박과 찬바람이 일어 하늘의 기후가 여러 차례 변하고, 산새와 들짐승이 대낮에 성 안으로 날아들고 달려드니, 신돈에게 내린 '논도섭리공신(論道燮理功臣)'이라는 호가 과연 천지와 조종(祖宗)의 뜻에 합하는 것입니까.

신 등은 직책이 사간원(司諫院)에 있는지라, 전하께서 자격이 안 되는 인물을 재상으로 삼아 장차 사방에 웃음거리가 되고 만세에 기롱(譏弄)의 대상이 될까 안타깝게 여깁니다.

01 이 글에 대한 설명으로 적절하지 않은 것은?

① 이 글은 예상 독자를 설정하여 말을 건네는 방식으로 글을 전개하고 있다.
② (나)는 (가)와 달리 인물에 대한 비판적 인식을 드러내고 있다.
③ (가)와 달리 (나)에서는 기후 현상을 자신의 주장의 근거로 삼고 있다.
④ (가)는 다른 인물들과 대비하여, (나)는 권위 있는 인물의 말을 인용하여 글을 전개하고 있다.
⑤ (가)에서 인물의 행위를 통해 문제를 제기하고, (나)에서는 이에 대한 해결 방안을 제시하고 있다.

고난도

02 (나)의 내용을 〈보기〉와 같이 정리할 때, ⓐ, ⓑ에 들어갈 내용으로 적절하지 않은 것은?

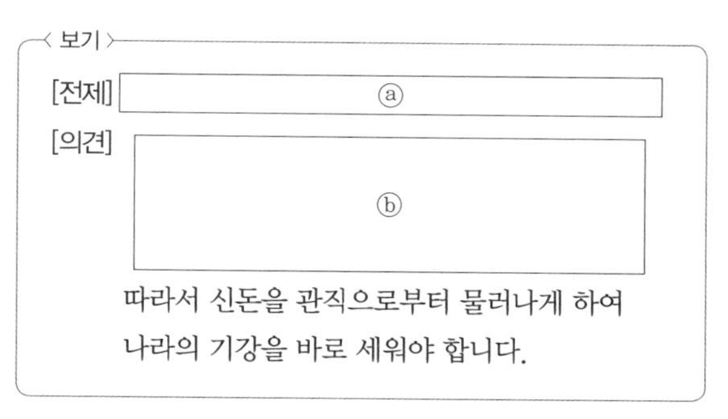
보기
[전제] ⓐ
[의견] ⓑ
따라서 신돈을 관직으로부터 물러나게 하여 나라의 기강을 바로 세워야 합니다.

① ⓐ: 군신(君臣) 간의 예법이 엄격해야 나라의 기강이 바로 서는 것입니다.
② ⓑ: 예법에 어긋난 신돈의 행동은 나라의 기강을 어지럽히고 있습니다.
③ ⓑ: 신돈의 행동으로 보아 그는 재상으로서의 자격을 갖춘 인물로 볼 수 없습니다.
④ ⓑ: 또한 그의 잘못된 정책으로 인해 백성들의 원망이 하늘을 찌를 듯합니다.
⑤ ⓑ: 그럼에도 불구하고 전하께서 그를 감싸고 옹호하는 것은 천지와 조종의 뜻에 어긋나는 일이옵니다.

서술형

03 이 글의 필자의 관점에서 (가)에서 군신의 예법에 어긋난 신돈의 행동을 〈조건〉에 맞게 쓰시오.

조건
• (가)에 나타난 신돈의 행동을 세 가지 이상 쓸 것
• 각각 한 문장으로 쓸 것

[04 - 07] 다음 글을 읽고 물음에 답하시오.

연전에 우리 시삼촌께옵서 동지상사(冬至上使) 낙점(落點)을 무르와 북경을 다녀오신 후에, 바늘 여러 쌈을 주시거늘, 친정과 원근 일가에게 보내고, 비복들도 쌈쌈이 낱낱이 나눠 주고, 그중에 너를 택하여 손에 익히고 익히어 지금까지 해포되었더니, 슬프다. 연분이 비상하여 너희를 무수히 잃고 부러뜨렸으되, 오직 너 하나를 영구히 보존하니, 비록 무심한 물건이나 어찌 사랑스럽고 미혹지 아니하리오. 아깝고 불쌍하며, 또한 섭섭하도다.

나의 신세 박명하여 슬하에 한 자녀 없고, 인명이 흉완(凶頑)하여 일찍 죽지 못하고, 가산이 빈궁하여 침선(針線)에 마음을 붙여 널로 하여 시름을 잊고 생애를 도움이 적지 아니하더니, 오늘날 너를 영결하니, 오호통재라, 이는 귀신이 시기하고 하늘이 미워하심이로다.

아깝다 바늘이여, 어여쁘다 바늘이여. 너는 미묘한 품질과 특별한 재치를 가졌으니, 물중(物中)의 명물(名物)이요, 철중(鐵中)의 쟁쟁(錚錚)이라. 민첩하고 날래기는 백대의 협객이요, 굳세고 곧기는 만고의 충절을 듣는 듯한지라. 능라(綾羅)와 비단에 난봉(鸞鳳)과 공작을 수놓을 제, 그 민첩하고 신기함은 귀신이 돕는 듯하니, 어찌 인력이 미칠 바리오.

오호통재라, 자식이 귀하나 손에서 놓일 때도 있고, 비복이 순하나 명을 거스를 때 있나니, 너의 미묘한 재질이 나의 전후에 수응(酬應)함을 생각하면, 자식에게 지나고 비복에게 지나는지라.

천은(天銀)으로 집을 하고, 오색으로 파란을 놓아 곁고름에 채웠으니, 부녀의 노리개라. 밥 먹을 적 만져 보고 잠잘 적 만져 보아, 널로 더불어 벗이 되어, 여름 낮에 주렴이며, 겨울밤에 등잔을 상대하여 누비며, 호며, 감치며, 박으며, 공글릴 때에, 겹실을 꿰었으니 봉미(鳳尾)를 두르는 듯 땀땀이 떠 갈 적에 수미가 상응하고, 솔솔이 붙여 내매 조화가 무궁하다.

이 생애 백 년 동거하렸더니, 오호애재(嗚呼哀哉)라, 바늘이여. <u>㉠금년 시월초십일 술시(戌時)에 희미한 등잔 아래서 관대(冠帶) 깃을 달다가 무심중간에 자끈동 부러지니 깜짝 놀라워라.</u> 아야 아야 바늘이여 두 동강이 났구나.

04 이 글을 읽고 알 수 있는 내용이 <u>아닌</u> 것은?

① 바늘이 부러진 경위
② 바늘의 재주와 품질
③ 바늘을 갖게 된 내력
④ 바늘과의 각별한 인연
⑤ 바늘과의 재회에 대한 소망

05 이 글의 필자에 대한 설명으로 적절하지 <u>않은</u> 것은?

① 학식을 갖춘 양반가의 여성이다.
② 슬하에 자녀가 없어 외로운 신세이다.
③ 바느질을 하여 생계를 이어가고 있다.
④ 외국의 신식 문물에 대한 관심이 많다.
⑤ 자신이 아끼는 물건에 대한 애정이 깊다.

고난도

06 이 글과 〈보기 1〉을 비교하여 감상한 내용으로 적절한 것을 〈보기 2〉에서 모두 고른 것은?

〈보기 1〉

일일(一日)은 칠위 모혀 침선(針線)의 공을 의논하더니 척 부인이 긴 허리를 자히며 이르되,
"제우(諸友)는 들으라, 나는 세명지 굵은 명지 백저포 세승포와, 청홍녹라 자라 홍단을 다 내여 펼쳐 놓고 남녀의(男女衣)를 마련할 새, 장단 광협(長短廣狹)이며 수품 제도(手品制度)를 나 곧 아니면 어찌 일우리오. 이러므로 의지공(衣之功)이 내 으뜸되리라."

〈보기 2〉

ㄱ. 이 글은 〈보기〉와 달리 화자가 주체가 되어 대상과 관련된 자신의 내면을 고백하듯 서술하고 있다.
ㄴ. 〈보기〉는 이 글과 달리 화자가 관찰자의 입장에서 대상의 행위가 이루어지는 장면을 보여 주고 있다.
ㄷ. 이 글과 〈보기〉 모두 우의적 수법으로 대상에 대한 풍자적 의도를 드러내고 있다.
ㄹ. 이 글과 〈보기〉 모두 대상에 인격을 부여함으로써 주제를 효과적으로 형상화하고 있다.

① ㄱ, ㄴ ② ㄱ, ㄹ ③ ㄴ, ㄷ
④ ㄱ, ㄴ, ㄹ ⑤ ㄴ, ㄷ, ㄹ

서술형

07 ㉠에 나타난 특징적인 표현 방법과 효과를 〈조건〉에 맞게 쓰시오.

〈조건〉

- ㉠에 드러난 화자의 모습을 언급할 것
- 50자 내외의 한 문장으로 쓸 것(띄어쓰기 포함)

[08 - 11] 다음 글을 읽고 물음에 답하시오.

(가) 바다도 없고 땅도 없고 만물을 덮는 하늘도 없었을 즈음 자연은, 온 우주를 둘러보아도 그저 막막하게 퍼진 듯한 펑퍼짐한 모양을 하고 있었다. 이 막막하게 퍼진 것을 카오스라고 하는데, 이 카오스는 형상도 질서도 없는 하나의 덩어리에 지나지 못했다. 말하자면 생명이 없는 퇴적물, 사물로 굳어지지 못한 모든 요소가 구획도 없이 밀치락달치락하고 있는 상태일 뿐이었다. 〈중략〉 대지와 바다와 공기를 이루는 요소가 있기는 했다. 그러나 땅 위로는 걸을 수가 없었고 바다에서는 헤엄칠 수가 없었으며 대기에는 빛도 없었다. 말하자면, 제 모습을 제대로 갖추고 있는 것은 하나도 없었다. 만물은 서로 반목하고 서로 방해만 했을 뿐이었다. 한 가지 질료 안에 있으면서도 추위는 더위와, 습기는 건기(乾氣)와, 부드러움은 딱딱함과, 무거움은 가벼움과 싸우고 있었다.

이 같은 반목에 종지부를 찍은 이는, 이런 요소들보다는 훨씬 빼어난 ㉠자연이라는 신이었다. 신에 다름 아닌 이 자연은 하늘로부터는 땅을, 땅으로부터는 물을, 무지근한 대기로부터는 맑은 하늘을 떼어 놓았다. 자연은, 서로 떨어질 수 없는 지경에서 이들을 떼어 내고는 서로 다른 자리를 주어 평화와 우애를 누리게 했다.

(나) 신은, 이번에는 하늘을 나누어 오른쪽에 두 권역, 왼쪽에 두 권역을 만들고, 가운데에는 이 네 권역보다 훨씬 뜨거운 다섯 번째의 권역을 두었다. 이어서는 이 다섯 권역의 하늘로 덮인 땅덩어리 역시 같은 권역으로 나누었다. 이로써 땅에도 다섯 지대가 생긴 셈이었다. 가운데에 위치한 지대는 너무 더워 산 것이 살 수가 없었고, 양쪽 끝의 두 지대는 아주 눈으로 덮여 있었다. 그러나 신은 그 사이에다 남은 두 지대를 두고 더위와 추위가 번차례로 들게 하여 산 것이 살기에 적당한 기후를 베풀었다.

08 (나)의 내용과 관련 있는 고대 서양인들의 과학적 탐구로 알맞은 것은?

① 지역마다 대기 속을 흐르는 바람의 성질이 다르군.
② 우리가 사는 곳은 둥근 모양을 하고 있는 것 같군.
③ 지역마다 덥고 추운 정도를 달리하는 기후가 존재하는군.
④ 자연계에서 가벼운 물질은 위로, 무거운 물질은 아래에 위치하는군.
⑤ 강은 제각기 다른 방향으로 흘러가는데, 가장 멀리 가는 것은 바다로 흘러가는군.

[09 - 10] 〈보기〉를 읽고, 9, 10번 물음에 답하시오.

〈보기〉

지금부터 140억 년 전, 시간이 생겨날 때에, 우주의 모든 공간과 모든 물질, 그리고 모든 에너지가 손톱만 한 크기의 공간에 모여 있었다. 이때에는 우주의 온도가 아주 높아 우주를 운행하는 자연의 기본적인 힘들이 하나의 통합된 힘으로 존재했다. 우주의 나이가 10^{-43}초 되었을 때 우주의 온도는 $1,0^{30}$도였고, 통일장 안에 있는 에너지로부터 블랙홀이 순간적으로 만들어졌다가 사라지는 일이 반복되고 있었다. 이런 극한 상황에서는 이론 물리학적으로 볼 때 공간과 시간이 거품이나 스펀지와 같은 구조로 심하게 휘어져 있었다. 이 시기에는 아인슈타인의 일반 상대성 이론(현대적 인력 이론)과 양자 역학(가장 작은 단위에서의 물질의 성질을 설명하는 이론)에 의해 설명되는 현상들을 따로 구별할 수 없었다.

09 이 글과 〈보기〉에 나타난 '카오스'의 상태를 보여 주는 표현이 아닌 것은?

① (가): 사물로 굳어지지 못한 모든 요소가 구획도 없이 밀치락달치락하고 있는 상태
② (가): 하늘로부터는 땅을, 땅으로부터는 물을, 무지근한 대기로부터는 맑은 하늘을 떼어 놓은 상태
③ (가): 형상도 질서도 없는 하나의 덩어리 안에서 제 모습을 제대로 갖추고 있는 것이 하나도 없는 상태
④ 〈보기〉: 모든 공간과 모든 물질과 모든 에너지가 손톱만한 크기의 공간에 모여 있는 상태
⑤ 〈보기〉: 우주의 온도가 아주 높아 우주를 운행하는 자연의 기본적인 힘들이 하나의 통합된 힘으로 존재하는 상태

서술형

10 이 글과 〈보기〉의 갈래상 차이를 〈조건〉에 맞게 쓰시오.

〈조건〉
- 대등하게 이어진 문장으로 서술할 것
- 75자 내외의 한 문장으로 쓸 것(띄어쓰기 포함)

11 다음 중 ㉠이 한 일이 아닌 것은?

① 사물들에 형상을 부여하였다.
② 사물들 사이에 질서를 부여하였다.
③ 땅 위를 걷게, 물 속을 헤엄칠 수 있게 했다.
④ 형상을 얻은 사물들이 각자의 자리를 갖게 하였다.
⑤ 한 가지 질료 안에서만 추위와 더위가 싸우게 했다.

[12 - 15] 다음 글을 읽고 물음에 답하시오.

가 혼혈인들은 아프리카인이 이끄는 정권하에서도 현재 백인 정권 때와 마찬가지로 억압을 받게 될지도 모른다는 생각으로 두려워하고 있다고 말했다. 그는 중산층 사업가이지만 아마도 아프리카인들과 별다른 접촉을 갖지 못했을 것이고, 그래서 백인들과 똑같이 그들을 두려워했다. 이처럼 두려움을 표출하는 현상은 특별히 케이프타운에 거주하는 혼혈인들 사회에서 자주 나타났다. 그리하여 이 친구에게 '자유 헌장'을 설명해 주면서 우리는 반(反)인종주의를 강력히 표방하고 있다고 힘주어 말했다. 자유 투사로서 나는 국민들에게 ⓐ내 자신의 입장을 밝힐 수 있는 기회가 있다면 그 기회를 모조리 이용해야 했다.

나 나도 모르긴 해도 가까스로 위기를 모면한 경험이 여러 차례 있었다. 한번은 시내에서 차를 몰고 가다가 신호등에서 멈춰 섰다. 무심코 왼쪽을 쳐다보니 바로 옆 차에 비트바테르스란트 보안지부 지부장인 스팽글러 대령이 타고 있었다. 만일 '검은 별봄맞이꽃'을 체포했더라면 그에게는 커다란 횡재였을 것이다. 나는 당시 노동자 모자와 푸른 작업복에 안경을 쓰고 있었다. 그는 내 쪽을 돌아보지 않았다. 그런데도 ㉠신호등이 바뀌기를 기다리던 단 몇 초의 시간이 내게는 마치 몇 시간이나 되는 듯했다.

어느 날 오후, 요하네스버그에서 운전사 차림으로 긴 먼지막이 외투를 입고 모자를 쓴 채 길모퉁이에서 나를 태우러 오는 사람을 기다리고 있었다. 그때 한 경찰이 분명 나를 향해 걸어오고 있는 것을 보았다. 나는 도망갈 장소가 있는지 살피려고 주위를 둘러보았다. 그러나 내가 미처 도망가기 전에 그는 내게 미소를 띤 채 몰래 아프리카 민족회의의 건승을 비는, 엄지손가락을 치켜드는 표시를 보내고는 조용히 사라졌다. 이런 일은 수없이 많이 일어났다. 이로써 나는 많은 아프리카인 경찰들이 우리를 지지하고 있다는 것을 확인할 수 있었다. 내 아내 위니에게 경찰이 무슨 일을 꾸미고 있는지 사전에 정보를 빼 주던 흑인 경사가 있었다. 그는 위니에게 귓속말로 "수요일 밤에는 경찰이 수색할 예정이니 마디바가 알렉산드라에 가지 못하도록 해야 해요."하고 가르쳐 주고는 했다. 흑인 경찰들은 투쟁 기간에 혹독한 비판을 자주 받았다. 그러나 그들 대부분은 이루 말할 수 없이 귀중한 역할을 숨어서 드러나지 않게 수행했다.

지하 생활을 하는 동안 나는 가능한 한 누추하게 입고 다녔다. 내 작업복은 평생을 어렵게 고생한 흔적이 역력하게 보였다. 경찰은 수염을 기르고 찍은 내 사진을 한 장 가지고 있었는데, 이것을 전국에 배포했다. 동료들은 내게 면도를 하라고 강권했다. 그러나 나는 수염에 대한 애착이 강했기 때문에 절대 면도를 하지 않았다.

나는 사람들의 눈에 띄지 않았을 뿐만 아니라 때로는 무시당하기도 했다. 언젠가 요하네스버그에서 상당히 떨어진 곳에서 열린 회합에 참석하기로 되어 있었다. 그 회합은 꽤 유명한 목사가 그의 친구들과 그날 밤 나를 초대한 것이었다. 내가 그 집 문 앞에 도착하여 누구인가를 미처 밝히기도 전에 나이가 든 한 여자가 "우리는 당신 같은 사람이 이곳에 오는 것을 원치 않아요!"라고 소리치고는 문을 닫아 버렸다.

12 이 글에 대한 설명으로 적절하지 않은 것은?

① 인종주의에 대한 필자의 강한 저항 정신을 엿볼 수 있다.
② 필자의 활동과 관련된 사건을 중심으로 글이 진행되고 있다.
③ 시련을 극복하는 필자의 모습에서 감동적인 교훈을 얻을 수 있다.
④ 긴장된 삶의 모습에서 느끼게 되는 필자의 정서나 심리가 드러나 있다.
⑤ 연속적으로 진행되는 이야기 속에서 필자의 내적 갈등이 고조되는 양상을 보이고 있다.

13 (나)를 읽고 보인 반응으로 적절하지 않은 것은?

① 필자는 자신의 신분을 속인 채 은밀하게 활동하고 있군.
② 필자가 '아프리카 민족 회의'를 거점으로 활동하고 있음을 알 수 있군.
③ '아프리카 민족 회의'가 정부의 정책과 배치되는 활동을 하는 기구임을 알 수 있군.
④ 필자가 정치 활동에 반감을 품은 사람으로부터 멸시를 받는 상황이 그려지고 있군.
⑤ 흑인 경찰들의 암묵적 지지가 필자의 위기 극복에 도움이 되고 있는 상황을 보여 주고 있군.

14 ㉠에 나타난 필자의 심리와 가장 가까운 한자 성어는?

① 망연자실(茫然自失) ② 전전긍긍(戰戰兢兢)
③ 전전반측(輾轉反側) ④ 절치부심(切齒腐心)
⑤ 안하무인(眼下無人)

고난도

15 **〈보기〉는 이 글의 필자가 법정에서 진술한 것이다. 이 글과 〈보기〉를 참고하여 ⓐ를 추측한 내용으로 적절하지 않은 것은?**

〈보기〉

"나는 모든 사람이 함께 화목하게, 그리고 동등한 기회를 부여 받으며 살아가는 자유 민주 사회에 대한 이상을 간직해 왔습니다. 그것은 내가 희망하고, 달성하고자 하는 이상입니다. 필요하다면, 나는 그 이상을 위해 목숨을 바칠 준비도 되어 있습니다."

① 피부색을 이유로 한 어떠한 차별도 부당하다.
② 아프리카인, 혼혈인, 백인은 동등한 기회를 부여 받아야 한다.
③ 아프리카인, 혼혈인, 백인은 동일한 기준에 의해 대우 받아야 한다.
④ 아프리카인이 이끄는 정권하에서 혼혈인, 백인에 대한 차별은 없을 것이다.
⑤ 아프리카인, 혼혈인, 백인이 화목하게 살아가는 것은 이상에 불과하므로, 현실에서는 꼭 보장되어야 하는 실제 권리를 선별해야 한다.

[16 - 18] 다음 글을 읽고 물음에 답하시오.

「모나리자」에서는 ㉠ 신비로운 유려함을 통해 풍경과 인물이 하나가 되고 있는데, 이는 "모든 것은 자신이 아닌 다른 무엇에서부터 비롯된 것이므로, 세상의 어떤 것이든 다른 것으로 바뀔 수 있다."라는 레오나르도의 확신과 일맥상통하는 것이다.

[A] 묘하게도 작품 속의 공간들은 하나로 일치되어 있는 것 같이 보이는데, 예를 들면 이 작품을 보는 이는 여인이 앉아 있는 의자를 쉽게 알아볼 수가 없다. 레오나르도는 르네상스의 화가들이 좋아했던 단선적 원근법을 버리고 그 자신이 '공기 중의 원근법'이라고 불렀던 독특한 투시법을 사용했다. 즉, 경계선을 흐릿하게 하고 밝은 색을 사용함으로써 작품 속의 공간이 뒤로 물러나는 듯한 환상이 들게끔 한 것이다.

레오나르도는 열정으로 가득 차서 쓴 자신의 글에서, 소우주와 대우주 사이의 유사성에 깊은 관심을 두었던 르네상스의 시대정신에 따라 회화에서 대지를 표현하는 것과 인간의 몸을 표현하는 것이 얼마나 유사한 것인지를 밝히고 있다.

> 고대인들은 인간의 몸을 세계의 축소판이라고 불렀는데, 이는 매우 정확한 표현이다. 인간의 몸이 흙과 물, 공기 그리고 불로 이루어져 있는 이상 그것은 대지를 닮았다고 할 수 있다.

특히 "물결이 일어나는 모습과 머리카락의 결이 비슷하다."라는 그의 섬세한 관찰은, 흐르는 물을 연상시키는 「모나리자」의 섬세하게 일렁이는 머릿결을 보면 알 수 있다. 목선을 따라 왼쪽 가슴까지 늘어진 머릿결을 한 번 보라. 작품의 구도 면에서도 그림의 왼쪽에 나 있는 구불구불한 길은 그녀의 목선과 닮았으며, 오른쪽에 보이는 다리는 마치 그녀가 왼쪽 어깨에 두르고 있는 천과 이어져 있는 것처럼 보인다.

무엇보다도 인물과 배경의 일체감은 레오나르도만의 독창적인 회화 방식에 의해서 가능해졌다. 레오나르도 자신이 즐겨 사용했던 '스푸마토'라는 말은 이탈리아어로 '흐릿한' 혹은 '자욱한'이란 뜻으로, 특별한 명암법, 즉 밝은 톤에서 점차 어두운 톤으로 변화시키면서 분명하지 않은 색을 제한적으로 사용해서 경계를 없애는 방법이다. 이 방법을 사용하면 사실상 그림에서 선을 찾아볼 수 없게 된다.

15세기 유화의 도입 덕택에 가능해진 이 방식은 레오나르도에 의해 한층 더 발전하게 된다. 그는 "경계선은 사물에서 가장 중요하지 않은 부분이다. 화가들이여! 뚜렷한 선으로 대상의 경계를 짓지 마시라."라고 말했다.

16 **이 글의 내용과 일치하지 않는 것은?**

① '단선적 원근법'은 르네상스 시대의 화가들이 주로 사용했던 방법이다.
② 르네상스 시대에는 인체와 대지의 유사성에 대한 깊은 관심을 갖고 있었다.
③ 레오나르도 다빈치는 「모나리자」를 그릴 때 '공기 중의 원근법'을 사용하였다.
④ '스푸마토' 기법은 레오나르도와 당대의 화가들이 주로 사용하던 회화 기법이었다.
⑤ '스푸마토' 기법의 사용은 15세기 유화의 도입으로 가능해졌으며, 레오나르도에 의해 더욱 발전되었다.

17 ㉠의 표현에 대한 설명으로 적절하지 않은 것은?

① 경계선을 흐릿하게 하여 부드럽고 신비로운 느낌을 준다.
② '스푸마토' 기법에 의한 화면 처리의 효과가 드러난 것이다.
③ 특별한 명암법과 색감을 활용하여 경계를 없애는 방법을 사용한 결과이다.
④ 뚜렷한 선 위에 분명하지 않은 색을 제한적으로 사용하여 이루어낸 결과이다.
⑤ 모든 사물은 명확한 경계로 나눌 수 없는 하나의 세계라는 작가의 인식에서 나온 것이라 할 수 있다.

서술형

18 〈보기〉는 [A]에 나타난 레오나르도의 회화 기법에 대한 보충 설명이다. 이를 읽고 레오나르도 회화의 미술사적 의미를 〈조건〉에 맞게 쓰시오.

〈보기〉

르네상스 회화는 현실적인 자연에 대한 관찰과 해석으로 그 특성을 드러낸다. 특히 레오나르도는 '공기 중의 원근법'을 활용한 독창적인 회화 기법으로 평평한 화면에 깊이 있는 공간을 재현시킴으로써 중세적인 상징적 공간에 머물지 않고 실제로 우리들에게 보이는 것과 같은 공간 감각을 지니게 하는 데 성공하였다.

〈조건〉

- '레오나르도는 공기 중의 원근법을 사용하여'로 시작하는 문장 형태로 서술할 것
- 75자 내외의 한 문장으로 쓸 것(띄어쓰기 포함)

[19-20] 다음 글을 읽고 물음에 답하시오.

도대체 왜 가짜 뉴스가 돈이 되는 걸까? 뉴스와 관련된 돈은 대부분 광고에서 발생한다. 하지만 광고주들이 가짜 뉴스 사이트에 직접 광고하지는 않는다. 모든 광고는 광고 중개 서비스를 통하는데, 광고주가 중개 업체에 돈을 지불하면, 중개 업체는 금액에 따라 광고를 배치한다. 높은 조회 수가 나오는 사이트일수록 높은 금액의 광고를 배치하는 식이다. 뉴스가 범람하는 상황에서 바쁜 현대인들은 선택과 집중을 할 수밖에 없기 때문에 눈길을 끄는 뉴스가 잘 팔리는 뉴스가 된다. 따라서 가짜 뉴스는 어떤 식으로든 눈에 띄어 '돈'이 되기 위해 자극적인 요소들을 포함하면서 소비자를 치밀하게 속인다. 설령 그 내용이 비윤리적이어도, 또 진실이 아니어도 개의치 않는다. 과정이야 어떻든 이윤만 내면 성공이기 때문이다. 이런 이유로 인해 대체로 혐오나 선동과 같은 자극적인 요소를 담아 만든 가짜 뉴스가 판을 치게 되며, 이는 결국 사회 구성원의 통합을 방해하고 극단주의를 초래하기까지 한다.

누리 소통망의 정보 처리 규칙도 혐오와 차별, 극단적 주장을 확대 재생산하는 데 기여했다. 정보는 일정한 단계를 거쳐 선별적으로 전달된다. 이때 정보 처리 규칙은 이용자가 좋아하고 자주 보는 것 위주로 보여 주는 방식을 통해 개인 맞춤형 정보를 제공한다. 문제는 이 과정에서 개인의 편견과 고정 관념 역시 ㉠[   ]된다는 점이다. 이른바 '필터 버블(Filter Bubble)' 현상이 일어나는 것이다. 필터 버블은 정보를 제공하는 인터넷 검색 업체나 누리 소통망 등이 이용자 맞춤형 정보를 제공하는 과정에서 이용자가 특정 정보만 ㉡[   ]하게 되는 현상을 말한다.

고난도

19 〈보기〉의 ⓐ~ⓔ 중, 이 글에 나타난 가짜 뉴스의 발생 원인과 가장 관계가 깊은 것은?

〈보기〉

오늘날 우리 사회에는 과정보다 결과를 중시하는 풍조가 만연하고 있다. 이 같은 풍조가 만연하게 된 이유는 무엇일까?

첫째, 우리 사회에 만연한 황금만능주의가 과정보다 결과를 중시하는 풍조를 조장한 것으로 보인다. ······ ⓐ

둘째, 능률 제일주의 사고방식도 과정보다 결과를 중시하는 사회 풍조를 조장한 것으로 보인다. ······ ⓑ

셋째, 매사에 요행을 바라는 그릇된 통념도 과정보다 결과를 중시하는 풍조에 일조한 것으로 보인다. ······ ⓒ

넷째, 본질에서 벗어난 교육 행태도 과정보다는 결과를 중시하는 풍조에 일조한 것으로 보인다. ······ ⓓ

다섯째, 수단 방법을 가리지 않는 출세 지향주의 역시 과정보다 결과를 중시하는 풍조를 낳은 것으로 보인다. ······ ⓔ

① ⓐ ② ⓑ ③ ⓒ ④ ⓓ ⑤ ⓔ

20 ㉠과 ㉡에 들어갈 단어를 바르게 묶은 것은?

① ㉠ – 전환, ㉡ – 발견
② ㉠ – 반복, ㉡ – 추측
③ ㉠ – 강화, ㉡ – 편식
④ ㉠ – 교정, ㉡ – 처리
⑤ ㉠ – 관리, ㉡ – 요구

중간·기말 고사 대비 문제 은행

실력 완성 문제

1등급 완성 문제

실력 완성 문제 Ⅰ. 독서의 본질과 태도

[1~5] 다음 글을 읽고 물음에 답하시오.

가 담화의 품격은 오로지 독서 방법에 달려 있다. 말투에 풍미가 있는지 없는지의 여부도 독서 방법에 달려 있다. 책의 풍미를 내 것으로 만들면 담화 속에서도 풍미가 우러난다. 담화에 풍미가 있다면 저술에 풍미가 스며들지 않을 리 없다.

나 이런 까닭에 나는 풍미나 취미라는 것이 독서의 열쇠라고 생각한다. 음식물의 기호와 마찬가지로 취미는 역시 개인의 것이다. 가장 바람직한 식사법은 자기가 좋아하는 음식을 먹는 것이다. 그것은 소화력에 확신이 서기 때문이다. 독서도 이와 마찬가지로 어떤 사람에게 이로운 것이 다른 사람에게는 해독(害毒)이 될는지도 모른다. 그러므로 교사는 자신의 독서 취미를 학생에게 강요할 수 없으며, 부모도 아이들에게 자기와 같은 취미를 기대해서는 안 된다. 읽는 데 흥미가 없으면 독서는 오로지 시간 낭비이다. ㉠원중랑은 "읽기 싫은 책은 주저 없이 버려라. 그리고 다른 사람이 읽도록 하라."라고 말했다.

다 그러므로 반드시 읽어야만 하는 책은 없는 것이다. 우리의 지적 감흥은 나무처럼 성장하고 냇물처럼 유동한다. 수액이 있는 동안 나무는 성장하고, 샘에 새로운 물이 솟는 한 물은 흐른다.

[A] 물은 암초에 부딪히면 우회하여 흐르고, 깊은 웅덩이로 들어가면 잠시 괴었다가 굽이쳐 흐른다. 심산(深山)의 늪에 들면 흔연히 거기서 휴식하고, 물살이 센 내를 만나면 사납게 흐른다. 이처럼 물은 노력하지 않고 목적도 없지만, 반드시 바다로 들어가는 것이다.

이 세상에 '만인의 필독서'라는 것은 없다. 다만 어떤 사람이, 어느 때, 어느 장소에서, 어떤 사정하에서, 생애의 어느 시기에 읽어야만 할 책이 있을 뿐이다.

라 사상과 체험이 걸작을 읽을 정도가 되지 않았을 때 걸작을 읽으면 나쁜 뒷맛이 남을 뿐이다. ㉡공자는 "50세에 『주역』을 읽으면 큰 허물이 없을 것이다."라고 말하였다. 즉 45세에 읽어서는 안 된다는 것이다. 『논어』의 공자 이야기에는 실로 온화한 풍격(風格)과 원숙한 지성이 넘치고 있는데, 이것을 접하는 사람 자신이 원숙해지기 전에는 그 참맛을 모른다.

마 그리고 같은 독자, 같은 책이라도 읽는 시기가 다르면 다른 풍미를 맛볼 수 있다. 이를테면 저자와 직접 이야기를 나눈 후나 혹은 저자를 사진으로 본 뒤 읽으면 책의 재미는 한층 깊고, 저자와 교분을 끊은 뒤에 읽으면 또 다른 맛이 있다. 그러므로 양서는 두 번 읽으면 얻는 바도 크거니와, 재미 또한 새롭다.

출제 유력

1 이 글의 중심 화제로 가장 적절한 것은?

① 올바른 독서의 방법
② 필독서를 선정하는 방법
③ 시기에 따른 독서의 의의
④ 걸작이 독자에게 미치는 효용
⑤ 개인의 풍미와 취미가 다른 이유

2 이 글을 이해한 내용으로 적절하지 않은 것은?

① 독서 방법이 올바르면 담화의 품격을 높일 수 있다.
② 같은 책이라도 독서 상황에 따라 달리 이해될 수 있다.
③ 독서에 대한 개인의 풍미와 취미는 제각각일 수 있다.
④ 지적 역량이 부족하면 독서는 오히려 해가 될 수 있다.
⑤ 양서를 되풀이하여 읽으면 새로운 깨달음을 얻을 수 있다.

3 ㉠과 ㉡에 대한 설명으로 가장 적절한 것은?

① ㉠은 편중된 독서를, ㉡은 걸작에 집착하는 독서를 비판했다.
② ㉠은 독서 경험의 공유를, ㉡은 성현의 독서 경험의 습득을 중요시했다.
③ ㉠은 개인의 풍미에 따른 독서를, ㉡은 시기에 맞는 독서를 강조했다.
④ ㉠과 ㉡은 모두 양서를 중심으로 독서를 해야 함을 역설했다.
⑤ ㉠과 ㉡은 모두 독자의 지적 수준이 독서의 성패를 결정한다고 보았다.

서술형

4 [A]를 통해 필자가 말하고자 하는 바를 유추하여 쓰시오.

학력평가 기출 변형

5 이 글의 필자가 〈보기〉의 '재희'에게 충고할 내용으로 가장 적절한 것은?

〈보기〉

현주: 이번 방학에 책 읽기 과제가 있던데, 너는 어떤 책을 읽을 거야?
재희: '○○독서회'가 선정한 '우리 고전 10선'이 고등학생이 읽어야 할 필독서라는 신문 기사를 봤어. 그래서 이번 방학에 난 그 책들을 다 읽어 볼 생각이야.

① 책을 온전히 이해하기 위해서는 여러 번 반복적으로 읽어야 한다.
② 교양을 쌓는 독서도 필요하지만 요즘 시대에는 실생활에 유용한 독서도 더 필요하다.
③ 특정 시각만을 다룬 책이 아니라 다양한 관점을 균형 있게 보여 주는 책을 읽어야 한다.
④ 고전만을 읽는 것이 의미 있는 것이 아니라 현대의 양서들도 다양하게 읽는 것이 필요하다.
⑤ 다른 사람이 선정해 놓은 책이 아니라 자신의 흥미와 수준을 고려한 책을 선정하여 읽어야 한다.

[6~9] 다음 글을 읽고 물음에 답하시오.

(가) 당장이라도 책의 목록을 보내 드리고 싶습니다. 세상엔 꼭 피해야 할 나쁜 책들도 넘쳐 나니까 할 수만 있다면 도움을 드리고 싶은 마음이 굴뚝같습니다. 하지만 결론부터 말하면 스스로 한 권씩 짠 목록이 가장 좋습니다.

(나) 최고의 여행은 물리적 이동이 아니란 것, 결국은 정신의 여행이란 것, 그 깨달음은 제 여행기에도 영감을 주었습니다. 일상을 뚫고 나오는 이야기에 귀를 기울여 보자는 것이었죠. 보이는 것이 다가 아니었습니다. 저에게는 도시도, 사람도 자식들을 삼킨 크로노스처럼 보였습니다. 아직은 아니지만 이제 곧 자식들이 튀어나올 것입니다. 저는 ㉠좋은 여행기는 『천일 야화』와 같아야 된다고 생각했습니다. 결국 저는 '천일 야화풍의 여행기 목록'을 스스로 갖게 된 셈입니다.

(다) 자신의 관심사에서 출발하는 목록 작성법이 첫 번째라면, 두 번째 작성법이 있습니다. 책 속의 책을 따라가는 방법입니다. 보르헤스의 『바벨의 도서관』에는 "'도서관'의 모든 사람처럼 나는 젊은 시절 여행을 했다."란 말이 나오는데 그건 에이(A)에서 지시하는 책을 찾아 비(B)로, 비(B)에서 지시하는 책을 찾아 시(C)로 가는 겁니다. 무라카미 하루키의 『1Q84』를 읽은 사람이라면 안톤 체호프의 여행기 『사할린섬』이 읽고 싶어질지도 모릅니다. 밀란 쿤데라의 『참을 수 없는 존재의 가벼움』을 읽은 사람이라면 테레사가 처음 토머스의 집에 나타날 때 옆구리에 끼고 있던 『안나 카레니나』를 읽고 싶어 할 수도 있습니다. 테레사가 『안나 카레니나』를 들고 나타난 건 우연이 아니었으니까요. 저는 이런 책 속 여행을 즐기는 편입니다.

(라) 오에 겐자부로는 『신곡』 또한 좋아합니다. 저는 언제 『신곡』도 읽어야겠다고 쭉 생각하고 있었습니다. 그런데 미루어 두던 『신곡』을 실제로 읽게 된 계기는 현실에서 왔습니다. 여기서 세 번째 목록 작성법이 탄생합니다. 현실에서 궁금한 것을 책에서 찾아 읽는 겁니다.

6 이 글의 서술상 특징으로 가장 적절한 것은?

① 책의 내용을 분석하여 필자의 독서관을 드러내고 있다.
② 독서의 장점을 열거하여 독서의 필요성을 강조하고 있다.
③ 구체적인 책을 사례로 제시하여 필자의 경험을 소개하고 있다.
④ 유명 작가의 말을 인용하여 바람직한 독서 방법을 소개하고 있다.
⑤ 대비되는 독서 습관을 제시하여 잘못된 독서 습관을 지적하고 있다.

서술형

7 이 글을 읽고 필자의 집필 의도를 추론하여 쓰시오.

실력 완성 문제

출제 유력

8 이 글의 필자가 책을 선택하는 방법에 대한 설명으로 적절하지 않은 것은?

① 스스로 읽을 책의 목록을 작성해야 한다.
② 자신이 관심 있는 주제의 책을 찾아 읽는다.
③ 좋아하는 작가가 추천하는 책을 찾아 읽는다.
④ 책 속에 등장하는 책을 찾아 읽으며 책 속 여행을 즐긴다.
⑤ 현실에서의 궁금증을 해소해 줄 수 있는 책을 찾아 읽는다.

9 문맥상 ㉠의 의미로 가장 적절한 것은?

① 좋은 여행기는 여행지에서의 낯선 경험을 전해 주어야 한다.
② 좋은 여행기는 여행지에 숨겨진 이야기를 담고 있어야 한다.
③ 좋은 여행기는 여행지에 대한 실질적인 정보를 제공해야 한다.
④ 좋은 여행기는 여행지에서 주의해야 할 사항을 자세히 서술해야 한다.
⑤ 좋은 여행기는 여행지의 평범한 일상도 환상적으로 포장할 수 있어야 한다.

[10~13] 다음 글을 읽고 물음에 답하시오.

(가) 좋아하는 작가의 발견은 자기의 지적 발전에 가장 의미 있는 일이라고 생각한다. 이러할 때는 친화라는 것이 나타나므로, 우리는 고금(古今)의 작가 중에서 그 정신이 자신과 비슷한 사람을 발견해야만 한다. 이렇게 함으로써 참으로 좋은 것을 얻게 되는 것이다. 〈중략〉

본래부터 정신적 친화력으로 결부가 되어 있는 까닭에 모든 것을 흡수하고, 문제없이 소화한다. 작가가 주문을 외면 독자는 기꺼이 그에 홀리고, 때에 따라서는 음성과 동작과 웃는 모습과 이야기하는 모습이 작가와 닮아 간다. 이리하여 문재(文才)상의 연인에게 빠져 ⓐ그 책에서 자기 영혼의 양분을 남김없이 흡수하는 것이다.

(나) ㉠이 질문에 대한 중요한 답변이 있습니다. 아무리 사회가 달라져도, 인간에게는 바뀌지 않는 경험의 조건들이 있습니다. 예를 들어 인간은 언제 어디서 살든 유한성의 경험은 피할 수 없습니다. 인간은 죽는 존재입니다. 한계가 많습니다. 무한히 살 수도 없고, 능력이 무한할 수도 없습니다. ⓑ「길가메시 서사시」는 대략 4,500년 전에 씌어졌습니다. 그 서사시의 주제 가운데 하나가 인간은 왜 죽는가, 영원히 살 길은 없는가 하는 겁니다. 길가메시 왕은 죽어서 바닥에 쓰러져 있는 친구 앞에서 눈물을 흘리고 탄식하며 묻습니다. '오, 친구여, 나도 너처럼 죽어서 영원히 일어설 수 없단 말인가 …….' 이러한 유한성의 경험은 시대를 초월합니다.

(다) 우리 주변에는 ⓒ유성 같은 책들이 지천으로 굴러다니고 있지만, ⓓ항성 같은 책은 점차 자취를 감추고 있다. 좋은 책은 세상살이의 일반성에 관한 이해를 넓혀 주는 동시에 개인적 삶의 특수성까지도 풍부하게 해석해 준다. 그런 이해와 해석이 아예 없거나 미약한, 고만고만한 수준의 책들만 거듭 읽다 보면 잡다한 상식은 늘어날지 몰라도 이 세상과 자기 자신에 대한 깊이 있는 파악은 멀어지고 만다. 그렇고 그런 수준의 유성 같은 책은 아무리 많이 읽어도 삶의 깊이와 두께는 늘 제자리걸음이다. 세상과 인생의 문제를 상투적인 시선으로 바라보고 뻔한 해결책을 제시하는 그렇고 그런 책들은 옆으로 치워 놓고, 변화하는 세상과 그 속에 숨은 삶의 본질을 꿰뚫어 보는 좋은 책들을 찾아내야 한다.

출제 유력

10 (가)~(다)에 대한 설명으로 가장 적절한 것은?

① (가)와 (나)는 독서 경험을 통한 필자의 성찰을 제시하고 있다.
② (가)와 (다)는 비유적 표현을 활용하여 필자의 생각을 드러내고 있다.
③ (나)와 (다)는 대조의 방식으로 필자의 주장을 강화하고 있다.
④ (가)~(다)는 모두 묻고 답하는 방식으로 필자의 의견을 밝히고 있다.
⑤ (가)~(다)는 모두 권위 있는 인물의 말을 인용하여 필자의 견해를 뒷받침하고 있다.

11 (가)~(다)를 이해한 내용으로 적절하지 않은 것은?

① (가)는 좋아하는 작가의 책을 읽으면 지적 향상에 도움이 됨을 주장하고 있다.
② (나)는 인간의 유한한 삶의 경험을 다룬 책을 소개하고 있다.
③ (다)는 삶의 본질을 통찰할 수 있는 책이 부족한 현실을 제시하고 있다.
④ (가)와 (다)는 올바른 책을 선택하는 방법에 대해 소개하고 있다.
⑤ (나)와 달리 (다)는 시대의 변화를 적극적으로 수용하는 책을 긍정적으로 평가하고 있다.

12 ㉠의 구체적 내용으로 가장 적절한 것은?

① 우리가 고전을 읽어야 하는 이유는 무엇일까?
② 사회의 변화에도 변하지 않는 경험은 무엇일까?
③ 인간이 유한성을 극복할 수 없는 까닭은 무엇일까?
④ 독서를 통해 경험할 수 있는 인간의 한계는 무엇일까?
⑤ 인간이 겪어야 할 공통된 삶의 경험에는 어떤 것이 있을까?

출제 유력

13 ⓐ~ⓓ에 대한 설명으로 적절한 것을 〈보기〉에서 모두 고른 것은?

〈보기〉
ㄱ. ⓐ는 ⓒ와 달리 독자에게 실용적 지식을 제공한다.
ㄴ. ⓐ와 ⓑ는 시대를 초월하는 삶의 경험을 소재로 한다.
ㄷ. ⓑ와 ⓓ는 인간의 보편적 삶에 대한 이해를 돕는다.
ㄹ. ⓐ, ⓑ, ⓓ는 필자가 읽을 가치가 있다고 여기는 책이다.

① ㄱ, ㄴ ② ㄱ, ㄷ ③ ㄴ, ㄷ
④ ㄴ, ㄹ ⑤ ㄷ, ㄹ

[14~19] 다음 글을 읽고 물음에 답하시오.

가 같은 독자, 같은 책이라도 읽는 시기가 다르면 다른 풍미를 맛볼 수 있다. 이를테면 ㉠저자와 직접 이야기를 나눈 후나 혹은 저자를 사진으로 본 뒤 읽으면 책의 재미는 한층 깊고, ㉡저자와 교분을 끊은 뒤에 읽으면 또 다른 맛이 있다. 그러므로 양서는 두 번 읽으면 얻는 바도 크거니와, 재미 또한 새롭다.

나 어떤 책은 그 맛을 음미하고 어떤 책은 송두리째 이해해야 하며, 어떤 책은 잘 씹어 소화해야 한다. 이 말은 어떤 책은 그 일부분만 읽어도 되고 어떤 책은 통독은 하지만 자세히 음미할 필요는 없으며, 또한 소수지만 어떤 책은 ㉢주의력을 집중하여 구석구석 읽어야 한다는 뜻이다. 어떤 책은 다른 사람을 시켜서 읽어 달래도 좋고 ㉣타인에 의해 발췌된 내용만을 읽어도 좋다. 그러나 그것은 단지 중요하지 않은 내용이나 고상하지 않은 책의 경우에 한한다. 그렇지 않으면 ㉤개요만을 뽑은 책은 ⓐ보통의 증류한 물과 같은 것으로서, 아무런 맛도 없는 법이다.

다 '소설 독회'는 낯설다. 보편화가 된 시 낭송회와는 달리 소설을 읽고 얘기 ⓑ나누는 형식은 국내에서 그때까지 거의 없었던 탓이다. 독회에서는 등단작 「탈향」을 비롯해 장편 연작 소설 「남녘 사람 북녘 사람」, 「오돌 할멈」, 「닳아지는 살들」, 「나상」, 「소시민」 등 작품 하나하나, 문장 구절구절마다 현미경과 망원경을 동시에 들이댔다. 그가 사람들 앞에 낱낱이 발가벗겨지는 셈이다.

[A] 그래서 그는 때로는 자신의 의도와 다른 작품 해석에 강하게 반박하기도 하고, 때로는 자신조차 인식하지 못한 접근에 무릎 치며 동의를 보내기도 한다. 편안하게 술술 읽히는 문장이 얼마나 고통스럽고 치열한 사유의 결과물이었는지 짐작하게 한다.

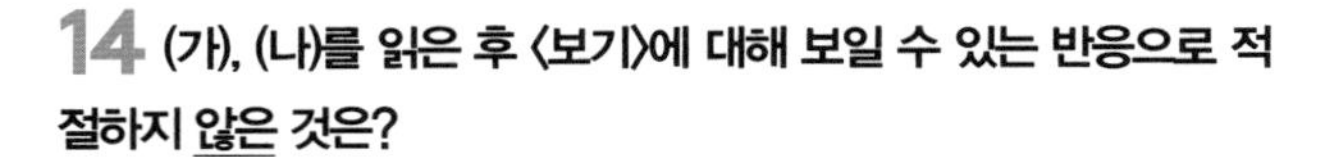

실력 완성 문제

14 **(가), (나)를 읽은 후 〈보기〉에 대해 보일 수 있는 반응으로 적절하지 않은 것은?**

〈보기〉

현지: 역사에 대한 관심이 많아 초등학생 때부터 역사 관련 책을 즐겨 읽었어요. 그런데 『역사의 ○○』는 어휘도 낯설고 내용도 어려워서 주요 내용만 뽑아 정리한 요약본을 읽었더니 기억에 남지 않더라고요. 그래서 이번에 고등학교에 올라와서 역사 전문서인 그 책을 다시 처음부터 찬찬히 읽으니 역사의 전체 흐름이 그제야 이해되더라고요.

① 같은 책도 여러 번 읽다 보면 새로운 의미를 깨달을 수 있겠군.
② 『역사의 ○○』는 발췌독보다는 정독을 해야 하는 종류의 책이겠군.
③ 초등학생 때 책이 이해가 안 되었던 것은 본인의 독서 수준에 맞지 않는 독서를 했기 때문이야.
④ 책의 내용이 기억에 안 남았던 것은 요약본을 읽으면 책의 전체 내용을 파악하는 것이 어렵기 때문이야.
⑤ 『역사의 ○○』는 교양 수준의 내용이기 때문에 역사의 전체 흐름을 이해하는 데 도움을 준 것이겠군.

15 **㉠~㉤ 중, (다)의 '소설 독회'와 관련 있는 것은?**

① ㉠ ② ㉡ ③ ㉢ ④ ㉣ ⑤ ㉤

출제 유력

16 **ⓐ의 문맥적 의미로 가장 적절한 것은?**

① 작가의 의도가 배제된 글
② 논쟁이 될 만한 내용이 삭제된 글
③ 무미건조한 사실 위주로 추려진 글
④ 독자의 독서 성향을 반영하지 못한 글
⑤ 책의 고유한 즐거움을 느낄 수 없는 글

17 **ⓑ와 문맥적 의미가 유사한 것은?**

① 이 사과를 세 조각으로 나누자.
② 그들은 슬픔과 기쁨을 함께 나누며 산다.
③ 이익금은 모두에게 공정하게 나누어야 한다.
④ 선생님은 학생들을 청팀과 백군으로 나누었다.
⑤ 우리는 그 문제에 대해서 의견을 나누기로 했다.

학력평가 기출 변형

18 **(다)와 〈보기〉를 비교한 내용으로 가장 적절한 것은?**

〈보기〉

저는 올해 독서 동아리 활동의 하나로 친구들과 함께 환경 문제에 관한 책을 읽고 독서 토론을 했어요. 여럿이서 같은 책을 읽고 이야기를 나누다 보니 혼자서는 이해가 잘 안 되던 부분도 이해되고, 미처 생각지 못했던 문제도 발견할 수 있어서 보람 있었어요. 무엇보다 놀라운 점은 처음에 환경 문제에 별반 관심이 없고 형식적으로 동아리 활동을 하던 친구들이 독서 활동을 계속하면서 누구보다 열성적인 환경 운동가가 되었다는 거예요.

① (다)는 〈보기〉와 달리 독서를 통한 행동의 변화를 보여 주고 있다.
② 〈보기〉는 (다)와 달리 여가 활용 수단으로서의 독서를 강조하고 있다.
③ 〈보기〉는 (다)와 달리 독서를 통한 저자와의 소통의 필요성을 강조하고 있다.
④ (다)와 〈보기〉는 모두 실용적인 문제 해결을 위한 독서에 초점을 맞추고 있다.
⑤ (다)와 〈보기〉는 모두 타인과 교감하며 읽는 독서 공동체 활동에 대해 서술하고 있다.

서술형

19 **[A]를 통해 알 수 있는 더불어 하는 독서 활동의 장점을 쓰시오.**

[1~5] 다음 글을 읽고 물음에 답하시오.

가 한옥에서 통의 원리를 구현하는 방식은 크게 두 가지가 있다. 첫째, 거시 기후에 맞춰 집 안에 '바람길'을 내는 것이다. 여기서 거시 기후란 계절 같은 큰 시간 단위를 기준으로 한반도 전체에 걸쳐서 나타나는 기후 현상을 말한다. 한옥에서는 여름에 부는 바람인 남동풍의 방위에 맞춰 남향, 혹은 남동향으로 바람이 드나드는 바람길을 냈다. 한옥에서 바람길은 시원하고 통 크게 나 있어, 바람이 돌아 나가거나 머물거나 꺾어 가지 않도록 했다.

나 그러나 집 안의 가장 안쪽에 있는 안채는 사랑채에 비해 폐쇄적이어서 여름철에 바람을 집 안까지 끌어들이기 위해서는 좀 더 세밀한 처리가 필요하다. 안마당을 중심으로 여름에 부는 바람의 방향을 고려하여 중문을 남쪽에, 대청을 북쪽에 두었다. 대청 뒷면에는 ⓐ나무창을 설치했는데, 이 창은 바람길을 만들기도 하고 없애기도 하는 중요한 역할을 한다. 더운 여름, 중문과 대청 뒷면의 창을 모두 여는 순간 단번에 바람길이 만들어진다. 반면에 추운 겨울, 나무창을 닫으면 대청 뒷면은 완전히 막혀 매서운 겨울의 북서풍을 완전히 차단할 수 있다.

다 한옥에서 통의 원리를 구현하는 두 번째 방법은 미시 기후를 활용해서 마당에 찬 공기주머니를 만드는 것이다. 미시 기후란 숲과 산세, 지세와 물길 등 각 집의 주변을 둘러싼 개별적 상황에 따라 나타나는 구체적인 기후 현상이다. 도시에서의 도로나 빌딩, 농촌에서의 배산임수(背山臨水)는 미시 기후에 영향을 미치는 중요한 요소이다. 한옥에서는 마당을 비워서 안마당에 찬 공기주머니를 만드는 방법으로 미시 기후를 활용한다.

라 한여름 한옥의 마당에는 대류 현상이 나타난다. 마당의 공기가 열을 받아 더워지면 위로 올라가서 마당은 거의 진공과 유사한 상태가 만들어지고, 그러면 진공을 채우기 위해 바람이 불어온다. 이때 바람은 중문으로 들어오는 것과 대청 뒤에서 불어오는 것 두 가지가 있을 수 있는데 이 가운데 찬 것이 들어오게 된다. 둘 가운데 찬 것은 대청 뒤에서 부는 바람이다. 대개 대청 뒤에는 숲이 있는데, 이곳의 찬바람이 집 안으로 들어온다. ㉠한옥을 숲 앞에 짓는 것은 바로 이 때문이다. 우리 조상들은 한옥을 지을 때 지켜야 할 하나의 불문율 같은 것이 있었다. 대청 근처의 집 주변에 ⓑ나무를 심지 말라는 것이다. 대청에 너무 가깝게 나무가 있으면 바람이 흘러드는 것을 막기 때문이다. 또한 담을 낮게 했는데, 담이 높으면 이 역시 바람의 흐름을 방해하기 때문이다.

출제 유력

1 이 글의 내용 전개 방식으로 가장 적절한 것은?

① 대상의 장점을 제시하고, 현대적 의의를 부각하고 있다.
② 대상과 관련한 이론을 정리하고, 구체적 사례에 적용하고 있다.
③ 대상의 개념을 정의하고, 이에 대한 다양한 견해를 소개하고 있다.
④ 대상의 구현 방식을 제시하고, 그 방법을 구체적으로 서술하고 있다.
⑤ 대상에 대한 전문가의 견해를 인용하고, 앞으로의 전망을 밝히고 있다.

2 이 글의 내용과 일치하지 않는 것은?

① 바람길은 한옥에서의 통풍을 원활하게 하는 기능을 한다.
② 찬 공기주머니를 만드는 것은 대류 현상을 이용한 것이다.
③ 여름철에 마당이 열을 받으면 다른 공기가 유입되지 않는다.
④ 안채에 바람을 들이려면 바람길 이외의 추가 장치가 필요하다.
⑤ 조상들은 한옥을 지을 때 대청 주변에 나무를 심지 않으려고 했다.

서술형

3 문맥을 고려하여 ㉠의 이유를 쓰시오.

실력 완성 문제

출제 유력

4 ⓐ와 ⓑ에 대한 설명으로 적절하지 않은 것은?

① ⓐ는 바람의 흐름을 통제하는 기능을 했다.
② ⓐ는 여름철에 ⓑ와 비슷한 역할을 수행한다.
③ ⓑ는 바람이 집 안으로 들어가는 것을 방해한다.
④ ⓑ는 찬 공기주머니의 형성을 지연시킬 수 있다.
⑤ ⓐ와 ⓑ는 모두 한옥을 시원하게 하는 데 영향을 미친다.

5 이 글과 〈보기〉를 엮어 기사를 작성한다고 할 때, 표제와 부제로 가장 적절한 것은?

〈보기〉

'그랭이질'은 본디 한옥을 지을 때 나무 기둥과 주춧돌을 맞물리게 하는 고난도 공법으로 '그레질'이라고도 한다. 기둥은 생긴 대로 펑퍼짐한 자연석 주춧돌 위에 세워지는데도 흔들리거나 밀리는 법이 없다. 주춧돌의 생긴 모양에 따라 나무 기둥의 밑동을 정밀하게 파내서 밀착시켰기 때문이다.

① 현대 건축물보다 견고한 한옥
　– 대류 현상과 그랭이질에 담긴 과학적 원리로
② 한옥의 친환경적인 건축 재료
　– 숲과 나무, 그리고 주춧돌의 쓰임을 바탕으로
③ 친자연적 건축물인 한옥의 가치
　– 바람길과 그랭이질의 기능을 활용하여
④ 우리 건축에 사용된 과학적 기법
　– 통의 원리와 그랭이질을 중심으로
⑤ 우리 건축 기술에 담긴 장인 정신
　– 건물 배치와 전통 공법을 통해

[6~10] 다음 글을 읽고 물음에 답하시오.

(가) 도로나 공원처럼 여러 사람이 공동으로 소비하는 것을 '공공재'라고 부른다. 공공재의 또 다른 예로는 국방 서비스나 경찰 서비스를 들 수 있다. 그런데 이 공공재에는 독특한 성격이 있어 시장에서는 그것을 취급하기 어렵다. 예컨대 국방 서비스를 생산, 공급하는 기업이 있다고 가정해 보자. 이 기업은 한 사람당 연간 5백만 원만 내면 철통 방위를 약속한다는 신문 광고도 냈다. 과연 국민들은 돈을 내고 이 서비스를 이용하려 할까? [　　　ⓐ　　　]
이처럼 개인이나 기업이 비용을 들여 공공재를 생산할 때 아무 비용을 지불하지 않은 사람도 비용을 지불한 사람과 함께 그 혜택을 누릴 수 있게 된다. 대부분의 공공재를 정부가 생산, 공급하는 것은 바로 이 때문이다.

(나) 공공재에 무임승차를 한다는 것은 자기가 속한 공동체의 이익을 무시하고 개인적인 이익만을 취하려고 행동한다는 뜻이다. 완벽하게 합리적이고 이기적인 사람, 즉 호모 에코노미쿠스라면 당연히 이런 이기적 행동을 하게 된다. 그러나 무임승차를 할 수 있는 상황이라 해서 사람들이 언제나 무임승차를 하려고 할까? 이 의문에 대한 답을 얻기 위해 다음과 같은 실험을 해 볼 수 있다.

(다) 각 사람은 자신에게 배정된 50장의 표를 '개인'이라고 씌어 있는 흰색 상자와 '공공'이라고 씌어 있는 푸른색 상자에 나누어 넣게 된다. 어떤 사람이 표 1장을 흰색 상자(개인)에 넣으면 실험이 끝난 후 그 사람은 천 원을 받게 된다. 반면에 표 1장을 푸른색 상자(공공)에 넣으면 그 집단에 속하는 모든 사람이 5백 원씩 받게 된다.

(라) 지금까지의 전통적 경제학은 자신의 이익만을 추구하는 합리적 인간인 호모 에코노미쿠스의 경제 행위를 분석의 대상으로 삼았다. 그러나 ㉠공공재에 관한 실험을 통해 확인했듯이 현실의 인간은 경제학 교과서에 등장하는 호모 에코노미쿠스와 다르다. 우리가 경제 행위를 할 때 언제나 이기적으로, 합리적으로 행동하지는 않는다는 것이다. 이는 지금의 경제 정책을 만드는 근거가 되었던 전통적 경제 이론이 현실을 설명하는 능력에 한계가 있을 수밖에 없음을 뜻한다. 또한, 이 경제 이론에 기초를 두고 있는 경제 정책이 기대한 효과를 내지 못할 가능성이 있다는 뜻도 된다. 이제는 경제 이론과 경제 정책을 새로운 시각에서 다시 검토해 볼 필요가 있지 않을까?

6 **이 글에 대한 설명으로 적절하지 않은 것은?**

① 특정 용어의 개념을 구체적으로 설명하고 있다.
② 묻고 답하는 방식을 활용하여 논지를 전개하고 있다.
③ 가상적 상황을 제시하여 설명 대상의 특성을 밝히고 있다.
④ 특정 실험 내용을 활용하여 필자의 견해를 드러내고 있다.
⑤ 구체적인 연구 결과를 인용하여 현상의 원인을 제시하고 있다.

출제 유력

7 **이 글의 집필 목적으로 가장 적절한 것은?**

① 자신의 이익만을 추구하는 경제 행위를 성찰해야 한다.
② 기존의 경제 이론과 경제 정책에 대해 재검토해야 한다.
③ 전통적 경제학은 인간의 속성에 대한 관점을 수정해야 한다.
④ 공공재에 무임승차하려는 사람들에 대한 제재가 강화되어야 한다.
⑤ 경제 정책은 경제 이론에 반영된 인간 행위를 분석하여 수립해야 한다.

서술형

8 **ⓐ에 들어갈 내용을 〈조건〉에 맞게 쓰시오.**

〈조건〉

1. 국방 서비스를 이용하기 위해 돈을 지불할 것인지에 대한 판단을 서술할 것
2. '1'과 같이 판단한 결과에 대한 이유를 (나)에 있는 단어를 활용하여 서술할 것

출제 유력

9 **㉠의 결과를 추론할 때 가장 적절한 것은?**

① 사람들은 가진 표를 전부 흰색 상자에 넣었을 것이다.
② 사람들은 가진 표를 전부 푸른색 상자에 넣었을 것이다.
③ 사람들은 가진 표를 전부 흰색 상자에 넣지는 않았을 것이다.
④ 사람들은 표가 적게 넣어져 있는 상자에 자신이 가진 표를 전부 넣었을 것이다.
⑤ 사람들은 표가 많이 넣어져 있는 상자에 자신이 가진 표를 전부 넣었을 것이다.

학력평가 기출 변형

10 **이 글과 〈보기〉를 통해 알 수 있는 '인간'의 특성으로 가장 적절한 것은?**

〈보기〉

왜 은메달 수상자가 3위인 동메달 수상자보다 더 만족스럽게 느끼지 못할까? 선수들이 자신이 거둔 객관적인 성취를 가상의 성취와 비교함으로써 객관적인 성취를 주관적으로 재해석했기 때문이다. 은메달 수상자들에게 그 가상의 성취는 당연히 금메달이었다. 반면 동메달 수상자들이 비교한 가상의 성취는 '노메달'이었기 때문에, 동메달의 주관적 성취는 은메달의 행복 점수를 뛰어넘을 수밖에 없다.

① 인간은 언제나 합리적으로만 행위하는 것은 아니다.
② 인간은 경제적 이익보다 심리적 만족을 더 중시한다.
③ 인간은 타인과 비교하여 자신의 성취를 부정하는 경향이 있다.
④ 인간은 타인에 대한 경쟁심을 통해 자신의 가치를 상승시킨다.
⑤ 인간은 남의 불행에는 관대하고 자신의 불행에는 예민하게 반응한다.

[11~14] 다음 글을 읽고 물음에 답하시오.

(가) 대부분의 사람은 동물을 학대하는 행위에 반대한다. 이러한 생각의 바탕에는 동물도 도덕적 지위를 지니고 있다는 믿음이 깔렸다. 그런 까닭에 우리가 별생각 없이 먹는 음식의 상당 부분이 동물에 대한 지독한 학대 행위 끝에 나온다는 사실을 깨닫게 하는 ㉠동물 권리 운동가들의 시도가 성공을 거두곤 한다. 동물 권리 운동가들의 노력으로 좁고 밀폐된 공간에서 사료를 끊임없이 주며 닭을 사육하는, 이른바 배터리 닭장이 2012년부터 유럽 연합(EU)에서 사라지게 된 것이 한 예가 될 것이다. 하지만 이러한 변화는 우리가 지녀 온 ㉡동물에 대한 전통적인 견해, 즉 인간은 어떠한 제한도 받지 않고 동물을 이용할 수 있다는 생각과 충돌을 일으킨다. 과연 우리는 인간과 마주하고 있는 상대인 동물의 도덕적 지위를 어떻게 이해해야 할까?

(나) 그런데도 우리는 최소한 어떤 일을 해서는 안 된다는 것을 사회적 약속으로 삼고 살아간다. 동물에

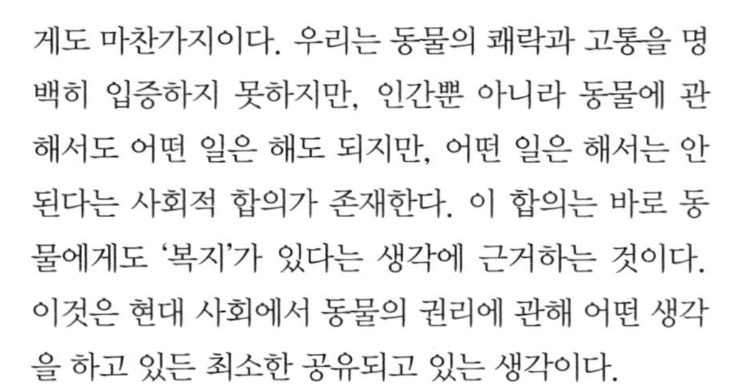
게도 마찬가지이다. 우리는 동물의 쾌락과 고통을 명백히 입증하지 못하지만, 인간뿐 아니라 동물에 관해서도 어떤 일은 해도 되지만, 어떤 일은 해서는 안 된다는 사회적 합의가 존재한다. 이 합의는 바로 동물에게도 '복지'가 있다는 생각에 근거하는 것이다. 이것은 현대 사회에서 동물의 권리에 관해 어떤 생각을 하고 있든 최소한 공유되고 있는 생각이다.

다 그렇다면 동물의 복지를 위한 객관적인 기준은 어떻게 마련할 수 있을까? 이를 위해서는 다시 복지의 개념으로 돌아갈 필요가 있다. 앞서 살펴본 바대로 복지란 '기본적인 욕구'가 충족되는 것이므로 동물의 기본적인 욕구가 무엇인지 아는 것이 필수적이다. 동물의 욕구는 크게 두 가지로 생각할 수 있다. 적합한 먹이나 청결한 환경과 같이 긍정적인 것을 추구하는 적극적인 욕구와, 육체적으로 받을 수 있는 공격이나 위협과 같은 부정적인 것을 피하려는 소극적 욕구가 그것이다. 특히 후자의 욕구는 고통을 최소화하는 것이 행복이라는 복지의 개념과 다시 연결된다. 가령 '죽음'의 경우 어떤 동물도 영원히 살 수 없으며 죽음을 거부할 수 없지만, 사람이 관리하는 동물이라면 생명의 종말이 마땅히 배려되어야 한다. 비록 야생 동물의 자연적인 죽음이라고 해도 그것이 항상 고통이 없는 것은 아니다. 중요한 것은 동물을 죽일 수 없다는 것이 아니라, 어쩔 수 없이 동물을 죽일 수밖에 없다면 고통을 최소화하는 것이 훌륭한 복지라는 것이다.

출제 유력

11 이 글의 서술 방식으로 적절한 것을 〈보기〉에서 모두 고른 것은?

〈보기〉
ㄱ. 묻고 답하는 방식으로 자신의 주장을 펼치고 있다.
ㄴ. 두 견해의 공통점을 부각하여 논지를 강화하고 있다.
ㄷ. 구체적인 사례를 제시하여 주장의 타당성을 높이고 있다.
ㄹ. 통념에 대한 의문을 제기하고, 근거를 들어가며 주장을 펼치고 있다.

① ㄱ, ㄴ ② ㄱ, ㄷ ③ ㄴ, ㄷ
④ ㄴ, ㄹ ⑤ ㄷ, ㄹ

12 이 글을 이해한 내용으로 적절하지 않은 것은?

① 밀폐된 공간에서 닭을 사육하는 것은 동물의 도덕적 지위를 인정하지 않는 것이다.
② 동물의 고통을 입증할 수 없다는 이유로 동물에게도 복지가 있다는 것을 부인할 수 없다.
③ 동물이 느끼는 고통을 최소화하기 위해서는 동물에게 적합한 사료와 쾌적한 서식처를 제공해야 한다.
④ 인간이 관리하는 동물이더라도 잔인하게 죽이면 안 된다는 사회적 합의는 동물의 복지 증진에 기여한다.
⑤ 동물의 복지를 위한 객관적인 기준을 마련하기 위해서는 우선적으로 동물의 기본적인 욕구를 정확히 파악해야 한다.

학력평가 기출 변형

13 〈보기〉의 관점에서 이 글의 필자에 대해 보일 수 있는 반응으로 가장 적절한 것은?

〈보기〉
개체론적 관점에서 볼 때, 인간과 동물은 모두 존중 받아야 할 '독립적 개체'이다. 동물도 인간처럼 주체적인 생명을 영위해야 할 권리가 있는 존재이다. 또한 동물도 쾌락과 고통을 느끼는 개별 생명체이므로 그들에게 고통을 주어서도, 생명을 침해해서도 안 된다. 요컨대 동물도 고유한 권리를 가진 존재이기 때문에 동물을 인간을 위한 수단으로 여기는 인간 중심주의적인 시각은 윤리적으로 문제가 있다.

① 동물에게도 복지를 누릴 고유한 권리가 있음을 부정하고 있군.
② 동물도 인간과 마찬가지로 고통을 느끼는 존재임을 간과하고 있군.
③ 동물은 사육하면 야생성이 약화될 수 있음을 인정할 필요가 있어.
④ 동물의 고통을 최소화하며 죽인다고 해서 생명 침해를 막을 수는 없어.
⑤ 동물과 인간이 동일한 감정을 공유할 수 있다는 것은 인간 중심주의적인 시각이야.

출제 유력

14 ㉠과 ㉡에 대한 설명으로 적절하지 않은 것은?

① ㉠은 ㉡과 달리 동물에 대해서 도덕적 관점을 적용해야 한다고 주장할 것이다.
② ㉠은 ㉡과 달리 동물에게도 고통을 최소화하며 죽을 권리가 있다고 주장할 것이다.
③ ㉠은 ㉡과 달리 인간이 아무런 제약 없이 동물을 이용해서는 안 된다고 주장할 것이다.
④ ㉡은 ㉠과 달리 동물에게 해서는 안 되는 일이 있다는 사회적 합의에 동의하지 않을 것이다.
⑤ ㉡은 ㉠과 달리 동물도 쾌락과 고통을 느낀다는 사실이 입증되어야 동물의 권리를 인정할 것이다.

[15~18] 다음 글을 읽고 물음에 답하시오.

(가) 사람들 대다수는 동물도 고통을 겪을 수 있다는 사실에 대체로 동의한다. 물론 특정한 환경에서 동물이 어떤 고통을 얼마나 겪는지에 관해서는 확신이 덜 들 수 있다. 그렇다고 동물들이 스스로 고통을 겪고 있음을 우리에게 입증하라고 할 수도 없다. 다만 우리가 마련하거나 시키려고 하는 일을 동물들이 적극적으로 피하려고 한다면 그것이 고통이라는 것만은 확실하다.

그러므로 ㉠불필요한 고통은 배제하고 사람을 위하여 필요한 경우라도 고통을 최소화하기 위해 노력하는 것이 인도적인 행위이다. 이는 사람과 일정한 관계를 유지하고 살아가는 동물과 건전하고 바람직한 관계를 정립하는 측면에서 마땅히 지켜야 할 자세이다. 결국 동물의 복지를 책임져야 하는 것은 바로 인간이며, 이는 인간을 보다 인간답게 하는 일이 될 것이다.

(나) 종(種) 우월주의는 우리가 동물을 학대하고 상습적으로 그들의 요구를 무시하는 태도를 정당화하는 이론이다. 인간이 자연과 별개로 모든 종이 태어나 살다가 죽는다는 기본 원칙에서 예외라도 되는 듯, 스스로 자연의 일부로 간주하지 않는 오만한 태도 이면에 이 같은 편견이 자리 잡고 있다. 예를 들어, 많은 종이 개체 과밀과 과다한 소비로 멸종에 ⓐ이르렀던 것처럼 인류 역시 스스로 멸종을 초래할 수 있다. 인간의 오만과 더불어 (자신이 사는 세상을 향상할 수도, 파괴할 수도 있는 엄청난 잠재 능력을 지닌 큰 뇌의 포유동물로서) 스스로에 대한 부정은 궁극적으로 자기를 파괴적으로 만든다. 우리는 현재 많은 분야에서 잘못을 저지르고 있다는 것을 진정 부끄러워해야만 한다.

이를테면, 서식지 파괴와 과잉 소비, 개체 과밀과 외래종의 만연 그리고 기후 변화 등의 요인이 결합되어 또다시 전 지구적으로 대규모 생물 종의 멸종 과정이 진행 중이다. 과학자들은 이같이 믿기지 않는 ㉡생물 다양성 상실의 주된 원인이 인간에게 있다는 점에 동의하고 있다.

종 우월주의는 동물을 위계적 개념인 '하등 동물'과 '고등 동물'로 분류하게 하고, 이 서열의 최고 단계에 인간이 자리 잡는 것을 당연하게 여긴다. 이는 동물의 복지를 외면하게 만드는 그릇된 관점이다.

출제 유력

15 (가)와 (나)의 필자가 모두 동의하는 내용으로 가장 적절한 것은?

① 인간과 동물은 상호 호혜적인 관계를 유지해야 한다.
② 인간은 동물의 복지를 증진하기 위해 노력해야 한다.
③ 인간만이 동물을 보호할 수 있다는 생각을 바꿔야 한다.
④ 동물 학대를 멈추지 않으면 인류도 언젠가는 멸종할 것이다.
⑤ 일반적으로 사람들은 동물이 고통을 느낀다는 사실을 모르고 있다.

16 (나)의 필자가 ㉠에 대해 보일 수 있는 반응으로 가장 적절한 것은?

① 인간의 과잉 소비를 정당화하려는 시도로 볼 수 있군.
② 생물 다양성을 유지하기 위해 의식적으로 노력하고 있군.
③ 동물의 고통을 이해함으로써 종 우월주의를 극복하려 하는군.
④ 인간을 위해 동물이 희생될 수 있다는 생각이 전제되어 있군.
⑤ 인도적인 행위를 통해 인간과 동물이 동등하다는 관점을 드러내고 있군.

실력 완성 문제

서술형

17 ㉡의 이유를 〈조건〉에 맞게 쓰시오.

〈조건〉
1. 인간의 생물학적 특성을 근거로 제시할 것
2. (나)에서 찾아 서술할 것

18 ⓐ와 문맥적 의미가 가장 유사한 것은?

① 그는 여느 때보다 이르게 학교에 도착했다.
② 그의 음악성이 완숙의 단계에 이르게 되었다.
③ 그가 하인에게 음식을 더 가져오라고 이른다.
④ 아이들에게 위험한 데서 놀지 말라고 이른 적이 있다.
⑤ 옛말에 이르기를 부자는 망해도 삼 년은 간다고 했다.

[19~23] 다음 글을 읽고 물음에 답하시오.

가 저렇게 많은 중에서
별 하나가 나를 내려다본다
이렇게 많은 사람 중에서
그 별 하나를 쳐다본다

밤이 깊을수록
별은 밝음 속에 사라지고
나는 어둠 속에 사라진다

이렇게 정다운 / 너 하나 나 하나는
어디서 무엇이 되어 / 다시 만나랴

– 김광섭, 「저녁에」

나 별 하나에 추억과 / 별 하나에 사랑과
별 하나에 쓸쓸함과 / 별 하나에 동경과
별 하나에 시와 / 별 하나에 어머니, ㉮어머니,

[A] 어머님, 나는 ⓐ별 하나에 아름다운 말 한마디씩 불러 봅니다. 소학교 때 책상을 같이했던 아이들의 이름과 패, 경, 옥, 이런 이국 소녀들의 이름과 벌써 아기 어머니 된 계집애들의 이름과, 가난한 이웃 사람들의 이름과, 비둘기, 강아지, 토끼, 노새, 노루, 프랑시스 잠, 라이너 마리아 릴케 이런 시인의 이름을 불러 봅니다.

– 윤동주, 「별 헤는 밤」 중에서

다 윤동주야말로 별 하나하나를 또박또박 헤아리고 있다. 이름까지 붙여 가면서 말이다. 그런데 잘 보라. 처음엔 '추억', '사랑', '쓸쓸함', '동경'과 같은 추상적인 어휘가 연결되더니, '시'를 거쳐 '어머니'에 다다르면 그만 어조가 바뀐다. 별 하나에 추억과 사랑과 쓸쓸함과 동경과 시를 연결할 때는 어딘가 멋과 여유마저 느껴지는 듯하더니, 어머니를 떠올리는 순간 시인은 연거푸 어머니를 되뇌며 뭔가 걸리거나 홀린 듯이, 아니 갑자기 정신을 차린 듯이 수다를 떨기 시작하는 것이다.

라 〈앞부분의 줄거리〉 나는 깊은 산속에서 홀로 외로이 양을 치는 스무 살 목동으로 주인집 따님 스테파네트를 흠모한다. 어느 날 뜻밖에도 그녀가 일꾼을 대신해 목동의 양식을 갖고 산으로 찾아온다. 집으로 돌아가던 아가씨는 그만 흠뻑 물에 젖어 다시 돌아오고, 나는 그녀를 위해 모닥불을 피운다. 모닥불 앞에서 우리 둘은 아무 말 없이 나란히 앉았고, 무슨 바스락 소리만 들려도 그녀는 바싹 내게로 다가들었다. 바로 그 찰나에, 아름다운 유성이 한 줄기 우리 머리 위를 스쳐서 갔고, 나는 그녀에게 밤하늘의 별 이야기를 들려주었다.

"어머! 별들도 결혼해?"
"그럼요!"
하고, 별들의 결혼에 관해 이야기하려 했을 때, 어깨 위에 무언가 부드러운 것이 가볍게 누르는 듯한 느낌이 들었다. 그것은 잠이 들어 무거워진 아가씨의 머리였다. 아가씨는 리본과 레이스, 꼬불꼬불한 머리를 사랑스럽게 내 어깨에 기대어 별들이 아침 햇살을 받아 사라질 때까지 잠들어 있었다.

나는 가슴이 좀 두근거렸지만, 아름다운 생각만을 보내 준 이 맑은 밤의 성스러움 속에서 잠든 아가씨의 모습을 가만히 지켜보았다. 우리를 둘러싸고 있는 별들은 양 떼와 같이 얌전하고 조용한 걸음을 재촉했다.

나는 생각했다. 이 별 중에서 가장 예쁘고, 아름답게 빛나는 ⓑ별 하나가 길을 잃고 내 어깨에 기대어 잠들어 있노라고.

– 알퐁스 도데, 「별」에서

출제 유력

19 (가)와 (나)의 공통점으로 가장 적절한 것은?

① 자연물을 활용하여 정서를 드러내고 있다.
② 다양한 감각적 심상을 사용하여 대상을 예찬하고 있다.
③ 대화의 형식을 통해 대상과의 친밀감을 나타내고 있다.
④ 명령적 어조를 활용하여 화자의 강한 의지를 표출하고 있다.
⑤ 과거에 대한 회상을 통해 그리움의 정서를 환기하고 있다.

학력평가 기출 변형

20 〈보기〉는 (가)에 대한 평론의 일부이다. 이를 참고하여 (가)를 이해한 내용으로 적절하지 않은 것은?

〈보기〉

별과 내가 서로 마주 본다는 것, 이것은 얼마나 기적 같은 일인가? 우리 은하계에는 천억 개의 별이, 그리고 우주에는 그런 은하가 또 천억 개 정도가 있단다. 그런데 그중 하나가 수십억 인구 가운데 하나인 나와 서로 마주 보고 있는 것이다. 그것도 억겁의 시간 가운데 지금 이 순간, 어쩌면 이미 오래전 티끌로 사라져 버렸을지도 모를 그 별과 지금 이 순간 내가 만나고 있는 것이다. 허나 그렇게 소중한 만남과 관계건만 그 또한 시간의 힘을 이길 수는 없는 법. 저녁별은 밤이 되면 사라지고 나 또한 그럴 운명이다. 〈중략〉

어디서 무엇이 되어 다시 만나게 될지, 벅차지 않은가? 그대의 기억 속에 지금껏 자리하고 있는 별만큼이나 많은 인연을 되새겨 보면, 그립지 않은가? 숱하게 사라진 뭇별 같은 인연, 뭉치로 계산하지 말고 이 시인이 하듯 또박또박 따져 보라. 그 인연들 가운데 하나씩 하나씩 너 하나, 나 하나, 이렇게 말이다.

① '별'이 나를 내려다보고 '나'가 별을 쳐다보는 것은 서로 관계를 맺고 있음을 나타낸 것이군.
② '별'과 '나'의 만남은 기적과 같은 소중한 만남으로 볼 수 있군.
③ '별'이 사라지고 '나'가 사라지는 것은 운명을 거스르려는 몸부림으로 볼 수 있군.
④ '너 하나 나 하나'에는 각각의 인연이 모두 소중함을 나타낸 것이겠군.
⑤ '어디서 무엇이 되어/다시 만나랴'에는 소중한 사람과의 재회에 대한 소망이 담겨 있군.

21 〈보기〉의 ㉠~㉤ 중 [A]에서 확인할 수 있는 것은?

〈보기〉

【 '현주'의 문학 노트 】

윤동주(1917~1945)의 시 세계는 다음과 같은 특징이 있음.
- 유년 시절에 대한 추억과 정서 ………………………… ㉠
- 반성적인 매개체를 사용한 자아 성찰 ……………… ㉡
- 부정적인 현실에 대한 극복 의지 ……………………… ㉢
- 시인의 소명 의식과 희생정신………………………… ㉣
- 식민지 지식인으로서의 자신에 대한 부끄러움 …… ㉤

① ㉠ ② ㉡ ③ ㉢ ④ ㉣ ⑤ ㉤

22 ⓐ와 ⓑ에 대한 설명으로 적절하지 않은 것은?

① ⓐ는 잊고 있었던 고맙고 그리운 존재를 의미한다.
② ⓐ는 화자의 꿈을 실현시키는 촉매 역할을 한다.
③ ⓑ는 인물들을 연결해 주는 매개체 역할을 한다.
④ ⓑ는 '나'가 흠모하는 주인집 아가씨를 의미한다.
⑤ ⓐ와 ⓑ는 순수하고 서정적인 분위기를 조성한다.

서술형

23 (나)의 시상 전개를 고려할 때, ㉮의 역할에 대해 쓰시오.

[24~27] 다음 글을 읽고 물음에 답하시오.

가 그즈음 나는 의심하고 있었다. '꼭 꿈을 직업으로만 이루어야 하는 걸까?' 사람들은 말한다. "가슴 뛰는 일을 해라!" 멋진 말이다. 하지만 누구나 가슴 뛰는 일을 직업으로 가질 수 있는 걸까? 누구나 자신의 꿈을 이루기 위해 선택한 직업에서 최고가 될 수는 없다. 실제 자신의 꿈을 직업으로 이룬 사람은 많지 않다. 또 꿈을 직업으로 이루었다고 꼭 행복해지는 것도 아니다.

나 나는 직업을 꿈과 연결해 내가 하고 싶은 일, 가슴 뛰는 일을 하지 않으면 마치 실패자인 것처럼 좌절하게 만드는 요즘 세태를 생각했다. 그리고 직업이란 '내'가 아니라 '남'에게 도움이 되는 일을 하고, 합당한 대가를 받는 일이라는 생각에 이르자, 사람들이 느끼는 '자아실현'과 '직업' 사이의 괴리를 이해할 수 있었다.

실력 완성 문제

다 ㉠앤이 내게 물었어도 아마 같은 대답을 했을 거다. 이제 나는 "너의 꿈을 너의 직업으로 이뤄라!" 같은 말은 하지 않을 생각이다. 내가 생각하기에, 직업은 적어도 남에게 도움이 되는 일을 하는 게 맞다. 그러니까 어떤 의미에서 본래의 직업은 자아실현과 거리가 먼 셈인 것이다. 나는 버리고 떠나는 삶을 존중하지만, 이제는 버티고 견디는 삶을 더 존경한다.

라 좋아하는 일과 잘하는 일 중 어느 것을 직업으로 선택해야 하냐고 묻는 사람들에게 나는 이제 조심스럽게 '잘하는 일'을 하라고 말한다. 왜냐하면 시간은 많은 것을 바꾸기 때문이다. 잘하는 것을 오래 반복하면 점점 더 잘할 수 있으므로 기회를 더 많이 얻을 수 있다. 일이 점점 많아진다는 건, 그 일을 더 잘할 수 있게 되는 것 이외에 자기 일에 대한 특정한 태도가 생기는 것을 의미한다. 이때 '태도'란 그 일을 좋아하는 것까지를 포함한다.

마 자신의 꿈을 직업적인 성취로 이루지 못했다고, 꿈이 없다고 좌절할 필요는 없다. 스스로 실패자란 생각은 더더욱 하지 않았으면 한다. 믿거나 말거나 나로 말하면, 생각만 해도 가슴 두근거리는 꿈을 자기 직업으로 갖게 된 사람들의 지독한 불행에 대해 얼마든지 말할 수 있다. 꿈이 이루어진 이후에도 삶은 계속된다. 이 세상에 '삶'보다 강한 '꿈'은 없다. 인간은 꿈을 이룰 때 행복한 것이 아니라, 어쩌면 꿈꿀 수 있을 때 행복한 것인지도 모르겠다.

출제 유력

24 이 글의 집필 의도로 가장 적절한 것은?

① 직업을 수시로 바꾸는 사람들의 문제점을 지적하고자 한다.
② 모든 사람에게 똑같이 가슴 뛰는 직업은 없다는 것을 알려 주고자 한다.
③ 남에게 도움이 되는 일이 곧 자신의 꿈을 이루는 일임을 일깨우고자 한다.
④ 직업을 통해 자신의 꿈을 이루기 위해 부단히 노력해야 함을 권유하고자 한다.
⑤ 직업을 선택할 때는 '좋아하는 일'보다 '잘하는 일'을 고려해야 함을 강조하고자 한다.

25 이 글의 필자와 유사한 견해를 〈보기〉에서 모두 고른 것은?

〈보기〉
ㄱ. 행복의 비결은 좋아하는 일을 해서가 아니라 해야 하는 일을 좋아하기 때문입니다.
ㄴ. 우리의 삶의 목표는 자아실현에 있습니다. 이를 위해서는 자신의 꿈을 성취할 수 있는 일을 찾아야 합니다.
ㄷ. 제가 이 직업을 선택한 것은 유별난 소명 의식 때문이 아니라, 이 일이 사람들에게 필요한 일이고, 도움을 주는 일이기 때문입니다.
ㄹ. 사람은 자신이 참으로 하고 싶은 일을 하면서 살 수 있어야 합니다. 자신이 하는 일을 통해서 자신이 지닌 잠재력을 발휘하고, 삶의 기쁨을 누려야 합니다.

① ㄱ, ㄴ　② ㄱ, ㄷ　③ ㄴ, ㄷ
④ ㄴ, ㄹ　⑤ ㄷ, ㄹ

26 이 글을 읽은 독자의 반응으로 적절하지 않은 것은?

① 꿈을 직업적인 성취로 이루지 못했다고 좌절할 필요가 없겠군.
② 누구나 가슴 뛰는 일을 한다고 해서 행복해지는 것은 아니겠군.
③ 꿈을 이룬 뒤에도 삶은 계속되니까 현재의 삶에 충실해야 하겠군.
④ 좋아하는 일을 하면 자신감이 늘어나 그 일을 잘할 수 있게 되겠군.
⑤ 자아실현을 위해서는 그와 관련된 직업을 가져야 한다는 생각이 만연해 있군.

서술형

27 〈보기〉를 바탕으로 할 때, ㉠에서 앤이 필자에게 했을 법한 질문을 쓰시오.

〈보기〉
앤을 입양한 매슈와 마릴라 남매의 헌신으로, 앤은 퀸스 고등학교를 우수한 성적으로 졸업하고 장학금을 받아 원하는 대학교에 가기로 결정한다. 그런데 갑자기 매슈가 사망했다는 소식을 듣고 고향으로 돌아온다. 홀로 남은 마릴라는 점점 시력을 잃어 가고 있었다.

[28~31] 다음 글을 읽고 물음에 답하시오.

가 저는 모든 군주가 잔인하지 않고 인자하다고 생각되기를 더 원해야 한다고 주장합니다. 그렇지만 자비를 부적절한 방법으로 베풀지 않도록 조심해야 합니다. 체사레 보르자는 잔인하다고 생각되었지만, 그의 엄격한 조치들은 로마냐 지방에 질서를 회복시켰고, 그 지역을 통일시켰으며, 또한 평화롭고 충성스러운 지역으로 만들었습니다. 보르자의 행동을 잘 생각해 보면, 잔인하다는 평판을 듣는 것을 피하려고 피스토이아가 사분오열되도록 방치한 피렌체인들과 비교해 볼 때, 그가 훨씬 더 자비롭다고 판단할 수 있을 것입니다. 따라서 현명한 군주는 자신의 신민들의 결속과 충성을 유지할 수 있다면, 잔인하다는 비난을 받는 것을 걱정해서는 안 됩니다.

나 그렇지만 군주는 참소를 믿고 사람들에게 적대적인 행동을 취할 때는 신중해야 합니다. 그렇다고 지나치게 우유부단해서는 안 됩니다. 군주는 적절하게 신중하고 자애롭게 행동해야 하며, 지나친 자신감으로 인해서 경솔하게 처신하거나 의심이 많아 주위 사람들이 견디기 어려워하는 일이 없도록 해야 합니다. 그런데 ⓐ사랑을 느끼게 하는 것과 두려움을 느끼게 하는 것 중에서 어느 편이 더 나은가에 대해서는 논쟁이 있습니다. 제 견해는 사랑을 느끼게 하는 동시에 두려움도 느끼게 하는 것이 바람직하다는 것입니다. 그러나 동시에 둘 다 얻기는 어려우므로 굳이 둘 중에서 어느 하나를 포기해야 한다면, 저는 사랑을 느끼게 하는 것보다는 두려움을 느끼게 하는 것이 훨씬 더 안전하다고 생각합니다.

다 이것은 인간 일반에 대해서 말해 줍니다. 즉, 인간이란 은혜를 모르고 변덕스러우며 위선적인 데다 기만에 능하며 위험을 피하려 하고 이익에 눈이 어둡습니다. ㉠당신이 은혜를 베푸는 동안에는 사람들 모두 당신에게 온갖 충성을 바칩니다. 이미 말한 것처럼, 당신에게 막상 그럴 필요가 별로 없을 때, 사람들은 당신을 위해서 피를 흘리고, 자신의 소유물, 생명, 그리고 자식마저도 바칠 것처럼 행동합니다. 그렇지만 ㉡당신이 정작 그러한 것들을 필요로 할 때면, 그들은 등을 돌립니다. 〈중략〉 그러나 두려움은 항상 효과적인 처벌에 대한 공포로써 유지되며, 실패하는 경우가 결코 없습니다.

28 이 글의 필자가 사용한 설득 전략으로 가장 적절한 것은?

① 개념의 차이를 부각하여 논지를 명료하게 제시한다.
② 역사적 인물의 잘못된 선례를 들어 경각심을 일깨운다.
③ 시대의 변화를 상기시켜 그 흐름을 따를 것을 촉구한다.
④ 상대방의 특별한 지위를 부각시켜 사안의 중대성을 환기한다.
⑤ 논지를 제시한 후 예상되는 반증 사례를 제시하여 주장의 설득력을 높인다.

출제 유력

29 '군주'에 대한 필자의 생각으로 적절하지 않은 것은?

① 군주는 신민을 자애롭게 대하며 무조건 그들의 말을 신뢰해야 한다.
② 군주는 신민이 사랑과 두려움을 동시에 느끼도록 하는 것이 가장 좋다.
③ 군주는 우유부단해서도 안 되지만, 경솔하게 결정을 내려도 안 된다.
④ 군주는 참소에 따라 사람들을 적대시하더라도 신중하게 행동해야 한다.
⑤ 군주는 평판을 무서워하여 잔인하게 통치하는 것을 머뭇거려서는 안 된다.

30 ㉠과 ㉡을 연결 지어 이해할 때, 이와 유사한 의미를 지닌 한자 성어가 아닌 것은?

① 교언영색(巧言令色)
② 구밀복검(口蜜腹劍)
③ 면종복배(面從腹背)
④ 부화뇌동(附和雷同)
⑤ 표리부동(表裏不同)

서술형

31 ⓐ에 대한 필자의 생각을 〈조건〉에 맞게 쓰시오.

〈조건〉
• 필자의 입장의 근거가 되는 부분을 찾아 인용할 것

실력 완성 문제

[32~34] 다음 글을 읽고 물음에 답하시오.

㉮ 그럼에도 현명한 군주는 자신을 두려운 존재로 만들되, 비록 사랑을 받지는 못하더라도 미움을 받는 일은 피해야 합니다. 미움을 받지 않으면서도 두려움을 느끼게 하는 것은 얼마든지 가능하기 때문입니다. 그리고 이는 군주가 신민들의 재산과 그들의 부녀자들에게 손을 대는 일을 삼가면 항상 성취할 수 있습니다. 만약 누군가의 처형이 필요하더라도, 적절한 명분과 명백한 이유가 있을 때로 국한해야 합니다. 그러나 무엇보다도 군주는 타인의 재산에 손을 대어서는 안 됩니다. 왜냐하면 인간이란 어버이의 죽음은 쉽게 잊어도 재산의 상실은 좀처럼 잊지 못하기 때문입니다. 〈중략〉

두려움을 느끼게 하는 것과 사랑을 느끼게 하는 것의 문제로 되돌아가서, 저는 인간이란 자신의 선택 여하에 ㉠따라서 사랑을 하지만 군주의 행위 여하에 따라서 군주에게 두려움을 느끼기 때문에, 현명한 군주라면 타인의 선택보다는 자신의 선택에 더 의존해야 한다고 결론을 내리겠습니다. 다만 앞에서도 말한 것처럼 미움을 ㉡받는 일만은 피하도록 해야겠습니다.

㉯ **형벌은 백성을 바르게 하는 일에 있어서 최후 수단이다. 수령이 자신을 단속하고 법을 ㉢받들어 엄정하게 임하면 백성이 죄를 범하지 않을 것이니, 그렇다면 형벌은 쓰지 않아도 좋을 것이다.**

한 국가를 다스리는 것이 한 가정을 다스리는 것과 마찬가지인데, 하물며 한 고을에 있어서랴. 그렇다면 어찌 가정 다스리는 것을 살펴보지 않겠는가? 예를 들어 보자. 가장이 날마다 꾸짖고 성내어 자제를 매질하고 종아리 치며, 노비를 묶어 놓고 두드린다. 돈 1전을 훔치고 국 한 그릇을 엎질러도 용서하지 않으며, 심하면 쇠망치로 어깨를 ㉣치고 다듬잇방망이로 볼기를 친다. 그러나 자제들의 눈속임은 더욱 심하고 노비들의 도둑질도 더욱 늘어 간다. 온 집안이 모여 비방하며 오직 잡힐까 겁내어 상하가 서로 농간질하면서 가장을 속인다. 〈중략〉

이러한 일로 미루어 보건대, 말소리와 얼굴빛은 백성을 교화하는 일에 있어 말단이며, 형벌도 사람을 바로잡는 일에 있어 말단이다. 수령 자신이 바르면 백성도 바르지 않을 수 없고, 수령이 스스로 바르지 않으면 비록 형벌을 ㉤내리더라도 바르지 않게 되는 것이다. 천지가 생긴 이래로 이 이치는 항상 변함이 없었으니, 어찌 잡설(雜說)로써 어지럽힐 수 있겠는가?

출제 유력

32 (가)와 (나)를 이해한 내용으로 적절하지 않은 것은?

① (가)는 신민들은 도리보다 이익을 중시하므로 군주는 그들의 재산을 탈취하지 않아야 함을 강조하고 있다.
② (가)는 군주가 신민에게 사랑을 받지 못하는 것보다 미움을 받는 것이 더 큰 문제라고 보고 있다.
③ (나)는 집안을 다스리는 법과 고을을 다스리는 법은 이치상 다르지 않다고 생각한다.
④ (가)와 달리 (나)는 형벌에 의한 통치의 부작용을 지적하고 있다.
⑤ (나)와 달리 (가)는 군주가 신민에게 모범을 보이면 사랑을 받을 수 있다고 역설하고 있다.

학력평가 기출 변형

33 (가), (나)와 〈보기〉의 '한비자'를 비교하여 이해한 내용으로 적절하지 않은 것은?

〈보기〉
한비자는 인간의 본성이 이기적이라고 본 점에서는 순자와 같은 입장이지만, 그와는 달리 본성을 교화할 수 없다고 하였다. 그는 세상을 사람들이 이익을 위해 경쟁하는 약육강식의 장으로 여겼기에, 군신 관계를 포함한 모든 인간 관계가 충효와 같은 도덕적 관념이 아니라 단순히 이익에 의해 맺어져 있다고 보았다. 따라서 그는 사람들이 자발적으로 선을 행할 것을 기대하기보다는 법을 엄격히 적용하는 것이 필요하다고 강조하였다.

① (가)와 〈보기〉는 모두 백성을 이기적인 존재로 인식하였군.
② (가)와 〈보기〉는 모두 군주는 백성을 엄격하게 다스려야 한다고 생각하는군.
③ (가)와 달리 〈보기〉는 군주와 백성을 도덕적 관념에 의해 형성된 관계로 보았군.
④ (나)와 달리 〈보기〉는 백성은 교화의 대상이 될 수 없다고 보았군.
⑤ 〈보기〉와 달리 (나)는 형벌이 아니어도 사람들은 스스로 선을 행할 수 있다고 보았군.

34 **문맥을 고려할 때, ㉠~㉤과 가까운 의미로 쓰인 것은?**

① ㉠: 아무도 어머니의 음식 솜씨를 따를 수 없다.
② ㉡: 회사의 미래를 생각하면 신입 사원을 받지 않을 수 없다.
③ ㉢: 그 부부는 외동딸을 금지옥엽으로 받들고 있다.
④ ㉣: 연주가 끝나자 관객들이 모두 일어서 박수를 치기 시작했다.
⑤ ㉤: 선행을 한 사람에게 훈장을 내렸다.

[35~36] 다음 글을 읽고 물음에 답하시오.

(가) 그런데 여기에 다른 한 가장이 있다. 그는 새벽에 일어나 세수를 마치고 의관을 정제한 다음 엄숙하고 단정히 앉아서 아침 문안을 받은 후, 그날의 할 일을 분담시켜 각자 처리하게 한다. 제대로 못하는 일이 있으면 순순히 잘 가르쳐서 깨닫게 하고, 수치가 될 만한 일이 있으면 숨겨서 드러내지 않다가 한가히 있을 때 하나씩 불러서 차근차근 경고하고 꾸짖는다. 가장이 부지런함으로 솔선하니 여러 사람들이 부지런하지 않을 수 없고, 가장이 검소함으로 솔선하니 여러 사람들이 검소하지 않을 수 없다. 가장이 공손함으로 솔선하고 청렴함으로 솔선하여 표준이 이미 바르니, 다른 사람들이 순종하지 않을 수 없다. 자제들은 모두 예쁘면서도 스스로 삼가며, 노복들은 순박하고 선량하기 그지없다. 그리하여 속이는 것이 어떻게 하는 일인지 알지 못하고, 도둑질은 어떻게 하는 짓인지도 알지 못한다. 〈중략〉

정선(鄭瑄)이 말하였다.
"가시에 손이 찔리고 가시넝쿨에 발이 상하여도 온몸이 아픈데, 형장의 독은 그보다 백 배 더하다. 그런데도 자기감정에 휩쓸려 이것을 함부로 사용해서야 되겠는가? 범이 앞에 있고 함정이 뒤에 있으면 소리를 질러 구원을 요청하는 법이다. 옥리의 농간으로 생긴 고통이 이와 무엇이 다르겠는가? 무고한 백성들이 형벌을 받도록 해서는 안 될 것이다."

(나) 서번트 리더십, 이른바 '섬김의 지도력'은 1970년에 로버트 그린리프가 『리더로서의 서번트』라는 책에서 처음 소개한 개념이다. 그린리프에게 서번트 리더십의 통찰력을 가져다준 것은 헤르만 헤세의 「동방으로의 여행」이라는 소설이었다고 한다. 〈중략〉

이 소설이 보여 주듯이 위대한 지도자는 먼저 하인으로 보여야 한다. 이 단순한 사실이 위대한 지도자의 핵심이다. 다른 사람을 이끄는 과정은 먼저 다른 사람을 섬기는 과정이 되어야 한다는 것이다. 이것을 현대적 의미로 해석하면, 기업의 최고 경영자와 임원은 훌륭한 지도자가 되기 위해 먼저 하인이 되어야 함을 의미한다.

35 **(가)와 (나)에 대한 설명으로 적절한 것은?**

① (가)는 실제 사례를 제시하여, (나)는 비유적 표현을 통해 독자의 이해를 돕고 있다.
② (가)는 고전에서 현대적 의의를 찾고 있고, (나)는 고전을 현대의 상황에 적용하고 있다.
③ (가)는 유명인의 말을 인용하여, (나)는 소설 내용을 활용하여 주장의 설득력을 높이고 있다.
④ (가)와 (나)는 모두 가정적 상황을 제시하여 논지를 유추하고 있다.
⑤ (가)와 (나)는 모두 개념에 대한 정의를 통해 논점을 명료하게 제시하고 있다.

출제 유력

36 **(가)와 (나)를 비교한 내용으로 적절하지 않은 것은?**

① (가)는 지도자가 먼저 구성원에게 모범을 보여야 한다고 주장하고 있다.
② (가)는 지도자가 자신의 감정대로 구성원을 처벌해서는 안 된다고 주장하고 있다.
③ (나)는 지도자는 낮은 자세로 구성원을 섬겨야 한다고 주장하고 있다.
④ (나)는 지도자가 구성원에게 권한을 위임해야 한다고 주장하고 있다.
⑤ (가)와 (나)는 모두 지도자가 구성원을 사랑을 대해야 한다고 주장하고 있다.

[1~4] 다음 글을 읽고 물음에 답하시오.

(가) 마녀 집회 현상에 관해 전문 역사가들 사이에서도 아직까지 의견이 일치하지 않는다. 어떤 연구자들은 여자들이 밤에 집회를 연 것이 사실이며, 또 그들이 어떤 특정한 믿음 체계를 실제로 가지고 있었으리라고 본다. 다만 그 내용이 악마 숭배하고는 거리가 멀고 고대로부터 은밀히 전해 내려오는 다산 숭배, 말하자면 농업적인 의식이라는 주장이다. 다시 말해, 나중에 지독한 오해를 사고 억울하게 희생 당하긴 했지만 마녀라고 오해 받을 만한 어떤 역사적인 내용이 실재했다는 견해이다.

(나) 이와 달리 어떤 연구자들은 그런 것은 전혀 존재하지 않으며 순전히 조작된 내용일 뿐이라고 주장한다. 신학자, 종교 재판관, 정부 당국자들이 그들이 읽은 종교 서적의 내용을 가지고 차츰 하나의 정형화된 개념을 만들어서 그것으로 무고한 사람들을 옭아맸다는 것이다. 이 견해에 따르면, 마녀 집회 같은 것은 순전히 상상력의 산물이라 할 수 있다.

(다) 그리고 두 견해의 중간적인 입장에 있는 사람들은 이렇게 주장한다. 우선 과거로부터 전해 오는 이교(異敎) 전통이 있었고, 이것을 권력 당국이 받아들여서 자신들의 생각대로 개념을 조작해서 일반 민중들을 공격했다는 것이다.

(라) 이러한 의견들을 정리해 보면, 어느 한순간에 마녀, 마녀 집회 같은 개념이 만들어진 것은 아니고 오랜 기간을 두고 차츰 정형화되어 갔으며, 그리고 실제 마녀가 존재할 리는 없으므로 권력 당국(정부와 종교)이 가공의 개념을 만들어서 어이없는 희생을 강요한 것으로 요약된다. 말하자면 마녀 개념을 만들어서 죄 없는 사람을 잡아다가 고문하여 죄인을 만들고, 그 과정에서 재판관들이 확인했다고 하는 사실들을 가지고 다시 더 정교한 마녀 개념을 만들어 가는 악순환이 벌어졌다고 할 수 있다.

(마) 현대인들은 스스로를 합리적이라고 생각하지만 오늘날에도 마녀사냥은 심심찮게 행해지고 있다. 우리 사회에서는 '마녀'라는 이름만 '된장남', '된장녀' 등으로 바뀌었을 뿐, 마녀사냥은 현재 진행형이다. 특히 집단이 개인을 상대로 근거 없이 무차별적으로 공격하는 ㉠'인격 살인'이 대표적인데, 이는 인터넷과 같은 여론 매체의 발달과 관련이 깊다. 사람들은 여론 매체의 의견이 사실인지 확인한 뒤 이를 이성적으로 비판적으로 판단하기보다는, 그 의견을 무비판적으로 받아들여 상대를 맹목적으로 비난한다. 그래서 '마녀사냥식 여론 재판'이라는 말이 사용되기도 한다.

출제 유력

1 **(가)~(마)에서 확인할 수 있는 역사가들의 견해로 적절하지 않은 것은?**

① 다산 숭배나 농업적인 의식과 같은 특정한 믿음을 가진 사람들이 실제로 존재했다.
② 신학자나 정부 당국자들은 종교 서적에서 조작한 개념으로 무고한 사람을 옭아매기도 했다.
③ 이교의 전통이 과거로부터 실제 전해졌으며 권력 당국이 이를 조작하여 마녀사냥을 벌였다.
④ 권력자들은 권력 유지에 위기감을 느끼자 정형화된 마녀 개념을 급조하여 희생을 강요했다.
⑤ 마녀재판의 과정에서 재판관이 확인했다는 사실을 바탕으로 더 정교한 마녀 개념이 생겨났다.

2 **(가)~(라)의 내용 전개 방법에 대한 설명으로 가장 적절한 것은?**

① 사건의 변화 과정을 언급한 뒤 전망을 예측하고 있다.
② 사건을 항목별로 분류하고 각 항목의 특성을 밝히고 있다.
③ 사건의 구성 요소를 나열한 뒤 그 장단점을 분석하고 있다.
④ 공통점과 차이점을 분석하여 사건의 의의를 제시하고 있다.
⑤ 사건에 대한 연구 내용을 언급한 뒤, 사건이 생겨난 이유를 종합하고 있다.

3 **㉠을 '마녀사냥'으로 볼 수 있는 이유를 〈조건〉에 맞게 쓰시오.**

〈조건〉
• '마녀사냥'과 연관 지어 쓸 것
• (마)에 나오는 내용을 활용하여 한 문장으로 쓸 것

학력평가 기출 변형

4 (마)와 〈보기〉를 참고할 때, 오늘날 행해지는 마녀사냥에 대한 대응 태도로 가장 적절한 것은?

〈보기〉

팩트 체크는 저널리즘 생산 과정에서 당연히 거쳐야 할 단계라고 할 수 있다. 『저널리즘의 원칙』을 쓴 빌 코바치와 톰 로젠스틸은 "저널리즘의 본질은 결국 진실에 이르기 위한 사실 확인의 규율이다."라고 했다. 최근에는 모바일 메신저나 소셜 미디어가 대중화되면서 가짜 뉴스의 확산 속도가 빨라짐에 따라 팩트 체크의 중요성이 더욱 대두되고 있다. 영국의 브렉시트 찬반 투표나 미국 대선에 가짜 뉴스가 영향을 미쳤을 가능성이 높다는 점에서 팩트 체크는 반드시 필요하다고 볼 수 있다.

① 사건에 대한 권위자의 의견을 수용한다.
② 사건 관련 사실을 직접적으로 확인한다.
③ 사건과 관련된 다량의 정보를 수집한다.
④ 사건과 유사한 사례의 결과를 적용한다.
⑤ 사건과 관련된 정보의 진위를 확인한다.

[5~7] 다음 글을 읽고 물음에 답하시오.

(가) 마녀사냥이 가장 극성을 부렸던 시점은 1590년대이며, 그 후 1630년대와 1660년대에 다시 정점에 올랐다. 다시 말해, 근대 유럽에서 계몽의 시대, 이성의 시대에 일어난 일이다.

그렇다면 누가 희생되었는가? 희생자들은 대개 여성, 빈민, 노인으로, 악마의 유혹에 쉽게 빠지게 된다고 여긴 부류들이었다. 가장 전형적인 인물형은 '가난한 차지농의 부인, 특히 과부로서 50~70세의 연령대이며, 성질이 사나운(또는 사나워 보이는) 할머니'이다.

(나) 또 부자들과 권력자들보다 힘없는 빈민들이 더 많이 희생 당했으리라는 점은 쉽게 상상할 수 있으나, 권력자들이라고 항상 무사한 것만은 아니었다. 멀쩡한 사람을 마녀로 몰기 위해서는 당연히 고문을 동원하였는데, 고문에 못 이겨 공범들의 이름을 불 때는 사회의 최상층부 시민들이라고 예외는 아니었다.

(다) 그럼, 마녀사냥을 어떻게 해석해야 할까? 우리의 눈으로 보면 그냥 광기라고 할 수밖에 없다. 그러나 그렇게만 말하고 끝날 일은 아니다. 그 시대 사람들이 정말로 제정신이 아니어서 집단으로 광포한 짓을 했다고 말할 수는 없는 일이다. 마녀사냥을 주도했던 인물들은 대개 그 사회의 지도적인 위치에 있는 사람이었다. 그 사람들은 위험한 존재로부터 사회를 지키는 훌륭한 일을 하고 있다고 자부했을 것이다. 다시 말해서, 그 시대 그 사회의 관점에서 보면 마녀사냥은 광기가 아니라 합리적인 행위였을 수 있다.

(라) 지금까지 말한 점들을 염두에 두고 마녀사냥에 대한 역사적인 평가를 시도해 보자. 앞에서 말한 것처럼 이것이 중세적 배경을 가졌지만 본질적으로 근대적 현상이라는 점을 다시 주목할 필요가 있다. 근대로 들어오면서 일반 민중들은 정치적으로, 종교적으로 큰 에너지를 띠게 된다. 다스리는 자 입장에서는 이들을 그 상태 그대로 방치해서는 안 되고 질서 체계 안으로 끌어들여야 할 것이다. 질서를 부과한다는 것은 곧, 그것을 거부하는 자들을 억압한다는 것을 뜻한다. 근대의 권력 당국, 곧 국가와 종교는 그들의 권위에서 벗어나려는 자들을 제거하고 모든 국민들의 복종을 확립하려고 하였다. 국가는 종교로부터 이념을 빌리고 종교는 국가로부터 힘을 얻는다. 한 국가 안에 있는 모든 사람은 사고마저도 함께해야 한다. 모두 같은 종교를 믿어야 하며, 종교의 신임을 받은 국왕을 잘 따라야 한다. 근대 국가는 '균질한 영혼'들이 국가 기구에 복종하도록 만들어야 했고, 이것이 마녀사냥이 결과적으로 행한 역할이라 할 수 있다.

(마) 인간의 지성은 갈수록 발달하고 사회는 더욱 문명화되는 것일까? 만일 그랬다면 지금쯤 우리는 지상 낙원에서 오순도순 살아가고 있을 것이며, 비참한 탄압과 야만적인 전쟁 같은 것은 아예 사라졌을 것이다. 마녀사냥과 같은 현상을 보노라면 우리 마음속에 집단 광기가 숨어 있는 것은 아닌지 자문하게 된다. ㉠<u>마녀사냥은 그 모습 그대로는 근대 초 유럽의 특이한 현상이지만 유사한 현상은 언제나 있었다.</u>

실력 완성 문제

출제 유력

5 '마녀사냥'에 대한 필자의 의견으로 가장 적절한 것은?

① 마녀사냥을 통해 근대에서 현대로의 진보가 이루어졌다.
② 마녀사냥은 이성의 시대인 오늘날에는 더 이상 존재하지 않는다.
③ 마녀사냥은 왕권 교체기에 세력을 확보하려는 집단에 의해 행해졌다.
④ 마녀사냥의 궁극적인 역할은 집단을 균질하게 만들어 권력에 복종하게 하는 것이다.
⑤ 마녀사냥은 빈민의 일깨움의 일환으로 이루어졌고, 결과적으로 사회의 발전을 이룩했다.

학력평가 기출 변형

6 이 글의 필자(ⓐ)와 〈보기〉의 필자(ⓑ)의 생각을 비교한 내용으로 적절하지 않은 것은?

〈보기〉

마녀사냥에서는 인간의 합리적이고 이성적인 판단이 통하지 않는다. 「왕자와 거지」를 보면 어떤 여자가 양말을 벗는 순간 큰 자연 재해가 생겼다는 이유로 마녀라고 여겨져 왕에게 끌려오는 장면이 나온다. 왕은 아주 합리적으로 이 문제를 해결하여 마녀라는 누명을 벗겨 주었다. 그러나 실제 중세 시대에 이런 의심을 받았다면 100퍼센트 죽임을 당했다.

마녀사냥에는 중세를 지배하던 권력자들이 자신들의 권력을 계속 유지하려는 의도가 숨어 있었다. 즉, 중세는 종교가 세상을 지배하던 시대였으며 타락과 부패로 권력을 유지하던 이들은 자신들의 권력 유지를 위해 잔혹한 마녀사냥을 벌이게 된다.

① ⓐ와 ⓑ 모두 마녀사냥이 전적으로 합리적 행위가 아니라고 생각한다.
② ⓐ와 달리 ⓑ는 마녀사냥이 중세에 일어난 현상이라고 보고 있다.
③ ⓐ와 ⓑ 모두 마녀사냥은 권력 유지를 위해 이루어졌다고 생각한다.
④ ⓐ와 달리 ⓑ는 마녀의 누명을 벗겨 준 소설 속 사례를 제시하고 있다.
⑤ ⓑ와 달리 ⓐ는 마녀사냥이 일어난 이유를 희생자의 성격과 관련지어 분석하고 있다.

서술형

7 〈보기〉가 ㉠에 해당되는 사건이라고 할 때, 마녀사냥과 〈보기〉의 사건에서 사건의 주체가 희생자들을 어떤 존재로 생각했는지 (라)를 바탕으로 쓰시오.

〈보기〉

• 히틀러의 유대인 학살
• 파시스트의 공산주의자 학살
• 관동 대지진 당시 일본의 조선인 학살

[8~12] 다음 글을 읽고 물음에 답하시오.

(가) 여기 마흔을 넘긴 한 남자의 초상화가 있다. 그것도 자기 얼굴을 자신이 직접 그린 자화상이다. 공재(恭齋) 윤두서. 이분의 눈매는 상당히 매서워 첫인상만으로도 보는 이를 압도한다. 또 활활 타오르는 듯한 수염은 내면 깊은 곳으로부터 기(氣)를 발산하는 듯하다. 그렇게 ㉠ <u>작품을 계속 바라보노라면 점차 으스스한 느낌이 들고 결국은 어느 순간 섬뜩한 공포감에 사로잡히기까지 한다.</u>

(나) 인물은 정면상이다. 그러므로 정확한 좌우 대칭을 이룬다. 좌우 대칭의 정면상은 입체감을 갖기 어렵다. 그러나 얼굴 전체에서 바깥으로 뻗어난 수염이 표정을 화면 위로 떠오르게 한다. 더하여 새까만 탕건 끝이 부드러운 곡선을 이루며 휘어져 있어 머리 전체의 볼륨을 요령 있게 시사한다. 그런데 극사실로 그려진 이 작품 속의 인물은 놀랍게도 귀가 없다. 목과 상체도 없다. 마치 두 줄기 긴 수염만이 기둥인 양 양쪽에서 머리를 떠받들고 있는 것처럼 보인다. 어쩌면 옥에 갇혀 칼을 쓴 인물처럼 머리만 따로 허공에 들려 있는 듯하다. 머리는 화면의 상반부로 치켜 올라갔다. 덩달아 탕건의 윗부분이 잘려져 나갔다. 눈에 가득 보이는 것이라고는 귀가 없는 사실적인 얼굴 표현뿐인데 그 시선은 정면을 뚫어져라 응시하고 있다. 이러한 초상이 무섭지 않다면 오히려 이상한 일이다.

(다) 이제 지금껏 조선 초상화의 최고 걸작이며 파격

적인 구도를 가진 완성작이라고 생각되어 온 「자화상」은 미완성작임이 확인되었다. 하지만 실망할 것은 없다. 작품의 예술성도 미완성이라고는 절대 말할 수 없기 때문이다. ㉡「자화상」은 완벽하다. 미켈란젤로는 「노예상」을 조각하면서 미처 다 쪼아 내지 못한 대리석 조각을 남겼다. 그런데 이 미완성작은 오히려 드물게 보는 걸작이라고 평가된다. 다듬어지지 않은 돌이라는 작품 재질과 그로부터 영혼이 깃든 형상을 이끌어 내려는 작가 의식 사이에 말할 수 없이 팽팽한 긴장감이 감돌고 있기 때문이다. 「자화상」 또한 미완성작이지만 오히려 그 덕분에 마지막 손질이 더해지지 않은, 작가 자신에 대한 심오한 상념이 전개되는 과정, 그리고 생생한 자기 성찰의 흔적을 그대로 보여 준다. 그렇다면 미켈란젤로나 윤두서는 어쩌면 똑같이 미완성작 속에서 더 이상 손댈 수 없는 완전성을 감지하고서 그 이상의 작업을 스스로 포기했던 것인지도 모른다.

(라) 이제 「자화상」에 대한 그릇된 첫인상을 말끔히 씻어 버리고 작가의 원래 의도를 따라 작품을 감상해 보자. 거울 속의 한 남자가 나를 뚫어져라 바라보고 있다. 그러나 찬찬히 살펴보니 그 눈빛은 전혀 나를 보고 있지 않다. 그는 골똘한 생각에 빠져 자기 자신을 보고 있는 것이다. 그래서 나는 용케 두 사람의 내밀한 대화 사이로 숨어들어 몰래 엿보기는 하지만 끝끝내 두 사람 간의 침묵의 대화 속에 끼어들 수가 없다. 그려진 윤두서의 고요함 속으로도, 그린 윤두서의 강한 의지 속으로도 들어갈 수 없다. 윤두서가 나지막이 윤두서에게 말을 건넨다. 너는 누구인가, 네가 나인가, 너는 도대체 어떠한 사람인가…….

8 (가)~(라)에서 확인할 수 없는 것은?

① 「자화상」의 첫인상은 어떠한가?
② 「자화상」이 미완성작이지만 걸작인 이유는 무엇인가?
③ 「자화상」이 극사실의 기법으로 그려진 이유는 무엇인가?
④ 「자화상」을 작가의 의도대로 감상하면 무엇을 발견할 수 있는가?
⑤ 「자화상」은 좌우 대칭의 정면상인데도 입체감이 있는 이유는 무엇인가?

출제 유력

9 (다)~(라)에서 알 수 있는 예술의 존재 가치로 가장 적절한 것은?

① 예술은 인간의 문화를 후대에 전달하는 수단이다.
② 예술은 유희적 인간이 자신의 삶을 풍요롭게 하는 도구이다.
③ 예술은 동물과 구별되는 인간이 자아를 성찰하는 결과물이다.
④ 예술은 당대의 사회를 묘파함으로써 사회의 혁신을 이끌어 가는 역할을 한다.
⑤ 예술은 심미적 안목을 통해 인간이 추구하는 절대미를 구현한 결정체이다.

학력평가 기출 변형

10 (라)와 〈보기〉에서 공통적으로 알 수 있는 작품 감상의 방법으로 가장 적절한 것은?

〈보기〉

반 고흐의 「자화상」이 감동을 주는 것은 자신을 꾸미지 않는 솔직함 때문이다. 삼십 대 중반의 모습을 그린 이 「자화상」에서 반 고흐는 스님처럼 머리를 빡빡 깎았다. 가장 잘 알려진 그의 「자화상」은 파이프를 물고 귀에 붕대를 감은 모습인데, 이 그림은 그보다 한 해 앞서 제작된 것으로 목 아래에 보이는 목걸이와 검붉은 색의 조촐한 옷차림, 그리고 얼굴 주변을 원형처럼 감싼 비취색 아우라 등이 엄숙한 도반의 형상을 본뜬 듯하다. 반 고흐는 이 강고한 「자화상」에 화가의 열정을 확연하게 드러내고 있다.

▲ 반 고흐, 「자화상」(1888년) ▲ 반 고흐, 「자화상」(1889년)

① 작품을 감상할 때는 작품 자체에만 집중해야 한다.
② 작품을 감상할 때는 작품 외적인 요소를 고려해서는 안 된다.
③ 작품을 감상할 때는 작품에 반영된 창작자의 의도를 생각해야 한다.
④ 작품을 감상할 때는 작품이 감상자에게 미치는 영향을 참고해야 한다.
⑤ 작품을 감상할 때는 창작 당시의 시대상이 어떻게 반영되었는지 살펴보아야 한다.

서술형

11 ㉠의 이유를 (나)에서 찾아서 쓰시오.

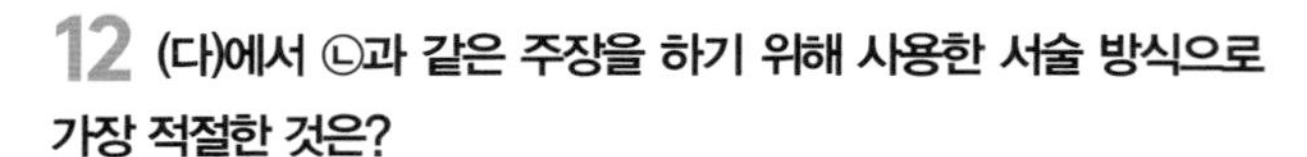

12 (다)에서 ㉡과 같은 주장을 하기 위해 사용한 서술 방식으로 가장 적절한 것은?

① 비유의 방법을 사용하여 설득력을 높이고 있다.
② 상반된 견해를 통하여 주장을 명료화하고 있다.
③ 역사적 평가를 제시하여 주장을 강조하고 있다.
④ 유사한 사례와 비교하여 주장을 강화하고 있다.
⑤ 전문가의 견해를 활용하여 설득력을 높이고 있다.

[13~16] 다음 글을 읽고 물음에 답하시오.

(가) 헌법은 국민이 국가에 쓰는 연애편지다. 국민은 이 편지에서 자신이 나라에 무엇을 바라고, 자신과 정부가 나라를 위해 무엇을 하고 싶고, 무엇을 해야 하는지를 적는다. 가장 중요한 내용은 대개 첫 문장에 나오듯 이 연애편지의 첫문장도 문자 메시지처럼 매우 짧게 압축되어 있다.

"인간의 존엄은 침범할 수 없다."

독일 헌법에 제일 처음 나오는 이 내용은 가장 중요한 문장이기에 '기본권'이라 불린다. 종종 헌법에 적힌 문장들은 시처럼 매우 아름답고 함축적이며 문학적이다. 그래서 헌법을 가리켜 모든 국민들을 위한 문집이라고 부르기도 한다.

(나) 그러나 독일 기본법은 그렇게 시적이지 않다. 그것은 기본법이 탄생할 당시의 시대 상황이 미사여구로 치장할 만큼의 여유가 없고 힘들었다는 것을 뜻한다. 기본법이 제정될 당시 독일인들 가운데에서 이에 환호하며 우쭐해하는 사람은 아무도 없었다. 전쟁이 끝난 지 불과 몇 년밖에 지나지 않았을 뿐만 아니라 대부분의 독일인들은 지난 시절 자신들이 얼마나 추악한 범죄자들을 지도자로 추종했는지 그리고 히틀러와 나치가 얼마나 끔찍한 범죄를 저질렀는지 충분히 깨닫고 있었던 것이다. 그래서 기본법은 인간을 경멸하고 탄압했던 시절을 되돌아보면서 유대인이라는 이유 하나만으로 수백만의 인간을 학살했던 그 시절을 반성했다. 이런 점에서 독일의 기본법은 자신의 잘못을 되씹어 보는 일기에 가깝다. 기본법은 반성을 통해 모든 인간에게 똑같은 권리가 있다는 사실을 인정하기에 이르렀다.

(다) "인간은 성, 혈통, 인종, 언어, 출생지, 신앙, 그리고 종교적·정치적 신념 때문에 차별을 받아서는 안 된다."

기본법 제3조에 명시된 내용이다. 그리고 기본법은 모든 재판부에 이러한 원칙들이 제대로 지켜지는지 감시할 임무를 맡겼다. 그중에서 가장 큰 임무를 맡은 곳이 바로 헌법 재판소다. 그 외에 기본법은 독일이 다시는 잘못된 길로 빠져들지 않도록, 즉 독재자가 국가의 권력을 잡는 일이 없도록 여러 규정들을 제정했다.

13 이 글의 내용에 대한 이해로 적절하지 <u>않은</u> 것은?

① 독일 헌법의 첫 내용에는 기본권이 담겨 있다.
② 헌법은 국민들을 위한 문집으로 불리기도 한다.
③ 독일 국민들은 기본법 제정을 반기며 기뻐했다.
④ 독일의 헌법 재판소는 기본법 준수를 감시한다.
⑤ 헌법에는 국민이 나라에 바라는 바가 담겨 있다.

14 <보기>의 ⓐ~ⓔ 중, (가)에서 다루는 독일 기본법의 내용과 가장 가까운 것은?

<보기>
독일 기본법은 ⓐ<u>인간 존엄</u>, ⓑ<u>자유</u>, ⓒ<u>평등</u>, ⓓ<u>법치 국가</u>, ⓔ<u>민주주의</u>, 사회 국가 등의 원칙을 규정함으로써, 근대 자연법과 이성법의 기본 원칙들과 근대 법도덕과 국가도덕의 기본 원칙들을 실정법의 원칙으로서 독일의 법 체계 안에 체화시키고 있다.

① ⓐ ② ⓑ ③ ⓒ ④ ⓓ ⑤ ⓔ

15 (나)의 서술상 특징으로 가장 적절한 것은?

① 상황의 가정을 통해 기본법 제정의 방향을 예측하고 있다.
② 시간의 흐름에 따라 기본법 제정의 추이를 서술하고 있다.
③ 용어의 어원을 밝히면서 기본법 제정의 본질에 접근하고 있다.
④ 기본법 제정의 방향에 대해 대립적인 두 입장을 대변하고 있다.
⑤ 기본법 제정 당시의 사회적 상황을 분석하며 결론을 제시하고 있다.

서술형

16 (다)와 〈보기〉에서 공통적으로 강조하고 있는 법의 성격을 쓰시오.

〈보기〉

정의, 역사, 진실, 섭리 등 크고 아름다운 말일수록 백만 가지 다른 뜻으로 쓰이기 마련이다. 사람들의 가치관은 다양하고 쉽게 변하지 않는다. 미국, 유럽 어디든 성숙한 민주주의 사회의 의견은 분열되어 있다. 애초에 다른 존재들끼리 같은 집에 살기 위해 최소한의 타협을 하고 살아가는 것이 사회이다. 그래서 서로의 존재 자체를 싸움의 대상으로 삼을 것이 아니라 약속 위반을 따지는 게 낫다. 그 모두의 약속이 헌법이다. 따라서 헌법은 지켜져야 한다.

[17~19] 다음 글을 읽고 물음에 답하시오.

가 독일 기본법은 그렇게 시작이지 않다. 그것은 기본법이 탄생할 당시의 시대 상황이 미사여구로 치장할 만큼의 여유가 없고 힘들었다는 것을 뜻한다. 기본법이 제정될 당시 독일인들 가운데에서 이에 환호하며 우쭐해하는 사람은 아무도 없었다. 전쟁이 끝난 지 불과 몇 년밖에 지나지 않았을 뿐만 아니라 대부분의 독일인들은 지난 시절 자신들이 얼마나 추악한 범죄자들을 지도자로 추종했는지 그리고 히틀러와 나치가 얼마나 끔찍한 범죄를 저질렀는지 충분히 깨닫고 있었던 것이다. 그래서 기본법은 인간을 경멸하고 탄압했던 시절을 되돌아보면서 유대인이라는 이유 하나만으로 수백만의 인간을 학살했던 그 시절을 반성했다. 이런 점에서 독일의 기본법은 자신의 잘못을 되씹어 보는 일기에 가깝다. 기본법은 반성을 통해 모든 인간에게 똑같은 권리가 있다는 사실을 인정하기에 이르렀다.

나 분단된 한쪽 지역만을 상대로 사랑 고백을 하는 일은 어느 누구도 하고 싶지 않았을 것이다. 그 때문에 정치인들은 신중하게 작업에 들어갔다. 그들은 헌법을 만들기 위해 모인 대표들을 '국민 대표자 회의'가 아니라 '의회 대표자 회의'라고 불렀고, 헌법도 헌법이라 부르지 않고 그냥 기본법이라고 불렀다. 기본법이 완성되었을 때도 여느 헌법처럼 국민 투표에 부치지 않고 서독 주의회의 가결만 받았다. 새 출발을 하는 독일로서는 정말 여러모로 자랑스러운 헌법을 만들고 싶었지만 안타깝게도 분단이라는 특수 상황 때문에 반쪽짜리 기본법을 만들 수밖에 없었다.

다 기본법의 임시적인 성격에도 불구하고 정치인들은 하나의 꿈을 갖고 있었다. 정확하게 말하자면 '자석 이론'이라는 꿈이었다. 정치뿐만 아니라 경제적으로도 훌륭한 국가를 건설하면 동독 역시 자석에 이끌리듯 자연스레 서독으로 끌려 들어올 수밖에 없다고 생각한 것이다. 여기서 자석의 핵은 기본법이 되어야 했다. 기본법은 국가 행정을 규정하는 법률들보다 ㉠더 많은 것을 제공해야 했고, 가훈이나 학칙보다 훨씬 정교해야 했다. 이러한 꿈은 결국 실현되었다. 물론 기본법을 제정할 당시에 생각했던 것보다 훨씬 더 많은 시간이 필요했지만 말이다. 서독인들은 자신들이 얼마나 훌륭한 헌법을 가지고 있고, 헌법에서 보장한 기본권들이 얼마나 소중한 보물이었는지 깨닫게 되기까지 20~30년이 걸렸다. 그리고 기본법이 진정으로 힘을 발휘하기까지는 또 몇 십 년이 걸렸다. 기본법이 제정된 지 40년, 마침내 독일은 통일되었다. 기본법을 만든 선조들의 꿈이 실현된 것이다. 다시 말해서 동독이 자석에 이끌리듯 서독의 기본법 안으로 들어왔던 것이다.

라 그러나 기본법은 모든 것의 원칙이 되는 성격을 서서히 잃어 가고 있다. 지난 몇 년 사이에 개정된 기본법으로 국민의 기본권이 두 차례 제한되었다. 한 번은 난민의 망명권에 대한 제한이었고, 다른 한 번은 사유 주택이라 하더라도 범죄 행위에 이용되는 곳은 도청할 수 있다는 내용이었다. 그전까지 불가침의 영역으로 간주되던 주택에 관한 기본권이 제한된 것이다. 이렇게 변경된 기본권은 더 이상 문자 메시지처럼 짧지 않다.

마 기본권과 좋은 헌법이란 건강과도 같다. 한번 잃고 나면 되찾기 힘들고, 잃고 난 뒤에야 얼마나 소중한지를 깨닫게 된다는 점에서 말이다.

실력 완성 문제

17 (가)~(마)의 중심 내용을 요약할 때 적절하지 <u>않은</u> 것은?

① (가): 독일 기본법 제정의 경제적 걸림돌
② (나): 분단 상황 속에서 제정된 독일의 기본법
③ (다): 서독의 기본법 안으로 들어온 동독
④ (라): 기본권이 제한되면서 약해진 헌법의 힘
⑤ (마): 헌법의 힘을 지키기 위한 노력

학력평가 기출 변형

18 이 글을 읽은 독자가 〈보기〉에 대해 보일 반응으로 적절하지 <u>않은</u> 것은?

〈보기〉

제1조 ① 대한민국은 민주 공화국이다.
② 대한민국의 주권은 국민에게 있고, 모든 권력은 국민으로부터 나온다.
제2조 ① 대한민국의 국민이 되는 요건은 법률로 정한다.
② 국가는 법률이 정하는 바에 의하여 재외 국민을 보호할 의무를 진다.
제3조 대한민국의 영토는 한반도와 그 부속 도서로 한다.
제4조 대한민국은 통일을 지향하며, 자유 민주적 기본 질서에 입각한 평화적 통일 정책을 수립하고 이를 추진한다.
제5조 ① 대한민국은 국제 평화의 유지에 노력하고 침략적 전쟁을 부인한다.
② 국군은 국가의 안전 보장과 국토 방위의 신성한 의무를 수행함을 사명으로 하며, 그 정치적 중립성은 준수된다.

① 우리나라 헌법에도 국민의 권리에 대한 조항이 있겠군.
② 우리나라 헌법도 길어지면 국민의 기본권이 제한될 수 있겠군.
③ 우리나라 헌법도 분단된 한쪽 지역의 헌법으로 제정할 수밖에 없었겠군.
④ 우리나라도 독일처럼 헌법을 만들 당시의 사회상이 헌법에 반영되었겠군.
⑤ 우리나라도 서독인들이 기본법의 우수성을 명문화한 것처럼 헌법의 권리를 명시했겠군.

19 ㉠과 바꾸어 쓸 말로 가장 적절한 것은?

① 구체적이어야 했고
② 직접적이어야 했고
③ 선험적이어야 했고
④ 포괄적이어야 했고
⑤ 함축적이어야 했고

[20~23] 다음 글을 읽고 물음에 답하시오.

(가) 우리나라에서 일반인들이 우산을 쓰기 시작한 역사는 그리 오래되지 않았다. 기록에 의하면 삼국 시대 고분 벽화에 최초로 우산과 비슷한 형태의 그림이 등장하지만 이것은 햇빛을 가리는 것이 주목적인 일산(日傘)으로 보는 것이 타당하다. 당시 일산은 왕의 권위와 위엄의 상징이었으며 상류 사회에서도 계급에 따라 모양이나 색상을 달리할 정도로 정치 권력과 밀접한 관련이 있었다. 이후 고려 시대에 들어오면 우산이나 일산에 관한 기록이 보이지 않아 더 이상 자세한 내용은 알 수 없다.

(나) 서민들의 경우 조선 후기까지 비 오는 날에 우산을 쓰지 않았다. 민가에서는 오히려 비를 의도적으로 가리는 행동을 금하는 풍습까지 있었다. 이러한 풍습은 기후에 민감했던 농경 사회 문화와 밀접한 관련이 있다. 근대 이전의 농경 사회에서 기후는 농사에 결정적 영향을 미쳤기 때문이다.

(다) 시간이 흐르면서 우산의 사용은 점차 확산된다. 이때 우산은 남녀 차별이라는 봉건적 정서와 결합하여 사회 활동을 하는 남성들의 상징물이 되기도 했다. 이것은 서구에서 우산이 권력이나 부를 소유한 남성들의 상징물이었던 것과 유사하다. 서구에서 둥근 우산은 태양의 원반, 즉 둥근 태양 자체를 상징하였고, 방사형 우산살은 햇빛을, 손잡이는 우주의 축을 의미하였다. 하지만 우산의 사용이 확산되는 시기에도 계급과 계층에 따라 우산에 대한 부정적 인식은 여전히 남아 있었다.

(라) 개화기에 들어서면서 여성도 신학문을 배울 수 있는 여학교가 설립되었다. 다만 얼굴을 드러내 놓고 외출하는 것을 꺼리는 사회 분위기 때문에 여학생들은 쓰개치마를 쓰고 등·하교하였다. 그런데 1911년 배화 학당에서 쓰개치마를 교칙으로 금한 일이 있었다. 학생들과 가족들은 얼굴을 내놓고 거리를 다닐 수 없다며 반발하였고 이 때문에 학생들 상당수가 학교를 그만둘 정도로 파장이 컸다. ㉠<u>결국 배화 학당은 쓰개치마 대안으로 얼굴을 가리고 다닐 수 있도록 검정 우산을 나누어 주었다.</u> 이후 우산은 여학생은

물론 일반 여인들 사이에서도 널리 유행하였고, 얼굴을 가리는 용도와 더불어 햇빛을 가리는 양산으로까지 확대되어 멋을 내는 도구가 되었다.

마 이와 같이 우리 사회에서 우산은 단순히 비를 막아 주는 본연의 용도를 찾기까지 때때로 사회적 논란을 일으키며 다양한 일화를 만들어 냈다. 우산은 근대 서구에서 들어왔지만 그것을 수용하는 과정에서 전근대적인 우리 풍습과 민간 신앙이 접목되었다. 따라서 서양에서 들어온 우산이 우리 사회에 정착되는 과정은 우리 고유의 풍속과 서양 문물이 혼합되어 대중문화로 자리 잡는 과정을 잘 보여 주는 사례라 할 수 있다.

출제 유력

20 이 글의 서술상 특징으로 가장 적절한 것은?

① 공시적 관점에서 대상의 사회적 역할에 대해 비교하고 있다.
② 통시적 관점에서 대상에 대한 인식 변화 과정을 서술하고 있다.
③ 일반적 이론을 특정 시대 상황에 적용하여 독자의 공감을 얻고 있다.
④ 대상의 역할을 상반된 관점에서 분석하여 독자의 이해를 돕고 있다.
⑤ 특정 시대의 상황을 바탕으로 대상에 대한 인식의 변화를 일반화하고 있다.

21 (가)와 (나)의 우산 사용에서 드러나는 차이를 바탕으로, 소제목을 지을 때 가장 적절한 것은?

① 우산, 권력을 상징하다
② 우산, 문화를 꽃피우다
③ 우산, 문화를 계승하다
④ 우산, 전통을 증명하다
⑤ 우산, 시대 변화를 선도하다

22 ㉠을 통해 알 수 있는 내용으로 적절하지 <u>않은</u> 것은?

① 당시에는 봉건적 남녀 차별 의식이 있었다.
② 여성의 사회 활동을 제약하는 분위기가 있었다.
③ 당시에는 우산의 사용이 널리 퍼져 있지 않았다.
④ 여성들이 신학문을 배울 기회를 박탈하려는 의도가 있었다.
⑤ 서구식 문물이 우리 사회의 요구에 따라 새로운 용도로 사용되었다.

출제 유력

23 이 글의 필자가 궁극적으로 설명하고자 하는 바와 가장 가까운 것은?

① 외래 문화는 어느 나라에서든 환영을 받는다.
② 외래 문화를 유입하면 그 나라의 문화 수준이 높아진다.
③ 외래 문화에 배타적인 우리나라에서는 문화 수용이 불가능했다.
④ 외래 문화를 도입할 때는 문화의 종류에 따라 취사선택해야 한다.
⑤ 외래 문화가 일상생활에 정착될 때까지 상당한 우여곡절을 겪게 된다.

[24~27] 다음 글을 읽고 물음에 답하시오.

가 현재 우리가 쓰는 우산은 근대 서구에서 비롯되었다. 서구에서 우산이 일반화된 것은 산업 혁명을 통한 근대화와 밀접한 연관이 있다. 경제적으로 일정한 수입이 생기고 근로 시간과 휴일이 제도적으로 정착되면서 여행이나 운동 경기 관람을 비롯한 야외 활동을 즐기는 인구가 늘어나면서 비가 올 때를 대비하여 우산이 필요하였기 때문이다.

나 서양식 우산이 우리나라에 들어온 것은 18세기 중반 선교사들을 통해서였다. 당시 우산은 박쥐 모양으로, 비닐이나 기름종이 또는 방수 처리한 헝겊을 나무나 쇠로 만든 우산살에 덮어씌워 만들었다. 그러나 우산이 도입된 후에도 민가에서는 비를 가리는 행위를 금하는 풍습이 여전하였기 때문에 일반인들이 비를 가리는 용도로 우산을 사용하기까지는 적지 않은 우여곡절을 겪어야 했다.

다 기록에 따르면 우산이 도입된 초기에는 우리나라 사람들은 물론 우리나라에 와 있던 외국인들도 비

실력 완성 문제

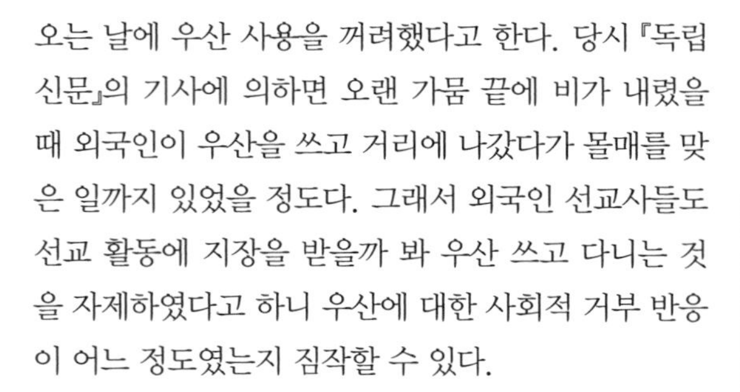

오는 날에 우산 사용을 꺼려했다고 한다. 당시 『독립신문』의 기사에 의하면 오랜 가뭄 끝에 비가 내렸을 때 외국인이 우산을 쓰고 거리에 나갔다가 몰매를 맞은 일까지 있었을 정도다. 그래서 외국인 선교사들도 선교 활동에 지장을 받을까 봐 우산 쓰고 다니는 것을 자제하였다고 하니 우산에 대한 사회적 거부 반응이 어느 정도였는지 짐작할 수 있다.

(라) 우산이 사회에 정착되면서 민가에서는 우산과 관련하여 새로운 금기 사항이 등장하기도 하였다. 예를 들면 민가에서는 방 안에서 우산을 펴는 행위를 금하였다. 방 안에서 우산을 펴면 죄를 지어 감옥에 간다는 속설 때문이었다. 방 안에서 우산을 펴는 것은 스스로 빛을 ㉠가리는 행위로, 햇빛을 보기 힘든 감옥에 들어가는 것과 유사하다고 받아들인 것이다. 또한, 우산을 거꾸로 들면 벼락을 맞는다는 속설도 전한다. 거꾸로 든 우산은 하늘에 대한 거역으로, 하늘을 노하게 해 벼락을 맞는다고 생각했던 것이다.

(마) 또한 우산은 민간 신앙과 접목되어 새로운 풍습을 만들어 내기도 하였다. 우산을 박쥐 '복(蝠)' 자를 써 '편복산'이라고 한 것은 모양이 박쥐와 비슷하기 때문이기도 하였지만 또 다른 의미도 있었다. 우리나라에서 박쥐는 오복의 상징으로 경사(慶事)와 행운을 부르는 존재였다.

24 **이 글의 내용과 일치하는 것은?**

① 산업 혁명으로 인한 사회 발전으로 여유 시간은 점점 부족해졌다.
② 선교사들은 우리 문화를 존중하여 박쥐 모양의 우산을 가지고 왔다.
③ 거꾸로 든 우산은 벼락이 치는 모양과 유사하여 금기의 대상이었다.
④ 외국인들은 우산 도입 초기에 사회적 거부 반응을 직접 경험하기도 했다.
⑤ 우산 모양이 박쥐와 비슷해진 것은 민간 신앙의 영향으로 생겨난 변화이다.

출제 유력

25 **(가)~(마)에서 확인할 수 있는 내용으로 적절하지 <u>않은</u> 것은?**

① 박쥐가 오복의 상징인 이유
② 우산과 관련된 새로운 금기 사항
③ 우산을 '편복산'이라고 부른 이유
④ 근대 서구에서 우산이 일반화된 이유
⑤ 우리나라에 서구식 우산이 도입된 시기

학력평가 기출 변형

26 **이 글을 바탕으로 〈보기〉의 견해를 비판하고자 할 때 적절하지 <u>않은</u> 것은?**

〈보기〉

우리나라의 외래 문화 유입은 몇 가지 특수성을 띤다. 그 첫 번째는 지배 문화로서 중국, 일본, 미국 문화가 혼재된다는 것이다. 이러한 현상은 우리 사회에 이질 문화 간의 갈등뿐만 아니라 우리 문화 간의 심각한 갈등을 야기하여 우리 문화의 주체성과 정체성에 상당한 폐를 끼쳤다고 볼 수 있다.

두 번째는 근대화의 명제가 문화의 상대적 소외성을 가지고 왔다는 점이다. 우리 사회의 근대화 과정은 자연스러운 역사의 발전이라기보다는 위로부터 강요된 과정이었으며 이로 인해 전통 문화가 소외되었다. 또, 근대화로 인한 경제 우선주의, 기술 우선주의에 의해 정신 문화도 소외되는 결과가 생겨났다.

① 우산의 도입은 위로부터 강요된 과정이라고 보기 어렵다.
② 우산 문화 도입과 관련해서 이질 문화 간의 갈등은 드러나지 않는다.
③ 우산의 도입은 〈보기〉에서 언급한 외래 문화 유입의 일환이라고 할 수 있다.
④ 우산 때문에 몰매를 맞은 것에서 우리 문화 간의 심각한 갈등을 확인할 수 있다.
⑤ 우산이 민간 문화와 결합된 양상으로 도입되었으므로 전통 문화가 소외되었다고 보기 어렵다.

27 **㉠과 문맥적 의미가 가장 가까운 것은?**

① 시비를 <u>가리어</u> 의혹이 없게 만들자.
② 음식을 <u>가리지</u> 말고 골고루 먹어라.
③ 그는 자기 앞도 못 <u>가리는</u> 처지이다.
④ 손으로 <u>가리어</u> 얼굴이 보이지 않았다.
⑤ 잘못된 문장을 <u>가리어</u> 바르게 고치시오.

[28~30] 다음 글을 읽고 물음에 답하시오.

(가) 그렇다면 원자란 무엇일까? 사람들은 아주 오랜 전부터 원자에 관해 연구해 왔다. 그리스 철학자 데모크리토스는 물질은 아주 작고 단단하며 눈에 보이지 않는 알갱이들로 이루어져 있다고 보았고, 이 알갱이를 '원자'라고 불렀다. 시간이 지난 후 19세기에 돌턴은 물질은 더 이상 쪼갤 수 없는 입자들이 모여 이루어져 있다는 근대 원자설을 주장하면서, 데모크리토스가 말한 원자라는 용어를 그대로 사용했다. 그러다가 19세기 말과 20세기 초에 원자를 구성하는 기본 입자들의 실체가 밝혀지기 시작하면서 원자를 설명하기 위한 원자 모형들이 만들어졌다.

(나) 원자를 구성하는 입자들 중 가장 먼저 실체가 밝혀진 것은 질량이 가장 작은 전자였다. 전자가 가장 먼저 발견된 데는 핵을 구성하는 기본 입자인 양성자와 중성자가 핵력에 의해 강하게 속박되어 있어서 실험적으로 측정하기 곤란하다는 점도 한몫했다. 1897년 ㉠톰슨은 음전하를 가진 전자를 발견하였다. 그런데 원자가 전기적으로 중성이라는 점을 감안했을 때 그 속에는 양전하를 가진 물질도 포함되어 있어야만 했다. 그러나 당시에는 원자의 구성 요소이면서 양전하를 가진 존재는 아직 발견되지 않았다. 그래서 톰슨은 마치 쿠키 속에 박힌 건포도처럼, 원자 내부에 구름처럼 퍼져 있는 양전하 속에 음전하를 띤 전자들이 박혀 있다는 원자 모형을 주장하였다.

(다) 톰슨의 제자 ㉡러더퍼드는 방사능 물질에서 방출되는 방사선(알파선, 베타선, 감마선) 중 알파선을 이용해 톰슨의 원자 모형을 검증했다. 그는 금으로 된 얇은 막에 알파선을 충돌시켰다. 알파선은 전자보다 8,000배나 더 무거우므로 톰슨의 원자 모형에 의하면 알파선이 전자와 충돌하더라도 거의 휘어지지 않을 것이라고 러더퍼드는 예상하였다. 그러나 실험 결과는 예상과 많이 달랐다. 대부분의 알파선은 휘어지지 않고 직진했지만, 몇 개는 전자와 충돌했다는 것만으로는 도저히 설명할 수 없을 만큼 큰 각도로 휘어져 나왔다.

그는 알파선이 큰 각도로 휘어지려면 원자 속의 양전하가 아주 작은 부피 속에 모여 있지 않으면 불가능하다는 것을 깨달았다. 그래서 양전하가 원자 내부에 골고루 퍼져 있는 것이 아니라 원자핵이라고 하는 중심부에 뭉쳐 있다고 결론지었다. 이후 실험에서 실제로 원자핵이 존재하고, 이것이 원자 지름의 약 10만 분의 1밖에 차지하지 않는다는 사실이 밝혀졌다. 더 정확하게 표현하면 지름 10^{-15}미터인 핵이 지름 10^{-10}미터의 전자 구름 속에 박혀 있는 것인데, 이것은 마치 종합 운동장 가운데 모래 한 알이 있는 것과 같다고 할 수 있다.

28 이 글의 내용 전개 방식으로 적절한 것은?

① 특정 이론의 변천 과정과 각 이론별 한계에 대해 서술하고 있다.
② 특정 이론에 대한 상반된 주장을 제시한 뒤 절충점을 모색하고 있다.
③ 특정 이론에 대한 반박을 제시한 뒤 반박과 연관된 새로운 분야를 소개하고 있다.
④ 특정 이론에 대한 역사적 평가를 제시한 뒤 실생활에 활용되는 사례를 보여 주고 있다.
⑤ 특정 이론에 대한 비판을 제시한 후 비판에 대한 재반론을 일정한 기준에 따라 분류하고 있다.

출제 유력

29 (가)~(다)의 내용을 바탕으로, 〈보기〉의 ⓐ~ⓒ를 ㉠, ㉡과 연결하였을 때 적절한 것은?

〈보기〉

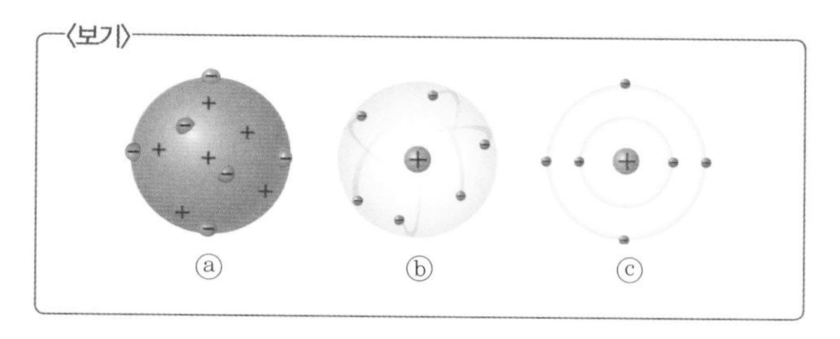

	㉠	㉡
①	ⓐ	ⓑ
②	ⓐ	ⓒ
③	ⓑ	ⓐ
④	ⓑ	ⓒ
⑤	ⓒ	ⓐ

실력 완성 문제

학력평가 기출 변형

30 〈보기〉가 러더퍼드의 실험이라고 할 때, (다)의 실험 내용과 일치하지 않는 것은?

〈보기〉

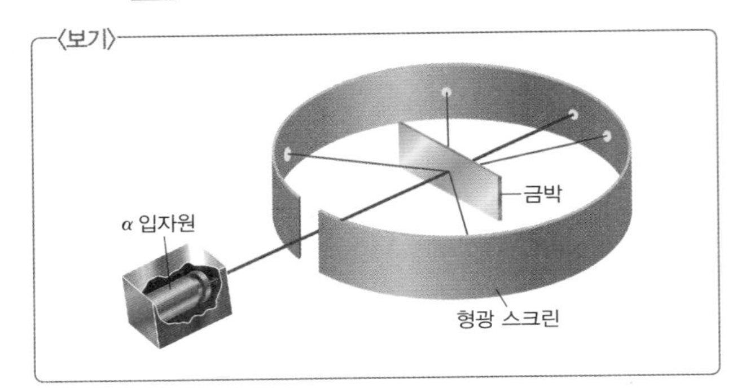

① α입자원에서 나온 빛 중 대부분은 금박을 통과한다.
② α입자원에서 나온 빛은 전자보다 8,000배가 더 무겁다.
③ α입자원에서 나온 빛을 통해 양전하가 금박 내부에 골고루 퍼져 있음을 증명하였다.
④ α입자원에서 나온 빛을 금박에 충돌시키는 실험으로 새로운 입자를 발견하였다.
⑤ α입자원에서 나온 빛 중에서 금박에 부딪혀 휘어진 것은 톰슨 원자 모형의 한계를 보여 주는 것이다.

[31~32] 다음 글을 읽고 물음에 답하시오.

가 1913년 보어는 매우 기발한 방법으로 러더퍼드 원자 모형의 한계를 극복하였다. 그는 러더퍼드의 원자 모형이 지닌 한계를 극복하기 위해 두 가지 가설을 제시하였다. 먼저 전자가 러더퍼드의 원자 모형과 같이 원자핵 주위를 원운동하고 있는데, 이때 전자는 무질서하게 운동하는 것이 아니라 특정한 에너지 준위를 갖는 원형 궤도, 즉 전자껍질을 따라 핵 주위를 돈다는 것이다. 또 하나의 가설은 전자가 동일한 전자껍질을 돌고 있을 때는 전자기파, 즉 에너지를 흡수하거나 방출하지 않지만 다른 전자껍질로 이동할 때는 두 전자껍질의 에너지 준위 차이만큼 에너지를 흡수하거나 방출한다는 것이다. 이런 가설로 만들어진 보어 원자 모형은 러더퍼드 원자 모형으로는 설명할 수 없는 원자의 안정성을 설명할 수 있다. 하지만 이 모형 역시 문제점이 발견되어 이를 해결할 수 있는 새로운 모형들이 제시되고 있다.

나 톰슨에서 시작된 원자 모형은 러더퍼드를 거쳐 보어를 비롯해 수많은 물리학자에 의해 변화를 겪어 왔다. 이는 과학이 어떻게 발전하는지를 보여 준다. 한 과학자가 가설을 내세우면, 다른 과학자는 실험과 관찰을 통해 이 가설의 한계를 밝히고 이를 바탕으로 새로운 가설을 내세운다. 그러면 다른 과학자가 또다시 이 가설의 비판을 통해 새로운 가설을 제시한다. 바로 이런 과정이 반복되면서 과학은 점점 발전한다.

다 토머스 쿤의 『과학 혁명의 구조』는 1962년에 세상에 나오자마자, 패러다임(paradigm)이란 말을 유행시켰고 지금은 사회 전반에서 일상적인 용어로 익숙해져 있다. 패러다임이란 한 시대 특정 분야의 학자들이나 사회가 공유하는 이론이나 법칙, 지식 체계, 가치를 의미하는 말이다. 넓게는 시대의 주류적 가치관이나 사고방식을 의미하기도 한다. 예를 들면 고대부터 중세에 이르기까지 태양이 지구를 중심으로 돈다고 생각하는 천동설이 지배하던 시대에 지구가 태양 주위를 중심으로 돈다는 지동설이 등장한 것은 패러다임의 코페르니쿠스적 전환으로 볼 수 있다.

〈중략〉

새로운 진실이 거짓을 이기고 새 패러다임으로 전환되는 것은 상당한 시간 동안 더 많은 관련 진실이 봇물처럼 쏟아지고 난 후에도, 시대적 편견의 혹독한 공격에 의한 희생을 당한 후에야 가능하다. 즉 패러다임의 전환은 매우 더디고 어려운 복잡한 사회적 과정을 거쳐야 한다. '전 패러다임 → 패러다임 → 위기의 패러다임 → 신 패러다임'의 과정을 거치게 된다. 이를 과학 혁명이라 부른다.

출제 유력

31 (다)의 내용을 (가)~(나)에 적용한다고 할 때, 적절하지 않은 것은?

① 톰슨, 러더퍼드, 보어의 원자 모형은 각 시대의 패러다임이라고 할 수 있다.
② 각 원자 모형에 문제점이 발견되면 이를 해결한 새로운 패러다임이 생겨난다.
③ 하나의 원자 모형이 다른 원자 모형으로 대체되려면 어렵고 복잡한 과정을 거친다.
④ 보어는 원자 모형에서 발견된 문제점으로 인해 시대적 편견의 혹독한 공격을 받았다.
⑤ 보어가 가설을 세워 새 원자 모형을 만든 것은 패러다임이 전환되는 과학 혁명이라 할 수 있다.

학력평가 기출 변형

32 〈보기〉를 참고하여 (가)~(나)를 읽을 때 적절하지 않은 것은?

〈보기〉

과학 분야의 글을 읽을 때는 기본적으로 용어와 개념을 정확히 정리하는 것이 가장 중요하다. 따라서 과학 분야의 글을 읽을 때는 용어와 개념의 이해에 유념하여, 잘 모를 경우에는 사전이나 전문 서적을 찾아 이해를 분명하게 할 필요가 있다. 그다음에는 글의 내용을 파악해야 하는데, 과학 분야의 글은 주로 설명적인 글이므로 설명 대상이나 논제가 무엇이고, 설명하기 위해 제시한 근거는 무엇인지 등을 중심으로 읽어야 한다. 이때 주의해야 할 것은 필자가 제시한 설명 내용이나 근거가 과학적으로 타당성이 있는 것인지 비판적으로 따져 보아야 한다는 점이다. 그리고 과학 분야의 글에서는 독자들의 이해를 돕기 위해 그림이나 사진을 덧붙이거나, 예시, 비유, 비교나 대조, 유추 등의 설명 방법을 활용하는 경우가 많다. 따라서 과학 분야의 글을 읽을 때는 이러한 것들을 충분히 활용하여 글을 효과적으로 이해할 수 있어야 한다.

① '에너지 준위', '전자껍질' 같은 용어를 이해하며 읽어야 한다.
② 원자 모형을 더 잘 이해하기 위해 전문 서적이나 사전을 활용할 필요가 있다.
③ 원자 모형을 다루는 글이므로 원자 모형이 만들어진 근거를 파악하며 읽어야 한다.
④ 보어의 원자 모형에서 설명하는 원자의 안정성이 과학적으로 타당한지 검토해 보아야 한다.
⑤ 과학적 발견에 이른 과정보다는 과정에 영향을 미친 과학자의 가치관을 중심으로 읽어야 한다.

[33~35] 다음 글을 읽고 물음에 답하시오.

가 실제 세상인 사회와 가상 공간인 인터넷을 비교한다면 뜬금없다는 생각이 들 만큼 둘의 성격은 서로 다르다. 그런데 신기하게도 이 둘을 한 가지 틀로 볼 수 있는데, 그 이유는 모두가 네트워크라는 공통점이 있기 때문이다. 네트워크란 점과 선으로 연결된 형태를 말한다. 사회 네트워크에서는 개인들 하나하나가 점이 되고 그 개인의 사회관계가 선이 되어, 가족, 친지, 친구, 직장 동료 등이 선으로 연결된 네트워크가 된다. 인터넷에서는 점이 컴퓨터이고 컴퓨터를 연결하는 랜 케이블이나 기기를 연결하는 전자기파가 선이 되어, 결국 점과 선으로 표현되는 네트워크가 된다. 네트워크 이론에서는 점을 '노드'라고 하고, 선을 '연결선'이라고 한다.

나 아래 [그림 1]은 출근길을 표현한 것인데, 왼쪽이 집이고 오른쪽이 직장이다. 출근을 하는 데 두 가지 선택지가 있다. 윗길은 고속도로로 넓은 대신에 길게 돌아가야 한다. 그리고 아랫길은 지름길로 짧지만 대신 좁다. 고속도로는 넓기 때문에 차가 1대가 가든 4대가 가든 언제나 10분이 걸린다. 그런데 지름길은 좁아, 이용 차량이 많을수록 길이 막혀 1대가 가면 1분이 걸리고, 2대가 가면 2분이 걸리고, 3대가 가면 3분이 걸리고, x대가 가면 x분이 걸린다.

만약 이 동네에 직장에 가는 사람이 10명이고, 이들이 각자 차를 타고 출근한다면 어떻게 가는 것이 가장 좋은 방법일까?

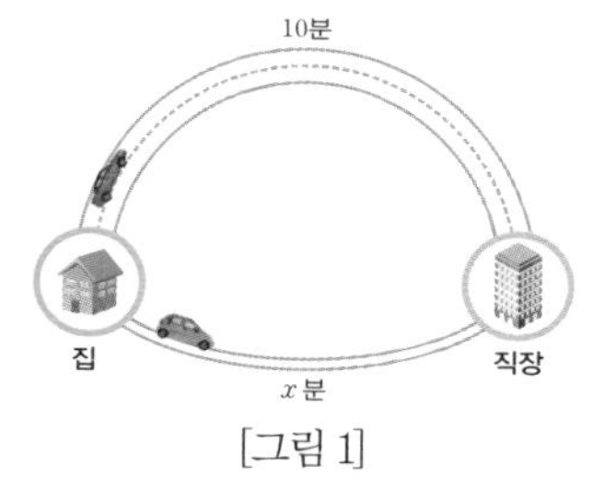

[그림 1]

다 차가 막히면 보통 도로를 넓히고 다리를 놓는다. 그러나 이것은 비용도 문제지만 실제로도 쓸데없는 작업일 수 있다. 다음의 [그림 2]와 [그림 3]은 출근길을 표현한 것으로, 도로 조건은 [그림 1]과 동일

실력 완성 문제

하다. 다만 집에서 직장까지는 두 개의 고속도로와 두 개의 지름길이 놓여 있다.

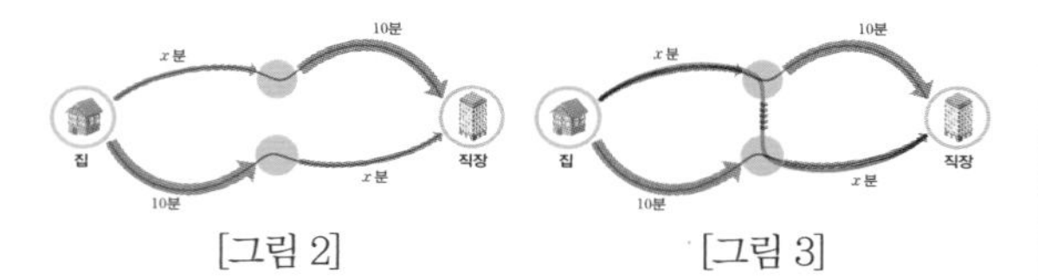

[그림 2] [그림 3]

라 [그림 2]의 경우 10대의 차에게 가장 좋은 출근 방법은 위아래로 각기 5대씩 나누어 가는 것이다. 윗길은 5명이 가기 때문에 지름길에서는 x=5분이 걸리고, 고속도로로 가는 데 10분이 걸리므로 총 15분이 걸린다. 10명이 모두 15분으로 공평할 뿐 아니라, 이 시스템은 절대적 최적화 답도 150분이고 사람들이 좋아하는 상대적 최적화 답도 150분으로 매우 좋다. 피오에이가 1로 낭비가 전혀 없는 완벽한 도로이다.

마 그런데 만약 시간을 단축시키겠다고 [그림 3]처럼 중간 지점을 연결하는 다리를 놓으면 어떻게 될까?

사람들은 종전과는 다른 방식으로 가게 된다. [그림 3]을 보면 다리가 놓이는 바람에 처음의 사례처럼 모두 지름길 한 곳으로만 몰리게 되어 (x=10분)+(x=10분)해서 총 20분이 걸린다. 원래 150분이던 소요 시간 총합이 200분이 된다. 다시 말해 공평하고 효율적이던 도로가 다리 건설로 인해 오히려 낭비와 교통 체증이 더 생긴 것이다. 이것을 ㉠브라에스 역설이라고 한다.

바 교통 체증 사례를 통해 실제로 네트워크 안에서 무엇인가 움직이는 동역학 문제를 풀어 보았다. 그냥 다리 놓고 도로를 뚫으면 문제가 풀릴 것이라는 1차원적 사고로는 문제가 해결되기는커녕 오히려 악화될 수 있음을 보았다. 그런데 네트워크 이론을 잘 활용하면 이런 문제들을 현명하게 해결할 수 있다. 예를 들어 청계천의 고가 도로를 막았더니 예상과는 달리 시내 교통 흐름이 오히려 더 나아진 사례에서처럼 적절한 조치를 통해 교통 체증을 줄여 나갈 수 있다. 네트워크 이론으로 해결할 수 있는 것이 교통 문제만이 아니다. 허브를 찾아 우선적으로 치료해서 전염병의 확산을 효과적으로 예방하거나, 월드와이드 웹(WWW) 네트워크 구조를 파악하여 좋은 검색 결과를 쉽게 찾아내는 인터넷 검색 엔진을 개발하거나, 생명 공학적 연구에서 바이오 네트워크를 분석하여 신약 후보 물질을 찾거나, 입소문 마케팅을 활용하여 기업의 제품을 홍보할 때 등에서도 많은 도움을 받을 수 있다.

33 이 글의 내용과 일치하지 않는 것은?

① 차가 막히면 사람들은 이타적인 선택을 하기 마련이다.
② 실제 사회와 인터넷은 모두 네트워크로 이루어져 있다.
③ 사회 네트워트에서 점에 해당하는 것은 개인들 하나하나이다.
④ 공평하고 효율적인 도로에 다리를 건설하면 교통 체증이 더 생길 수도 있다.
⑤ 네트워크 이론은 실제 사회의 문제를 해결하는 열쇠를 제공하기도 한다.

출제 유력

34 (나)의 [그림 1]에서 〈보기〉의 ⓐ 값으로 가장 적절한 것은?

〈보기〉

절대적 최적화는 수학적으로 가장 작은 값을 찾는 것이고, 상대적 최적화는 이기적인 행동으로 개인의 만족도가 가장 높은 값을 추구하는 것이다. 네트워크 이론가들은 사람들을 모두 만족시킬 수 있는 최적의 경우를 찾기 위해 상대적 최적화 값을 절대적 최적화 값으로 나눈 값인 ⓐ피오에이(PoA, Price of Anarchy)를 활용한다.

① 50/15 ② 75/35 ③ 100/75
④ 115/55 ⑤ 120/95

서술형

35 (다)와 〈보기〉를 참고하여 ㉠의 의미를 쓰시오.

〈보기〉

어떤 복잡한 도로망이 있을 때, 어떤 길을 선택해야 자동차가 그 도로망에서 잘 간 것일까? 길이가 길면, 즉 가야 할 거리가 멀면 당연히 시간이 오래 걸리고, 도로가 넓을수록 빨리 갈 수 있을 것이다. 따라서 걸리는 총 시간은 거리에 비례하고 도로의 폭에는 반비례한다.

정답 및 해설 73쪽

[1~4] 다음 글을 읽고 물음에 답하시오.

「홍범」에 이르기를, "오직 임금만이 복을 내릴 수 있고 오직 임금만이 위세를 부릴 수 있으며 오직 임금만이 진귀한 음식을 받을 수 있는데, 신하로서 복을 내리거나 위세를 부리고 진귀한 음식을 받는 자가 있다면 반드시 가문을 해치고 나라를 해칠 것이다. 관리들이 기울어지고 비뚤어지고 치우쳐지면 백성들은 넘보고 어긋나게 될 것이다."라고 하였습니다. 그러니 신하로서 임금의 권력을 참람(僭濫)하여 쓴다면 모든 관원이 편안한 마음으로 제 분수를 지키지 못할 뿐 아니라, 백성들 역시 그들을 좇아 분수에 넘치는 일을 할 것입니다. 그런데 신돈은 능히 복을 내리고 위세를 부리고 또 전하와 더불어 대등한 예를 행하니, 이는 나라에 두 임금이 있는 것입니다. 그 능멸함과 참람함이 극에 달하여 교만이 습관이 되었으므로, 백관들이 분수를 지키지 않고 백성들이 분수에 넘치는 일을 하는 것이 어찌 두렵지 않겠습니까.

송나라 사마광은 말하기를, "기강이 서지 않으면 호걸 중 간교한 뜻을 가진 간웅(奸雄)이 망측한 마음을 품게 된다. 그런즉 예법은 불가불 엄격해야 하고, 습관은 불가불 삼가야 할 것이다."라고 하였습니다. 만일 전하께서 이 사람(신돈)을 공경하고 백성에게 재해도 없게 하려면, 그의 머리를 깎고 그의 옷을 물들이고 그의 벼슬을 삭탈(削奪)하여 절에다 두고서 공경해야 합니다. 반드시 이 사람을 써야만 국가가 평안하겠다면 그 권력을 억눌러 상하의 예법을 엄격하게 한 뒤에 부리셔야만 백성의 마음이 안정되고 나라의 어려움도 펴질 것입니다.

[A] 또 전하께서 신돈을 어진 이라 하였지만, 신돈이 국사를 맡은 이래로 음양이 때를 잃어서 겨울철에 우레가 일고 누른 안개가 사방에 꽉 차고 해가 열흘 이상 어두웠으며, 밤중에 붉은 기운이 돌고 천구성(天狗星)이 땅에 떨어지며 나무의 고드름이 지나치게 심합니다. 청명이 지난 뒤에도 우박과 찬바람이 일어 하늘의 기후가 여러 차례 변하고, 산새와 들짐승이 대낮에 성 안으로 날아들고 달려드니, 신돈에게 내린 '논도섭리공신(論道燮理功臣)'이라는 호가 과연 천지와 조종(祖宗)의 뜻에 합하는 것입니까.

[B] 신 등은 직책이 사간원(司諫院)에 있는지라, 전하께서 자격이 안 되는 인물을 재상으로 삼아 장차 사방에 웃음거리가 되고 만세에 기롱(譏弄)의 대상이 될까 안타깝게 여깁니다. 이에 침묵을 지키고 말을 하지 않는다는 책망을 면하고자 합니다. 이미 말씀을 드렸는지라, 대처하시는 바를 삼가 듣겠나이다.

출제 유력

1 이 글의 중심 내용으로 가장 적절한 것은?

① 특정 인물의 주변에서 권력을 남용하는 관리들의 행태를 고발하고 있다.
② 특정 인물의 부도덕한 행위로 말미암은 민심 이반의 심각성을 보고하고 있다.
③ 특정 인물에 의한 정책적 오류를 개선하기 위한 대응의 필요성을 제기하고 있다.
④ 특정 인물과 관련된 민심의 동향을 언급하며 조정의 현실에 대해 문제를 제기하고 있다.
⑤ 특정 인물에 의해 국가 기강이 훼손되는 상황을 해결하기 위한 현실적 대응책을 건의하고 있다.

2 이 글을 읽고 〈보기〉의 빈칸을 채우고자 할 때, 적절하지 <u>않은</u> 것은?

〈보기〉
이존오: 전하, [ ]

① 신돈에게 내린 '논도섭리공신'이라는 호는 하늘과 조상의 뜻에 부합하는 것이 아닙니다.
② 전하께서 신돈을 진정 위하신다면 본래의 신분으로 돌려보내는 것이 옳다고 생각합니다.
③ 신돈의 교만이 극에 달하여 이제는 습관처럼 백성을 착취하는 일에 몰두하고 있습니다.
④ 작금에 조정에서 일어나는 상황을 보면, 한 나라에 두 개의 태양이 떠 있는 것과 같습니다.
⑤ 신돈에 의해 무너진 나라의 기강을 바로 세우려면 무엇보다 예법을 엄격하게 적용해야 합니다.

실력 완성 문제

3 〈보기〉를 참조할 때, [A]와 유사한 논리적 오류가 드러나 있는 것은?

〈보기〉
[A]에서 필자는 초자연적인 이상 기후 현상을 근거로 신돈은 천지와 조종의 뜻에 부합하는 어진 이가 아님을 주장하고 있다. 이는 근거와 주장 사이에 논리적인 인과 관계가 결여된 비합리적 추론이라고 할 수 있다.

① 오늘 복권을 사야겠어. 틀림없이 복권에 당첨되어 큰돈을 벌 게 될 거야. 내가 어젯밤에 돼지꿈을 꾸었거든.
② 앞으로 진우와는 절대 시간 약속을 하면 안 될 것 같아. 그는 어제 약속 시간에 무려 30분이나 늦었다니까.
③ 그 사람의 어이없는 무단횡단으로 인해 버스가 전복되어 사람이 다쳤어. 그런데도 20만 원의 벌금만을 물다니. 그건 말이 안 돼.
④ 사회 정의를 실현해야 한다는 그의 의견에 귀 기울일 필요가 없어. 그는 친구에게 빌린 돈을 제때 갚지 않는 사람이니까.
⑤ 저희 회사의 냉장고는 대부분의 현명한 주부들이 선택하는 제품입니다. 그러므로 믿을 수 있는 저희 회사의 냉장고를 구매하세요.

출제 유력

4 [B]를 읽고, 다음과 같은 과제를 수행하였다. ㉠~㉢에 들어갈 말을 차례대로 쓰시오.

〈보기〉
[과제]

1. 조정에서 필자가 하는 일은 무엇인가?
답 국왕의 과오 등을 지적하는 글을 올려 논박하는 일을 주로 하는 (㉠)의 관리이다.

2. 이 글의 집필 의도는 무엇인가?
답 신돈의 국정 농단에 대한 (㉡)의 결단을 촉구하기 위해서이다.

3. 이 글에 나타난 필자의 말하기 방식은 무엇인가?
답 자신의 직책을 명분으로 삼아 직언을 하면서 임금에게 신돈의 문제를 해결할 것을 (㉢)하고 있다.

- ㉠:
- ㉡:
- ㉢:

[5~10] 다음 글을 읽고 물음에 답하시오.

유세차(維歲次) 모년 모월 모일에 미망인 모씨는 두어 자 글로써 침자(針子)께 고하노니, 인간 부녀의 손 가운데 ㉠종요로운 것이 바늘이로되, 세상 사람이 귀히 아니 여기는 것은 도처에 흔한 바이로다.

이 바늘은 한낱 작은 물건이나, 이렇듯이 슬퍼함은 나의 정회가 남과 다름이라. 오호통재(嗚呼痛哉)라, 아깝고 불쌍하다. 너를 얻어 손 가운데 지닌 지 우금(于今) 이십칠 년이라. 어이 인정이 그렇지 아니하리오. 슬프다. 눈물을 잠깐 거두고 심신을 겨우 진정하여 너의 행장(行狀)과 나의 회포를 총총히 적어 영결하노라.

㉡연전에 우리 시삼촌께옵서 동지상사(冬至上使) ㉢낙점(落點)을 무르와 북경을 다녀오신 후에, 바늘 여러 쌈을 주시거늘, 친정과 원근 일가에게 보내고, 비복들도 쌈쌈이 낱낱이 나눠 주고, 그중에 너를 택하여 손에 익히고 익히어 지금까지 해포되었더니, 슬프다. 연분이 비상하여 너희를 무수히 잃고 부러뜨렸으되, 오직 너 하나를 영구히 보존하니, 비록 무심한 물건이나 어찌 사랑스럽고 미혹지 아니하리오. 아깝고 불쌍하며, 또한 섭섭하도다.

나의 신세 박명하여 슬하에 한 자녀 없고, 인명이 흉완(凶頑)하여 일찍 죽지 못하고, 가산이 빈궁하여 침선(針線)에 마음을 붙여 널로 하여 시름을 잊고 생애를 도움이 적지 아니하더니, 오늘날 너를 영결하니, 오호통재라, 이는 귀신이 시기하고 하늘이 미워하심이로다.

[A] 아깝다 바늘이여, ㉣어여쁘다 바늘이여. 너는 미묘한 품질과 특별한 재치를 가졌으니, 물중(物中)의 명물(名物)이요, 철중(鐵中)의 쟁쟁(錚錚)이라. 민첩하고 날래기는 백대의 협객이요, 굳세고 곧기는 만고의 충절을 듣는 듯한지라. 능라(綾羅)와 비단에 난봉(鸞鳳)과 공작을 수놓을 제, 그 민첩하고 신기함은 귀신이 돕는 듯하니, 어찌 인력이 미칠 바리오.

오호통재라, 자식이 귀하나 손에서 놓일 때도 있고, 비복이 순하나 명을 거스를 때 있나니, 너의 미묘한 재질이 나의 전후에 수응(酬應)함을 생각하면, ㉤자식에게 지나고 비복에게 지나는지라.

출제 유력

5 이 글에 대한 풀이로 적절하지 않은 것은?

① '유세차(維歲次) ~ 고하노니'는 이 글이 제문(祭文) 형식임을 알 수 있게 한다.
② '미망인'은 필자가 남편과 사별하여 외롭게 살아가는 처지임을 알 수 있게 한다.
③ '시삼촌께옵서 ~ 무르와'는 필자가 지체 높은 가문의 며느리임을 알 수 있게 한다.
④ '영결하노라'는 재회에 대한 필자의 기대가 반어적으로 표현되고 있음을 알 수 있게 한다.
⑤ '오호통재(嗚呼痛哉)라'는 필자의 정서가 관습적인 언어를 통해 표현되고 있음을 알 수 있게 한다.

6 이 글의 필자에 대한 설명으로 적절하지 않은 것은?

① 바늘을 얻게 된 내력과 바늘과의 각별한 인연을 회고하고 있다.
② 자신의 불우했던 처지를 떠올리며 바늘에 대한 고마움을 토로하고 있다.
③ 비단에 봉황과 공작을 수놓은 자신의 솜씨를 바늘의 공으로 돌리고 있다.
④ 27년 동안 사용해 온 바늘을 부러뜨린 심회가 인정상 남들과는 다르다고 고백하고 있다.
⑤ 자신의 뜻대로 움직여 주었던 바늘이 품안의 자식만큼은 아니라도 너무나 사랑스러운 존재라고 말하고 있다.

출제 유력

7 [A]에 나타난 표현상의 특징으로 적절하지 않은 것은?

① '바늘'을 의인화하여 그 품질과 솜씨를 칭송하고 있다.
② 대구에 의한 표현 기법을 통해 리듬감을 살리고 있다.
③ '바늘'을 청자로 설정하여 말을 건네는 어법을 구사하고 있다.
④ 영탄과 도치를 통해 화자의 고조된 정서를 효과적으로 표현하고 있다.
⑤ 직유와 은유를 통해 '바늘'이 부러진 상황에 대한 안타까운 심정을 부각하고 있다.

학력평가 기출 변형 출제 유력

8 〈보기〉를 참조하여 이 글을 이해한 내용으로 적절하지 않은 것은?

〈보기〉

「조침문」은 글의 '주제'와 '형식', 그리고 '표현 기법'이 유기적으로 결합되어 독특한 미적 구조를 형성함으로써 표현 효과를 극대화하고 있다.

① 부러진 바늘에 대한 필자의 애도와 추모가 이 글의 주제이다.
② 종교 의식에 빗대어 표현하기 위한 방법으로 바늘을 의인화하는 기법이 사용되고 있다.
③ 정서의 직접적 표출과 영탄적 표현은 주제를 효과적으로 형상화하는 데 기여하고 있다.
④ 제문의 형식에 주제를 담아 형상화함으로써 바늘을 잃은 심정을 효과적으로 표현하고 있다.
⑤ 바늘이라는 사물을 인간처럼 대하는 태도는 바늘과의 정서적 일체감을 느끼게 하는 효과가 있다.

9 이 글에서 고유어인 '바느질'과 대응되는 한자어를 찾아 쓰시오.

10 ㉠~㉤의 뜻풀이가 적절하지 않은 것은?

① ㉠: 없어서는 안 될
② ㉡: 몇 해 전에
③ ㉢: 임명을 받아
④ ㉣: 예쁘구나
⑤ ㉤: 자식보다 낫고 비복보다 나은지라.

[11~15] 다음 글을 읽고 물음에 답하시오.

가 바다도 없고 땅도 없고 만물을 덮는 하늘도 없었을 즈음 자연은, 온 우주를 둘러보아도 그저 막막하게 퍼진 듯한 펑퍼짐한 모양을 하고 있었다. 이 막막하게 퍼진 것을 카오스라고 하는데, 이 카오스는 형상도 질서도 없는 하나의 덩어리에 지나지 못했다.

실력 완성 문제

말하자면 ㉠생명이 없는 퇴적물, 사물로 굳어지지 못한 모든 요소가 구획도 없이 밀치락달치락하고 있는 상태일 뿐이었다. 여기에는 아직 이 세상에다 넉넉하게 빛을 던져 줄 티탄도 없었고, ㉡날이 감에 따라 초승달의 활시위를 부풀려 가는 포이베도 없었다. 대지는 아직, 그 대지를 감싸주는 대기 안에서 제 무게를 감당할 형편이 못 되었고 암피트리테도 땅의 가장자리를 따라 그 팔을 뻗을 형편이 못 되었다. 대지와 바다와 공기를 이루는 요소가 있기는 했다. 그러나 ㉢땅 위로는 걸을 수가 없었고 바다에서는 헤엄칠 수가 없었으며 대기에는 빛도 없었다. 말하자면, 제 모습을 제대로 갖추고 있는 것은 하나도 없었다. 만물은 서로 반목하고 서로 방해만 했을 뿐이었다. 한 가지 질료 안에 있으면서도 추위는 더위와, 습기는 건기(乾氣)와, 부드러움은 딱딱함과, 무거움은 가벼움과 싸우고 있었다.

이 같은 반목에 종지부를 찍은 이는, 이런 요소들보다는 훨씬 빼어난 자연이라는 신이었다. 신에 다름 아닌 이 자연은 하늘로부터는 땅을, 땅으로부터는 물을, 무지근한 대기로부터는 맑은 하늘을 떼어 놓았다. 자연은, 서로 떨어질 수 없는 지경에서 이들을 떼어 내고는 서로 다른 자리를 주어 평화와 우애를 누리게 했다. ㉣무게라는 것이 없는 창궁(蒼穹)의 불과, 사물을 태우는 힘은 가장 높은 하늘로 날아올라가 거기에 자리를 잡았다. 가볍기로 말하면 불 다음인 공기는 바로 그 밑에 자리했다. 이 두 가지보다도 밀도가 높은 대지는 단단한 물질을 끌어당겨 붙이면서 스스로의 무게 때문에 하강했다. 사방으로 퍼져 있던 물은 맨 나중 자리를 잡고 이미 굳어진 대지를 싸안았다.

(나) 지금부터 140억 년 전, 시간이 생겨날 때에, 우주의 모든 공간과 모든 물질, 그리고 모든 에너지가 손톱만 한 크기의 공간에 모여 있었다. 이때에는 우주의 온도가 아주 높아 우주를 운행하는 자연의 기본적인 힘들이 하나의 통합된 힘으로 존재했다. 우주의 나이가 10^{-43}초 되었을 때 우주의 온도는 10^{30}도였고, 통일장 안에 있는 에너지로부터 블랙홀이 순간적으로 만들어졌다가 사라지는 일이 반복되고 있었다. 이런 극한 상황에서는 이론 물리학적으로 볼 때 공간과 시간이 거품이나 스펀지와 같은 구조로 심하게 휘어져 있었다. 이 시기에는 아인슈타인의 일반 상대성 이론(현대적 인력 이론)과 양자 역학(가장 작은 단위에서의 물질의 성질을 설명하는 이론)에 의해 설명되는 현상들을 따로 구별할 수 없었다.

우주가 팽창하고 온도가 내려감에 따라 만유인력은 다른 힘으로부터 분리되었다. 곧이어 강한 핵력과 전자기 약력이 서로 분리되었고, 엄청난 에너지가 방출되면서 우주가 10^{50}배로 팽창하는 사건이 일어났다. '인플레이션 단계'라고 부르는 이러한 급속한 팽창은 물질과 에너지를 균일하게 늘려 우주의 어느 한 점의 밀도와 다른 점의 밀도 차이를 10만 분의 1보다 작게 만들었다.

출제 유력

11 (가)와 (나)에 대한 설명으로 적절하지 않은 것은?

① (가)는 신화적 사고를, (나)는 과학적 사고를 바탕으로 전개하고 있다.
② (가)는 (나)와 달리, 신의 창조 행위를 중심으로 한 서사의 흐름이 나타나 있다.
③ (나)는 (가)와 달리, 현상 간의 인과 관계를 중심으로 한 과학적 설명이 나타나 있다.
④ (가)와 (나)는 모두 우주의 탄생과 그 진화 과정에 대한 내용을 서술하고 있다.
⑤ (가)와 (나)는 모두 우주의 기원에 대한 궁금증에서 비롯된 사고를 전개하고 있다.

출제 유력

12 다음 선생님의 설명에 해당하는 내용을 ㉠~㉣에서 찾아 바르게 묶은 것은?

> 선생님: (가)에 나타난 신화적 상상 속에는 자연 현상에 대한 객관적인 관찰 결과가 숨어 있습니다. 글을 잘 읽고 해당되는 부분을 찾아보세요.

① ㉠, ㉡　② ㉠, ㉢　③ ㉡, ㉢
④ ㉡, ㉣　⑤ ㉢, ㉣

13 〈보기〉의 밑줄 친 부분에 대응하는 내용을 (나)에서 찾았을 때, 적절하지 않은 것은?

〈보기〉

(가)와 (나)는 서로 다른 형식 속에 우주가 생겨나기 이전의 '카오스'에 대한 내용을 담고 있다. (가)에서는 이를 '그저 막막하게 퍼진 듯한 펑퍼짐한 모양'으로 묘사하고 있다.

① 공간과 시간이 거품이나 스펀지와 같은 구조로 심하게 휘어져 있는 상태
② 온도가 내려감에 따라 우주가 팽창하면서 물질과 에너지가 균일하게 늘어나는 상태
③ 우주를 운행하는 자연의 기본적인 힘들이 하나의 통합된 힘으로 존재하고 있는 상태
④ 우주의 모든 공간과 물질, 그리고 에너지가 손톱만 한 크기의 공간에 모여 있는 상태
⑤ 통일장 안에 있는 에너지로부터 블랙홀이 순간적으로 만들어졌다가 사라지는 일이 반복되는 상태

14 〈보기〉의 빈칸에 들어갈 단어를 (나)에서 찾은 것으로 가장 적절한 것은?

〈보기〉

(가)에 나타난 의미 구조를 도표로 정리하면 다음과 같다.

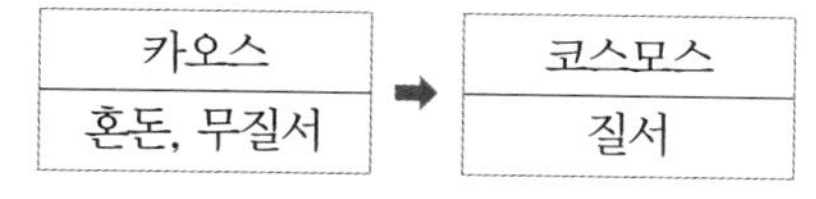

이 도표에 나타난 변화의 시작은 (   )라는 단어로 압축하여 표현할 수 있다.

① 운행 ② 반복 ③ 분리 ④ 방출 ⑤ 팽창

서술형

15 (나)의 집필 목적을 〈조건〉에 맞게 쓰시오.

〈조건〉

• '(나)는 ~ 위한 목적으로 쓰여진 글이다.'의 문장 형태로 쓸 것
• 40자 내외로 쓸 것(띄어쓰기 포함)

[16~17] 다음 글을 읽고 물음에 답하시오.

그날 밤 나는 케이프타운에서 열린 아프리카인 지역 목회자 회합에 연설자로 나섰다. 내가 이 이야기를 하는 이유는 그 회합에 참석했던 목회자 가운데 한 사람이 개막 기도를 했는데, 그 기도는 최근 몇 년 동안 내 머릿속에서 잊히지 않으며, 시련이 닥칠 때마다 힘을 주는 원동력이 되었기 때문이다. 그는 신의 은총과 선함, 신의 자비로움 그리고 모든 인간에 대한 신의 애정에 감사하는 기도를 올렸다. 그리고 그는 주의 종 가운데 일부는 다른 이들보다 더욱 유린당하고 있으며, 이 때문에 마치 주님이 그들에게 관심을 기울이지 않는 것처럼 여겨진다고까지 고하는 자유로움을 보여 주었다. 그런 다음 그는 이렇게 기도했다. "만일 주님이 흑인을 구원으로 이끄는 데 조금 더 적극성을 띠지 않으신다면, 흑인은 이제 자신의 손으로 자신의 일을 직접 감당해야만 합니다. 아멘."

[A] 케이프타운에서 보낸 마지막 날 아침, 나는 남아프리카 혼혈인 기구의 창립 회원인 조지 피크와 함께 머무르고 있던 호텔을 떠났다. 호텔에 머무르는 동안 극진히 대접해 준 혼혈인 지배인에게 감사를 표하기 위해 그에게 들렀다. 그는 내가 찾아 준 것에 고마워했으며 동시에 호기심을 나타냈다. 그는 내가 누구인지 알아보았고, 그곳의 혼혈인들은 아프리카인이 이끄는 정권하에서도 현재 백인 정권 때와 마찬가지로 억압을 받게 될지도 모른다는 생각으로 두려워하고 있다고 말했다. 그는 중산층 사업가이지만 아마도 아프리카인들과 별다른 접촉을 갖지 못했을 것이고, 그래서 백인들과 똑같이 그들을 두려워했다. 이처럼 두려움을 표출하는 현상은 특별히 케이프타운에 거주하는 혼혈인들 사회에서 자주 나타났다. 그리하여 이 친구에게 '자유 헌장'을 설명해 주면서 우리는 반(反)인종주의를 강력히 표방하고 있다고 힘주어 말했다. 자유 투사로서 나는 국민들에게 내 자신의 입장을 밝힐 수 있는 기회가 있다면 그 기회를 모조리 이용해야 했다.

실력 완성 문제

16 **〈보기〉는 전기문의 일부를 발췌하여 제시한 것이다. 이 글과 〈보기〉를 비교한 것으로 적절하지 않은 것은?**

〈보기〉

박은식은 박문일의 가르침을 받고 고향에 돌아가 학도들을 모아서 주자학을 가르치고 향리 사람들로 하여금 예교(禮敎)를 일으켜 실천케 하는 데 전력하였다. 그러나 1905년 국권 상실을 경험한 후 박은식은 개화 자강 사상가로 변모해 갔다. 그는 이 시기에 한국 민족이 국권을 상실하게 된 원인에 대하여 깊은 성찰을 하였으며, 일본 제국주의의 힘을 물리칠 근대적 실력을 일찍이 배양하지 못한 회한에 떨었다. – 신용하, 「박은식의 생애와 업적」 중에서

① 이 글은 〈보기〉와 달리, 주요 사건을 중심으로 이야기가 전개된다.
② 〈보기〉는 이 글과 달리, 서술의 주체와 서술 대상이 서로 다르다.
③ 이 글과 〈보기〉는 모두 사건의 시점과 서술 시점이 서로 일치하지 않는다.
④ 이 글과 〈보기〉는 모두 내용의 객관성과 공신력에 따라 그 가치가 평가된다.
⑤ 이 글과 〈보기〉는 모두 1인칭 화자가 등장하여 당대 상황에 대한 인식을 드러낸다.

학력평가 기출 변형 | 출제 유력

17 **[A]에 나타난 필자의 설득 전략으로 가장 적절한 것은?**

① 혼혈인 지배인의 이해를 당부하며 몇 가지 관련 사례를 제시하고 있다.
② 새로운 가치관을 제시하며 혼혈인 지배인의 인식 전환을 요구하고 있다.
③ 관련 근거를 제시하며 혼혈인 지배인의 두려움이 기우에 불과함을 설득하고 있다.
④ 시대 상황의 어려움을 전제로 흑인과 혼혈인들에 대한 분리 대응의 필요성을 강조하고 있다.
⑤ 혼혈인 지배인의 환대에 감사를 표시하며, 앞으로의 활동에 참여할 것을 독려하고 있다.

[18~20] 다음 글을 읽고 물음에 답하시오.

다음날 나는 아프리카 민족 회의(ANC, African National Congress) 전국 집행 위원회와 더반 지부 운영 위원들이 모이는 비밀회의에 참석했다. 그 회의는 우리가 미리 준비한 팻말을 들고 공개적인 파업과 시위를 할 것이냐 아니면 무단결근 투쟁 전략을 쓸 것이냐를 논의하기 위한 자리였다. 파업을 주장하는 사람들은 1950년대 이후 우리가 사용해 온 무단결근 투쟁은 이제 약효가 다 떨어졌다고 보았다. 또한 그들은 범(汎)아프리카주의자 의회(PAC, Pan-Africanist Congress)가 대중에게 호소력을 갖게 되면서부터 더욱더 호전적인 형태의 투쟁이 필요하게 되었다고 주장했다. 이에 대한 대안으로 내가 동조했던 무단결근 투쟁 전략은 적의 역습을 방지하면서 동시에 우리가 적을 공격할 수 있다는 장점이 있었다. 나는 우리가 국민들의 생명을 존중한다는 것을 국민들이 인식했기 때문에 우리의 운동에 대한 국민들의 신뢰가 증진되고 있다고 주장했다. 그리고 시위자들의 영웅주의가 샤프빌에서 적으로 하여금 우리 국민을 쏘아 죽이게 만들었다고 주장했다. 또한, 나는 우리 국민들이 수동적 형태의 저항에 대해서는 점차 인내심을 잃어 가고 있다는 사실을 알면서도 무단결근 투쟁 전략을 옹호했다. 포괄적인 계획도 없이 이미 효과가 인정된 전략을 포기해야 한다고 생각하지는 않았기 때문이다. 더욱이 우리에게는 그럴 만한 시간도 재원도 없었다. 결정은 무단결근 투쟁 전략 쪽으로 내려졌다.

18 **이 글을 통해 알 수 있는 내용으로 적절하지 않은 것은?**

① 범(汎)아프리카주의자 의회는 흑인 해방을 위해 호전적인 형태의 투쟁을 주장했다.
② 국민들 사이에서 무단결근 투쟁 방식에 대해 상반된 시각이 존재하고 있다.
③ 필자는 아프리카 민족 회의를 거점으로 흑인 해방 운동에 참여하고 있다.
④ 흑인 해방을 위한 투쟁 전선에서 시위자들의 영웅주의가 국민의 희생을 초래했다는 시각이 존재한다.
⑤ 아프리카 민족 회의와 범(汎)아프리카주의자 의회는 긴밀한 협력 체계를 유지하고 있는 정치 조직이다.

출제 유력

19 이 글을 바탕으로 할 때, 〈보기〉의 빈칸에 들어갈 내용으로 적절하지 않은 것은?

〈보기〉

필자: 우리의 최대 과업인 흑인 해방을 위한 가장 효과적인 투쟁 전략은 무단결근 투쟁이라고 생각합니다. 그 이유는 다음과 같습니다.

[   ]

① 무단결근 투쟁은 이미 효과가 인정된 전략이기 때문입니다.
② 무단결근 투쟁은 강경 투쟁 방식에 비해 보다 현실적인 대안이기 때문입니다.
③ 무단결근 투쟁은 시위자들의 영웅주의를 효과적으로 제어할 수 있기 때문입니다.
④ 무단결근 투쟁은 국민들의 생명이 희생되는 상황을 막을 수 있는 전략이기 때문입니다.
⑤ 무단결근 투쟁은 적의 역습을 방지하면서 적을 공격할 수 있는 효과적인 전략이기 때문입니다.

출제 유력

20 필자의 주장에 나타난 특징을 〈보기〉에서 골라 바르게 묶은 것은?

〈보기〉

ⓐ 투쟁의 성공 요건으로 국민들의 신뢰가 필요함을 인식하고 있다.
ⓑ 투쟁 전략에 대한 다양한 주장들을 종합하여 최종 결정을 내리고 있다.
ⓒ 국민들의 반응을 지나치게 의식하지 않고 현실적 여건을 고려한 판단을 내리고 있다.
ⓓ 강경 투쟁을 주장하는 국민들의 목소리에 합리적 근거를 제시하며 조목조목 비판하고 있다.

① ⓐ, ⓑ ② ⓐ, ⓒ ③ ⓑ, ⓒ
④ ⓑ, ⓓ ⑤ ⓒ, ⓓ

[21~23] 다음 글을 읽고 물음에 답하시오.

「모나리자」에서는 신비로운 유려함을 통해 풍경과 인물이 하나가 되고 있는데, 이는 "모든 것은 자신이 아닌 다른 무엇에서부터 비롯된 것이므로, 세상의 어떤 것이든 다른 것으로 바뀔 수 있다."라는 레오나르도의 확신과 일맥상통하는 것이다. 묘하게도 작품 속의 공간들은 하나로 일치되어 있는 것같이 보이는데, 예를 들면 이 작품을 보는 이는 여인이 앉아 있는 의자를 쉽게 알아볼 수가 없다. 레오나르도는 르네상스의 화가들이 좋아했던 단선적 원근법을 버리고 그 자신이 '공기 중의 원근법'이라고 불렀던 독특한 투시법을 사용했다. 즉, 경계선을 흐릿하게 하고 밝은색을 사용함으로써 작품 속의 공간이 뒤로 물러나는 듯한 환상이 들게끔 한 것이다.

레오나르도는 열정으로 가득 차서 쓴 자신의 글에서, 소우주와 대우주 사이의 유사성에 깊은 관심을 두었던 르네상스의 시대정신에 따라 회화에서 ㉠대지를 표현하는 것과 ㉡인간의 몸을 표현하는 것이 얼마나 유사한 것인지를 밝히고 있다.

> 고대인들은 인간의 몸을 세계의 축소판이라고 불렀는데, 이는 매우 정확한 표현이다. 인간의 몸이 흙과 물, 공기 그리고 불로 이루어져 있는 이상 그것은 대지를 닮았다고 할 수 있다.

특히 "물결이 일어나는 모습과 머리카락의 결이 비슷하다."라는 그의 섬세한 관찰은, 흐르는 물을 연상시키는 「모나리자」의 섬세하게 일렁이는 머릿결을 보면 알 수 있다. 목선을 따라 왼쪽 가슴까지 늘어진 머릿결을 한 번 보라. 작품의 구도 면에서도 그림의 왼쪽에 나 있는 구불구불한 길은 그녀의 목선과 닮았으며, 오른쪽에 보이는 다리는 마치 그녀가 왼쪽 어깨에 두르고 있는 천과 이어져 있는 것처럼 보인다.

무엇보다도 인물과 배경의 일체감은 레오나르도만의 독창적인 회화 방식에 의해서 가능해졌다. 레오나르도 자신이 즐겨 사용했던 '스푸마토'라는 말은 이탈리아어로 '흐릿한' 혹은 '자욱한'이란 뜻으로, 특별한 명암법, 즉 밝은 톤에서 점차 어두운 톤으로 변화시키면서 분명하지 않은 색을 제한적으로 사용해서 경계를 없애는 방법이다. 이 방법을 사용하면 사실상 그림에서 선을 찾아볼 수 없게 된다.

15세기 유화의 도입 덕택에 가능해진 이 방식은 레오나르도에 의해 한층 더 발전하게 된다. 그는 "경계선은 사물에서 가장 중요하지 않은 부분이다. 화가들이여! 뚜렷한 선으로 대상의 경계를 짓지 마시라."라

실력 완성 문제

고 말했다. 「모나리자」가 그 유명한 표정의 모호함과 유동성을 가질 수 있었던 것도 눈이나 입 주변에서 딱딱한 경계를 지우는 방식으로 그림을 그렸기 때문이다.

[A]

◀ 레오나르도 다빈치, 「모나리자」(1503~1506)

21 **이 글의 내용과 일치하는 것은?**

① 레오나르도는 '단선적 원근법'을 사용하여 「모나리자」를 창작하였다.
② '공기 중의 원근법'은 르네상스 시대의 화가들이 주로 사용하던 투시법이었다.
③ '스푸마토' 기법은 르네상스 시대의 화가들이 주로 사용하던 회화 기법이었다.
④ 레오나르도는 르네상스의 시대정신을 수용하여 「모나리자」의 창작에 반영하였다.
⑤ '스푸마토' 기법의 사용은 「모나리자」에 대한 사람들의 관심을 높이는 데 기여하였다.

학력평가 기출 변형 | 출제 유력

22 **〈보기〉는 이 글을 읽고 [A]의 특징을 정리한 것이다. 이에 대한 분석으로 적절하지 않은 것은?**

〈보기〉
ⓐ 작품 속의 배경이 뒤로 물러나는 듯한 원근감을 주고 있다.
ⓑ 여인의 표정은 보는 사람에게 모호하고 유동적인 느낌을 준다.
ⓒ 여인이 앉아 있는 의자의 팔걸이 부분이 흐릿하여 쉽게 알아볼 수 없다.
ⓓ 그림의 왼편에 나 있는 구불구불한 길이 여인의 목선과 닮아 있는 것처럼 보인다.
ⓔ 그림의 오른편에 있는 다리가 여인의 어깨에 두른 천과 이어져 있는 것처럼 보인다.

① ⓐ는 '공기 중의 원근법'을 통해 경계선을 흐릿하게 하고, 밝은 색을 사용하여 배경을 처리한 결과이다.
② ⓑ는 '스푸마토' 기법을 활용하여 눈이나 입 주변의 경계를 지우는 방식으로 그린 결과이다.
③ ⓒ는 '스푸마토' 기법을 통해 배경과 인물이 분리되지 않고 하나로 일치되어 보이게 한 결과이다.
④ ⓑ와 ⓒ는 특별한 명암법을 사용하여 인물과 배경의 일체감이 느껴지도록 한 결과이다.
⑤ ⓓ와 ⓔ는 대지와 인간의 몸이 유사한 것이라는 작가의 생각이 반영된 결과이다.

서술형

23 **이 글을 읽고 〈보기〉의 빈칸에 들어갈 수 있는 말을 쓰시오.**

〈보기〉
선생님: 르네상스 회화에서는 ㉠과 ㉡의 관계에 대한 이론적 근거로 양자가 (　　　　　　)는 사실을 내세우고 있습니다.

[24~26] 다음 글을 읽고 물음에 답하시오.

우리는 거짓이 사실을 압도하는 사회에서 살고 있다. 그렇다 보니 사실에 사회적 맥락이 더해진 진실도 자연스레 설 자리를 잃고 있다. 옥스퍼드 사전은 2016년을 대표할 단어로 '탈진실(Post-truth)'을 선정하고, 탈진실화가 국지적 현상이 아니라 세계적으로 나타나는 시대적 특성이라고 진단했다. 탈진실의 시대가 시작된 것을 입증하기라도 하듯 '가짜 뉴스'에 관한 사회적 논란이 뜨겁다.

허위 정보, 그 오랜 역사

가짜 뉴스의 정의와 범위에 대해서는 의견이 여러 갈래로 나뉜다. 언론사의 오보에서부터 인터넷상의 뜬소문까지, 가짜 뉴스라는 용어는 넓은 의미 영역 안에서 혼란스럽게 사용되고 있다. 전문가들은 가짜 뉴스의 기준을 정하고 범위를 좁히지 않으면 비생산적인 논란만 가중될 수밖에 없다고 지적한다. 이에 2017년 2월 한국 언론 학회와 한국 언론 진흥 재단 주최로 열린 토론회에서는 가짜 뉴스를 '정치·경제적 이익을 위해 의도적으로 언론 보도의 형식을 하고 유포된 거짓 정보'라고 정의하였다.

가짜 뉴스의 역사는 무척이나 길다. ⓐ백제 무왕이 지은 「서동요」는 선화 공주와 결혼하기 위해 그가 거짓 정보를 노래로 만든 가짜 뉴스였다. 1923년 관동 대지진이 났을 때 조선인에 관한 악의적인 허위 정보가 유포된 일 또한 가짜 뉴스의 예이다. 이렇듯 역사를 조금만 들여다봐도 가짜 뉴스 사례를 흔히 찾을 수 있다. 하지만 최근 일어나고 있는 가짜 뉴스 현상을 살펴보면 이전 사례들과는 확연히 다른 점을 발견할 수 있다.

'21세기형 가짜 뉴스'의 특징은 그 논란의 중심에 국제적인 정보 통신 기업이 있다는 점이다. 가짜 뉴스는 더 이상 동요나 입소문을 통해 퍼지지 않는다. 누구나 쉽게 이용하는 매체에 '정식 기사'의 얼굴을 하고 나타난다. 감쪽같이 변장한 가짜 뉴스들은 사람들의 입맛에만 맞으면 쉽게 유통·확산된다. 대중이 뉴스를 접하는 경로가 신문·방송 같은 전통적 매체에서 인터넷 사이트, 누리 소통망(SNS) 등 디지털 매체 쪽으로 옮겨 가면서 벌어진 일이다. 세계적으로 맹위를 떨치는 정보 통신 기업들은 '디지털 뉴스 중개자'로 부상하는 동시에 가짜 뉴스의 온상지가 됐다. ⓑ2016년 미국 대통령 선거 기간 중에 교황이 특정 후보 지지를 선언했다는 가짜 뉴스가 유력 누리 소통망에서 가장 많이 공유된 소식이라는 사실은 이를 잘 보여 준다.

학력평가 기출 변형 출제 유력

24 **ⓐ, ⓑ에 대한 설명으로 적절하지 않은 것은?**

① ⓐ와 ⓑ는 모두 탈진실화 현상이라는 사회적 배경 속에서 탄생하였다.
② ⓐ와 ⓑ는 모두 어떤 목적을 이루기 위해 거짓 정보를 유통시킨 사례에 해당한다.
③ ⓐ와 ⓑ는 서로 다른 매체를 통해 유통 및 확산이 이루어졌다.
④ ⓑ와 관련된 논란의 중심에는 국제적인 정보 통신 기업들이 있다.
⑤ ⓑ는 대중들이 디지털 매체를 통해 뉴스를 접하게 되면서 쉽게 유통·확산되었다.

출제 유력

25 **이 글을 참조할 때, 〈보기〉에 대한 반응으로 가장 적절한 것은?**

〈보기〉

△△신문은 '○○○ 의원, 재산 거짓 기재·5년간 신고 누락' 제하의 기사를 내보냈다. ○○○ 의원이 부인이 운영하던 회사의 비상장주식 500주(액면가 1만 원·총액 500만 원)를 갖고 있으면서도 0주로 허위 기재해 공직자 윤리법을 위반했다는 의혹이다. 그러나 보도 직후 논란이 불거지기 시작했다. 공직자 윤리법상 신고 대상이 되려면 1,000주 이상이 돼야 하지만 당시 그의 부인은 500주만 보유했기 때문에 신고 대상이 아니라는 내용이다. 이에 △△신문은 오보를 인정하고 당사자에게 사과한 후 정정 보도를 했다.

① 전통적 매체에 의한 오보까지도 가짜 뉴스에 포함시켜야 불필요한 논란을 해결할 수 있다고 생각합니다.
② 최근 유행하는 가짜 뉴스의 유통 과정과 매우 흡사하므로 가짜 뉴스의 범주에 포함시켜야 한다고 생각합니다.
③ 국제적인 정보 통신 기업을 이용하지 않은 뉴스이므로 가짜 뉴스의 범주에 넣어서는 안 된다고 생각합니다.
④ 정치·경제적 목적을 위해 의도적으로 오보를 낸 것이 아니므로 가짜 뉴스의 범주에 넣어서는 안 된다고 생각합니다.
⑤ 거짓된 정보라도 사실에 바탕을 둔 것이라면 국민들의 알 권리를 위해 가짜 뉴스로 치부해선 안 된다고 생각합니다.

서술형

26 **다음 글을 읽고, 가짜 뉴스 대책과 관련하여 필자가 주장하는 바를 두 문장으로 쓰시오.**

'가짜 뉴스' 논란 속에 숨어 있는 덫

가짜 뉴스라는 말에서 풍기는 뉘앙스와 그에 대한 인식의 문제를 지적하지 않을 수 없다. '가짜'라는 말은 일상에서 흔히 있을 수 있는 일 정도의 가벼움을 연상시킨다. 예를 들어 '위조지폐'와 '가짜 돈'이라는 표현을 놓고 볼 때, 같은 의미지만 들리는 뉘앙스와 문제의식은 사뭇 다르다. 위조지폐란 말은 얼른 들어도 중차대한 문제로 인식된다. 개인의 문제를 넘어 국가의 화폐 유통, 나아가 경제 전반에 막대한 영향을 미칠 것으로 보인다. 그래서 당국은 물론 일반 국민들도 경각심을 갖는다. 그러나 '가짜 돈'은 다르다. 문제는 문제지만 개인적 일탈 정도로 끝날 수 있는 가벼운 문제로 생각되기 십상이다.

– 「○○ 신문」 사설 중에서

실력 완성 문제

[27~30] 다음 글을 읽고 물음에 답하시오.

가 [A] 가짜 뉴스 논란이 뜨겁지만 그 정체는 모호하다. 어떤 뉴스가 가짜였는지, 그것을 누가, 왜 만들었는지 아는 사람은 적다. 한 언론의 분석에 따르면, 2016년 미국 대선 기간 중 가짜 뉴스가 공유된 수는 870만 건이었다. 이는 주요 언론사 뉴스의 공유 수를 앞선 수치다. 많은 사람이 제대로 된 정보를 공유 받지 못했다는 말이다.

[B] 그런데 2016년 미국 대선을 흔든 가짜 뉴스 사태의 지리적 진원지는 황당하게도 마케도니아에 위치한 벨레스라는 소도시였다. 심지어 범인은 대부분이 도시에 거주하는 10대 후반 청소년이었다. 이들은 미국 극우 성향의 엉터리 뉴스 사이트나 누리 소통망의 글을 긁어모아 적절히 짜깁기하고 윤색해 가짜 뉴스를 만들었다. 한 소도시의 청소년들에게 전 세계가 농락을 당한 셈이다. 영국의 한 일간지가 조사한 바로는, 벨레스에서 100개 이상의 가짜 뉴스 사이트가 개설, 운영되고 있었다.

[C] 벨레스의 청소년들이 극우 성향의 뉴스를 생산한 이유는 단순하다. 그들이 정치적으로 특정 후보를 지지해서가 아니다. 그들은 누가 미국 대통령이 되든지 상관하지 않았다. 단지 교황이 누구를 지지하기로 했다거나, 어떤 후보가 테러 단체에 무기를 몰래 판매했다는 식의 가짜 뉴스가 돈이 되었기 때문이다. 시장 논리에 따라 뉴스가 유통되는 과정에서 교황이 피해자로 이름을 올리게 될 것은 고민하지도 않았을 것이다.

나 "기사인지 광고인지"…… 독자 꾀는 기사형 광고 기승

작년 언론 중재 위원회 시정 권고의 19퍼센트, 인터넷 신문 위원회 제재의 45.6퍼센트 차지

"맞춤형 건강 관리…… 해외 왕족도 찾는 글로벌 라이프 센터", "1대1 건강 검진·항노화 센터…… 차별화된 관리로 신뢰 쌓아", "검진 센터 하면 '○○'…… 세계적 랜드마크로 자리 잡았다."

지난해 10월 말 종합 일간지 3곳이 신문 지면과 누리집에 각각 게재한 글 제목이다. 매체마다 다른 제목에 각각 본문과 사진을 갖추고 기자 이름마저 명기되어 있어 언뜻 기사로 보이지만 그 내용은 모두 국내의 한 병원을 홍보하는 '기사형 광고'다.

언론 중재 위원회는 지난해 12월 시정 권고 소위원회에서 이 '기사형 광고'가 사회적 법익을 ㉠침해했다고 판단해 해당 매체에 재발 방지를 당부하는 시정 권고를 ㉡의결했다. 이처럼 독자들을 ㉢현혹하는 '기사형 광고'가 점차 기승을 부리고 있다.

19일 언론 중재 위원회와 인터넷 신문 위원회 등에 따르면 지난해 언론 중재 위원회가 언론 보도와 관련해 시정 권고를 의결한 912건 가운데 19.0퍼센트인 173건이 이 같은 '기사형 광고'다. 이는 2015년의 95건에 비하면 약 2배로 늘어난 것이다.

인터넷 신문 위원회의 자율 제재를 받은 '기사형 광고'는 훨씬 많다. 지난해 위원회가 기사 심의에서 경고·주의·권고 등을 의결한 조항별 위반 건수 3천 229건 중 '기사형 광고'가 45.6퍼센트인 1천 473건으로 가장 많았다. 2015년 전체 위반 건수 3천 214건 중 1천 356건(42.2퍼센트)이었던 것과 비교하면 건수와 비율 모두 늘어난 것이다.

특히 '기사형 광고'는 비교적 영세한 인터넷 신문에서 ㉣횡행하고 있다. 지난해 언론 중재 위원회의 '기사형 광고' 시정 권고 가운데 인터넷 신문이 144건으로 대부분을 차지했다.

현행 '신문 등의 진흥에 관한 법률'과 언론 중재 위원회의 '시정 권고 심의 기준' 등에는 '독자가 기사와 광고를 혼동하지 아니하도록 명확하게 구분하여 편집하여야 한다'고 ㉤규정되어 있다.

○○○ 언론 중재 위원회 홍보팀장은 위원회 소식지 『언론 사람』 최근 호에서 "기사형 광고는 독자들이 평범한 기사로 착각할 가능성이 크다."라며 "기사형 광고를 기사로 볼 것인지 광고로 볼 것인지 단정할 수 없는 문제지만, 분명한 것은 언론사가 거기에 상응하는 책임을 져야 한다는 것"이라고 밝혔다.

출제 유력

27 (가)와 (나)의 공통점으로 가장 적절한 것은?

① 구체적인 수치를 제시하여 예상되는 반론을 원천 봉쇄하고 있다.
② 관련 기관의 통계 자료를 인용하여 내용의 신뢰성을 제고하고 있다.
③ 대상에 대한 잘못된 통념을 지적하면서 올바른 인식을 유도하고 있다.
④ 자문자답의 방식을 활용하여 논지에 대한 체계적인 해석을 시도하고 있다.
⑤ 사회 현상에 대한 다양한 관점을 제시하고, 이에 대한 자신의 견해를 밝히고 있다.

학력평가 기출 변형 출제 유력

28 (가)의 [A]~[C]에 나타난 논지 전개 방식에 대한 설명으로 적절하지 않은 것은?

① [A]에서 가짜 뉴스의 유통 실태를 소개하고, [B], [C]에서는 가짜 뉴스가 생산되는 실제 사례를 소개하고 있다.
② [A]에서 가짜 뉴스의 정체에 대한 의문을 제기하고, [B], [C]에서는 그러한 의문이 풀리게 되는 구체적 사례를 제시하고 있다.
③ [A]에서 가짜 뉴스가 범람하고 있는 현실에 문제를 제기하고, [C]에서는 이러한 상황 속에서 의도치 않은 피해자가 발생될 수 있음을 보여 주고 있다.
④ [B]에서 가짜 뉴스를 만들어 내는 방법을 소개하고, [C]에서는 그러한 방법을 사용하게 된 사회·문화적 배경을 설명하고 있다.
⑤ [B]에서 가짜 뉴스를 만들어 유포한 인물들의 행위를 보여 주고, [C]에서는 이들이 가짜 뉴스를 만들어 유포하게 된 이유를 분석하고 있다.

29 ㉠~㉤의 사전적 의미로 적절하지 않은 것은?

① ㉠: 침범하여 해를 끼치다.
② ㉡: 의논하여 결정하다.
③ ㉢: 정신을 빼앗겨 해야 할 바를 잊어버리다.
④ ㉣: 아무 거리낌 없이 제멋대로 행동하다.
⑤ ㉤: 잘못을 밝혀 바로잡다.

30 〈보기〉의 ⓐ~ⓔ에 들어갈 말로 적절하지 않은 것은?

〈보기〉

[과제]

(가)와 (나)는 모두 비정상적인 뉴스 기사의 문제를 파헤치기 위한 기획 기사이다. 이를 다음과 같이 정리할 때, ⓐ~ⓔ의 빈칸에 들어갈 말을 생각해 보자.

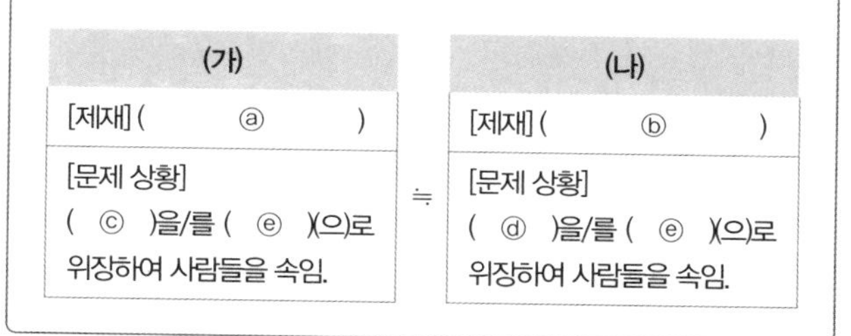

(가)		(나)
[제재] (ⓐ)		[제재] (ⓑ)
[문제 상황] (ⓒ)을/를 (ⓔ)(으)로 위장하여 사람들을 속임.	≒	[문제 상황] (ⓓ)을/를 (ⓔ)(으)로 위장하여 사람들을 속임.

① ⓐ: 가짜 뉴스
② ⓑ: 광고 기사
③ ⓒ: 거짓 정보
④ ⓓ: 광고
⑤ ⓔ: 정식 기사

[31~34] 다음 글을 읽고 물음에 답하시오.

가 누리 소통망의 ㉠정보 처리 규칙도 혐오와 차별, 극단적 주장을 확대 재생산하는 데 기여했다. 정보는 일정한 단계를 거쳐 선별적으로 전달된다. 이때 정보 처리 규칙은 이용자가 좋아하고 자주 보는 것 위주로 보여 주는 방식을 통해 개인 맞춤형 정보를 제공한다. 문제는 이 과정에서 개인의 편견과 고정관념 역시 강화된다는 점이다. 이른바 ㉡'필터 버블(Filter Bubble)' 현상이 일어나는 것이다. 필터 버블은 정보를 제공하는 인터넷 검색 업체나 누리 소통망 등이 이용자 맞춤형 정보를 제공하는 과정에서 이용자가 특정 정보만 편식하게 되는 현상을 말한다. 이 용어를 처음 사용한 엘리 프레이저는 2011년 한 강연에서, 자신의 누리 소통망 계정에 보수 성향의 글이 올라오지 않는 이유는 정보 통신 업체 측이 자신의 이용 내역을 분석하는 정보 처리 규칙으로 보수 성향의 정보들을 걸러 냈기 때문이라고 지적했다.

나 개인 맞춤형의 정보 처리 규칙은 정치·사회 분야의 뉴스와 만나 필터 버블 현상을 극대화한다. 진위 여부보다 자신의 호불호가 뉴스를 보고 믿는 기

실력 완성 문제

준으로 더 강력히 작용하다 보니 잘못된 사실이 진실의 자리를 차지하게 되는 것이다. 이때 가짜 뉴스의 소비는 일종의 심리적 보상 행위이기도 하다. 여론의 장에서 자신의 의견이 차지하는 위치를 확인하고 자기와 유사한 의견들만을 받아들임으로써 심리적인 불안정성을 제거하려는 행위인 것이다. 이 과정에서 확증 편향이 작용하고, 사실을 해석할 때도 편향적 결과를 낳는다. 이는 한쪽으로 쏠린 정치·사회 소식이 전체 여론을 호도할 수 있게 함으로써, 개인의 편견과 고정 관념을 넘어 민주주의를 위협하는 사회적 차원의 부정적 결과로 이어질 수 있다.

출제 유력

31 **(가), (나)에 대한 설명으로 가장 적절한 것은?**

① (가)는 가짜 뉴스의 발생 원인을, (나)는 가짜 뉴스의 폐해를 설명하고 있다.
② (가)는 가짜 뉴스의 출현 배경을, (나)는 가짜 뉴스의 해결 방안을 설명하고 있다.
③ (가)는 가짜 뉴스의 사회적 폐해를, (나)는 가짜 뉴스의 개인적 폐해를 설명하고 있다.
④ (가)와 (나)는 모두 가짜 뉴스의 발생 원인과 폐해를 설명하고 있다.
⑤ (가)와 (나)는 모두 가짜 뉴스가 생성되는 사회·문화적 배경을 설명하고 있다.

32 **㉠에 대한 이해로 적절하지 <u>않은</u> 것은?**

① 이용자에게 정치·사회 분야의 뉴스가 선별적으로 전달될 때 특히 더욱 심각한 역기능을 야기할 수 있겠군.
② 이용자는 자신이 좋아하는 맞춤형 정보만 편식하게 되면서 편견과 고정 관념이 강화되는 상황에 빠질 수 있겠군.
③ 디지털 매체에 대한 이용자 개개인의 검색 기록 등 구체적인 이용 내역을 분석하는 작업이 선행되어야 하겠군.
④ 주로 인터넷 검색 업체나 누리 소통망 등에서 뉴스 제공 시에만 적용함으로써 디지털 매체에 대한 부정적 인식을 자초하고 있군.
⑤ 정보 처리 규칙에 따라 뉴스가 선별적으로 제공되는 과정에서 혐오와 차별, 혹은 극단적 주장 등을 담은 가짜 뉴스가 확대 재생산될 수 있겠군.

출제 유력

33 **㉡에 대한 설명으로 적절하지 <u>않은</u> 것은?**

① 이용자 맞춤형 정보가 제공되는 디지털 환경 속에서 발생되는 현상이다.
② 누리 소통망에 접속한 개인이 특정 정보를 스스로 찾아 이용하는 현상을 말한다.
③ 엘리 프레이저가 처음 사용한 용어로, 2011년 한 강연에서 관련된 언급을 한 적이 있다.
④ 이용자가 자신의 호불호에 따른 뉴스를 주로 접하게 되면서 가짜 뉴스가 사실처럼 인식될 수 있다.
⑤ 정치·사회 분야의 편향된 뉴스를 주로 접하다 보면 전체 여론이 호도되는 상황을 야기할 수 있다.

학력평가 기출 변형

34 **<보기>는 이 글의 내용상 흐름을 요약한 것이다. ⓐ~ⓔ에 들어갈 말로 적절하지 <u>않은</u> 것은?**

<보기>

인터넷 검색 업체나 (　　ⓐ　　)와/과 같은 디지털 매체의 이용자는 자신이 좋아하는 정보를 주로 검색한다.

↓

디지털 매체는 '정보 처리 규칙'에 따라 이용자 개개인의 선호도에 따른 (　　ⓑ　　)을/를 선별하여 제공한다.

↓

디지털 매체가 제공하는 맞춤형 정보만을 접하게 되면서 이용자 개인의 (　　ⓒ　　)이/가 더욱 강화되는 '필터 버블' 현상이 나타난다.

↓

디지털 매체의 이용자는 검색 과정에서 (　　ⓓ　　)이/가 작용하면서 자신의 관점과 일치하는 정보만 받아들이고, 자신의 관점에 따라 정보를 해석한다.

↓

정치·사회 분야의 뉴스에 대한 편향적 수용과 해석은 (　　ⓔ　　)(으)로써 민주주의를 위협하는 사회적 차원의 부정적 결과를 야기할 수 있다.

① ⓐ: 누리 소통망(SNS)
② ⓑ: 맞춤형 정보
③ ⓒ: 편견과 고정 관념
④ ⓓ: 확증 편향
⑤ ⓔ: 개인의 신념을 강화함.

1등급 완성 문제 I. 독서의 본질과 태도

[1~5] 다음 글을 읽고 물음에 답하시오.

(가) 일단 책을 읽기 시작하면 그 즉시 별천지에 드나들 수 있다. 만일 그것이 양서(良書)라면 독자는 홀연 ㉠세계 제일의 이야기꾼과 만나는 것이 된다. 그는 독자를 유도하여 먼 별천지의 아득한 옛날로 데리고 가서 고민을 털어 주고, 독자가 미처 몰랐던 인생의 여러 모습을 이야기해 준다.

(나) 맹자와 사마천도 같은 말을 한 적이 있다. 하루 두 시간이라도 다른 세상에 살며 매일매일의 번뇌를 잊어버릴 수만 있다면 말할 것도 없이 ㉡육체적 감옥에 갇혀 있는 사람들로부터 선망 받는 특권을 얻는 셈이 된다. ㉢이 같은 변화가 심리적으로 미치는 효과는 여행과 똑같은 것이다.

(다) 그뿐인가. 책을 사랑하는 사람은 언제나 사색과 반성의 세계에 자유롭게 드나들 수가 있다. 설사 ㉣물리적 사건이나 현상을 기록한 책이라도 그런 사상(事象)을 직접 보고 듣는 것과 책으로 읽어서 아는 것에는 큰 차이가 있다. 책 속에서 겪는 물리적 사건은 하나의 구경거리이며, 독자는 구경꾼의 입장이 되기 때문이다.

(라) '정신 향상'이 독서의 목적이 될 수는 없다. 왜냐하면 정신 향상 따위의 쓸데없는 것을 생각하면 독서의 즐거움은 모두 사라지기 때문이다. 그런 것을 생각하는 사람은 틀림없이 "㉤난 셰익스피어를 읽어야만 한다. 소포클레스를 읽어야만 한다. 또 엘리엇 박사의 『5피트 책꽂이』를 전부 읽어야만 한다. 읽어서 지식을 넓혀야 한다."라고 혼자 중얼거리는 사람이다. 이런 사람의 학식은 결코 깊어지지 않는다.

(마) 황산곡에 따르면, 독서의 목적으로 인정할 만한 것은 인간의 용모에 매력을 더하고 그 담화에 풍미를 주는 것밖에 없다. 그러나 용모의 매력이라 해도 단순한 미모와는 물론 뜻이 다르다. 황산곡이 말하는 '볼썽사나운 풍모'란 육체적인 추함이 아니다. 추해도 매력이 있는 얼굴이 있거니와 아름다워도 전연 멋이 없는 얼굴도 있다. 나의 중국인 친구 중에 머리 모양이 폭탄 같은 사나이가 있는데, ⓐ그는 언제 보아도 호감이 간다.

1 **이 글에 대한 설명으로 가장 적절한 것은?**

① 시간적 순서에 따라 시대별 독서관의 변천 과정을 서술하고 있다.
② 지난 독서 경험을 회고하여 필자 자신의 독서 태도를 성찰하고 있다.
③ 유명인의 말을 언급하여 독서에 대한 필자의 생각을 강조하고 있다.
④ 열거의 방식을 활용하여 독서가 사회에 미치는 영향을 소개하고 있다.
⑤ 구체적인 사례를 제시하여 잘못된 독서 방법의 부작용을 지적하고 있다.

2 **이 글에서 알 수 있는 독서에 대한 필자의 견해로 볼 수 없는 것은?**

① 의무감으로 책을 읽으면 독서의 즐거움을 느낄 수 없다.
② 정신 향상을 목적으로 독서를 하면 학식이 깊어지지 않는다.
③ 독서를 즐겨하는 사람은 세상에 대해 깊이 있게 사색할 수 있다.
④ 독서를 하다 보면 추한 외모도 아름다운 얼굴로 변모할 수 있다.
⑤ 독서를 통해 시간적, 공간적 한계를 넘어 다양한 세상을 만날 수 있다.

서술형

3 **(마)를 참고하여 ⓐ에 담긴 필자의 생각을 쓰시오.**

1등급 완성 문제

4 ㉠~㉤에 대한 설명으로 적절하지 않은 것은?

① ㉠: 양서를 읽는 것으로, 필자가 긍정적으로 생각하는 독서이다.
② ㉡: 책을 읽지 않아 사고의 폭이 넓지 않은 사람들을 비유적으로 표현한 것이다.
③ ㉢: 다른 세계를 경험하며 즐길 수 있다는 점에서 독서와 여행이 유사함을 밝히고 있다.
④ ㉣: 어떤 현상이나 사상에 대해서는 간접 경험보다 직접 경험이 중요함을 서술하고 있다.
⑤ ㉤: 정신 향상을 목적으로 하는 의무적인 독서의 사례에 해당한다.

학력평가 기출 변형

5 이 글의 필자(A)와 〈보기〉의 필자(B)에 대한 설명으로 가장 적절한 것은?

〈보기〉

요즘 서울의 젊은이들은 마치 저잣거리에서 물건을 파는 사람과 같아서, 오로지 빨리 성공에 접근하고 성공을 구하는 기술만 찾는다. 반면 옛 성현의 글이 담긴 책들은 높디높은 다락에 묶어 처박아 두고, 매일같이 영악하게 남의 비위나 맞추는 글을 찾는다. 그리고 그 말을 도둑질해 시험 감독관의 눈에 띄도록 글을 지어 성공한 사람들이 많다. 그러나 이런 짓은 교묘한 방법으로 벼슬하는 자들이 삼을 수 있는 수단이지, 너희들처럼 어리석고 둔하거나 명예를 다투는 일에 익숙하지 못한 사람들이 따라할 수 있는 일이 아니다. 무엇 때문에 치욕스럽게 이런 일을 하겠느냐?

– 류성룡, 「여러 아이들에게 보냄[寄諸兒]」

① A는 B와 달리 다양한 분야의 독서를 할 필요가 있다고 생각한다.
② A는 B와 달리 목적 없이 고전을 읽는 것은 무의미하다고 주장하고 있다.
③ B는 A와 달리 명예를 높이는 독서의 중요성을 강조하고 있다.
④ A와 B는 모두 독서가 개인의 삶의 질을 향상시킬 수 있다고 믿는다.
⑤ A와 B는 모두 독서를 특정 수단으로 대하는 태도를 부정적으로 여기고 있다.

[6~9] 다음 글을 읽고 물음에 답하시오.

(가) 저는 그 뒤에 '여행을 위한 책 목록'을 갖게 되었습니다. 이 목록은 두 가지로 구성됩니다. 한 가지 축은 실질적인 정보를 주는 책으로 기차 시간표, 호텔과 식당 정보 같은 것들이 들어 있지요. 또 하나는 도시에 대한 수필이나 역사책들이었습니다. 빅토르 위고의 유럽 방랑기나 안데르센의 여행기, 마테오 리치나 이븐 바투타의 여행기, 『표해록』, 『해유록』 같은 데서 출발해 결국 작가가 자신의 나라에 관해 쓴 글은 소설까지도 모으게 되었습니다.

(나) 당시에 읽었던 책들을 펼쳐 보는 것만으로도 저는 제가 얼마나 여행에 깊이 빠져 있었는지 지금도 느낄 수가 있습니다. 저는 발자크가 표현한 수심 측정기를 던지는 여행을 하고 싶었습니다. 어떤 장소에 도착하는 법 자체는 애초에 제 관심사가 아니었습니다. 겉보기와 달리 숨겨진 이야기가 제 관심사였습니다. 평범한 일상을 뚫고 나오는 신비로운 이야기들은 저를 설레게 했습니다.

(다) ㉠정신의 여행을 즐기기 위해서 저에게는 더 많은 관찰과 더 많은 책이 필요했습니다. 이런 책들의 목록은 끝이 없을 것 같았습니다. 그러다 보니 책들을 결국 좀 정리해야만 했습니다. 고민 끝에 저는 실질적인 정보가 있는 책을 버리기로 했습니다. 그거야말로 계속 최신 정보로 바뀌게 되니까요. 저는 영원한 것을 택하기로 결정했습니다.

(라) 최고의 여행은 물리적 이동이 아니란 것, 결국은 정신의 여행이란 것, 그 깨달음은 제 여행기에도 영감을 주었습니다. 일상을 뚫고 나오는 이야기에 귀를 기울여 보자는 것이었죠. 보이는 것이 다가 아니었습니다. 저에게는 도시도, 사람도 자식들을 삼킨 크로노스처럼 보였습니다. 아직은 아니지만 이제 곧 자식들이 튀어나올 것입니다. 저는 좋은 여행기는 『천일 야화』와 같아야 된다고 생각했습니다. 결국 저는 '천일 야화풍의 여행기 목록'을 스스로 갖게 된 셈입니다.

6 이 글에 대한 이해로 적절하지 않은 것은?

① 필자는 자신의 독서 이력을 통해 여행 경험을 회고하고 있다.
② 천일 야화풍의 여행지의 숨겨진 이야기가 담긴 여행기를 좋아한다.
③ 최고의 여행에 대한 깨달음을 바탕으로 필자는 책 목록을 바꾸게 되었다.
④ 호텔이나 식당 정보가 담긴 책은 필자의 최종적인 책 목록에서 제외되었다.
⑤ 필자는 여행지에 대한 수필이나 역사책에서 시작하여 평범한 일상을 다룬 책으로 대상 도서를 늘려 갔다.

7 (라)의 서술 방식으로 가장 적절한 것은?

① 역사 속 인물을 끌어와 독자의 공감을 이끌어 내고 있다.
② 자문자답을 반복하는 형식을 취하여 자신의 견해를 강조하고 있다.
③ 주관적인 체험을 구체적으로 제시하여 독자의 이해를 돕고 있다.
④ 비유적 표현을 활용하여 자신의 생각을 효과적으로 드러내고 있다.
⑤ 서로 관련되는 대상을 대비하여 독자의 인식 전환을 유도하고 있다.

8 ㉠에 대한 설명으로 적절하지 않은 것은?

① 필자가 책의 목록을 정리하게 된 계기를 나타낸다.
② 여행의 목적에 대한 필자의 생각을 엿볼 수 있다.
③ 실질적인 정보보다 이야기가 있는 여행기를 통해 향유할 수 있다.
④ 물리적 이동과 함께할 때 최고의 여행에 이를 수 있음을 나타낸다.
⑤ 필자가 자신의 관심사를 바탕으로 책 목록을 작성했음을 알게 해 준다.

학력평가 기출 변형

9 이 글의 필자가 〈보기〉의 '슬기'에게 해 줄 수 있는 말로 가장 적절한 것은?

〈보기〉

현주: 슬기야, 어제 특강에서 선배가 한 말 중에가 가장 기억에 남는 게 뭐야?
슬기: 어, 고등학교 3년 동안 300권이 넘는 책을 읽었다고 한 말이 가장 인상적이었어. 난 1년에 겨우 2권 읽을까 말까 한데……. 그래서 난 오늘부터 책을 많이 읽기로 했지. 선생님이 추천해 주신 도서 100권을 1년 동안 다 읽을 거야.

① 책을 많이 읽는 것이 중요한 것이 아니라 책의 내용을 내면화하는 것이 더 중요해요.
② 자신의 지적 수준을 고려해서 쉬운 책부터 수준 높은 책의 순으로 독서하는 것이 필요해요.
③ 다른 사람이 추천하는 책만 읽기보다 스스로 자기의 취미나 관심에 맞는 책을 선택해서 읽어야 해요.
④ 무조건 많은 양의 독서를 목표로 하기보다 실제 생활에 유용한 서적들을 중심으로 반복적으로 읽는 것이 중요해요.
⑤ 읽은 책의 권수에 집착하기보다 한 권을 읽더라도 의미를 완벽히 이해할 수 있도록 깊이 있는 독서를 하는 게 좋아요.

[10~13] 다음 글을 읽고 물음에 답하시오.

가 사상과 체험이 걸작을 읽을 정도가 되지 않았을 때 걸작을 읽으면 나쁜 뒷맛이 남을 뿐이다. 공자는 "50세에 ⓐ『주역』을 읽으면 큰 허물이 없을 것이다."라고 말하였다. 즉 45세에 읽어서는 안 된다는 것이다. ⓑ『논어』의 공자 이야기에는 실로 온화한 풍격(風格)과 원숙한 지성이 넘치고 있는데, 이것을 접하는 사람 자신이 원숙해지기 전에는 그 참맛을 모른다.

나 나중에 『오에 겐자부로, 작가 자신을 말하다』를 읽다 보니 그는 어려서부터 ⓒ『허클베리 핀의 모험』을 좋아했고 실제로 삶에서 선택해야 할 때마다 허클베리 핀의 이 말을 읊조렸다고 합니다. "좋아, 지옥에는 내가 간다." 저는 이 말이 『개인적인 체험』에 나

1등급 완성 문제

오는 주인공의 선택에도 영향을 미쳤을 거란 느낌이 듭니다. ㉠저는 곧 또다시 『허클베리 핀의 모험』을 들추어 볼 것입니다. "지옥에는 내가 간다."란 말을 찾아서요.

(다) 인간에게는 좌절과 고통의 경험이 있습니다. 셰익스피어는 400여 년 전에 태어난 작가입니다. 그런데 ⓓ「로미오와 줄리엣」을 보면 요즘 텔레비전 연속극의 주제 그대로입니다. 원하지 않는 남자와 결혼하게 된 줄리엣은 엄마한테 하소연하는 대목에서 하늘에 대고 절규합니다. 〈중략〉 이런 좌절과 고통의 경험은 수천 년 전이나 지금이나 우리가 벗어날 수 없는 조건입니다.

(라) ⓔ어떤 책은 다른 사람을 시켜서 읽어 달래도 좋고 타인에 의해 발췌된 내용만을 읽어도 좋다. 그러나 그것은 단지 중요하지 않은 내용이나 고상하지 않은 책의 경우에 한한다. 그렇지 않으면 개요만을 뽑은 책은 보통의 증류한 물과 같은 것으로서, 아무런 맛도 없는 법이다.

(마) '소설 독회'는 낯설다. 보편화가 된 시 낭송회와는 달리 소설을 읽고 얘기 나누는 형식은 국내에서 그때까지 거의 없었던 탓이다. 〈중략〉

그래서 그는 때로는 자신의 의도와 다른 작품 해석에 강하게 반박하기도 하고, 때로는 자신조차 인식하지 못한 접근에 무릎 치며 동의를 보내기도 한다. 편안하게 술술 읽히는 문장이 얼마나 고통스럽고 치열한 사유의 결과물이었는지 짐작하게 한다.

10 (가)~(마)에 대한 설명으로 적절하지 않은 것은?

① (가): 생애의 시기에 맞는 책을 읽어야 함을 강조하고 있다.
② (나): 소설 속 인물의 묘사는 작가의 실제 경험을 바탕으로 이루어짐을 밝히고 있다.
③ (다): 고전에는 인간의 보편적 경험이 담겨 있음을 제시하고 있다.
④ (라): 책의 종류에 따라 책을 읽는 방법이 달라짐을 언급하고 있다.
⑤ (마): 소설 독회를 통해 작가와 독자는 새로운 깨달음을 얻을 수 있음을 나타내고 있다.

11 (가)~(마)를 읽은 독자의 반응으로 가장 적절한 것은?

① (가): 자신의 지적 수준을 고려해야 올바른 독서를 할 수 있겠군.
② (나): 책의 내용을 온전히 이해하려면 작가가 추천한 다른 책들도 살펴보아야겠군.
③ (다): 책 속에 서술된 고통의 경험이 텔레비전에서는 더욱 비극적으로 묘사되는군.
④ (라): 전문 서적은 발췌된 내용만 읽어도 글의 전체 흐름을 이해하는 데 어려움이 없겠군.
⑤ (마): 작가는 자신의 작품에 대해 독자를 적극적으로 설득해야 할 의무가 있군.

12 ⓐ~ⓔ 중, 〈보기〉의 '좋은 책'에 해당하지 않는 것은?

〈보기〉

좋은 책은 세상살이의 일반성에 관한 이해를 넓혀 주는 동시에 개인적 삶의 특수성까지도 풍부하게 해석해 준다. 〈중략〉 세상과 인생의 문제를 상투적인 시선으로 바라보고 뻔한 해결책을 제시하는 그렇고 그런 책들은 옆으로 치워 놓고, 변화하는 세상과 그 속에 숨은 삶의 본질을 꿰뚫어 보는 좋은 책들을 찾아내야 한다.

① ⓐ ② ⓑ ③ ⓒ ④ ⓓ ⑤ ⓔ

서술형

13 문맥을 고려하여 ㉠의 이유를 한 문장으로 쓰시오.

1등급 완성 문제 Ⅱ. 독서의 방법

[1~4] 다음 글을 읽고 물음에 답하시오.

(가) 요즘 창문이 안 열리는 초고층 주상 복합 건축물의 불편함이 화제이다. 자연 환기가 봉쇄된 것인데, 사람에 비유하자면 일 년 내내 두꺼운 옷을 잔뜩 입고 여름에는 그 속에 에어컨을 집어넣은 격이다. 더운 여름에는 얇은 반소매 옷 하나만 입고 추운 겨울에는 두꺼운 옷 여러 개를 입는 것이 상식이고 이치다. 집도 이런 상식과 이치를 따르면 된다. 여름에는 창문을 활짝 열어젖히고 사방에서 바람을 시원하게 받으면서 열을 식힐 수 있어야 한다. 한옥은 여러 과학적 방식을 활용해서 집 안 가득 시원한 바람을 맞아들여 잘 흐르도록 한다. 이를 한마디로 '통(通)'의 원리라 부를 수 있다. '통'은 어려운 개념이 아니다. 통풍, 환기, 순환 등과 같은 말로, 한옥은 통의 원리를 구현하는 건강한 집이다. 자연의 원리를 잘 지키는 것이니 곧 자연적이다.

(나) 한옥에서 통의 원리를 구현하는 방식은 크게 두 가지가 있다. 첫째, 거시 기후에 맞춰 집 안에 '바람길'을 내는 것이다. 여기서 거시 기후란 계절 같은 큰 시간 단위를 기준으로 한반도 전체에 걸쳐서 나타나는 기후 현상을 말한다. 한옥에서는 여름에 부는 바람인 남동풍의 방위에 맞춰 남향, 혹은 남동향으로 바람이 드나드는 바람길을 냈다. 한옥에서 바람길은 시원하고 통 크게 나 있어, 바람이 돌아 나가거나 머물거나 꺾어 가지 않도록 했다.

(다) 한옥에서 통의 원리를 구현하는 두 번째 방법은 미시 기후를 활용해서 마당에 찬 공기주머니를 만드는 것이다. 미시 기후란 숲과 산세, 지세와 물길 등 각 집의 주변을 둘러싼 개별적 상황에 따라 나타나는 구체적인 기후 현상이다. 도시에서의 도로나 빌딩, 농촌에서의 배산임수(背山臨水)는 미시 기후에 영향을 미치는 중요한 요소이다. 한옥에서는 마당을 비워서 안마당에 찬 공기주머니를 만드는 방법으로 미시 기후를 활용한다.

(라) 이렇게 마당에 들어온 찬 공기를 계속 머물게 하는 데에는 지붕의 처마가 큰 기여를 한다. 관가정의 안채 안마당은 폭에 비해 지붕 처마가 많이 돌출해 있는데, 이는 안마당으로 흘러 들어온 찬바람을 오래 잡아 두는 역할을 한다. 앞으로 돌출한 지붕 처마는 안마당에 형성된 공기 덩어리의 흐름에 영향을 주어 마당 안에서 위아래로 향하는 공기의 흐름을 만들며, 그 결과로 아직 데워지지 않은 찬 공기가 바로 빠져나가는 것을 막는다. 한옥의 안채가 특히 여름에 서늘한 것은 바로 이 때문이다.

1 이 글에 사용된 설명 방식으로 적절하지 않은 것은?

① 한옥이 여름에 시원한 이유를 과학적으로 설명하고 있다.
② 한옥에서 통의 원리를 구현하는 방식을 구분하여 제시하고 있다.
③ 한옥과 대비되는 현대적 건축물의 특징을 비유적으로 설명하고 있다.
④ 통의 원리가 구현된 한옥 건축물에 대한 전문가의 견해를 인용하고 있다.
⑤ 한옥에서 통의 원리가 구현되는 방식과 관련한 용어의 개념을 정의하고 있다.

2 이 글에 언급된 '통의 원리'에 대한 설명으로 적절하지 않은 것은?

① 한옥의 건축 기술에 과학적 방식이 적용되었음을 나타낸다.
② 한옥의 공기 순환을 위해 계절별 기후의 특성을 활용한 것이다.
③ 한옥의 구성 요소를 활용하여 찬 공기가 한옥 내부에 오래 머물도록 한다.
④ 한옥 주변의 환경적 특성을 이용하여 찬 공기가 한옥 내부에 유입되도록 한다.
⑤ 공기 흐름의 특성에 착안하여 한옥에 찬 공기와 더운 공기가 수시로 교환되도록 한다.

1등급 완성 문제

학력평가 기출 변형

3 이 글과 〈보기〉를 참고하여 '바람길'에 대해 이해한 내용으로 가장 적절한 것은?

〈보기〉

우리 조상들은 시원한 바람을 얻기 위해 '바람길'이란 것을 만들었다. 두 건물 사이에 길을 하나 내는데 이것이 바로 바람길이다. 바람길을 낼 때는 주로 남쪽이 북쪽보다 간격이 더 넓다. 여기에는 과학적 원리가 담겨 있는데, 길이 넓은 남쪽에서 들어온 바람은 좁은 북쪽 길로 빠져나가면서 속도가 빨라지고 세차진다. 반대로 북쪽에서 들어온 바람은 남쪽으로 빠져나가면서 속도가 느려지고 순해진다. 즉 바람길은 여름에 불어오는 남동풍은 북쪽까지 시원하게 밀려가게 하고, 겨울에 부는 차가운 북서풍은 순하게 만들어 주는 것이다.

① 바람길은 계절별 바람의 특성을 고려하여 만들어 낸 것이군.
② 바람길은 여름보다 겨울에 바람이 더 잘 순환하도록 한 것이군.
③ 바람길은 한옥과의 마찰을 통해 자유자재로 방향을 바꿀 수 있군.
④ 바람길은 한옥의 건축물 간 간격이 넓을수록 효과가 극대화되는군.
⑤ 바람길은 여름에는 시원한 공기를, 겨울에는 따뜻한 공기를 한옥 내부로 들여보내는군.

서술형

4 이 글의 내용을 다음과 같이 요약한다고 할 때, ⓐ에 들어갈 내용을 쓰시오.

한옥에는 여름철 시원한 바람이 지나갈 수 있는 바람길을 내었고, 마당을 비워 시원한 바람이 들어오도록 했으며, 지붕의 처마를 이용해 들어온 바람을 머물도록 했다. 이처럼 한옥은 자연을 거스르지 않으면서도 살기 편하게 지어졌기 때문에 [ⓐ]

[5~7] 다음 글을 읽고 물음에 답하시오.

㉮ 이기적인 사람은 어떤 공공재가 필요하다고 생각하면서도 필요하지 않다고 말한다. 그렇게 함으로써 공공재 생산에 드는 비용 부담에서 벗어날 수 있기 때문이다. 그런 다음 다른 사람들이 비용을 들여 공공재를 생산하면 여기에 편승해 그 혜택을 누린다. 공공재가 가진 성격으로 인해 그렇게 해도 된다는 것을 알기 때문이다. 돈을 내지 않고 남의 차에 올라타는 사람처럼, 공공재에도 무임승차를 하는 사람이 발생할 가능성이 크다. 바로 이 무임 승차자들 때문에 시장이 공공재를 생산, 공급하는 일을 제대로 감당하지 못하는 것이다.

㉯ 각 사람은 자신에게 배정된 50장의 표를 '개인'이라고 씌어 있는 흰색 상자와 '공공'이라고 씌어 있는 푸른색 상자에 나누어 넣게 된다. 어떤 사람이 표 1장을 흰색 상자(개인)에 넣으면 실험이 끝난 후 그 사람은 천 원을 받게 된다. 반면에 표 1장을 푸른색 상자(공공)에 넣으면 그 집단에 속하는 모든 사람이 5백 원씩 받게 된다.

㉰ 이기적인 사람이 이 상황에서 어떤 행동을 할 것인지는 의문의 여지가 없다. 자기가 가진 표는 전부 흰색 상자에 넣고 다른 사람이 푸른색 상자에 표를 넣기를 기대하는 태도를 보일 것이 분명하다. 이것은 다른 사람이 비용을 부담해 공공재를 생산하면 이에 무임승차를 하려고 드는 태도와 다를 바 없다. 이 실험의 목적은 [㉠] 테스트해 보려는 데 있다.

㉱ 그런데 ㉡실험의 결과는 무임승차를 하려는 경향이 의외로 약한 것으로 드러났다. 조건을 조금씩 달리해서 여러 번 실험을 거듭해 보았지만, 사람들이 가진 표를 전부 흰색 상자에 넣는 경우는 거의 눈에 띄지 않았다. 평균적으로 자신이 가진 표의 40퍼센트에서 60퍼센트에 이르는 표를 푸른색 상자에 넣는 것으로 드러났다. 무임승차를 할 수 있는 상황임을 알면서도 가진 표의 거의 반을 공공재 생산 비용에 자발적으로 기여한 것이다.

마 지금까지의 전통적 경제학은 자신의 이익만을 추구하는 합리적 인간인 호모 에코노미쿠스의 경제 행위를 분석의 대상으로 삼았다. 그러나 공공재에 관한 실험을 통해 확인했듯이 현실의 인간은 경제학 교과서에 등장하는 호모 에코노미쿠스와 다르다. 우리가 경제 행위를 할 때 언제나 이기적으로, 합리적으로 행동하지는 않는다는 것이다. 〈중략〉 이제는 경제 이론과 경제 정책을 새로운 시각에서 다시 검토해 볼 필요가 있지 않을까?

5 이 글을 이해한 내용으로 적절하지 않은 것은?

① 기존의 경제 이론으로 현실의 경제 상황을 설명하는 것에는 한계가 있다.
② 전통적 경제학에서는 공공재에 무임승차하는 사람들을 합리적 인간으로 간주한다.
③ 이기적인 사람은 공공재에 무임승차가 가능하다는 근거를 들어 공공재의 필요성을 인정한다.
④ 공공재에 관한 실험 결과는 전통적 경제학에서 전제한 인간의 특징에 부합하지 않는다.
⑤ 공공재에 대한 무임승차를 완벽히 차단할 수 있다면 민간 기업도 공공재를 생산, 공급할 것이다.

6 (나)~(라)를 고려할 때, ㉠에 들어갈 내용으로 가장 적절한 것은?

① 공공재의 필요성에 얼마나 많은 사람들이 공감하는지를
② 이기적인 사람이 무임승차를 하려고 할 때 어떤 점을 고려하는지를
③ 무임승차를 하려는 사람에 대해 다른 사람들은 어떤 반응을 보이는지를
④ 사람들이 남을 위해 공공재 생산 비용을 얼마까지 부담하려고 하는지를
⑤ 사람들이 현실의 상황에서 무임승차를 하려는 경향을 어느 정도로 보이는지를

7 논지 전개상 ㉡의 활용 방안으로 가장 적절한 것은?

① 전통적 경제학에서 설명하는 인간의 경제 행위에 부합하는 사례로 제시한다.
② 인간은 경제 활동을 할 때에만 이기적인 존재라는 통념을 비판하는 근거로 제시한다.
③ 경제 정책을 수립하고 실행하는 과정에서 의도적으로 왜곡한 사실을 시정하는 자료로 제시한다.
④ 새로운 시각에서 기존의 경제 이론과 경제 정책을 재검토해야 한다는 주장의 근거로 제시한다.
⑤ 공공재에 대한 인간의 심리를 심층적으로 분석할 필요가 있다는 주장을 강화하는 자료로 제시한다.

[8~10] 다음 글을 읽고 물음에 답하시오.

가 동물의 욕구는 크게 두 가지로 생각할 수 있다. 적합한 먹이나 청결한 환경과 같이 긍정적인 것을 추구하는 적극적인 욕구와, 육체적으로 받을 수 있는 공격이나 위협과 같은 부정적인 것을 피하려는 소극적 욕구가 그것이다. 특히 후자의 욕구는 고통을 최소화하는 것이 행복이라는 복지의 개념과 다시 연결된다. 가령 '죽음'의 경우 어떤 동물도 영원히 살 수 없으며 죽음을 거부할 수 없지만, 사람이 관리하는 동물이라면 생명의 종말이 마땅히 배려되어야 한다. 비록 야생 동물의 자연적인 죽음이라고 해도 그것이 항상 고통이 없는 것은 아니다. 중요한 것은 동물을 죽일 수 없다는 것이 아니라, 어쩔 수 없이 동물을 죽일 수밖에 없다면 고통을 최소화하는 것이 훌륭한 복지라는 것이다. 〈중략〉

그러므로 불필요한 고통은 배제하고 사람을 위하여 필요한 경우라도 고통을 최소화하기 위해 노력하는 것이 인도적인 행위이다. 이는 사람과 일정한 관계를 유지하고 살아가는 동물과 건전하고 바람직한 관계를 정립하는 측면에서 마땅히 지켜야 할 자세이다. 결국 동물의 복지를 책임져야 하는 것은 바로 인간이며, 이는 인간을 보다 인간답게 하는 일이 될 것이다.

1등급 완성 문제

나 종(種) 우월주의는 우리가 동물을 학대하고 상습적으로 그들의 요구를 무시하는 태도를 정당화하는 이론이다. 인간이 자연과 별개로 모든 종이 태어나 살다가 죽는다는 기본 원칙에서 예외라도 되는 듯, 스스로 자연의 일부로 간주하지 않는 오만한 태도 이면에 이 같은 편견이 자리 잡고 있다. 예를 들어, 많은 종이 개체 과밀과 과다한 소비로 멸종에 이르렀던 것처럼 인류 역시 스스로 멸종을 초래할 수 있다. 인간의 오만과 더불어 (자신이 사는 세상을 향상할 수도, 파괴할 수도 있는 엄청난 잠재 능력을 지닌 큰 뇌의 포유동물로서) 스스로에 대한 부정은 궁극적으로 자기를 파괴적으로 만든다. 우리는 현재 많은 분야에서 잘못을 저지르고 있다는 것을 진정 부끄러워해야만 한다. 〈중략〉

종 우월주의는 동물을 위계적 개념인 '하등 동물'과 '고등 동물'로 분류하게 하고, 이 서열의 최고 단계에 인간이 자리 잡는 것을 당연하게 여긴다. 이는 동물의 복지를 외면하게 만드는 그릇된 관점이다.

8 (가)와 (나)에 대한 설명으로 적절하지 않은 것은?

① (가)는 동물의 욕구를 두 가지로 나누어 설명하며 동물 복지의 필요성을 강조하고 있다.
② (가)는 야생 동물과 가축을 비교하여 가축만이 느낄 수 있는 고통에 대해 설명하고 있다.
③ (나)는 구체적인 예를 제시하여 종 우월주의의 문제점을 지적하고 있다.
④ (나)는 종 우월주의의 개념을 정의하며 동물에 대한 인간의 태도를 비판하고 있다.
⑤ (나)는 유사한 상황에 빗대어 동물 복지의 외면이 초래할 심각성을 경고하고 있다.

9 (가)와 (나)의 필자가 대화를 나눈다고 할 때, 적절하지 않은 것은?

① (가): 동물도 인간과 마찬가지로 생존을 위한 기본적인 욕구가 있어요.
② (나): 맞아요. 그런데 인간은 자신을 자연과 별개의 존재로 여기며 동물 학대를 정당화하고 있어요.
③ (가): 그래서 저는 동물 복지에 대한 강한 책임감을 가지고 동물의 고통을 최소화하도록 노력해야 한다고 생각해요.
④ (나): 동물 복지에 책임감을 갖는다는 발상 자체가 종 우월주의입니다. 그러한 생각이 오히려 동물 복지를 외면하게 할 수도 있어요.
⑤ (가): 제가 말한 동물 복지는 인간을 위한 것이 아니라 순전히 동물의 관점에서 이야기하는 것입니다. 그래서 그걸 훌륭한 복지라고도 합니다.

서술형

10 (가)의 필자와 〈보기〉 필자의 공통적 견해를 쓰시오.

〈보기〉

『동물의 권리』의 저자 헨리 솔트는 인류애와 인본주의를 설파하며 동물에 대한 학대 행위를 경고한다. 그는 동물 보호야말로 인류 그 자체를 위한 것으로, 진정한 문명화, 인류라는 종의 발전, 최상의 의미에서의 인류애가 모두 동물의 권리를 존중하는 것과 이어진다고 주장한다. 그러면서 동물에 대한 가혹 행위는 곧 도덕성과 인간성의 타락 및 포기로 이어질 수 있다는 우려도 함께 전한다.

[11~13] 다음 글을 읽고 물음에 답하시오.

가 저렇게 많은 중에서
㉠별 하나가 나를 내려다본다
이렇게 많은 사람 중에서
그 별 하나를 쳐다본다

밤이 깊을수록
별은 밝음 속에 사라지고
나는 어둠 속에 사라진다

이렇게 정다운
너 하나 나 하나는
어디서 무엇이 되어
다시 만나랴

– 김광섭, 「저녁에」

나 별 하나에 추억과
별 하나에 사랑과
별 하나에 쓸쓸함과
별 하나에 동경과
별 하나에 시와
별 하나에 어머니, 어머니,

어머님, 나는 ㉡별 하나에 아름다운 말 한마디씩 불러 봅니다. 소학교 때 책상을 같이했던 아이들의 이름과 패, 경, 옥, 이런 이국 소녀들의 이름과 벌써 아기 어머니 된 계집애들의 이름과, 가난한 이웃 사람들의 이름과, 비둘기, 강아지, 토끼, 노새, 노루, 프랑시스 잠, 라이너 마리아 릴케 이런 시인의 이름을 불러 봅니다.

– 윤동주, 「별 헤는 밤」 중에서

11 **(가)와 (나)에 대한 설명으로 적절하지 않은 것은?**

① (가)는 시간의 경과에 따라 시상을 전개하고 있다.
② (가)는 근경에서 원경으로 시선을 확대해 가면서 심리의 변화를 보여 주고 있다.
③ (나)는 행의 길이에 변화를 주어 리듬의 완급을 조절하고 있다.
④ (나)는 과거에 대한 회상을 통해 그리움의 정서를 환기하고 있다.
⑤ (가)와 (나)는 모두 유사한 구절의 반복을 통해 리듬감을 주고 있다.

12 **㉠과 ㉡을 비교한 내용으로 가장 적절한 것은?**

① ㉠은 화자의 지향점을 함축하고, ㉡은 화자를 둘러싼 현실을 함축한다.
② ㉠은 화자의 관념 속 대상을, ㉡은 화자와 경험을 공유하는 대상을 나타낸다.
③ ㉠은 화자가 소중하게 생각하는 인연을, ㉡은 화자에게 그리운 존재를 상징한다.
④ ㉠은 화자의 외로움을 심화시키는 원인을, ㉡은 화자가 기존의 인식을 전환하게 되는 원인이 된다.
⑤ ㉠은 화자의 심리적 갈등을 초래하는 계기를, ㉡은 화자가 체념적 태도를 갖게 되는 계기를 제공한다.

13 **(가)와 (나)를 감상한 내용으로 적절하지 않은 것은?**

① (가)의 '사라지고', '사라진다'는 화자와 대상의 이별을 형상화한 것이겠군.
② (가)의 '이렇게 정다운/너 하나 나 하나'는 각각의 인연이 소중하다는 시인의 인식을 드러낸 것이겠군.
③ (가)의 '어디서 무엇이 되어/다시 만나랴'에는 대상과의 재회가 불가능한 현실에 대한 좌절감을 표출한 것이겠군.
④ (나)의 '추억', '사랑', '쓸쓸함', '동경'은 시인이 '별'에 대한 연상을 통해 떠올린 관념으로 볼 수 있군.
⑤ (나)의 '어머니'는 화자로 하여금 구체적인 대상들을 떠올리게 하는 매개체로 볼 수 있겠군.

[14~16] 다음 글을 읽고 물음에 답하시오.

가 내가 좋아하는 것을 반드시 해야 한다는 자기중심적인 강박이 나를 망치기도 한다. 왜냐하면 지금 내가 하는 일은 정말 내가 하고 싶었던 일이 아니라는 생각이 현재를 망치기 때문이다.

가장 중요한 일은 자기가 '해야' 하는 일에서 의미를 발견하고 그것을 좋아하려는 노력 그 자체가 아닐까?

나 나는 직업을 꿈과 연결해 내가 하고 싶은 일, 가슴 뛰는 일을 하지 않으면 마치 실패자인 것처럼 좌절하게 만드는 요즘 세태를 생각했다. 그리고 직업이란 '내'가 아니라 '남'에게 도움이 되는 일을 하고, 합당한 대가를 받는 일이라는 생각에 이르자, 사람들이 느끼는 '자아실현'과 '직업' 사이의 괴리를 이해할 수 있었다.

다 앤이 내게 물었어도 아마 같은 대답을 했을 거다. 이제 나는 "너의 꿈을 너의 직업으로 이뤄라!" 같은 말은 하지 않을 생각이다. 내가 생각하기에, 직업은 적어도 남에게 도움이 되는 일을 하는 게 맞다. 그러니까 어떤 의미에서 본래의 직업은 자아실현과 거리가 먼 셈인 것이다. 나는 버리고 떠나는 삶을 존중하지만, 이제는 ㉠버티고 견디는 삶을 더 존경한다.

1등급 완성 문제

라 자신의 꿈을 직업적인 성취로 이루지 못했다고, 꿈이 없다고 좌절할 필요는 없다. 스스로 실패자란 생각은 더더욱 하지 않았으면 한다. 믿거나 말거나 나로 말하면, 생각만 해도 가슴 두근거리는 꿈을 자기 직업으로 갖게 된 사람들의 지독한 불행에 대해 얼마든지 말할 수 있다. 꿈이 이루어진 이후에도 삶은 계속된다. 이 세상에 '삶'보다 강한 '꿈'은 없다. 인간은 꿈을 이룰 때 행복한 것이 아니라, 어쩌면 꿈꿀 수 있을 때 행복한 것인지도 모르겠다.

14 '직업'에 대한 필자의 견해로 적절하지 않은 것은?

① 꼭 자신의 꿈을 이룰 수 있는 직업을 선택할 필요는 없다.
② 직업의 목적은 자아실현을 위한 것이라고 생각하지 않아도 된다.
③ 무턱대고 꿈을 추구하기보다는 현재의 직업에 최선을 다해야 한다.
④ '남'에게 도움이 되는 일을 하고 그에 합당한 대가를 받는 일이다.
⑤ 직업을 통해 꿈을 이룬 뒤에는 해야 할 일을 다른 직업으로 선택해야 한다.

15 문맥상 ㉠의 의미로 가장 적절한 것은?

① 현실에서 꿈을 이룬 후에도 새로운 꿈을 계속 추구하는 것
② 현재 하는 일에서 의미를 찾고 좋아하기 위해 노력하는 것
③ 꿈을 직업과 연결하기 위해 포기하지 않고 계속 시도하는 것
④ 해야 할 일을 하지 못해 불행해지더라도 의연히 대처하는 것
⑤ 가슴 뛰는 일을 하기 위해 실패가 반복되더라도 좌절하지 않는 것

16 이 글과 〈보기〉를 비교하여 이해한 내용으로 적절하지 않은 것은?

〈보기〉

「잃어버린 조각」이라는 이 동화는 『아낌없이 주는 나무』의 작가인 셸 실버스타인이 쓴 것으로 '완벽함의 불편함'을 전하고 있다. 사실 특별하게 잘나서 '보통'의 다수와 분리되어 살아간다는 것은 어쩌면 겉보기처럼 그렇게 멋진 일이 아닐지도 모른다. 한 조각이 떨어져 나가서 삐뚤삐뚤 구르는 동그라미처럼 조금은 부족하게, 느리게, 가끔은 꽃 냄새도 맡고 노래도 불러 가며 함께하는 삶이 더욱 의미 있고 행복할 수 있다는 메시지이다.

① 이 글은 〈보기〉와 달리 세태에 대한 필자의 문제의식이 드러나 있다.
② 〈보기〉는 이 글과 달리 인간의 속성에 대한 비판적 인식이 드러나 있다.
③ 이 글은 〈보기〉와 달리 직업 선택과 관련한 문제의 해결 방안을 제시하고 있다.
④ 이 글과 〈보기〉는 모두 소설 속 내용을 우리의 삶과 연관 지어 이해하고 있다.
⑤ 이 글은 물음의 방식을, 〈보기〉는 비유적 표현을 활용하여 필자의 생각을 전달하고 있다.

[17~19] 다음 글을 읽고 물음에 답하시오.

가 그렇지만 군주는 참소를 믿고 사람들에게 적대적인 행동을 취할 때는 신중해야 합니다. 그렇다고 지나치게 우유부단해서는 안 됩니다. 군주는 적절하게 신중하고 자애롭게 행동해야 하며, 지나친 자신감으로 인해서 경솔하게 처신하거나 의심이 많아 주위 사람들이 견디기 어려워하는 일이 없도록 해야 합니다. 그런데 사랑을 느끼게 하는 것과 두려움을 느끼게 하는 것 중에서 어느 편이 더 나은가에 대해서는 논쟁이 있습니다. 제 견해는 사랑을 느끼게 하는 동시에 두려움도 느끼게 하는 것이 바람직하다는 것입니다. 그러나 동시에 둘다 얻기는 어려우므로 굳이 둘 중에서 어느 하나를 포기해야 한다면, 저는 사랑

을 느끼게 하는 것보다는 두려움을 느끼게 하는 것이 훨씬 더 안전하다고 생각합니다.

이것은 인간 일반에 대해서 말해 줍니다. 즉, 인간이란 은혜를 모르고 변덕스러우며 위선적인 데다 기만에 능하며 위험을 피하려 하고 이익에 눈이 어둡습니다. 당신이 은혜를 베푸는 동안에는 사람들 모두 당신에게 온갖 충성을 바칩니다. 이미 말한 것처럼, 당신에게 막상 그럴 필요가 별로 없을 때, 사람들은 당신을 위해서 피를 흘리고, 자신의 소유물, 생명, 그리고 자식마저도 바칠 것처럼 행동합니다. 그렇지만 당신이 정작 그러한 것들을 필요로 할 때면, 그들은 등을 돌립니다.

(나) 그런데 여기에 다른 한 가장이 있다. 그는 새벽에 일어나 세수를 마치고 의관을 정제한 다음 엄숙하고 단정히 앉아서 아침 문안을 받은 후, 그날의 할 일을 분담시켜 각자 처리하게 한다. 제대로 못하는 일이 있으면 순순히 잘 가르쳐서 깨닫게 하고, 수치가 될 만한 일이 있으면 숨겨서 드러내지 않다가 한가히 있을 때 하나씩 불러서 차근차근 경고하고 꾸짖는다. 가장이 부지런함으로 솔선하니 여러 사람들이 부지런하지 않을 수 없고, 가장이 검소함으로 솔선하니 여러 사람들이 검소하지 않을 수 없다. 가장이 공손함으로 솔선하고 청렴함으로 솔선하여 표준이 이미 바르니, 다른 사람들이 순종하지 않을 수 없다. 자제들은 모두 예쁘면서도 스스로 삼가며, 노복들은 순박하고 선량하기 그지없다. 그리하여 속이는 것이 어떻게 하는 일인지 알지 못하고, 도둑질은 어떻게 하는 짓인지도 알지 못한다. 1년이 지나도록 마당에 매질하는 소리가 없고 화목한 분위기가 문에 가득하여, 그 집에 들어가는 자는 마치 봄바람이 스치는 기분을 느끼게 된다. 거문고와 비파, 서책이 맑고 아름답지 않은 것이 없고 화초나 가축들이 모두 살지고 윤택해 보이니, 묻지 않더라도 법도 있는 군자의 집이 여기에 있음을 알 것이다.

이러한 일로 미루어 보건대, 말소리와 얼굴빛은 백성을 교화하는 일에 있어 말단이며, 형벌도 사람을 바로잡는 일에 있어 말단이다. 수령 자신이 바르면 백성도 바르지 않을 수 없고, 수령이 스스로 바르지 않으면 비록 형벌을 내리더라도 바르지 않게 되는 것이다. 천지가 생긴 이래로 이 이치는 항상 변함이 없었으니, 어찌 잡설(雜說)로써 어지럽힐 수 있겠는가?

17 **(가)와 (나)에서 공통적으로 확인할 수 있는 질문으로 적절한 것은?**

① 지도자는 누구에 의해 선출되는가?
② 지도자에 대한 평판의 기준은 무엇인가?
③ 지도자는 어떤 통치 방식을 취해야 하는가?
④ 지도자와 백성은 어떤 관계를 유지해야 하는가?
⑤ 지도자가 형벌을 수단으로 사용하는 이유는 무엇인가?

18 **(가)와 (나)의 필자의 견해를 비교한 내용으로 적절하지 않은 것은?**

① (가)는 (나)와 달리 인간의 본성에 대해 부정적으로 인식하고 있다.
② (가)는 (나)와 달리 군주는 백성들이 두려움을 느끼도록 통치해야 한다고 주장한다.
③ (나)는 (가)와 달리 수령은 솔선수범의 자세로 백성을 교화해야 한다고 주장한다.
④ (나)는 (가)와 달리 백성은 무지한 존재이므로 잘못하더라도 질타하지 말아야 한다고 주장한다.
⑤ (가)와 (나)는 모두 군주(수령)는 신중하게 처신해야 한다고 강조한다.

서술형

19 **(나)의 논지 전개 방식을 〈조건〉에 맞게 쓰시오.**

〈조건〉
- 논지 전개 방식에 해당하는 용어를 언급할 것
- 필자의 핵심 주장을 서술할 것

[1~4] 다음 글을 읽고 물음에 답하시오.

(가) 마녀사냥이 가장 극성을 부렸던 시점은 1590년대이며, 그 후 1630년대와 1660년대에 다시 정점에 올랐다. 다시 말해, 근대 유럽에서 계몽의 시대, 이성의 시대에 일어난 일이다.

그렇다면 누가 희생되었는가? 희생자들은 대개 여성, 빈민, 노인으로, 악마의 유혹에 쉽게 빠지게 된다고 여긴 부류들이었다. 가장 전형적인 인물형은 '가난한 차지농의 부인, 특히 과부로서 50~70세의 연령대이며, 성질이 사나운(또는 사나워 보이는) 할머니'이다. 〈중략〉

또 부자들과 권력자들보다 힘없는 빈민들이 더 많이 희생 당했으리라는 점은 쉽게 상상할 수 있으나, 권력자들이라고 항상 무사한 것만은 아니었다. 멀쩡한 사람을 마녀로 몰기 위해서는 당연히 고문을 동원하였는데, 고문에 못 이겨 공범들의 이름을 불 때는 사회의 최상층부 시민들이라고 예외는 아니었다.

(나) 그럼, 마녀사냥을 어떻게 해석해야 할까? 우리의 눈으로 보면 그냥 광기라고 할 수밖에 없다. 그러나 그렇게만 말하고 끝날 일은 아니다. ㉠<u>그 시대 사람들이 정말로 제정신이 아니어서 집단으로 광포한 짓을 했다고 말할 수는 없는 일이다.</u> ㉡<u>마녀사냥을 주도했던 인물들</u>은 대개 그 사회의 지도적인 위치에 있는 사람이었다. 그 사람들은 위험한 존재로부터 사회를 지키는 훌륭한 일을 하고 있다고 자부했을 것이다. 다시 말해서, 그 시대 그 사회의 관점에서 보면 마녀사냥은 광기가 아니라 합리적인 행위였을 수 있다.

(다) 마녀재판이 물론 나쁜 일이지만 공동체 내에서 특정한 기능을 했다는 설명도 있다. 마을에는 같이 지내기가 좀 곤란한 사람들이 반드시 있게 마련이다. 예컨대 몹시 가난한 사람이 있어서 도와 달라는 요청을 자주 하는데, 사람들이 때마다 도와줄 수는 없고 그냥 있자니 마음에 걸린다고 하자. 마녀사냥은 사람들의 죄책감이 기형적으로 발동하여 이런 사람들을 아예 제거하는 방향으로 작동한 결과라는 것이다. 마녀사냥이 배운 자들의 덤터기 씌우기였다는 식의 설명만으로는 부족한 부분, 곧 일반인들의 심리를 고려하고 있고, 또 마녀사냥이 하여튼 어떤 기능을 맡았다는 측면을 보여 준다는 점에서 부분적으로 고려해 볼 가치가 있는 설명이다.

(라) 지금까지 말한 점들을 염두에 두고 마녀사냥에 대한 역사적인 평가를 시도해 보자. 앞에서 말한 것처럼 이것이 중세적 배경을 가졌지만 본질적으로 근대적 현상이라는 점을 다시 주목할 필요가 있다. 근대로 들어오면서 일반 민중들은 정치적으로, 종교적으로 큰 에너지를 띠게 된다. 다스리는 자 입장에서는 이들을 그 상태 그대로 방치해서는 안 되고 질서 체계 안으로 끌어들여야 할 것이다. 질서를 부과한다는 것은 곧, 그것을 거부하는 자들을 억압한다는 것을 뜻한다. 근대의 권력 당국, 곧 국가와 종교는 그들의 권위에서 벗어나려는 자들을 제거하고 모든 국민들의 복종을 확립하려고 하였다. 국가는 종교로부터 이념을 빌리고 종교는 국가로부터 힘을 얻는다. 한 국가 안에 있는 모든 사람은 사고마저도 함께해야 한다. 모두 같은 종교를 믿어야 하며, 종교의 신임을 받은 국왕을 잘 따라야 한다. 근대 국가는 '균질한 영혼'들이 국가 기구에 복종하도록 만들어야 했고, 이것이 마녀사냥이 결과적으로 행한 역할이라 할 수 있다.

(마) 인간의 지성은 갈수록 발달하고 사회는 더욱 문명화되는 것일까? 만일 그랬다면 지금쯤 우리는 지상 낙원에서 오순도순 살아가고 있을 것이며, 비참한 탄압과 야만적인 전쟁 같은 것은 아예 사라졌을 것이다. 마녀사냥과 같은 현상을 보노라면 우리 마음속에 집단 광기가 숨어 있는 것은 아닌지 자문하게 된다. ㉢<u>마녀사냥</u>은 그 모습 그대로는 근대 초 유럽의 특이한 현상이지만 유사한 현상은 언제나 있었다.

1 **(가)~(마)의 중심 내용으로 적절하지 <u>않은</u> 것은?**

① (가): 마녀사냥의 주된 희생자
② (나): 당대 관점에서 합리적이라고 본 마녀사냥
③ (다): 공동체 재건에 앞장 선 마녀사냥
④ (라): 국민의 복종을 확보하려 했던 마녀사냥
⑤ (마): 현재에도 자주 일어나는 마녀사냥

2 ㉡의 입장에서 ㉠과 같이 말할 수 있는 이유로 가장 적절한 것은?

① 평등한 사회를 만들기 위한 희생이라고 생각했기 때문에
② 사회의 진보를 위해 가장 필요한 일이라고 확신했기 때문에
③ 위험으로부터 사회를 지키는 합리적인 행위라고 생각했기 때문에
④ 사회 구성원의 단합을 위해 반드시 필요한 일이라고 보았기 때문에
⑤ 역사의 흐름에서 반드시 거쳐야 하는 필수적인 단계라고 보았기 때문에

3 (라)를 고려할 때 '마녀사냥'을 했던 사람들이 전제로 삼은 것은?

① 국민의 인권　② 국민의 자유
③ 국가의 성장　④ 국가의 질서
⑤ 국가의 발전

4 (마)의 ㉢과 〈보기〉의 ㉮의 공통점으로 적절하지 않은 것은?

〈보기〉
현대인들은 스스로를 합리적이라고 생각하지만 오늘날에도 마녀사냥은 심심찮게 행해지고 있다. 우리 사회에서는 '마녀'라는 이름만 '된장남', '된장녀' 등으로 바뀌었을 뿐, 마녀사냥은 현재 진행형이다. 특히 집단이 개인을 상대로 근거 없이 무차별적으로 공격하는 '인격 살인'이 대표적인데, 이는 인터넷과 같은 여론 매체의 발달과 관련이 깊다. 사람들은 여론 매체의 의견이 사실인지 확인한 뒤 이를 이성적으로 비판적으로 판단하기보다는, 그 의견을 무비판적으로 받아들여 상대를 맹목적으로 비난한다. 그래서 ㉮'마녀사냥식 여론 재판'이라는 말이 사용되기도 한다.

① 개인을 향해 집단이 행한다.
② 공동체 내에서 이루어지는 일이다.
③ 국가나 권력자들의 주도로만 이루어진다.
④ 마녀사냥과 유사한 현상은 지금까지도 행해지고 있다.
⑤ 근거 없이 무차별적으로 공격하는 수용자들의 태도가 문제가 된다.

[5~8] 다음 글을 읽고 물음에 답하시오.

(가) 여기 마흔을 넘긴 한 남자의 초상화가 있다. 그것도 자기 얼굴을 자신이 직접 그린 자화상이다. 공재(恭齋) 윤두서. 이분의 눈매는 상당히 매서워 첫인상만으로도 보는 이를 압도한다. 또 활활 타오르는 듯한 수염은 내면 깊은 곳으로부터 기(氣)를 ⓐ발산하는 듯하다. 그렇게 작품을 계속 바라보노라면 점차 으스스한 느낌이 들고 결국은 어느 순간 섬뜩한 공포감에 사로잡히기까지 한다.

(나) 인물은 정면상이다. 그러므로 정확한 좌우 대칭을 이룬다. 좌우 대칭의 정면상은 입체감을 갖기 어렵다. 그러나 얼굴 전체에서 바깥으로 뻗어난 수염이 표정을 화면 위로 떠오르게 한다. 더하여 새까만 탕건 끝이 부드러운 곡선을 이루며 휘어져 있어 머리 전체의 볼륨을 요령 있게 시사한다. 그런데 극사실로 그려진 이 작품 속의 인물은 놀랍게도 귀가 없다. 목과 상체도 없다. 마치 두 줄기 긴 수염만이 기둥인 양 양쪽에서 머리를 떠받들고 있는 것처럼 보인다. 어쩌면 옥에 갇혀 칼을 쓴 인물처럼 머리만 따로 허공에 들려 있는 듯하다. 머리는 화면의 상반부로 치켜 올라갔다. 덩달아 탕건의 윗부분이 잘려져 나갔다. 눈에 가득 보이는 것이라고는 귀가 없는 사실적인 얼굴 표현뿐인데 그 시선은 정면을 뚫어져라 응시하고 있다. 이러한 초상이 무섭지 않다면 오히려 이상한 일이다.

(다) 윤두서의 「자화상」은 우리나라 초상화 가운데 최고의 걸작, 불후의 명작이라고 일컬어지며 국보 240호로 ⓑ지정되어 있다. 그러나 현재 작품에서 보이는 충격적인 회화 효과는 결코 조선 시대 사대부들이 추구하던 윤리 도덕과 거기에 ⓒ근거한 당시의 미감과 맞아떨어지는 것이 아니다. 공자는 『효경』에서 "신체는 터럭과 피부까지 다 부모님으로부터 받은 것이니 감히 다치고 상하게 할 수 없다. 이것이 효도의 시작이다."라고 하였다. 그러므로 귀를 떼어 내고 신체를 생략한 그림을 그린다는 것은 도저히 사대부가 할 수 있는 일이 아니다.

1등급 완성 문제

라 이제 지금껏 조선 초상화의 최고 걸작이며 파격적인 ⓓ구도를 가진 완성작이라고 생각되어 온 「자화상」은 미완성작임이 확인되었다. 하지만 실망할 것은 없다. 작품의 예술성도 미완성이라고는 절대 말할 수 없기 때문이다. 「자화상」은 완벽하다. 미켈란젤로는 「노예상」을 조각하면서 미처 다 쪼아 내지 못한 대리석 조각을 남겼다. 그런데 이 미완성작은 오히려 드물게 보는 걸작이라고 평가된다. 다듬어지지 않은 돌이라는 작품 재질과 그로부터 영혼이 깃든 형상을 이끌어 내려는 작가 의식 사이에 말할 수 없이 팽팽한 긴장감이 감돌고 있기 때문이다. 「자화상」 또한 미완성작이지만 오히려 그 덕분에 마지막 손질이 더해지지 않은, 작가 자신에 대한 심오한 상념이 전개되는 과정, 그리고 생생한 자기 성찰의 흔적을 그대로 보여 준다. 그렇다면 미켈란젤로나 윤두서는 어쩌면 똑같이 미완성작 속에서 더 이상 손댈 수 없는 완전성을 ⓔ감지하고서 그 이상의 작업을 스스로 포기했던 것인지도 모른다.

마 이제 「자화상」에 대한 그릇된 첫인상을 말끔히 씻어 버리고 작가의 원래 의도를 따라 작품을 감상해 보자. 거울 속의 한 남자가 나를 뚫어져라 바라보고 있다. 그러나 찬찬히 살펴보니 그 눈빛은 전혀 나를 보고 있지 않다. 그는 골똘한 생각에 빠져 자기 자신을 보고 있는 것이다. 그래서 나는 용케 두 사람의 내밀한 대화 사이로 숨어들어 몰래 엿보기는 하지만 끝끝내 두 사람 간의 침묵의 대화 속에 끼어들 수가 없다. 그려진 윤두서의 고요함 속으로도, 그린 윤두서의 강한 의지 속으로도 들어갈 수 없다. 윤두서가 나지막이 윤두서에게 말을 건넨다. 너는 누구인가, 네가 나인가, 너는 도대체 어떠한 사람인가…….

5 이 글을 읽고 독자가 알 수 있는 내용으로 적절하지 않은 것은?

① 「자화상」을 그린 작가의 의도는 무엇인가?
② 「자화상」은 인물의 모습을 어떻게 그린 그림인가?
③ 「자화상」을 최고의 걸작이라고 보는 이유는 무엇일까?
④ 「자화상」과 미켈란젤로 「노예상」의 공통점은 무엇인가?
⑤ 윤두서가 자기 자신에게 말을 건네는 「자화상」을 그린 계기는 무엇일까?

6 이 글에서 사용한 설명 방식으로 적절하지 않은 것은?

① 관련된 문헌 서적의 내용을 인용하여 설명의 근거로 삼고 있다.
② 다른 작품과의 공통점을 서술하며 작품에 대한 평가를 하고 있다.
③ 비유적 표현을 사용하여 작품에 대한 감상을 생생하게 전달하고 있다.
④ 작품의 부분 부분을 구체적으로 묘사하여 독자의 이해를 돕고 있다.
⑤ 작품에 대한 상반된 견해를 제시하며 독자의 선택을 유도하고 있다.

7 이 글과 〈보기〉에서 윤두서의 「자화상」에 대한 공통된 평가로 적절하지 않은 것은?

〈보기〉

윤두서의 「자화상」은 귀와 목, 상체가 없는 미완성작이라는 측면에서 관심의 대상이다. 하지만 이 작품의 예술성마저 미완성이라고 할 수는 없다. 콧구멍의 코털 하나하나까지 치밀하게 그려 낸 이 그림의 사실성은 성실성의 산물이라 보기에 충분하다. 조선 시대 선비들은 실물처럼 사실적으로 표현한 초상화를 그리려 했다. 그의 그림이 지닌 사실성은 자기 자신에 대한 치밀한 관찰에서 나온 것이며, 그 관찰은 내면에 대한 냉엄한 성찰이자 선비 정신의 표출이다.

① 사실주의 경향의 작품에 속한다.
② 작가의 자아 성찰을 한 결과물이다.
③ 조선 선비들의 미감과 윤리를 반영했다.
④ 예술성 측면에서 미완성이라 할 수 없다.
⑤ 대상 인물의 신체 일부가 생략되어 있다.

8 문맥을 고려할 때 ⓐ~ⓔ와 유사한 의미로 쓰인 것은?

① ⓐ: 향기를 발산(發散)하는 아름다운 정원이구나.
② ⓑ: 우리 모임 날짜를 지정(指定)한 사람이 누구니?
③ ⓒ: 험준한 산악에 근거(根據)를 두고 방어를 하다.
④ ⓓ: 구도(求道)하는 심정으로 입시에 매진해 왔다.
⑤ ⓔ: 나는 본능적으로 그가 처한 위험을 감지(感知)하였다.

[9~10] 다음 글을 읽고 물음에 답하시오.

가 ㉠헌법은 국민이 국가에 쓰는 연애편지다. 국민은 이 편지에서 자신이 나라에 무엇을 바라고, 자신과 정부가 나라를 위해 무엇을 하고 싶고, 무엇을 해야 하는지를 적는다. 가장 중요한 내용은 대개 첫 문장에 나오듯 이 연애편지의 첫문장도 문자 메시지처럼 매우 짧게 압축되어 있다.

"인간의 존엄은 침범할 수 없다."

독일 헌법에 제일 처음 나오는 이 내용은 가장 중요한 문장이기에 '기본권'이라 불린다. 종종 헌법에 적힌 문장들은 시처럼 매우 아름답고 함축적이며 문학적이다. 그래서 헌법을 가리켜 모든 국민들을 위한 문집이라고 부르기도 한다.

나 그러나 독일 기본법은 그렇게 시적이지 않다. 그것은 기본법이 탄생할 당시의 시대 상황이 미사여구로 치장할 만큼의 여유가 없고 힘들었다는 것을 뜻한다. 기본법이 제정될 당시 독일인들 가운데에서 이에 환호하며 우쭐해하는 사람은 아무도 없었다. 전쟁이 끝난 지 불과 몇 년밖에 지나지 않았을 뿐만 아니라 대부분의 독일인들은 지난 시절 자신들이 얼마나 추악한 범죄자들을 지도자로 추종했는지 그리고 히틀러와 나치가 얼마나 끔찍한 범죄를 저질렀는지 충분히 깨닫고 있었던 것이다. 그래서 기본법은 인간을 경멸하고 탄압했던 시절을 되돌아보면서 유대인이라는 이유 하나만으로 수백만의 인간을 학살했던 그 시절을 반성했다. 이런 점에서 독일의 기본법은 자신의 잘못을 되씹어 보는 일기에 가깝다. 기본법은 반성을 통해 모든 인간에게 똑같은 권리가 있다는 사실을 인정하기에 이르렀다.

다 "인간은 성, 혈통, 인종, 언어, 출생지, 신앙, 그리고 종교적·정치적 신념 때문에 차별을 받아서는 안 된다."

기본법 제3조에 명시된 내용이다. 그리고 기본법은 모든 재판부에 이러한 원칙들이 제대로 지켜지는지 감시할 임무를 맡겼다. 그중에서 가장 큰 임무를 맡은 곳이 바로 헌법 재판소다. 그 외에 기본법은 독일이 다시는 잘못된 길로 빠져들지 않도록, 즉 독재자가 국가의 권력을 잡는 일이 없도록 여러 규정들을 제정했다.

라 그러나 기본법은 모든 것의 원칙이 되는 성격을 서서히 잃어 가고 있다. 지난 몇 년 사이에 개정된 기본법으로 국민의 기본권이 두 차례 제한되었다. 한 번은 난민의 망명권에 대한 제한이었고, 다른 한 번은 사유 주택이라 하더라도 범죄 행위에 이용되는 곳은 도청할 수 있다는 내용이었다. 그전까지 불가침의 영역으로 간주되던 주택에 관한 기본권이 제한된 것이다. 이렇게 변경된 기본권은 더 이상 문자 메시지처럼 짧지 않다. 예를 들어 개정된 망명권에 대한 규정은 과거의 것과 비교하면 무려 40배나 길어졌다. 짧은 규정이 훨씬 더 포괄적이고 강력하다는 사실을 떠올리면 기본권이 점점 줄어들고 있다는 느낌이다. 규정이 길다는 것은 기본권을 제한하는 예외가 자꾸 늘어나는 것을 의미하기 때문이다. 이런 식으로 해서 하나의 헌법은 계속해서 그 힘을 잃어 가고 있다. 그러나 국민의 기본권을 지키는 헌법이 이런 식으로 약해지는 것을 마냥 두고 볼 수만은 없다.

마 기본권과 좋은 헌법이란 건강과도 같다. 한번 잃고 나면 되찾기 힘들고, 잃고 난 뒤에야 얼마나 소중한지를 깨닫게 된다는 점에서 말이다.

9 이 글의 필자가 궁극적으로 말하고자 하는 바로 가장 적절한 것은?

① 모든 것의 원칙이 되는 기본법이 힘을 잃지 않도록 잘 지켜야 한다.
② 기본법은 자기 정체성의 결정체이므로 내부의 힘으로 제정해야 한다.
③ 기본법의 권위가 제대로 지켜질 수 있도록 여러 규정을 제정해야 한다.
④ 기본법은 많은 내용을 담을수록 힘이 커지므로 구체화 시켜야 한다.
⑤ 기본법의 한계를 극복하기 시대상을 반영하여 개정하는 일을 꾸준히 해야 한다.

1등급 완성 문제

서술형

10 **(가)의 ㉠과 〈보기〉의 ㉮에서 드러나는 헌법에 대한 관점 차이를 〈조건〉에 맞게 쓰시오.**

〈보기〉

㉮한 국가의 기능과 형태를 결정하는 유전자가 헌법이다. 헌법의 정신과 주요 내용이 무엇이냐에 따라 국가 운영의 성격이 달라진다. 우리나라 헌법 제 1장 총강의 제 1조는 "대한민국의 주권은 국민에게 있고, 모든 권력은 국민으로부터 나온다."라는 명시를 통해서 국민 주권을 밝히고 있다. 그리고 제2장에서 국민이 누려야 할 권리와 자유, 의무 사항을 규정하고 있다. 이에 의하면 국민은 행복추구권(10조)을 비롯하여 선거권(24조), 교육권(3조), 노동권(32조), 환경권(35조)등 수많은 권리의 향유는 물론, 신체(12조), 양심(19조), 학문과 예술(22조) 등 많은 자유(12조)를 보장하고 있으며 이를 위한 국가의 역할을 명시하고 있다.

〈조건〉

- 헌법이 누구의 입장에서 무엇이어야 하는지를 중심으로 서술할 것
- '㉠에서는 헌법을 ~의 입장에서 ~이라고 본다.', '㉮에서는 헌법을 ~의 입장에서 ~이라고 본다.' 의 형태로 서술할 것

[11~13] 다음 글을 읽고 물음에 답하시오.

(가) 우리나라에서 일반인들이 우산을 쓰기 시작한 역사는 그리 오래되지 않았다. 기록에 의하면 삼국 시대 고분 벽화에 최초로 우산과 비슷한 형태의 그림이 등장하지만 이것은 햇빛을 가리는 것이 주목적인 일산(日傘)으로 보는 것이 타당하다. 당시 일산은 왕의 권위와 위엄의 상징이었으며 상류 사회에서도 계급에 따라 모양이나 색상을 달리할 정도로 정치 권력과 밀접한 관련이 있었다. 이후 고려 시대에 들어오면 우산이나 일산에 관한 기록이 보이지 않아 더 이상 자세한 내용은 알 수 없다.

(나) 서민들의 경우 조선 후기까지 비 오는 날에 우산을 쓰지 않았다. 민가에서는 오히려 비를 의도적으로 가리는 행동을 금하는 풍습까지 있었다. 이러한 풍습은 기후에 민감했던 농경 사회 문화와 밀접한 관련이 있다. 근대 이전의 농경 사회에서 기후는 농사에 결정적 영향을 미쳤기 때문이다.

(다) 서양식 우산이 우리나라에 들어온 것은 18세기 중반 선교사들을 통해서였다. 당시 우산은 박쥐 모양으로, 비닐이나 기름종이 또는 방수 처리한 헝겊을 나무나 쇠로 만든 우산살에 덮어씌워 만들었다. 그러나 우산이 도입된 후에도 민가에서는 비를 가리는 행위를 금하는 풍습이 여전하였기 때문에 일반인들이 비를 가리는 용도로 우산을 사용하기까지는 적지 않은 우여곡절을 겪어야 했다.

(라) 우산이 사회에 정착되면서 민가에서는 우산과 관련하여 새로운 금기 사항이 등장하기도 하였다. 예를 들면 민가에서는 방 안에서 우산을 펴는 행위를 금하였다. 방 안에서 우산을 펴면 죄를 지어 감옥에 간다는 속설 때문이었다. 방 안에서 우산을 펴는 것은 스스로 빛을 가리는 행위로, 햇빛을 보기 힘든 감옥에 들어가는 것과 유사하다고 받아들인 것이다. 또한, 우산을 거꾸로 들면 벼락을 맞는다는 속설도 전한다. 거꾸로 든 우산은 하늘에 대한 거역으로, 하늘을 노하게 해 벼락을 맞는다고 생각했던 것이다.

(마) 이와 같이 우리 사회에서 우산은 단순히 비를 막아 주는 본연의 용도를 찾기까지 때때로 사회적 논란을 일으키며 다양한 일화를 만들어 냈다. ㉠우산은 근대 서구에서 들어왔지만 그것을 수용하는 과정에서 전근대적인 우리 풍습과 민간 신앙이 접목되었다. 따라서 서양에서 들어온 우산이 우리 사회에 정착되는 과정은 우리 고유의 풍속과 서양 문물이 혼합되어 대중문화로 자리 잡는 과정을 잘 보여 주는 사례라 할 수 있다.

11 **이 글의 표제와 부제로 가장 적절한 것은?**

① 우산, 서민부터 외국인까지
　- 우산의 대중화를 중심으로
② 우산, 금기를 넘어 실생활 속으로
　- 우산의 도입 과정을 중심으로
③ 우산, 권력의 상징에서 근대의 산물로
　- 우산의 의미 변화를 중심으로
④ 우산, 왜 근대의 산물인가?
　- 우산에서 드러나는 근대 정신을 중심으로
⑤ 우산, 계급 평등의 시대를 위하여
　- 우산에서 알 수 있는 계급 평등 성격을 중심으로

12 **〈보기〉를 바탕으로 이 글을 이해한 내용으로 적절하지 않은 것은?**

〈보기〉

'금기'란 어떤 대상을 꺼리거나 피하는 행위를 가리킨다. 공동체 구성원들은 금기를 위반하면 그 대상에 의해 공동체 혹은 그 구성원이 처벌을 받는다는 인식을 공유한다. 일반적으로 금기를 설정하는 근본적인 이유는 알려지지 않았지만, 금기와 그 대상에 대한 추측은 구전(口傳)의 방식을 통해 은밀하게 전파되어 구성원들 간에 회자(膾炙)된다. 이를 통해 금기와 금기의 대상이 환기하는 의미는 세대를 거쳐 전달됨으로써 서로 다른 세대 간의 공동체의 체험을 공유하는 데에 기여하기도 한다.

① 우산을 방 안에서 펴면 감옥을 간다는 속설은 어떤 대상을 꺼리거나 피하는 것과 관련이 있군.
② 우산을 거꾸로 들면 하늘을 노하게 해 벼락을 맞는다는 것은 금기를 위반하면 처벌을 받는다는 인식과 관련이 있군.
③ 우산과 관련된 후대의 금기 사항이 햇빛과 관련이 있는 것은 세대 간의 공동체 체험을 공유하는 형태라 할 수 있군.
④ 우산이 도입된 후에도 비를 가리지 않는 행위가 여전한 것은 대상이 환기하는 의미를 세대를 거쳐 전달한 것이라고 할 수 있군.
⑤ 서민들이 우산을 쓰지 않는 것은 금기의 내용이 구전의 방식을 통해 은밀하게 구성원들 사이에 전파된 경우라 할 수 있군.

13 **〈보기〉를 참고할 때, ㉠과 가장 관련이 깊은 한자 성어로 가장 적절한 것은?**

〈보기〉

서구의 우산은 민간 신앙과 접목되어 새로운 풍습을 만들어 내기도 하였다. 우산을 박쥐 '복(蝠)' 자를 써 '편복산'이라고 한 것은 모양이 박쥐와 비슷하기 때문이기도 하였지만 또 다른 의미도 있었다. 우리나라에서 박쥐는 오복의 상징으로 경사(慶事)와 행운을 부르는 존재였다.

① 귤화위지(橘化爲枳)
② 조삼모사(朝三暮四)
③ 사면초가(四面楚歌)
④ 전화위복(轉禍爲福)
⑤ 새옹지마(塞翁之馬)

[14~15] 다음 글을 읽고 물음에 답하시오.

가 그렇다면 원자란 무엇일까? 사람들은 아주 오랜 전부터 원자에 관해 연구해 왔다. 그리스 철학자 데모크리토스는 물질은 아주 작고 단단하며 눈에 보이지 않는 알갱이들로 이루어져 있다고 보았고, 이 알갱이를 '원자'라고 불렀다. 시간이 지난 후 19세기에 돌턴은 물질은 더 이상 쪼갤 수 없는 입자들이 모여 이루어져 있다는 근대 원자설을 주장하면서, 데모크리토스가 말한 원자라는 용어를 그대로 사용했다. 그러다가 19세기 말과 20세기 초에 원자를 구성하는 기본 입자들의 실체가 밝혀지기 시작하면서 원자를 설명하기 위한 원자 모형들이 만들어졌다.

나 원자를 구성하는 입자들 중 가장 먼저 실체가 밝혀진 것은 질량이 가장 작은 전자였다. 전자가 가장 먼저 발견된 데는 핵을 구성하는 기본 입자인 양성자와 중성자가 핵력에 의해 강하게 속박되어 있어서 실험적으로 측정하기 곤란하다는 점도 한몫했다. 1897년 ㉠톰슨은 음전하를 가진 전자를 발견하였다. 그런데 원자가 전기적으로 중성이라는 점을 감안했을 때 그 속에는 양전하를 가진 물질도 포함되어 있어야만 했다. 그러나 당시에는 원자의 구성 요소이면

1등급 완성 문제

서 양전하를 가진 존재는 아직 발견되지 않았다. 그래서 톰슨은 마치 쿠키 속에 박힌 건포도처럼, 원자 내부에 구름처럼 퍼져 있는 양전하 속에 음전하를 띤 전자들이 박혀 있다는 원자 모형을 주장하였다.

다 톰슨의 제자 러더퍼드는 방사능 물질에서 방출되는 방사선(알파선, 베타선, 감마선) 중 알파선을 이용해 톰슨의 원자 모형을 검증했다. 그는 금으로 된 얇은 막에 알파선을 충돌시켰다. 알파선은 전자보다 8,000배나 더 무거우므로 톰슨의 원자 모형에 의하면 알파선이 전자와 충돌하더라도 거의 휘어지지 않을 것이라고 러더퍼드는 예상하였다. 그러나 실험 결과는 예상과 많이 달랐다. 대부분의 알파선은 휘어지지 않고 직진했지만, 몇 개는 전자와 충돌했다는 것만으로는 도저히 설명할 수 없을 만큼 큰 각도로 휘어져 나왔다.

그는 알파선이 큰 각도로 휘어지려면 원자 속의 양전하가 아주 작은 부피 속에 모여 있지 않으면 불가능하다는 것을 깨달았다. 그래서 양전하가 원자 내부에 골고루 퍼져 있는 것이 아니라 원자핵이라고 하는 중심부에 뭉쳐 있다고 결론지었다. 이후 실험에서 실제로 원자핵이 존재하고, 이것이 원자 지름의 약 10만 분의 1밖에 차지하지 않는다는 사실이 밝혀졌다. 더 정확하게 표현하면 지름 10^{-15}미터인 핵이 지름 10^{-10}미터의 전자구름 속에 박혀 있는 것인데, 이것은 마치 종합 운동장 가운데 모래 한 알이 있는 것과 같다고 할 수 있다.

14 '원자'에 대한 설명으로 적절하지 않은 것은?

① 근대 원자설이 등장한 시기는 19세기 무렵이다.
② 원자 구성 입자 중 질량이 가장 작은 것은 전자이다.
③ 원자라는 용어를 처음 사용한 사람은 데모크리토스이다.
④ 원자 구성 입자 중 가장 먼저 실체가 밝혀진 것은 전자이다.
⑤ 핵이 양성자로 구성되어 있으므로 원자는 전기적으로 양성에 해당된다.

학력평가 기출 변형

15 다음은 ㉠과 관련된 실험이다. ㉮에서 알 수 있는 '전자'의 성질로 가장 적절한 것은?

톰슨은 음극선에 관한 몇 가지 실험 결과를 통해 음극선이 질량이 가지며 음전하를 띤 입자의 흐름임을 알아냈다. (−) 극으로 사용한 금속의 종류와 방전관에 들어 있는 기체의 종류와 관계없이 음극선이 같은 특성을 보이므로 음극선의 구성 입자가 모든 물질의 공통 입자라고 생각하였고, 이를 전자라고 불렀다.

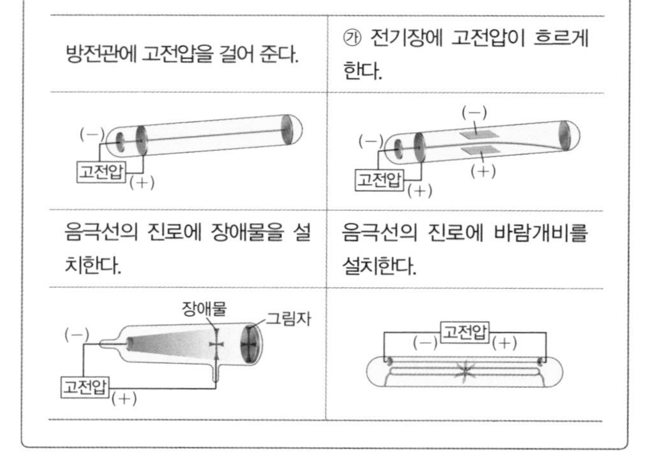

방전관에 고전압을 걸어 준다.	㉮ 전기장에 고전압이 흐르게 한다.
(−) 고전압 (+)	(−) (−) 고전압 (+) (+)
음극선의 진로에 장애물을 설치한다.	음극선의 진로에 바람개비를 설치한다.
장애물 그림자 (−) 고전압 (+)	고전압 (−) (+)

① 전자는 직진한다.
② 전자는 질량을 가진다.
③ 전자는 곧은 흐름을 보인다.
④ 전자는 음전하를 띤 흐름이다.
⑤ 전자는 실체를 확인할 방법이 없다.

[16~17] 다음 글을 읽고 물음에 답하시오.

가 다음과 같은 문제를 생각해 보자. 어떤 복잡한 도로망이 있을 때, 어떤 길을 선택해야 자동차가 그 도로망에서 잘 간 것일까? 길이가 길면, 즉 가야 할 거리가 멀면 당연히 시간이 오래 걸리고, 도로가 넓을수록 빨리 갈 수 있을 것이다. 따라서 걸리는 총 시간은 거리에 비례하고 도로의 폭에는 반비례한다. 차가 많아지면 시간이 오래 걸리기 때문에 동일한 도로에 차들이 몇 대가 함께 지나가는가도 중요하다.

그래서 결국 도로 교통망에서 운행 시간을 결정하는 것에는 거리와 도로 폭, 차량 수가 중요한 변수가 된다.

나 여기서 반드시 짚고 넘어가야 할 요소가 있는데 절대적 최적화와 상대적 최적화라는 개념이다. 예를 들어 갑과 을에게 '청바지를 하나 사 와라.'라는 과제를 준다고 하자. 갑은 가장 가까운 곳에서 6분 만에 청바지를 샀는데, 을은 자신의 마음에 맞는 청바지를 사느라고 여러 곳을 돌아다녀 3시간이 걸렸다고 하자. 시간만을 고려할 때 수학적으로는 갑이 가장 좋은 선택이지만, 만족도라는 측면을 고려하면 을이 가장 좋은 선택이 된다.

다 절대적 최적화는 갑의 선택처럼 수학적으로 가장 작은 값을 찾는 것이고, 상대적 최적화는 을의 선택처럼 이기적인 행동으로 개인의 만족도가 가장 높은값을 추구하는 것이다. 앞서 든 예에서는 6분이 절대적 최적화, 3시간이 상대적 최적화의 값이 된다. 네트워크 이론가들은 두 사람을 모두 만족시킬 수 있는 최적의 경우를 찾기 위해 상대적 최적화 값을 절대적 최적화 값으로 나눈 값인 피오에이(PoA, Price of Anarchy)를 활용한다. 피오에이의 에이(A)는 무질서를 의미한다. 이런 점에서 피오에이는 이기적인 무질서에 대한 대가라고 할 수 있다. 즉, 피오에이가 크면 개인의 만족도는 높지만, 시간이 많이 낭비되어 수학적으로는 비효율적이라는 뜻이다. 또 피오에이가 작으면 효율은 높으나 개인의 만족도가 낮을 수 있다는 뜻이고, ㉠극단적으로 피오에이가 1이면 이는 효율과 개인의 만족도가 모두 충족되었다는 의미이다. 위 사례의 피오에이는 상대적 최적화 값인 3시간을 절대적 최적화 값인 6분으로 나누어 나온 값으로, 1보다 훨씬 큰 숫자가 나온다. 만족도를 높이는 대신 낭비되는 시간을 대가로 치른다는 뜻이다.

라 교통 체증 사례를 통해 실제로 네트워크 안에서 무엇인가 움직이는 동역학 문제를 풀어 보았다. 그냥 다리 놓고 도로를 뚫으면 문제가 풀릴 것이라는 1차원적 사고로는 문제가 해결되기는커녕 오히려 악화될 수 있음을 보았다. 그런데 네트워크 이론을 잘 활용하면 이런 문제들을 현명하게 해결할 수 있다. 예를 들어 청계천의 고가 도로를 막았더니 예상과는 달리 시내 교통 흐름이 오히려 더 나아진 사례에서처럼 적절한 조치를 통해 교통 체증을 줄여 나갈 수 있다. 네트워크 이론으로 해결할 수 있는 것이 교통 문제만이 아니다. 허브를 찾아 우선적으로 치료해서 전염병의 확산을 효과적으로 예방하거나, 월드와이드웹(WWW) 네트워크 구조를 파악하여 좋은 검색 결과를 쉽게 찾아내는 인터넷 검색 엔진을 개발하거나, 생명 공학적 연구에서 바이오 네트워크를 분석하여 신약 후보 물질을 찾거나, 입소문 마케팅을 활용하여 기업의 제품을 홍보할 때 등에서도 많은 도움을 받을 수 있다.

16 이 글에서 확인할 수 있는 질문으로 적절하지 않은 것은?

① 상대적 최적화의 값이 생기는 이유는 무엇인가?
② 상대적 최적화와 절대적 최적화의 개념은 무엇인가?
③ 네트워크 이론이 우리 생활에서 중요한 이유는 무엇인가?
④ 피오에이 이론의 합리성을 검증한 학자와 그 근거는 무엇인가?
⑤ 교통 체증 문제 해결을 위해 적용할 수 있는 이론에는 어떤 것이 있는가?

서술형

17 ㉠을 고려하여 〈보기〉의 ㉮에 대한 답과 그렇게 생각한 이유를 쓰시오.

〈보기〉

왼쪽이 집이고 오른쪽이 직장이다. 윗길은 고속도로로 넓은 대신에 길게 돌아가야 한다. 그리고 아랫길은 지름길로 짧지만 대신 좁다. 고속도로는 넓기 때문에 차 1대가 가든 4대가 가든 10분이 걸린다. 그런데 지름길은 좁아, 이용 차량이 많을수록 길이 막혀 1대가 가면 1분이 걸리고, 2대가 가면 2분이 걸리고, 3대가 가면 3분이 걸리고, x대가 가면 x분이 걸린다. 만약 이 동네에 직장에 가는 사람이 ㉮10명이고, 이들이 각자 차를 타고 출근한다면 어떻게 가는 것이 가장 좋은 방법일까?

[1~4] 다음 글을 읽고 물음에 답하시오.

신(臣) 등이 3월 18일에 궁전 안에서 문수회(文殊會)를 열었을 때 당한 일입니다. 영도첨의 신돈이 재상 반열(班列)에 앉아 있지 않고 감히 전하와 더불어 나란히 앉았는데, 그 거리가 몇 자 되지 않아 온 나라 사람이 놀래어 인심이 술렁술렁하고 매우 소란스러웠습니다. 상하를 구별하고 백성의 뜻을 안정시키는 것이 예인데, 예법이 없다면 대체 무엇으로 군신(君臣)이 되고 무엇으로 부자(父子)가 되며 또한 무엇으로 국가를 다스리겠습니까. 성인이 예법을 마련하시어 상하 명분을 엄격하게 한 것은 그 도모함이 깊고 그 사려가 원대한 것이었습니다.

가만히 보옵건대 신돈은 임금의 은혜를 지나치게 입어 나라 정사를 제멋대로 하고 임금을 무시하는 마음이 있었습니다. 당초에 영도첨의 판감찰로 임명되던 날에 예법으로서는 마땅히 조복(朝服)을 차리고 나아가 은혜를 사례해야 함에도 불구하고 반 달 동안 나오지 않았습니다. 급기야 대궐 뜰에 들어와서는 그 무릎을 조금도 굽히지 않은 채 늘 말을 타고 궐문을 출입하여 전하와 함께 의자에 걸터앉았고, 집에 있을 때는 재상들은 마루 밑에서 절을 하였으나 신돈은 모두 앉아서 접대하였습니다. 최항이나 김인준, 임연 같은 이들도 이렇게 행한 적은 없었습니다. 그가 전에는 중의 신분이어서 마땅히 치지도외(置之度外)하여 그 무례함을 꼭 책망할 필요는 없었지마는, 이젠 재상이 되어 명분과 지위가 정해졌는데 감히 예법을 잃고 윤리를 허물기를 이와 같이 할 수 있겠습니까. 그러하게 된 이유를 따져 보자면 신돈은 필시 자신이 임금의 스승이기 때문이라고 하겠지마는, 유승단은 고종의 스승이요 정가신은 충선왕의 스승이었으나 신 등은 저들 두 사람이 감히 이런 일을 하였다는 말을 아직 못 들었습니다. 이자겸은 인종의 외조부였으므로 왕께서 겸양하여 할아버지와 손주의 예로써 서로 만나려 하였으나, 공론이 두려워서 감히 그렇게 하지 못하였습니다. 대개 군신의 명분이란 본디부터 정한 것이 있었기에 그 예법은 군신이 생긴 이래로 만고를 지나도 바뀌지 않으니, 신돈과 전하께서 사사로이 고칠 바는 아니라 생각됩니다. 신돈이 어떠한 사람이건대 감히 스스로 높이기를 이와 같이 합니까.

1 **이 글에 대한 설명으로 적절하지 않은 것은?**

① 특정 인물의 정치적 소신에 초점을 맞추어 서술하고 있다.
② 필자가 직접 경험한 사실을 바탕으로 문제 상황을 지적하고 있다.
③ 다양한 인물들의 행적을 소개하면서 이를 주장의 근거로 삼고 있다.
④ 구체적인 독자를 설정하여 말을 건네는 방식으로 글을 전개하고 있다.
⑤ 필자의 가치 의식에 반하는 상황 전개가 집필의 동기로 작용하고 있다.

2 **이 글에 반영된 당시의 사회·문화적 배경으로 적절하지 않은 것은?**

① 궁궐에서 임금과 재상들이 참여하는 불교 법회를 열었다.
② 관직을 임명 받으면 임금께 사례하는 것이 신하의 도리였다.
③ 옛 성인이 정한 예법에 따른 상하 질서는 군신 간에만 적용되었다.
④ 신하들이 임금과 같은 반열에 앉는 것은 예법에 어긋나는 일이었다.
⑤ 신하들과 백성들 모두 군신 간에 예법을 지키는 것을 당연하게 여겼다.

3 **이 글에 나타난 인물들에 대한 설명으로 적절하지 않은 것은?**

① 이자겸은 임금의 인척이었으나 군신 간의 예법을 어긴다는 평가를 받을까 두려워하였다.
② 유승단과 정가신은 고려 임금의 스승을 지냈으나 신돈처럼 군신 간의 예법을 어긴 적이 없었다.
③ 최항, 김인준, 임연은 고려 시대의 권신들로 막강한 권력을 행사하였으나 신돈처럼 심하지는 않았다.
④ 유승단과 정가신은 신돈의 오만함을 부각하고, 그에 대한 비판을 강화하기 위해 제시된 인물들이다.
⑤ 이자겸은 군신의 명분이 본디부터 천륜(天倫)에 앞선다는 사실을 강조하기 위해 제시한 인물이다.

4 이 글을 읽고 다음 빈칸에 들어갈 말을 〈조건〉에 맞게 쓰시오.

> 필자는 신돈이 군신 간의 예법을 지켜야 하는 이유로 (   ) 때문이라는 점을 들고 있다.

〈조건〉
- 이 글에서 찾아 쓸 것
- '~ 기'의 형태로 쓸 것

[5~7] 다음 글을 읽고 물음에 답하시오.

> 천은(天銀)으로 집을 하고, 오색으로 파란을 놓아 곁고름에 채웠으니, 부녀의 노리개라. 밥 먹을 적 만져 보고 잠잘 적 만져 보아, 널로 더불어 벗이 되어, 여름 낮에 주렴이며, 겨울밤에 등잔을 상대하여 누비며, 호며, 감치며, 박으며, 공글릴 때에, 겹실을 꿰었으니 봉미(鳳尾)를 두르는 듯 땀땀이 떠 갈 적에 수미가 상응하고, 솔솔이 붙여 내매 조화가 무궁하다.
>
> 이 생애 백 년 동거하렸더니, 오호애재(嗚呼哀哉)라, 바늘이여. 금년 시월초십일 술시(戌時)에 희미한 등잔 아래서 관대(冠帶) 깃을 달다가 무심 중간에 자끈동 부러지니 깜짝 놀라워라. 아야 아야 바늘이여 두 동강이 났구나.
>
> 정신이 아득하고 혼백이 산란하여 마음을 빻아 내는 듯 두골을 깨쳐 내는 듯 이슥도록 기색혼절(氣塞昏絕)하였다가 겨우 정신을 차려, 만져 보고 이어 본들 속절없고 하릴없다. 편작(扁鵲)의 신술(神術)로도 장생불사 못 하였네. 동네 장인(匠人)에게 때이런들 어찌 능히 때일쏜가. 한 팔을 베어 낸 듯 한 다리를 베어 낸 듯 아깝다 바늘이여 옷섶을 만져 보니 꽂혔던 자리 없네.
>
> 오호통재라. 내 삼가지 못한 탓이로다. 무죄한 너를 마치니 ㉠백인(伯仁)이 유아이사(由我而死)라. 누를 한(恨)하며 누를 원(怨)하리오. 능란한 성품과 공교한 재질을 나의 힘으로 어찌 다시 바라리오. 절묘한 의형(儀形)은 눈 속에 삼삼하고 특별한 품재(稟才)는 심회가 삭막하다.
>
> 네 비록 물건이나 무심치 아니하면 후세에 다시 만나 평생 동거지정을 다시 이어 백년고락과 일시생사를 한가지로 하기를 바라노라. 오호애재라, 바늘이여.

5 이 글의 특징으로 가장 적절한 것은?

① 동음이의어를 활용한 언어유희를 통해 대상을 희화화하고 있다.
② 대상과의 이별로 인한 화자의 정서를 신체 감각에 빗대어 표현하고 있다.
③ 청자에게 말을 건네는 상황을 설정하여 자신의 지나온 삶을 회고하고 있다.
④ 우화적 기법을 활용하여 자신의 공만을 내세우려는 인간 세태를 풍자하고 있다.
⑤ 과거의 상황과 현재의 상황을 대비하여 자신의 안타까운 처지를 부각하고 있다.

6 다음 고사 내용을 참조할 때, 필자가 ㉠을 인용한 의도로 가장 적절한 것은?

> 왕도의 종형제인 왕돈이 반란을 일으켰다. 이때 백인이 나서서 황제에게 왕도를 변호했다. 그 후 왕돈은 군대를 일으킨 후 스스로 승상이 되어 조정을 좌지우지했다. 이때 백인은 왕돈의 눈 밖에 나 죽임을 당할 처지에 놓였다. 왕돈은 곁에 있던 왕도를 흘깃 보며 뜻을 물었으나 왕도는 단 일언반구도 없었다. 백인이 죽은 얼마 후 왕도는 우연히 백인이 황제에게 바친 상소문을 보게 된다. 그 내용을 보니 왕도의 무죄함을 주장하는 것이었다. 왕도가 말하길,
> "我雖不殺伯仁 伯仁由我而死"(내가 비록 백인을 죽이지 않았지만, 백인은 나로 인해 죽었다.")

① 바늘이 부러지기 전 자신과 각별했던 관계를 강조하기 위해서이다.
② 바늘이 부러진 것은 자신의 탓이라는 자책감을 드러내기 위해서이다.
③ 바늘이 부러진 후 밀려오는 허탈감을 절실하게 표현하기 위해서이다.
④ 바늘이 부러지게 된 당시의 상황에 대한 원망을 드러내기 위해서이다.
⑤ 바늘이 부러진 후에야 비로소 알게 된 바늘의 은혜를 기리기 위해서이다.

1등급 완성 문제

7 **이 글과 〈보기〉의 공통점으로 적절하지 않은 것은?**

〈보기〉

지난 해 사랑하는 딸을 잃었고	去年喪愛女
올해에는 사랑하는 아들을 잃었네.	今年喪愛子
슬프고 슬픈 광릉 땅이여.	哀哀廣陵土
두 무덤이 마주 보고 있구나.	雙墳相對起
백양나무에는 으스스 바람이 일어나고	蕭蕭白楊風
도깨비불은 숲속에서 번쩍인다.	鬼火明松楸
지전으로 너의 혼을 부르고,	紙錢招汝魂
너희 무덤에 술잔을 따르네.	玄酒存汝丘

– 허난설헌, 「곡자(哭子)」 중에서

① 대상의 상실로 인한 화자의 정서가 창작의 동기가 되고 있다.
② 화자가 대상에 대한 관찰자가 되어 작중 상황을 객관적으로 묘사하고 있다.
③ 음성 상징어의 사용으로 인해 작중 상황의 분위기가 실감나게 전달되고 있다.
④ 영탄적 표현을 주로 사용하여 화자의 안타까운 심정을 직접적으로 표출하고 있다.
⑤ 대구를 활용한 운문체의 표현으로 인해 화자의 고조된 정서가 효과적으로 부각되고 있다.

[8~10] 다음 글을 읽고 물음에 답하시오.

가 빈 곳이 있으면 거기에 사는 것이 있어야 마땅한 법이다. 그래서 신들과 별들이 천상에 자리를 잡았다. 물은 아름다운 비늘을 번쩍거리는 물고기들의 거처가 되었고, 대지는 짐승들 몫으로 돌아갔다. 흐르는 대기는 새들을 맞아들였다.

그러나 이 짐승들보다는 신들에 가깝고, 또 지성이라는 것이 있어서 다른 생물을 지배할 만한 존재는 없었다. 인류가, 인간이 창조된 것은 이즈음이었다. 이 인간은, 세계의 시원(始原)이자 만물의 조물주인 신이, 신의 씨앗으로 만든 것인지도 모르겠고, 이아페토스의 아들 프로메테우스가 천공에서 갓 떨어져 나온, 따라서 그때까지는 여전히 천상적(天上的)인 것이 조금은 남아 있는 흙덩어리를 강물에다 이겨, 만물을 다스리는 조물주와 그 모양이 비슷하게 만든 것인지도 모르겠다. 어쨌든 이렇게 만들어진 인간은, 다른 동물들이 머리를 늘어뜨린 채 늘 시선을 땅에다 박고 다니는 데 비해 머리가 하늘로 솟아 있어서 별을 향하여 고개를 들 수도 있었다. 이로써, 모양도 제대로 갖추지 못한 흙덩어리였던 대지는 본 적도 들은 적도 없는 인간이라는 것을 그 품안에 거느리게 된 것이다.

나 ㉠<u>지하 생활</u>은 엄청난 심리적 변화가 요구된다. 우리는 모든 행동에 대해, 그것이 아무리 사소하고 하찮은 것처럼 여겨질지라도 치밀한 계획을 세워야만 한다. 순수한 마음으로 믿을 만한 것은 아무것도 없다. 모든 것이 의심의 대상이다. 자신의 본모습을 잃게 된다. 어떠한 역할이든 맡겨진 역할에 충실히 따라야만 한다. 어떤 면에서 이러한 생활 양식은 남아프리카의 흑인에게는 그다지 낯설지 않은 것 같다. 아파르트헤이트 아래에서 흑인은 합법과 불법, 개방과 은폐 사이에서 그림자와 같은 삶을 살아왔다. 남아프리카에서 흑인으로서의 삶은 전 생애를 지하에서 살아가는 삶과 같이 어떤 것도 전적으로 믿어서는 안 된다는 것을 의미했다.

나는 점차 야행성으로 변해 갔다. 낮에는 은신처에 몸을 숨기고, 어둠이 내리기 시작하면 서서히 활동을 개시했다. 나의 활동 무대는 주로 요하네스버그였는데, 필요하다면 여행도 불사했다. 텅 빈 아파트든 일반 주택이든 나 홀로 있을 수 있고 몸을 숨기기 쉬운 곳이라면 어디든 머물렀다. 비록 나도 사람들과 어울리기를 꽤나 즐겼지만 이러한 고독 역시 좋았다. 나는 홀로 되고, 무언가 계획하고, 사색도 하고, 각본도 짤 수 있는 기회를 반겼다. 그러나 나의 고독한 삶은 지나친 감이 없지 않았다. 아내와 가족이 그리워 미치도록 외로울 때도 있었다.

8 (가), (나)에 대한 설명으로 적절하지 않은 것은?

① (가)는 (나)와 달리, 우주의 시원(始原)에 대한 상상력을 바탕으로 전개되고 있다.
② (나)는 (가)와 달리, 삶을 살면서 겪은 경험을 바탕으로 전개되고 있다.
③ (가)는 작품 밖의 필자에 의해, (나)는 작품 속의 필자에 의해 글이 서술되고 있다.
④ (가)는 인간과 신(神)의 관계가, (나)는 인간과 인간의 관계가 중심이 되어 전개되고 있다.
⑤ (가)와 (나)는 모두 대립과 갈등에 의해 서사의 흐름이 파국에 이르고 있다.

9 〈보기〉를 참조할 때, (가)에 대한 이해로 적절하지 않은 것은?

〈보기〉
(가)에는 고대 그리스인들의 인간 중심주의적 사고가 잘 나타나 있다. 이 글에서는 '신(神)'조차도 인간의 연장선상에서 이해하고 있는 것처럼 보인다.

① 인간은 짐승들보다는 신들에 가깝다고 말하며 인간 존재의 우월성을 언급함으로써, 인간 중심주의적 사고를 드러내고 있군.
② 인간은 지성이 있어서 다른 생물을 지배할 만한 존재라고 말하며 다른 생물과의 차별성을 언급함으로써, 인간 중심주의적 사고를 드러내고 있군.
③ 인간은 만물의 조물주인 신의 씨앗으로 만든 것이라고 말하며 인간 존재의 신성(神性)을 언급함으로써, 인간 중심주의적 사고를 드러내고 있군.
④ 인간은 천상적(天上的)인 것이 남아 있는 흙덩어리로 만들었다고 말하며 인간 창조의 특수성을 언급함으로써, 인간 중심주의적 사고를 드러내고 있군.
⑤ 인간은 카오스 상태를 벗어난 대지에서 스스로 거처를 개척한 존재라고 말하며 인간의 자율성을 언급함으로써, 인간 중심주의적 사고를 드러내고 있군.

10 ㉠에 대한 설명으로 적절하지 않은 것은?

① 엄청난 심리적 긴장이 요구되는 삶의 여건을 감당해야만 한다.
② 낮에는 은신처에서 몸을 숨기고, 밤이 되어야 활동을 개시한다.
③ 아내와 가족의 소중함을 깨닫게 되는 성찰의 시간이 되었다.
④ 백인 우대 정책을 펴는 남아프리카공화국 정부에 쫓기는 삶을 가리킨다.
⑤ 남아프리카공화국 정부의 흑인 차별에 저항하는 투쟁적 삶과 관련이 있다.

[11~13] 다음 글을 읽고 물음에 답하시오.

나는 전국 방방곡곡을 비밀리에 여행했다. 케이프에서는 회교도들과, 나탈에서는 설탕 농장 일꾼들과, 포트엘리자베스에서는 공장 노동자들과 함께했다. 밤마다 비밀 회합에 참석하면서 전국 방방곡곡을 돌아다녔다. 나는 3페니짜리 동전 '티키 20'을 주머니 가득 넣고 다니면서 신문 기자들에게 공중전화를 걸어 그들에게 우리가 무엇을 계획하고 있는지를 알린다거나 경찰이 얼마나 무능한가를 이야기함으로써, '검은 별봄맞이꽃'의 신화를 더욱 부채질했다. 경찰을 교란시키고 국민에게 기쁨을 주고자 동에 번쩍 서에 번쩍 출몰하고는 했다.

지하 활동을 하던 시절의 내 경험에 대해서 전혀 근거 없고 정확하지 않은 이야기들이 많이 떠돈다. 사람들은 감히 일어날 수 없는 일을 윤색하여 말하기를 즐긴다. 그러나 나도 모르긴 해도 가까스로 위기를 모면한 경험이 여러 차례 있었다. 한번은 시내에서 차를 몰고 가다가 신호등에서 멈춰 섰다. 무심코 왼쪽을 쳐다보니 바로 옆 차에 비트바테르스란트 보안지부 지부장인 스팽글러 대령이 타고 있었다. 만일 '검은 별봄맞이꽃'을 체포했더라면 그에게는 커다란 횡재였을 것이다. 나는 당시 노동자 모자와 푸른 작업복에 안경을 쓰고 있었다. 그는 내 쪽을 돌아보지 않았다. 그런데도 신호등이 바뀌기를 기다리던 단 몇 초의 시간이 내게는 마치 몇 시간이나 되는 듯했다.

어느 날 오후, 요하네스버그에서 운전사 차림으로 긴 먼지막이 외투를 입고 모자를 쓴 채 길모퉁이에서 나를 태우러 오는 사람을 기다리고 있었다. 그때 한 경찰이 분명 나를 향해 걸어오고 있는 것을 보았다.

1등급 완성 문제

나는 도망갈 장소가 있는지 살피려고 주위를 둘러보았다. 그러나 내가 미처 도망가기 전에 그는 내게 미소를 띤 채 몰래 아프리카 민족 회의의 건승을 비는, 엄지손가락을 치켜드는 표시를 보내고는 조용히 사라졌다. 이런 일은 수없이 많이 일어났다. 이로써 나는 많은 아프리카인 경찰들이 우리를 지지하고 있다는 것을 확인할 수 있었다. 내 아내 위니에게 경찰이 무슨 일을 꾸미고 있는지 사전에 정보를 빼 주던 흑인 경사가 있었다. 그는 위니에게 귓속말로 "수요일 밤에는 경찰이 수색할 예정이니 마디바가 알렉산드라에 가지 못하도록 해야 해요." 하고 가르쳐 주고는 했다. 흑인 경찰들은 투쟁 기간에 혹독한 비판을 자주 받았다. 그러나 그들 대부분은 이루 말할 수 없이 귀중한 역할을 숨어서 드러나지 않게 수행했다.

11 이 글의 내용으로 적절하지 않은 것은?

① 필자는 '아프리카 민족 회의'라는 정치 조직의 구성원으로 활동하고 있다.
② 아프리카인 경찰들의 암묵적인 지지가 필자의 도피 생활에 많은 도움이 되고 있다.
③ '아프리카 민족 회의'는 정부에 의해 주도되는 인종 정책에 위배되는 활동을 하고 있다.
④ 아프리카인 경찰들은 '아프리카 민족 회의'의 활동에 대해 충분히 인지하지 못하고 있다.
⑤ 필자는 의도적으로 기자들에게 전화를 걸어 활동 정보를 흘리는 수법으로 경찰을 교란시키고 있다.

12 이 글을 참조할 때, 〈보기〉의 빈칸에 들어갈 한자 성어로 가장 적절한 것은?

〈보기〉
'검은 별봄맞이꽃'의 신화를 더욱 부채질한 것은 경찰을 교란시키면서 동에 번쩍 서에 번쩍 하는 넬슨 만델라의 (   )하는 행적이었다. 이러한 그의 행적은 백인 정부에 의한 차별 가운데서 고통을 겪고 있는 흑인들에게 커다란 기대를 안겨 주고 있었다.

① 포복절도(抱腹絕倒)　② 동분서주(東奔西走)
③ 신출귀몰(神出鬼沒)　④ 주경야독(晝耕夜讀)
⑤ 건곤일척(乾坤一擲)

13 이 글을 통해 추론할 수 있는 당대의 사회·문화적 배경으로 적절한 것을 〈보기〉에서 골라 바르게 묶은 것은?

〈보기〉
ㄱ. 남아프리카공화국의 흑인 경찰들은 드러내지 않고 필자의 투쟁을 지지하고 있었다.
ㄴ. 흑인들은 인종 차별 정책에 대한 대응 방식으로 인해 갈등을 겪고 있었다.
ㄷ. 신문 기자들은 정부의 인종 차별 정책에 방관자적 입장을 견지하고 있었다.
ㄹ. 남아프리카공화국에서는 인종 차별에 대응하기 위한 아프리카 민족 회의가 창립되었다.

① ㄱ, ㄴ　② ㄱ, ㄹ　③ ㄴ, ㄷ
④ ㄴ, ㄹ　⑤ ㄷ, ㄹ

[14~15] 다음 글을 읽고 물음에 답하시오.

(가) 사람들 사이에 「모나리자」라는 제목으로 알려진 이 그림은 패널에 유화로 그려졌다. 패널은 초기 르네상스 화가들이 선호했던 백색 포플러 나무로 제작된 것인데, 크기는 요즘 사용되는 척도로 말하면 77×53센티미터이다. 실제 작품을 처음 본 사람들은 크기가 생각보다 작아서 놀라기도 한다.

하지만 옛날 기록을 보면 원래 인물 양쪽으로 고전적인 기둥이 서 있었다고 한다. 지금은 작품의 양쪽에 기둥이 서 있었다는 증거를 찾아볼 수 없지만, 어쨌든 우리로서는 17세기 초에 어떤 생각 없는 기술자가 액자를 만들면서 작품 양쪽 몇 인치를 잘라 냈을 것이라고 짐작할 수밖에 없다.

▲ 「모나리자」의 영향을 받은 라파엘로의 「유니콘과 함께 있는 젊은 여인의 초상」(1505~1506)에는 기둥이 그려져 있음.

레오나르도 다빈치가 『회화론』에서 제시한 방법을 보면, 패널 자체도 꽤 복잡하고 힘든 과정을 거쳐 제작되었던 것으로 보인다. 이 책에 따르면, 먼저 나무에 유향과 테레빈유 그리고 납 성분과 석회가 섞인 약품을 바르고, 이어서 알코올과 비소 혹은 수은과 염화물을 바른다. 그리고 마지막으로 잘 정제하여 끓인 기름을 바르는데, 각각의 약품들을 바를 때마다 중간중간에 바니시와 흰색 납을 칠해야만 한다.

나 「모나리자」에서는 신비로운 유려함을 통해 풍경과 인물이 하나가 되고 있는데, 이는 "모든 것은 자신이 아닌 다른 무엇에서부터 비롯된 것이므로, 세상의 어떤 것이든 다른 것으로 바뀔 수 있다."라는 레오나르도의 확신과 일맥상통하는 것이다.

묘하게도 작품 속의 공간들은 하나로 일치되어 있는 것같이 보이는데, 예를 들면 이 작품을 보는 이는 여인이 앉아 있는 의자를 쉽게 알아볼 수가 없다. 레오나르도는 르네상스의 화가들이 좋아했던 단선적 원근법을 버리고 그 자신이 '공기 중의 원근법'이라고 불렀던 독특한 투시법을 사용했다. 즉, 경계선을 흐릿하게 하고 밝은색을 사용함으로써 작품 속의 공간이 뒤로 물러나는 듯한 환상이 들게끔 한 것이다.

14 〈보기〉는 (가)의 내용을 정리한 것이다. 이를 바탕으로 (가)의 내용 전개를 이해한 것으로 적절하지 않은 것은?

〈보기〉

㉮ 「모나리자」의 실제 작품은 그 크기가 생각보다 작게 느껴진다.
㉯ 옛날 기록에는 원래 인물 양쪽으로 기둥이 서 있었다고 전해진다.
㉰ 현재는 인물 양쪽으로 기둥이 서 있었다는 증거를 찾을 수 없다.
㉱ 라파엘로의 「유니콘과 함께 있는 젊은 여인의 초상」은 「모나리자」의 영향을 받아 창작되었다.
㉲ 17세기 초에 어떤 생각 없는 기술자가 액자를 만들면서 작품의 양쪽 몇 인치를 잘라냈을 것으로 짐작된다.

① ㉯를 근거로 ㉮의 이유를 추론하고 있다.
② ㉯를 근거로 ㉲의 내용을 추론하고 있다.
③ ㉱로 인해 ㉯의 신빙성이 높아지고 있다.
④ ㉱는 ㉲에 대한 신뢰성을 강화하고 있다.
⑤ ㉰를 근거로 ㉮의 의문이 나타나고 있다.

15 이 글을 읽고 〈보기〉의 ⓐ~ⓒ에 대해 이해한 내용으로 적절하지 않은 것은?

〈보기〉

◀ 레오나르도 다빈치, 「모나리자」

① ⓐ와 ⓑ는 신비로운 유려함으로 인해 하나가 된 듯한 인상을 주고 있군.
② ⓐ와 ⓒ의 경계선을 흐릿하게 처리함으로써 하나로 일치된 듯한 느낌을 주고 있군.
③ ⓐ와 ⓑ는 색채의 명암이 분명히 대비되도록 처리함으로써 원근감이 느껴지고 있군.
④ ⓐ와 ⓑ는 '공기 중의 원근법'이라는 투시법을 사용하여 평면 위에서 공간감이 느껴지게 하고 있군.
⑤ ⓑ는 ⓐ와의 경계선을 흐릿하게 처리하면서 밝은색을 사용함으로써 멀리 보이는 효과를 주고 있군.

[16~18] 다음 글을 읽고 물음에 답하시오.

가 도대체 왜 가짜 뉴스가 돈이 되는 걸까? 뉴스와 관련된 돈은 대부분 광고에서 발생한다. 하지만 광고주들이 가짜 뉴스 사이트에 직접 광고하지는 않는다. 모든 광고는 광고 중개 서비스를 통하는데, 광고주가 중개 업체에 돈을 지불하면, 중개 업체는 금액에 따라 광고를 배치한다. 높은 조회 수가 나오는 사이트일수록 높은 금액의 광고를 배치하는 식이다. 뉴스가 범람하는 상황에서 바쁜 현대인들은 선택과 집중을 할 수밖에 없기 때문에 눈길을 끄는 뉴스가 잘 팔리는 뉴스가 된다. 따라서 가짜 뉴스는 어떤 식으로든 눈에 띄어 '돈'이 되기 위해 자극적인 요소들을

1등급 완성 문제

포함하면서 소비자를 치밀하게 속인다. 설령 그 내용이 비윤리적이어도, 또 진실이 아니어도 개의치 않는다. 과정이야 어떻든 이윤만 내면 성공이기 때문이다. 이런 이유로 인해 대체로 혐오나 선동과 같은 자극적인 요소를 담아 만든 가짜 뉴스가 판을 치게 되며, 이는 결국 사회 구성원의 통합을 방해하고 극단주의를 초래하기까지 한다.

(나) 지하 생활의 핵심은 남의 눈에 띄지 않는 것이다. 자신을 드러내려고 방 안에서 거니는 방법이 있듯이 자신을 숨기면서 움직이고 행동하는 방식이 있게 마련이다. 지도자들은 대개 남의 눈에 띄기를 갈망한다. 그러나 범법자는 정반대를 원한다. 지하에 있을 때 나는 똑바로 서 있거나 허리를 세우고 걷지 않았다. 나는 명료함과 차별성이 떨어지더라도 가능한 한 부드럽게 표현했다. 또한 조금 수동적이고 더욱 신중하게 행동했다. 사람들에게 어떻게 하기를 요구하는 대신에 그들이 내게 부탁하도록 했다. 면도도 이발도 생략했다. 내가 가장 자주 변장했던 사람은 운전사, 요리사 그리고 정원사였다. 나는 농부들이 입는 아래위가 붙은 푸른색 작업복을 입었으며, 종종 '마자와티차(茶) 안경'이라고 알려진 둥근 모양의 가장자리 테가 없는 안경을 쓰기도 했다. 나는 자동차가 있었기에 이러한 작업복 차림에 운전사 모자를 쓰고 다녔다. 운전사 모습은 주인 차를 몬다는 구실로 마음껏 여행할 수 있었기 때문에 내게는 편리한 변장이었다.

지하에서 활약하던 초기 몇 개월 동안 지명 수배를 받아 경찰에게 쫓기게 되었을 때 나의 불법적 지위는 언론의 상상력의 표적이 되었다. 가끔 내가 여기에도 나타나고 저기에도 머물렀다는 기사가 신문의 1면을 장식했다. 검문소가 전국에 설치되었으나 경찰의 노력은 늘 헛수고로 끝났다. 당시 내게는 '검은 별봄맞이꽃(Black Pimpernel)'이라는 별명이 붙여졌다. 이는 바로네스 오르치(Baroness Orczy)의 소설에 나오는, 프랑스 혁명 당시 체포망을 용감히 피했던 '주홍색 별봄맞이꽃(Scarlet Pimpernel)'에 빗대어 다소 경멸적인 함의를 담아 붙인 별명이었다.

16 **(가), (나)에 대한 설명으로 적절하지 않은 것은?**

① (가)는 묻고 답하는 방식을 활용하여 중심 화제에 접근하고 있다.
② (나)는 대조의 방식을 활용하여 필자 자신이 처한 상황을 인상 깊게 설명하고 있다.
③ (가)에는 과정보다 결과를 중시하는 상황이, (나)에는 결과보다 과정을 중시하는 상황이 나타나 있다.
④ (가)에는 문제 상황의 발생 원인이, (나)에는 문제 상황에 대응하는 행위가 나타나 있다.
⑤ (가)는 필자를 둘러싼 사회 현상이, (나)는 사회적 상황 속의 필자 자신이 서술 대상이 되고 있다.

17 **(가)를 읽고 보일 수 있는 반응으로 적절하지 않은 것은?**

① 광고 중개 서비스 업체에 의한 광고 배치 작업의 가장 중요한 기준은 뉴스 소비자가 누르는 조회 수이겠군.
② 가짜 뉴스가 발생하는 원인은 높은 광고 수익에 대한 광고 중개 서비스 업체의 욕망과 깊은 관련이 있겠군.
③ 높은 조회 수를 기록하기 위해 우선적으로 고려해야 할 사항은 사람들의 눈에 띄는 뉴스를 만드는 것이겠군.
④ 가짜 뉴스에 혐오, 선동 등의 자극적인 요소가 포함되는 이유는 막대한 광고 수익을 얻기 위해서는 높은 조회 수가 필수적이기 때문이겠군.
⑤ 가짜 뉴스의 발생을 막으려면 바쁜 생활 속에서도 자극적인 뉴스에 현혹되지 않고 올바른 뉴스를 선택하여 수용하려는 의지가 필요하겠군.

서술형

18 **(나)를 독해하는 과정에서 〈보기〉의 설명을 활용하고자 할 때, 활용 방법을 쓰시오.**

〈보기〉

'유표화(有表化)'란 주류에 속하지 않는 존재는 그 주류를 지칭하는 언어에 특별한 표식 언어를 덧붙임으로써 자신의 정체성을 설명하는 것이다. 이 상황에서 주류는 아무런 별도 표식 없이 그 언어의 의미를 배타적으로 독점한다. 여류 작가, 여배우, 여학교 등에 나타난 '여-'가 바로 유표화의 예이다. 이런 구도 속에서는 자신을 나타내기 위해 별도의 표식 언어를 필요로 하지 않는 계층과 이에 대한 유표화의 과정을 통해서만 자신을 드러낼 수 있는 계층이 '중심'과 '주변'의 관계에 놓이게 된다. 그리고 이때 후자는 주체로서 대우받지 못하고 전자에 의해 객체로서 소비된다.

고등학교

독서

정답 및 해설

I. 독서의 본질과 태도

1. 독서의 가치와 글의 선택

독서론

확인 문제 ❶ p. 13

1. ⑤ **2.** ① **3.** ③ **4.** 독서하는 사람과 독서하지 않는 사람의 생활을 비교해 본다.

1. (마)에서 필자는 훌륭한 책의 조건으로 명상적 가치가 있는 책을 언급하고 있다. 과거와 미래의 가교 역할이나 독자에게 미래에 대한 희망을 꿈꾸게 하는 책에 대해서는 언급하고 있지 않다.

| 오답 풀이 | ① (가)의 '오늘날에도 독서하는 사람은 ~ 존경과 선망을 받고 있다.'에서 확인할 수 있다.
② (나)의 '그는 ~ 독자가 미처 몰랐던 인생의 여러 모습을 이야기해 준다.'에서 확인할 수 있다.
③ (라)의 '책을 사랑하는 사람은 ~ 자유롭게 드나들 수가 있다.'에서 확인할 수 있다.
④ (가)의 '독서하지 않는 사람은 시간적, 공간적으로 자신만의 세계에 감금되어 있으며'에서 확인할 수 있다.

2. (나)~(마)에서 필자는 독서의 효용 세 가지를 제시하고 있다.
| 오답 풀이 | ② (바)에서 황산곡의 말을 인용하여 독서의 목적에 대해 서술하고 있다.

3. (라)에서 필자는 책을 읽으며 사색과 반성을 통해 명상적인 시간을 갖는 것을 '자유롭게 드나들' 수 있다고 표현함으로써 추상적 관념을 공간화하여 표현하고 있다. 그러나 이는 문맥상 독서의 효용적 가치를 인상적으로 표현하기 위한 것이지 독서 대상의 확대를 강조하기 위한 것이 아니다.
| 오답 풀이 | ① 독서하는 사람과 독서를 하지 않는 사람들을 대조하여, 독서하는 사람들이 독서하지 않는 사람들에게 존경과 선망을 받는다고 하며, 독서의 가치를 부각하고 있다.
② (바)에서 독서의 목적과 관련하여 '황산곡'이라는 권위 있는 인물의 말을 인용함으로써 독자가 진정한 독서의 목적을 깨달을 수 있도록 유도하고 있다.
④ (나)에서 '양서(良書)'라는 사물을 '세계 제일의 이야기꾼'으로 의인화하여 표현하면서, 독자가 미처 몰랐던 인생의 여러 모습을 이야기해 준다고 말함으로써 독서가 독자에게 미치는 바람직한 영향을 효과적으로 표현하고 있다.
⑤ (바)에서 바람직한 독서의 목적을 제시한 후 이를 '예술'이라고 표현함으로써, 독서의 진정한 목적을 강조하고 있다.

4. 필자는 독서하는 사람이 독서하지 않는 사람들로부터 존경과 선망을 받고 있다고 말한 후, 그것은 독서하는 사람과 독서하지 않는 사람의 생활을 비교해 보면 곧 알 수 있다고 확언하고 있다.

| 서술형 평가 기준 |

기준	등급
중심 내용을 〈조건〉에 맞게 서술한 경우	상
중심 내용을 제시하고 있으나, 〈조건〉에 맞지 않게 서술한 경우	중
중심 내용을 불완전하게 서술한 경우	하

확인 문제 ❷ p.15

1. ④ **2.** ⑤ **3.** 독서와 사색으로 책의 풍미를 내 것으로 만들었는지의 여부

1. 이 글은 독서의 목적과 방법에 대한 필자의 생각을 밝히고 있는 내용으로, 어떤 현상에 대한 원인이나 해결책을 제시하고 있지 않다.
| 오답 풀이 | ① (사)에서 정신 향상이나 과제로 삼는 독서, 즉 의무적인 독서의 사례를 제시하여 의무적인 독서가 진정한 독서의 목적이 될 수 없으며, 독서의 즐거움을 통해 독서의 목적을 달성할 수 있음을 강조하고 있다. 또한 (아)와 (자)에서는 중국인 친구와 체스터턴의 사례를 제시하여 진정한 독서의 목적을 강조하고 있다.
② (카)에서 '독서의 열쇠'라는 비유를 통해 독서를 위해 책을 선택할 때 개인의 관심이나 취향이 중요함을 제시하고 있다.
③ (카)와 (타)에서 '바람직한 식사법'과 '나무와 냇물'에 유추하여, 개인의 관심과 취향, 그리고 개인의 다양한 상황에 따라 알맞은 책을 선택하여 독서해야 함을 강조하고 있다.
⑤ 황산곡, 원중랑 등의 말을 인용하여 필자가 말하고자 하는 바를 강조하고 있다.

2. (카)와 (타)에서 필자가 가장 바람직한 독서 방법으로 제시한 것은 개인의 관심이나 취향, 성장 과정의 다양한 상황에서 형성된 지적 감흥(호기심)을 고려하여 그에 맞는 책을 선택하여 독서하는 것이다. 필자는 필독서와 같이 이미 정해진 보편적 독서 과제에 따라 독서하는 것에 대해 부정적인 입장을 보이고 있다.

3. 이 글에서 필자는 독서와 사색으로 책의 풍미를 내 것으로 만들면 용모나 담화, 저술에 저절로 그 풍미가 스며들어 내면에서 우러나오는 아름다움이 발현된다고 하였다. 따라서 ⓐ와 ⓑ를 구분하는 기준은 (차)에 나타나 있는 것처럼 올바

른 독서와 사색으로 책의 풍미를 내 것으로 만들었는지의 여부라고 할 수 있다.

| 서술형 평가 기준 |

'독서와 사색', '책의 풍미', '내 것으로 소화' 등의 핵심 내용을 모두 포함한 경우	상
'독서와 사색', '책의 풍미', '내 것으로 소화' 등의 핵심 내용을 포함하였으나 다소 불명확하게 제시한 경우	중
'독서와 사색', '책의 풍미', '내 것으로 소화' 등의 핵심 내용 중의 일부가 언급되지 않은 경우	하

확인 문제 ③ p. 17

1. ④ 2. ③ 3. 문재(文才)상의 연인 4. 사상과 체험이 걸작을 읽을 정도가 되지 않았을 때 걸작을 읽으면 오히려 나쁜 뒷맛이 남을 수 있기 때문이야.

1. 이 글에는 독서의 효과를 방해하는 외적 요인에 대한 언급은 나타나 있지 않다.

| 오답 풀이 | ① (거)에서 독서 행위가 지니는 의미를 저자와 독자의 두 가지 면에서 성립되는 행위라고 설명하고 있다.

② (하)에서 양서는 두 번 읽으면 얻는 바도 크거니와 재미 또한 새롭다라고 설명하고 있다.

③ (너)에서 올바른 독서의 방법으로 좋아하는 작가를 발견해야 한다고 설명하고 있다.

⑤ (파)에서 생애의 시기마다 그에 맞는 독서를 해야 한다고 설명하고 있는데, 이는 수준에 맞는 책을 읽어야 하는 이유에 해당이 된다.

2. (너)~(러)에서 필자는 좋아하는 작가의 책을 읽는 일을 문재(文才)상의 연인에게 빠져 자기 영혼의 자양분을 남김없이 흡수하는 일이라고 말하고 있다. 그러나 좋아하는 작가의 문장을 자신의 것으로 만들지 않고, 있는 그대로 외워서 똑같이 말한다는 것은 적절치 않다.

| 오답 풀이 | ① (더)와 (러)에서 필자는 좋아하는 작가를 발견하면 작가의 문체나 풍미, 견해나 사고방식 등도 좋아하게 되고 심취하게 된다고 말하고 있다. 또한 좋아하는 작가의 책을 읽으면 책에 담긴 사상이나 풍미 등을 올바르게 이해할 수 있게 된다고 하였다. 이것으로 보아 작가의 생각이나 가치관 등도 기꺼이 받아들일 것 같다는 답변은 적절하다.

② (러)에서 필자는 본래부터 정신적 친화력으로 결부가 되어 있는 까닭에 모든 것을 흡수하고, 문제없이 소화한다고 하였다.

④ (러)에서 필자는 작가가 주문을 외면 독자는 기꺼이 그에 홀리고, 때에 따라서는 음성과 동작과 웃는 모습과 이야기하는 모습이 작가와 닮아 간다고 하였다.

⑤ (더)에서 좋아하는 작가의 글은 한 줄 한 구를 탐독한다고 하였으며, (러)에서는 좋아하는 작가의 책에서 자기 영혼의 양분을 남김없이 흡수한다고 하였다.

3. (러)에서 필자는 독자가 좋아하는 작가를 '문재(文才)상의 연인'이라는 비유적 표현을 통해 제시하고 있다.

4. (파)의 첫 문장에서 필자는 수준에 맞지 않는 책을 읽었을 때의 역효과에 대해 언급하고 있다.

| 서술형 평가 기준 |

예시 답에 가깝게 내용을 전개하며 〈조건〉에 맞게 서술한 경우	상
예시 답에 가깝게 내용을 전개하고 있으나, 〈조건〉에 맞지 않게 서술한 경우	중
예시 답의 내용이 불완전하게 반영되어 있으며, 〈조건〉에 맞지 않게 서술한 경우	하

어떤 책부터 읽으면 좋을까요

확인 문제 ① p. 21

1. ③ 2. ② 3. ④

1. 이 글에서 필자는 이탈리아 여행 중 라오콘 군상을 본 경험을 통해 자신만의 책 목록을 갖게 된 과정을 서술하고 있다.

| 오답 풀이 | ①, ② 이 글에는 언급되어 있지 않다.

④ 수심 측정기를 던지는 여행을 하고 싶은 소망이 필자가 책 목록을 작성하여 독서를 체계적으로 하게 된 이유라는 사실을 알 수 있으나, 제시된 지문의 맥락으로 볼 때 중심 내용은 아니다.

⑤ 1문단에서 세상에 나쁜 책들이 넘쳐 나 당장이라도 좋은 책의 목록을 보내 드리고 싶다는 작가의 마음을 확인할 수 있으나, 제시된 지문의 맥락으로 볼 때 중심 내용은 아니다.

2. (가)의 '세상엔 꼭 피해야 할 나쁜 책들도 넘쳐 나니까'에서 필자가 책 목록을 작성한 의미를 알 수 있다(ㄱ). 또 (라)에서 수심 측정기를 던지는 여행에 대한 소망과 숨겨진 신비로운 이야기들에 대한 관심(호기심)을 충족시킬 수 있는 여행을 위해 책 목록을 작성하였음을 알 수 있다(ㄹ).

3. 필자는 여행을 위한 책 목록을 두 가지로 작성했는데, 하나는 실질적인 정보를 주는 책으로 기차 시간표, 호텔과 식당 정보를 알려 주는 것이고, 다른 하나는 도시에 대한 수필(문화)이나 역사를 알려 주는 것이다. ㉠은 실질적인 정보를 주는 책이 아니라 도시에 대한 역사나 문화를 알려 주는 책에서 출발하여 점점 여행지에 대한 깊이 있는 앎을 주는 책으로 확대되었다. 필자는 발자크의 소설 『고리오 영감』처럼 (여행지의) 평범한 일상을 뚫고 나오는 이야기에 관심을 갖게 되었다고 했다.

확인 문제 ❷

p. 23

1. ④ 2. ④ 3. ㉮ 이야기, ㉯ 책

1. 이 글에서 필자는 자신이 좋아하는 작가 오에 겐자부로의 『개인적인 체험』의 내용을 소개하면서 책 속의 책을 따라가는 독서 목록 작성법을 알려 주고 있다.
 | 오답 풀이 | ① 이 글에서는 언급되지 않은 내용이다.
 ② (바)에서 필자는 자신이 바라는 최고의 여행은 물리적 이동이 아니라 정신의 여행이라고 하였다.
 ③ (마)에서 필자는 책의 목록이 끝이 없이 많아서 책들을 정리해야 했고, 실질적인 정보가 있는 책을 버리기로 한 것은 실질적인 정보가 더 이상 필요 없게 되었기 때문이 아니라 계속 최신 정보로 바뀌기 때문이라고 하였다.
 ⑤ (차)를 보면, 『개인적인 체험』을 읽고, 그 후에 『오에 겐자부로, 작가 자신을 말하다』를 읽었음을 알 수 있다.

2. 글의 맥락상 ㉣은 현재 겪고 있는 시련과 관계없이 원래부터 계획하던 아프리카 여행을 말한다. 따라서 이 여행을 통해 새로운 희망을 찾고 현실적 고통을 극복하려는 소망을 드러내고 있다는 설명은 적절치 않다.
 | 오답 풀이 | ① '정신의 여행을 즐기기 위해서' 선택한 것이다.
 ② '일상을 뚫고 나오는 이야기'와 관련된 도시와 사람을 신화 속의 이야기에 빗댄 표현이다.
 ③ 정신의 여행이 필자에게 구체적인 현실로 실현될 것이라는 기대를 신화 속의 이야기에 빗대어 표현한 것이다.
 ⑤ 절망적인 처지에 놓여 있는 『개인적인 체험』의 주인공 버드의 현실 극복 의지를 함축하고 있는 말이다.

3. (바)에서 필자는 정보보다 이야기에 끌렸으며, 그 이야기는 일상을 뚫고 나오는, 즉 탈일상적인 이야기, 보이는 것이 다가 아닌, 즉 숨겨진 참신한 이야기에 끌렸다고 하였다. 또 (사)에서 필자는 책 속의 책을 따라가며 책 목록을 작성하는 방법을 말하고 있다.

확인 문제 ❸

p. 25

1. ① 2. ① 3. ① 4. 천국은 현실의 문제가 해결되기를 바라는 인간의 소망이 반영된 말이다.

1. 이 글에서 필자는 『신곡』을 실제로 읽게 된 계기를 설명하고 있다.

2. 이 글에서 필자는 천안함 피격 사건이라는 현실적 사건을 겪으면서 천국에 대한 궁금증을 갖게 되었고, 이를 해결하기 위해 『신곡』을 읽게 되었다고 말하고 있다.

3. 개인적 서신의 경우 결말 부분은 주로 인사말을 건네는 내용이 대부분이다. 그러나 이 글은 본문에서 말한 내용을 요약하면서 끝을 맺고 있다. 이는 수신인이 특정 개인이 아님을 말해 준다(ㄴ). 또한 요약 내용은 본문 내용을 다시 한 번 강조하는 성격을 띠고 있어 개인적 인사말과 같은 표현 동기가 아닌, 내용에 대한 전달 동기가 더 우선된 글임을 말해 준다(ㄱ).

4. (파)를 보면, 천국에 사는 사람들은 우리를 절대 잊지 못하며, 우리가 탄 배가 잘못된 방향으로 갈 때 애가 타며 문제가 해결되기를 바라고 있다. 그들은 우리가 품었던 천국의 소망 같은 것들이 현실에서도 이루어지기를 바라고 있다고 하였다. 이는 '천국'이 영원한 안식의 초월적 공간이 아니라, 현실의 문제가 해결되어 '지금 여기'에서 천국이 이루어지기를 바라는 인간의 소망이 반영된 공간임을 말해 준다.

| 서술형 평가 기준 |

기준	등급
예시 답과 유사한 내용을 〈조건〉에 맞게 서술한 경우	상
예시 답과 유사한 내용을 언급하였으나 〈조건〉에 맞지 않게 서술한 경우	중
중심 내용의 일부를 빠뜨림으로써 불완전하게 서술한 경우	하

내신 적중 문제

p. 30

1. ⑤ 2. ⑤ 3. 독서의 가치를 환기하면서 독서에 대한 독자의 관심을 유도하기 위해서이다. 4. ⑤ 5. ③ 6. ⑤ 7. 개인의 흥미나 취미에 부합하는 책을 선택하여 읽어야 한다. 8. ⑤ 9. ③ 10. ② 11. 같은 독자가 같은 책을 읽더라도 읽는 시기가 다르면 또 다른 풍미를 맛볼 수 있다. 따라서 두 번 읽더라도 얻는 바가 크고 재미 또한 새롭다. 12. ③ 13. ② 14. ② 15. 여행에 대한 필자의 주된 관심사를 보여 준다. 16. ③ 17. ④ 18. 필자의 개인적인 독서 경험을 사례로 제시하고 있다.

1. 이 글에서는 책을 효과적으로 읽는 구체적인 방법에 대해 언급하고 있지 않다.

2. [A]를 보면, 사상(事象)을 직접 보고 듣는 것과 책으로 읽어서 아는 것에는 큰 차이가 있는데, 이는 책 속에서 겪는 물리적 사건은 하나의 구경거리이며, 독자는 구경꾼의 입장이 되기 때문이라고 하였다. 또한 훌륭한 책은 이러한 명상의 기분으로 우리를 인도하는 것이라고 하였다. 이를 통해 필자는 책을 통한 간접 경험이 직접 경험에 비해 보다 객관적인 사유의 세계로 이끄는 힘이 있다고 생각하고 있음을 알 수 있다.
 | 오답 풀이 | ① 독서가 세계를 인식하는 유일한 수단이라는 언급은 나타나 있지 않다.
 ② 독서가 생활의 상식을 풍부하게 해 준다는 언급은 나타나 있지 않다.

③ 독서가 정보의 진위에 대한 판단 능력을 길러 준다는 언급은 나타나 있지 않다.
④ 독서가 직접 경험을 통해 얻기 힘든 정보를 알 수 있게 해 준다는 언급은 나타나 있지 않다.

3. 필자는 독서하지 않는 사람의 부정적 특징을 언급함으로써 역으로 독서의 가치를 환기하고, 이를 통해 독서에 대한 독자의 관심을 유도하고 있다.

| 서술형 평가 기준 |

기준	등급
중심 내용을 〈조건〉에 맞게 서술한 경우	상
중심 내용을 제시하고 있으나, 〈조건〉에 맞지 않게 서술한 경우	중
중심 내용이 불완전하게 반영되어 있으며, 〈조건〉에 맞지 않게 서술한 경우	하

4. (나), (다)에서 필자는 황산곡의 말을 인용하여 진정한 독서의 목적이란 인간의 용모에 매력을 더하고 그 담화에 풍미를 주는 것이라고 하였다. 그리고 매력적인 용모란 육체적인 것이 아니라 독서와 사색으로 형성된 얼굴이라고 하였다. 풍미를 지닌 인성을 함양하는 것이 독서의 목적이라는 것이다.

5. (다)는 (나)에서 언급한 '독서를 통한 용모의 매력'에 대해 예를 들어 상술하고 있는 문단이다. 그러나 독서의 목적과 관련하여 유의해야 할 점에 대한 언급은 나타나 있지 않다.
| 오답 풀이 | ① (가)는 의무감으로 독서하는 태도에 문제를 제기하면서 뒤에 이어지는 내용, 즉 진정한 독서의 목적에 대한 화제를 암시하고 있다.
② (나)는 진정한 독서의 목적으로 '용모의 매력'과 '담화의 풍미'를 들고 있다. 그리고 (다)에서 전자에 대해, (라)에서 후자에 대해 상술하고 있다.
④ (라)는 진정한 독서의 목적에 도달하기 위한 요건으로 올바른 독서 방법을 제시하고 있다.
⑤ (마)는 (가)에서 언급한 의무감, 즉 과제로서의 독서와 관련하여 진정한 독서의 목적을 달성하기 위한 해결책을 제시하고 있다. 그것은 개인의 취미(취향)나 흥미에 맞는 책을 자유롭게 읽어야 하며, 강요에 의한 독서는 바람직하지 않다는 것이다.

6. (마)를 보면, '가장 바람직한 식사법'으로부터 '가장 바람직한 독서법'을 유추해 내고 있다. '식사법'과 '독서법'은 서로 다른 범주에 있으므로 단순한 '비교'가 아닌 '유추'에 해당한다.

7. 이 글에서 필자는 황산곡의 말을 인용하여 개인의 취미, 즉 관심과 취향, 흥미에 맞는 책을 선택하여 읽을 때 인간의 용모에 매력(사색으로 형성된 얼굴)을 더하고 그 담화에 풍미를 줄 수 있다고 하였다.

| 서술형 평가 기준 |

기준	등급
중심 내용을 〈조건〉에 맞게 서술한 경우	상
중심 내용을 제시하고 있으나, 〈조건〉에 맞지 않게 서술한 경우	중
중심 내용이 불완전하게 반영되어 있으며, 〈조건〉에 맞지 않게 서술한 경우	하

8. 이 글에서 필자는 독서의 목적을 달성하기 위한 효과적인 독서의 방법으로 좋아하는 작가의 발견을 들고 있다. 이 글에서는 이러한 화제에 접근하기 위해 묻고 답하는 방식을 활용하고 있지는 않다.
| 오답 풀이 | ① (다), (라)에서 좋아하는 작가의 발견을 '첫눈에 반함'에 비유하고 있으며, (마)에서 좋아하는 작가를 '문재(文才)상의 연인'에 비유하고 있다.
② (나)에서 유학자 정이천의 말을 인용하여 독자 자신의 통찰과 체험을 통해 얻는 것이 다름을 강조하고 있다.
③ (가)의 둘째 문장에서 첫 문장에 대한 예를 들어 그 의미를 뒷받침하고 있다.
④ (라)에서 '이성을 첫눈에 반하는 것'으로부터 '좋아하는 작가의 발견을 통한 독서'라는 의미를 유추하고 있다.

9. (다)에서 좋아하는 작가를 남에게 의지하지 말고 자기 스스로 찾아야 함을 설명하고 있다.
| 오답 풀이 | (라)에서는 좋아하는 작가를 발견해야 하는 이유를, (마)에서는 좋아하는 작가를 발견해서 얻는 효과를 말하고 있다.

10. 필자는 독자가 좋아하는 작가의 발견은 독자의 지적 발전에 가장 의미 있는 일이라고 생각한다. 고금(古今)의 작가 중에서 그 정신과 영혼이 자신과 비슷하며, 사숙할 만한 스승을 찾아 문재(文才)상의 연인처럼 빠져 들어 자기 영혼의 양분을 남김없이 흡수해야 한다고 말하고 있다.

11. (가)에서 필자는 같은 책이라도 읽는 시기가 다르면 다른 풍미를 맛볼 수 있다고 하였다. 즉 양서는 두 번 읽으면 얻는 바도 크거니와 재미 또한 새롭다고 하였다.

| 서술형 평가 기준 |

기준	등급
중심 내용을 〈조건〉에 맞게 서술한 경우	상
중심 내용을 제시하고 있으나, 〈조건〉에 맞지 않게 서술한 경우	중
중심 내용이 불완전하게 반영되어 있으며, 〈조건〉에 맞지 않게 서술한 경우	하

12. 이 글에서 필자는 다양한 책들과 책의 내용 등을 예로 들어 효과적인 독서를 위한 도서 목록 작성법에 대해 설명함으로써 독자의 신뢰감을 얻고 있다.

13. 4문단을 보면, 여행에 관한 실질적인 정보가 계속 최신 정보로 바뀐다고 하였다. 그러나 그 이유에 대해서는 언급하고 있지 않다.

| 오답 풀이 | ① 3~5문단에서 필자는 '평범한 일상을 뚫고 나오는 신비로운 이야기'에 관심이 있었음을 확인할 수 있다.

③ 4문단에서 여행에 관한 정보는 계속 최신 정보로 바뀌기 때문에 여행에 관한 실질적인 정보가 있는 책을 읽을 책의 목록 작성에서 제외시켰음을 확인할 수 있다.

④ 필자가 『고리오 영감』에서 밑줄 친 부분을 인용한 것은 '평범한 일상을 뚫고 나오는 신비로운 이야기'에 관심이 있었다는 사실을 설명하기 위해서였다.

⑤ 3문단에서 여행지에 숨겨진 참신하고 신비로운 이야기를 담고 있는가가 책 선택 기준이 되고 있음을 확인할 수 있다.

14. 필자는 신화 속 인물인 크로노스와 그의 자식을 들어, 이야기를 삼키고 있는 사람(이나 도시)과 그들에게 듣게 되는 이야기를 비유적으로 설명하고 있다.

15. '처음 만나는 새로운 장소, 알려지지 않은 동굴, 꽃, 진주, 괴물 그리고 잠수부 노릇을 하는 문인들이 잊었던 전대미문의 사건 등을 그곳에서 항상 만날 수 있다.'라는 문장을 통해 3문단에 나타난 필자의 관심사, 즉 평범한 일상을 뚫고 나오는, 숨겨진 신비로운 이야기를 확인할 수 있다. 결국 필자가 [A]를 구체적으로 보여 주는 의도는 여행에 대한 자신의 관심사를 보여 주기 위한 것이다.

| 서술형 평가 기준 |

필자의 의도를 〈조건〉에 맞게 서술한 경우	상
필자의 의도를 정확히 제시하고 있으나, 〈조건〉에 맞지 않게 서술한 경우	중
필자의 의도가 불완전하게 제시되어 있으며, 〈조건〉에 맞지 않게 서술한 경우	하

16. 필자는 (가)에서 책 속의 책을 따라가는 방법을 즐긴다고 하였을 뿐, 책 속에 인용된 문장의 목록을 작성하는 취미를 갖고 있는 것은 아니다. 책 속에 인용된 문장을 보여 준 의도는 책 속의 책을 따라가는 방법을 말하기 위해서이다.

| 오답 풀이 | ① (가)에서 필자는 책 목록 작성법으로 '책 속의 책을 따라가는 방법'을 소개하고 있다.

② (라)에서 필자가 좋아하는 작가의 책이 지시하는 책을 읽으려 하고 있음을 알 수 있다.

④ (가)에서 필자는 보르헤스의 『바벨의 도서관』에 나오는 "'도서관'의 모든 사람처럼 나는 젊은 시절 여행을 했다."란 말이 에이(A)에서 지시하는 책을 찾아 비(B)로, 비(B)에서 지시하는 책을 찾아 '시(C)로 가는' 것이라고 설명하고 있다. 그러면서 '이런 책 속 여행을 즐기는 편'이라고 한 것을 통해 필자의 책 목록 작성법과 『바벨의 도서관』에서 소개된 여행이 서로 유사점이 있음을 알 수 있다.

⑤ 『개인적인 체험』에서 "난 이제 도망치는 건 그만 둘래."는 현실적 고통을 벗어나기 위해 장애 아들을 버리고 여행을 떠나는 행위를 멈추고 절망적 현실에 맞서는 주인공의 의지를 드러내는 말이다. 『허클베리 핀의 모험』의 "좋아, 지옥에 내가 간다."는 말도 어떤 절망적인 현실에 당당히 맞서려 하는 주인공의 의지를 드러내는 말로서 필자가 이 말이 『개인적인 체험』에 나오는 주인공의 선택에도 영향을 미쳤으리라고 보는 점에서 삶의 자세가 서로 유사한 점이 있다고 할 수 있다.

17. (다)를 보면, 주인공 버드는 자신의 꿈을 잠시 유보한 것이 아니라, 자신의 꿈을 완전히 포기하고 아들을 살리기로 마음먹고 이를 행동에 옮기고 있다.

| 오답 풀이 | ㉠, ㉡ (나)에서 책 속의 책을 따라가는 방법을 이해시키기 위해 필자의 개인적인 경험을 소개하고 있는데, 오에 겐자부로의 『개인적인 체험』을 좋아한다면서 주인공 버드를 소개하고 있다. 주인공 버드는 장애아로 태어난 아들을 살리느냐 마느냐 고민에 빠져 있다는 데서 확인할 수 있다.

㉢ (라)에서 『개인적인 체험』의 작가 오에 겐자부로는 『허클베리 핀의 모험』을 좋아했고, 실제로 삶에서 선택이 필요할 때마다 "좋아, 지옥에 내가 간다."는 말을 읊조렸다고 하는 데서 확인할 수 있다.

㉤ (라)에서 필자는 "지옥에는 내가 간다."라는 말을 찾아서 『허클베리 핀의 모험』을 들추어 본다는 데서 확인할 수 있다.

18. (가)에 나타난 두 번째 책 목록 작성법을 활용하게 된 계기가 된 개인적인 독서 경험(사례)을 (나)~(라)에서 소개하고 있다.

| 서술형 평가 기준 |

중심 내용을 〈조건〉에 맞게 서술한 경우	상
중심 내용을 명확히 제시하고 있으나, 〈조건〉에 맞지 않게 서술한 경우	중
중심 내용이 불완전하게 제시되어 있으며, 〈조건〉에 맞지 않게 서술한 경우	하

2. 독서의 생활화

내신 적중 문제 p. 50

1. ③ **2.** ⑤ **3.** ⑤ **4.** ① **5.** ④ **6.** ④ **7.** 다른 사람들의 다양한 의견을 들을 수 있어서 사고를 넓힐 수 있다.

1. (다)에서 개요만을 뽑은 책을 증류수에 비유(직유)하여 개요만을 뽑은 책의 특성을 표현하여 독자의 이해를 돕고 있다.

2. (다)에서 필자는 '개요만을 뽑은 책은 보통의 증류한 물과 같

은 것으로서, 아무런 맛도 없는 법'이라며, 중요한 내용을 담은 책을 발췌독하는 것에 대해 부정적인 인식을 보이고 있다.

| 오답 풀이 | ① 어떤 책이냐에 따라 책을 읽는 방법이 달라짐을 말하고 있으나, 그 기준을 책의 분량으로 보지는 않았다.

②, ③ 중요하지 않은 내용이나 고상하지 않은 책은 다른 사람을 시켜서 읽어 달래도 좋고 타인에 의해 발췌된 내용만을 읽어도 좋다고 하였다. 발췌된 내용을 읽는다고 해서 주체적 사고가 약화된다는 내용은 찾을 수 없다.

④ 통독은 하지만 자세히 음미할 필요는 없는 책도 있다고 하였다.

3. 소설은 이야기의 일부만이 아니라 소설 전체를 읽고, 그에 대한 이해를 바탕으로 감상문을 쓰는 것이 좋다. 그런데 학생 2는 전체를 읽고 나서 감상문을 써야 하는데 요약한 줄거리만 읽고 감상문을 쓰려고 하고 있다. 따라서 필자의 관점에서 보면, 책에 담긴 내용을 제대로 즐기기 위해서 송두리째 읽으라고 충고할 수 있다.

4. '소설 독회'에서 작가가 자신조차 인식하지 못한 접근에 무릎을 치며 동의를 보낸다는 것에서 작가도 독자와 생각을 나누며 새로운 깨달음을 얻을 수 있음을 알 수 있다. 또한 편안하게 술술 읽히는 문장이 얼마나 고통스럽고 치열한 사유의 결과물이었는지를 짐작하게 한다는 점에서 독자 역시 새로운 깨달음을 얻음을 알 수 있다.

| 오답 풀이 | ② 이호철의 작품에 관심이 있는 외국인이 먼 길을 찾아오기도 하는 것을 근거로, '소설 독회'가 시·공간적 한계를 초월하여 이루어지는 활동이라고 판단하는 것은 적절하지 않다.

③ '소설 독회'를 통해 문장 구절구절마다 현미경과 망원경을 들이대고, 작가의 의도와 다른 해석도 한다는 점에서 작가의 세계관을 그대로 수용하는 것은 아니다.

④, ⑤ '소설 독회'는 작가를 아끼는 이들이 모여 함께 책을 읽고 토론을 하는 활동으로, 설득력을 높이는 것을 목적으로 하지 않으며, 사회 통합을 도모하는 활동으로도 볼 수 없다.

5. (라)에서 시 낭송회는 소설 독회에 비해 보편화된 독서 모임이라고 했을 뿐, 외국보다 우리나라에서 더 활성화된 활동이라고 하지 않았다.

| 오답 풀이 | ① (나)의 '소설가 이호철의 집필실 안팎 풍경이다. 이들은 이곳을 '소설의 느티나무 숲'이라고 불렀다.'에서 확인할 수 있다.

② (나)에서 소설가 이호철을 '일생에 걸쳐 분단 문제를 천착(穿鑿)한 작가'라고 소개하고 있다.

③ (라)의 독회에서는 '작품 하나하나, 문장 구절구절마다 현미경과 망원경을 동시에 들이댔다'에서 확인할 수 있다.

⑤ (다)의 '개중에는 직업으로 소설, 혹은 시를 쓰는 이도 있었고, 평범한 직장인, 주부, 학생도 있었다'에서 확인할 수 있다.

6. 자신의 독서 노트에 감상을 적어 두는 것은 '혼자 하는 독서'에 해당한다.

| 오답 풀이 | ① 라디오와 같은 방송 매체를 통해 유명한 책에 대해 개괄적으로 이해할 수 있을 뿐만 아니라, 책에 대한 생각을 작가나 청취자와 공유할 수 있다.

② 신문 서평란에 실린 전문가의 글을 통해 책에 대한 평가를 확인할 수 있다.

③ 인터넷 블로그는 쌍방향 의사소통이 가능한 매체로, 블로그 운영자의 생각뿐만 아니라 블로그의 댓글을 통해 다양한 사람들의 의견을 들을 수 있다.

⑤ 팟캐스트는 작가와 직접 소통할 수 있는 매체로, 작품에 대한 작가의 생각을 직접 듣고 궁금한 점을 물어볼 수 있어 작가의 의도를 보다 파악하기 쉽다.

7. 혼자 하는 독서는 자기 나름의 해석만 할 수 있어 다양한 생각을 하는 데 한계가 있다. (마)에 따르면, 여럿이 함께 하는 독서는 자신이 생각하지 못한 내용에 대해서도 알게 되기 때문에 폭넓은 사고를 할 수 있다.

| 서술형 평가 기준 |

기준	등급
예시 답에 가까운 내용으로 더불어 하는 독서 활동의 장점을 명확하게 서술한 경우	상
예시 답에 가까운 내용을 제시하고 있으나, 문장의 흐름이 다소 불명확하게 서술된 경우	중
예시 답의 내용 중 일부가 누락되어 불완전하게 서술된 경우	하

대단원 평가 문제

p. 53

1. ② **2.** ① **3.** ③ **4.** ③ **5.** 개인의 수준에 맞는 책을 읽어야 한다. **6.** ④ **7.** ③ **8.** 그 정신이 자신과 비슷한 사람을 발견했기 때문이다.

1. 이 글에서 필자는 독서의 효용에 대해 언급하고 있다.

| 오답 풀이 | ④ 이 글에서는 사상(事象)을 직접 보고 듣는 것과 책으로 읽어서 아는 것에는 큰 차이가 있다고 하면서 직접 경험보다 독서를 더 중요하게 생각하고 있다.

⑤ 이 글에서는 독서의 긍정적인 측면에 대해서만 언급하고 있다.

2. 3문단에서는 위인들의 말을 인용하여 독서가 미치는 심리적 효과를 강조하고 있다. ㉠은 독서에 몰두하여 얻는 즐거움으로 세상의 고뇌를 잊어버릴 수 있음을 나타낸 것으로, 여행 역시 일상생활에서 벗어나 다른 세계를 보면서 즐거움을 누릴 수 있다는 점에서 독서와 여행의 공통점을 찾을 수 있다.

3. 5문단에서 필자는 '같은 독자, 같은 책이라도 읽는 시기가 다르면 다른 풍미를 맛볼 수 있다.'라고 하면서, 이를 예를 들어 설명하고 있다.

| 오답 풀이 | ① 1문단에서 필자는 말투의 풍미, 담화의 품격, 저술의 풍미를 동일선상에서 설명하고 있다. 좋은 책을 선택하여 읽음으로써 말투에 풍미가 있게 되고, 말투에 풍미가 있으면 담화의 품격이 있게 되며, 이는 그가 쓰는 저술에도 풍미가 스며들게 된다는 것이다.

② 2문단에서 필자는 자기가 좋아하는 음식을 먹어야 소화가 잘 된다고 하면서, 읽는 데 흥미가 없으면 독서는 시간 낭비라고 하였다. 이는 흥미가 있는 책을 읽어야 이해가 잘 되고, 이를 통해 책의 풍미를 자신의 것으로 만들 수 있다는 말이다. 그렇지 않으면 아무것도 얻지 못하는 시간 낭비가 된다는 것이다.

④ 1문단에서 필자는 책의 풍미를 온전히 내 것으로 만들면 나의 담화와 저술에도 품격이 생긴다고 하였다.

⑤ 3문단에서 필자는 반드시 읽어야만 하는 필독서는 없으며, 개인의 지적 감흥이나 그가 처한 상황에 따라 그에 맞는 책을 선택하여 읽어야 한다고 말하고 있다. 이는, 책의 가치는 절대적인 것이 아니라, 개인의 지적 관심이나 상황에 따라 그 가치가 각각 다르게 결정될 수 있음을 말해 주는 것이다.

4. [A]에 따르면 우리의 지적 감흥, 즉 지적 관심이나 호기심은 자라고 흘러가는 동안 만나게 되는 각 상황에 자연스럽게 적응하며 성장하는 나무나 물처럼 각 개인의 성장 과정에서 자연스럽게 형성되고 변화되어 간다. 따라서 ㉮에는 개인의 지적 감흥은 각 개인의 성장 과정에서 자연스럽게 형성된다는 내용이 들어가는 것이 적절하다.

| 오답 풀이 | ① 나무와 물의 비유는 개인의 지적 감흥이 모두 다를 수밖에 없으므로 독서를 위한 책의 선택 역시 개인에 따라 달라질 수밖에 없음을 의미한다. 따라서 시대에 따라 책의 선택을 달리해야 한다는 진술은 적절하지 않다.

② [A]에 따르면 물이 노력하지 않고 목적도 없이 흐르지만, 반드시 바다로 들어가는 것처럼 특별한 목적 없이 읽는 책일지라도 개인의 지적 감흥 형성에 자연스럽게 기여함을 이끌어 낼 수 있다. 따라서 목적 없이 읽는 책 읽기를 지망해야 한다는 진술은 적절하지 않다.

④ [A]에서는 개인의 지적 호기심을 개인의 학습 단계와 연관 짓고 있지 않다.

⑤ 나무와 물에 유추하여 가치 있는 책의 선택은 개인에 따라 달라진다는 내용을 이끌어 낸 후, 반드시 읽어야 하는 책은 없다는 결론을 도출하고 있다. 따라서 모든 사람이 읽어야 하는 책에 대한 사회적 논의의 필요성에 대한 진술은 적절하지 않다.

5. [B]에서 필자는 자신이 수준에 맞지 않는 책을 읽으면 오히려 나쁜 뒷맛만 남게 된다고 하였다. 이는 개인의 수준에 맞는 책을 읽어야 한다는 필자의 의도를 보여 주는 것이다.

| 서술형 평가 기준 |

기준	등급
필자의 의도를 〈조건〉에 맞게 서술한 경우	상
필자의 의도를 〈조건〉에 맞지 않게 서술한 경우	중
필자의 의도를 불완전하게 서술한 경우	하

6. 4문단의 '천국은 어떤 곳일까, 단테는 천국을 어떤 곳이라고 생각했을까 궁금했습니다.'에서 필자는 천국의 실재에 대한 궁금증을 갖게 되었음을 알 수 있다. 따라서 필자가 천국의 실재에 대한 의구심을 갖게 되었다는 진술은 적절하지 않다.

7. 〈보기〉의 필자는 좋은 책은 '세상살이의 일반성에 관한 이해를 넓혀 주는 동시에 개인적 삶의 특수성까지도 풍부하게 해석해' 주며, '변화하는 세상과 그 속에 숨은 삶의 본질을 꿰뚫어' 본다고 하였다. 또한 이 글의 필자는 『신곡』을 읽은 뒤, 천국의 사람들이 현실의 사람들을 염려하고 걱정하고 있다는 새로운 인식을 얻고 있다. 따라서 〈보기〉의 필자는 「신곡」에 대해 세상살이의 일반성에 대한 이해가 넓어질 것이라고 반응할 것이다.

8. 이 글에 따르면, 필자가 『허클베리 핀의 모험』을 읽으려고 한 이유는 "지옥에는 내가 간다."라는 말이 『개인적인 체험』에 나오는 주인공의 선택에 영향을 미쳤을 것이라는 점 때문임을 알 수 있다. 이는 "지옥에는 내가 간다."라는 표현 속에 함축된 정신적 가치에 대한 작가의 공감이 필자와 일치했기 때문이다. 따라서 필자가 『허클베리 핀의 모험』을 읽으려고 한 이유는 〈보기〉에 나타난 표현대로 '그 정신이 자신과 비슷한 사람을 발견'했기 때문이다.

| 서술형 평가 기준 |

기준	등급
중심 내용을 〈조건〉에 맞게 서술한 경우	상
중심 내용을 명확히 제시하고 있으나, 〈조건〉에 맞지 않게 서술한 경우	중
중심 내용이 불완전하게 제시되어 있으며, 〈조건〉에 맞지 않게 서술한 경우	하

Ⅱ. 독서의 방법

1. 사실적 읽기

지혜롭고 행복한 집, 한옥

확인 문제 ❶

p. 63

1. ④ 2. ⓑ, ⓒ 3. ② 4. 5문단, 중심 내용을 뒷받침하는 예시에 해당하기 때문에

1. ❹에서 사랑채는 바람길을 내기가 쉽고, 안채는 사랑채에 비해 폐쇄적이라 하면서 바람길을 내기 위해서는 세밀한 처리가 필요하다고 하였다. 따라서 안채가 사랑채보다 바람길을 내기가 쉽다고 한 내용은 적절하지 않다.
| 오답 풀이 | ① ❸에서 한옥이 거시 기후에 맞춰 집 안에 바람길을 냈다고 하였으므로 적절하다.
② ❷에서 한옥과 달리 초고층 주상 복합 건축물은 상식과 이치에 맞지 않게 자연 환기가 봉쇄되었다고 하였으므로 친자연적 건물이라 볼 수 없다.
③ 정여창 고택은 바람길이 잘 드러난 사례로 제시한 것이므로 적절하다.
⑤ 나무창은 바람길을 내기도 하고 바람길을 없애기도 한다고 하면서, 추운 겨울에 나무창을 닫으면 매서운 북서풍을 완전히 차단한다고 하였으므로 적절하다.

2. ❹에서 안채는 사랑채에 비해 폐쇄적이어서 바람길을 내기 위해 세밀한 처리가 필요하다고 하면서, 바람길을 내기 위해 중문을 남쪽에 대청을 북쪽에 두었고, 대청 뒷면에 나무창을 설치하였음을 제시하고 있다.
| 오답 풀이 | ⓐ는 바람길을 내기 위한 사랑채의 특성에 해당하고, ⓓ는 이 글을 통해서는 알 수 없는 내용이다.

3. ❶에서 한옥을 친자연적 건물이라 하면서, 이러한 친자연적이라는 말에는 생활하기 불편하다고 여기는 사람들이 있음을 언급하고 있다. 이에 대해 필자는 편견이라 생각하고 있으므로, 한옥이 생활하기에 불편한 건축물이라는 ②의 내용은 적절하지 않다.

4. ❺에 제시된 '정여창 고택'은 거시 기후에 맞춰 집 안에 바람길을 냈다는 '통의 원리'를 구현한 구체적인 사례에 해당하므로, 평정도가 가장 낮다고 할 수 있다.

| 서술형 평가 기준 |

평가 기준	등급
평정도가 낮은 것을 고르고, 그 이유를 내용 전개 방식인 '예시'를 언급한 경우	상
평정도가 낮은 것을 골랐지만, 그 이유를 내용 전개 방식인 예시를 정확히 드러내지 못한 경우	중
평정도가 낮은 것을 고르기만 한 경우	하

확인 문제 ❷

p. 65

1. ⑤ 2. ② 3. ⓒ, ⓓ 4. ②

1. ❼에서 마당으로 들어오는 바람 중에서 대청으로 들어오는 바람이 중문으로 들어오는 바람보다 차갑다고 설명하고 있지만, 어느 것이 먼저 들어온다고는 언급하고 있지 않다.
| 오답 풀이 | ① ❼에서 담이 너무 높으면 바람의 흐름을 방해한다고 하였으므로, 담이 바람의 흐름을 방해한다고 할 수 있다.
② ❻의 '한옥에서 통의 원리를～미시 기후를 활용해서 마당에 찬 공기주머니를 만드는 것이다.'와 ❾의 '우리 조상은 한옥에～바람길을 내었다.'를 통해 알 수 있다.
③ ❼의 '우리 조상들은 한옥을 지을 때 지켜야 할 불문율 같은 것이 있었다. 대청 근처의 집 주변에 나무를 심지 말라는 것이다.'를 통해 알 수 있다.
④ ❼의 '마당의 공기가 열을 받아～유사한 상태가 만들어지고'를 통해 알 수 있다.

2. ❻에서는 통의 원리를 구현하는 방법 중 하나인 '찬 공기주머니'에 대해 설명하고 있다. 따라서 이러한 내용을 볼 때, 중요도 평정에서 '상'에 해당하는 것은 ⓐ와 ⓓ라 할 수 있다. ⓑ는 '미시 기후'의 개념을 정의하고 있으며, ⓒ는 미시 기후에 해당하는 예를 들고 있으므로, ⓐ와 ⓓ에 비해서 평정도가 낮다고 할 수 있다.

3. 이 글의 ❻에서는 '미시 기후'에 대해, ❼에서는 '대류'의 개념에 대해 각각 정의해 주고 있고, ❽에서는 바람을 머물게 하는 데 지붕의 처마가 큰 역할을 한다고 하면서 '관가정의 안채 안마당'을 구체적 사례로 제시하고 있다. 이렇게 볼 때, 이 글에서는 정의(ⓒ)와 예시(ⓓ)의 방법이 사용되었다고 할 수 있다.
| 오답 풀이 | ⓐ는 분류에 대한 설명이고, ⓑ는 비교, 대조에 대한 설명이다.

4. ❼에서 기체가 가열되면 가열된 부분이 팽창하면서 밀도가 낮아져서 위로 올라감을 알 수 있다.

내신 적중 문제

p. 70

1. ⑤ 2. ⑤ 3. ⑤ 4. ② 5. (다) – (라) – (마), 한옥에서는 거시 기후에 따라 바람길을 냈다. 6. ① 7. ③ 8. ⑤ 9. ③ 10. ① 11. 한옥은 자연을 거스르지 않으면서도 살기 편하기 때문입니다.

1. 이 글에서는 한옥이 통의 원리를 구현하는 집임을 밝히면서, 거시 기후에 맞춰 집 안에 바람길을 내는 통의 원리를 구현하는 방식을 구체적으로 설명해 주고 있다.

2. (나)에서 초고층 주상 복합 건축물이 불편함이 화제라 하면서, 그 이유로 자연 환기가 봉쇄되었음을 들고 있다.

| 오답 풀이 | ① (나)의 '한옥은 통의 원리를 구현하는 건강한 집이다.'를 통해 알 수 있다.

② (나)의 '한옥은 여러 과학적 방식을 활용해서'를 통해 알 수 있다.

③ (다)의 '한옥에서는 여름에 부는 바람인 남동풍의 방위에 맞춰 남향, 혹은 남동향으로 바람이 드나드는 바람길을 냈다.'를 통해 알 수 있다.

④ (라)의 '이 창은 바람길을 만들기도 하고 없애기도 하는 중요한 역할을 한다.'를 통해 알 수 있다.

3. (라)에서 '한옥 안채는 중문에서 안마당을 통해 대청 뒷문으로 불어 나가는 바람길을 갖추고 있다.'라고 하였으므로, 중문은 남동풍이 들어오는 문이라 할 수 있다.

| 오답 풀이 | ① (라)에서 '바람의 방향을 고려하여 중문을 남쪽에' 두었다고 하였으므로 적절하다.

② (라)에서 '중문을 남쪽에, 대청을 북쪽에' 두었다 하고 있고, 대청 뒷면에 나무창을 설치했다고 하였으므로 적절하다.

③ 제시된 사진은 한옥의 특징을 보여 주는 대표적인 사례이고, (나)에서 한옥은 통의 원리를 구현한 집이라고 했으므로 적절하다.

④ (라)에서 '안채는 사랑채에 비해 폐쇄적'이라 하였고, 여름철에 바람을 끌어들이기 위해서는 세밀한 처리가 필요하다 하면서 남쪽에 중문을 냈다고 하였으므로 적절하다.

4. (가)에서 필자는 '친자연적이라는 말에 생활하기 불편하다는 의미도 있다고 여기'는 사람들이 있음을 언급하며, 이러한 생각은 한옥을 깊이 있게 알지 못한 데에서 나온 편견이라 하고 있다. 그리고 (나)에서 필자는 초고층 주상 복합 건물이 자연의 원리를 거스르는 것임을 언급하며, 이와 달리 한옥은 자연의 원리를 잘 지키고 있으므로 친자연적인 건물이라 하고 있다. 따라서 (가)에서 한옥에 관한 편견이 있음을 지적한 뒤, (나)에서는 이러한 편견이 잘못된 것임을 밝히고 있다는 내용이 (가)와 (나)의 관계를 설명한 것으로 적절하다고 할 수 있다.

5. (다)에서는 한옥에 구현된 통의 원리로 바람길 내기가 있음을 제시하고, (라)에서는 그 방법을 구체적으로 제시하고 있다. 또한 (마)에서는 (라)에서 제시한 방법이 적용된 실제 사례를 제시하고 있으므로, 평정도를 따지면 (다)–(라)–(마) 순이라 할 수 있다. 따라서 (다)~(마)의 내용을 요약할 때, 평정도가 높은 (다)를 바탕으로 요약하면 된다.

| 서술형 평가 기준 |

기준	등급
(다)~(마)를 평정도 순으로 제시하고, (다)의 내용을 바탕으로 20자 내외로 요약한 경우	상
(다)~(마)를 평정도 순으로 제시하였지만, 요약 내용이 〈조건〉을 충족시키지 못한 경우	중
(다)~(마)를 평정도 순으로만 제시하고, 요약이 올바르지 못한 경우	하

6. 사실적 읽기는 글 읽기의 다양한 방법 중 가장 기본이 되는 것으로, 글의 표면에 드러난 의미를 있는 그대로 이해하는 것이라 할 수 있다. '사실적 읽기' 방법으로 독서할 때는 명시적으로 드러난 정보를 확인하며 읽어야 하므로 한옥이 통의 원리를 어떻게 구현했는지에 대한 정보를 살펴봤다는 혜리가 사실적 읽기 방법으로 읽었다고 할 수 있다.

7. (나)를 통해 숲 앞에 한옥을 짓는 이유가 찬바람을 끌어들이기 위함임을 알 수 있지만, 나무를 심은 이유에 대해서는 언급하지 않았다. 오히려 대청 가까이 나무가 있으면 바람이 흘러드는 것을 막기 때문에 대청 주변에 나무를 심지 않는 것이 지켜야 할 불문율이었다고 설명하고 있다.

| 오답 풀이 | ① (가)에서 한옥에서 통의 원리를 구현하는 방법으로 미시 기후를 활용한다고 하였으므로 적절한 반응이라 할 수 있다.

② (나)에서 한옥에서는 마당을 비워서 찬 공기주머니를 만든다고 하고 있는데, 이는 '대류'라는 과학적 원리를 이용한 것이므로 적절한 반응이라 할 수 있다.

④ (라)에서 한옥이 자연을 거스르지 않으면서도 살기 편한 집이라 하면서, 이러한 면이 진정한 친자연의 의미라고 하였으므로 적절한 반응이라 할 수 있다.

⑤ (다)에서 지붕의 처마가 찬바람을 오래 잡아 두는 역할을 하고, 이러한 처마의 역할 때문에 한옥의 안채가 여름에 시원하다고 하였으므로 적절한 반응이라 할 수 있다.

8. (가)에서 한옥 안마당을 비워 두었다고 했지만, 그 크기나 모양에 대한 설명은 나타나 있지 않다.

| 오답 풀이 | ① (나)의 찬바람이 잘 들어오게 하기 위해 한옥을 숲 앞에 지었다는 내용을 통해 적절함을 알 수 있다.

② (다)에서 안마당으로 흘러 들어온 찬바람을 오래 잡아 두기 위해 한옥의 지붕 처마를 많이 돌출시켰다는 데서 알 수 있다.

③ (가)에서 한옥을 지을 때 통의 원리를 구현하는 방법으로

미시 기후를 활용하였다는 데서 알 수 있다.

④ (나)에서 바람이 잘 통하도록 한옥 담을 낮게 쌓았다는 사실을 알 수 있다.

9. (다)에서는 '관가정의 안채 안마당'의 사례를 들어 지붕의 처마가 마당에 들어온 찬 공기를 계속 머물게 하고 있음을 드러내 주고 있으므로, 대조의 방법이 아닌 예시의 방법이 사용되었다고 할 수 있다.

|오답 풀이| ①, ② (가)에서는 한옥에 구현된 통의 원리로 찬 공기주머니 만들기를 제시하고 있고, (나)와 (다)에서는 찬 공기주머니 만들기의 구체적인 방법을 제시하고 있다. 따라서 중요도 평정에서 (가)가 높고 (나)와 (다)는 낮음을 알 수 있다. 그리고 (라)는 글 전체의 내용을 요약, 정리하며 한옥의 진정한 가치를 제시하면서 글을 마무리하고 있으므로 중요도 평정이 높다고 할 수 있다.

④ (라)의 '우리 조상은 한옥에~처마를 이용해 들어온 바람을 머물도록 했다.'는 글 전체의 내용을 요약·정리해 주는 부분에 해당한다.

⑤ (가)에서는 한옥에 구현된 통의 원리에 찬 공기주머니 만들기가 있음을 제시하고 있고, 이에 대해 (라)에서는 이를 자연을 거스르지 않는 진정한 친자연의 의미라고 하였으므로, 이를 바탕으로 할 때, 이 글의 주제는 '통의 원리를 구현한 친자연적인 건축물인 한옥'임을 알 수 있다.

10. (나)에서 지붕의 처마가 마당에 들어온 찬 공기를 계속 머물게 하는데 큰 기여를 한다고 하였으므로, 한옥에 처마를 둔 이유로 가장 적절한 것은 ①이라 할 수 있다.

11. (라)의 '이처럼 우리 조상은 슬기롭게 자연을 거스르지 않으면서도 살기 편한 집을 만들었다. 이것이 한옥이 갖는 진정한 친자연의 의미이다.'를 통해 필자가 한옥을 친자연적이라고 한 이유를 알 수 있다.

|서술형 평가 기준|

한옥이 친자연적인 이유 두 가지를 모두 밝히고 〈조건〉에 따라 쓴 경우	상
한옥이 친자연적인 이유를 제시하였지만, 〈조건〉에 따라 쓰지 않은 경우	중
한옥이 친자연적인 이유 한 가지만 쓰고, 〈조건〉에 따라 쓰지 않은 경우	하

2. 추론적 읽기

36.5도 인간의 경제학

확인 문제 ❶ p. 77

1. ③ **2.** ⑤ **3.** ② **4.** 무임승차, 공공재 생산에 드는 비용을 부담하지 않아도 되므로

1. (다)의 '이기적인 사람은 공공재가 필요하다고 생각하면서도 필요하지 않다고 말한다.'는 내용과 공공재에 무임승차를 하려 한다는 성향을 볼 때, 이기적인 사람이 공공재에 비용을 결코 부담하려 하지 않음을 알 수 있다.

|오답 풀이| ① (나)의 '대부분의 공공재를 정부가 생산, 공급하는 것은 이 때문이다.'를 통해 알 수 있다.

② (다)의 '이기적인 사람은 어떤 공공재가 필요하다고 생각하면서도'를 통해 알 수 있다.

④ (다)에서 이기적인 사람은 다른 사람들이 비용을 들여 공공재를 생산하면 여기에 편승하여 혜택을 누린다 하고 있고, 이러한 행위를 '무임승차'라 언급하고 있으므로 적절하다.

⑤ (가)의 '호모 에코노미쿠스를 전형적 인간형으로 보는 전통적 경제학'의 내용을 통해 알 수 있다.

2. (가)의 '호모 에코노미쿠스는 사랑이나 미움, 기쁨이나 슬픔 같은 인간의 체취가 완전히 제거된 존재이다.'를 통해, 호모 에코노미쿠스가 인간의 감정을 직접적으로 표출한다고는 볼 수 없다.

3. 앞의 내용인 '도로나 공원처럼 여러 사람이 공동으로 소비하는 것을 '공공재'라고 부른다. 공공재의 또 다른 예로는 국방 서비스나 경찰 서비스를 들 수 있다.'를 통해, 공공재는 공동으로 소비하는 것임을 알 수 있다. 그런데 이런 공공재가 '시장에서는 취급하기 어렵다'라고 하고 있는데, 이는 시장이 공공재를 공동으로 소비하는 공간이 아닌 개인적으로 소비하는 공간이라 추측할 수 있다.

|오답 풀이| '이 공공재에는 독특한 성격이 있어서 시장에서는 그것을 취급하기 어렵다.'를 통해, ⓑ는 글의 내용을 잘못 이해한 것이므로 적절하지 않다. 그리고 ⓓ는 앞에서 '여러 사람이 공통으로 소비하는 것'을 '공공재'라 하고 있고, 국방 서비스와 경찰 서비스가 이에 해당한다고 하고 있다. 따라서 ⓓ는 글의 내용을 통해 확인할 수 있는 것이어서 생략된 내용을 추리한 것이라 보기 어렵다.

4. 이기적인 사람들은 다른 사람들이 비용을 들여 공공재를 생산하면 이에 편승해 혜택을 누리려 하고 있는데, 이렇게 하는 이유는 공공재에 드는 비용을 부담하지 않아도 되기 때문이다. 이러한 이기적인 사람들의 행위에 대해 필자는 '무임승차'라는 말을 통해 드러내 주고 있다.

| 서술형 평가 기준 |

'무임승차'를 제시하고, 공공재에 편승하려는 이유를 〈조건〉에 맞게 제시한 경우	상
'무임승차'를 제시했지만, 공공재에 편승하려는 이유를 〈조건〉에 맞게 제시하지 못한 경우	중
'무임승차'를 제시했지만, 공공재에 편승하려는 이유를 올바르게 제시하지 못한 경우	하

확인 문제 ❷

p. 79

1. ② **2.** ⑤ **3.** ① **4.** 공공재를 생산하는 데 비용을 부담하려는 태도를 지니고 있다.

1. (아)에서 '사람들이 자기가 가진 표를 각 상자에 얼마만큼씩 나눠 넣는 것'을 보면 '사람들이 공공재에 대해 어떤 태도를 보이는지 알 수 있다' 하고 있다. 이 내용을 볼 때, 이 실험을 한 의도가 공공재에 대한 사람들의 태도가 어떠한지 살펴보기 위함임을 알 수 있다.

2. (아)에서 이기적인 사람이라면 50장을 전부 흰색 상자에 표를 넣어 일단 5만 원을 얻은 뒤, 나머지 사람들이 푸른색 상자에 표를 넣으면 거기서도 얼마간의 이익을 얻을 것이라 생각한다 하였으므로, ⑤는 실험 내용을 정확히 이해하지 못한 것이라 할 수 있다.
| 오답 풀이 | ① (바)의 '만약 내가 가진 표 50장 전부를 흰색 상자에 넣으면 나는 실험이 끝난 후 5만 원을 주머니에 넣을 수 있다.'를 통해 알 수 있다.
② (사)에서 흰색 상자에 표를 넣는 것은 이기적 행위를 뜻한다고 하였으므로, 50장을 흰색 상자에 모두 넣으려는 사람은 이기적 성향이 매우 강한 사람이라 할 수 있다.
③ (아)를 통해 흰색 상자에 모든 사람이 표 50장을 넣으면 총 50만 원을 얻을 수 있고, 푸른색 상자에 모든 사람이 표 50장을 넣으면 총 250만 원을 얻을 수 있음을 알 수 있다. 따라서 모든 사람이 자신의 표를 푸른색 상자에 넣을 경우 흰색 상자에 넣는 것보다 이익이 더 큼을 알 수 있다.
④ (사)에서 푸른색 상자에 표를 넣는 사람의 행위에 대해 공공재를 생산하는 데 드는 비용을 부담하는 것이라 하였으므로, 푸른색 상자에 표 50장을 넣는 사람은 공공의 이익을 우선시하는 사람이라 할 수 있다.

3. ㉠은 개인의 이익보다는 공공의 이익을 위한 선택에 해당하므로, 이러한 행위에는 타인도 생각하는 인간의 이타적인 성향이 담겨 있다고 할 수 있다.

4. 이 글에서는 푸른색 상자에 표를 넣는 것에는 모두가 함께 이득을 얻자는 의도가 내포되어 있다고 하면서, 푸른색 상자에 표를 넣는 행위는 공공재를 생산하는 데 드는 비용을 부담하는 것이라 하고 있다. 따라서 정의가 푸른색 상자에 자신의 표를 모두 넣는 행위는 공공재 생산에 드는 비용을 부담하려는 태도를 드러낸 것이라 할 수 있다.

| 서술형 평가 기준 |

공공재를 생산하려는 비용을 부담한다는 내용이 잘 드러난 경우	상
공공재 생산에 참여한다는 내용만을 제시한 경우	중
공공재 생산과 관련된 태도를 지적하지 못하고, 이타적 행위라고만 제시한 경우	하

확인 문제 ❸

p. 81

1. ② **2.** ③ **3.** ⑤ **4.** ①

1. (타)에서 필자는 의문형 형식으로 글을 끝맺으면서 새로운 시각으로 기존의 경제 이론과 경제 정책을 검토해야 한다는 주장을 드러내고 있다.
| 오답 풀이 | ① 이 글에서는 실험 내용을 바탕으로 주장의 근거로 삼고 있지, 특정 대상의 원리를 제시하지는 않고 있다.
③, ④ 이 글에서는 대상 간의 차이점을 드러낸 대조의 방법이나 특정 대상을 다른 대상에 빗댄 유추적인 방법은 사용되지 않고 있다.
⑤ 이 글에서 글쓴이는 자신의 주장을 드러내고 있을 뿐, 자신의 주장에 대한 반론을 제시하지는 않고 있다.

2. (타)에서 필자는 지금의 경제 정책을 만드는 근거가 되었던 전통적 경제 이론이 현실을 설명하는 능력에 한계가 있고, 고전적 경제 이론에 기초를 두고 있는 경제 정책이 기대한 효과를 내지 못할 가능성이 있다고 언급하고 있다. 그러면서 '이제는 경제 이론과 경제 정책을 새로운 시각에서 다시 검토해 볼 필요가 있지 않을까?'라고 의문형을 통해 전통적 경제학의 입장에서 제시된 지금의 경제 이론과 경제 정책을 새로운 시각으로 바라보며 재검토해야 함을 드러내고 있다.

3. (카)를 통해 사람들이 공공재에 무임승차를 하려는 경향이 의외로 약하였고, 실험을 반복해도 가진 표를 전부 흰색 상자에 넣지 않고 푸른색 상자에 40~60퍼센트를 넣었다는 실험 결과를 확인할 수 있다. 이러한 실험 결과를 바탕으로 할 때, 극히 일부의 사람들만이 공공재 생산 비용을 부담할 용의를 지녔다는 내용은 글을 잘못 이해한 것이라 할 수 있다.
| 오답 풀이 | ① (차)에서 이기적인 사람의 경우 흰색 상자에 표를 넣는 데 의문의 여지가 없다고 하였으므로 적절한 이해라 할 수 있다.
② (타)에서 전통적 경제 이론이 현실을 설명하는 데 한계가 있다라고 하였으므로 적절한 이해라 할 수 있다.
③, ④ (타)에서 전통적 경제 이론에 기초를 두고 있는 경제

정책이 기대한 효과를 내지 못할 가능성이 있다고 하고 있다. 이러한 내용을 볼 때 오늘날 수립된 경제 이론과 경제 정책이 전통적 경제 이론을 바탕으로 하고 있음을 알 수 있고, 이러한 이론에 따라 수립된 경제 정책이 제대로 효과를 내지 못할 수 있음을 알 수 있다.

4. 필자는 (카)에서 사람들이 공공재에 무임승차를 하려는 경향이 의외로 약했다고 실험 결과를 제시하면서, (타)에서 이러한 실험을 통해 인간이 경제 행위를 할 때 언제나 이기적으로, 합리적으로 행동하지 않는다고 밝히고 있다. 이러한 내용을 볼 때, 필자가 ㉠을 제시한 이유로 가장 적절한 것은 ①이라 할 수 있다.

내신 적중 문제

p. 86

1 ① **2.** ⑤ **3.** ⑤ **4.** ③ **5.** ② **6.** ④ **7.** ④
8. 정수는 자신의 표를 흰색 상자에 넣을 것이다. 그런 뒤 정수는 다른 사람이 푸른색 상자에 표를 넣기를 기대하는 태도를 보일 것이다. **9.** ②

1. (나)에서는 공공재에 대한 개념을 제시해 주면서, 공공재를 정부가 생산, 공급하는 이유를 제시하고 있다. 이렇게 볼 때, 이 글에서는 내용 이해를 돕기 위해서 공공재에 대한 개념을 정의해 주었다고 할 수 있다.

|오답 풀이| ② 이 글에서는 항목별로 나누어 설명하는 방식인 '분류'의 방식이 사용되지 않고 있다.

③ (나)에서 묻고 답하는 방식을 사용하여 국민들이 국방 서비스를 이용하지 않는 이유를 드러내고 있지만, 공공재가 지닌 가치를 부각하고 있지는 않다.

④ (나)에서 구체적인 사례를 제시하여 공공재를 정부가 생산, 공급하는 이유를 드러내고 있지만, 공공재에 대한 일반인들의 편견을 드러내 주지는 않고 있다.

⑤ 이 글에서는 시간의 흐름에 따른 변화 과정을 보여 주는 통시적인 방법은 사용되지 않고 있다.

2. 전통적 경제학에서는 호모 에코노미쿠스, 즉 이기적 인간을 전형적 인간형으로 보고 있는 것은 사실이지만, 그렇다고 이들이 공공재가 필요하지 않다고 여기는 것은 아니다. 이는 이기적 인간 역시 공공재가 필요하다고 여긴다는 점을 통해서도 알 수 있다.

|오답 풀이| ① (라)의 '자기가 속한 공동체의 이익을 무시하고 개인적인 이익만을 취하려고 행동한다.'는 내용을 통해 이끌어 낼 수 있다.

② (가)에서 호모 에코노미쿠스가 물질적 동기에 의해 움직이고, 자신의 이익을 합리적으로 추구하는 존재라는 점을 볼 때 이끌어 낼 수 있는 내용이다.

③, ④ (나)에서 공공재를 생산할 때 아무 비용을 지불하지 않은 사람도 공공재의 혜택을 누릴 수 있어서 대부분의 공공재를 정부가 생산, 공급한다고 하고 있다. 이를 통해 개인이 공공재 생산 비용을 들이지 않아도 공공재를 사용할 수 있고, 공공재 생산의 대부분을 정부가 감당하여야 함을 알 수 있다.

3. ⓔ의 '이'는 앞에 나오는 '개인이나 기업이 비용을 들여 공공재를 생산할 때 아무 비용을 지불하지 않은 사람도 비용을 지불한 사람과 함께 그 혜택을 누릴 수 있게 된다.'를 가리킨다. 따라서 '이 때문'은 '정부가 공공재를 생산, 공급하는 것'의 이유가 앞의 문장 때문임을 드러내 주는 것이라 할 수 있으므로 ⑤는 적절하지 않다.

|오답 풀이| ① 여러 사람이 공동으로 소비하는 공공재를 시장에서는 취급하기 어렵다는 것에는, 이윤을 추구하는 시장과 달리 공공재에는 이윤을 추구하지 못한다는 의미가 담겨 있다고 할 수 있다. 따라서 ⓐ에는 '시장은 이윤을 추구한다.'는 전제가 생략되어 있다고 할 수 있다.

② 필자는 기업이 국방 서비스를 생산하여 판매하는 상황을 '가정'하여 제시하고 있는데, 이어지는 내용을 통해 필자는 국방 서비스와 같은 공공재를 개인이나 기업이 아닌 국가가 생산, 공급하는 이유를 제시하기 위해서 '가정'하는 형식으로 제시한 것이라 할 수 있다.

③ ⓒ는 국방 서비스를 생산, 공급하는 기업에 국방 서비스를 받기 위해 지불하는 비용을 가리킨다고 할 수 있다.

④ ⓓ는 뒤에 이어지는 내용인 '이 때문이다'를 강조하기 위해 사용한 표지라고 할 수 있다.

4. 〈보기〉의 내용은 '손실 회피 편향'의 사례에 해당하는 것으로, 주식 투자에서 주가가 하락할 경우 손절매를 해야 하지만, 투자자는 손실을 인정하지 않다가 더 큰 손해를 보는 것을 보여 주고 있다. 이러한 투자자의 모습은 인간이 언제나 합리적으로 행동하지 않음을 보여 주는 사례라 할 수 있으므로 ③이 가장 적절하다.

5. ㉠은 '자기 것으로 만들어 가지다.'의 의미로 사용되었으며, 이와 유사한 의미로 사용된 것은 ②라 할 수 있다.

|오답 풀이| ① '남에게서 돈이나 물품 따위를 꾸거나 빌리다.'의 의미이다.

③ '일정한 조건에 맞는 것을 골라 가지다.'의 의미이다.

④ '어떤 일에 대한 방책으로 어떤 행동을 하거나 일정한 태도를 가지다.'의 의미이다.

⑤ '어떤 특정한 자세를 하다.'의 의미이다.

6. (아)의 '이제는 경제 이론과 경제 정책을 새로운 시각에서 다시 검토해 볼 필요가 있지 않을까?'라는 내용을 통해, 필자가 경제 이론과 경제 정책을 수립하는 사람들을 예상 독자로 삼고 있음을 알 수 있다.

7. (라)를 통해, 모든 사람이 각자 가진 표를 전부 흰색 상자에 넣으면 1인당 5만 원씩 얻어, 집단 전체가 얻는 돈은 50만 원이 됨을 알 수 있다. 반면에 모든 사람이 가진 표를 전부 푸른색 상자에 넣으면 각자 25만 원씩 얻을 수 있고, 집단 전체가 얻는 돈은 250만 원이 됨을 알 수 있다. 따라서 집단 전체가 흰색 상자에 표를 넣는 것보다 푸른색 상자에 표를 넣어 얻는 이득이 많음을 알 수 있다.

|오답 풀이| ① (다)의 내용을 통해 '흰색 상자'에 표를 넣는 것은 이기적 행위에 해당하고, '푸른색 상자'에 표를 넣는다는 것은 이타적 행위를 의미함을 알 수 있다.

② (마)에서, 개인적 관점에서 볼 때 가장 바람직한 결과는 흰색 상자에 넣는 것이 바람직하다고 하였으므로 적절하다.

③ (사)에서 실험 결과나 여러 번 실험을 반복해도 무임승차를 하려는 경향이 의외로 약하다고 하고 있다. 그리고 이러한 결과에 대해 사람들이 공공재 생산 비용에 자발적으로 기여한 것이라 하고 있으므로 적절함을 알 수 있다.

⑤ (바)의 '이 실험의 목적은 사람들이 현실의 상황에서 무임승차를 하려는 경향을 어느 정도로 보이는지를 테스트해 보려는 데 있다.'를 통해 알 수 있다.

8. 합리적이고 이기적인 인물인 정수는 이기적 경제 행위를 할 것이므로 흰색 상자에 자신의 표를 모두 넣을 것이다. 그런 다음 정수는 다른 사람이 푸른색 상자에 표를 넣으면 자신 역시 이익을 얻을 수 있으므로, 다른 사람들은 푸른색 상자에 표를 넣기를 기대하는 태도를 보일 것임을 알 수 있다.

|서술형 평가 기준|

기준	등급
정수가 흰색 상자에 표를 넣은 것을 밝히고, 다른 사람이 푸른색 상자에 표를 넣기를 기대하는 태도를 보인다고 서술한 경우	상
정수가 흰색 상자에 표를 넣은 것을 밝혔지만, 다른 사람이 푸른색 상자에 표를 넣기를 기대하는 태도를 보인다는 내용이 정확히 드러나지 않은 경우	중
정수가 흰색 상자에 표를 넣은 것만 밝히고, 다른 사람이 푸른색 상자에 표를 넣기를 기대하는 태도와 전혀 무관한 내용을 제시한 경우	하

9. (아)의 '현실의 인간은 경제학 교과서에 등장하는 호모 에코노미쿠스와 다르다. 우리가 경제 행위를 할 때 언제나 이기적으로, 합리적으로 행동하지는 않는다는 것이다.'를 볼 때, 호모 에코노미쿠스는 이기적이고 합리적으로 행동하는 존재임을 알 수 있다. 따라서 미리 계획한 목표를 달성하자 주식을 바로 팔아 버린 회사원이나, 자신의 필요 여부에 따라 제품을 구입하려는 생각을 지닌 정민이 누나가 ㉠에 가장 가까운 인물이라 할 수 있다.

3. 비판적 읽기

동물의 복지를 생각한다

확인 문제 ❶ p. 93

1. ⑤ 2. ③ 3. ⑤ 4. 동물을 기계처럼 여겼다. 동물을 마치 기계인 양 취급하는 배터리 닭장 같은 공장식 농장의 출현을 가져오게 하였다.

1. (마)에서 어떤 사람에게는 복지로 생각되는 일이 어떤 사람에게는 복지가 아닐 수 있다고 하였으므로, 복지는 대상이 처한 상황에 따라 다르게 적용되어야 함을 알 수 있다.

|오답 풀이| ① (가)의 '대부분의 사람은 동물을 학대하는 행위에 반대한다. 이러한 생각의 바탕에는 동물도 도덕적 지위를 지니고 있다는 믿음이 깔렸다.'와 동물 권리 운동가들의 행위를 통해 알 수 있다.

② (나)의 '서구에서는 오랜 기간 동물을 이성적 영혼이 없는 존재로 여기는 철학적 관념이 우세했고, 근세에 이르기까지는 동물 복지와 같은 것은 사실상 없다고 할 수 있다.'를 통해 알 수 있다.

③ (라)의 '이 합의는 바로 동물에게도 '복지'가 있다는 생각에 근거하는 것이다. 이것은 현대 사회에서 동물의 권리에 관해 어떤 생각을 하고 있든 최소한 공유되고 있는 생각이다.'를 통해 알 수 있다.

④ (다)의 '사실 우리는 데카르트의 주장처럼, 동물이 쾌락이나 고통을 느낀다는 것을 명확히 입증하지 못한다.'를 통해 알 수 있다.

2. (가)에서는 동물 권리 운동가들의 시도가 성공을 거둔 사례로 '배터리 닭장'이 사라지게 되었음을 들고 있고, (마)에서는 '복지'의 개념을 정의하고 있다.

3. (가)를 통해, 동물 권리 운동가들의 노력에 의해서 '배터리 닭장'이 2012년부터 유럽 연합에서 사라지게 되었음을 알 수 있다. 하지만 이 글을 통해 배터리 닭장이 전 세계에서 사라졌는지는 확인할 수 없으므로 ⑤는 적절하지 않다.

|오답 풀이| ① 데카르트의 경우 동물을 마치 기계처럼 여겼으므로 '배터리 닭장'이 있는 것이 당연하다고 생각할 것이다.

②, ④ '배터리 닭장'은 생산비를 줄이기 위해 좁은 공간, 비위생적인 환경에서 닭을 키우는 것이므로 동물에 대한 지독한 학대 행위 끝에 나온 산물이라 할 수 있다. 따라서 이러한 '배터리 닭장'은 동물에게도 복지가 있다는 생각과는 배치되는 것이라 할 수 있다.

③ '배터리 닭장'은 인간은 어떠한 제한도 받지 않고 동물을 이용할 수 있다는 기존의 견해를 반영한 것이라 할 수 있으므로 적절한 설명이라 할 수 있다.

4. (나)에서 보면 서구에서는 동물을 이성적 영혼이 없으며, 마치 기계와 같은 존재로 여기는 철학적 관념이 있었으며, 이러한 관념의 영향으로 동물을 기계인 양 취급하는 공장식 농장이 출현하였음을 언급하고 있다.

| 서술형 평가 기준 |

기준	등급
데카르트의 동물에 대한 인식을 제시하고, 데카르트와 같은 인식이 오늘날에 미친 영향을 〈조건〉에 따라 쓴 경우	상
데카르트의 동물에 대한 인식을 제시하였지만, 데카르트와 같은 인식이 오늘날에 미친 영향을 쓴 내용이 〈조건〉을 충족시키지 못한 경우	중
데카르트의 동물에 대한 인식을 제시하였지만, 데카르트와 같은 인식이 오늘날에 미친 영향을 쓴 내용이 〈조건〉을 전혀 반영하지 않은 경우	하

확인 문제 ❷ p. 95

1. ④ **2.** ⑤ **3.** ⑤ **4.** 동물 복지를 위한 객관적 기준을 마련해야 할 때는 동물의 기본적 욕구를 파악하여 이를 충족시킬 수 있는가를 고려해야 한다.

1. (아)에서 필자는 어쩔 수 없이 동물을 죽일 수밖에 없다면 고통을 최소화하는 것이 훌륭한 복지라 하고 있으므로, 어쩔 수 없는 경우에 동물을 죽이는 것 역시 동물 복지라 여기고 있음을 알 수 있다. 따라서 동물 복지 측면에서 동물을 죽이는 행위를 해서는 안 된다는 내용은 적절하다고 할 수 없다.

| 오답 풀이 | ① (바)에서 필자는 동물 복지는 누구의 관점에서 판단되어야 하는가 물으면서, 인간 중심의 생각을 보여 주는 세 가지 경우를 들어 모두 위험한 생각이라 하고 있다. 이렇게 볼 때 동물의 복지는 인간의 관점이 아닌 동물의 관점에서 파악해야 함을 알 수 있다.

② (차)에서 동물의 복지를 책임져야 하는 것은 인간이고, 이러할 때 인간을 보다 인간답게 하는 일이 된다고 하였으므로 적절한 내용이다.

③ (아)에서 동물의 욕구 중 적극적 욕구는 적합한 먹이나 청결한 환경과 같이 긍정적인 것을 추구하는 것이라 제시하고 있다.

⑤ (사)에서 동물 복지를 위한 객관적인 기준을 마련하는 것은 인간의 책임 있는 행동을 위해 절대적으로 필요한 일이라 하였으므로 적절하다.

2. (아)에서 필자는 동물에게는 적극적 욕구와 소극적 욕구가 있는데, 동물을 죽일 수밖에 없다면 소극적 욕구인 고통을 최소화하는 것이 훌륭한 복지라 하고 있다. 따라서 동물의 적극적 욕구를 수용하는 것이 훌륭한 복지라고 한 ⑤는 적절한 이해라고 할 수 없다.

3. (차)에서 필자는 동물의 고통을 최소화하기 위해 노력하는 것이 인도적 행위라고 하면서, 이러한 행위는 동물과 건전하고 바람직한 관계를 정립하는 측면에서 마땅히 지켜야 할 자세라 하고 있다. 따라서 사람들이 인도적 행위를 지켜야 하는 가장 큰 이유는 ⑤라 할 수 있다.

4. (아)의 '복지란 '기본적인 욕구'가 충족되는 것이므로 동물의 기본적인 욕구가 무엇인지 아는 것이 필수적이다.'를 통해, 동물의 기본적 욕구를 파악하여 이를 충족시킬 수 있는가를 동물 복지의 객관적 기준으로 마련할 수 있음을 알 수 있다.

| 서술형 평가 기준 |

기준	등급
동물의 기본적 욕구를 파악하여 이를 충족시킬 수 있어야 한다는 내용을 〈조건〉에 맞게 제시한 경우	상
동물의 기본적 욕구를 파악하여 이를 충족시킬 수 있어야 한다는 내용을 제시하였지만 〈조건〉을 충족시키지 못하는 경우	중
동물의 기본적 욕구를 파악하여 이를 충족시킬 수 있어야 한다는 내용을 제대로 제시하지 못한 경우	하

내신 적중 문제 p. 100

1. ① **2.** ③ **3.** ④ **4.** 근세에는 동물을 마치 기계인 양 취급하고 있었기 때문에 동물에게 도덕적 지위가 없다고 생각했다. 반면에 오늘날에는 동물에게 복지가 있다고 여겨서 도덕적 지위를 인정하고 있다. **5.** ② **6.** ⑤ **7.** ③

1. (나)를 통해 동물을 기계처럼 여긴 근세의 인식이 오늘날에 영향을 미쳐 공장식 농장의 출현을 가져왔음을 알 수 있다. 이렇게 볼 때, ①은 선후가 뒤바뀐 잘못된 내용이라 할 수 있다.

| 오답 풀이 | ② (나)에서 근세에 이르기까지 동물 복지와 같은 것이 사실상 없었다고 하였으므로, 동물에 대한 복지 개념은 근세 이후에 등장하였다고 할 수 있다.

③ (가)에서 '배터리 닭장'은 동물에 대한 인간의 지독한 학대를 보여 주는 것으로, 이러한 학대는 동물을 제한 없이 이용할 수 있다는 인간의 이기심에서 비롯된 것이라 할 수 있다.

④ (라)에서, 동물에게도 복지가 있다는 생각이 현대 사회에서 최소한 공유되고 있는 생각이라 하였으므로, 이를 통해 오늘날 동물을 학대하지 않아야 한다는 인식은 사회적으로 공유된 것이라 할 수 있다.

⑤ (마)에서 '복지'를 기본적인 욕구가 충족되고 고통이 최소화되는 행복한 상태라고 정의하고 있으므로, 이를 통해 볼 때 동물 복지 역시 동물들의 기본적인 욕구를 충족시키고 고통을 최소화하는 것이라 할 수 있다.

2. 가영은 필자의 동물의 복지에 대한 생각을 파악한 뒤, 필자가 동물에 대해 보다 관심을 촉구하는 의도로 글을 썼을 것

이라 하고 있는데, 이는 글을 비판적으로 읽은 것이 아니라 글을 통해 필자의 의도를 추리하는 추론적 읽기에 해당한다고 할 수 있다.

3. 이 글에서 필자는 복지란 개념이 복합적인 해석이 가능하다고 하면서, 어떤 사람에게는 복지로 생각되는 일이 어떤 사람에게는 복지가 아닌 것으로 판단될 수 있음을 드러내고 있다. 이렇게 볼 때, 〈보기〉의 코끼리를 구하여 동물원에서 보호해야 한다는 의견은 코끼리 입장에서 코끼리를 위한 복지가 아닐 수 있으므로, 필자의 생각이라 볼 수 없다.

| 오답 풀이 | ① 〈보기〉의 '블랙 아이보리 커피'는 코끼리에게 적합하지 않은 커피 열매를 먹여 변으로부터 얻는 것으로, 동물을 학대하여 얻은 것이라 할 수 있다. 이렇게 볼 때, 동물 복지를 주장하는 필자의 경우, '블랙 아이보리 커피'에 인간은 어떠한 제한도 받지 않고 동물을 이용할 수 있다는 전통적인 견해가 반영되었다고 생각할 것임을 알 수 있다.

② '블랙 아이보리 커피'는 코끼리에게 적합하지 않은 먹이를 먹여 얻은 것이므로, 동물의 복지를 주장하는 ⓐ, ⓑ는 이러한 커피를 만드는 사람들에 대해 비판적인 태도를 보일 것임을 알 수 있다.

③ 동물 권리 운동가들은 동물 복지를 위해 적극적인 실천을 하는 사람들이므로, 코끼리에게 적합하지 않은 먹이를 먹여 얻은 '블랙 아이보리 커피'를 먹지 말자는 운동을 펼칠 것이라 짐작할 수 있다.

⑤ 데카르트는 동물을 기계처럼 여겼으므로 코끼리에게 적합하지 않은 먹이를 먹여 얻은 '블랙 아이보리 커피'에 대해 아무런 문제 제기도 하지 않을 것이므로, '블랙 아이보리 커피'를 아무 문제의식 없이 마실 것이라 짐작할 수 있다.

4. 근세에는 동물을 이성적 영혼이 없는 존재로 여겨 마치 기계인 것처럼 취급하였으므로, 동물에게 도덕적 지위라는 것은 아예 존재하지 않았다. 하지만 오늘날에는 동물도 복지를 누릴 수 있다는 생각이 공유되면서 동물에게도 도덕적 지위가 있음을 인정하고 있다.

| 서술형 평가 기준 |

기준	등급
근세와 오늘날의 동물의 도덕적 지위에 대해 〈조건〉을 충족하며 서술한 경우	상
근세와 오늘날의 동물의 도덕적 지위에 대해 서술하였지만 〈조건〉의 일부만을 충족시킨 경우	중
〈조건〉을 충족시키지 못하고, 단지 근세에는 동물의 도덕적 지위가 없고 오늘날에는 동물에게 도덕적 지위가 있다는 사실만을 제시한 경우	하

5. 이 글에서 필자는 '그럼 동물 복지는 누구의 관점에서 판단되어야 하는가?', '그렇다면 동물의 복지를 위한 객관적인 기준은 어떻게 마련할 수 있을까?'라고 질문을 던진 다음, 이에 대한 필자 자신이 생각하는 대답을 제시하고 있다. 이렇게 볼 때, 필자는 묻고 답하는 방식을 활용하여 동물의 복지에 대한 자신의 생각을 드러내 준다고 할 수 있다.

6. ㉠에 대해 학생은 동물 복지를 위한 객관적 기준을 만드는 것이 인간 중심적 사고라고 비판하고 있다. 이는 학생이, 동물마다 행복하다고 여기는 경우가 다를 수 있는데, 이를 고려하지 않고 모든 동물에게 동일하게 적용되는 일관적 기준을 만드는 것 자체를 인간 중심적인 것으로 보고 있다고 할 수 있다. 따라서 학생이 ㉠에 대해 말한 이유를 추리한 것으로 가장 적절한 것은 ⑤라 할 수 있다.

7. 필자가 동물 복지를 인간이 책임져야 한다는 생각에는 여전히 인간이 동물보다 우위에 있다는 생각이 내재되어 있다고 할 수 있다. 하지만 필자가 인간이 동물의 복지를 책임지려 한다는 생각에는 인간과 인간의 관계를 규정하는 전통적인 '인간의 윤리'가 반영된 것이라기보다는, 동물을 포함한 생태계와 인간의 관계를 바탕으로 생태계 그 자체를 도덕적 배려의 대상으로 하는 생태 중심주의적 윤리가 바탕이 된다고 할 수 있다.

| 오답 풀이 | ① 〈보기〉를 통해 레오폴드는 '대지(땅)' 그 자체를 도덕의 영역에 포함시키는 새로운 윤리인 '생태 중심적 윤리'를 주장하고 있음을 알 수 있다. 그리고 이러한 '생태 중심적 윤리'는 생태계 그 자체를 도덕적 배려의 대상으로 여기고 있음을 알 수 있다. 따라서 레오폴드는 '동물 복지'를 주장하는 필자에 대해 '생태 중심적 윤리'를 지녔다고 여길 것임을 짐작할 수 있다.

② 〈보기〉에서 레오폴드는 평범한 시민으로서 역할을 다하게 될 때 '대지 윤리'가 실현된다고 하였으므로, 필자가 중요하게 여기는 '동물 복지' 역시 평범한 시민으로서 하는 역할이라고 여길 것임을 알 수 있다.

④ 필자가 언급하고 있는 '어떤 채식주의자'는 인간인 자신의 기준에 따라 자신의 고양이 역시 채식으로 기르려는, 고양이를 배려하지 않는 태도를 보이고 있다. 이러한 생각 이면에는 고양이를 마치 자신에게 종속된 것으로 여기려는 생각이 담겨 있으므로, 레오폴드는 이에 대해 대지인 자연을 인간을 위한 노예이자 하인이라는 사고를 지녔다고 비판할 것임을 알 수 있다.

⑤ 이 글에서 필자는 동물의 욕구를 고려한 동물 복지를 언급하고 있는데, 이는 〈보기〉에서 언급된 생태계 그 자체를 도덕적 배려의 대상으로 여기는 레오폴드의 '생태 중심적 윤리'에 해당하므로 적절하다고 할 수 있다.

4. 감상적 읽기

별이 빛나는 밤에

확인 문제 ❶

p. 107

1. ④ 2. ③ 3. ① 4. 이 시는 쉽고, 누구나 경험해 봤음 직한 낯익고 정겨운 정경과 정조를 담고 있기 때문이다.

1. 필자는 어린 시절의 인연이 소중한 인연이라 하고는 있지만, 이러한 인연이 오래 지속될 것이라는 생각은 드러내지 않고 있다. 오히려 '너와 나의 만남과 헤어짐', '그중 몇이나 다시 만나게 될까?'라는 내용을 볼 때, 어린 시절의 많은 인연이 지속되지 못하고 있음을 짐작할 수 있다.

| 오답 풀이 | ① 시 「저녁에」가 미술 작품의 제목으로, 대중가요 제목으로 널리 알려져 있다는 (나)의 첫 번째 문단의 내용을 통해 적절함을 알 수 있다.

② (나)의 세 번째 문단의 '시간의 힘을 이길 수 없는 법, 저녁 별은 밤이 되면 사라지고 나 또한 그럴 운명이다.'를 통해, 인간은 언젠가는 죽어서 사라질 존재임을 알 수 있다.

③ (나)의 두 번째 문단의 '그때가 그립다. 정겨웠던 이들이 그립다.'는 내용을 통해, 필자 역시 어린 시절의 추억을 소중히 여기고 있음을 알 수 있다.

⑤ (나)의 네 번째 문단의 필자가 어린 시절 친구와의 인연에 대해 '그 만남은 얼마나 소중한 우주적 인연인가'라고 말하고 있는 것을 통해 적절함을 알 수 있다.

2. 감상적 읽기는 정의적 능력-화자의 처지에 공감하거나 글을 통해 얻은 깨달음을 내면화하는 것들-을 발휘하여 글에서 공감하거나 감동적인 부분을 찾아 그 내용을 감상하는 것을 말한다. 이러한 감상적 읽기 방법을 볼 때, (가)에서 공감하는 부분이 어디인지를 살펴보겠다는 유진이의 말이 감상적 읽기와 관련이 있다고 할 수 있다.

| 오답 풀이 | ①, ②, ④, ⑤ 감상적 읽기는 정의적 능력과 관련되고, 인지적 능력은 작품의 이해와 관련된다. 즉 작품의 내용상, 표현상 특징을 파악하는 것과 관련이 되므로, 표현 방법, 시의 주제, 화자와 화자의 태도, 시상 전개 방법은 모두 인지적 능력에 해당한다고 할 수 있다.

3. 이 글의 필자는 별과 인간의 관계를 통해 정다운 사이인 너와 나의 만남과 헤어짐이 궁금하다고 하면서, 어린 시절 친구의 인연을 생각하면 그 만남은 소중한 우주적 인연이라 하고 있다. 이렇게 볼 때 필자는 「저녁에」를 통해 정다운 사이인 '나'와 '너'는 우주의 인연처럼 소중한 관계라는 깨달음을 얻었다 할 수 있다.

4. 필자는 시 「저녁에」가 많은 사람으로부터 사랑을 받은 이유가 무엇인지 의문을 제기한 뒤, 이에 대한 답으로 「저녁에」가 쉽고 누구나 경험해 봤음 직한 낯익고 정겨운 정경과 정조를 담고 있다고 그 이유를 제시하고 있다.

| 서술형 평가 기준 |

기준	등급
「저녁에」가 많은 사랑을 받은 이유를 〈조건〉에 따라 쓴 경우	상
「저녁에」가 많은 사랑을 받은 이유를 제시하였지만, 주어진 〈조건〉을 충족시키지 못한 경우	중
「저녁에」가 많은 사랑을 받은 이유를 제시하였지만, 두 가지 이유 중 한 가지만 제시하였고 주어진 〈조건〉도 충족시키지 못한 경우	하

확인 문제 ❷

p. 109

1. ② 2. ② 3. ① 4. 어머니, 별에 대한 연상이 추상에서 구체로, 관념에서 육체로 바뀌고 있다.

1. 이 글에서 필자는 '시'를 거쳐 '어머니'에 다다르면 그만 어조가 바뀐다고 하면서, 어조가 어떻게 변화하고 있는지를 구체적으로 밝혀 주고 있으므로, 어조 변화에 주목하여 시를 감상하고 있다고 할 수 있다.

| 오답 풀이 | ① 이 글의 내용을 통해 표현상 특징에 대해서는 찾아볼 수 없으므로 적절하지 않다.

③ 독자에게 필자 자신의 감상을 제시하고 있을 뿐, (다) 시가 독자에게 어떤 영향을 미쳤는지는 언급하고 있지 않다.

④ (다)를 통해 시대 상황이 어떠한지 정확히 파악할 수 없고, (라)의 '이네들은 너무나 멀리 있습니다/별이 아스라이 멀 듯이'를 통해 화자가 그리운 이들과 멀리 있음을 알 수 있다. 하지만 이러한 점만 보고 화자 중심으로 시를 감상하였다는 것은 적절하지 않다.

⑤ (라)를 통해 (다)에서 호명하는 대상에 대해 화자가 그리워하는 정서를 엿볼 수 있지만, 화자의 태도 변화와 관련해서는 언급하고 있지 않으므로 적절하지 않다.

2. (라)의 '그리운 사람이 많다는 것은 얼마나 행복한가. 하지만 만날 수 없으니 얼마나 고통인가.'와 '이네들은 너무나 멀리 있습니다 / 별이 아스라이 멀 듯이'를 통해, (다)의 화자가 그리운 이들과 헤어져 살아가고 있음을 알 수 있다.

| 오답 풀이 | ① (라)의 내용을 통해 화자가 사랑하는 연인이 있었는지 확인할 수 없다.

③ (라)에서 화자가 호명한 대상들이 '여리고 순수하고 선한 존재'라 하고 있지만, 화자가 순수한 존재가 되기를 기원하는지는 (라)를 통해 확인할 수 없다.

④ (라)를 통해 (다)의 화자가 어머니에 대한 그리움을 드러내고 있음을 알 수 있다. 하지만 (라)를 통해 화자가 어머니와 사별했는지는 확인할 수 없다.

⑤ (라)의 '그리운 사람이 많다는 것은 얼마나 행복한가. 하

지만 만날 수 없으니 얼마나 고통인가.'를 통해 화자가 고통을 겪고 있음을 알 수 있지만, 이러한 고통스러움이 언젠가는 지나갈 것이라는 희망은 확인할 수 없다.

3. (라)의 '별 하나에 추억과 사랑과 쓸쓸함과 동경과 시를 연결할 때는 어딘가 멋과 여유마저 느껴'진다고 했으므로, '어머니' 이전에는 호흡은 느리고 말도 느리다는 것을 짐작할 수 있다. 그리고 '수다를 떨기 시작하는 것', '호흡이 빨라지고 시행이 길어진다'를 볼 때, '어머니' 이후의 어조는 호흡이 빨라지고 말도 빨라진다는 것을 알 수 있다.

4. '어머니' 이전에 제시된 '추억', '사랑', '쓸쓸함', '동경'은 추상적이면서 관념적인 어휘에 해당한다. 그런데 '어머니'라는 시어 이후에는 사람의 이름과 동물의 이름, 시인의 이름을 부르게 되는데, 이러한 시어들은 구체적인 시어이면서 육체적인 시어라 할 수 있다. 따라서 '어머니'를 기점으로 별에 대한 연상이 추상에서 구체로, 관념에서 육체로 바뀌고 있음을 알 수 있다.

| 서술형 평가 기준 |

평가 내용	등급
별에 대한 연상을 바뀌게 하는 시어인 '어머니'를 제시하고, 연상이 어떻게 변하는지 〈조건〉에 따라 쓴 경우	상
별에 대한 연상을 바뀌게 하는 시어인 '어머니'를 제시하였지만, 연상이 어떻게 변하는지 〈조건〉을 충족시키지 못한 경우	중
별에 대한 연상을 바뀌게 하는 시어인 '어머니'를 제시하였지만, 연상이 어떻게 변하는지 (라)의 내용을 바탕으로 하지 않고 다른 내용으로 쓴 경우	하

내신 적중 문제 p. 114

1. ⑤ 2. ⑤ 3. ② 4. ① 5. ③ 6. ⑤ 7. ④ 8. ③ 9. ① 10. 어머니를 떠올린 순간부터 그리움에 몸서리를 치게 되었기 때문에

1. 이 글에서 필자는 독자들에게 '어린 시절 친구와의 인연을 생각해 보라.'고 하고는 있지만, 필자 자신의 어린 시절의 추억을 제시하고 있지는 않다.

| 오답 풀이 | ① 필자는 별을 소재로 한 「저녁에」를 읽고, 별과 인간의 관계를 중심으로 너와 나의 만남과 헤어짐에 대한 감상을 드러내고 있다.

② 이 글에서 필자는 '기적 같은 일인가?', '벅차지 않은가?', '그립지 않은가?' 등의 물음의 방식을 통해 자신이 말하고자 하는 내용을 강조하여 전달해 주고 있다.

③ 필자는 「저녁에」가 그림으로, 노래로 옮겨지는 등 많은 사람에게 사랑을 받았는지 의문을 제시한 뒤, 시가 쉽고, 낯익고 정겨운 정경과 정조를 담고 있기 때문이라고 답을 제시하고 있다.

④ 필자는 '별'과 '나'와의 만남처럼, '너'와 '나'와의 만남은 '소중한 우주적 인연'이라고 시를 통해 얻은 깨달음을 전달해 주고 있다.

2. (가)의 제목인 '저녁에'의 '저녁'이라는 시간적 배경은, '별'과 화자와의 만남이 이루어지는 시간에 해당하므로, '별'과 화자의 정다운 관계를 탄생시키는 시간이라 할 수 있다. 이렇게 '저녁'에 탄생한 관계는 이후 시간의 흐름에 따라 서로 사라지게 되어 이별을 맞이하게 되므로, '저녁'이 '별'과 화자가 이별하는 시간이라는 내용은 적절하지 않다.

| 오답 풀이 | ① (가)에서는 '저녁 → 밤(별이 사라지는 시간)'의 시간의 흐름에 따라 시상을 전개하고 있다.

② '별' 하나가 화자인 '나'를 내려다보고, '나'도 '별' 하나를 쳐다보고 있으므로 '별'은 화자와 관계를 맺는 대상이라 할 수 있다. 그리고 '별'이 밤하늘에 떠서 지상에 있는 화자를 내려다본다는 점에서 천상의 존재라 할 수 있다.

③ 1연의 1, 2행과 3, 4행이 대구를 이루고 있고, 2연의 2행과 3행이 대구를 이루고 있음을 알 수 있다. 그리고 이러한 대구적 표현은 시에서 리듬감을 형성해 주므로 적절하다고 할 수 있다.

④ 3연의 '어디서 무엇이 되어 / 다시 만나랴'에는 '너'와 다시 만나고 싶은 화자의 소망이 드러난 부분으로, 이를 통해 화자가 '너'와의 만남을 계속 이어가고 싶어 함을 알 수 있다.

3. 〈보기〉를 통해 인지적 능력(ⓐ)이 작품 내용의 이해와 관련이 있음을 알 수 있고, 정의적 능력(ⓑ)이 작품 내용에 공감하거나 감동하는 것과 관련이 있음을 알 수 있다. 즉, 정의적 능력이 '특정 인물을 자신과 동일시하여 그의 처지에 공감하거나, 아름다운 문장이나 표현에 감탄하거나, 글을 통해 얻은 깨달음을 내면화하는 것'임을 알 수 있다. 이렇게 볼 때, (가)를 읽고, 시적 화자의 자세를 자신의 자세로 수용하는 것은 인지적 능력(ⓐ)이 아닌 정의적 능력(ⓑ)과 관련된다고 할 수 있다.

| 오답 풀이 | ①, ③ 〈보기〉를 통해 인지적 능력이 내용의 이해와 표현, 즉 작품 이해와 관련이 있음을 알 수 있으므로, '이미지 대비'라는 표현에 주목한 것이나 의인화한 표현 방법의 효과를 제시한 것은 작품 이해와 관련이 있으므로 인지적 능력(ⓐ)이라고 할 수 있다.

④, ⑤ 〈보기〉의 '특정 인물을 자신과 동일시하여 ~ 깨달음을 내면화하는 것'이 정의적 능력과 관련이 있으므로, 화자와 동일시하고 있는 ④나 깨달음을 드러내고 있는 ⑤는 정의적 능력(ⓑ)과 관련 있다고 할 수 있다.

4. ㉠에서는 '별'과 '나'와의 소중한 만남이, 시간의 흐름에 따라 별이 사라지고, '나' 또한 사라질 것임을 드러내고 있다. 이는 소중한 만남인 '별'과 '나' 역시 언젠가는 헤어지게 될 것임을

드러내 주므로, '만난 자는 반드시 헤어진다.'는 의미를 지닌 ①의 회자정리(會者定離)와 관련이 있다고 할 수 있다.

|오답 풀이| ② 결초보은(結草報恩): 죽은 뒤에라도 은혜를 잊지 않고 갚음을 이르는 말이다.

③ 타산지석(他山之石): 본이 되지 않은 남의 말이나 행동도 자신의 지식과 인격을 수양하는 데에 도움이 될 수 있음을 비유적으로 이르는 말이다.

④ 간담상조(肝膽相照): 서로 속마음을 털어놓고 친하게 사귐을 이르는 말이다.

⑤ 전전긍긍(戰戰兢兢): 몹시 두려워서 벌벌 떨며 조심함을 이르는 말이다.

5. 이 글에서 필자는 '그대의 기억 속에 지금껏 자리하고 있는 별만큼이나 많은 인연을 되새겨 보면, 그립지 않은가?' 하면서 숱하게 사라진 뭇별 같은 인연, 뭉치로 계산하지 말고, 「저녁에」의 시인이 '별'과 '나'와의 관계만을 따지듯이 하나씩 하나씩 너 하나, 나 하나, 이렇게 또박또박 따져 보라 하고 있다. 이렇게 볼 때, 필자는 한 사람, 한 사람과의 인연이 모두 소중하다는 점을 강조하기 위해 ㉡과 같이 말했음을 알 수 있다.

6. 〈보기〉에서는 감상적 읽기 방법인 내면화와 내면화하는 방법에 대해 설명하고 있는데, 〈보기〉에 따라 감상한 사람은 미혜라 할 수 있다. 미혜는 그리워하는 사람을 호명하고 있는 (가)의 화자처럼, 자신도 어린 시절의 그리운 친구들을 불러봤다고 하였으므로 작품의 상황을 자신의 상황과 연관 지어 감상한 것이라 할 수 있다.

7. (나)에서 필자는 별에 대한 연상이 추상에서 구체로, 관념에서 육체로 이행해 갔음을 언급하고는 있지만, 화자가 별을 통해 그리운 사람들을 연상하게 된 이유가 무엇인지는 언급하지 않고 있다.

|오답 풀이| ① (나)의 3문단에서 화자가 호명한 이름들이 '한결같이 여리고 순수하고 선한 존재', '고맙고 그리운 이름들'이라 하고 있는 데서 알 수 있다.

② (나)의 2문단에서 '별에 대한 연상이 추상에서 구체로, 관념에서 육체로 이행해 가면서'를 통해 알 수 있다.

③ (나)에서 필자는 어조가 '어머니'를 기점으로 '멋과 여유'에서 '호흡이 빨라'지는 것으로 변하고 있음을 드러내고 있다.

⑤ (나)의 4문단에서 필자는 시인 윤동주가 그리운 사람이 많다는 것은 행복하지만 만날 수 없으니 고통이라고, 「별 헤는 밤」의 6연(이네들은 너무나 멀리 있습니다 / 별이 아스라이 멀 듯이)을 인용하여 설명하는 데서 알 수 있다.

8. (나)의 1문단의 '처음에는 그저 별 하나에 낭만적이고 관념적인 이름과 개념을 부여하다가'에 해당하는 것은 '추억', '사랑', '쓸쓸함', '동경'과 같은 단어이다. 그리고 이어지는 내용이 '어머니'를 떠올린 후 어조가 바뀐다는 것으로 보아 '어머니'를 낭만적이고 관념적인 존재라고 보기는 어렵다.

|오답 풀이| ① (나)의 1문단에서 "'어머니'처럼 강력한 실감을 주는 육체가 어디 있는가.'를 통해 알 수 있다.

② (나)의 1문단에 '시'를 거쳐 '어머니'에 다다르면 그만 어조가 바뀐다는 내용을 통해 알 수 있다.

④ (나)의 2문단의 '시인은 어머니를 떠올린 순간부터 그리움에 몸서리를 치게 된다.'를 통해 알 수 있다.

⑤ (나)의 3문단의 '그는 마치 토해 내듯이 어머니에게 그 그리운 이름들을 하나하나 전하고자 한다.'를 통해 알 수 있다.

9. (나)의 '잊고 있던 수많은 고맙고 그리운 이름들 하나라도 놓칠세라, 시상대에 선 수상자라도 된 듯이 윤동주는 하나하나 호명한다.'를 통해, ㉮는 그리운 이들을 의미함을 알 수 있다. 그리고 〈보기〉의 ⓐ는 화자가 외로울 때나 마음 어두운 밤이 깊을 때 '맑은 눈빛으로 나를 씻'고 '길을 비추어 주는' 존재에 해당하므로, 화자를 위로해 주면서도 희망을 주는 존재라 할 수 있다.

|오답 풀이| ② 화자가 그리워하는 대상이라는 점에서 ㉮는 적절하지만, ⓐ는 화자를 위로해 주면서도 희망을 주는 존재이지 화자가 추구하는 이상이라고는 볼 수 없으므로 적절하지 않다.

③ ⓐ와 달리 ㉮는 화자가 그리워하는 대상을 떠올리게 해 주는 역할을 한다.

④ ㉮를 통해 화자가 간절히 그리워하는 대상을 떠올리고 있으므로 소망하는 대상을 상징적으로 드러내 준다고 볼 수 있다. 또한 ⓐ 역시 화자를 위로해 주면서도 희망을 주는 존재에 해당하므로 화자가 간절히 소망하는 대상을 상징적으로 드러내 준다고 볼 수 있다.

⑤ ⓐ나 ㉮ 모두 화자로 하여금 현실적 고통에서 벗어나게 해 주고 있다고는 볼 수 없다.

〈보기〉 **시 개관**

- 갈래: 자유시, 서정시
- 성격: 산문적, 비유적
- 주제: 위로가 되는 존재에 대한 소망
- 구성
  - 1연: 외로운 이를 위로하는 존재가 되기를 소망함.
  - 2연: 쓸쓸한 이를 웃게 하는 존재가 되기를 소망함.
  - 3연: 위로가 되는 존재를 소망함. (교재 수록 부분)
  - 4연: 마음을 정화하고 희망을 주는 존재를 희망함. (교재 수록 부분)
- 감상: 별과 꽃처럼 외롭고 쓸쓸한 인생살이에 위로를 전해 줄 수 있는 존재를 소망하는 마음을 노래하고 있다.

10. 이 글에서 필자는 별에 대한 연상이 추상에서 구체로, 관념에서 육체로 이행해 가면서, 시인은 어머니를 떠올린 순간부

터 그리움에 몸서리를 치게 됨을 밝히고 있다. 그런 다음 필자는 '어머니'를 떠올린 이후 호흡이 빨라지고 시행이 길어진다 하고 있으므로, 빈칸에 들어갈 내용으로 적절한 것은 '어머니를 떠올린 순간부터 그리움에 몸서리를 치게 되었기 때문에'이다.

| 서술형 평가 기준 |

'그리움에 몸서리치게 되었다'는 이유를 〈조건〉에 맞게 쓴 경우	상
'그리움에 몸서리치게 되었다'는 이유를 언급하였지만, 〈조건〉을 충족시키지 못한 경우	중
'그리움에 몸서리치게 되었다'는 이유가 제대로 제시되지 않고, 〈조건〉도 충족시키지 못한 경우	하

5. 창의적 읽기

빨간 머리 앤이 하는 말

확인 문제 ❶ p. 121

1. ③ **2.** ① **3.** ⑤ **4.** 꿈을 직업으로만 이루어야 하는지, 누구나 가슴 뛰는 일을 직업으로 가질 수 있는지의 문제를 제기하고 있다.

1. 이 글에서 필자는 '한 경찰관'을 만난 경험을 바탕으로 꿈을 직업으로 가져야 하는가라는 의문을 품게 되고, 이러한 의문을 확장시켜 가면서 직업에 대한 자신의 생각을 드러내 주고 있다.

| 오답 풀이 | ② 이 글에서 '경찰관'의 말을 인용하고 있지만, '경찰관'의 말을 전문가의 견해라고는 보기는 어렵다.

④ 이 글에서 올바른 직업 선택의 가치를 드러내 주기 위해 구체적인 대상에 비유하고 있지는 않다.

⑤ 직업 선택에 관한 기존 통념에 의문을 품고, 새로운 관점으로 볼 필요성을 제기하고 있지만, 직업 선택에 관한 상반된 견해를 제시하거나 그 한계를 지적하고 있지는 않다.

2. 「빨간 머리 앤」의 줄거리에서 '앤'은 마릴라를 위해서 고향에서 교사 생활을 하기로 결심하였으므로, '앤'은 현재 자신이 해야 할 일을 직업으로 선택하였음을 알 수 있다. 그리고 '경찰관'은 먹고 살려다 보니 어쩔 수 없이 경찰관을 직업으로 선택했음을 밝히고 있으므로, '경찰관' 역시 자신이 해야 하는 일을 직업으로 선택하였음을 알 수 있다.

3. ㉠ 뒤에 이어지는 '인생이 갑자기 바뀐 데에는 어떤 사연이 있을 것이고'를 통해, 필자가 ㉠과 같은 태도를 보인 이유를 알 수 있다.

| 오답 풀이 | ①, ② 이 글에서 필자는 직업을 바꾼 사람들에 대해 언급하고는 있지만, 직업을 바꾼 사람들이 잘 되었는지에 대해 언급하지 않고 있고, 직업을 바꾼 사람들의 정신세계에도 흥미를 보이지는 않고 있으므로 이유로 적절하지 않다.

③ 이 글에서 필자는 직업을 바꾼 사람들에 대해 긍정적으로 생각하고 있지만, 이들에 대해 경외감을 드러내지는 않고 있으므로 이유로 적절하지 않다.

④ 이 글을 통해 필자가 자신의 직업을 바꾸었는지는 알 수 없으므로 이유로 적절하지 않다.

4. 이 글에서 필자는 '경찰관'의 말을 들은 즈음 의심하고 있다고 하면서, '꼭 꿈을 직업으로만 이루어야 하는 걸까?', '누구나 가슴 뛰는 일을 직업으로 가질 수 있는 걸까?'라고 직업 선택에 관한 문제의식을 구체적으로 드러내 주고 있다.

| 서술형 평가 기준 |

글에 제시된 필자의 문제의식을 구체적으로 제시하면서, 〈조건〉에 따라 쓴 경우	상
글에 제시된 필자의 문제의식을 구체적으로 제시하였지만, 〈조건〉을 충족시키지 못한 경우	중
글에 제시된 필자의 문제의식을 한 가지만 쓰고, 〈조건〉도 충족시키지 못한 경우	하

확인 문제 ❷ p. 123

1. ③ **2.** ② **3.** ⑤ **4.** 잘하는 일을 직업으로 하면 기회를 더 많이 얻을 수 있고, 자기 일에 대한 특정한 태도가 생기는 효과가 있다.

1. 이 글에서 필자는 '꿈'을 직업으로 가지지 말고 자신이 '잘하는 일'을 직업으로 선택하라 하고 있다. 그러면서 필자는 자아 성취는 일이 끝난 후에 할 수 있다고 언급하고 있다. 이렇게 볼 때, 필자는 직업을 자아실현의 통로라고 보지 않고 있음을 알 수 있다.

| 오답 풀이 | ① (차)의 '좋아하는 일과 잘하는 일 중 어느 것을 직업으로 선택해야 하냐고 묻는 사람들에게 나는 이제 조심스럽게 '잘하는 일'을 하라고 말한다.'를 통해 알 수 있다.

② (아)의 '직업은 적어도 남에게 도움이 되는 일을 하는 게 맞다.'를 통해 알 수 있다.

④ (아)의 '이제 나는 "너의 꿈을 너의 직업으로 이뤄라!" 같은 말은 하지 않을 생각이다.'를 통해, 필자는 꿈을 반드시 직업으로 가지지 않아도 된다고 생각하고 있음을 알 수 있다.

⑤ (마)의 '가장 중요한 일은 자기가 '해야' 하는 일에서 의미를 발견하고 그것을 좋아하려는 노력 그 자체가 아닐까?'를 통해 알 수 있다.

2. (바)의 '나는 직업을 꿈과 연결해 내가 하고 싶은 일, 가슴 뛰는 일을 하지 않으면 마치 실패자인 것처럼 좌절하게 만드는 요즘 세태를 생각했다.'를 통해, 필자가 요즘 세태의 문제점

으로 생각한 것이 ②임을 알 수 있다.

3. 창의적 읽기는 사실적, 추론적, 비판적 읽기를 통해 내용을 충분히 이해한 뒤, 글에서 놓치거나 빠진 부분, 더 나아갈 부분을 포착하여 새로운 생각을 덧붙일 수 있어야 한다. 또한 필자와의 대화를 해 나가면서 동의하지 않는 부분에 자신의 생각을 덧붙이는 것도 필요하다고 할 수 있다. 이렇게 볼 때, 필자의 견해와 다른 관점으로 새로운 사례를 찾아서 자신의 생각을 드러내고 있는 ⑤가 창의적으로 읽은 것이라 할 수 있다.

4. (차)에서 필자는 '좋아하는 일과 잘하는 일 중 어느 것을 직업으로 선택해야 하냐'고 묻는 사람들에게 '잘하는 일'을 하라고 말할 것이라고 하면서 그 이유를 밝히고 있다.

| 서술형 평가 기준 |

'잘하는 일'을 직업으로 했을 때의 효과 두 가지를 쓰고, 〈조건〉을 충족시킨 경우	상
'잘하는 일'을 직업으로 했을 때의 효과 두 가지를 제시하였지만, 〈조건〉을 충족시키지 못한 경우	중
'잘하는 일'을 직업으로 했을 때의 효과 한 가지만 제시하고, 〈조건〉도 충족시키지 못한 경우	하

내신 적중 문제

p. 128

1. ⑤ 2. ③ 3. 꿈을 반드시 직업으로 이룰 필요는 없고, 직업을 선택할 때도 좋아하는 일보다 잘하는 일을 선택해야 한다. 4. ④
5. ③ 6. ④ 7. ⑤ 8. ③

1. 이 글에서 필자는 모든 사람의 꿈이 이루어질 수도 없지만, 모든 사람의 꿈이 이루어진다면 세상은 엉망이 될 것이라 생각하고 있다.

| 오답 풀이 | ① 필자는 직업을 바꾸는 사람의 경우 어떤 사연이 있을 것이고, 이러한 사연은 얼마든지 들어줄 수 있다고 하였으므로 적절하다.

② 필자는 실제 자신의 꿈을 직업으로 이룬 사람은 많지 않다고 하였으므로 적절하다고 할 수 있다.

③ 필자는 직업은 남에게 도움이 되는 일을 하는 것이므로 본래의 직업은 자아실현과 거리가 멀며, 실제로 자신의 꿈을 직업으로 이룬 사람은 많지 않다고 언급하고 있다. 이를 통해 필자는 직업을 통해 자아실현을 이루는 것은 어렵다고 생각하였음을 알 수 있다.

④ 필자는 가슴 두근거리는 꿈을 자기 직업으로 갖게 된 사람들의 불행에 대해 얼마든지 말할 수 있다고 하였으므로 적절하다고 할 수 있다.

2. 이 글의 필자는 '하고 싶은 일'이 아니라 '해야 하는 일'을 직업으로 가져야 한다고 하였다. 또한, 직업을 통해서 기회를 더 많이 얻을 수 있으면서 자기 일에 대해 좋아하는 특정한 태도를 가진다고 하고 있다. 이렇게 볼 때, 〈보기〉에서 필자의 생각을 뒷받침할 수 있는 것으로 적절한 것은 ⓑ와 ⓒ라 할 수 있다.

| 오답 풀이 | ⓐ와 ⓓ는 '해야 하는 일'이 아닌 '하고 싶은 일'을 하라는 의미이므로 필자의 생각과 반대되는 말이라 할 수 있다.

3. 이 글에서 필자는 좋아하는 일과 잘하는 일 중 어느 것을 직업으로 선택해야 하냐고 묻는 사람들에게 조심스럽게 '잘하는 일'을 하라고 말하고 있다. 이러한 필자의 생각을 볼 때, ㉮에는 꿈을 직업으로만 이룰 필요가 없고, 직업을 선택할 때도 잘하는 일을 선택해야 한다는 내용이 제시되어야 한다.

| 서술형 평가 기준 |

문제의식에 대한 답을 제시하면서 문제 해결 방안을 〈조건〉에 따라 언급한 경우	상
문제의식에 대한 답을 제시하였지만, 문제 해결 방안을 〈조건〉에 따라 제시하지 못한 경우	중
문제의식에 대한 답만 제시하고, 문제 해결 방안을 제시하지 못한 경우	하

4. '꿈'을 직업으로 실현하기 위해 노력하는 것에 다소 부정적인 이 글과 달리 〈보기〉에서는 자신의 진로를 정할 때 자신이 생각하는 '꿈'에 몰두하는 것에 긍정적인 시각을 지니고 있으므로, '꿈'을 직업으로 실현하려는 노력에 긍정적인 태도를 보인다고 할 수 있다.

| 오답 풀이 | ① 이 글에서 필자는 꿈을 직업으로 가질 필요는 없다고 말하고 있지 '꿈' 그 자체를 부정적으로 생각하지는 않고 있다. 〈보기〉의 필자 역시 진로를 생각할 때 꿈에 몰두할 수 있는지를 생각해 보라 하고 있으므로 꿈에 대해 부정적으로 여기고 있지는 않고 있다.

② 이 글에서는 직업을 선택할 때 자신이 해야 하는 일을 직업으로 가져야 한다고 생각하고 있다. 따라서 직업 선택과 관련된 생각을 드러낸다고 할 수 있다. 반면 〈보기〉는 직업 선택보다는 앞으로 해야 할 진로에 대한 선택과 관련된 내용이다.

③ 이 글에서 필자는 꿈을 직업으로 갖기보다는 자신이 해야 하는 일을 직업으로 가지기를 바라고 있으므로, 자신이 해야 하는 일에 성실히 임해야 한다고 생각하고 있음을 알 수 있다. 하지만 〈보기〉에서는 '해야 하는 일'이 아닌 '하고 싶은 일'인 꿈에 몰두하여 진로를 생각하기를 바라고 있다.

⑤ 이 글에서 필자는 '꿈'이 아닌 것을 직업으로 가지는 것에 대해 긍정적으로 생각하고 있으므로, 생활의 안정을 위한 직업 선택에 비판적이지는 않을 것임을 짐작할 수 있다.

5. ㉢ 뒤의 필자의 생각, 특히 자아 성취는 일이 끝난 후 할 수 도 있다는 말을 통해, ㉢은 현재 자신이 하고 싶은 일을 직업으로 가지고 싶은 사람들에 해당한다고 볼 수 있다. 즉, '해야 하는 일'을 우선적으로 생각하는 사람들이 아닌 자신들의 '꿈'을 우선적으로 생각하는 사람들이라 할 수 있다.
| 오답 풀이 | ① 경찰관은 자신이 원해서 경찰관이 된 것이 아니라고 하면서도, 여전히 경찰관을 하는 이유가 ㉠ 때문임을 밝히고 있다. 즉 사람들에게 필요한 일이고 도움을 주는 일이라 밝히고 있다. 이렇게 볼 때, ㉠은 경찰관이 자신의 직업에서 의미를 발견한 것을 드러낸 말이라 할 수 있다.
② '해야' 하는 일에서 의미를 발견하고 좋아하려고 노력해야 한다는 ㉡을 통해, 필자가 직업에 대해 어떻게 인식하고 있는지 알 수 있다.
④ ㉣은 필자가 직업에 대한 인식을 드러낸 것으로, 이를 통해 필자는 직업이 남에게 도움이 되는 일을 하는 것이라 생각하고 있음을 알 수 있다.
⑤ 필자는 '잘하는 일'을 직업으로 하라 하면서, '잘하는 일'을 직업으로 했을 때의 효과를 ㉤을 통해 드러내고 있다.

6. ⓐ는 자신의 삶이 있어야 꿈을 꿀 수도 있음을 의미하는 말로, 이 말에는 꿈을 무조건 추구하기보다는 현실의 삶에 최선을 다해야 한다는 필자의 의도가 담겨 있다고 할 수 있다.

7. 〈보기〉의 마릴라와 '앤'의 대화 내용을 볼 때, '앤'이 자신을 위해 퀸스 대학에 입학하는 것을 포기하고 교사로 남는 것을 걱정하는 마릴라에게 '앤'은 남아서 교사가 되면 그만한 대가가 있을 것이라 하고 있다. 이러한 내용을 바탕으로 할 때, '앤'은 꿈을 위해 퀸스 대학에 입학하느냐, 마릴라를 위해 남아서 교사가 되느냐라는 문제 상황을 겪었을 것임을 알 수 있다.

8. 〈보기〉를 통해 '앤'이 자신의 '꿈'인 퀸스 대학 입학을 포기하고 마릴라를 위해 교사가 되어 고향에 고향에 남기로 하면서, 이를 희생이라 하지 않고 꿈의 방향만 바뀐 것이라 하고 있다. 그리고 교사가 되어서도 최선을 다할 것이라고 말하고 있다. 이렇게 볼 때, '앤'은 자신의 '꿈'을 버리고 있지만 스스로를 실패자로 여기지 않고 있으므로 ③은 적절하다고 볼 수 없다.

6. 주제 통합적 읽기

군주론 / 목민심서

확인 문제 ❶ p. 135

1. ③ 2. ⑤ 3. ⑤ 4. (1) 군주는 신민들이 사랑을 느끼게 하면서 두려움도 느낄 수 있게 해야 한다. (2) 군주는 신민들이 두려움을 느낄 수 있게 해야 한다.

확인 문제 ❷ p. 137

1. ⑤ 2. ① 3. ③ 4. 당신 – 신민을 다스리는 군주 5. 사랑은 일종의 감사 관계에 의해서 유지되지만, 두려움은 항상 효과적인 처벌에 대한 공포로써 유지되는 속성을 지닌다.

1. (가)에서 대조의 방법으로 잔인한 통치가 지나치게 자비로운 통치보다 나을 수 있음을 강조하면서(ⓐ), 잔인하게 통치했던 체사레 보르자의 사례를 들어 독자의 이해를 돕고 있다(ⓑ). 그리고 신생 군주의 자세를 언급한 베르길리우스의 말을 인용(ⓒ)하여 신생 군주는 잔인하다는 평판을 피할 수 없다는 필자의 주장을 뒷받침하고 있다.

2. 이 글에서 필자는 군주가 지나친 자신감으로 인해서 경솔하게 처신하는 것을 문제 삼고 있지만, 자신감 있는 태도에 대해 문제 삼고 있지는 않으므로 ⑤는 적절하지 않다. 또한 이 글의 내용을 통해서 ⑤의 내용은 확인할 수 없다.
| 오답 풀이 | ①, ②, ③, ④ (나)의 '그렇지만 군주는 참소를 믿고 사람들에게 ~ 어려워하는 일이 없도록 해야 합니다.'를 통해서 필자가 생각하는 군주의 자세를 확인할 수 있다.

3. 이 글의 내용을 볼 때, ㉠은 잔인한 통치 방식을 사용하였고, ㉡은 자비로운 통치 방식을 사용하였음을 알 수 있으므로 ⑤는 적절하지 않다.
| 오답 풀이 | ①, ③ 필자는 잔인한 통치 방식을 사용한 ㉠이 훨씬 더 자비로웠다고 판단하고 있으므로, ㉠에 대해 긍정적으로 평가하고 있음을 알 수 있다.
② 필자는 ㉡에 대해 피스토이아가 사분오열되도록 방치했다고 부정적으로 평가하고 있다.
④ 필자는 ㉡이 공동체 전체에 해를 끼치지만 ㉠은 단지 특정 개인들만을 해치는 것이라 하고 있으므로, ㉠의 통치는 공동체 전체에 이익이 되는 행동이라고 할 수 있다.

4. 이 글에서 필자는 군주가 통치 대상인 신민들을 통치할 때, 사랑을 느끼게 하면서 두려움도 느낄 수 있게 하는 것이 가장 바람직하다고 생각하면서도, 동시에 둘 다 얻기는 어려우므로 사랑을 느끼게 하는 것보다는 두려움을 느끼게 하는 것이 훨씬 더 안전하다는 통치에 대한 생각을 드러내 주고 있다.

| 서술형 평가 기준 |

필자가 생각하는 '최선의 통치 방법'과 '차선의 통치 방법'을 〈조건〉에 따라 쓴 경우	상
필자가 생각하는 '최선의 통치 방법'과 '차선의 통치 방법'을 제시하였지만, 〈조건〉을 충족시키지 못한 경우	중
필자가 생각하는 '최선의 통치 방법'과 '차선의 통치 방법'을 정확하게 제시하지 못하고, 〈조건〉도 충족시키지 못한 경우	하

1. 필자는 현명한 군주가 되기 위해서는 자신을 두려운 존재로 만들게 하면서도 미움을 받지 말아야 한다고 언급하고 있다. 그러면서 군주는 신민들의 재산과 그들의 부녀자들에게 손을 대는 일을 삼가야 하고, 누군가를 처형할 때는 적절한 명분과 명백한 이유가 있을 때로 한정해야 함을 드러내고 있다. 이렇게 볼 때, 신민을 처형할 때는 이유를 불문하고 단호해야 한다는 내용은 현명한 군주의 모습이라 할 수 없다.
| 오답 풀이 | ①, ③ (라)의 '그럼에도 현명한 군주는 자신을 두려운 존재로 만들되, 비록 사랑을 받지는 못하더라도 미움을 받는 일은 피해야 합니다.'를 통해 알 수 있다.
② (라)의 '그러나 무엇보다도 군주는 타인의 재산에 손을 대어서는 안 됩니다.'를 통해 알 수 있다.
④ (라)의 '그리고 이는 군주가 신민들의 재산과 그들의 부녀자들에게 손을 대는 일을 삼가면 항상 성취할 수 있습니다.'를 통해, 군주는 부녀자에게 손을 대는 것을 금해야 한다는 필자의 생각을 엿볼 수 있다.

2. (다)의 '인간이란 은혜를 모르고 변덕스러우며 위선적 인데다 기만에 능하며 위험을 피하려 하고 이익에 눈이 어둡습니다.'를 통해 인간이 위선적이며 기만에 능하고, 자신의 이익에 따라 행동한다는 필자의 인간에 대한 생각을 알 수 있다.

3. ㉡은 군주의 환심을 사거나 잘 보이기 위해 아첨하는 태도이므로, 이와 관련이 있는 한자 성어는 '아첨하는 말과 알랑거리는 태도'를 의미하는 ③ '교언영색(巧言令色)'이라 할 수 있다.
| 오답 풀이 | ① '정도를 지나침은 미치지 못함과 같다는 뜻으로, 중용(中庸)이 중요함'을 이르는 말이다.
② '경솔하여 생각 없이 망령되게 행동함'을 이르는 말이다.
④ '몹시 분하여 이를 갈며 속을 썩임'을 이르는 말이다.
⑤ '스스로 힘써 몸과 마음을 가다듬어 쉬지 아니함'을 이르는 말이다.

4. (다)에서 이 글의 독자를 '당신'이라고 칭하고 있는데, 여기에서 '당신'은 이는 '신민을 통치하는 군주'를 말한 것이다.

5. (다)의 '사랑이란 일종의 감사 관계에 의해서 유지되는데'를 통해 필자가 생각하는 사랑의 속성을 알 수 있고, '두려움은 항상 효과적인 처벌에 대한 공포로써 유지되며'를 통해 필자가 생각하는 두려움의 속성을 알 수 있다.

| 서술형 평가 기준 |

기준	등급
필자가 생각하는 '사랑'과 '두려움'의 속성을 〈조건〉에 따라 쓴 경우	상
필자가 생각하는 '사랑'과 '두려움'의 속성을 제시하였지만, 〈조건〉을 충족시키지 못한 경우	중
필자가 생각하는 '사랑'과 '두려움'의 속성도 정확하게 제시하지 못하고, 〈조건〉도 충족시키지 못한 경우	하

확인 문제 ❸

p. 139

1. ⑤ 2. ② 3. ③ 4. ⓐ는 잔인하게 통치하는 군주를 의미하는 반면에, ⓑ는 자애롭게 통치하는 군주를 의미한다.

1. (마)에서 필자는 분별없는 저술가들이 한니발의 성공적인 행동을 찬양하였지만, 잔인함이라는 성공의 주된 이유를 비난하는 어리석음을 보였다고 하고 있다. 이렇게 볼 때, 역사 저술가들이 한니발의 군대 통솔을 긍정적으로 평가하면서도 부정적인 측면을 지적하였다고는 볼 수 있다.
| 오답 풀이 | ① (마)의 '그러나 군주는 자신의 군대를 통솔하고 ~ 갖추지 못하기 때문입니다.'를 통해 이끌어 낼 수 있다.
② (바)에서 스키피오가 원로원의 통제에 있었기 때문에 그의 유해한 성품이 억제되었다는 내용을 통해, 원로원이 군대의 수장을 통제하는 권한을 지니고 있었음을 짐작할 수 있다.
③ (사)의 '저는 인간이란 자신의 선택 여하에 따라서 사랑을 하지만 군주의 행위 여하에 따라서 군주에게 두려움을 느끼기 때문에'를 통해 이끌어 낼 수 있다.
④ (마)의 한니발의 잔인한 통치로 인해 '군 내부에서 또 그들의 지도자에 대해서 어떠한 분란도 일어나지 않았다는 것입니다.'를 통해 이끌어 낼 수 있다.

2. 이 글에서 필자는 현명한 군주라면 타인의 선택보다는 자신의 선택, 즉 신민들이 두려움을 느끼게 하는 선택에 더 의존하여야 한다고 하고 있다. 그러면서 신민들에게 미움을 받는 일은 피해야 한다고 하였으므로, ②가 필자가 생각하는 군주의 모습이라 할 수 있다.

3. (바)에서 스키피오가 당대는 물론 후대에도 매우 훌륭한 인물로 평가받았다는 내용이나, 원로원의 통제가 스키피오의 명성에 기여했다고 하였으므로, 군대의 비난으로 인해 당대에 명성을 얻지 않은 것은 아님을 알 수 있다.
| 오답 풀이 | ① (마)와 (바)를 통해 한니발과 스키피오 모두 자신의 군대를 이끌었음을 알 수 있다.
② (바)를 통해 스키피오가 군사적 기율을 유지하는 것보다 더 많은 자유를 주었음을 알 수 있다.
④, ⑤ (마)에서 한니발이 어떤 상황이든지 그의 군대에서는 어떠한 분란도 일어나지 않았고 부하들이 그를 두려워한 이유가 그의 비인간적 잔인함 때문임을 밝히고 있으므로 적절하다고 할 수 있다.

4. 비행을 저지른 타인에 대해 인정을 두지 않고 처벌하는 것은 비인간적이고, 잔인한 군주의 모습에 해당한다. 반대로 타인의 비행을 처벌하는 것보다 자신 스스로가 비행을 저지르지 않는 데에 최선을 다하는 모습은 자애로운 군주의 모습으로, 이는 자애롭게 신민을 통치할 것임을 알 수 있다.

| 서술형 평가 기준 |

ⓐ와 ⓑ가 각각 어떤 군주인지 〈조건〉에 따라 쓴 경우	상
ⓐ와 ⓑ가 각각 어떤 군주인지 제시하였지만, 〈조건〉을 충족시키지 못한 경우	중
ⓐ와 ⓑ가 각각 어떤 군주인지도 정확하게 제시하지 못하고, 〈조건〉도 충족시키지 못한 경우	하

확인 문제 ❹

p. 141

1. ② **2.** ⑤ **3.** 수령은 백성들에게 모범을 보이고, 백성들에게 함부로 형벌을 가해서는 안 된다.

1. 이 글에서 필자는 수령이 백성을 잘 다스리려면 솔선수범해야 하며, 과도한 형벌을 줄여야 한다는 주장을 드러내기 위해 구체적인 사례를 제시하고 있다. 즉 집안을 다스리는 두 가지 사례를 제시하여 수령이 백성을 어떻게 다스려야 하는가를 구체적으로 보여 주고 있다.

| 오답 풀이 | ① 이 글에서 인물의 말(정선)을 인용하고는 있는데, 이는 자신의 주장을 강화하기 위한 것이지 특정 견해를 반박하기 위한 것은 아니다.

③ 이 글에서 필자가 자신의 주장을 뒷받침하기 위해 두 가지 사례를 제시하고는 있지만, 근거를 항목화하여 나열하지는 않고 있다.

④ 이 글에서 의문형 표현을 사용하여 필자 자신의 생각을 강조하고 있지만, 묻고 답하는 방식으로 핵심 내용을 제시하지는 않고 있다.

⑤ 제시된 두 가지 사례가 대조되는 것이기는 하지만 대립되는 의견이라 할 수 없다. 그리고 대립되는 의견을 분석한 뒤 필자 자신의 입장을 밝히지도 않고 있다.

2. (가)에서 수령이 법을 받들어 엄정히 임한다는 것은 법을 존중하여 법을 집행하는 것으로, 올바른 수령이 갖추어야 할 자세라 할 수 있다. 그런데 '국 한 그릇을 엎질러도 용서하지 않음.'은 형벌로써만 백성을 다스리는 것을 드러낸 사례이므로 '법을 받들어 엄정히 임함'의 비유적인 내용이라 볼 수 없다.

3. (다)에 제시된 가장의 솔선수범하는 모습을 통해, 수령은 백성들에게 솔선수범하는 태도를 지녀야 함을 알 수 있다. 그리고 이 글에서 필자가 형벌을 사용하는 것은 말단의 방법이라고 하면서 백성들에게 형벌을 함부로 사용하지 말아야 함을 드러내고 있다. 이러한 내용을 통해 수령이 갖추어야 할 덕목이 솔선수범하는 태도를 보여야 하고, 형벌을 함부로 사용해서는 안 된다는 것이 수령이 갖추어야 할 덕목을 알 수 있다.

| 서술형 평가 기준 |

필자가 생각하는 수령이 갖추어야 할 덕목을 〈조건〉에 따라 쓴 경우	상
필자가 생각하는 수령이 갖추어야 할 덕목을 제시하였지만, 〈조건〉을 충족하지 못한 경우	중
필자가 생각하는 수령이 갖추어야 할 덕목을 제시하지 못하고, 〈조건〉도 충족시키지 못한 경우	하

내신 적중 문제

p. 146

1. ④ **2.** ② **3.** ④ **4.** 신생 국가의 군주는 잔인하다는 평판을 피할 수 없다는 필자 자신의 주장을 뒷받침하기 위해서 **5.** ③
6. ① **7.** ④ **8.** ④ **9.** ④ **10.** ②

1. 이 글에서 필자는 군주가 신민을 통치할 때 자비로운 통치보다는 잔인한 통치를 해야 한다고 언급하고 있다. 하지만 이 글을 통해서 신민들이 자비로운 통치보다 잔인한 통치를 원한다는 내용은 찾아볼 수 없으므로 적절하지 않다.

| 오답 풀이 | ① (다)에서 두려움은 사랑과 달리 항상 효과적인 처벌에 대한 공포로써 유지되며, 실패하는 경우가 없다고 하였으므로 적절한 내용이라 할 수 있다.

② (나)에서 필자는 군주가 의심이 많아 다른 사람들이 견디기 어려워하는 일이 없도록 해야 한다고 하였으므로, 이를 통해 지나치게 의심하는 행위는 군주의 태도로 볼 수 없음을 알 수 있다.

③ (가)의 '전자는 공동체 전체에 해를 끼치지만, 군주가 명령한 처형은 단지 특정 개인만을 해치는 것에 불과합니다.'의 내용을 통해, 필자가 대의를 위해 소수가 희생될 수 있다는 생각을 하고 있음을 알 수 있다.

⑤ (가)의 피렌체인들의 사례를 통해 자비로운 통치가 잔인한 통치보다 부정적인 결과를 가져올 수 있음을 알 수 있다.

2. (다)에서 필자는 인간이란 은혜를 모르고 변덕스러우며 위선적인 데다가 본성적으로 악하다고 생각하고 있다. 이와 달리 〈보기〉의 맹자는 모든 인간에게 도덕심이 내재하여 있으므로, 이를 확충함으로써 선할 수 있다고 하였으므로, 인간의 본성이 선천적으로 선한 존재라 여기고 있음을 알 수 있다. 따라서 이 글과 〈보기〉의 반응으로 적절한 것은 ②라 할 수 있다.

3. 이 글의 필자는 군주가 국가를 통치할 때 가장 우선적인 통치 방식은 사랑을 느끼게 하는 동시에 두려움을 느끼게 하는 것이라 하고 있다. 그렇지만 이를 동시에 얻기 어려우므로 차선책으로 두려움을 느끼게 하는 것이 좋다 하고 있다. 따라서 ④에 제시된 설명은 적절하지 않다.

| 오답 풀이 | ① 이 글의 필자는 지나친 자비로움으로 공동체

전체에 해를 끼치는 것보다, 몇몇을 시범적으로 처벌하여 기강을 바로잡는 군주가 공동체 전체에는 해를 끼치지 않기 때문에 자비로운 군주라 여기고 있다. 이러한 필자의 생각을 볼 때, ㉠에서 군주가 인자해야 한다는 필자의 생각은 이상적인 군주의 모습이라 할 수 있다.
② 잔인한 통치 방식을 선택한 체사레 보르자와 대조되고 있고, ㉡ 뒤의 '지나친 자비로움으로 무질서를 방치해 많은 사람이 죽거나 약탈당하게 하는 군주'의 내용을 볼 때, ㉡은 자비로운 방식으로 통치했을 것임을 짐작할 수 있다.
③ (나)에서 필자는 신민을 다스릴 때의 군주의 자세에 대한 생각을 드러내고 있고, ㉢ 역시 이에 해당하므로 적절한 설명이라 할 수 있다.
⑤ '당신'은 '군주'를 가리키고 있고, 필자는 군주가 어떠한 자세를 가져야 하는가를 말하고 있으므로 '당신'은 필자가 생각하는 예상 독자라 할 수 있다.

4. ⓐ에서는 자신의 왕국이 신생 왕국이어서 '그런 조치', 즉 잔인하다고 여길 만한 강력한 통치를 펼쳤음을 드러내 주고 있다. 이렇게 볼 때, ⓐ는 신생 국가의 군주는 잔인하다는 평판을 피할 수 없다고 한 필자 자신의 주장을 뒷받침하기 위해 권위자의 말을 인용한 것이라 할 수 있다.

| 서술형 평가 기준 |

기준	등급
ⓐ를 인용한 이유를 필자의 생각과 더불어 제시하고, 〈조건〉에 맞게 제시한 경우	상
ⓐ를 인용한 이유를 '주장을 뒷받침하기 위해'라고 제시하였지만, 필자의 생각을 제대로 서술하지 못한 경우	중
ⓐ를 인용한 이유를 명확히 제시하지 못하고, 〈조건〉도 충족시키지 못한 경우	하

5. 3문단의 '이는 바로 그가 지나치게 자비로워서 적절한 군사적 기율을 유지하는 데에 필요한 것보다도 더 많은 자유를 병사들에게 허용했기 때문이었습니다.'를 볼 때, 군사적 기율을 유지하기 위해서 지나친 자비는 문제가 됨을 알 수 있다. 그리고 지나친 자비로 더 많은 자유를 병사들에게 허용한 것이므로, 자유보다는 자비가 필요하다는 내용은 글의 내용을 정확히 이해하지 못한 것이다.
| 오답 풀이 | ① 1문단의 '현명한 군주는 자신을 두려운 존재로 만들되, 비록 사랑을 받지는 못하더라도 미움을 받는 일은 피해야 합니다.'를 통해 알 수 있다.
② 2문단의 '군주는 자신의 군대를 통솔하고 많은 병력을 지휘할 때, 잔인하다는 평판쯤은 개의치 말아야 합니다.'를 통해 알 수 있다.
④ 1문단의 '그러나 무엇보다도 군주는 타인의 재산에 손을 대어서는 안 됩니다. 왜냐하면 인간이란 어버이의 죽음은 쉽게 잊어도 재산의 상실은 좀처럼 잊지 못하기 때문입니다.'를 통해 알 수 있다.
⑤ 4문단의 '저는 인간이란 자신의 선택 여하에 따라서 사랑을 하지만 군주의 행위의 여하에 따라서 군주에게 두려움을 느끼기 때문에'를 통해 알 수 있다.

6. 이 글에서 필자는, 군주는 신민들이 두려움을 갖도록 잔인하게 통치할 필요를 강조하고 있다. 이와 달리 〈보기〉의 필자는, 지도자는 하인처럼 다른 사람을 섬길 수 있어야 함을 드러내고 있다. 이렇게 볼 때, 〈보기〉의 필자가 이 글의 필자에게 조언할 내용으로 적절한 것은 ①이라 할 수 있다.

7. 이 글을 통해, 스키피오는 지나친 자비로움으로 인해 반란이 일어나고 로마 군대를 부패시킨 장본인이라는 비난을 받았음을 알 수 있다. 그리고 스키피오가 원로원의 통제에 있었기 때문에 '유해한 성품'이 적절히 억제되어 그의 명성에 기여했다 하고 있다. 이렇게 볼 때, '유해한 성품'은 스키피오가 지닌 자비로운 성품임을 알 수 있다. 하지만 이 글을 통해 스키피오가 겸손했는지는 알 수 없으므로 ④는 적절하지 않다.

8. 이 글에서는 먼저 형벌을 쓰지 않아도 좋다는 주장을 드러내면서, 이를 두 가정의 가장의 사례를 제시하여 형벌을 통해 억압적으로 다스릴 때와 솔선수범하여 제시할 때의 집안의 분위기를 드러내 주고 있다. 이렇게 볼 때 이 글은 필자 자신의 주장을 먼저 언급한 뒤, 집안의 두 가장의 사례를 통해 자신의 주장이 타당함을 밝히고 있다고 할 수 있다.
| 오답 풀이 | ① 이 글에서 묻고 답하는 자문자답의 방식은 사용되지 않았다.
② 이 글에서 '형벌'에 대한 상반된 관점은 제시되지 않았다.
③ 이 글에서 '정선'의 말이 사용되었으므로 권위자의 말을 인용하고 있지만, '정선'의 말은 필자가 자신의 주장을 뒷받침하기 위해 사용되고 있다. 하지만 필자의 주장과 대비되는 통념을 드러내지 않고 있으므로 적절하지 않다.
⑤ '형벌'에 대한 필자의 주장과 상반되는 반론을 비판하지는 않고 있다.

9. 3문단의 '수치가 될 만한 일이 있으면 숨겨서 드러내지 않다가 한가히 있을 때 하나씩 불러서 차근차근 경고하고 꾸짖는다.'를 통해, 백성이 잘못한 일이 있으면 수령은 그 자리에서 바로 잘못을 꾸짖기보다는 따로 불러 경고하고 꾸짖어야 함을 알 수 있다. 따라서 ④는 적절하지 못하다고 할 수 있다.
| 오답 풀이 | ① 1문단의 '수령이 자신을 단속하고 법을 받들어 엄정하게 임하면'을 통해 알 수 있다.
② 3문단에 제시된 '솔선수범하는 가장의 모습'을 통해 알 수 있다.
③ 1문단의 '형벌은 백성을 바르게 하는 일에 있어서 최후 수단'이라 한 내용을 통해 알 수 있다.
⑤ 4문단의 '수령 자신이 바르면 백성도 바르지 않을 수 없

고'를 통해 알 수 있다.

10. 이 글의 ⓐ는 집안에서 날마다 꾸짖고 성내어 자제를 매질하거나 노비를 묶어 놓고 두드리는 가장으로, 집안의 사람들을 고통스럽게 하고 있다. 그리고 〈보기〉의 ⓑ는 이방에게 주기 위해 백성들이 애써 짠 무명을 빼앗는 존재로, 백성들에게 고통을 주는 존재이다. 따라서 ⓐ, ⓑ 모두 집안사람이나 백성들에게 고통을 주는 존재라는 공통점이 있다.

대단원 평가 문제 p. 151

1. ⑤	2. ⑤	3. ⑤	4. ③	5. ④	6. ②	7. ⑤
8. ③	9. ③	10. ③	11. ④	12. ③	13. ②	14. ④
15. ⑤						

1. 이 글에서는 한옥이 통의 원리를 구현하였음을 언급하면서, 통의 원리를 구현한 방식에 대해 설명해 주고 있다. 즉 거시 기후에 맞춰 바람길을 내는 것과 미시 기후를 활용해서 마당에 찬 공기주머니를 만드는 것을 제시하고 있다. 그런 다음 필자는 이러한 한옥이 자연을 거스르지 않으면서도 살기 편하게 지어진 친자연적인 건축물임을 밝히고 있다. 이렇게 볼 때, '통의 원리를 구현한 자연 친화적 건축물, 한옥'이 표제로 적절하고, 부제로는 '바람길 내는 것과 찬 공기주머니 만드는 것을 중심으로'가 적절하다고 할 수 있다.

2. (다)의 내용을 통해 나무창은 바람길을 만들기도 하고 없애기도 하는 중요한 역할을 한다는 것을 알 수 있다. 그리고 (마)의 내용을 통해 한옥의 처마는 바람을 잡아 두는 역할을 함을 알 수 있다. 따라서 나무창과 처마가 동일한 기능을 한다는 것은 적절하지 않다.

| 오답 풀이 | ① (마)에서 지붕 처마는 찬바람을 오래 잡아 두는 역할을 한다고 하였으므로, 지붕 처마는 바람과 관련이 있다고 할 수 있다.

② 바람길을 낼 때에는 거시 기후를, 찬 공기주머니를 만들 때에는 미시 기후를 활용하였다고 하였으므로 한옥을 지을 때는 우리나라 기후를 고려했다는 내용은 적절한 내용이다.

③ (다)에서 안채는 사랑채에 비해 폐쇄적이어서 세밀한 처리가 필요하다 하면서, 남쪽에 중문을 북쪽에 대청을 두었다고 하였으므로 다소 폐쇄적인 안채를 고려하여 중문과 대청의 위치를 선정하였다는 내용은 적절하다.

④ (가)의 '한옥은 여러 과학적 방식을 활용'과 (바)의 '우리 조상은 한옥에 통의 원리를 적극적으로 활용'하였다는 내용을 통해 한옥에는 과학적 방식을 이용한 조상들의 지혜가 담겨져 있다는 내용은 적절함을 알 수 있다.

3. (가)~(마)에서 한옥의 통의 원리를 자세히 설명을 하였으며, (바)에서는 '우리 조상은 한옥에~바람을 머물도록 했다.'를 통해 앞의 내용을 요약, 정리해 주고 있음을 알 수 있다.

| 오답 풀이 | ①, ② 이 글에서 중심 내용이 담긴 것은 (가), (나), (라), (바)에 해당하므로, 이들이 평정도가 높다고 할 수 있다. 반면에 (나)와 (라)의 내용을 구체적으로 부연 설명해 주고 있는 (다)와 (마)는 평정도가 낮다고 할 수 있다.

③ (나)에서는 대조의 방식이 사용되지 않고 정의의 방법만이 사용되고 있다.

④ (다)와 (마)는 각각 (나)와 (라)의 내용을 구체적으로 부연 설명해 주고 있고, (바)는 글 전체의 내용을 요약, 정리해 주고 있다. 따라서 평정도 면에서 볼 때, (다)와 (마)는 (바)보다 낮다고 할 수 있다.

4. 이 글에서 필자는 인간은 경제 행위를 할 때 언제나 이기적이고 합리적으로 하지 않음을 실험 결과를 통해 알 수 있다 하면서, 호모 에코노미쿠스를 경제 행위의 분석 대상으로 삼은 전통적 경제 이론이 현실을 설명하는 능력에 한계가 있다고 하였다. 또한 이러한 이론에 바탕을 둔 경제 정책도 기대 효과를 내지 못할 가능성이 있다고 언급하고 있다. 그러면서 필자는 새로운 시각으로 기존의 경제 정책을 검토해 볼 필요성을 제기하고 있으므로, ③이 가장 적절하다고 할 수 있다.

5. (마)를 보면 실험에 참가한 사람들의 대부분이 자기가 가진 표의 40~60퍼센트를 푸른색 상자에 넣었다고 하고 있다. 이렇게 볼 때, 40~60퍼센트의 사람만이 푸른색 상자에 표를 넣었다고 한 철민의 말은 글의 내용을 정확히 파악하지 못한 것이라 할 수 있다.

6. (나)의 '근세에 이르기까지 동물 복지와 같은 것은 사실상 없다'고 한 내용을 통해, 근세에는 동물 복지가 없었음을 알 수 있고, 이로 미루어 동물 복지라는 개념도 사용되지 않았을 것임을 짐작할 수 있다. 그리고 이 글을 통해서는 '동물 복지' 개념이 언제부터 있었는지는 알 수 없다.

| 오답 풀이 | ① (나)를 통해, 동물 복지를 강조하는 오늘날과 달리 근세에서는 동물을 이성적 영혼이 없는 기계처럼 여겼음을 알 수 있다.

③ (가)에서 동물 학대 행위를 반대하는 동물 권리 운동가들의 노력으로 '배터리 닭장'이 사라지게 되었다고 하였으므로, 동물 권리 운동가들이 '배터리 닭장'을 동물 학대라고 여겼음을 알 수 있다.

④ (다)의 '이는 마치 '진실'이나~가능한 개념임이 드러난다.'를 통해, '복지'라는 말에 다양한 의미를 포괄하고 있음을 알 수 있다.

⑤ (라)에서 필자는 '동물의 복지를 위한 객관적인 기준을 어떻게 마련할 수 있을까'라고 물음을 던진 다음 이에 대한 논의를 전개하고 있다. 그리고 필자는 '어쩔 수 없이 동물을 죽

일 수밖에 없다면 고통을 최소화하는 것이 훌륭한 복지'라 하고 있으므로, 필자는 동물 복지를 위한 객관적인 기준으로 동물의 고통을 최소화하는 것을 들고 있음을 알 수 있다.

7. 동물의 복지를 인간이 책임져야 한다는 이 글의 필자의 생각에는, 동물을 보호의 대상으로 여기는 인간 우위의 태도가 담긴 것이라 할 수 있다. 그런데 〈보기〉의 필자는 인간 우위의 종 우월주의에 대해 비판적인 태도를 보이고 있으므로, 〈보기〉의 필자가 동물의 복지를 인간이 책임져야 한다는 이 글의 필자의 생각에 적극 동조할 것이라고는 볼 수 없다.

| 오답 풀이 | ① 〈보기〉의 필자는 종 우월주의에 비판적인 관점을 취하면서 동물에게도 복지가 있다고 생각하고 있다. 따라서 자연의 일부인 동물을 기계처럼 인식하는 데카르트에 대해 비판적인 모습을 지닐 것임을 알 수 있다.

② 〈보기〉의 필자는 동물에게도 복지가 있다고 생각하고 있으므로, 동물의 복지를 위해 노력하는 동물 권리 운동가들의 행동에 대해 긍정적으로 평가할 것임을 알 수 있다.

③ 이 글의 필자는 사람을 위하여 필요한 경우라도 고통을 최소화해야 한다고 주장하고 있는데, 이러한 주장 이면에는 여전히 동물보다 사람을 우선적으로 인식하는 종 우월주의가 담겨 있다고 할 수 있다. 따라서 종 우월주의를 비판하고 있는 〈보기〉의 필자는 이러한 이 글의 필자에 주장에 대해 종 우월 의식을 지녔다고 비판할 수 있을 것이다.

④ 이 글에 제시된 '배터리 닭장'은 동물을 마치 기계처럼 여기는 인간들의 의식의 산물에 해당한다. 따라서 종 우월주의를 비판하는 〈보기〉의 필자는 '배터리 닭장'에는 자연의 일부이면서도 이를 부정하는 인간의 오만함이 담겨 있다고 비판할 것임을 알 수 있다.

8. (나)의 '생각해 보라', '또박또박 따져 보라'를 통해 명령형이 사용되었음을 알 수 있고, 이를 통해 필자가 독자에게 특정 행동을 유도하고 있음을 알 수 있다. 하지만 (라)에서는 '행복한가', '고통인가', '앓았던가'에서 알 수 있듯이 감탄형 어조를 사용하고 있을 뿐, 특정 독자의 행동을 유발하는 명령형은 사용하지 않고 있다.

| 오답 풀이 | ① (가)에서는 '별 하나'가 '나'를 내려다보고, '나'가 '그 별 하나'를 바라보는 것을 통해 '별'과 '나'의 인연을 알 수 있고, 이러한 내용을 바탕으로 '별'과 '나'의 헤어짐과 다시 만나기를 바라는 소망을 드러내고 있으므로, '별'과의 인연을 바탕으로 시상을 전개하고 있음을 알 수 있다. (다)에서는 '별 하나에' '추억, 사랑, 쓸쓸함, 동경, 시, 어머니' 등을 떠올리고 있으므로, '별'을 통해 연상되는 것을 바탕으로 시상을 전개하였다고 할 수 있다.

② (나)의 '어디서 무엇이 되어 다시 만나게 될지, 벅차지 않은가?'와 (라)의 '어찌할꼬. 그리움 덕택에 살고 그리움 때문에 못 살겠다는 것을'을 통해 필자의 정서가 표출되어 있음을 알 수 있다.

④ (나)에서는 '벅차지 않은가?', '그립지 않은가?' 등의 설의적 표현을 사용하여 필자 자신의 소중한 사람과의 재회가 주는 감동이나 소중한 인연에 대한 그리움의 내용을 강조하고 있다.

⑤ (라)에서는 '이네들은 너무나 멀리 있습니다 / 별이 아스라이 멀 듯이'라는 시의 일부분을 인용하여 그리움과 고통스러움이라는 시인의 정서를 효과적으로 드러내 주고 있다.

9. ㉢은 독자들에게 지금까지의 많은 인연을 되새겨 보면서 하나하나 따져 보라는 것으로, 소중한 인연을 새로 맺을 것을 강조해 준다고 할 수 없다.

10. 〈보기〉에서 중심인물인 '나'가 내 어깨에 기대어 잠들어 있는 아가씨를 '이 별 중에서 가장 예쁘고, 아름답게 빛나는 별 하나'라고 표현하고 있으므로, '별'은 '아가씨'를 의미한다고 할 수 있다. 그리고 〈보기〉에서 '나'는 아가씨가 내 어깨에 기댄 것에 대해 '가슴이 좀 두근거렸'다고 하였으므로, '나'로 하여금 설레게 해 주는 대상이라 할 수 있다. 이와 달리 ⓐ는 화자와 소중한 인연을 맺는 존재로서의 의미를 지니므로 ③이 가장 적절하다고 할 수 있다.

| 오답 풀이 | ①, ② ⓐ는 화자와 소중한 인연을 맺는 존재이고, ⓑ는 순수함을 지닌 '아가씨'를 의미하므로, 모두 그리운 대상을 의미한다고는 볼 수 없다. 또한 이를 통해 ⓐ와 ⓑ가 화자에게 위로를 건네 주는 위안의 대상이라고도 볼 수 없다.

④ 화자가 ⓐ를 직접 바라보고 있으므로, ⓐ가 누군가와 매개시키는 역할을 한다고는 할 수 없다.

⑤ (가)의 시나 〈보기〉를 통해 부정적 현실을 찾아볼 수 없으므로, ⓐ, ⓑ가 부정적 현실을 극복하게 하는 희망의 의미를 지닌다고는 볼 수 없다.

11. 이 글에서 필자는 '꿈을 직업으로만 이루어야 하는 걸까?', '누구나 가슴 뛰는 일을 직업으로 가질 수 있는 걸까?'라고 문제의식을 제기한 뒤, 직업과 관련하여 필자 자신이 인식한 요즘 세태의 문제점을 드러내고 있다. 그런 다음 필자는 자신이 제기한 문제의식과 관련하여 '자기가 '해야' 할 일에서 의미를 발견하고 그것을 좋아하려는 노력'이 중요하며, 좋아하는 일보다 '잘하는 일'을 직업으로 선택할 필요가 있다는 해결 방안을 제시하고 있다.

12. 이 글에서 필자는 '직업'과 '자아실현'은 괴리가 있다고 하면서, '자아 성취는 일이 끝난 후 할 수도 있다'고 말하고 있다. 또한 '본래의 직업은 자아실현과 거리가 먼 셈이다'라고도 하고 있으므로, 필자가 ③과 같은 인식을 지녔다고 보기는 어렵다.

| 오답 풀이 | ① 이 글에서 필자는 자신이 반드시 하고 싶은 일, 즉 꿈을 직업으로 가질 필요는 없다고 말하고 있다.

② 이 글의 '그리고 직업이란 '내'가 아니라 '남'에게 도움이 되는 일을 하고 합당한 대가를 받는 일이라는 생각에 이르

자'를 통해 알 수 있다.

④ 이 글에서 필자는 자신이 '잘하는 일'을 직업으로 가지라고 하면서, 잘하는 일을 오래 반복하면 점점 더 잘하게 되어 더 많은 기회를 얻을 수 있다고 말하고 있다.

⑤ 이 글의 '가장 중요한 일은 자기가 '해야' 하는 일에서 의미를 발견하고 그것을 좋아하는 노력 그 자체가 아닐까?'를 통해 알 수 있다.

13. 〈보기〉의 학생은 탐험가가 되고 싶지만 부모님이나 친구들의 만류로 인해 고민하고 있다. 이렇게 볼 때, 학생은 자신의 꿈인 하고 싶은 일과, 현실적인 생활에 적합한 직업을 가지는 것 사이에서 고민하고 있음을 알 수 있다. 이렇게 볼 때, 학생이 남에게 도움이 되는 일인 직업을 가지고 싶어 한다는 반응은 적절하다고 할 수 없다.

14. (가)에서는 군주가 적대적인 행동을 할 때는 신중해야 한다고 언급하고 있으므로 군주가 처벌을 할 때 어느 정도 신중해야 함을 알 수 있다. 그런데 (나)에서는 형벌을 말단으로 생각하면서 최후 수단임을 드러내고 있다. 이렇게 볼 때 (가)가 (나)보다 처벌할 때 신중함을 강조한다는 내용은 적절하지 않다. 내용상 오히려 (나)가 (가)보다 처벌할 때 신중함을 더 강조한다고 볼 수 있다.

15. (나)에서 필자는 수령 자신이 바르면 백성도 바르지 않을 수 없다고 하고 있는데, 이 말은 수령 자신이 항상 참되고 미더운 상태가 되어야 함을 드러낸 것이라 할 수 있다. 이러한 상태가 되기 위해서는 기본적으로 도덕적인 수양이 전제되어야 하므로, (나)의 필자가 〈보기〉의 공자 생각에는 공감할 것임을 짐작할 수 있지만, 도덕적 수양이 필요하다는 새로운 깨달음을 얻었다고는 볼 수 없다.

Ⅲ. 다양한 분야의 글 읽기

1. 인문·예술 분야의 글 읽기

우리 안의 마녀사냥

확인 문제 ❶ p. 165

1. ① **2.** ⑤ **3.** ① **4.** 마녀는 권력 당국이 조작하여 만든 가공의 개념이다.

1. (다)~(마)에서 마녀 집회에 대한 연구자들의 입장을 세 가지로 제시하고 있다.

| 오답 풀이 | ② 과거 사례인 마녀사냥에 대해서만 설명하고 있으므로, 문제가 되는 사회적 현상을 열거했다고 보기 어렵다.

③ 사회적 대상에 대해 기준에 따라 분류하는 글이 아니라, 마녀사냥에 대한 연구자들의 입장을 제시하는 글이다.

④ '마녀사냥'이라는 용어가 생겨난 근원적인 사건 서술은 지문에 드러나지 않는다.

⑤ 유럽 사회에서는 '신비한 힘'을 악마와 관련지어 이해했다는 특징적인 현상을 언급하고 있으므로 공통점을 분석했다고 보기 어렵다.

2. 이 글에서는 마녀사냥의 발생 원인을 남성과 여성 사이의 갈등 심화와 연관 짓고 있지 않다.

| 오답 풀이 | ① (가)에 따르면 마녀사냥은 15세기 말부터 수백 년 동안 지속되었음을 알 수 있다.

② (가)에 따르면 유럽에서는 마녀사냥을 위해 종교 재판소를 설치하여 마녀를 소탕하는 운동을 벌였음을 알 수 있다.

③ (가)에 따르면 마녀사냥으로 인해 마녀로 판정을 받고 처형 당한 사람이 약 10만 명에 이른다는 것을 알 수 있다.

④ (가)에 따르면 역사상 여러 가지 특이한 현상 중에서 마녀사냥은 특히 이해하기 힘든 현상에 해당함을 알 수 있다.

3. 다른 사회에서는 마술이나 마법의 개념을 신비한 힘이라고 보았지만 유럽 사회에서만은 '악마'와 관련지어 생각하는 특징적인 현상이 나타났다.

4. ㉡은 마녀, 마녀사냥에 대한 여러 역사가들의 견해를 종합, 정리한 것으로, 마녀는 정부와 종교 같은 권력 당국이 조작한 가공의 개념이라는 내용이다.

| 서술형 평가 기준 |

마녀의 개념을 만든 주체를 명시하여, 해당 개념을 써서 제시하고, 30자 내외의 한 문장으로 제시한 경우	상
마녀의 개념을 만든 주체를 명시하여, 해당 개념을 써서 제시하였지만, 30자 내외의 한 문장으로 제시하지 못한 경우	중
마녀의 개념을 만든 주체를 명시하여, 해당 개념을 써서 제시하지도 못하고, 30자 내외의 한 문장으로도 제시하지 못한 경우	하

확인 문제 ❷ p. 167

1. ⑤ **2.** 계몽의 시대 **3.** ⑤ **4.** 마녀사냥은 합리적인 행위였을 수 있다.

1. (아)에 따르면 페미니즘 이론에서는 마녀사냥이 근대 초에 가부장제가 더욱 굳건해짐에 따라 남성 세계가 여성을 공격한 현상이라고 해석했음을 알 수 있다.

| 오답 풀이 | ① (아)에 따르면, 여성, 빈민, 노인 계층이 희생자의 대부분을 차지하고 있었다.

② (자)에 따르면 마녀사냥을 할 때 무고한 사람을 마녀로 몰기 위해 고문을 동원했다.

③ (차)에 따르면 마녀사냥을 주도했던 인물은 대개 그 사회의 지도적인 위치에 있는 사람들이었다.

④ (사)에 따르면 마녀사냥은 중세적 현상이라고 생각하는 통념과는 달리 실제로는 근대 초의 현상임을 알 수 있다.

2. (사)에 따르면 마녀사냥이 극성을 부린 시기는 근대 유럽의 계몽의 시대이자 이성의 시대이다.

3. (자)에 따르면 마녀사냥으로 인해 서민들뿐만 아니라 사회의 최상층부 시민들도 피해를 당했다는 점을 알 수 있지만, 이들의 피해가 빈민들보다 심했는지는 이 글을 통해서는 알 수 없다.

| 오답 풀이 | ① (자)에 따르면 마녀사냥으로 인해 성직자들과 판사도 마녀로 몰려 희생되었다.

② (아)에 따르면 마녀사냥으로 인해 남성도 희생되었지만, 그에 비해 여성의 비중이 많았다.

③ (아)에 따르면 마녀사냥의 피해자 중 가장 전형적인 인물형은 가난한 차지농의 부인, 특히 과부로서 50~70세의 연령대이며 성질 사나운 할머니라는 점을 확인할 수 있다.

④ (아)에 따르면 마녀사냥으로 인해 대개 여성, 과부, 빈민, 노인이 희생되었다.

4. (차)에 따르면 마녀사냥이 발생한 당시 시대, 당대 사회의 관점에서 보면 마녀사냥을 통해 위험한 존재로부터 사회를 지키는 훌륭한 일을 했다고도 볼 수 있으므로, 당대의 관점에서 보면 마녀사냥을 합리적인 행위로 인식했을 수도 있다.

| 서술형 평가 기준 |

당대 사회의 관점에서 마녀사냥을 어떻게 해석할 수 있는지를 제시하고, 20자 내외의 한 문장으로 제시한 경우	상
당대 사회의 관점에서 마녀사냥을 어떻게 해석할 수 있는지를 제시하였지만, 20자 내외의 한 문장으로 제시하지 못한 경우	중
당대 사회의 관점에서 제시하지도 못하고, 30자 내외의 한 문장으로도 제시하지 못한 경우	하

확인 문제 ❸ p. 169

1. ⑤ **2.** ③ **3.** ① **4.** 현대 사회에서도 여전히 마녀사냥과 같은 현상이 빈발하고 있기 때문이다.

1. (카)~(하)에서는 마녀사냥의 개념을 정의하여, 논의의 범위를 한정하고 있지 않다. 마녀사냥에 대한 기존 역사학자들의 견해를 소개한 후 그 타당성까지 검토하고 필자도 평가를 내리고 있다.

| 오답 풀이 | ② (파)에서 마녀사냥에 대한 필자의 역사적인 평가를 서술하고 있다.

③ (카), (타)에서 마녀사냥에 대한 여러 역사학자의 기존 견해를 소개하고 그 타당성을 검토하고 있다.

④ (카)에서 전염병을 일으켰다는 이유로 마녀를 고소한 일이 있었다는 점을 예시로 들어 마녀사냥에 관한 의견을 알기 쉽게 설명하고 있다.

2. (파)에 따르면 필자는 근대 국가에서 균질한 영혼들이 국가 기구에 복종하도록 만들기 위해 마녀사냥을 일으켰다고 주장하고 있다.

| 오답 풀이 | ①, ④ (타)에서 소개한 역사학자의 견해에 해당한다.

② (카)에서 소개한 역사학자의 견해에 해당한다.

⑤ (하)에 따르면 필자는 근대 초와 마찬가지로, 오늘날에도 사람들의 내면에는 마녀사냥식의 충동이 존재한다고 주장하고 있다.

3. ㉠, ㉡, ㉢은 모두 무고한 존재임에도 불구하고, 사회 안정을 명목으로 당시의 권력자들에게 핍박 받고 희생 당한 존재라는 공통점이 있다.

4. (하)에 따르면 필자는 마녀사냥이 발생한 이래 시간이 많이 흘렀음에도 불구하고 여전히 마녀사냥식의 사건이 자행되고 있다는 점을 들어, 인간의 지성은 갈수록 발달하는 것이 아니며 사회는 더욱 문명화되는 것이 아니라고 주장하고 있다.

| 서술형 평가 기준 |

필자가 〈보기〉와 같이 판단한 이유를 제시하고, 40자 내외의 한 문장으로 제시한 경우	상
필자가 〈보기〉와 같이 판단한 이유를 제시하였지만, 40자 내외의 한 문장으로 제시하지 못한 경우	중
필자가 〈보기〉와 같이 판단한 이유를 제시하지 못하고, 40자 내외의 한 문장으로 제시하지도 못한 경우	하

윤두서의 「자화상」

확인 문제 ❶

p. 175

1. ④ **2.** 최고의 걸작 / 불후의 명작 **3.** ① **4.** 현재의 「자화상」은 조선 시대 사대부의 윤리 도덕, 미감에 맞지 않기 때문이다.

1. (마)에 따르면 옛 사진 속 윤두서의 모습은 알 수 있지만 윤두서에 대해 사람들이 어떤 선입견을 갖는지에 관한 정보는 확인할 수 없다.

| 오답 풀이 | ① (마)에서 옛 사진 속 윤두서는 침착하고 단아한 분위기를 띠었다고 설명하고 있다.

② (가)에서 윤두서 「자화상」 중 수염은 활활 타오르는 듯하고, 내면 깊은 곳으로부터 기(氣)를 발산하는 듯하다고 묘사하고 있다.

③ (가)에서 윤두서 「자화상」의 눈빛을 보고 상당히 매서워서 압도적인 첫인상을 받았다고 언급하고 있다.

⑤ (나)에서 첫인상은 인물이 입은 옷, 주위 배경 등의 영향을 받기 때문에 믿을 수 없다고 밝히고 있다.

2. (라)에 따르면 윤두서 「자화상」은 우리나라 초상화 가운데 '최고의 걸작, 불후의 명작'이라고 일컬어진다고 하였다.

3. (마)에 따르면 ㉠은 어질어 보이는 얼굴에 침착하고 단아한 분위기를 띠고 있다고 설명하고 있다.

| 오답 풀이 | ② (마)에 따르면 어질어 보이는 인상은 ㉠과 관련 있다.

③ (마)에 따르면 ㉡에서는 ㉠에 비해 지나치게 강한 느낌을 받는다.

④ (마)에 따르면 얼굴이 침착해 보이는 것은 ㉠과 관련 있다.

⑤ (마)에 따르면 필자가 충격적인 인상을 받은 것은 ㉠이 아니라 ㉡과 관련 있다.

4. (라)에 따르면 현재 전하는 윤두서 「자화상」은 조선 시대 사대부들이 추구하던 윤리 도덕과 그것에 근거한 당시의 미감과는 맞아 떨어지지 않았기 때문에, 필자는 이에 대해 의문을 제기한 것이다.

| 서술형 평가 기준 |

㉮의 이유를 제시하고, 〈조건〉에 맞게 제시한 경우	상
㉮의 이유를 제시하였지만, 〈조건〉에 맞게 제시하지 못한 경우	중
㉮의 이유를 제시하지 못하고, 〈조건〉에 맞게 제시하지도 못한 경우	하

확인 문제 ❷

p. 177

1. ⑤ **2.** ⑤ **3.** ④ **4.** 「자화상」 속 인물이 자기 자신을 응시하고 있는 자기 성찰의 결과물이다.

1. (아)에 따르면 옛 사진 속 「자화상」 역시 미켈란젤로의 「노예상」과 마찬가지로 미완성작이지만 걸작이라고 평가 받는다는 것을 알 수 있다.

2. (아)에서는 미켈란젤로의 「노예상」과 비교하여 윤두서 「자화상」의 예술성을 드러내고 있다. 하지만 「자화상」의 구성 요소를 분석적으로 설명하고 있지는 않다.

| 오답 풀이 | ①, ④ (아)에서 「자화상」의 미완성성이 오히려 작품의 예술성을 높였음을 미켈란젤로의 「노예상」과의 비교를 통해 설명하고 있다.

② (아)에서 「자화상」은 미완성작임에도 불구하고 예술성은 완벽하다는 기존의 평가와 다른 필자의 새로운 평가를 제시하고 있다.

③ (사)에서 필자는 「자화상」이 유탄으로만 몸체의 형태를 잡고 먹선을 그리지 않은 미완성작으로, 작가 자신의 생생한 자기 성찰의 흔적을 보여 준다고 추측하고 있다.

3. (사)에 따르면 윤두서 「자화상」의 몸체는 원래 유탄으로 그렸는데, 유탄은 점착력이 약해서 쉽게 지워지는 성질이 있다. 이로 인해 오늘날 전해지는 윤두서 「자화상」에는 유탄으로 그렸던 몸체 부분이 사라진 것으로 필자는 추측하고 있다.

| 오답 풀이 | ①, ②, ③, ⑤ 이 글에서 필자가 윤두서 「자화상」의 몸체 부분이 사라진 이유를 추측한 내용과 무관한 대답이다.

4. (자)에 따르면 윤두서 「자화상」 속 인물은 정면을 응시하고 있는데, 이러한 시선은 '나'도 아니고 타인을 바라보는 것도 아니라 윤두서 자기 자신을 응시하며, 자기를 성찰하는 것이라고 필자는 평가하고 있다.

| 서술형 평가 기준 |

윤두서 「자화상」에 대한 필자의 평가를 제시하고, 〈조건〉에 맞게 제시한 경우	상
윤두서 「자화상」에 대한 필자의 평가를 제시하였지만, 〈조건〉에 맞게 제시하지 못한 경우	중
윤두서 「자화상」에 대한 필자의 평가를 제시하지 못하고, 〈조건〉에 맞게 제시하지 못한 경우	하

확인 문제 ❸

p.179

1. ② 2. 극사실적 묘사 3. ④ 4. 윤두서의 문무 일치 정신이 발현된 것이기 때문이다.

1. 이 글에서 필자는 작가의 원래 창작 의도에 따라 작품을 감상하고 있다.
   |오답 풀이| ① 이 글에서는 작품 자체에서 필자가 받은 느낌을 서술한 부분도 드러나지만, 그것에 대한 해석은 작가의 의도를 바탕으로 하고 있으므로 작품 자체에 주목해야 한다고 볼 수 없다.
   ③ 이 글에서는 작가의 의도를 바탕으로 작품을 감상하고 있으므로 작품 외적 요소를 고려했다고 볼 수 있다.
   ④ 이 글에서는 작품이 감상자에게 미치는 영향을 서술한 부분을 찾을 수 없다.
   ⑤ 이 글에서는 작품 창작 당시의 시대상이 구체적으로 드러나지 않는다.

2. (파)에 따르면 윤두서의 「자화상」은 미화된 중국의 초상화나 간략하게 추상화된 일본의 초상화와는 달리 '터럭 한 올이라도 다르면 곧 다른 사람이 된다.'는 조선 초상화의 정신이 드러나도록 극사실적으로 묘사되어 있어 코털 서너 올까지 숨김없이 묘파되고 있다고 하였다.

3. ㄱ. (카)에 따르면 「자화상」 속 윤두서의 눈빛은 고요하고 침착하기 그지없다.
   ㄴ. (카)에 따르면 씩씩하게 치켜올라간 눈썹은 끝으로 갈수록 흐려지고 넓어지는데, 강인하면서도 중후한 인상을 준다.
   ㄷ. (타)에 따르면 뺨 위쪽으로 드날리는 수염은 마치 불길처럼 솟구쳐서 얼굴의 생명력을 북돋워 준다.
   |오답 풀이| ㄹ. 이 글에 따르면 윤두서 「자화상」의 눈썹에서 세월에 대한 허망함은 찾아볼 수 없다.

4. (하)에 따르면 윤두서 「자화상」의 첫인상은 무서울 만큼 강렬하지만, 나중의 인상은 인자하고 부드러우며 고요한 느낌을 받는다. 이는 윤두서 「자화상」에 사용된 회화의 중요한 표현 수법인 대조를 고차원적으로 활용한 것과 관련 있다.

|서술형 평가 기준|

㉠의 이유를 제시하고, 〈조건〉에 맞게 제시한 경우	상
㉠의 이유를 제시하였지만, 〈조건〉에 맞게 제시하지 못한 경우	중
㉠의 이유를 제시하지 못하고, 〈조건〉에 맞게 제시하지 못한 경우	하

내신 적중 문제

p. 184

1. ⑤ 2. ① 3. 유럽에서는 비정상적인 힘인 마술(마법)을 악마와 연관 지어 이해하려고 했다. 4. ③ 5. ① 6. 근대 초에 가부장제 질서가 더욱 굳건해지면서 전반적으로 남성 세계가 여성을 공격한 현상이 나타났기 때문이다. 7. ④ 8. ⑤ 9. '균질한 영혼'들이 국가 기구에 복종하도록 만들기 위해 마녀사냥이 행해졌다. 10. ③ 11. ③ 12. ② 13. ③ 14. ① 15. 중국, 일본 등 다른 나라들의 초상화와는 달리, 윤두서 「자화상」은 인물을 극사실적으로 묘사했다.

1. (가)에서 '이웃집 아줌마가 밤에 고양이로 변신해서 관악산의 마녀 모임에 다녀왔다는 혐의'를 받는다는 현상을 언급하고 있는데, 이를 통해 설명 대상인 마녀사냥이 갖는 비상식적인 특징을 제시하고 있다.
   |오답 풀이| ① 이 글에서는 대상인 마녀사냥을 구성하는 다양한 요소를 분석하고 있지는 않는다.
   ② 이 글에는 대상인 마녀사냥이 발생한 시기만 언급되었을 뿐, 통시적 관점에서 마녀사냥의 변화 양상을 설명하고 있지는 않는다.
   ③ 이 글에서는 마녀사냥을 다른 대상에 빗대어 표현하지 않고 있으며, (가)~(마)에는 필자의 견해가 제시되어 있지도 않다.
   ④ 이 글에서는 마녀사냥에 대한 기존 연구자들의 견해를 소개하고 있지만, 기존 견해들이 갖는 문제점을 비판하고 있지는 않는다.

2. (다)에 따르면, ㉠은 마녀로 지목된 사람들이 어떤 특정한 믿음 체계를 실제로 가지고 있었다고 보았음을 확인할 수 있다.
   |오답 풀이| ② (다)에 따르면, 마녀로 지목된 사람들이 마녀라고 오해 받을 만한 어떤 역사적인 내용이 실재했다고 보는 것은 ㉠의 입장이며, ㉡과는 관련 없다.
   ③ (라)에 따르면, 마녀사냥은 신학자, 종교 재판관, 정부 당국자들이 종교 서적의 내용을 가지고 조작한 사건이라고 보는 것은 ㉡의 입장이며, ㉢과는 관련이 없다.
   ④ (마)에 따르면, 마녀사냥은 과거로부터 전해 오는 이교의 전통을 권력 당국이 활용하여 일반 민중을 공격한 것이라고 보는 것은 ㉢의 입장이며, ㉠과는 관련이 없다.
   ⑤ 이 글에 따르면, 마녀사냥은 무고한 사람들을 마녀로 몰아 공격한 사건이다. 따라서 죄가 있는 사람을 함께 처벌하려는 의도의 사건이라는 설명은 ㉠~㉢ 모두 관련이 없다.

3. (나)에 따르면 유럽에서는 마술 또는 마법과 같은 비정상적인 힘의 존재를 특이하게도 악마와 연관 지어 이해하는 현상이 있었다.

|서술형 평가 기준|

유럽에서만 발견되는 현상을 활용하고, 한 문장으로 서술한 경우	상
유럽에서만 발견되는 현상은 활용했으나, 한 문장이 아니거나 맞춤법이 틀린 경우	중
유럽에서만 발견되는 현상을 활용하지 않았고, 한 문장으로 쓰지 않은 경우	하

4. (가)에 따르면 흔히 마녀사냥을 중세적 현상이라고 생각하기 쉬우나, 실제로는 근대 초의 현상임을 확인할 수 있다.

|오답 풀이| ① (나)에서 마녀사냥으로 인해 대개 여성, 빈민, 노인 등의 부류가 희생되었음을 확인할 수 있다.

② (나)에서 마녀사냥의 피해자 중 가장 전형적인 인물형은 50~70세의 연령대의 과부였음을 확인할 수 있다.

④ (다)에서 마녀사냥으로 인해 사회의 상층 인사도 공범자로 지목되었음을 확인할 수 있다.

⑤ (다)에서 마녀사냥 때 겁에 질린 사람들은 자기가 마법을 부렸다고 자수하기도 했음을 확인할 수 있다.

5. (라)에서 필자는 마녀사냥이 오늘날의 기준에서 보면 광기에 해당하는 사건이더라도, 그 시대 그 사회의 관점에서 보면 합리적인 행위였을 수 있다고 해석하고 있다.

|오답 풀이| ② (라)에 따르면 마녀사냥이 사회 질서 유지에 일조했으므로 바람직한 행위라고 보는 것은 마녀사냥이 발생한 그 당시의 관점에서 본 해석이다.

③ (라)에 따르면 마녀사냥은 집단의식에 따른 행위와 관련 있지만, 이는 가해자가 아닌 피해자의 관점에서 본 해석이다. 가해자는 자신의 행위를 합리적인 것으로 인식했을 것이다.

④ (나)와 (다)에 따르면 마녀사냥의 피해자는 서민에만 국한되는 것이 아니라 사회의 최상층부 시민들에까지 확대되므로 적절한 파악이 아니다.

⑤ (라)에 따르면 무고한 사람들을 공격하는 마녀사냥은 오늘날의 관점에서 보면 광기에 해당하고, 부당한 행위라고 평가할 수 있다. 하지만 그 시대, 그 사회의 관점에서 보면 마녀사냥은 합리적인 행위에 해당한다고 판단할 수도 있다.

6. (나)에 따르면 근대 초 가부장제 질서가 굳건해지면서 남성 세계가 여성을 공격한 현상의 일환으로 마녀사냥이 나타나 대부분 여성이 희생된 것이다.

|서술형 평가 기준|

'가부장제 질서', '남성 세계', '여성 공격'이라는 내용을 포함하여 한 문장으로 쓴 경우	상
'가부장제 질서', '남성 세계', '여성 공격'이라는 내용을 포함하였으나, 한 문장으로 완성하지 못한 경우	중
'가부장제 질서', '남성 세계', '여성 공격'이라는 내용을 포함하지 않았으며, 한 문장으로 완성하지도 못한 경우	하

7. (나)에 따르면 필자는 오늘날에도 여전히 마녀사냥식의 충동이 잠재해 있으며, 현대사에서도 이와 유사한 사건이 발생한다는 점을 이유로 들어 인간의 지성은 갈수록 발달하지 않으며, 사회도 문명화되지 않는다는 점을 경계하고 있다.

8. (가)에 따르면 마녀사냥은 근대의 권력 당국이 모든 국민들이 국가 기구에 복종하도록 만들기 위해 그들의 권위에서 벗어나는 이들을 제거하고 억압하는 역할을 했다. 이와 마찬가지로 〈보기〉의 파시스트 등의 권력층도 독재 체제를 확립하고 이를 공고히 하기 위해 유대인이라는 특정 부류를 학살했다는 점이 유사하다.

|오답 풀이| ① (나)에 따르면 오늘날에도 마녀사냥식의 충동이 있어서 〈보기〉와 같은 무자비한 학살과 만행이 벌어진 것이다.

② 〈보기〉와 마녀사냥 사이에는 직접적인 인과 관계가 있지 않으므로, 〈보기〉의 사건으로 인해 마녀사냥에 대한 역사적인 재평가가 이루어졌다고 볼 수는 없다.

③ 〈보기〉의 사건은 전 세계적으로 확대되어, 제2차 세계 대전의 발발에 영향을 주었다. 하지만 마녀사냥을 전쟁 발발의 직접적 원인으로 보는 것은 적절하지 않다.

④ 마녀사냥과 〈보기〉의 사건에서는 각각 마녀로 지목된 사람들과 유대인들에게 직접적이고 물리적인 공격을 가했고, 이로 인해 인명 피해를 초래하게 되었다는 공통점이 있다.

9. (가)를 통해 '균질한 영혼'이란 한 국가 안에서 같은 종교를 믿고, 동일하게 사고하는 국민들임을 알 수 있다. 근대 국가의 권력 당국은 이들을 국가 기구에 복종하도록 하기 위해 마녀사냥을 자행했다는 것을 알 수 있다.

|서술형 평가 기준|

(가)의 중심 내용을 적절히 반영하고, '균질한 영혼'이라는 용어를 넣어서 한 문장으로 서술한 경우	상
(가)의 중심 내용을 부분적으로만 반영하고, '균질한 영혼'이라는 용어를 넣었으나 한 문장으로 완성하지 못한 경우	중
(가)의 중심 내용을 반영하지 않았고, '균질한 영혼'이라는 용어를 넣지 않았으며, 한 문장으로도 완성하지 못한 경우	하

10. ㄱ. (나)에서 윤두서 「자화상」 중 정면상, 부드러운 곡선 사용, 화면 구성 등의 특징을 객관적인 시각에서 분석하고 있다.

ㄴ. (가)의 '활활 타오르는 듯한 수염', '기를 발산하는 듯'과 (나)의 '옥에 갇혀 칼을 쓴 인물처럼' 등에서 비유를 통해 윤두서 「자화상」의 모습을 알기 쉽게 설명하고 있다.

ㄷ. (가)와 (나)에서 대상인 윤두서 「자화상」 중 얼굴, 수염 등의 여러 요소를 구체적으로 묘사하고 있다.

|오답 풀이| ㄹ. 이 글에는 윤두서 「자화상」이 제작된 과정이 나타나지 않았고, 이를 시간의 순서에 따라 설명하고 있지도 않다.

11. 이 글에서 윤두서 「자화상」이 현재와 다른 전신 형태로 그려졌다는 언급은 찾을 수 없다.

|오답 풀이| ① (나)에서 윤두서 「자화상」이 '탕건의 윗부분이 잘려져 나'간 형태로 그려져 있다는 것을 확인할 수 있다.

② (나)에서 윤두서 「자화상」은 극사실로 그려졌다는 것을 확인할 수 있다.

④ (라)에서 옛 사진 속 윤두서 「자화상」은 조선 선비가 추구하던 학문인 성리학의 정신에 걸맞는 모습이라는 것을 확인할 수 있다.

⑤ (다)에서 조선 총독부가 발행한 『조선사료집진속』에서 「자화상」의 옛 사진을 발견했고, 여기에는 지금의 「자화상」과는 달리 몸 부분이 선명하게 그려져 있다는 새로운 정보가 담겨 있었다는 것을 확인할 수 있다.

12. (가)에 따르면 ㉠은 눈매가 매서워 첫인상만으로도 보는 이를 압도한다는 것을 확인할 수 있다. 그리고 (다)에 따르면 ㉡은 몸 부분이 선명하게 그려져 있다는 것을 확인할 수 있다.

|오답 풀이| ① (나)에 따르면 ㉠은 정면상이기 때문에 입체감이 없다는 것을 알 수 있다. 그러나 ㉡은 ㉠과 기본적으로 동일한 작품이므로, (나)에 따르면 정확히 좌우 대칭을 이룬다는 것을 알 수 있다.

③ (나)에 따르면 ㉠은 귀가 없고, 목과 상체도 없다는 것을 알 수 있다. 그러나 (다)에 따르면 ㉡은 ㉠과 달리 몸 부분이 선명하게 그려져 있을 뿐, 귀가 없는 것은 ㉠과 마찬가지임을 알 수 있다.

④ (다)에 따르면 얼굴이 어질어 보이는 것은 ㉡에 대한 감상이고, (나)에 따르면 작품에서 섬뜩한 공포감을 느끼게 되는 것은 ㉠에 대한 감상임을 알 수 있다.

⑤ (다)에 따르면 ㉡은 단아한 분위기가 풍긴다는 것을 알 수 있다. 그러나 (나)에 따르면 ㉠의 수염은 있는 그대로인, 극사실적으로 그려졌다는 것을 알 수 있다.

13. (나)에 따르면 필자는 윤두서 「자화상」이 예술성 면에서 미완성이라고는 절대 말할 수 없다며, 뛰어난 예술성을 지녔다고 예찬하고 있다.

|오답 풀이| ① (가)에 따르면 필자는 윤두서 「자화상」의 몸 부분이 사라진 이유를 유탄으로 형태를 잡아 놓은 몸 부분이 지워져 버렸기 때문이라고 추측하고 있음을 확인할 수 있다.

② (라)에 따르면 윤두서 「자화상」 속 얼굴의 크기는 실제 얼굴보다 약간 작다는 점을 확인할 수 있다.

④ (가)에 따르면 그림을 그릴 때는 우선 유탄으로 형태를 잡은 후 먹선을 올림으로써 완성시킨다는 것을 알 수 있다. 윤두서 「자화상」 역시 이 과정에 따라 유탄을 먼저 사용하여 몸체를 그렸다는 점을 확인할 수 있다.

⑤ (라)와 (마)에 따르면 윤두서 「자화상」에는 극사실적 묘사와 대조라는 회화의 중요한 표현 수법이 사용되었다는 점을 확인할 수 있다.

14. (다)에서 작가는 윤두서 「자화상」에 대한 선입견이나 편견 등의 그릇된 첫인상을 배제하고, 작가의 원래 의도를 따라 작품을 감상하겠다고 밝히고 있다.

|오답 풀이| ② 이 글에서는 윤두서 「자화상」만을 감상하고 있다. 이때 현전하는 윤두서 「자화상」과 옛 사진 속 윤두서 「자화상」은 일부 차이가 있기는 하지만, 근본적으로 동일한 작품이다.

③ 이 글에서는 윤두서 「자화상」이 창작된 당시의 시대적 상황을 고려하여 작품을 감상하는 방식은 사용하지 않았다.

④ 이 글에서는 윤두서 「자화상」이 완성작이라는 기존의 견해를 반박하며, 윤두서 「자화상」이 미완성작이라는 필자의 독창적인 감상 의견을 제시하고 있다.

⑤ 이 글에는 윤두서 「자화상」에 대한 감상만 제시되었을 뿐, 다른 나라의 작가가 구현하지 못한 특징을 부각하며 감상하지는 않았다.

15. (라)에 따르면 중국의 초상은 미화되고, 일본의 초상은 간략하게 추상화된다는 특징이 있다. 하지만 윤두서 「자화상」에는 인물을 있는 그대로 그리는 조선 초상화의 사실주의가 반영되어 있다는 점을 알 수 있다.

| 서술형 평가 기준 |

조선 초상화의 정신인 사실주의를 언급하고, 한 문장으로 쓸 경우	상
조선 초상화의 정신인 사실주의를 언급하였으나, 한 문장으로 쓰지 않은 경우	중
조선 초상화의 정신인 사실주의를 언급하지 않았고, 한 문장으로도 쓰지 않은 경우	하

2. 사회·문화 분야의 글 읽기

나라에 부치는 연애편지

확인 문제 ❶ p. 193

1. ⑤ 2. 연애편지 3. ④ 4. ① 5. 독일 기본법은 자신의 잘못을 반성하는 일기에 가깝다.

1. (라)에 따르면 독일 기본법은 힘들었던 제정 당시의 상황으로 인해 다른 헌법과는 달리 미사여구로 치장되지 않았다는 것을 알 수 있다.

|오답 풀이| ①, ② (가)에 따르면 헌법에는 절대로 바꿀 수 없는 조항이 있는데, 국가 체제의 기본 원칙을 규정한 기본법 제20조를 예로 들 수 있다.

③ (다)에 따르면 종종 헌법에 적힌 문장들은 시처럼 아름답

고 함축적임을 확인할 수 있다.

④ (다)에 따르면 "인간의 존엄은 침범할 수 없다"는 내용은 독일 헌법에 나오는 '기본권'에 해당함을 확인할 수 있다.

2. (다)에 따르면 필자는 헌법은 국민이 국가에 쓰는 연애편지와 같다고 비유하고 있다.

3. (라)에 따르면 ㉠은 기본법 제정 소식에 환호하며 우쭐해 하던 사람은 아무도 없던 시기이다.

| 오답 풀이 | ① (라)에 따르면 ㉠은 제2차 세계 대전 이후로, 사회 전반에 여유가 없고 힘들었다는 것을 확인할 수 있다.

② (라)에 따르면 ㉠은 제2차 세계 대전이 끝난 직후에 해당한다.

③ (라)에 따르면 ㉠은 자신들의 과거 지도자들이 범죄자였다는 것을 인정하던 시기이다.

⑤ (라)에 따르면 ㉠은 제2차 세계 대전 때 수백만 명의 인간을 탄압하고 학살했던 것을 돌이켜보고 반성하던 시기였다.

4. 독일 기본법에서는 과거의 일에 대한 반성을 통해 모든 인간에게 똑같은 권리가 있다는 사실을 인정하고 있으므로, 반성의 결과 독일 기본법에 담긴 생각과 가장 가까운 것은 인간의 존엄성이라고 할 수 있다.

5. (라)에 따르면 독일 기본법을 제정하던 시기에 독일인들은 지난 시절의 잘못을 반성하고 있었으므로, 독일 기본법은 이러한 잘못을 반성하는 일기에 가깝다는 특징이 있다.

| 서술형 평가 기준 |

기준	등급
독일 기본법의 특징을 제시하고, 〈조건〉에 맞게 제시한 경우	상
독일 기본법의 특징을 제시하였지만, 〈조건〉에 맞게 제시하지 못한 경우	중
독일 기본법의 특징을 제시하지도 못하고, 〈조건〉에 맞게 제시하지도 못한 경우	하

확인 문제 ❷ p. 195

1. ① **2.** ⑤ **3.** ④ **4.** 독일이 다시는 잘못된 길로 빠져들지 않도록 하기 위해서이다.(독재자가 국가의 권력을 잡는 일이 없도록 하기 위해서이다.)

1. (아)에서 독일 기본법을 만들기 위해 참조한 헌법들이 무엇인지는 알 수 있지만, 독일 기본법을 참조하여 만들어진 헌법은 무엇인지는 나타나 있지 않다.

| 오답 풀이 | ② 독일 기본법 제정에서 고려되었던 점은 (마), (사), (자)의 내용으로 알 수 있는데, (마)에서는 '다시는 독재자가 권력을 잡는 일이 없도록 여러 규정들을 제정하였다'는 데서, (사)에서는 '민주주의와 인권을 중시하는 새로운 헌법을 만들도록 했다'는 데서, (자)에서는 '한 나라의 모든 것을 총괄하는 좋은 헌법을 만들 수 있을까'에서 확인할 수 있다.

③ (바)에 따르면 '온 나라가 연합군의 폭격으로 파괴되고, 많은 도시가 잿더미로 바뀌었으며, 전 국민이 굶주림과 궁핍으로 고통 받던 시절'이라는 내용에서 확인할 수 있다.

④ (마)에 따르면 지난날에 인간을 차별하고 탄압했던 것에 대한 반성의 의미로, '인간은 성, 혈통, 인종, 언어, 출생지, 신앙, 그리고 종교적·정치적 신념 때문에 차별을 받아서는 안 된다.'라는 내용을 제시하고 있는 데서 확인할 수 있다.

⑤ (아)에 따르면 '히틀러와 나치 제국의 탄압에서 살아남은 그들은 전쟁이 끝나자 새로운 헌법을 구상하며 헌법 제정에 참여했다.'는 데서 확인할 수 있다.

2. 독일 기본법 제3조는 지난날 인간을 차별하고 탄압했던 것에 대한 반성의 의미를 담고 있으며 이는 독일이 다시는 잘못된 길로 빠져 들어 부당한 일을 하지 않도록 하는 합법적인 근거가 된다.

| 오답 풀이 | ① 제시된 글에서는 과거 독일의 신념이 무엇인지 명확하게 드러나지 않는다.

② 독일 기본법에는 독일이 예전과 같은 범죄를 저지르지 못하게 하는 전승국의 요구가 있기는 했지만 독일이 이를 억압으로 받아들이고 굴복했다고 하기 보다는 독일인 스스로가 민주주의와 인권을 중시하는 법을 숙고하여 제정하였다고 할 수 있다.

③ 독일 기본법 제정 당시 독일은 패전국으로서 현실적인 굶주림에 시달리기는 했지만, 제3조에 현재의 위기가 직접적으로 담겨 있지는 않다.

④ 과거에 대한 반성이 담겨 있기는 하지만 그것이 국민을 하나로 모으는 계기가 되었다는 내용은 찾을 수 없다.

3. 이 글에 따르면 동독의 헌법이 별도로 제정되었는지는 확인할 수 없으므로, 독일 기본법이 동독의 헌법과 대립적인 성격을 갖는다고 단정하기 어렵다.

| 오답 풀이 | ①, ② (사)에 따르면 국가의 기틀을 다시 짜는 데 최우선 과제를 두었다고 하였다. 또한 민주주의와 인권을 중시하는 새로운 헌법을 독일인들 스스로 만들도록 하였다는 데서 확인할 수 있다.

③, ⑤ (차)에 따르면 독일이 동서로 나뉘어져 있었기 때문에 서독에서만 한정된 헌법을 제정하기로 하였다는 데서 확인할 수 있다.

4. 독일 기본법은 미국, 영국, 프랑스 등 전승국들의 요구에 의해 만들어졌는데, 이는 독일이 예전과 같은 범죄를 저지르지 못하게 하고, 다시는 잘못된 길로 빠져들지 않도록 하기 위한 의도와 관련 있다.

| 서술형 평가 기준 |

예시 답과 유사한 내용으로 서술한 경우	상
내용을 적절하나 문장이 어색하거나 맞춤법이 틀린 경우	중
중심 내용은 포함되어 있으나 문장이 장황한 경우	하

확인 문제 ❸ p. 197

1. ③ 2. ② 3. 규정이 길어질수록 기본권을 제한하는 예외가 점차 늘어난다고 보기 때문이다.

1. 이 글에서는 기본법을 법률보다 정교하게 만들기 위해 얼마의 시간이 걸렸는지는 알 수 없다. 40년의 시간은 기본법이 제정된 후 독일이 통일되기까지 걸린 시간이다.

| 오답 풀이 | ①, ② (타)에 따르면 서독을 정식 국가로 보지 않았기 때문에 기본법 역시 통일되는 그날까지 잠정적으로 제정된 헌법으로 여겼음을 알 수 있다.

④ (거)에 따르면 지난 몇 년 사이에 개정된 기본법으로 국민의 기본권이 두 차례 제한되었음을 알 수 있다.

⑤ (타)에 따르면 '기본법은 '제정 작업에 함께 참여하지 못했던 동독 주민들에게도 적용된다'는 데서 알 수 있다.

2. (너)에서 필자는 기본권과 헌법을 건강에 비유하고 있는데, ㉠과 건강은 한번 잃으면 다시 되찾기 어렵고, 일단 잃고 난 후에야 그 소중함을 깨닫게 된다는 점이 유사하기 때문이다.

3. (거)에 따르면 기본권 규정의 길이가 짧아지면 더 포괄적이고 강력한 성격을 띠고, 길이가 길어지면 기본권을 제한하는 예외가 늘어나는 것이다. 따라서 필자는 규정이 길어지는 것은 헌법의 힘이 줄어들게 되는 것이라고 보았기 때문에 부정적인 입장을 보인 것이다.

| 서술형 평가 기준 |

㉡을 부정적으로 보는 이유를 제시하고, 〈조건〉에 맞게 제시한 경우	상
㉡을 부정적으로 보는 이유를 제시하였지만, 〈조건〉에 맞게 제시하지 못한 경우	중
㉡을 부정적으로 보는 이유를 제시하지 못하고, 〈조건〉에 맞게 제시하지도 못한 경우	하

우산, 근대와 전근대가 만나다

확인 문제 ❶ p. 203

1. ③ 2. ④ 3. 농경 사회 문화 4. 우산을 쓰는 것은 하늘의 뜻을 거역하는 부도덕한 행위라고 인식했기 때문이다.

1. 이 글에서는 역사적으로 우산 사용이 일반적이지 않았던 시기에서부터 비를 가리는 용도로 일반화되는 근대 이후까지를 시간 순에 따라 설명하고 있다.

| 오답 풀이 | ① 이 글에서는 대상인 우산의 개념을 정의하고 있지는 않다.

② 이 글에서는 우산의 사용 방법을 과정에 따라 설명하고 있지는 않다.

④ 이 글에서는 설명 대상인 우산의 사용 여부를 '왕, 상류층 – 사용함', '서민들 – 사용 안함' 등의 사용 주체별로 비교하고 있다. 우산의 특성에 따라 비교하고 있지는 않다.

⑤ 이 글에서는 우산의 사용 여부와 관련하여 왕과 상류층의 사용 사례를 제시하고 있을 뿐, 비유적인 대상을 제시하고 있지 않다.

2. (라)에서는 서양식 우산이 민가의 금기나 풍습 등으로 인해 제대로 자리잡지 못했다고 설명하고 있다.

3. (나)에 따르면 서민들은 조선 후기까지 비 오는 날에도 우산을 쓰지 않았는데, 이는 의도적으로 비를 피하는 것을 금하는 풍습과 관련 있고, 기후에 민감했던 농경 사회 문화와도 관련 있다.

4. (나)에 따르면 서민들은 의도적으로 비를 가리는 행위를 하늘의 뜻을 거역하는 부도덕한 행위라고 생각했으므로, 우산을 쓰는 것에 대해서도 부정적으로 인식했었음을 알 수 있다.

| 서술형 평가 기준 |

㉠의 이유를 제시하고, 〈조건〉에 맞게 제시한 경우	상
㉠의 이유를 제시하였지만, 〈조건〉에 맞게 제시하지 못한 경우	중
㉠의 이유를 제시하지 못하고, 〈조건〉에 맞게 제시하지 못한 경우	하

확인 문제 ❷ p. 205

1. ⑤ 2. ④ 3. 서양 문물인 우산이 우리의 풍습, 민간 신앙과 접목되어 대중문화로 자리 잡았다.

1. 이 글에 따르면 우산 사용과 관련하여 많은 사회적 논란이 있었던 것이지, 비를 가리는 우산 본연의 용도가 훼손된 것으로 인해 사회적 논란이 생긴 것은 아니다.

| 오답 풀이 | ① (자)에 따르면 우산의 모양이 오복의 상징인 박쥐와 유사할 뿐만 아니라 발음의 유사성으로 인해 긍정적으로 인식되었다.

②, ④ (아)에 따르면 개화기에는 얼굴을 드러내 놓고 외출하는 것을 꺼리는 분위기였는데, 여성들이 얼굴을 가리거나 멋을 내는 도구로 양산을 사용하게 되면서 대중문화로 자리 잡게 되었다.

③ (사)에 따르면 방 안에서 우산을 펴는 것은 스스로 빛을 가리는 행위로 햇빛을 보기 힘든 감옥에 들어가는 것과 유사하다고 생각되어 금기시되었다.

2. (차)에 따르면 ㉠으로 인해 여인들의 외출이 자유로워졌다. 이는 여인들의 사회 진출 및 사회 활동이 적극적인 분위기로 바뀌게 하는 데 영향을 주었다고 볼 수 있다.

3. 이 글에 따르면 서양 문물인 우산이 우리나라에 도입된 초기에는 금기, 민간 신앙 등으로 인해 우산 사용에 제약이 많았다. 그러나 점차 우산이 우리의 풍습, 민간 신앙들과 접목됨으로써 우산 사용이 확대되고, 이를 통해 우산은 우리 문화화되고 결국 대중문화로 자리 잡게 되었음을 알 수 있다.

| 서술형 평가 기준 |

기준	등급
오늘날 우산이 우리 사회에 어떻게 정착했는지를 제시하고, 〈조건〉에 맞게 제시한 경우	상
오늘날 우산이 우리 사회에 어떻게 정착했는지를 제시하였지만, 〈조건〉에 맞게 제시하지 못한 경우	중
오늘날 우산이 우리 사회에 어떻게 정착했는지를 제시하지도 못하고, 〈조건〉에 맞게 제시하지도 못한 경우	하

내신 적중 문제

p. 210

1. ⑤ **2.** ① **3.** ② **4.** ③ **5.** 이 글에서는 헌법을 국민이 국가에 쓰는 연애편지로 보았고, 〈보기〉에서는 헌법을 국민과 국가 사이에 쓴 계약서로 보았다. **6.** ③ **7.** ① **8.** ② **9.** ④ **10.** 좋은 헌법이란 건강과 같은데, 한번 잃으면 다시 되찾기 힘들기 때문이다. **11.** ① **12.** ① **13.** ⑤ **14.** ④ **15.** ① **16.** ① **17.** 산업 혁명을 통한 근대화 이후 우산 사용이 일반화되었다.

1. (나)에 따르면 독일 기본법이 제정될 당시 이를 환호하며 우쭐해 하는 사람은 없었다. 이는 전후 열악한 사정과 끔찍한 범죄를 저지른 것에 대한 반성 때문이지, 독일 기본법이 포괄적이지 않기 때문에 보인 반응이 아니다.

| 오답 풀이 | ① (가)에 따르면 헌법은 연인들끼리 굳게 약속하는 사랑에 대한 맹세보다 훨씬 영원하다고 했으므로, 지속성이 더욱 강하다고 볼 수 있다.

② (가)에 따르면 기본법은 '인간의 존엄은 침범할 수 없다.'와 같이 결코 훼손되어서는 안 되는 내용을 보장하기 위한 내용임을 확인할 수 있다.

③ (다)에 따르면 독일 기본법은 독일이 다시는 잘못된 길로 빠지지 않고, 독재자가 국가의 권력을 다시는 잡지 못하도록 하기 위해 여러 규정들을 제정한 것임을 확인할 수 있다.

④ (나)와 (라)에 따르면 독일 기본법이 제정될 당시의 시대 상황은 온 나라가 파괴되었고, 전 국민이 굶주림과 궁핍으로 어려움을 겪고 있던 시대였음을 확인할 수 있다.

2. ㄱ. (가)와 (다)에서 기본법의 실제 조항을 예로 들어 기본법의 특징을 제시하고 있다.

ㄴ. (가)에서 설명 대상인 헌법의 속성을 친숙한 대상인 연애편지, 문자 메시지 등에 빗대어 설명하고 있다.

| 오답 풀이 | ㄷ. 이 글에서는 특정 상황을 가정하여 설명 대상인 기본법의 내용을 제시하지 않았다.

ㄹ. 이 글에서는 설명 대상인 기본법의 구성 요소를 일정한 기준에 따라 분류하지 않았다.

3. (가)에 따르면 일반적으로 ㉠은 문자 메시지처럼 매우 짧게 압축되어 있는 문장을 사용한다는 것을 알 수 있다.

| 오답 풀이 | ① (가)에 따르면 문학적인 표현을 사용하는 것은 ㉠과 관련 있다.

③ (나)에 따르면 ㉡은 열악한 시대 상황으로 인해 미사여구로 치장할 여유가 없었다는 것을 알 수 있다.

④ (가)에 따르면 일반적으로 ㉠은 ㉡과 달리 시처럼 아름답고 함축적인 표현을 종종 사용한다는 것을 알 수 있다.

⑤ (가)에 따르면 일반적으로 ㉠은 문자 메시지처럼 매우 짧게 작성되고 압축되어 있다는 것을 알 수 있다.

4. ⓒ '미사여구'의 사전적 정의는 '아름다운 말로 듣기 좋게 꾸민 글귀'이다. '금이나 옥처럼 귀중히 여겨 꼭 지켜야 할 법칙이나 규정'은 '금과옥조(金科玉條)'의 사전적 의미이다.

5. 이 글의 (가)에서 필자는 국민이 국가를 위해 하고 싶은 것, 해야 하는 것 등을 적기 때문에 헌법을 국민이 국가에 쓰는 연애편지와 같다고 비유하고 있다. 반면에 〈보기〉에서는 헌법을 대기업과 납품업자가 맺는 계약서 등과 같이 국민과 국가가 맺는 계약서와 같다고 비유하고 있다.

| 서술형 평가 기준 |

기준	등급
이 글은 '헌법 = 연애편지'로, 〈보기〉는 '헌법 = 계약서'로 각각 비유했다는 것을 모두 밝히고, 60자 내외로 쓴 경우	상
이 글은 '헌법 = 연애편지'로, 〈보기〉는 '헌법 = 계약서'로 각각 비유했다는 것 중 하나만 밝히고, 60자 내외로 쓴 경우	중
이 글은 '헌법 = 연애편지'로, 〈보기〉는 '헌법 = 계약서'로 각각 비유했다는 것을 밝히지 못하고, 60자 내외로 쓰지 못한 경우	하

6 이 글에는 기존에 제한된 기본권의 내용은 언급되어 있지만, 앞으로 어떤 기본권의 내용이 제한될 것인지 예상되는 정보는 제시되지 않았다.

| 오답 풀이 | ① (가)에 따르면 제2차 세계 대전의 전승국인 미국, 영국, 프랑스 등이 독일이 기본법을 제정하도록 요청했음을 확인할 수 있다.

② (나)에 따르면 서독 정치인들은 분단이라는 특수 상황 때문에 반쪽짜리 기본법을 만들 수밖에 없었다는 것을 확인할 수 있다.

④ (다)에 따르면 기본법 제정에 참여한 사람들은 서독을 하나의 완전한 국가로 보지 않았음을 확인할 수 있다.
⑤ (다)에 따르면 동독과 서독 사이에 자석 이론이 적용되어 동독이 서독으로 끌려 들어오기 위해서는 서독이 정치, 경제적으로 훌륭한 국가를 건설해야 함을 확인할 수 있다.

7. (나)에 따르면 ㉠은 독일의 분단 상황으로 인해 독일의 동쪽은 제외하고, 서독에만 한정된 헌법에 해당하므로 반쪽짜리 기본법에 그쳤다는 한계가 있다.
| 오답 풀이 | ② (라)에 따르면 ㉠은 처음 제정될 때에 비해 무려 40배가 길어지기도 했으므로 일반적인 헌법에 비해 길이가 짧다고 보기 어렵다.
③ (다)에 따르면 ㉠은 제정 작업에 참여하지 못한 동독 주민들에게도 적용된다고 밝히고 있다.
④ (가)에 따르면 ㉠은 미국, 영국, 프랑스 등 제2차 세계 대전의 전승국들의 요구에 의해 만들어졌으나, ㉠을 실제로 제정한 것은 독일의 정치인들이다.
⑤ (나)에 따르면 ㉠은 분단 상황에서 동독과 서독의 정치인들이 한자리에 모이기 어려웠기 때문에 서독 정치인들이 본의 박물관에 모여 제정한 것이다.

8. (라)에 따르면 필자는 기본권의 길이가 길어지는 것은 기본권을 제한하는 예외 규정이 늘어나는 것이라고 보고, 이를 부정적으로 인식하고 있다.
| 오답 풀이 | ① (라)에 따르면 기본권의 길이가 짧을수록 훨씬 포괄적이고 강력한 성격을 지니므로 기본권을 제한하는 예외는 줄어들게 된다. 하지만 이러한 특징은 ㉡의 문제점이 발생하는 이유와는 무관하다.
③ (라)에 따르면 기본권의 길이가 짧을수록 훨씬 포괄적이고 강력한 성격을 지니므로 기본법을 보장하는 권리의 범위는 확장된다. 하지만 이러한 특징은 ㉡의 문제점이 발생하는 이유와는 무관하다.
④ (라)에 따르면 기본법의 길이가 길어지면 기본권을 제한하는 예외 규정이 늘어나는 것을 의미하므로, 기본법이 보장하는 권리의 범위는 축소된다고 볼 수 있다.
⑤ (라)에 따르면 기본법의 길이와 기본권이 보장하는 범위 사이에는 상관관계가 있지만, 해당 권리의 강제성 변화와는 무관하다.

9. 이 글에서 필자는 기본법이 모든 것의 원칙이 되는 성격을 잃어 가고 있는 현실, 즉 국민의 기본권이 몇 차례 제한되며 그 힘을 잃어 가고 있는 현실을 문제시하고 있다. 필자는 기본권은 건강과도 같아서 잃고 난 후에야 그 소중함을 알 수 있다고 했는데, 이는 '소를 도둑맞은 다음에서야 빈 외양간의 허물어진 데를 고치느라 수선을 떤다는 뜻으로, 일이 이미 잘못된 뒤에는 손을 써도 소용이 없음을 비꼬는 말'인 '소 잃고 외양간 고친다'와 관련이 있다. 이러한 일이 발생하지 않도록 미리 경계해야 한다는 것은 필자의 의도와 관련 있다.
| 오답 풀이 | ① '망치가 가벼우면 못이 솟는다'는 '윗사람이 위엄이 없으면 아랫사람이 순종하지 아니하고 반항하게 됨을 비유적으로 이르는 말'이다.
② '알고 있는 일일수록 더욱 명치에 가둬야 한다'는 '말과 행동에 신중을 기해야 함을 비유적으로 이르는 말'이다.
③ '하나를 듣고 열을 안다'는 '한마디 말을 듣고도 여러 가지 사실을 미루어 알아낼 정도로 매우 총기가 있다는 말'이다.
⑤ '자기 배 부르면 남의 배 고픈 줄 모른다'는 '자기와 환경이나 조건이 다른 사람의 사정을 이해하기가 어려움을 이르는 말'이다.

10. (마)에 따르면 필자는 기본권과 좋은 헌법을 건강에 비유하고 있다. 그 이유는 헌법과 건강은 모두 한번 잃고 나면 다시 되찾기 어려우며, 잃고 난 후에야 헌법과 건강의 소중함을 깨닫게 된다는 점이 유사하기 때문이다.

| 서술형 평가 기준 |

헌법을 비유한 대상을 밝히고, 그 이유를 한 문장으로 쓴 경우	상
헌법을 비유한 대상을 밝혔으나, 그 이유를 한 문장으로 쓰지 못한 경우	중
헌법을 비유한 대상을 적절히 밝히지 못하고, 그 이유를 한 문장으로 쓰지 못한 경우	하

11. 이 글에서 왕을 비롯한 소수의 상류층들은 우산(일산)을 권위와 위엄을 상징하는 대상으로 인식하여, 의례용으로 사용했다. 하지만 서민들은 의도적으로 비를 가리는 행위를 부정적으로 인식하여, 우산 사용을 꺼렸다는 점이 서로 다르다.
| 오답 풀이 | ② 이 글에서는 과거에는 우산 또는 일산을 소수의 상류층만이 사용했다고 설명하고 있으나, 이러한 제한된 사용에 대해 비판하고 있지는 않다.
③ 이 글에서는 과거와 달리 오늘날에는 서민들과 여성들이 우산을 자유롭게 사용하게 되었다는 점을 밝히고 있으나, 이러한 우산 사용 확대를 설득하고 있지는 않다.
④ 이 글에서는 서민들이 과거에 우산을 사용하지 않은 원인을 '하늘의 뜻을 의도적으로 거역하지 않기 위해서'라고 밝히고 있으나, 우산을 사용하지 못한 경제적 원인을 밝히고 있지 않다.
⑤ 이 글에서는 서구의 문물인 우산이 여러 우여곡절 끝에 우리 문화화되는 과정을 설명하고 있다.

12. 이 글에서는 상류 사회에서 계급에 따라 일산의 모양이나 색상을 달리하여 사용했다는 점은 확인할 수 있지만, 그 색상별 의미가 무엇인지는 알 수 없다.
| 오답 풀이 | ② (바)에 따르면 박쥐는 오복의 상징으로 경사와

행운을 부르는 존재였음을 확인할 수 있다.
③ (라)에 따르면 민가에서는 방 안에서 우산을 펴는 행위나, 우산을 거꾸로 드는 행위가 금기시되었다는 점을 확인할 수 있다.
④ (마)에 따르면 우산이 널리 사용되기 이전에는, 여성들이 외출할 때는 쓰개치마를 사용했다는 점을 확인할 수 있다.
⑤ (가)에 따르면 과거에 관리들이 일산과 우산을 겸해 사용한 도구의 명칭이 '장량항우산'이라는 점을 확인할 수 있다.

13. (마)에 따르면 ㉯는 기존 관습인 쓰개치마를 쓰고 외출하는 것에 대한 대안으로 제시된 것이다. 하지만 ㉮는 농경 사회 문화에서 행해지던 금기와 관련 있을 뿐이고, 기존 관습에 대한 대안으로 제시된 것은 아니다.
| 오답 풀이 | ① (나)에 따르면 ㉮의 주체는 서민들로, 이들은 우산을 쓰는 행위는 하늘의 뜻을 거역하는 부도덕한 행위라고 보았기 때문에, 의도적으로 우산을 쓰지 않았다.
② (마)에 따르면 ㉯ 이후 우산의 용도는 비를 가리는 본연의 용도에서 확대되어 얼굴을 가리는 용도로 사용되었고, 양산으로까지 확대되어 멋을 내는 도구가 되었다.
③ (나)에 따르면 ㉮는 우산을 쓰면 하늘의 뜻을 거스르게 되어 반드시 재앙이 따른다고 생각했기 때문에 이를 금기시하는 것과 관련 있다. 반면 (마)에 따르면 ㉯는 여성이 얼굴을 드러내 놓고 외출하는 것을 꺼리는 사회 분위기를 깨는 것과 관련 있다.
④ (나)에 따르면 ㉮는 농경 사회 문화에서 비를 의도적으로 가리는 행위를 금하는 사회적 분위기와 관련 있고, (마)에 따르면 ㉯는 여성의 자유로운 외출을 제약하는 사회적 분위기와 관련 있다.

14. ㉠은 거꾸로 든 우산을 하늘에 대한 거역으로 생각하는 것으로 마음에 꺼려 하지 않거나 피하는 금기 사항에 해당한다. 그러나 '새가 낮게 날면 비바람이 분다.'는 날씨가 흐려 높아진 습도로 인해 날개가 무거워져 평소보다 높게 날지 못하는 곤충을 잡아먹기 위한 새의 습성과 관련 있다. 이는 자연 현상으로 날씨를 예측하는 것으로 금기 사항에 해당하지 않는다.
| 오답 풀이 | ① 다리를 떠는 행동을 복을 떨어내는 행동과 연관 지은 금기 사항에 해당한다.
② 근심이나 걱정이 있을 때 쉬는 한숨에 대한 부정적 인식과 관련 있는 금기 사항에 해당한다.
③ 어린아이들의 생활 습관을 교정하기 위한 금기 사항에 해당한다.
⑤ 음식 이름이 주는 어감으로 인한 금기 사항에 해당한다.

15. (바)에 따르면 우산은 박쥐 모양과 비슷하기 때문에 '편복산'으로 불렸다. 이때 '박쥐 복' 자가 '행운 복' 자와 발음이 같았기 때문에, 우산을 긍정적으로 인식하였다. 반면에 〈보기〉의 우산은 중국에서 [위산]으로 발음된다. 이때 '산'이 이별을 뜻하는 글자의 발음인 '산'과 유사하기 때문에, 우산 선물을 금기시하는 풍습이 생긴 것이다.
| 오답 풀이 | ② (바)에 따르면 우산은 박쥐 모양과 비슷하기 때문에 '편복산'으로 불렸지만, 〈보기〉는 모양과는 상관없이 발음만 유사할 뿐이다.
③ (바)는 편복산으로 불리는 우산의 '박쥐 복' 자가 '행운 복' 자와 발음이 같다는 점을 들어 우산을 긍정적으로 인식하고 있다. 그러나 〈보기〉에서는 우산의 발음이 이별을 뜻하는 글자의 발음과 유사하다는 점을 들어 우산 선물을 부정적으로 인식하고 있다.
④ (바)에는 '편복산' 명칭에 따른 특별한 금기가 제시되어 있지 않다.
⑤ 타문화를 볼 때는 자신의 사회·문화적 관점에서 판단하기보다는 타문화의 사회·문화적 관점에서 이해하려는 태도가 요구된다. ㉡과 〈보기〉의 각 입장에서는 상대방의 풍습이나 사용하는 단어의 발음, 우산에 대한 사람들의 인식 등을 정확히 알 수 없으므로 서로의 풍습을 제대로 이해하기 어려울 것이다.

16. 문맥상 ⓐ는 '흐르다'의 여러 가지 의미 중 '시간이나 세월이 지나가다.'로 쓰였고, ①은 이와 유사한 의미로 사용되었다.
| 오답 풀이 | ② '액체 따위가 낮은 곳으로 내려가거나 넘쳐서 떨어지다.'의 의미로 사용되었다.
③ '어떤 한 방향으로 치우쳐 쏠리다.'의 의미로 사용되었다.
④ '물줄기, 피 따위와 같은 액체 성분이 어떤 장소를 통과하여 지나가다.'의 의미로 사용되었다.
⑤ '기운이나 상태 따위가 겉으로 드러나다.'의 의미로 사용되었다.

17. (다)에 따르면 우산이 일반화된 것은 산업 혁명과 이를 통한 근대화라는 사건과 밀접한 관련이 있다. 근대화로 인해 사람들은 경제적으로 일정한 수입이 생기게 되고, 근로 시간과 휴일이 제도적으로 정착됨으로써 야외 활동을 즐기는 인구가 늘어나면서 우산 사용이 일반화된 것이다.

| 서술형 평가 기준 |

우산 사용의 일반화와 관련 있는 사건을 언급하고, 30자 내외의 한 문장으로 쓴 경우	상
우산 사용의 일반화와 관련 있는 사건을 언급하였으나, 30자 내외의 한 문장으로 쓰지 못한 경우	중
우산 사용의 일반화와 관련 있는 사건을 언급하지 않았고, 30자 내외의 한 문장으로 쓰지 못한 경우	하

3. 과학 · 기술 분야의 글 읽기

원자 모형의 변천 과정

확인 문제 ❶

p. 219

1. ④ 2. ③ 3. ⓐ 전자 구름, ⓑ 원자핵 4. 톰슨 원자 모형은 원자와 충돌한 알파선이 큰 각도로 휘어지는 현상을 설명하지 못했다.

1. (마)에 따르면 원자핵이 전자 구름에 비해 크기가 작다는 정보를 확인할 수 있지만, 그 이유가 무엇인지는 제시되지는 않았다.

| 오답 풀이 | ① (나)에 따르면 물질은 더 이상 쪼갤 수 없는 입자들이 모여 이루어진다는 돌턴의 근대 원자설의 주요 내용을 확인할 수 있다.

② (라)에 따르면 러더퍼드는 톰슨 원자 모형에 의하면 알파선이 전자와 충돌하더라도 거의 휘어지지 않을 것이라고 예상했음을 확인할 수 있다.

③ (가)에 따르면 과학은 원자 개념 없이 성립하기 어려움을 확인할 수 있다.

⑤ (다)에 따르면 원자의 구성 요소 중 가장 먼저 실체가 밝혀진 것은 질량이 가장 작은 전자임을 확인할 수 있다.

2. (다)에 따르면 '㉠ 톰슨'은 양전하 속에 음전하를 띤 전자들이 박혀 있다는 원자 모형을 주장하였는데, 이는 양전하와 음전하를 모두 활용한 원자 모형을 주장했음을 확인할 수 있다.

| 오답 풀이 | ①, ② (마)에 따르면 '㉡ 러더퍼드'의 원자 모형에 대한 설명이다.

④, ⑤ (다)에 따르면 '㉠ 톰슨'의 원자 모형에 대한 설명이다. 톰슨은 원자 모형을 마치 쿠키 속에 박힌 건포도로 비유하여, 원자 내부에 구름처럼 퍼져 있는 양전하 속에 음전하를 띤 전자들이 박혀 있다고 주장하였다.

3. 러더퍼드는 실험 결과를 바탕으로 양전하가 원자핵이라는 중심부에 뭉쳐 있을 것이라고 주장하였으며, 이후 실험에서 '매우 작은 원자핵이 전자 구름 속에 박혀 있다는 사실이 밝혀졌다'라고 설명하고 있다. 전자 구름을 '종합 운동장'에, 매우 작은 원자핵을 '모래 한 알'에 빗대어 표현함으로써 생소한 과학 지식에 대한 독자의 이해를 돕고 있다.

4. (라)와 (마)에 따르면 러더퍼드는 실험을 통해 톰슨의 원자 모형을 검증했으며, 예상과는 달리 몇 개의 알파선이 톰슨의 원자 모형으로는 설명할 수 없을 정도의 큰 각도로 휘어져 나왔다는 실험 결과를 얻게 되었다.

| 서술형 평가 기준 |

기준	등급
'원자와 충돌한 알파선이 큰 각도로 휘어지는 현상'을 언급하고, 50자 내외로 쓴 경우	상
'원자와 충돌한 알파선이 큰 각도로 휘어지는 현상'을 언급하였으나, 50자 내외로 쓰지 못한 경우	중
'원자와 충돌한 알파선이 큰 각도로 휘어지는 현상'을 언급하지 못하고, 50자 내외로 쓰지 못한 경우	하

확인 문제 ❷

p. 221

1. ④ 2. ② 3. ① 4. 실험과 관찰을 통해 기존 가설의 한계를 비판하고 새로운 가설을 제시한다.

1. (자)에 따르면 보어 원자 모형 역시 문제점이 발견되었고, 이를 해결하기 위한 새로운 모형들이 제기되고 있다고 하였다. 따라서 보어 원자 모형이 이론적 한계를 극복한 법칙이라고 볼 수 없다.

| 오답 풀이 | ①, ③ (바)에 따르면 러더퍼드는 태양이 행성을 공전시키듯이, 질량이 큰 원자핵이 전자들을 공전시킨다고 주장했음을 알 수 있다.

② (아)에 따르면 행성은 인력과 원심력의 균형에 의해 계속적으로 태양의 주위를 돌 수 있음을 알 수 있다.

⑤ (자)에 따르면 보어는 러더퍼드 원자 모형의 한계를 극복하고 새로운 원자 모형을 제시하였음을 알 수 있다.

2. (차)는 과학의 발전 과정이 가설의 한계를 밝히는 과정이 반복되면서 이루어졌다는 내용이므로 이와 같이 과학의 변천 과정을 보여 주는 글을 읽을 때는 각 이론의 한계를 극복하는 과정이 타당한지 분석하는 자세를 지녀야 한다.

3. (사)에 따르면 태양계라는 큰 것부터 원자라는 작은 것에 이르기까지 일관되게 대칭적 형태로 설명할 수 있기 때문에 러더퍼드의 생각은 매력적인 것으로 보였다. 그러나 (사)와 (아)에 따르면 태양계와 원자는 근본적으로 다른 점이 있어서 태양계의 운동과 달리 원자의 운동을 동일한 방식으로 설명할 수 없다는 문제점이 있었다.

4. (차)에 따르면 '한 과학자가 가설을 세움. → 다른 과학자의 실험, 관찰 → 이를 통한 앞선 가설의 한계 지적 → 가설을 비판 → 새로운 가설 제시'의 반복을 통해 과학은 발전하게 된다.

| 서술형 평가 기준 |

기준	등급
'기존 가설의 한계를 비판', '새로운 가설 제시' 등을 언급하고, 40자 내외로 쓴 경우	상
'기존 가설의 한계를 비판', '새로운 가설 제시' 등을 언급하였으나, 40자 내외로 쓰지 못한 경우	중
'기존 가설의 한계를 비판', '새로운 가설 제시' 등을 언급하지 못하고, 40자 내외로 쓰지 못한 경우	하

확인 문제 ❶ p. 227

1. ④ 2. ③ 3. 빈익빈 부익부 법칙 4. 교통 체증으로 인해 걸리는 총 시간은 거리에 비례하고, 도로의 폭에 반비례한다.

1. (마)에 따르면 도로 교통망에서는 거리, 도로 폭, 차량 수가 운행 시간에 영향을 미치는 중요한 변수에 해당한다.
| 오답 풀이 | ① (가)에 따르면 '실제 세상인 사회와 가상 공간인 인터넷은 네트워크라는 공통점이 있다'.라고 하는 데서 확인할 수 있다.
② (가)의 '사회 네트워크에서 개인들 하나하나가 점이 되고, 그 개인의 사회관계가 선이 되어, 가족, 친지, 친구, 직장 동료 등이 선으로 연결된 네트워크가 된다.'라고 하는 데서 확인할 수 있다.
③ (라)의 '네트워크 이론을 활용하여 해결할 수 있는 문제 중 하나로 교통 체증을 언급'하는 데서 확인할 수 있다.
⑤ (나)의 '고속도로망 같은 네트워크는 각 노드에 연결되는 선의 수가 거의 균일한 형태를 띠는 것을 말한다.'라는 데서 확인할 수 있다.

2. (가)에 따르면 사회 네트워크와 인터넷은 공통적으로 점과 선으로 연결되어 있다.
| 오답 풀이 | ①, ② (가)에서 '네트워크란 점과 선으로 연결된 형태를 말한다.', '네트워크 이론에서는 점을 '노드'라 하고, 선을 '연결선'이라고 한다.'라고 하였다.
④, ⑤ (가)에서 '인터넷에서는 점이 컴퓨터이고, 랜 케이블이나 전자기파가 선이 되며', '사회 네트워크에서는 개인들 하나하나가 점이 된다.'고 하였다.

3. (다)에 따르면 연구자들은 유명한 논문을 인용하고 싶어 하는데, 한번 유명한 논문이 되면 그 논문에 연결선이 많아지는 복잡계 네트워크가 되는 것이다. 즉 현실 세계에서 허브를 가진 복잡계 네트워크가 형성되는 것은 빈익빈 부익부 법칙 때문이다.

4. (마)에 따르면 교통 체증은 자동차들의 동역학 문제인데, 가야 할 거리가 멀면 이에 비례하여 시간이 오래 걸리고, 도로가 넓으면 이에 반비례하여 빨리 갈 수 있다.

| 서술형 평가 기준 |

기준	등급
'시간은 거리에 비례', '도로의 폭은 반비례' 등을 모두 언급하고, 40자 내외로 쓴 경우	상
'시간은 거리에 비례', '도로의 폭은 반비례' 중 하나만 언급하고, 40자 내외로 쓴 경우	중
'시간은 거리에 비례', '도로의 폭은 반비례' 등을 모두 언급하지도 못하고, 40자 내외로 쓰지도 못한 경우	하

확인 문제 ❷ p. 229

1. ③ 2. 각 5명 3. ① 4. 다른 사람의 이익보다 자신의 이익을 극대화하는 방법을 선택하기 때문이다.

1. (사)에 따르면 피오에이는 극단적으로 1이 될 수 있으므로 ③은 적절한 질문이 아니다.
| 오답 풀이 | ① (사)에 따르면 절대적 최적화는 수학적으로 가장 작은 값을 찾는 것이다.
② (사)에 따르면 피오에이가 크다는 것은 개인의 만족도는 높지만, 시간이 많이 낭비되어 수학적으로 비효율적이라는 의미이다.
④ (자)에 따르면 [그림 1]에서 절대적 최적화의 답은 한 사람당 7.5분이 걸리는 것이다.
⑤ [그림 1]에서 개인의 이기심으로 모두 지름길로 가면 한 사람당 7.5분이 걸릴 것이 10분으로 늘어나서 상대적 최적화는 절대적 최적화에 비해 2.5분의 시간이 낭비된다.

2. (아), (자)에 따르면 총 소요 시간이 가장 적게 걸리는 것은 '절대적 최적화의 값'을 따르는 것이다. [그림 1]은 이차식으로 정리하여 계산하면 각각 5명씩 위, 아래로 이동할 때 시간이 가장 적게 걸리는 최솟값이 나올 수 있다.

3. (사)에 따르면 ㉠은 상대적 최적화 값을 절대적 최적화 값으로 나눈 값에 해당한다.

4. 이 글에 따르면 사람들은 다른 사람들의 이익보다 자기 자신의 이익을 더욱 중시하는 이기적인 모습을 보이게 되므로 ㉡과 같은 현상이 발생한 것이다.

| 서술형 평가 기준 |

기준	등급
자신의 이익과 다른 사람의 이익을 비교하는 내용인 '극대화하는 방법을 선택'을 언급하고, 40자 내외로 쓴 경우	상
자신의 이익과 다른 사람의 이익을 비교하는 내용인 '극대화하는 방법을 선택'을 언급하였지만, 40자 내외로 쓰지 못한 경우	중
자신의 이익과 다른 사람의 이익을 비교하는 내용인 '극대화하는 방법을 선택'을 언급하지도 못하고, 40자 내외로 쓰지 못한 경우	하

확인 문제 ❸ p. 231

1. ② 2. ④ 3. ③

1. (거)에 따르면 [그림 3]처럼 중간 지점을 연결하는 다리를 놓았을 때, 오히려 낭비되는 시간이 늘고 교통 체증이 더 생긴다는 것을 알 수 있다.
| 오답 풀이 | ①, ③ (너)에 따르면, 네트워크 이론을 잘 활용

하면 교통 체증 문제를 현명하게 해결할 수 있다고 하고 있다. 그 뿐만 아니라 전염병 확산 예방이나, 생명 공학 연구에서 신약 후보 물질을 찾거나, 기업 제품 홍보 등에서 활용하면 많은 도움을 받을 수 있다고 하고 있다.

④, ⑤ (하)에 따르면, [그림 2]의 경우 10대 차가 가장 좋은 출근 방법은 위아래로 각기 5대씩 나누어서 가는 것이며, 피오에이가 1로 낭비가 전혀 없는 완벽한 도로라고 설명하고 있다.

2. ㄱ. 이 글에서는 브라에스 역설의 실제 사례를 [그림 2]와 [그림 3]의 사례를 들어 제시하고 있다.

ㄴ. 이 글에서는 네트워크 이론의 다양한 활용 분야로 전염병 확산 예방, 인터넷 검색 엔진 개발, 신약 후보 물질 탐색, 입소문 마케팅 등을 열거하고 있다.

ㄷ. 이 글에서는 네트워크 이론과 관련된 용어인 브라에스 역설의 개념을 정의하고 있다.

|오답 풀이| ㄹ. 이 글에서는 대상인 네트워크 이론을 활용했을 때 예상되는 문제점이 무엇인지 지적하지는 않았다.

3. (너)에 따르면 필자는 네트워크 이론은 힘이 세며, 이 이론을 잘 활용하면 실제 문제들을 현명하게 해결할 수 있다고 하였으므로 필자의 궁극적인 주장에 가장 가까운 것은 ③이다.

내신 적중 문제

p. 236

1. ④ **2.** 러더퍼드는 마치 종합 운동장 가운데 모래 한 알이 있는 것처럼 원자핵이 전자 구름 속에 박혀 있다고 보았다. **3.** ① **4.** ③ **5.** ⑤ **6.** ④ **7.** ① **8.** ② **9.** ⑤ **10.** ③ **11.** ④ **12.** 우리 사회는 항공망 같은 척도 없는 네트워크에 해당한다.

1. (라)에 따르면 러더퍼드는 실험을 통해 양전하가 원자 내부에 골고루 퍼져 있는 것이 아니라, 원자핵에 뭉쳐 있다고 결론지었다.

|오답 풀이| ① (가)에 따르면 그리스 철학자인 데모크리토스가 원자라는 용어를 사용하였고, 19세기에 돌턴은 이 용어를 그대로 사용하여 근대 원자설을 주장했음을 알 수 있다.

② (나)에 따르면 핵을 구성하는 기본 입자인 양성자와 중성자가 핵력에 의해 강하게 속박되어 있음을 알 수 있다.

③ (다)에 따르면 러더퍼드는 톰슨의 원자 모형에 따라 알파선이 전자와 충돌하더라도 거의 휘어지지 않을 것으로 예상했었음을 알 수 있다.

⑤ (나)에 따르면 톰슨은 원자 내부에 구름처럼 퍼져 있는 양전하 속에 음전하를 띤 전자들이, 마치 쿠키 속에 박힌 건포도처럼 박혀 있다고 주장했음을 알 수 있다.

2. (라)에서 러더퍼드는 원자핵이 전자 구름 속에 박혀 있다고 보았는데, 이때 원자 지름(전자 구름)과 원자핵의 크기 차이를 '종합 운동장 가운데 모래 한 알'에 비유하고 있다.

|서술형 평가 기준|

기준	등급
'원자 지름(전자 구름) = 종합 운동장', '원자핵 = 모래 한 알'의 비유를 모두 언급하고, 60자 내외의 한 문장으로 쓴 경우	상
'원자 지름(전자 구름) = 종합 운동장', '원자핵 = 모래 한 알'의 비유 중 하나만 언급하고, 60자 내외의 한 문장으로 쓴 경우	중
'원자 지름(전자 구름) = 종합 운동장', '원자핵 = 모래 한 알'의 비유를 모두 적절히 언급하지 않고, 60자 내외의 한 문장으로도 쓰지 못한 경우	하

3. ㄱ. (가)에서 핵심 용어인 원자에 대해, 물질을 구성하는 아주 작고 단단하며 눈에 보이지 않는 알갱이라고 개념을 정의하고 있다.

ㄴ. 설명 대상인 원자 모형을 쉽게 이해시키기 위해 (나)에서는 친숙한 대상인 '쿠키', '건포도'에 빗대어 설명하였고, (라)에서는 '종합 운동장', '모래알'에 빗대어 설명하고 있다.

|오답 풀이| ㄷ. 톰슨, 러더퍼드 등 두 과학자의 원자 모형을 설명하고 있지만, 두 과학자가 주장한 원자 모형이 지닌 장점과 단점이 무엇인지 나열하지는 않았다.

ㄹ. 원자 모형에 관한 연구가 소개되어 있지만, 원자 모형 이론의 여러 가지 특징을 분석하여 설명하고 있지는 않다.

ㅁ. 러더퍼드의 실험 결과가 톰슨 원자 모형 이론과 불일치했지만, 모순된 현상을 나열하고 있는 것은 아니다.

4. 이 글은 원자 모형의 변천 과정을 통해 과학의 발전 과정을 서술하고 있는 설명문이다. 이러한 과학 분야의 글을 읽을 때는 해당 용어와 개념을 정확히 정리하며 읽고, 글의 중심 내용을 파악하는 데 초점을 두어야 한다. 그리고 설명 내용이나 근거의 과학적 타당성을 비판적으로 따져 보아야 한다. 그러나 ③과 같이 이 글에서 설명하고 있는 원자 모형에 대한 당대인들의 반응을 추측하며 읽을 필요는 없다.

5. (가)에 따르면 시간 순서상 ㉠의 원자 모형이 ㉡보다 먼저 제시되었다. 그리고 (다)에 따르면 1913년에 ㉡은 ㉠의 원자 모형이 지닌 한계를 극복하고자 두 가지 가설을 제시하며 새로운 원자 모형을 제안하였다.

|오답 풀이| ① (가)에 따르면 ㉠은 원자가 안정된 상태로 오랫동안 존재할 수 없다고 생각했는데, 실제 원자는 매우 안정적이므로 ㉠의 원자 모형에서의 설명은 문제점이 있다. 그리고 (다)에 따르면 ㉡의 원자 모형 역시 문제점이 발견되어 이를 해결할 수 있는 새로운 원자 모형들이 제시되고 있다는 점을 알 수 있다.

② (다)에 따르면 ㉡이 ㉠의 원자 모형이 설명할 수 없는 원자의 안정성에 대해 적절히 설명할 수 있는 새로운 원자 모형이라는 점을 알 수 있다.

③ (다)에 따르면 ㉡은 전자껍질이라는 개념을 도입하여 원

자 모형을 제시했지만, ㉠은 이러한 개념을 사용하지 않았다.
④ (가)와 (나)에 따르면 ㉠은 뉴턴의 만유인력의 법칙에서 설명한 것과 같이, 원자를 태양계의 축소판처럼 설명하고자 했다. 그러나 ㉡은 뉴턴의 만유인력의 법칙을 활용하여 원자 모형을 제시하지는 않았다.

6. (다)에 따르면 보어는 러더퍼드의 원자 모형 이론의 한계를 극복하고 새로운 원자 모형 이론을 수립하였다. 그러나 이 글과 〈보기〉를 통해 보어가 시대적 편견에 의해 혹독한 공격을 받고 희생되었을 것이라고는 볼 수 없다.

7. (다)~(마)에서 실제 도로 상황을 예로 들어 네트워크 이론의 적용 상황을 구체적으로 제시하고 있다.
| 오답 풀이 | ② 이 글에는 네트워크 이론의 형성 과정이 제시되지 않았고, 이를 시간의 순서에 따라 분석하고 있지도 않다.
③ 이 글에는 네트워크 이론에 관한 설명만 제시되었을 뿐, 이와 대비되는 이론을 제시하거나 둘 사이의 공통점과 차이점을 비교하고 있지도 않다.
④ 이 글에서는 네트워크 이론을 실생활에 적용하고 활용했을 때의 긍정적인 효과를 언급했을 뿐, 이로 인해 예상되는 문제점을 언급하고 있지는 않다.
⑤ 이 글에서는 네트워크 이론이 지닌 한계가 무엇인지를 언급하지 않았고, 네트워크 이론을 대체할 만한 새로운 이론을 소개하지도 않았다.

8. (나)에 따르면 피오에이는 상대적 최적화 값을 절대적 최적화 값으로 나눈 값임을 알 수 있다.
| 오답 풀이 | ① (가)에 따르면 각 노드에 연결되는 선의 수가 거의 균일한 형태는 고속도로망 같은 네트워크로, 각 노드에 연결되는 선이 몇 개의 노드에 집중되는 허브를 가지고 있어서 복잡한 형태를 띠고 있는 것은 항공망 같은 네트워크로 구분된다는 것을 알 수 있다.
③ (라)에 따르면 실제 도로 상황에서 운전자들은 절대적 최적화의 값을 따르는 것이 불공평하다고 여기고 있다는 것을 알 수 있다.
④ (바)에 따르면 네트워크 이론을 활용하여 허브를 우선적으로 치료하면 전염병의 확산을 효과적으로 예방할 수 있는 장점이 있다.
⑤ (마)에 따르면 상대적 최적화는 개인이 자신의 이익을 극대화하는 방법과 관련이 있고, 사람들이 좋아서 선택하는 이기적인 행동에 해당한다는 것을 알 수 있다.

9. (가)에 따르면 '척도가 없다'는 것은 각 노드를 연결하는 선의 개수가 적은 노드부터 연결이 많은 허브까지 분포가 넓어서 특정한 숫자(척도)를 정할 수 없다는 뜻이다.
| 오답 풀이 | ① (가)에 따르면 고속도로망 같은 네트워크와 항공망 같은 네트워크는 생긴 모양에 따라 나눌 수 있다고 하였으므로 적절하다.
② (가)에 따르면 ㉮와 ㉯는 생긴 모양이 다르다. 그러나 ㉮와 ㉯를 설명할 때 사용되는 용어는 노드와 선으로 동일하다. 따라서 ㉮와 ㉯ 모두 노드와 선으로 구성된다는 공통점이 있다는 내용은 적절하다.
③, ④ 고속도로망 같은 네트워크와 항공망 같은 네트워크는 선의 분포 면에서 차이가 있는데, 고속도로망 같은 네트워크는 각 노드에 연결되는 선의 분포가 거의 균일하고, 항공망 같은 네트워크는 몇 개의 노드에 연결되는 선이 집중되는 허브를 가지고 있으므로 고속도로망 같은 네트워크에 비해 노드에 연결되는 선의 분포가 불규칙적이다.

10. (나)에 따르면 피오에이가 작으면 효율은 높으나 개인의 만족도가 낮을 수 있고, 반대로 피오에이가 크면 개인의 만족도는 높지만 시간이 많이 낭비되므로 비효율적이게 된다. 그리고 극단적으로 피오에이가 1이 될 수도 있는데, 피오에이가 1이면 효율과 개인의 만족도가 모두 충족되었다는 것을 의미한다.
| 오답 풀이 | ①, ②, ④, ⑤ 피오에이가 작으면 효율은 높고, 개인의 만족도는 낮을 수 있으며, 피오에이가 1이면 효율과 개인의 만족도가 모두 충족되었다는 것을 의미한다.

11. ⓐ는 '띠다'의 여러 의미 중, 문맥상 '(무엇이 일정한 외관상의 특질을) 지녀서 드러내다.'의 의미이고, ④의 의미는 '빛깔이나 색채 따위를 가지다.' 또는 '(무엇이 일정한 외관상의 특질을) 지녀서 드러내다.'의 의미도 있어서 ④가 적절하다
| 오답 풀이 | ① '띠다'의 여러 의미 중 '어떤 성질을 가지다.'의 의미이다.
② '띠다'의 여러 의미 중 '용무나, 직책, 사명 따위를 지니다.'의 의미이다.
③ '띠다'의 여러 의미 중 '감정이나 기운 따위를 나타내다.'의 의미이다.
⑤ '띠다'의 여러 의미 중 '띠나 끈 따위를 두르다.'의 의미이다.

12. (가)에 따르면 우리가 살고 있는 세상은 항공망 같은 척도 없는 네트워크로, 복잡계 네트워크에 해당한다고 볼 수 있다.

| 서술형 평가 기준 |

기준	등급
'항공망 같은 척도 없는 네트워크' 또는 '복잡계 네트워크'에 해당된다는 점을 밝히고, 30자 내외의 한 문장으로 쓴 경우	상
'항공망 같은 척도 없는 네트워크' 또는 '복잡계 네트워크'에 해당된다는 점을 밝혔으나, 30자 내외의 한 문장으로 쓰지 못한 경우	중
'항공망 같은 척도 없는 네트워크' 또는 '복잡계 네트워크'에 해당된다는 점을 밝히지 못하고, 30자 내외의 한 문장으로도 쓰지 못한 경우	하

대단원 평가 문제

p. 242

1. ② 2. ③ 3. ② 4. ⑤ 5. ④ 6. ① 7. 윤두서 「자화상」에는 극사실주의와 대조의 표현 기법이 사용되었다. 8. ③
9. ③ 10. 당시 정치인들은 자석 이론처럼 동독이 자석에 이끌리듯 서독의 기본법 안으로 들어올 것을 기대했다. 11. ① 12. ②
13. ③ 14. ④ 15. ③ 16. ① 17. ① 18. ④ 19. ②

1. 이 글은 인문 분야의 글로, 인문 분야의 글을 읽을 때는 필자의 의견을 비판적으로 바라보며 능동적으로 읽는 것이 바람직하다. 글에 제시되거나 관련된 다른 작품을 일일이 찾아보며 읽을 필요는 없다.

|오답 풀이| ①, ⑤ 인문 분야의 글을 읽을 때는 인용 자료의 정확성, 주장과 근거의 타당성을 비판적으로 따져 보아야 한다.

③ 인문 분야의 글을 읽을 때는 대상을 바라보는 필자의 관점에 비중을 두고 읽는 것이 필요하다.

④ 인문 분야의 글을 읽을 때는 다른 문제 상황에 적용해 보는 깊이 있는 읽기가 필요하다.

2. ㄱ. (가)에서는 대상인 마녀사냥의 특징을 파악하기 위해 '그렇다면 누가 희생되었는가?'와 같이 필자가 스스로 의문을 제기한 후 '희생자들은 대개 여성, 빈민, 노인으로, 악마의 유혹에 쉽게 빠지게 된다고 여긴 부류들이었다'와 같이 필자 스스로 대답을 찾아 제시하는 자문자답(自問自答)의 설명 방식을 사용하고 있다.

ㄴ. (나)에서 필자는 마녀사냥이 현대적 관점에서는 광기에 해당하지만 당시 사회의 관점에서 보면 합리적인 행위였을 수도 있다고 언급하고 있다.

ㄷ. (다)에서는 역사학자의 입장에서 마녀사냥을 해석한 내용을 소개하고 있다.

|오답 풀이| ㄹ. 이 글에서는 대상인 마녀사냥과 상반되는 개념을 언급하지 않았고, 이를 통해 마녀사냥의 속성을 부각하고 있지도 않다.

3. (나)와 〈보기〉의 관점에 따르면, 마녀사냥으로 인해 ㉠과 같은 결과가 발생한 이유는 근대 초에 가부장제 질서가 더욱 굳건해지면서 전반적으로 남성 세계가 여성을 공격한 현상과 밀접한 관련이 있다고 볼 수 있다.

|오답 풀이| ① 〈보기〉의 관점은 경제적 상황을 고려하는 것과 관련이 없다.

③ 〈보기〉의 관점은 남성 세력이 여성을 공격한 것이라고 보고 있다.

④ 〈보기〉의 관점은 국가와 종교의 권위를 인정하는지의 여부와는 관련이 없다.

⑤ 〈보기〉의 관점은 급변하는 사회·문화적 분위기에 적응하는지의 여부와는 관련 없다.

4. (가)와 (나)에 따르면 윤두서가 「자화상」을 그린 이유가 자기 성찰과 관련되어 있음을 확인할 수 있으나 자기 성찰을 한 이유는 알 수 없다.

|오답 풀이| ① (다)에서 조선 초상화의 정신은 '터럭 한 올이라도 다르면 곧 다른 사람이 된다.'는 사실주의임을 확인할 수 있다.

② (가)에서 윤두서 「자화상」은 미완성작임을 확인했다는 필자의 주장을 확인할 수 있다.

③ (다)에서 중국의 초상화는 미화되었고, 일본의 초상화는 간략하게 추상화되었다는 특징을 각각 확인할 수 있다.

④ (가)에서 윤두서 「자화상」과 미켈란젤로의 「노예상」은 모두 미완성작이면서도, 걸작으로 평가받는다는 공통점을 확인할 수 있다.

5. 필자는 (다)에서 윤두서 「자화상」에 선비의 학문과 무인의 기량을 함께 추구했던 윤두서의 문무 일치의 정신이 발현되어 있다고 보았다.

|오답 풀이| ①, ② (가)에 따르면 「자화상」에는 작가 자신에 대한 심오한 상념이 전개되는 과정, 그리고 생생한 자기 성찰의 흔적을 그대로 보여 준다는 것을 확인할 수 있다.

③ (다)에 따르면 작품을 보는 이가 첫눈에는 무섭다고 할 만큼 강렬한 인상을 받지만, 보면 볼수록 인자하고 부드러우며 고요한 느낌을 받게 된다고 했다.

⑤ 필자는 (가)에서 윤두서 「자화상」이 미완성작이며, 그 이유로 작가가 미완성작 속에서 더 이상 손댈 수 없는 완전성을 감지하고 그 이상의 작업을 스스로 포기했던 것으로 추측하고 있다.

6. (나)에서 필자는 작가인 윤두서의 원래 의도에 따라 작품을 감상하겠다고 밝히고 있다. 이에 따라 〈보기〉와 같이 「자화상」 속 인물이 정면을 응시하는 것이 다른 사람이 아닌 작가 자신을 바라보고 있는 것이며, 이러한 모습은 윤두서가 자기 성찰을 하기 위해 그린 것이라며 해석하고 있다.

7. (다)에 따르면 윤두서 「자화상」은 극사실적으로 묘사되고 있다는 점과, 회화의 중요한 표현 수법인 대조를 고차원적으로 활용하고 있다는 점을 알 수 있다.

|서술형 평가 기준|

'극사실주의', '대조'를 모두 언급하고, 30자 내외의 한 문장으로 쓴 경우	상
'극사실주의', '대조' 중 하나만 언급하고, 30자 내외의 한 문장으로 쓴 경우	중
'극사실주의', '대조'를 모두 언급하지 않고, 30자 내외의 한 문장으로 쓰지 못한 경우	하

8. 사회 분야의 글은 동일한 화제에 대해 여러 사람의 글을 주제 통합적으로 읽는 것이 좋다. 이 글과 〈보기〉는 헌법이라

는 동일한 화제에 대해 서로 다른 관점을 보여 주는 글이며, 이 두 글을 주제 통합적 방식으로 읽음으로써 다양한 사회 현상을 통찰하는 데 도움을 받을 수 있다. 그러나 글의 서술 방식에 따라 글을 읽는 방법을 달리할 필요는 없다.

9. (가)에 따르면 독일 기본법이 자신의 잘못을 되씹어 보는 일기에 가깝다는 점은 알 수 있지만, 독일 기본법이 일기와 구분되는 어떤 특징을 갖고 있는지는 확인할 수 없다.

| 오답 풀이 | ① (다)에 따르면 국민의 기본권 중 난민의 망명권에 대한 제한과 사유 주택이라 하더라도 범죄 행위에 이용되는 곳은 도청할 수 있다는 제한 내용을 확인할 수 있다.

② (다)에 따르면 기본권과 좋은 헌법은 건강에 비유할 수 있는데, 한번 잃고 나면 되찾기 힘들다는 점과 잃고 난 후에야 그 소중함을 깨닫게 된다는 공통점이 있음을 확인할 수 있다.

④ (나)에 따르면 '동독이 자석에 이끌리듯 서독의 기본법 안으로 들어왔다'는 것을 알 수 있다. 이는 독일 통일에 기본법이 기여한 바가 크다는 것이므로 기본법 제정이 독일 통일에 미친 영향을 확인할 수 있다.

⑤ (다)에 따르면 과거의 기본권(망명권)에 비해 오늘날 개정된 규정은 무려 40배나 길어졌다는 점을 확인할 수 있다.

10. (나)에 따르면 독일 기본법을 제정하던 당시 정치인들은 '자석 이론'이라는 꿈을 갖고 있었다. 이에 따라 정치적, 경제적으로 훌륭한 국가를 건설하면 마치 자석에 이끌리듯 동독이 서독으로 끌려 들어올 것이라고 기대하고 있었다.

| 서술형 평가 기준 |

기준	등급
'자석 이론'을 언급하고, '동독이, 서독으로, 자석에 이끌리듯'의 요소들을 모두 포함하여 쓸 경우	상
'자석 이론'을 언급하고, '동독이, 서독으로, 자석에 이끌리듯'의 요소들 중 일부를 포함하지 않고 쓸 경우	중
'자석 이론'을 언급하지 않고, '동독이, 서독으로, 자석에 이끌리듯'의 요소들을 모두 포함하여 쓰지 못한 경우	하

11. (가)에서 대상인 우산이 도입된 초기에 외국인이 우산을 쓰고 거리에 나갔다가 몰매를 맞은 일화와 외국인 선교사들이 원활한 선교 활동을 위해 우산 사용을 자제했다는 일화를 소개하고 있다.

| 오답 풀이 | ② 이 글에서는 대상인 우산의 사용 확대로 인해 어떤 효과가 발생했는지는 밝히고 있지 않다.

③ 이 글에서는 우산을 도입해야 하는 필요성을 부각하고 있지 않았다.

④ 이 글에서는 우산에 대한 특정 입장을 바탕으로 우산 사용에 관한 문제점을 지적하는 내용은 나타나 있지 않다.

⑤ 이 글에서는 우산의 기능이 발전하는 양상을 설명하지 않았고, 이를 시간 순으로 제시하지도 않았다.

12. 필자는 서양에서 들어온 우산이 우리 고유의 풍속과 혼합되어 대중문화로 자리 잡았다고 설명하고 있다.

13. (가)에 따르면, 처음에 들어온 서양식 우산이 우산 모양이라는 점을 확인할 수 있으나, 우산 모양 때문에 우산 사용을 꺼려했는지는 확인할 수 없다.

| 오답 풀이 | ① (가)에 따르면 ㉠에는 우산 사용을 금하는 풍습이 있었고, 우산을 사용한 사람에게 몰매를 가하기도 하는 등 우산 사용에 대한 사회적 거부 반응이 심했다는 것을 알 수 있다.

② (가)에 따르면 ㉠에는 우산을 사용하여 의도적으로 비를 가리는 행위를 금기시하고 있었고, 이와 관련하여 민가에서는 비를 가리는 행위를 금하는 풍습도 있었다는 것을 알 수 있다.

④ (다)에 따르면 근대 서구에서 도입된 우산은 ㉡에서 점차 우리의 풍습 및 민간 신앙과 접목되었다는 것을 알 수 있다.

⑤ (다)에 따르면 서양 문물인 우산은 ㉡에서 우리 고유의 풍속과 혼합되었고, ㉡ 이후 우산은 우리 문화화되었으며, 대중문화로 자리 잡게 되었다는 것을 알 수 있다.

14. ⓓ의 사전적 의미는 '재산이 많고 지위가 높으며 귀하게 되어서 세상에 드러나 온갖 영광을 누림.'이고, '출세하여 이름을 세상에 떨침.'은 '입신양명(立身揚名)'의 사전적 의미이다.

15. (나)에 따르면 ㉡은 원자를 태양계의 축소판처럼 다루려고 했고, 원자를 태양계처럼 대칭적 형태로 설명하고자 했으므로 '판단'은 '예'에 체크되어야 한다.

| 오답 풀이 | ① (가)에 따르면 ㉠은 양전하 속에 음전하를 띤 전자들이 박혀 있는 원자 모형을 주장했다. 따라서 '이해' 부분이 잘못된 것이므로, '판단'을 '아니요'에 체크한 것은 적절하다.

② (나)에 따르면 ㉡은 전자들이 어떤 형태를 띠고 있을 것인가에 대해 의문을 갖게 되었음을 확인할 수 있다. 따라서 '이해' 부분이 올바르므로, 이에 따라 '판단'을 '예'에 체크한 것은 적절하다.

④ (다)에 따르면 ㉢은 전자가 전자껍질을 따라 핵 주위를 돈다고 주장했음을 확인할 수 있다. 따라서 '이해' 부분이 올바르므로, 이에 따라 '판단'을 '예'에 체크한 것은 적절하다.

⑤ (다)에 따르면 ㉢은 러더퍼드 원자 모형으로는 설명할 수 없었던 원자의 안정성을 설명할 수 있다. 따라서 '이해' 부분이 잘못된 것이므로, '판단'을 '아니요'에 체크한 것은 적절하다.

16. 보어는 러더퍼드 원자 모형의 한계를 극복하기 위해 두 가지 가설을 제시하였다.

17. ⓐ는 '흩어져 퍼져'의 의미이므로 ①과 같이 대신하여 써도 무방하다.

| 오답 풀이 | ② ‘분산(分散)’의 의미에 해당한다.
③ ‘분리(分離)’의 의미에 해당한다.
④ ‘분류(分類)’의 의미에 해당한다.
⑤ ‘분간(分揀)’의 의미에 해당한다.

18. (나)에 따르면 피오에이가 1인 경우는 효율과 개인의 만족도가 모두 충족되었다는 의미이다. 이 글에서는 이러한 극단적인 경우를 가정해 보고 있으므로 개인의 만족도와 효율을 모두 충족하는 것을 가능하다고 보고 있음을 알 수 있다.
| 오답 풀이 | ① (가)에 따르면 우리가 살고 있는 사회는 네트워크 유형 중 ‘항공망 같은 척도 없는 네트워크’에 해당하며 ‘복잡계 네트워크’라고 볼 수 있다.
② (가)에 따르면 ‘항공망 같은 네트워크’는 각 노드를 연결하는 선의 개수가 적은 노드부터 연결이 많은 허브까지, 분포가 넓어 특정한 숫자(척도)를 정할 수 없다는 것에서 알 수 있다.
③ (가)에 따르면 ‘고속도로망 같은 네트워크’는 각 노드에 연결되는 선의 수가 거의 균일한 형태를 띤다는 것을 알 수 있다.
⑤ (다)에 따르면 청계천의 기존 고가 도로를 막았더니 예상과는 달리 시내 교통 흐름이 나아져서 교통 체증 문제를 해결했다는 것에서 알 수 있다.

19. (다)에 따르면, 네트워크 이론을 적절히 활용하면 현실의 여러 가지 문제들을 현명하게 해결할 수 있다고 하였다. 특히 ‘척도 없는 복잡계 네트워크’인 우리 사회의 문제를 해결할 때 ‘허브’를 적절히 사용하면 문제 해결의 효율성을 높일 수 있다고 설명하고 있다. ②와 같이 인터넷상의 ‘허브’에 해당하는 ‘파워 블로거’에게 기업이 제품의 홍보를 요청하면, 해당 파워 블로거에게 연결되는 많은 선들을 따라 수많은 방문객에게 관련 정보가 전달되고 결과적으로 제품 홍보 효과를 높일 수 있게 된다.
| 오답 풀이 | ① 네트워크 이론에서의 허브 개념과의 관련성을 확인할 수 없는 해결 방안이다.
③, ④, ⑤ 이 글에서 언급한 네트워크 이론과 관련 없는 사례이다.

Ⅳ. 다양한 특성의 글 읽기

1. 다양한 시대의 글 읽기

요물이 나라를 망치고 있으니

확인 문제 ❶

p. 255

1. ① **2.** ④ **3.** 군신유의(君臣有義) **4.** ② **5.** 임금의 은혜를 지나치게 입어 오히려 임금을 무시하는 마음을 가졌기 때문이다.

1. 이 글의 필자는 군신 간의 예법을 무시하는 신돈의 무례한 행동에 대해 문제를 제기하고 있다.
| 오답 풀이 | ② 어떤 상황을 가정하고 있지 않다.
③ 통념에 근거한 주장이 나타나 있지 않다.
④ 전문가의 말을 인용하고 있지 않다.
⑤ 문제 상황에 대한 대응 방안이 나타나 있지 않다.

2. ㉣에서는 신돈의 행동에 대한 판단 기준을 중의 신분과 재상의 신분으로 나누어 고려하고 있다. 관직의 등급이 아닌 관직의 유무를 행동의 판단 기준으로 삼고 있는 것이다.
| 오답 풀이 | ① 필자가 직접 눈으로 목도하여 경험한 사실을 언급하며, 신돈의 무례한 행동과 예법에 의한 기강 확립의 필요성이라는 중심 화제에 접근하고 있다.
② ‘상하 명분을 엄격하게 한 것’이라는 표현에서 확인할 수 있다.
③ ‘예법으로서는 마땅히 조복(朝服)을 차리고 나아가 은혜를 사례해야 함’이라는 표현에서 확인할 수 있다.
⑤ 유승단과 정가신의 사례를 들어 신돈의 행동과 대비시킴으로써 신돈의 무례한 행동을 부각하고 있다.

3. 이 글에서 필자는 신돈이 임금께 충성을 다하지 않음에 문제를 제기하고 있는 것이 아니라, 군신 간의 예법을 무시하는 행위에 대해 문제를 제기하고 있다. 필자는 군신 간의 의리(도리), 즉 임금에 대한 신하의 예법과, 이로 인한 국가 기강 확립을 중시하고 있다.

4. 이 글에서 임금의 인척은 인종의 외조부인 이자겸 한 사람만이 제시되었다.
| 오답 풀이 | ①, ④ ‘최항이나 김인준, 임연 같은 이들도 이렇게 행한 적은 없었습니다.’라는 말은 맥락상 이들도 신돈과 동등한 지위에 있으면서 권력을 행사했던 권신들이었으나, 신돈처럼 무례한 행동을 하지는 않았다는 의미이다.
③ 이 글에서 유승단은 고종의 스승이요, 정가신은 충선왕의 스승이라고 하였다.

⑤ '이자겸은 인종의 외조부였으므로 ~ 그렇게 하지 못하였습니다.'에서 확인할 수 있다.

5. '신돈은 임금의 은혜를 지나치게 입어 나라 정사를 제멋대로 하고 임금을 무시하는 마음이 있었습니다.'라는 문장에서 신돈의 전횡에 대한 필자의 생각을 엿볼 수 있다.

| 서술형 평가 기준 |

'임금의 은혜를 지나치게 입음'과 '임금을 무시하는 마음'을 모두 제시하며 조건에 맞게 서술한 경우	상
'임금의 은혜를 지나치게 입음'과 '임금을 무시하는 마음' 중 한 가지만을 서술한 경우	중
'임금의 은혜를 지나치게 입음'과 '임금을 무시하는 마음'이 잘 드러나지 않게 서술한 경우	하

확인 문제 ❷ p. 257

1. ① 2. ④ 3. ② 4. ④ 5. 예법에 어긋나고 권력을 남용하는 신돈의 행동은 나라의 기강을 어지럽힌다. 따라서 그를 관직에서 물러나게 하거나 그 권력을 억눌러 나라의 기강을 회복해야 한다.

1. 이 글의 필자는 「홍범」의 내용을 인용하여, 신돈이 권력을 남용하는 것을 비판하고 있다.
| 오답 풀이 | ② 분수에 넘치는 일을 하는 신돈과 같은 신하가 있다면 백성들 역시 그들을 좇아 분수에 넘치는 일을 하게 될 것이라며 신돈의 무례함이 초래할 사태에 대한 우려를 표현하고 있을 뿐, 관리들이 백성을 수탈하고 있음을 언급하고 있지 않다.
③ (다)에서 임금만이 복을 내리고 위세를 부리며 진귀한 음식을 받을 수 있는데, 신돈이 임금과 같은 위세를 부린다고 지적하고 있을 뿐, 임금의 통치 철학이 부재함을 비판하고 있지 않다.
④ 이 글에서는 신돈의 권력 남용을 비판하는 데 주목하고 있을 뿐, 임금과 신하, 백성들이 각자의 본분에 충실해야 함을 언급하고 있지 않다.
⑤ (다)에서 신돈의 분수에 넘치는 행위로 인해 관리들이 분수를 지키지 않는 일이 발생할 것에 대한 우려를 드러내고 있을 뿐, 관리들의 다툼이 커져 감을 언급하고 있지 않다.

2. (마)에서 신돈의 벼슬을 삭탈하라는 이유를 들고 있고, (바)에서는 자신의 직분을 드러내면서 상소를 올린 의도를 드러내고 있다. 이렇게 볼 때, (마)와 (바)에서 왕권 회복이라는 주장에 초점을 두고 있지 않으며, 민생의 회복에 대한 내용 역시 언급하지 않고 있다.
| 오답 풀이 | ① (다)와 (라)에서 필자는 신돈의 탄핵에 대한 자신의 주장을 강화하기 위해 권위 있는 경전, 즉 『서경(書經)』 「홍범」 편의 글과 신망 받는 유학자인 '사마광'의 말을 인용하고 있다.
② (라)에서 필자는 신돈의 국정 농단으로 인한 문제 상황을 해결하기 위한 대응책으로 그의 관직 삭탈이나 권력 축소를 건의하고 있다.
③ (마)에서 필자는 기상 현상의 초자연적인 이상 징후를 언급하면서 신돈의 탄핵에 대한 자신의 주장을 강화하고 있다.
⑤ (바)에서 필자는 상소문을 쓰게 된 것이 마땅히 해야 할 자신의 직분임을 인식한 데서 비롯된 행위임을 강조하고 있다.

3. 이 글에 따르면 필자는 백관과 백성이 분수에 넘치는 생활을 했다는 것이 아니라, 군신의 예법을 지키지 않았을 때 그와 같은 일이 발생할 수 있다는 우려를 제시하고 있다.
| 오답 풀이 | ① 필자는 '임금-신하(관리, 백관)-백성'으로 이어지는 상하 간의 신분 질서를 전제로 글의 논지를 전개하고 있다.
③ 필자가 「홍범」을 인용하여 주장을 전개하는 데서 확인할 수 있다.
④ (나)의 '신 등은 직책이 사간원에 있는지라.'와 '이에 침묵을 지키고 말을 하지 않는다는 책망을 면하고자 합니다'를 통해 관리가 임금의 잘못을 지적하는 관청이 존재했음을 확인할 수 있다.
⑤ (마)에서 이상 기후 현상을 신돈의 인간됨이나 처신으로 인해 일어난 자연현상으로 이해한 데서 확인할 수 있다.

4. '논도섭리공신(論道燮理功臣)'은 '도를 논하고 고르게 다스리는 관리'를 의미하는 말로, 필자가 신돈을 바라보는 부정적인 관점과 거리가 멀다.

5. 이 글에서 필자는 신돈의 무례한 행동이 나라의 기강을 무너뜨리고 있다는 사실을 근거로 신돈을 권력의 중심에서 축출하여 나라의 기강을 바로 세워야 한다고 주장하고 있다.

| 서술형 평가 기준 |

근거와 주장을 정확하게 제시하면서 두 문장으로 서술한 경우	상
근거와 주장 중 한 가지의 내용을 모호하게 서술한 경우	중
근거와 주장을 모두 모호하게 서술하였으며, 두 문장으로 답하지 못한 경우	하

조침문

확인 문제 ❶ p. 263

1. ④ 2. ④ 3. ③ 4. ⑤ 5. 부러진 바늘에 대한 안타까운 심정과 슬픔을 더욱 애절하게 표현하기 위해서이다.

1. 이 글은 바늘을 부러뜨린 한 개인(여인)의 체험을 바탕으로 전개되고 있는 글로, 개인적 체험이 공동체의 문제로 확대되고 있지 않다.

|오답 풀이| ① '바늘'이라는 (여인의) 일상 속의 사물을 소재로 삼고 있다.

② 필자(여인)의 애통한 심리가 1인칭 화자의 서술을 통해 고백조의 어조로 서술되고 있다.

③ '유세차 모년 모월 모일에'라는 제문 형식과 '오호통재라'라는 표현을 통해 부러진 바늘에 대한 추모(애도)의 정을 드러내고 있다.

⑤ 감정의 섬세한 표출에서 여성 특유의 감각과 정서가 잘 드러나 있다.

2. 이 글은 바늘을 잃은 슬픔을 제문 형식으로 나타낸 국문 수필이다. 수필을 읽을 때는 글에 나타난 필자의 생활은 어떠한지, 어떤 개성을 가진 인물인지, 필자가 경험한 일은 무엇인지, 필자가 자신의 경험을 통해 무엇을 말하고자 하는지에 유의하여 읽어야 한다.

3. ㉠은 철 중에서 가장 뛰어나다는 의미로, 여러 평범(平凡)한 사람들 가운데 있는 뛰어난 한 사람을 일컫는 '군계일학(群鷄一鶴)'과 그 의미가 상통한다.

|오답 풀이| ① 선녀의 옷에는 바느질한 자리가 없다는 뜻으로, 성격이나 언동 등이 매우 자연스러워 조금도 꾸민 데가 없음. 혹은 시나 문장이 기교를 부린 흔적이 없어 극히 자연스러움을 이르는 말이다.

② 몸가짐이 금옥(金玉)과 같이 깨끗하고 점잖은 사람을 이르는 말이다.

④ 본래는 세상의 착한 사람들이란 뜻인데, 실제로는 세상을 살아가는 평범한 사람들, 혹은 불교에 귀의한 사람들을 가리킨다.

⑤ 마룻대와 들보로 쓸 만한 재목이라는 뜻으로, 나라의 중임을 맡을 만한 큰 인재를 이르는 말이다.

4. 이 글에는 조선 시대의 사회·문화적 특성이 반영되어 있다. (라)에서 필자는 침선을 통해 생계를 유지한다고 하였으나, 이는 필자가 처한 특수한 상황에 해당하는 것이지, 당시 사회의 여성들이 처한 일반적인 상황으로 확대 해석하는 것은 적절하지 않다.

|오답 풀이| ① (다)의 '비복들도 쌈쌈이 나눠 주고'를 통해 당시에는 노비 제도가 있었음을 확인할 수 있다.

② (다)의 '연전에 우리 시삼촌께서 동지상사 낙점을 무르와 북경을 다녀오신 후에'를 통해 조선 시대에는 일정한 시기에 중국에 사신을 보내는 제도가 있었음을 확인할 수 있다.

③ (가)의 '인간 부녀의 종요로운 것이 바늘이로되'를 통해 당시에는 여인들이 바느질을 익히는 풍습이 있었음을 확인할 수 있다.

④ (다)의 '바늘 여러 쌈을 주시거늘, 친정과 원근 일가에게 보내고'를 통해 좋은 것을 친지들과 나누는 풍습이 있었음을 확인할 수 있다.

5. '제문(祭文)'은 고인(故人)의 죽음을 애도(추모)하기 위한 글이다. 필자가 '바늘'이 부러진 것을 두고 '제문(祭文)'의 형식을 빌어 슬퍼하는 것은 안타깝고 슬픈 심정을 더욱 애절하게 드러내기 위해서라 할 수 있다.

|서술형 평가 기준|

부러진 바늘에 대한 필자의 감정을 언급하면서 40자 내외로 서술한 경우	상
제문의 대상과 필자의 감정 중 한 가지만을 바르게 서술한 경우	중
필자의 감정이 정확하게 드러나지 않게 서술한 경우	하

확인 문제 ❷

p.265

1. ③ **2.** ⑤ **3.** ⑤ **4.** ② **5.** 자신의 심리나 처지를 대신 표현하기 위한 고사를 인용하는 표현 방법을 사용하였다.

1. 이 글은 바늘을 의인화하여 제문 형식으로 쓴 국문 수필로서, 창작 당시 양반가 여성의 생활을 엿볼 수 있다. 그러나 궁중에서만 사용하던 궁중어가 사용되지는 않았다.

2. 이 글에는 바느질과 관련된 조선 시대 여성들의 삶의 모습이 반영되어 있다. 이 글을 통해 당시의 여성들이 바느질로 일과를 보내고 있음을 짐작할 수는 있으나, 바느질을 하며 사는 삶을 한탄하고 있다는 내용은 나타나 있지 않다.

|오답 풀이| ① (사)의 '천은으로 집을 하고'를 통해 바늘을 보관하던 집을 화려하게 만들었음을 확인할 수 있다.

② (사)의 '오색으로 파란을 놓아 곁고름에 채웠으니'를 통해 바늘집을 옷에 노리개처럼 달고 다녔음을 확인할 수 있다.

③ (사)의 '여름 낮에 주렴이며, 겨울밤에 등잔을 상대하여'를 통해 사시사철 바느질을 하였음을 확인할 수 있다.

④ (아)의 '희미한 등잔 아래서 관대 깃을 달다가'를 통해 당시 여성들은 집안의 남자가 입을 옷을 늦게까지 만들었음을 확인할 수 있다.

3. 〈보기〉는 '미타찰'이라는 초월적 공간(불교적 이상향으로서의 서방정토)을 설정하여 누이의 죽음에 대한 슬픔을 승화(극복)하려는 의지를 드러내고 있다. 반면, 이 글은 초월적 공간이 설정되어 있지 않으며, 슬픔을 극복하고자 하는 의지도 드러나 있지 않다.

|오답 풀이| ① (사)의 '봉미를 두르는 듯 ~ 조화가 무궁하다.'를 통해 바늘을 예찬하는 필자의 태도를 확인할 수 있다.

② 이 글은 '오호통재라, 오호애재라' 등에서 볼 수 있는 것처럼 화자의 슬픔이 절제되지 않고 직접적으로 표출되고 있다. 반면, 〈보기〉는 5~8구에서 볼 수 있는 것처럼 상징적 표현을 활용하거나, 종교적 신념을 통해 화자의 슬픔을 절제하여 표출하고 있다.

③ 이 글은 애지중지하던 '바늘'과의 이별이, 〈보기〉는 세속에서의 육친과의 이별이 창작의 동기가 되고 있다.

④ 이 글은 (카)에서 대상과의 재회에 대한 소망을 드러내고 있으며, 〈보기〉는 9, 10행에서 대상과의 재회에 대한 소망을 드러내고 있다.

4. ㉠은 '지난 시간이 얼마간 오래다.'라는 뜻이다.

5. '백인이 유아이사(由我以死)'란 『진서』에 실린 고사로, '백인이 나로 말미암아 죽다.'라는 의미이다. 남의 잘못이 아니라 자신의 탓일 경우에 쓰는 말로, 당시에는 고사를 인용하여 자신의 심리나 처지를 표현하는 글쓰기 관습이 있었음을 알 수 있다.

| 서술형 평가 기준 |

기준	등급
표현의 특징과 표현을 사용한 의도를 40자 내외로 서술한 경우	상
표현의 특징을 서술하였으나 표현을 사용한 의도를 정확히 드러내지 못한 경우	중
표현의 특징을 정확하게 제시하지 못한 경우	하

내신 적중 문제 p. 270

1. ③ **2.** ④ **3.** ④ **4.** 자신의 주장을 분명하게 밝히면서도 군신의 예를 갖추어 공손한 태도를 유지하고 있다. **5.** ④ **6.** ⑤ **7.** ③ **8.** ② **9.** ③ **10.** 일찍이 남편을 잃고 자녀도 없이 외롭게 살았으며, 집이 가난해서 바느질을 통해 생계를 유지해 왔다. **11.** ③ **12.** ②

1. 신돈이 임금 앞에서 무례한 행동을 하는 이유에 대해 필자는 '신돈은 필시 자신이 임금의 스승이기 때문이라고 하겠지마는'이라고 말하고 있다. 이를 통해 신돈이 스승이라는 명분을 내세워 무례한 행동을 하였음을 짐작할 수 있다. 하지만 자신이 스승이라는 이유로 주변의 조언을 외면하였다는 내용은 이 글에서 확인할 수 없다.

| 오답 풀이 | ① '성인이 예법을 마련하시어 ~ 그 사려가 원대한 것이었습니다.'에서 확인할 수 있다.

② '유승단은 고종의 스승이요 ~ 말을 아직 못 들었습니다.'에서 확인할 수 있다.

④ '이자겸은 인종의 외조부였으므로 ~ 두려워서 감히 그렇게 하지 못하였습니다.'에서 확인할 수 있다.

⑤ '최항이나 김인준, 임연 같은 이들도 이렇게 행한 적은 없었습니다.'에서 확인할 수 있다.

2. '집에 있을 때는 재상들은 마루 밑에서 절을 하였으나 신돈은 모두 앉아서 접대하였습니다.'에서 재상들을 대하는 신돈의 오만한 행동을 엿볼 수 있다. 하지만 신돈이, 재상들로 하여금 마루 밑에서 절을 하도록 강요하였다는 내용은 찾아볼 수 없다.

| 오답 풀이 | ① '영도첨의 신돈이 재상 반열(班列)에 앉아 있지 않고 감히 전하와 더불어 나란히 앉았는데'에서 확인할 수 있다.

② '늘 말을 타고 궐문을 출입하여 전하와 함께 의자에 걸터앉았고'에서 확인할 수 있다.

③ '영도첨의 판감찰로 임명되던 날에 ~ 은혜를 사례해야 함에도 불구하고 반 달 동안 나오지 않았습니다.'에서 확인할 수 있다.

⑤ '대궐 뜰에 들어와서는 그 무릎을 조금도 굽히지 않은 채 늘 말을 타고 궐문을 출입하여'에서 확인할 수 있다.

3. 이 글에서 신돈은 군신 간의 예법을 지키지 않고 제 마음대로 방자하게 행동하는 인물이다. '안하무인(眼下無人)'은 눈 아래에 사람이 없다는 뜻으로, 방자하고 교만하여 다른 사람을 업신여김을 이르는 말이다.

| 오답 풀이 | ① 양의 머리를 걸어 놓고 개고기를 판다는 뜻으로, 겉보기만 그럴듯하게 보이고 속은 변변하지 아니함을 이르는 말이다.

② 겉으로 드러나는 언행과 속으로 가지는 생각이 다름을 이르는 말이다.

③ 하늘 방향이 어디이고 땅의 축이 어디인지 모른다는 뜻으로, 너무 바빠서 두서를 잡지 못하고 허둥대는 모습이나, 어리석은 사람이 갈 바를 몰라 두리번거리는 모습을 이르는 말이다.

⑤ 입에는 꿀이 있고 배 속에는 칼이 있다는 뜻으로, 말로는 친한 듯하나 속으로는 해칠 생각이 있음을 이르는 말이다.

4. 이 글의 예상 독자는 임금으로, 예상 독자와 필자와의 사회적 관계는 군신(君臣) 간이다. 이러한 관계로 인해 필자는 자신의 주장을 분명히 밝히면서도 예를 갖추어 공손한 말투와 태도를 유지하고 있다.

| 서술형 평가 기준 |

기준	등급
'군신의 예', 글쓰기 태도인 '공손한 태도'를 포함하여 45자 내외로 서술한 경우	상
'군신의 예'와 글쓰기 태도인 '공손한 태도' 중 한 가지만을 포함하였으며 45자 내외로 서술한 경우	중
'군신의 예'와 '공손한 태도'를 포함하지 않았으며, 45자 내외로 서술하지 못한 경우	하

5. 이 글은 신하가 임금에게 바치는 상소문으로서, 예상 독자는 임금이다. (나)에는 임금이 신돈을 '어진 이'로 여기고, 그에

게 '논도섭리공신'의 호를 내린 것이 나타나 있을 뿐, 임금이 이를 후회할 것이라고 여길 만한 사실은 나타나 있지 않다.

6. '광명한 날빛'은 '임금', 혹은 '임금의 지혜와 총명'을 상징하고, 구름이 그것을 덮는 상황을 통해 임금의 총명을 가리는 신돈의 전횡을 비유하고 있다.

| 오답 풀이 | ① '구름'은 맥락상 부정적인 의미를 함축하고 있는 자연물로, 나라를 어지럽히는 신돈을 가리킨다.

② '무심(無心)', 즉 아무런 사심이 없다는 신돈의 말이 거짓이라고 표현한 것은 신돈의 교만이 습관이 되었다는 이 글의 내용과 관련된다고 할 수 있다.

③ '중천(中天)'에서 '구름'이 '임의로' 떠다니는 상황은 신돈이 조정에서 권력을 마음대로 전횡하는 상황을 드러내 준다.

④ '임의로 다니면서'는 임금의 권력을 참람하여 쓰는 신돈의 무단과 전횡을 함축한다.

7. ㉠에서 '신하'와 '관원', 그리고 '백성'은 수직적 관계에 있는 사람들이다. 가장 높은 지위에 있는 '신하'가 잘못하면 백성들도 그 잘못을 따라 한다는 말이다. 따라서 이와 관련된 속담은 '윗사람이 모범을 보이면 아랫사람이 본받는다.'의 의미를 지닌 ③이 적절하다.

| 오답 풀이 | ① 무슨 일이든지 어떤 계기가 있어야 참신한 일이 생긴다는 말이다.

② 작은 결점이라 하여 등한히 하면 그것이 점점 더 커져서 나중에는 큰 결함을 가져오게 됨을 비유적으로 이르는 말이다.

④ 지나치게 욕심을 부리려다 오히려 손해를 봄을 이르는 말이다.

⑤ 남의 은덕을 모르는 배은망덕한 사람을 꾸짖을 때 쓰는 말이다.

8. '어찌 사랑스럽고 미혹지 아니하리오.'에서 설의법을 사용하여 바늘과의 각별한 인연을 강조하고 있다.

| 오답 풀이 | ① 바늘을 '침자(針子)', '너'로 의인화하여 마치 정다운 사람을 대하듯 바늘을 대하고 있다.

③ '정신이 아득하고 혼백이 ~ 기색혼절하였다가'에서 과장적 표현이 사용되었음을 알 수 있고, 이를 통해 부러진 바늘에 대한 화자의 참담한 심정을 보여 주고 있다.

④ '자식이 귀하나 손에서 놓일 때도 있고, ~ 비복에게 지나는지라.'에서 확인할 수 있다.

⑤ '오호통재(嗚呼痛哉)라', '아깝다 바늘이여, 어여쁘다 바늘이여.' 등에서 확인할 수 있다.

9. 바늘에 대한 무한한 애정을 드러내고 있는 점으로 미루어 볼 때, 당시의 여인들이 자신들의 뜻과 관계없이 억지로 바느질을 한 것으로 보기 어렵다.

| 오답 풀이 | ① '동지상사'란 해마다 동짓달에 중국으로 보내던 사신의 우두머리를 가리킨다. 따라서 당시에는 일정한 시기에 중국에 사신을 보내는 제도가 있었다고 할 수 있다.

② '비복들도 쌈쌈이 낱낱이 나눠 주고'에서 확인할 수 있다.

④ '북경을 다녀오신 후에, 바늘 여러 쌈을 주시거늘'에서 확인할 수 있다.

⑤ '비복들도 쌈쌈이 낱낱이 나눠 주고'에서 확인할 수 있다.

10. [B]에는 필자의 외롭고 고달픈 처지가 잘 나타나 있다. 여기서 '생애'는 문맥상 '생계'라는 의미이다.

| 서술형 평가 기준 |

기준	등급
필자의 처지를 대등하게 연결된 이어진문장으로 서술한 경우	상
필자의 처지를 적절하게 서술하였으나 대등하게 연결된 이어진문장을 사용하지 못한 경우	중
필자의 처지를 모호하게 서술하였으며, 대등하게 연결된 이어진문장도 사용하지 못한 경우	하

11. [C]는 바늘이 부러진 뒤에 필자가 느끼는 애통한 심정을 술회하고 있는 부분이다. '한 팔을 베어 낸 듯 한 다리를 베어 낸 듯'은 필자의 슬픔을 비유적으로 과장하여 표현한 것일 뿐, 바늘로 인한 신체의 고통과는 무관하다.

12. ㉡은 문맥상 '생명이 없는'의 의미로 볼 수 있다.

2. 다양한 지역의 글 읽기

모든 것은 카오스에서 시작되었다

확인 문제 ❶

p. 277

1. ④ **2.** ⑤ **3.** ② **4.** 하늘, 대지, 달, 바다 등의 자연을 주관하는 다수의 신(神)이 존재하였다.

1. 이 글은 카오스 상태의 우주에서 천지 창조가 시작되는 과정을 담고 있는, 신화적 상상력을 서사시 형식으로 담아낸 이야기이다.

| 오답 풀이 | ① 이 이야기는 과학과 관련성이 없다.

② 이 글은 혼돈과 무질서에서 질서의 세계가 탄생되는 과정을 신화적 상상력으로 담아낸 서사시이다.

③ 우주의 한계에 대한 인식은 나타나 있지 않다.

⑤ 이 이야기는 역사가 아닌 신화를 서사시 형식으로 담아낸 것이다.

2. (가)를 보면, 카오스의 우주는 한 가지 질료 안에 있으면서도 추위는 더위와, 습기는 건기(乾氣)와, 부드러움은 딱딱함과, 무거움은 가벼움과 싸우고 있었다고 하였다. 그리고 균형과 조화는 카오스가 아닌 코스모스(질서 있는 우주)와 관련 있는 개념으로 볼 수 있으므로 적절하지 않다.

| 오답 풀이 | ① (가)에서 카오스는 '형상도 질서도 없는 하나의 덩어리'라고 하였다.

② (가)에서 카오스는 '생명이 없는 퇴적물, 빛을 던져 줄 티탄도 없었고'라고 하였다.

③ (가)에서 카오스는 '모든 요소가 구획도 없이 밀치락달치락하고 있는 상태'라고 하였다.

④ (가)에서 카오스는 '사물로 굳어지지 못한 모든 요소가 구획도 없이 밀치락달치락하고 있는 상태'라고 하였다. 또 '대지와 바다와 공기를 이루는 요소가 있기는 했다.'라고 하였다. 따라서 이를 통해 카오스에는 만물을 이루는 요소가 담겨 있다고 할 수 있다.

3. 이 글에서는 카오스의 우주에서 천지 창조가 이루어지는 과정을 순서대로 서술하고 있다. (가)에서 ㉮를, (나)에서 '㉱ → ㉰'를, (다)에서 '㉯ → ㉲'를 찾을 수 있다. 따라서 천지 창조의 과정을 시간 순으로 나열하면 '㉮ → ㉱ → ㉰ → ㉯ → ㉲'이다.

4. 〈보기〉에서는 기독교 탄생 이전의 상황에서의 고대 서양인들의 신(神)에 대한 인식 체계를 엿볼 수 있는 단서를 제공해 주고 있음을 드러내고 있다. 그리고 ㉠에는 빛, 달, 바다와 관련된 신들이 존재했음을 알 수 있다. 이렇게 볼 때, ㉠을 통해 고대 서양인들이 자연을 주관하는 다수의 신(神)을 설정하고 있음을 알 수 있다.

| 서술형 평가 기준 |

기준	등급
신에 대한 고대 서양인들의 인식을 한 문장으로 서술한 경우	상
신에 대한 고대 서양인들의 인식을 모호하게 서술한 경우	중
신에 대한 서양인들의 인식을 바르게 제시하지 못하고 문장으로 완성하지 못한 경우	하

확인 문제 ❷ p. 279

1. ④ 2. ③ 3. ⑤ 4. ① 신들의 본성이나 모습을 인간의 연장선상에서 이해하였다. ② 인간을 다른 짐승들보다 신(神)들에 가깝고, 지성을 통해 다른 생물들을 지배할 수 있는 존재로 파악하였다.

1. 이 글은 신화적 상상력을 바탕으로 천지가 창조되고 인간이 탄생되는 과정을 시간의 흐름에 따라 전개하고 있다.

2. 이 글을 통해, 신이 다른 생물들을 다 창조한 후 다른 생물들을 지배할 수 있는 인간을 창조하였음을 알 수 있다. 그러나 신이 자신을 대리하여 지구를 지배하기 위해 인간을 창조하였다는 내용은 나타나 있지 않다.

| 오답 풀이 | ①은 (라)에서, ②는 (바)에서, ④는 (마)에서, ⑤는 (사)에서 확인할 수 있다.

3. 이 글에서 '공기가 있는 이곳은, 안개나 구름, 인간에게 겁을 주기 위해 만들어진 천둥, 그리고 구름에서 나오는 벼락과 추위를 나를 바람, 이 모든 것을 위해 신이 예비한 거처'라고 하였다. 따라서 바람 역시 대기에서 발생하였다로 할 수 있다.

| 오답 풀이 | ① 바람은 각기 다른 지대에 거처하면서 제 나름의 방법으로 불게 되어 있다고 하였다.

② 공기(대기)는 그 무게가 흙(대지)이나 물(바다)보다는 가볍지만 하늘의 불(태양)보다는 무거웠다고 하였다.

③ 공기가 있는 이곳(대기)은, 안개나 구름, 인간에게 겁을 주기 위해 만들어진 천둥, 그리고 구름에서 나오는 벼락과 추위를 나를 바람, 이 모든 것을 위해 신이 예비한 거처라고 하였다.

④ '구름에서 나오는 벼락과 추위를 나를 바람'이라는 표현에서 확인할 수 있다.

4. '짐승들보다는 신들에 가깝고'에서 신들의 본성이나 모습을 인간의 연장선상에서 이해하였음을 알 수 있으며, '짐승들보다는 신들에 가깝고, 또 지성이라는 것이 있어서 다른 생물을 지배할 만한 존재는 없었다.'에서 인간을 다른 짐승들보다 신(神)들에 가깝고, 지성을 통해 다른 생물들을 지배할 수 있는 존재로 파악하였음을 알 수 있다.

| 서술형 평가 기준 |

기준	등급
인간 중심주의적 사고 두 가지를 모두 〈조건〉에 맞게 서술한 경우	상
인간 중심주의적 사고 두 가지 중 한 가지만을 〈조건〉에 맞게 서술한 경우	중
인간 중심주의적 사고 두 가지를 제시하였지만 (아)를 바탕으로 서술하지 않은 경우	하

검은 별봄맞이꽃

확인 문제 ❶ p. 285

1. ⑤ 2. ② 3. ⑤

1. 이 글은 자서전(수필)으로, 함축적 어휘를 거의 구사하고 있지 않다.

| 오답 풀이 | ① 자서전(수필)이라는 글의 특성상 필자 자신이 일인칭 화자로 등장하여 글을 전개하고 있다.

② 비허구적 산문이라는 수필의 특성상 화자가 직접 경험한 사건을 중심으로 글이 전개되고 있다.

③ 자서전이라는 글의 특성상 과거의 사건을 회고하며 담담한 어조로 서술하고 있다.

④ 수필의 특성상 고백조로 화자의 생각과 느낌을 표현하고 있다.

2. ㄱ. 케이프타운에서 열린 아프리카인 지역 목회자 회합에서 있었던 한 목회자의 개막 기도와 케이프타운의 혼혈인 지배인의 말을 통해 남아프리카공화국 정부가 흑인과 혼혈인에 대한 인종 차별 정책을 시행하고 있음을 추론할 수 있다.
ㄹ. 이 글의 필자가 남아프리카 혼혈인 기구의 창립 회원인 조지 피크와 행동을 함께 하는 모습을 통해 남아프리카 혼혈인 기구가 혼혈인에 대한 인종 차별에 대응하기 위해 창립된 조직임을 추론할 수 있다.

3. (다)를 보면, 필자는 국민들이 수동적 형태의 저항에 대해 점차 인내심을 잃어가고 있다는 사실을 알면서도 보다 온건하고 수동적인 무단결근 투쟁을 주장하고 있다. 필자가 강경 투쟁은 대중적 호소력이 많이 약화되었다고 생각하는 내용은 나타나 있지 않다.
|오답 풀이| ① 필자는 무단결근 투쟁 전략은 적의 역습을 방지하면서 동시에 우리가 적을 공격할 수 있다는 장점이 있었다고 하였다.
②, ③ 필자는 시위자들의 영웅주의가 샤프빌에서 적으로 하여금 우리 국민을 쏘아 죽이게 만들었다고 하였다. 이를 통해 필자는 영웅주의에 의한 강경 투쟁은 과격 시위를 야기함으로써 진압 측에 발포의 빌미를 제공할 수 있고, 이로 인해 국민들의 생명을 앗아가는 불상사가 발생할 수 있다는 판단을 내리고 있음을 알 수 있다.
④ 필자는 무단결근 투쟁이라는 이미 효과가 인정된 전략을 포기해야 한다고 생각하지 않았으며, 더욱이 강경 투쟁을 할 만한 시간도 재원도 없었다고 하였다.

확인 문제 ❷

p. 287

1. ② **2.** ⑤ **3.** 어떤 것도 전적으로 믿어서는 안 됩니다.

1. (라)~(바)에서는 필자가 흑인 해방 투쟁 상황에서 경찰의 검거를 피하기 위해 지하 생활을 하던 시기를 회고하며 쓴 것으로, 지하 생활의 고충과 지하 생활의 어려움을 헤쳐 나가는 극복 노력이 잘 나타나 있다.

2. 이 글에 따르면 필자는 경찰의 지명 수배를 피해 전국 방방곡곡을 돌아다니면서 밤마다 비밀 회합에 참석하는 등 투쟁 활동을 계속해 왔음을 알 수 있다.
|오답 풀이| ①, ② (라)에 따르면 아파르트헤이트(인종 분리 정책) 아래에서 흑인은 합법과 불법, 개방과 은폐 사이에서 그림자와 같은 삶을 살아왔다고 하였다. 같은 국민이면서도 백인과 동등한 지위를 부여 받지 못하고 소외되고 억압 받는 삶을 살게 된 것이다.
③ (마)~(아)에는 정부의 인종 분리 정책에 저항하여 흑인 인권 회복을 위한 투쟁 활동을 하는 필자의 활약상이 나타나 있다.
④ (사)에 따르면, 아파르트헤이트, 즉, 정부의 인종 분리 정책을 규정한 법률을 근거로 필자를 체포하려는 지명 수배가 내려진 상황임을 알 수 있다.

3. '순수한 마음으로 믿을 만한 것은 아무것도 없다. 모든 것이 의심의 대상이다.'라는 필자의 말을 통해 어떤 것도 전적으로 믿어서는 안 된다는 지하 생활의 지침을 확인할 수 있다.

|서술형 평가 기준|

예시 답안의 내용을 경어체의 문장으로 서술한 경우	상
예시 답안의 내용을 경어체의 문장으로 서술하지 않은 경우	중
예시 답안의 내용을 다소 불명확하게 서술한 경우	하

확인 문제 ❸

p. 289

1. ④ **2.** ① **3.** ① **4.** 흑인 인권 운동을 하는 사람들을 검거하기 위한 경찰의 비밀 정보를 사전에 유출하여 알려 주었다.

1. (자)~(타)에서는 도피 생활 중 위기를 모면했던 경험, 남몰래 필자의 도피를 도운 흑인 경찰들, 초대 받은 집에서 무시당한 경험 등이 일화 형식을 통해 병렬적으로 서술되고 있다.

2. 이 글에는 남아프리카공화국의 인종 차별 정책의 부당함을 인식하고 이에 투쟁하는 필자의 모습을 그려 내고 있다. 그러나 이 글에서 백인들이 인종 차별 정책의 부당성을 인식하고 있다는 내용은 찾을 수 없다.
|오답 풀이| ② (카)에서 필자가 지하 생활을 하는 동안 누추한 옷차림을 하였음을 알 수 있다.
③ (자)의 '지하 생활을 하던 시절의 필자의 경험에 대해 근거 없는 이야기가 떠돈다'는 내용을 통해 알 수 있다.
④ (차)를 통해 필자가 경찰들의 시선을 피해 운전사로 변장하였음을 알 수 있다.
⑤ (차)에서 필자를 지지하는 흑인 경찰의 행동을 통해 당시 남아프리카공화국에서 벌어지는 인종 차별 정책에 대해 흑인 경찰관 중에는 필자의 저항 운동을 지지하는 경찰관이 있음을 확인할 수 있다.

3. '경찰은 수염을 기르고 ~ 전국에 배포했다.'로 미루어 보아 ㉠은 경찰에 잡힐까 봐서 한 말이다.

4. (차)의 '내 아내 위니에게 경찰이 무슨 일을 꾸미고 있는지 사전에 정보를 빼 주던 흑인 경사가 있었다. 그는 위니에게 귓속말로 "수요일 밤에는 경찰이 수색할 예정이니 마디바가 알렉산드라에 가지 못하도록 해야 해요."하고 가르쳐 주고는 했다.'에서 확인할 수 있다.

| 서술형 평가 기준 |

흑인 경찰들의 행위를 한 문장으로 요약하여 서술한 경우	상
흑인 경찰들의 행위를 다소 긴 문장으로 서술한 경우	중
흑인 경찰들의 행위를 불명확하게 요약하여 서술한 경우	하

내신 적중 문제 p. 294

1. ③ **2.** ⑤ **3.** 하늘, 땅, 물, 대기에게 서로 다른 자리를 주었으며, 그 결과 우주는 반목하는 카오스 대신 평화와 우애의 조화로운 세계가 열리게 되었다. **4.** ⑤ **5.** 인간의 창조 과정에 대한 몇 가지 설(說)이 존재하였음을 드러낸 것으로, 필자는 그것에 대한 확신이 없이 들은 대로 독자에게 소개하고 있다. **6.** ① **7.** ④ **8.** ① **9.** ④ **10.** 필자는 국민의 신뢰가 증진되고 이미 효과가 인정되었다고 생각하여 '무단결근 투쟁'을 주장하였다.

1. 이 글은 카오스의 우주에서 천지 창조가 이루어지는 과정을 시간의 흐름에 따라 서술하고 있다.

2. 이 글을 자연과 자연 현상에 대한 그리스인들의 과학적 관찰과 탐구가 신화적 상상과 결합하여 형상화된 것이라는 관점에서 볼 때 ㉠, ㉢, ㉣과 같은 설명이 가능하다.
| 오답 풀이 | ㉡ '하늘로부터 땅을, 땅으로부터 물을 떼어 놓았다는 신화적 상상은 카오스의 우주에서 처음 천지 창조가 이루어지는 상황을 형상화한 것으로, 하늘에서 비가 내리고, 땅의 수증기가 하늘로 올라 서로 순환하는 현상과는 아무 관계가 없다.

3. 카오스에 질서를 부여한 후 신의 행동을 보면, '하늘로부터는 땅을, 땅으로부터는 물을, 무지근한 대기로부터는 맑은 하늘을 떼어 놓았다. 자연은, 서로 떨어질 수 없는 지경에서 이들을 떼어 내고는 서로 다른 자리를 주어 평화와 우애를 누리게 했다.'라고 하였다. 이는 서로 반목하던 카오스 대신 평화와 우애의 조화로운 세계가 열리게 되었음을 보여 주는 것이라 할 수 있다.

| 서술형 평가 기준 |

본문의 표현을 활용하여 카오스 이전과 이후 상태를 대립적으로 〈조건〉에 맞게 서술한 경우	상
카오스 이전과 이후 상태를 대립적으로 서술하였으나, 본문의 표현을 활용하지 못한 경우	중
카오스 이전과 이후 상태를 대립적으로 기술하지 못하고, 본문의 표현도 활용하지 못한 경우	하

4. '모양도 제대로 갖추지 못한 흙덩어리였던 대지는 본 적도 들은 적도 없는 인간이라는 것을 그 품안에 거느리게 된 것'을 통해 인간의 거처는 대지임을 알 수 있다.

5. '~인지도 모르겠고, ~인지도 모르겠다.'라는 표현은 어떤 대상에 대한 확신이 없을 때 사용하는 것으로 볼 수 있다. 따라서 ㉠은 인간의 창조 과정에 대한 몇 가지 설(說)을 확신이 없이 들은 대로 독자에게 소개한 것이라고 할 수 있다.

| 서술형 평가 기준 |

㉠의 의미와 화자의 태도를 〈조건〉에 맞게 서술한 경우	상
㉠의 의미와 화자의 태도를 서술하였으나, 〈조건〉에 맞게 서술하지 못한 경우	중
㉠의 의미와 화자의 태도를 모호하게 서술하였으며, 〈조건〉도 지켜지지 않은 경우	하

6. 이 글에는 인종 차별 정책의 확대 전략은 나타나 있지 않다.
| 오답 풀이 | ② 지하 생활의 고독감을 나타내는 3문단에서 확인할 수 있다.
③ 지하 생활의 고충과 남아프리카 흑인의 비참한 삶을 나타내는 2문단에서 확인할 수 있다.
④ 1문단에서 확인할 수 있는데, 아프리카 민족 회의와 범(汎)아프리카주의자 의회가 바로 그것이다.
⑤ 흑인 해방 운동의 투쟁 노선을 두고 벌어진 논쟁에서 이긴 만델라의 모습이 나타나는 1문단에서 확인할 수 있다.

7. 시의 맥락상 '다시 천고(千古)의 뒤'는 현재의 희생이 결실을 맺게 되는 미래를 의미한다. 그런데 투쟁의 지속이라는 의미는 '결실'과 배치되므로 적절하지 않다.
| 오답 풀이 | ① '지금 눈 내리고'는 맥락상 '겨울', 즉 암울한 상황이라는 부정적 상황을 함축하고 있으므로 적절하다.
② '매화 향기 홀로 아득하니'는 맥락상 강인하고 고고한 기상을 함축하고 있으므로 적절하다.
③ '내 여기 가난한 노래의 씨를 뿌려라.'는 맥락상 미래의 희망과 결실(새 시대의 도래)을 위한 '희생'을 함축하고 있으므로 적절하다.
⑤ '백마 타고 오는 초인'은 맥락상 새로운 미래 역사의 주인공을, '노래'는 맥락상 시련이 끝난 미래의 희망찬 삶을, '목 놓아 부르게 하리라.'는 맥락상 미래의 결실(시련의 역사가 끝나고 새로운 세계가 열림)에 대한 신념과 의지를 함축하고 있으므로 적절하다.

8. 필자는 흑인 인권 운동을 하는 자유 투사로서 수배자가 되어 지하 생활을 하고 있으며, 이에 따라 일상생활 및 심리적인 면에서도 커다란 변화를 경험하고 있다. 그는 정치적 투쟁을 해야 하는 자신의 역할에 충실하였지만, 한편으로 '나의 고독한 삶은 지나친 감이 없지 않았다. 아내와 가족이 그리워 미치도록 외로울 때도 있었다.'라고 하여 고독감으로 인한 어려움도 있었음을 기술하고 있다.
| 오답 풀이 | ② 그의 별명이 '주홍색 별봄맞이꽃'에 비롯되었다는 사실에서 그의 신출귀몰한 도피 행적을 짐작할 수 있다.
③ '사소한 일에도 계획을 세우고, 어떠한 역할이든 맡겨진

역할에 따라야만 한다.' 등 지하 생활에 따른 행동 방식을 갖게 되었다.
④ '나는 점차 야행성으로 변해 갔다'에서 변화된 생활 방식을 확인할 수 있다.
⑤ '모든 것이 의심의 대상이다', '어떤 것도 믿어서는 안 된다는 것을 의미했다.' 등에서 불안한 생활에 따른 심리적인 긴장을 짐작할 수 있다.

9. ㉠의 '이러한 생활 양식'은 남아프리카에서 흑인으로 살아가는 방법을 말하는 것으로, ⓒ의 '어떤 위기 상황 속에서도 죽음에 대한 두려움을 가져서는 안 된다'는 언급은 나타나 있지 않다.
|오답 풀이| ⓐ, ⓑ, ⓓ는 2문단 ㉡의 앞뒤 부분에서 확인할 수 있다. ⓐ는 '어떠한 역할이든 맡겨진 역할에 충실히 따라야만 한다.', ⓑ는 '아무리 사소하고 하찮은 것처럼 여겨질지라도 치밀한 계획을 세워야만 한다.', ⓓ는 '순수한 마음으로 믿을 만한 것은 아무것도 없다', '어떤 것도 전적으로 믿어서는 안 된다는 것을 의미한다'에서 각각 확인할 수 있다.

10. '나는 우리가 국민들의 생명을 존중한다는 것을 ~ 신뢰가 증진되고 있다고 주장했다.'를 통해 필자 자신이 주장한 '무단결근 투쟁'이 국민의 신뢰를 얻고 있음을 드러내고 있다. 또한 '무단결근 투쟁'의 효과가 이미 인정되었다고 여겨 '무단결근 투쟁'을 고수하고 있는 것이다.

|서술형 평가 기준|

기준	등급
필자의 '투쟁 전략'이 무엇인지 밝히고, 이를 고수한 이유를 2가지 이상 언급한 경우	상
필자의 '투쟁 전략'을 언급하였지만, 이를 고수한 이유를 한 가지만 제시한 경우	중
필자의 '투쟁 전략'만 언급하고, 이를 고수한 이유를 언급하지 않은 경우	하

3. 다양한 매체 자료 읽기

세계 명화의 비밀

확인 문제 ❶

p. 301

1. ⑤ 2. ① 3. ⑤

1. 이 글은 '전자책'이라는 독서 매체를 다루고 있다. 문자로 된 글이나 영상뿐만 아니라 소리(음성)도 함께 저장하여 언제 어디서든 쉽게 활용할 수 있다. 한편 이러한 전자책이 지닌 특성과 기능은 다음과 같다. 첫째, 비순차적인 검색이 가능한 하이퍼텍스트의 성격을 지니고 있어 차례에서 선택된 항목으로 바로 이동이 가능하다. 둘째, 중요한 내용에 대한 표시가 가능하다. 셋째, 사진 자료를 클릭하면 관련 이미지를 크게 볼 수 있다.

2. (가)에서는 「모나리자」의 제작 동기가 아닌 제작 과정에 대한 추론 방향을 제시하고 있다. 세상에서 가장 유명한 작품인 「모나리자」의 제작 과정이 실제로는 전혀 기록이 없어, 검증 가능한 작품의 인체 묘사나 기술적인 면을 통해 추론해야 한다고 말하고 있다.
|오답 풀이| ② (나)에서 필자는 「모나리자」를 그린 패널의 크기에 대해 언급하고, (다)에서 옛날 기록을 근거로 그 크기가 작아진 이유를 추론하고 있다.
③ (다)에 제시된 라파엘로의 그림은 「모나리자」의 원래 그림에 기둥이 있었을 것이라는 추정을 뒷받침하는 자료이다.
④ (마)에서 필자는 루브르 연구실에서 행한 검사 결과를 근거로 「모나리자」의 제작 방법을 추론하고 있다.
⑤ (가)에서 작품의 기술적 측면을 검토할 필요성을 제기하고, (나)~(라)에서 작품의 크기, 재질 등을 검토하고 있다.

3. [A]는 「모나리자」에 대한 주장의 신빙성을 판단하는 기준과 아무런 관련이 없다.
|오답 풀이| ① '「모나리자」는 아시아에서 아메리카에 이르기까지 모든 사람들을 놀라게 한 작품이다.'에서 확인할 수 있다.
② 글의 서두인 [A]에서 언급한 「모나리자」에 대한 명성은 독자의 관심을 유발하는 효과가 있다.
③, ④ '전 세계의 미해결 살인 사건을 쫓는 탐정들만큼이나 많은 연구자가 이 작품의 수수께끼를 푸는 일에 매달렸다.'에서 확인할 수 있다.

확인 문제 ❷

p. 303

1. ① 2. ⑤ 3. ④ 4. 「모나리자」의 구도상의 특징을 설명하기 위해서이다.

1. (바)의 인용문은 「최후의 만찬」을 그리던 레오나르도 다빈치에 대한 기록이다. 레오나르도는 코르테 베키아 궁에서 다른 작품 작업을 하다가도 영감이 떠오르면 그라치에(밀라노에 있는 산타마리아 델레 그라치에)에 있는 그림 「최후의 만찬」의 인물들을 손질하였다. 이 글에서는 「모나리자」가 어디에서 제작되었는지는 확인할 수 없다.

2. 이 글에서 인용된 그림이나 자료의 출처를 확인하는 기능은 제시되어 있지 않다.
|오답 풀이| ① (바), (사)의 사진(📷)을 통해 확인할 수 있다.
②, ③ (바), (사)에서 확인할 수 있다.
④ 「최후의 만찬」, 「몬테펠트로 딥틱」 그림에서 확인할 수 있다.

3. 이 글에서는 초상화에서 인물을 배경보다 높게 배치하는 방식을 보여 주는 선구적 작품으로 「몬테펠트로 딥틱」을 거론하고 있으며, 「모나리자」가 「몬테펠트로 딥틱」의 전통을 계승하고 있다는 점에서 두 작품의 공통점을 찾을 수 있다. 〈보기〉의 그림의 제작 연도가 1505~1506년으로 「몬테펠트로 딥틱」의 제작 연도보다 뒤에 그려졌으므로, 〈보기〉의 그림 역시 「몬테펠트로 딥틱」의 전통을 이어 받고 있는 작품으로 이해할 수 있다.
| 오답 풀이 | ①, ②, ⑤ 이 글에서 확인할 수 없는 내용이다.
③ (마)를 통해, 「모나리자」의 방식이 플랑드르 화가들이 사용한 방식과 유사하다는 점을 확인할 수 있다. 하지만 이를 통해 「몬테펠트로 딥틱」과 〈보기〉의 그림이 플랑드르에서 그려졌는지는 확인할 수 없다.

4. (사)에 따르면 「몬테펠트로 딥틱」은 초상화의 배경으로 풍경을 사용했으며, 인물을 배경(풍경)보다 높게 배치한 작품으로, 「모나리자」와 비교하여 그 영향 관계와 구도상 특징을 쉽게 설명할 수 있는 자료이다.

| 서술형 평가 기준 |

시각 자료를 인용한 이유를 〈조건〉에 맞게 서술한 경우	상
시각 자료를 인용한 이유를 답하였으나, 〈조건〉에 맞지 않게 서술한 경우	중
시각 자료를 인용한 이유를 모호하게 서술한 경우	하

확인 문제 ❸ p. 305

1. ② 2. ① 3. ⑤ 4. 전자책은 중요한 내용에 표시를 할 수 있다.

1. 이 글에서는 '「모나리자」의 제작 기법'으로 인물을 배경보다 높게 배치하는 방식, 공기 중의 원근법 등을 설명하고 있다.

2. 이 글에 의하면, 인물의 배경으로 풍경을 사용하는 것은 플랑드르 지방에서 유래한 것으로, 자연 풍경보다 인물을 더 높게 배치하는 방식의 작품 구도와는 아무런 인과 관계가 없다.
| 오답 풀이 | (차)에 따르면 '공기 중의 원근법'은 경계선을 흐리게 하고 밝은 색을 사용하는 방법을 말하는데, 이는 작품 속의 공간들이 하나로 일치되어 있는 것처럼 보이게 하고(②), 작품 속의 공간이 뒤로 물러나는 듯한 환상이 들게 하며(⑤), 「모나리자」에서는 여인이 앉아 있는 의자를 쉽게 알아볼 수 없는, 즉 그림 자료에서 의자 팔걸이 부분의 경계선이 흐릿하게 보이는 효과(④)로 나타난다. 이러한 기법은 (자)에 나타난 있는 것처럼 세상의 모든 것은 완전히 분리되어 있지 않다는 작가의 관점을 이론적 근거로 삼고 있다(③).

3. 필자는 「모나리자」의 배경과 동양의 두루마기 그림 배경의 유사성에 주목하고 있지만, 「모나리자」의 배경이 동양의 두루마기 그림에서 유래했다고 보고 있지는 않다.
| 오답 풀이 | ①, ②, ④ (아)에서 확인할 수 있다.
③ (자)에서 확인할 수 있다.

4. 전자책은 ㉢처럼 중요한 내용에 표시를 할 수 있는 기능이 있다.

| 서술형 평가 기준 |

전자책의 특징을 정확히 한 문장으로 서술한 경우	상
전자책의 특징을 모호하게 서술한 경우	하

확인 문제 ❹ p. 307

1. ① 2. ① 3. (1) 경계를 흐릿하게(없애게) 만드는 기법이다. (2) 원근감을 느낄 수 있다.

1. (카)에서 필자는 레오나르도 회화의 이론적 근거를 밝히고 있다. (카)에 의하면, 인간의 몸이 흙, 물, 공기, 불로 이루어져 있는 이상 그것은 대지를 닮았으며, 이를 회화에 적용하여 대지와 인간의 몸을 표현하는 방식이 유사하다고 보았다. 이는 레오나르도 회화에서 구체적으로 인물과 배경의 일체감을 지향하는 스푸마토 기법으로 나타났다.

2. ㉮는 「모나리자」에서 인물의 몸과 배경(자연)을 표현하는 방식의 유사성으로 나타나 있다. 이에 해당하는 것은 ⓐ이다.
㉯는 「모나리자」에서 인물과 배경이 되는 사물이나 자연과의 경계를 흐릿하고 불분명하게 표현하는 방식으로 나타나 있다. 이에 해당하는 것은 ⓑ이다.
㉰는 「모나리자」에서 뚜렷한 선으로 인물과 대상의 경계를 짓지 않고 흐릿하게 그리는 방식, 특히 눈이나 입 주변에서 딱딱한 경계를 지우는 방식으로 나타나 있다. 이에 해당하는 것은 ⓒ이다.

3. 제시된 글의 '이 기법을 쓰면 대상의 윤곽선은 흐려지고 아스라이 먼 곳으로 물러난 듯한 느낌을 주게 된다.'로 미루어 볼 때, 스푸마토 기법에서의 핵심은 대상의 윤곽선, 즉 경계면을 흐릿하게(없애게) 만드는 기법이며, 그 효과는 '아스라이 먼 곳으로 물러난 듯한 느낌', 즉 원근감을 느끼게 할 수 있는 것임을 알 수 있다.

| 서술형 평가 기준 |

핵심 기법과 효과를 〈조건〉에 맞게 서술한 경우	상
핵심 기법과 효과 중 한 가지를 〈조건〉에 맞게 서술한 경우	중
핵심 기법과 효과 모두 모호하게 서술한 경우	하

확인 문제 ❶

p. 313

1. ⑤　2. ②　3. ④　4. 가짜 뉴스는 정치 · 경제적 이익을 위해 의도적으로 언론 보도의 형식을 하고 유포된 거짓 정보이다.

1. (다)에서 가짜 뉴스의 역사적 사례로 백제 무왕이 지은 「서동요」를 들고 있을 뿐, 가짜 뉴스가 지구에 인류가 터전을 잡고 살기 시작하면서 시작되었다는 내용은 나타나 있지 않다.
| 오답 풀이 | ①, ③ (나)에서 확인할 수 있다.
②, ④ (라)에서 확인할 수 있다.

2. 이 기사에는 가짜 뉴스를 해결할 수 있는 필자(기자)의 합리적인 대안(주장)이 제시되어 있지 않다.
| 오답 풀이 | ① 이 기사에는 가짜 뉴스가 범람하게 된 시대적 분위기와 가짜 뉴스에 대한 논란이 나타나 있다.
③ 이 기사에는 인터넷 사이트나 누리 소통망 등에서 큰 관심을 끌고 있는 가짜 뉴스와 관련한 옥스퍼드 사전의 '탈진실', 가짜 뉴스의 역사적 사례, 21세기형 가짜 뉴스의 사례 등 다방면에서 심층 취재하여 보도하고 있다.
④ 이 기사는 가짜 뉴스의 범위와 역사적 사례, 현재 사회적 논란거리로 등장한 21세기형 가짜 뉴스의 특징 등을 심층 보도하면서 가짜 뉴스 현상의 실체에 접근하고 있다.
⑤ 이 기사는 가짜 뉴스 논란에 대한 전문의 문제 제기와 이와 관련한 전문가 집단의 토론회를 통한 발표 등을 인용하고 있는데, 이를 통해 가짜 뉴스에 대한 사회적 인식이 어떠한지 드러내 주고 있다.

3. (라)에서 필자는 역사 속의 가짜 뉴스가 동요나 입소문을 통해 퍼진 반면, 21세기형 가짜 뉴스는 인터넷 사이트, 누리 소통망 등 디지털 매체를 통해 쉽게 유통 · 확산된다고 하였다. 따라서 두 가짜 뉴스의 차이는 뉴스가 유통되는 방식과 매체임을 알 수 있다.

4. (나)를 통해, 한국 언론 학회와 한국 언론 진흥 재단 주최로 열린 토론회에서는 가짜 뉴스를 '정치 · 경제적 이익을 위해 의도적으로 언론 보도의 형식을 하고 유포된 거짓 정보'라 하고 있음을 알 수 있다.

| 서술형 평가 기준 |

기준	등급
본문에 제시된 문장을 활용하여 가짜 뉴스의 개념을 〈조건〉에 맞게 서술한 경우	상
가짜 뉴스의 개념을 제시하였으나, 본문에 제시된 문장을 활용하지 않은 경우	중
가짜 뉴스의 개념을 불완전하게 서술한 경우	하

확인 문제 ❷

p. 315

1. ②　2. ④　3. ②　4. 광고의 배치

1. (아)를 보면, 가짜 뉴스의 생산 자체가 비정상적인 것이지, 경제적 측면에서의 유통 과정이 비정상적인 것이 아니다.
| 오답 풀이 | ①과 ④는 (마)에서, ③은 (사), (아)에서, ⑤는 (아)에서 각각 확인할 수 있다.

2. (아)에서 '가짜 뉴스는 ~ 설령 그 내용이 비윤리적이어도, 또 진실이 아니어도 개의치 않는다. 과정이야 어떻든 이윤만 내면 성공이기 때문이다.'라고 하였으므로, 가짜 뉴스 생산자들은 윤리성을 고려하지 않음을 알 수 있다.
| 오답 풀이 | ① (아)의 '바쁜 현대인들은 ~ 잘 팔리는 뉴스가 된다.'에서 확인할 수 있다.
② (아)의 '광고주가 중개 업체에 돈을 지불하면, ~ 높은 금액의 광고를 배치하는 식이다.'에서 확인할 수 있다.
③ (아)의 '가짜 뉴스는 어떤 식으로든 눈에 띄어 '돈'이 되기 위해 자극적인 요소들을 포함하면서 소비자를 치밀하게 속인다.'에서 확인할 수 있다.
⑤ (아)의 '광고주가 중개 업체에 돈을 지불하면, ~ 높은 금액의 광고를 배치하는 식이다.'를 통해 확인할 수 있다.

3. (마)의 통계 수치는 현대 사회가 거짓이 진실을 압도하는 비정상적 현실이라는 근거가 될 수 있으며(ㄱ), 가짜 뉴스 범람의 심각성에 대한 사회적 경각심을 일깨우는 근거가 될 수 있다(ㄷ).

4. (아)에 의하면, 높은 조회 수를 기록하는 뉴스에 광고를 배치함으로써 큰 이윤(돈)이 생길 수 있기 때문에 조회 수를 높이기 위해 자극적인 가짜 뉴스를 생산한다는 것이다. 따라서 가짜 뉴스 생산 시스템을 움직이는 가장 중요한 요소는 '광고의 배치, 높은 조회 수, 돈'이라고 할 수 있다.

확인 문제 ❸

p. 317

1. ④　2. ②　3. ③

1. (카)에서 필자는 가짜 뉴스의 유통과 확산에 대한 해결책으로 정보 통신 기업들의 자정 노력을 소개하고, (타)에서 그 한계를 지적한 후, (파)에서 뉴스 소비자의 올바른 수용 태도를 제언하고 있다. 그러나 정부 차원의 대책에 대해서는 언급하지 않고 있다.
| 오답 풀이 | ① (자), (차)에서 정보 처리 규칙에 의한 이용자 맞춤형 정보가 제공되는 과정에서 자극적인 가짜 뉴스가 발생된다고 하였다.
② (차)에서 필자는 가짜 뉴스가 민주주의에 대한 위협이 될

수 있다고 하였다.

③ (자)에서 필자는 가짜 뉴스가 이용자의 편견과 고정 관념을 강화할 수 있다고 하였다.

⑤ (파)에서 필자는 가짜 뉴스에 대한 개인적 차원의 대응책으로 개인 맞춤형 정보 처리 규칙에 대한 지속적 관심과 비판적 수용의 필요성을 주장하고 있다.

2. (자), (차)에서 필자는 개인 맞춤형 정보 처리 규칙에 의한 가짜 뉴스가 '필터 버블' 현상을 초래한다고 하였다. 그러나 필터 버블 현상이 발생하는 과정에서 개인 맞춤형 정보 처리 규칙이 수정되기도 한다는 언급은 나타나 있지 않다.

| 오답 풀이 | ①, ③, ⑤ (자)에서 확인할 수 있다.

④ (차)에서 확인할 수 있다.

3. 이 글에는 누리 소통망이 가짜 뉴스에 대한 비판적 수용이 가능한 환경을 제공하고 있다는 언급이 나타나 있지 않다.

| 오답 풀이 | ① (자), (차)에 의하면, 누리 소통망은 정보 처리 규칙에 의해 개인 맞춤형 정보를 제공하고 있다.

② 이 글을 통해, 누리 소통망에 의한 개인 맞춤형 정보 제공 과정에서 가짜 뉴스가 확대 재생산되어 이용자에게 제공됨으로써 개인의 편견과 고정 관념을 강화하고 있음을 알 수 있다.

④, ⑤ (차)에서 확인할 수 있다.

내신 적중 문제 p. 322

1. ① **2.** ③ **3.** ⑤ **4.** 차례에서 읽으려는 항목으로 바로 이동할 수 있다. **5.** ③ **6.** ① **7.** • 인물을 배경보다 높게 배치하는 방식을 사용하였다. • 초상화의 배경으로 풍경을 사용하였다. **8.** ③ **9.** ③ **10.** ⑤ **11.** ① **12.** ④ **13.** 가짜 뉴스의 발생이 전 세계적으로 나타나는 시대적 특성임을 드러내기 위해서이다. **14.** ⑤ **15.** ③ **16.** ② **17.** 뉴스 소비자의 눈길을 사로잡으며 높은 조회 수를 기록하였기 때문이다. **18.** ① **19.** ⑤ **20.** 이용자의 사후 신고에 의존하는 사실 검증은 가짜 뉴스의 생산과 확산 속도를 따라잡기 어렵다.

1. 이 글은 「모나리자」의 작가인 레오나르도 다빈치의 저술 『회화론』의 내용을 인용하면서, 작품의 제작 과정을 추론하고 있다.

2. 이 글에서 필자는 패널의 표면이 완성되면 남아 있을지도 모르는 기름기를 빼기 위해 소변으로 한 번 닦아 내고 미색 종이처럼 보일 때까지 갈고 또 갈았다고 하였다.

| 오답 풀이 | ①, ② 2문단에 따르면 「모나리자」는 백색 포플러 나무로 제작된 패널에 유화로 그려졌음을 확인할 수 있다.

④ 4문단을 통해 패널 자체도 꽤 복잡하고 힘든 과정을 거쳐 제작되었음을 알 수 있다.

⑤ 5문단을 통해 「모나리자」를 패널에 그릴 때 몇 번이고 덧칠을 해 가면서 그림을 그렸음을 알 수 있다.

3. 인물 양쪽으로 기둥이 서 있었다는 기록에 대한 구체적인 출전을 명시하지 않은 이유가 그것이 중요한 문제가 아니었기 때문인지는 이 글만으로는 알 수가 없다.

| 오답 풀이 | ① '지금은 작품의 양쪽에 기둥이 서 있었다는 증거를 찾아볼 수 없지만'에서 확인할 수 있다.

② '옛날 기록을 ~ 서 있었다고 한다.'를 통해 확인할 수 있다.

③, ④ '어쨌든 우리로서는 17세기 초에 ~ 짐작할 수밖에 없다.'에서 확인할 수 있다.

4. 비순차적인 검색이 가능한 하이퍼텍스트의 성격을 고려할 때, ㉠은 차례에서 읽으려는 항목으로 바로 이동이 가능한 전자책의 기능을 보여 주는 것이라 할 수 있다.

| 서술형 평가 기준 |

기준	등급
전자책의 기능을 〈조건〉에 맞게 서술한 경우	상
전자책의 기능을 서술하였으나, 〈조건〉을 충족시키지 못한 경우	중
전자책의 기능을 모호하게 서술한 경우	하

5. (가)에서는 마테오 반델로의 글을 인용하면서, (나)에서는 「모나리자」와 「몬테펠트로 딥틱」을 비교하면서 내용을 전개하고 있다.

6. (나)에서는 프란체스카의 「몬테펠트로 딥틱」을 인용하고 있는데, 이는 「모나리자」의 구도상 특징, 즉 인물을 배경보다 높게 배치하는 방식을 설명하기 위해 인용하였음을 알 수 있다.

7. (나)의 1문단에서 인물을 배경보다 높게 배치하는 방식을, 2문단에서 초상화의 배경으로 풍경을 사용하는 것을 확인할 수 있다.

| 서술형 평가 기준 |

기준	등급
공통점을 두 가지를 〈조건〉에 맞게 서술한 경우	상
공통점을 두 가지를 제시하였지만, 한 가지만 적절한 경우	중
공통점을 두 가지 제시하였지만, 의미가 모호하게 서술된 경우	하

8. 레오나르도의 글을 보면, 인간의 몸이 흙과 물, 공기 그리고 불로 이루어져 있는 이상 그것은 대지를 닮았다고 하였다. 양자는 동일한 구성 요소로 이루어져 있기 때문에 대지, 곧 자연을 표현하는 것과 인간의 몸을 표현하는 것은 유사하다는 것이다.

9. '스푸마토' 기법은 두 가지로 요약된다. 하나는 경계를 흐릿하게 처리하는 것이고, 다른 하나는 색채의 명암법을 활용한다는 것이다. '공기 중의 원근법'은 이 두 가지 기법을 모두 활용하고 있다. 따라서 '인물과 배경의 일체감'을 표현하기 위한 용도뿐만 아니라, '공기 중의 원근법'에서도 '스푸마토'

기법의 두 가지 방법을 활용하였음을 알 수 있다.

|오답 풀이| ㄱ. 4문단에서 필자는 특별한 명암법을 사용하여 경계를 없앴다고 하였다. 따라서 이는 르네상스 정신에 부합하는 것이다.

ㄹ. 2문단에서 필자는 대지, 즉 자연과 인간의 몸을 표현하는 것의 유사성을 르네상스의 시대정신이라고 하였다. 따라서 대상과의 경계를 지양하는 것은 르네상스 정신에 부합한다고 할 수 있다.

10. 필자는 가짜 뉴스의 폐해를 언급하고 있을 뿐, 가짜 뉴스에 대한 사회적 논란의 폐해를 언급하고 있지는 않다.

|오답 풀이| ① 2문단에서 전문가 집단이 내린 가짜 뉴스의 정의가 제시되어 있다.

② 3문단에서 가짜 뉴스의 역사적인 유통 사례로 「서동요」와 관동 대지진을 들고 있다.

③ 1문단에서 필자는 탈진실화가 진행되는 시대 분위기를 가짜 뉴스가 유통되는 사회적 맥락으로 인식하고 있다.

④ 4문단에서 필자는 가짜 뉴스의 유통 매체가 옛날의 동요나 입소문에서 누구나 쉽게 이용하는 인터넷 사이트, 누리 소통망 등으로 변화하면서 21세기형 가짜 뉴스의 폐해가 나타난다고 보고 있다. 또 대중들이 자주 접하는 뉴스 매체가 신문, 방송 같은 전통적 매체에서 인터넷 사이트, 누리 소통망 등으로 변화하면서 가짜 뉴스가 쉽게 유통·확산되는 현상이 나타나고 있다고 보고 있다.

11. 전문가들은 가짜 뉴스 논란이 비생산적이라는 견해를 피력하고 있는 것이 아니라, 가짜 뉴스의 기준과 범위가 정해지지 않아서 비생산적인 논란이 가중되고 있다는 점을 지적한 것이다.

|오답 풀이| ② 4문단의 '가짜 뉴스들은 사람들의 입맛에만 맞으면 쉽게 유통·확산된다.'를 통해 추론할 수 있다.

③ 4문단의 '세계적으로 맹위를 떨치는 정보 통신 기업들은 '디지털 뉴스 중개자'로 부상하는 동시에 가짜 뉴스의 온상지가 됐다.'를 통해 추론할 수 있다.

④ 2문단의 '전문가들은 가짜 뉴스의 기준을 정하고 범위를 좁히지 않으면 비생산적인 논란만 가중될 수밖에 없다고 지적한다. 이에 2017년 2월 한국 언론 학회와 한국 언론 진흥 재단 주최로 열린 토론회에서는 가짜 뉴스를~'를 통해 추론할 수 있다.

⑤ 4문단의 '누구나 쉽게 이용하는 매체에 '정식 기사'의 얼굴을 하고 나타난다. 감쪽같이 변장한 가짜 뉴스들은~'을 통해 추론할 수 있다.

12. ㉠에서 가짜 뉴스의 범람 현상은 누리 소통망에서 발생하는 현상이라고 하였으므로, 주요 언론사의 책임을 묻는 것은 적절하지 않다.

|오답 풀이| 한 언론의 분석 내용은 2016년 미국 대선 기간 중 가짜 뉴스가 공유된 수는 870만 건이었으며, 이는 주요 언론사 뉴스의 공유 수를 앞선 수치라는 것이다. 이러한 내용은 나머지 선지 내용과 같은 반응을 얻기에 충분하다.

13. 1문단을 보면, 가짜 뉴스가 '탈진실화'라는 시대적 특성을 배경으로 발생되었다는 인식을 드러내고 있다.

|서술형 평가 기준|

가짜 뉴스의 발생을 시대적 특성과 연관 지어 서술하면서 〈조건〉에 맞게 서술한 경우	상
가짜 뉴스의 발생을 시대적 특성과 연결 짓지 못하고, 〈조건〉도 충족시키지 못한 경우	중
서술 내용이 모호하고, 〈조건〉도 충족시키지 못한 경우	하

14. 필자는 4문단에서 가짜 뉴스의 원인으로 경제적 이익을 들고 있으며, 그 폐해로 사회 구성원의 통합 방해와 극단주의의 초래를 들고 있다.

15. [A]를 보면, 광고주들이 가짜 뉴스 사이트에 직접 광고하는 것이 아니다. 따라서 가짜 뉴스는 광고주의 지나친 욕망과는 관련이 없다.

|오답 풀이| ① 자극적인 가짜 뉴스를 생산하여 높은 조회 수를 기록하면 높은 광고 수익이 생겨나므로 적절한 반응이다.

② 광고 서비스 업체가 높은 조회 수를 기록하는 디지털 매체(SNS 등)에 광고를 배치하기 때문에 이를 유도하기 위해 자극적인 가짜 뉴스를 생산하여 조회 수를 늘리려고 시도하는 것이다. 따라서 적절한 반응이다.

④ 높은 조회 수가 곧 높은 금액의 광고 배치를 유도할 수 있으므로 적절한 반응이다.

⑤ 자극적인 뉴스는 바쁜 현대인들의 눈길을 끌 수 있기 때문에 조회 수를 늘릴 수 있고, 높은 금액의 광고 배치를 유도할 수 있으므로 적절한 반응이다.

16. 이 글에서는 전문가의 견해도 드러나지 않고, 가짜 뉴스에 대한 대처법도 언급되지 않았다.

|오답 풀이| ①, ③ 1, 2 문단에서 가짜 뉴스에 관한 관련 기관의 조사 및 분석 자료와 구체적인 통계 수치를 인용하여 가짜 뉴스의 심각성을 환기하고 있다.

④ 4문단에서 필자는 스스로 묻고 답하는 방식을 통해 가짜 뉴스가 생산되는 과정에 대한 독자의 관심을 유도하고 있다.

⑤ 2, 3문단에서 필자는 2016년 미 대선을 뒤흔든 가짜 뉴스 사례를 비교적 상세히 소개하면서 가짜 뉴스의 발생 원인에 대한 독자의 이해를 돕고 있다.

17. 4문단에서 필자는 가짜 뉴스가 높은 조회 수를 기록하면 뉴스 작성자에게 경제적 이익을 가져다준다고 하였다.

| 서술형 평가 기준 |

높은 조회 수와 관련한 뉴스 소비자의 반응을 〈조건〉에 맞게 서술한 경우	상
높은 조회 수와 뉴스 소비자의 반응을 연결한 내용이 어색한 경우	중
소비자의 반응을 모호하게 서술한 경우	하

18. 누리 소통망에서의 정보에 대한 개인의 확증 편향에 대해서만 언급하고 있을 뿐, 사실에 대한 해석 과정에서 개선될 수 있다는 언급은 나타나 있지 않다.

| 오답 풀이 | ② 2문단에 따르면 누리 소통망을 제공하는 정보 통신 업체의 개인 맞춤형 정보 처리 규칙이 필터 버블 현상을 초래하고, 이 과정에서 가짜 뉴스가 진실의 자리를 차지하게 된다고 하였다. 또 3문단을 보면, 정보 통신 기업들이 가짜 뉴스에 대한 책임감을 느끼고 해결에 나서고 있다고 하였다. 이를 통해 누리 소통망을 제공하는 기업 역시 가짜 뉴스의 유통과 확산에 대한 책임론에서 자유롭지 못하다는 사실을 알 수 있다.

③ 4문단의 '광고 중개 업체의 과도한 수익성을 제한하는 구체적인 실행 방안이 마련되어야 하지만'에서 가짜 뉴스의 유통과 확산에는 과도한 수익성을 추구하는 광고 중개 업체의 책임도 무시할 수 없다는 사실을 추론할 수 있다.

④ 1문단을 통해 이용자 맞춤형 정보를 제공하기 위한 정보 통신 업체의 정보 처리 규칙이 이용자의 이용 내역을 분석하는 것임을 알 수 있다.

⑤ 4문단에 따르면 이용자의 사후 신고에 기댄 사실 검증으로는 가짜 뉴스의 생산과 확산 속도를 따라잡기 어렵기 때문에 누리 소통망을 제공하는 정보 통신 업체들에 의한 가짜 뉴스 검증 시스템은 그 실효성을 확신할 수 없다고 하였다.

19. 〈보기〉에서 지인은 이미 필터 버블 현상과 확증 편향에 빠져 있다. 따라서 정보 처리 규칙에 의한 개인 맞춤형 정보의 제공이 용이한 인물로 볼 수 있다.

| 오답 풀이 | ① 2문단에 의하면, 지인의 편향적인 정보 수용 행위는 일종의 심리적 보상 행위에 해당한다.

② 2문단에 의하면, 지인은 자신의 정치적 신념과 일치하는 정보만 받아들이는 확증 편향이 작용하고 있음을 알 수 있다.

③ 〈보기〉의 지인은 자신의 신념과 일치하는 정보만 받아들이는 인물이므로, 2문단에서 알 수 있듯이 진위보다 지인 자신의 호불호가 정보를 수용하는 기준으로 작용하였다고 볼 수 있다.

④ 〈보기〉의 지인이 SNS를 통해 수용한 정보의 축적은 편향적 정보의 축적일 가능성이 더 크므로, 2문단을 통해 그의 편견과 고정관념은 더욱 강화될 것이라고 추리할 수 있다.

20. 4문단을 보면, ㉠에 나타난 방식은 이용자의 사후 신고에 기댄 사실 검증 시스템에 해당한다. 그런데 그러한 방식은 4문단에 언급되어 있는 것처럼 가짜 뉴스의 생산과 확산 속도를 따라잡기 어렵다는 사실을 간과하고 있다.

| 서술형 평가 기준 |

㉠의 시도가 간과하고 있는 내용을 〈조건〉에 맞게 서술한 경우	상
㉠의 시도가 간과하고 있는 내용을 서술하였으나, 본문의 관련 문장을 활용하지 않은 경우	중
㉠의 시도가 간과하고 있는 내용 중의 일부만을 불완전하게 서술한 경우	하

대단원 평가 문제

p. 329

1. ② **2.** ④ **3.** ① 영도첨의 판감찰로 임명되던 날에 조복(朝服)을 차려 입고 임금에게 은혜를 사례하지 않았다. ② 대궐 뜰에 들어와서는 무릎을 굽히지 않은 채 늘 말을 타고 궐문을 출입하였다. ③ 임금과 함께 의지에 걸터 앉았다. ④ 마루 밑에서 절을 하지 않고 앉아서 접대하였다. **4.** ⑤ **5.** ④ **6.** ④ **7.** 음성 상징어를 사용하여 바늘이 부러져 화자가 크게 놀라는 상황을 생생하게 형상화하고 있다. **8.** ③ **9.** ② **10.** 이 글은 신화적 상상력을 통해 형성된 서사시이며, 〈보기〉는 과학적 탐구에 의해 도출된 객관적 정보를 독자에게 전달하기 위한 설명문이다. **11.** ⑤ **12.** ⑤ **13.** ④ **14.** ② **15.** ⑤ **16.** ④ **17.** ④ **18.** 레오나르도는 공기 중의 원근법을 사용하여 원근감을 느끼게 함으로써, 자연에 대한 공간 감각을 살리는 새로운 회화의 경지를 열게 되었다. **19.** ① **20.** ③

1. 상대방(신돈)에 대한 비판적 인식은 (가)와 (나) 모두 드러나 있다. (가)에서는 신돈이 예법에 어긋난 행동을 한다고 비판하고 있으며, (나)에서는 초자연적인 기상 이변이 신돈이 어진 이가 아님을 증명하고 있으며 '자격이 안 되는 인물'이라며 신돈에 대한 부정적 인식을 직접 드러내고 있다.

2. 이 글에서 필자는 신하의 예법을 벗어난 신돈의 무례한 행동에 대해 문제를 제기하고 있으나 그의 정책에 대해 언급하고 있지 않다.

| 오답 풀이 | ①, ② 사마광의 말을 인용하여 군신 간의 예법이 엄격해야 나라의 기강이 바로 선다는 점을 강조하고, 이를 전제로 신돈의 잘못된 행동에 대해 임금의 조처를 강력히 건의하고 있다.

③ '전하께서 자격이 안 되는 인물을 재상으로 삼아'에서 확인할 수 있다.

⑤ '신돈에게 내린 '논도섭리공신'이라는 호가 과연 천지와 조종의 뜻에 합하는 것입니까.'에서 확인할 수 있다.

3. 이 글은 신하의 예법에 어긋나는 행동을 하는 신돈을 비판한 내용이다. (가)에는 신하로서 지켜야 할 도리를 다하지 않는 신돈의 잘못된 행동이 열거되어 있다.

ㅣ서술형 평가 기준ㅣ

기준	등급
신돈의 행동 세 가지 이상을 〈조건〉에 맞게 서술한 경우	상
신돈의 행동 세 가지를 답하였으나, 각각 완성된 한 문장으로 서술하지 못한 경우	중
신돈의 행동 두 가지를 〈조건〉에 맞게 서술한 경우	중
신돈의 행동 한 가지만을 서술한 경우	하

4. 이 글에서는 바늘과의 재회에 대한 소망은 나타나 있지 않다.
ㅣ오답 풀이ㅣ ① 6문단에 따르면 금년 시월초십일 술시에 관대 깃을 달다가 바늘이 부러졌음을 확인할 수 있다.
② 3문단의 '너는 미묘한 품질과 특별한 재치를 가졌으니~'를 통해 바늘의 재주와 품질을 확인할 수 있다.
③ 1문단의 내용을 통해 북경에 사신으로 다녀온 시삼촌에게서 바늘을 선물 받았음을 확인할 수 있다.
④ 2문단에 필자와 바늘의 각별한 인연이 나타나 있다. 필자는 슬하에 자녀가 없으며 가난하여 침선으로 생계를 이어감을 알 수 있다.

5. 이 글을 통해 외국의 신식 문물에 대한 필자의 관심 여부는 확인할 수 없다. 시삼촌께서 선물한 바늘은 이전부터 바느질에 사용되어 온 것으로, 외국의 신식 문물로 볼 수 없다.
ㅣ오답 풀이ㅣ ① 시삼촌께서 동지상사로 북경에 다녀 온 사실, 노비들에게 바늘쌈지를 나눠 주고, 제문을 쓰는 문장 실력까지 갖춘 점으로 보아 학식을 갖춘 양반가의 여성임을 알 수 있다.
②, ③ 2문단에서 슬하에 자녀가 없는 외로운 신세로, 바느질로 생계를 이어가고 있음을 확인할 수 있다.
⑤ 부러진 바늘을 대하는 태도에서 자신이 아끼는 물건에 대한 필자의 애정을 확인할 수 있다.

6. ㄱ. 이 글은 〈보기〉와 달리 '나'로 등장한 화자가 주체가 되어 바늘과 관련된 슬픔을 고백하듯 서술하고 있다.
ㄴ. 〈보기〉는 화자가 작품 속에 등장하지 않고 작품 밖에서 관찰자가 되어 척 부인의 행동이 이루어지는 장면을 보여 주고 있을 뿐, 〈보기〉에서는 이 글에서처럼 화자 자신의 내면적 진술은 나타나 있지 않다.
ㄹ. 이 글은 바늘을 '너'로 의인화하여, 〈보기〉는 자를 '부인'으로 의인화하여 주제를 효과적으로 형상화하고 있다.
ㅣ오답 풀이ㅣ ㄷ. 〈보기〉는 사물을 의인화한 우의적 수법을 통해 자신의 처지를 망각하고 공치사만 일삼는 세태를 풍자하고 있다. 반면에 이 글은 우의적 수법에 의한 풍자적 기법이 사용되지 않았다.

7. ㉠은 '자끈동'이라는 의태어(음성 상징어)를 사용하여 바늘이 부러져 화자가 크게 놀라는 상황을 생생하게 형상화하고 있다.

ㅣ서술형 평가 기준ㅣ

기준	등급
'음성 상징어'의 표현 방법과 그 효과를 〈조건〉에 따라 한 문장으로 서술한 경우	상
'음성 상징어'의 표현 방법은 언급했지만 효과를 모호하게 서술하였고, 〈조건〉에 맞게 서술하지 못한 경우	중
'음성 상징어'의 표현 방법을 서술하지도 못했고, 그 효과도 〈조건〉에 맞지 않게 모호하게 서술한 경우	하

8. (나)는 더운 열대, 추운 한대, 열대와 한대 사이에 있는 온대 지역처럼 지역에 따라 서로 다른 기후가 있는 것과 일치하는 상상을 보여 주고 있다.

9. 하늘로부터는 땅을, 땅으로부터는 물을, 무지근한 대기로부터는 맑은 하늘을 떼어 놓은 상태는 카오스의 우주에 질서를 부여한 신의 첫 번째 행위의 결과이다.
ㅣ오답 풀이ㅣ (가), 〈보기〉에 따르면 카오스의 상태는 모든 사물이 생기기 이전 하나로 통합된 상태를 가리킨다.

10. 이 글은 신화적 상상력에 의해 형성된 이야기를 서사의 흐름에 따라 전개하는 서사시이며, (나)는 과학적 탐구에 의해 도출된 객관적 정보를 독자에게 전달하기 위한 설명문이다.

ㅣ서술형 평가 기준ㅣ

기준	등급
두 글이 지닌 갈래상의 차이를 〈조건〉에 맞게 서술한 경우	상
두 글이 지닌 갈래상의 차이를 〈조건〉에 맞지 않게 서술한 경우	중
두 글이 지닌 갈래상의 차이를 불완전하게 서술한 경우	하

11. (가)에 따르면 자연이라는 신이 태초의 카오스 상태를 종식시키고, 사물들에 형상과 질서를 부여하였으며, 각자의 자리에 자리잡게 하였다. 추위와 더위가 한 가지 질료에서 싸우게 했던 것은 카오스 상태일 때였다.

12. 이 글에는 필자의 기억 속에 떠오르는 몇 개의 일화가 병렬적으로 나열되고 있다. 하지만, 필자는 비교적 담담한 어조로 자신의 경험을 서술하고 있을 뿐 내적 갈등이 고조되는 양상을 드러내지는 않고 있다.
ㅣ오답 풀이ㅣ ① 1문단을 통해 필자가 반(反)인종주의에 저항하고 있음을 알 수 있다.
② 필자의 흑인 해방을 위한 투쟁 활동과 관련된 이야기, 즉 사건을 중심으로 글이 전개되고 있다.
③ 흑인 해방 투쟁 활동에서 부딪히게 되는 많은 위기 상황을 극복하는 필자의 모습에서 감동적인 교훈을 얻을 수 있다.
④ 필자의 도피 생활에 나타난 긴장된 삶의 모습들을 확인할 수 있으며, 이러한 상황에서의 필자의 정서나 심리를 엿볼 수 있다.

13. (나)의 4문단에서 초대 받아 찾아간 집의 나이 든 여자가 필

자를 멸시하며 문을 닫아버린 것은 필자의 정치 활동에 반감을 품고 있기 때문이라는 근거를 발견할 수 없다. 글의 전체적인 맥락에서 볼 때 오히려 누추한 옷차림 때문일 가능성이 더 크다고 할 수 있다.

14. ㉠에는 자신의 정체가 스팽글러 대령에게 발각될까 몹시 두려워하는 모습이 나타나 있다. 따라서 이에 해당하는 한자성어는 '몹시 두려워서 벌벌 떨며 조심함.'이라는 의미를 지닌 '전전긍긍(戰戰兢兢)'이 가장 적절하다.

| 오답 풀이 | ① 제 정신을 잃고 어리둥절한 모양을 이르는 말이다.

③ 누워서 몸을 이리저리 뒤척이며 잠을 이루지 못함을 이르는 말이다.

④ 몹시 분하여 이를 갈며 속을 썩임을 이르는 말이다.

⑤ 방자하고 교만하여 다른 사람을 업신여김을 이르는 말이다.

15. 이 글과 〈보기〉를 통해 볼 때, 필자는 모든 사람들이 자유롭고 평등한 자유 민주 사회의 이상을 자신의 신념으로 삼고, 자신의 나라에서 이러한 이상을 실현하고자 하는 강한 의지를 표명하고 있다. 그러나 이 글과 〈보기〉에서 필자는 현실적 여건을 고려하여 누구에게나 평등한 권리를 보장하는 원칙을 포기하려 했다는 것은 확인할 수 없다.

16. 5문단에서 필자는 '스푸마토' 기법을 레오나르도만의 독창적인 회화 방식이라고 하였다. 따라서 당대의 화가들이 주로 사용하던 회화 기법이라는 진술은 적절하지 않다.

| 오답 풀이 | ① 2문단의 '르네상스 화가들이 좋아했던 단선적 원근법'이라는 진술에서 확인할 수 있다.

② 3문단에서 레오나르도가 르네상스의 시대정신에 따라 회화에서 대지를 표현하는 것과 인간의 몸을 표현하는 것이 얼마나 유사한 것인지 밝히고 있다고 하였다.

③ 1문단에 따르면 「모나리자」에서는 풍경과 인물이 하나가 되고 있다고 하였으며, 2문단에 따르면 풍경과 인물이 하나가 되게 하는 회화 기법, 즉 경계선을 흐릿하게 하는 방법이 곧 공기 중의 원근법이라고 하였다.

⑤ 6문단에서 15세기 유화의 도입 덕택에 가능해진 '스푸마토' 방식은 레오나르도에 의해 한층 더 발전하게 되었음을 확인할 수 있다.

17. 1문단에 따르면 ㉠은 곧 풍경과 인물이 하나가 되게 하는 회화 기법과 관련이 있음을 알 수 있다. 그리고 5문단에 따르면 이는 경계선을 흐릿하게 하는 '스푸마토'라는 회화 기법에서 비롯된 효과임을 알 수 있다. 따라서 '뚜렷한 선'이라는 표현은 적절치 않다.

| 오답 풀이 | ①, ②, ③ 5문단을 통해 확인할 수 있다.

⑤ 1문단을 통해 확인할 수 있다.

18. [A]에 나타난 '공기 중의 원근법'은 〈보기〉에서 자연에 대한 깊이 있는 공간 재현을 통해 실제로 우리들에게 보이는 것과 같은 공간 감각을 지니게 된다는 내용을 담고 있다. 이는 레오나르도가 독창적인 회화 기법으로 사용했던 공기 중의 원근법이 자연에 대한 공간 감각을 살리는 새로운 회화의 경지를 열게 되었음을 의미한다고 할 수 있다.

19. 가짜 뉴스의 발생 원인은 '돈'이다. 그리고 '돈'을 위해서라면 그 내용이 비윤리적이어도, 또 진실이 아니어도 개의치 않는다고 하였다. 이는 과정보다 결과를 더 중시하는 풍조를 낳은 결과인 황금 만능주의와 관련된다고 할 수 있다.

20. 인터넷 검색 업체나 누리 소통망 등이 이용자 맞춤형 정보를 제공하는 과정에서 이용자는 특정 정보만을 편식함으로써 개인들의 편견이나 고정 관념은 강화된다.

중간 · 기말 고사 대비 문제 은행

실력 완성 문제

I. 독서의 본질과 태도 p. 336

1. ① **2.** ④ **3.** ③ **4.** 물의 흐름과 마찬가지로 상황에 따라 다양한 독서 방법을 취할 수 있다. **5.** ⑤ **6.** ③ **7.** 필자는 독자들이 자신만의 책 목록을 작성해 보도록 권유하기 위해 이 글을 썼을 것이다. **8.** ③ **9.** ② **10.** ② **11.** ⑤ **12.** ① **13.** ⑤ **14.** ⑤ **15.** ① **16.** ⑤ **17.** ⑤ **18.** ⑤ **19.** 다른 사람들의 다양한 의견을 들을 수 있어 새로운 깨달음을 얻을 수 있다.

1. 이 글은 담화의 품격을 형성하는 올바른 독서 방법으로 개인의 풍미와 취미를 고려한 독서, 개인의 상황에 따른 독서, 시기에 맞는 독서 등을 서술하고 있다.

2. 이 글에서 필자는 사상과 체험이 걸작을 읽을 정도가 되지 않았을 때 걸작을 읽으면 나쁜 뒷맛이 남을 뿐이라고 했는데, 이는 일정한 지적 수준이 도달했을 때 걸작을 읽어야 함을 의미한다. 그러나 지적 역량이 부족하다고 해서 독서 자체가 해가 된다는 내용은 아니다.

| 오답 풀이 | ① (가)에서 담화의 품격은 독서 방법에 달려 있다고 서술하고 있다.

② (마)에서 같은 독자, 같은 책이라도 읽는 시기가 다르면 다른 풍미를 맛볼 수 있다고 서술하고 있다.

③ (나)에서 음식물의 기호와 마찬가지로 취미는 역시 개인의 것이라고 서술하고 있다.

⑤ (마)에서 양서는 두 번 읽으면 얻는 바도 크거니와, 재미 또한 새롭다고 서술하고 있다.

3. ㉠ 원중랑은 개인의 풍미나 취미에 따라 책을 선택하여 독서해야 함을 강조하였으며, ㉡ 공자는 주역과 같은 걸작도 일정한 수준이 된 상태에서 읽어야 함을 강조했다.

| 오답 풀이 | ① ㉠ 원중랑은 개인의 관심에 맞지 않는 책은 읽지 않아도 된다는 것으로 편중된 독서에 대해 비판하고 있지 않다. ㉡ 공자도 걸작에 집착하는 것을 비판하는 것이 아니라 걸작을 읽을 수준이 되었을 때 읽으라는 것이다.

② 자신의 풍미에 맞지 않기 때문에 다른 사람이 읽게 하라는 것이지 독서 경험을 공유하라는 것은 아니다.

④ ㉠ 원중랑과 ㉡ 공자 모두 양서를 중심으로 독서하라고 한 내용은 제시되어 있지 않다.

⑤ ㉡ 공자는 지적 수준에 맞는 독서를 강조했지만, ㉠ 원중랑은 그런 말을 하지 않았다.

4. [A]의 앞뒤 맥락을 보면 개인마다 각자 처한 상황이 다르므로 반드시 읽어야 할 책은 없으며, 다만 개인의 상황에 따라 책의 선택이 달라짐을 말하고 있다. 따라서 이를 바탕으로 [A]에서 개인의 상황에 따라 다양한 독서 방법을 취한다는 것을 유추할 수 있다.

| 서술형 평가 기준 |

기준	등급
예시 답에 가까운 내용으로 필자가 말하고자 하는 바를 유추하여 서술한 경우	상
내용은 적절하나 문장이 어색하거나 맞춤법이 틀린 경우	중
중심 내용은 포함되어 있으나 문장이 장황한 경우	하

5. 〈보기〉에서 '재희'는 다른 사람이 선정한 책을 읽겠다고 했는데, 이 글에서 필자는 개인의 풍미와 취미, 지적 수준에 맞는 독서가 올바른 독서 방법이라고 말하고 있다.

| 오답 풀이 | ① 아무리 반복적으로 읽더라도 자신의 취미와 풍미에 맞지 않는 책이면 독서의 효용이 떨어지므로 반복해서 읽기를 권하는 것은 적절한 조언으로 볼 수 없다.

② 이 글의 필자는 실생활에 유용한 독서의 필요성을 언급하고 있지 않다.

③ 이 글의 필자는 다양한 관점을 균형 있게 보여 주는 책을 읽어야 한다고 말하고 있지 않다.

④ 이 글의 필자는 고전과 현대의 양서를 비교하여 언급하고 있지 않다.

6. 이 글은 『1Q84』, 『참을 수 없는 존재의 가벼움』, 『신곡』 등 구체적인 책을 사례로 제시하여 자신만의 책 목록을 작성했던 필자의 경험을 소개하고 있다.

| 오답 풀이 | ① 구체적인 책을 사례로 들고 있으나 그 내용을 분석하고 있지는 않다.

② 독서의 장점을 열거하고 있지는 않다.

④ (다)에서 '보르헤스의 『바벨의 도서관』' 구절을 인용하고 있으나 이는 바람직한 독서 방법을 소개하기 위한 것이 아니라, 독서를 위한 책 목록을 작성하는 방법을 설명하기 위해 인용한 것이다.

⑤ 대비되는 독서 습관을 제시하지도, 잘못된 독서 습관을 지적하고 있지도 않다.

7. (가)에서 필자는 스스로 책 목록을 짜는 것이 가장 좋다고 말하였으며, 이어지는 글에서 책 목록을 작성하는 방법을 소개하고 있다.

| 서술형 평가 기준 |

기준	등급
예시 답과 유사하게 필자의 의도를 추론하여 서술한 경우	상
내용은 적절하나 문장이 어색하거나 맞춤법이 틀린 경우	중
중심 내용은 포함되어 있으나 문장이 장황한 경우	하

8. (가)에서 필자는 스스로 한 권씩 책 목록을 짜는 것이 가장 좋다며, 자신의 책 목록 작성법을 소개하고 있다. (라)에서 오에 겐자부로가 『신곡』을 좋아한다고 하여, 자신도 읽어야겠다고 생각했다고 했으나 작가가 그 책을 추천한 것은 아니다.

| 오답 풀이 | ① (가)에서 '결론부터 말하면 스스로 한 권씩 짠 목록이 가장 좋습니다'라고 서술하고 있다.

② (나)에서 '일상을 뚫고 나오는 이야기에 귀를 기울여 보자'고 했으며, 이는 자신의 관심사에 따라 책을 선택하는 방법을 의미한다.

④ (다)에서 '두 번째 작성법이 있습니다. 책 속의 책을 따라가는 방법입니다'라고 서술하고 있다.

⑤ (라)에서 '세 번째 목록 작성법이 탄생합니다. 현실에서 궁금한 것을 책에서 찾아 읽는 겁니다.'라고 서술하고 있다.

9. 정보보다 일상을 뚫고 나오는 이야기에 귀를 기울여 보자고 한 것으로 보아, 필자는 이야기가 있는 여행기에 관심을 가졌음을 알 수 있다.

10. (가)는 '문재(文才)상의 연인에게~남김없이 흡수하는 것'과 같은 비유적 표현을 통해 좋아하는 작가의 책을 온전히 자기 것으로 소화할 수 있음을 드러내고 있으며, (다)는 '유성 같은 책', '항성 같은 책'에서 책에 대한 필자의 생각을 비유적으로 표현하고 있다.

| 오답 풀이 | ① (가)와 (나)에 필자의 독서 경험은 소개되어 있지 않다.

③ (다)에는 유성 같은 책과 항성 같은 책을 대조하고 있으나, (나)는 대조의 방식이 사용되지 않았다.

④ (가)~(다) 모두 묻고 답하는 방식이 사용되지 않았다.

⑤ (가)~(다) 모두 권위 있는 인물의 말을 인용하고 있지 않다.

11. (다)에서 필자는 우리가 사는 세상과 인생의 문제를 다루되 그것을 '상투적인 시선'으로 바라보고 우리가 사는 '뻔한 해결책'을 제시하는 유성 같은 책에 대해 비판적 인식을 보이고 있다.

| 오답 풀이 | ① (가)에서 '좋아하는 작가의 발견은 자기의 지적 발전에 가장 의미 있는 일이라고 생각한다.'라고 서술하고 있다.

② (나)에서 「길가메시 서사시」는 '인간은 왜 죽는가, 영원히 살길은 없는가'에 대한 이야기인데, 이는 인간의 유한성의 경험을 다룬 것이다.

③ (다)에서 '우리 주변에는 유성 같은 책들이 지천으로 굴러다니고 있지만, 항성 같은 책은 점차 자취를 감추고 있다.'라고 서술하고 있다. 항성 같은 책은 '삶의 본질을 꿰뚫어 보는 책'을 의미한다.

④ (가)는 좋아하는 작가의 책을 선택하여 읽는 것을, (다)는 항성 같은 책을 찾아 읽는 것이 올바른 독서 방법임을 말하고 있다.

12. (나)에서 필자는 인간에게는 바뀌지 않는 경험의 조건들이 있으며, 아주 오래 전에 씌어진 「길가메시 서사시」는 유한성의 경험을 다루고 있으며, 유한성의 경험은 시대를 초월한다고 답하고 있다. 따라서 질문의 구체적 내용은 옛날에 씌어진 책으로서 지금까지 읽히고 있는 책, 즉 고전을 읽어야 하는 이유에 대한 물음일 것이다.

| 오답 풀이 | ② 이 글은 인간에게는 바뀌지 않는 경험의 조건들 중 유한성의 경험을 언급하고 있으나, 이는 고전이 이러한 내용을 담고 있다는 것을 말하기 위해 서술한 것이다.

③ 이 글은 인간이 유한성을 극복할 수 없는 까닭에 대해서 언급하고 있지 않다.

④ 이 글은 독서를 통해 경험할 수 있는 인간의 한계에 대해 서술하고 있지 않다.

⑤ 이 글은 인간이 겪어야 할 공통된 삶의 경험으로 유한성의 경험을 언급하고 있으나, 이는 고전이 이러한 내용을 담고 있다는 것을 말하기 위해 서술한 것이다.

13. ㄷ. ⓑ는 시대를 초월하여 인간은 누구나 경험하는 유한성에 대해 다룬 책이며, ⓓ는 세상살이의 일반성에 관한 이해를 넓혀 주는 동시에 개인적 삶의 특수성까지도 풍부하게 해석해 주는 책으로, 둘 다 인간의 보편적 삶에 대한 이해를 돕는 책이다.

ㄹ. ⓐ는 좋아하는 작가의 책으로, 독자의 지적 발전에 도움을 주는 책이다. 따라서 ⓐ, ⓑ, ⓓ는 모두 필자가 읽을 가치가 있다고 여기는 책이다.

| 오답 풀이 | ㄱ. ⓐ는 좋아하는 작가의 책으로, 독자에게 실용적 지식을 제공한다는 내용은 언급되어 있지 않다.

ㄴ. ⓑ는 시대를 초월하는 삶의 경험을 소재로 하고 있으나, ⓐ는 시대를 초월하는 삶의 경험을 소재로 하고 있다는 내용은 언급되어 있지 않다.

14. 〈보기〉에서 『역사의 ○○』는 역사 전문 서적이라고 했으므로, 교양 수준의 내용이라는 진술은 적절하지 않다.

| 오답 풀이 | ① (가)에서 '양서는 두 번 읽으면 얻는 바도 크거니와, 재미 또한 새롭다'고 서술하고 있으며, 〈보기〉에서 초등학생 때 이해가 안 되었던 책을 다시 찬찬히 읽으니 이해되었다고 했으므로, 적절한 반응이다.

② (나)에서 책의 종류에 따라 발췌독, 통독, 정독 등 독서 방법이 달라짐을 서술하고 있으며, 〈보기〉에서 현지는 요약본을 읽었을 때 기억에 남지 않았다가 처음부터 찬찬히 읽으니 이해가 되었다고 했으므로, 이 책은 발췌독보다 정독을 해야 하는 책으로 볼 수 있다.

③ (가)에서 '같은 독자, 같은 책이라도 읽는 시기가 다르면

다른 풍미를 맛볼 수 있다'고 서술하고 있으며, 〈보기〉에서 현지는 어휘가 낯설어 책의 내용을 이해하기 어려웠다고 했으므로, 이는 본인의 수준에 맞지 않는 독서를 했기 때문으로 볼 수 있다.

④ (나)에서 '개요만을 뽑은 책은 보통의 증류한 물과 같은 것으로서, 아무런 맛도 없는 법'이라고 했으며, 〈보기〉에서 현지는 요약본을 읽어서 기억에 남는 게 없다고 했으므로, 이는 적절한 진술이다.

15. (다)의 '소설 독회'는 작가와 함께 하는 독서의 사례이므로 저자와 직접 이야기를 나누는 것과 관련 있다.

|오답 풀이| ㉢은 정독, ㉣과 ㉤은 발췌독과 관련된 내용이다.

16. ⓐ는 개요만을 뽑은 책을 비유한 표현으로, 물의 고유한 맛을 잃어버린 것처럼 책이 지닌 고유한 맛을 잃어버린 것을 의미한다.

|오답 풀이| ①~④ 이 글의 맥락으로 볼 때, 발췌된 내용만을 읽는 독서에 대한 필자의 부정적 인식을 드러내고 있다. 따라서 작가의 의도, 논쟁적 내용, 독자의 독서 성향, 사실 위주의 내용 등은 ⓐ와 관련이 없다.

17. ⓑ는 '말이나 이야기, 인사 따위를 주고받다.'의 의미로, '우리는 그 문제에 대해서 의견을 나누기로 했다.'에서 '나누다'와 같은 의미로 사용되었다.

|오답 풀이| ① '하나를 둘 이상으로 가르다.'의 의미로 사용되었다.

② '즐거움이나 고통, 고생 따위를 함께하다.'의 의미로 사용되었다.

③ '몫을 분배하다.'의 의미로 사용되었다.

④ '여러 가지가 섞인 것을 구분하여 분류하다.'의 의미로 사용되었다.

18. (다)는 '소설 독회'라는 독서 모임의 사례를 제시하고 있으며, 〈보기〉도 독서 동아리에서 함께 모여 책을 읽고 토론한 사례에 대해 서술하고 있다.

|오답 풀이| ① 〈보기〉에서는 독서 활동을 계속하면서 열성적인 환경 운동가가 되었다고 하여 행동의 변화를 보여 주고 있으나, (다)는 행동의 변화가 나타나 있지 않다.

② (다)는 작가와 독자가 함께 책을 읽는 것이므로, 여가와 관련한 독서 활동으로 볼 수 있다.

③ (다)는 독자와 저자의 상호 소통을 보여 주고 있으나, 〈보기〉는 독자들끼리의 독서 토론이므로 저자와의 소통에 대해서는 언급하고 있지 않다.

④ (다)는 실용적인 문제 해결을 위한 독서로 볼 수 없다.

19. [A]에서 작가는 자신조차 인식하지 못한 접근에 무릎을 치며 동의를 보내기도 한다고 했으므로, 이는 소설 독회를 통해 사고의 폭을 넓히고 새로운 깨달음을 얻을 수 있음을 말한다.

|서술형 평가 기준|

예시 답과 유사하게 더불어 하는 독서 활동의 장점을 서술한 경우	상
내용은 적절하나 문장이 어색하거나 맞춤법이 틀린 경우	중
중심 내용은 포함되어 있으나 문장이 장황한 경우	하

Ⅱ. 독서의 방법

p. 341

1. ④ **2.** ③ **3.** 숲의 찬바람을 마당으로 끌어들이기 위해서이다. **4.** ② **5.** ④ **6.** ⑤ **7.** ② **8.** 국방 서비스(공공재)에 무임승차하려는 사람들이 있을 것이므로 사람들은 국방 서비스를 이용하기 위해 돈을 지불하지는 않을 것이다. **9.** ③ **10.** ① **11.** ② **12.** ③ **13.** ④ **14.** ⑤ **15.** ② **16.** ④ **17.** 인간은 자신이 사는 세상을 향상할 수도, 파괴할 수도 있는 엄청난 잠재 능력을 지닌 큰 뇌의 포유동물이기 때문이다. **18.** ② **19.** ① **20.** ③ **21.** ① **22.** ② **23.** ㉮는 시상이 전환되는(어조가 바뀌는) 계기로 작용한다. **24.** ⑤ **25.** ② **26.** ④ **27.** 제가 원하던 대학에 가서 공부해야 할까요, 고향에서 일하며 마릴라 곁을 지킬까요? **28.** ② **29.** ① **30.** ④ **31.** 두려움은 항상 효과적인 처벌에 대한 공포로써 유지되며, 실패하는 경우가 없기 때문에 군주는 백성이 사랑을 느끼게 하는 것보다 두려움을 느끼게 하는 것이 더 낫다. **32.** ⑤ **33.** ③ **34.** ⑤ **35.** ③ **36.** ④

1. 이 글은 한옥에서 통의 원리를 구현하는 방식으로 바람길 내기와 찬 공기주머니 만들기를 제시하고, 그 방법을 구체적으로 서술하고 있다.

2. (라)에서 한여름에 마당의 공기가 열을 받아 더워지면 마당은 진공과 유사한 상태가 만들어지고 그러면 진공 상태를 채우기 위해 바람이 불어온다고 서술하고 있다.

|오답 풀이| ① (가)에서 '한옥에서는 여름에 부는 바람인 남동풍의 방위에 맞춰 남향, 혹은 남동향으로 바람이 드나드는 바람길을 냈다.'라고 서술하고 있다.

② (다)에서 한옥에서는 마당을 비워서 안마당에 찬 공기주머니를 만든다고 했으며, (라)에서 이는 대류 현상에 의한 것임을 서술하고 있다.

④ (나)에서 '집 안의 가장 안쪽에 있는 안채는 사랑채에 비해 폐쇄적이어서 여름철에 바람을 집 안까지 끌어들이기 위해서는 좀 더 세밀한 처리가 필요하다.'라고 서술하고 있다.

⑤ (라)에서 '우리 조상들은 한옥을 지을 때 지켜야 할 하나의 불문율 같은 것이 있었다. 대청 근처의 집 주변에 나무를 심지 말라는 것이다.'라고 서술하고 있다.

3. 한옥은 마당에 찬 공기주머니를 만들어 시원하게 하는데, 대개 대청 뒤에는 숲이 있고, 이곳의 찬바람이 집 안으로 들어와 집 안을 시원하게 해 주기 때문에, 한옥을 숲 앞에 지은 것으로 볼 수 있다.

| 서술형 평가 기준 |

예시 답과 유사한 이유(숲의 찬 공기를 들이기 위해)를 서술한 경우	상
내용은 적절하나 문장이 어색하거나 맞춤법이 틀린 경우	중
중심 내용은 포함되어 있으나 문장이 장황한 경우	하

4. ⓐ '나무창'은 대청 뒷면에 설치된 것으로, 여름에는 창을 열어 바람길을 만들고, 겨울에는 닫아 바람길을 막는 기능을 한다. ⓑ '나무'는 대청에 너무 가깝게 있으면 바람이 흘러드는 것을 막는다. 따라서 여름철에 '나무창'이 '나무'와 비슷한 역할을 한다는 것은 적절하지 않다. '나무창'이 '나무'와 비슷한 역할을 한다면, 겨울철에 역할을 수행한다고 보는 것이 더 적절하다.

| 오답 풀이 | ① ⓐ '나무창'은 여름에는 바람길을 만들고, 겨울에는 바람길을 막으므로, 공기의 흐름을 통제하는 기능을 한다.

③ ⓑ '나무'가 대청에 너무 가까이 있으면 바람이 흘러드는 것을 막는다고 서술하고 있다.

④ ⓑ '나무'는 찬바람의 유입을 막기 때문에 마당에 찬 공기주머니가 만들어지는 것을 지연시킬 수 있다.

⑤ ⓐ '나무창'은 여름철에 개방하여 시원한 바람을 집 안으로 들어오게 하여 한옥을 시원하게 하며, '나무'는 마당으로 찬 공기가 유입되는 것을 막아 찬 공기주머니의 형성을 방해한다. 따라서 둘 다 한옥을 시원하게 하는 데 영향을 미침을 알 수 있다.

5. 이 글에서는 한옥에 구현된 '통의 원리'에 대해 설명하여 한옥이 과학적인 기법에 의해 건축되었음을 서술하고 있고, 〈보기〉는 고난도 공법인 그랭이질을 이용하여 한옥을 지었음을 서술하고 있다. 따라서 두 글은 모두 우리 건축에 사용된 과학적 기법인 통의 원리와 그랭이질에 대해 설명하고 있음을 알 수 있다.

| 오답 풀이 | ① 이 글에서는 한옥의 견고함에 대해 서술하고 있지 않다.

② 이 글에서 숲은 한옥이 위치하는 공간과 관련 지어 설명되고 있다. 그리고 두 글 모두 중심 내용은 우리 전통 건축에 과학적 기법이 사용되었다는 것이지, 친환경 건축 재료가 쓰였다는 것은 아니다.

③ 이 글은 한옥의 가치에 대해 언급하고 있다고 할 수 있으나 주요 소재는 통의 원리이며, 바람길은 하위 내용에 불과하다. 그리고 〈보기〉는 한옥의 가치를 언급한 것은 아니다.

⑤ 두 글 모두 우리 건축에 담긴 전통적 장인 정신에 대해 언급하고 있지 않다.

6. 이 글에서 어떤 현상에 대한 구체적인 연구 결과를 인용한 내용은 확인할 수 없다.

| 오답 풀이 | ① (가)의 '도로나 공원처럼 여러 사람이 공동으로 소비하는 것을 '공공재'라고 부른다.'에서 공공재의 개념을 정의하고 있다.

② '과연 국민들은 돈을 내고 이 서비스를 이용하려 할까?', '무임승차를 할 수 있는 상황이라 해서 사람들이 언제나 무임승차를 하려고 할까? 이 의문에 대한 답을 얻기 위해 다음과 같은 실험을 해 볼 수 있다.' 등에서 확인할 수 있다.

③ (가)의 '국방 서비스를 생산, 공급하는 기업이 있다고 가정해 보자.'에서 가상적 상황을 제시하고 있으며, 이를 통해 공공재의 특성을 밝히고 있다.

④ (다)에서 공공재에 관한 실험 내용을 소개하고 있으며, (라)에서 '공공재에 관한 실험을 통해 확인했듯이 현실의 인간은 경제학 교과서에 등장하는 호모 에코노미쿠스와 다르다.'라고 하여 실험 내용을 활용하여 필자의 견해를 드러내고 있다.

7. 지금까지 전통적 경제학은 합리적 인간인 호모 에코노미쿠스의 경제 행위를 분석의 대상으로 삼았으며, 이는 지금의 경제 정책의 근거가 되었다고 하였다. 그러나 필자는 현실의 인간은 경제학 교과서에 등장하는 호모 에코노미쿠스와 다르다고 하며 이제는 경제 이론과 경제 정책을 새로운 시각에서 다시 검토해 볼 필요가 있다며 글을 맺고 있다. 따라서 이 글은 기존의 경제 이론과 경제 정책에 대한 재검토가 필요하다는 취지의 글로 볼 수 있다.

8. 이 글에서 국방 서비스는 공공재의 한 예인데, 독특한 성격 때문에 시장에서 취급하기 어렵다고 했다. 가정을 통해 그 이유를 밝히고 있는데, '이처럼 개인이나 기업이 비용을 들여 공공재를 생산할 때 아무 비용을 지불하지 않은 사람도 비용을 지불한 사람과 함께 그 혜택을 누릴 수 있게 된다.'라고 서술한 것으로 보아, 돈을 지불하지 않고 국방 서비스를 이용하는 사람들이 있을 수 있음을 알 수 있다. 따라서 사람들은 이렇게 무임승차하는 사람들 때문에 돈을 지불하고 국방 서비스를 이용하지는 않을 것임을 추론할 수 있다.

| 서술형 평가 기준 |

예시 답과 유사한 이유(공공재 무임승차)를 들어 〈조건〉에 맞추어 서술한 경우	상
내용은 적절하나 (나)에 있는 단어를 활용하지 않았거나 맞춤법이 틀린 경우	중
중심 내용은 포함되어 있으나 (나)에 있는 단어를 활용하지 않았거나 문장이 장황하거나 어색한 경우	하

9. (라)에서 '공공재에 관한 실험을 통해 확인했듯이 현실의 인간은 경제학 교과서에 등장하는 호모 에코노미쿠스와 다르다. 우리가 경제 행위를 할 때 언제나 이기적으로, 합리적으로 행동하지는 않는다는 것이다.'라고 서술한 것으로 보아, 사람들은 가진 표를 전부 흰색 상자에 넣는, 즉 무조건 무임

승차 행위를 하려는 모습은 보이지 않을 것임을 추론할 수 있다.

| 오답 풀이 | ① 흰색 상자에 넣는 것은 이기적인 태도, 즉 무조건 무임승차하려는 행위로 볼 수 있다. 그러나 필자는 우리가 언제나 이기적, 합리적으로 행동하지는 않는다고 했으므로, 적절한 추론이 아니다.

② 푸른색 상자에 넣는 것은 이타적인 태도, 즉 무임승차를 하지 않는 행위로 볼 수 있다. 필자는 언제나 이기적, 합리적으로 행동하지도 않는다고 했는데, 그렇다고 언제나 이타적인 행동을 하는 것도 아니므로 적절한 진술이 아니다.

④, ⑤ 상자에 들어 있는 표를 보고 자신의 표를 넣는다는 것은 다른 사람의 반응을 보고 자신의 결정을 한다는 것인데, 이는 이 실험의 내용과 관련이 없다.

10. (라)에서 필자는 '우리는 경제 행위를 할 때 언제나 이기적으로, 합리적으로 행동하지는 않는다.'라고 했으며, 〈보기〉에서 은메달 수상자는 객관적 성취를 가상의 성취와 비교하여 주관적으로 재해석한다고 서술하고 있다. 이로 볼 때, 두 글은 모두 인간이 언제나 합리적으로 행동하는 것은 아님을 알 수 있다.

| 오답 풀이 | ② 이 글과 〈보기〉에서 경제적 이익과 심리적 만족을 비교한 내용은 나타나 있지 않다.

③ 〈보기〉에서 은메달 수상자가 금메달 수상자와 비교하여 자신의 성취를 주관적으로 해석하여 부정하는 경향은 알 수 있으나, 이 글에서는 이를 확인할 수 없다.

④ 이 글에서는 타인에 대한 경쟁심은 언급하고 있지 않다.

⑤ 이 글에서는 불행을 대하는 태도에 대해서는 언급하고 있지 않다.

11. ㄱ. (가)에서 '과연 우리는~이해해야 할까?', (다)에서 '그렇다면 동물의 복지를~마련할 수 있을까?' 등에서 논의할 내용을 질문 형식으로 제시하고 그에 답하는 방식으로 주장을 펼쳐 설득력을 높이고 있다.

ㄷ. (가)에서 '동물 권리 운동가들의~한 예가 될 것이다'에서 구체적 사례를 들어 동물 권리 운동가들의 시도가 성공을 거두곤 한다는 주장의 타당성을 높이고 있다.

| 오답 풀이 | ㄴ. 동물 권리 운동가들의 견해와 동물에 대한 전통적인 견해는 서로 상반된 관점으로, 이들의 공통점을 부각하고 있지 않다.

ㄹ. (가)에서 '대부분의 사람은 동물을 학대하는 행위에 반대한다.'라며 동물에 대한 일반적 생각을 제시하고 있을 뿐, 이에 대한 의문을 제기하고 있지는 않다.

12. (다)에 따르면, 동물의 고통을 최소화하는 것은 동물의 소극적 욕구를 충족하기 위한 것이며, 동물에게 적합한 사료와 쾌적한 서식처를 제공하는 것은 동물의 적극적 욕구를 충족하기 위한 것이다.

13. 〈보기〉의 필자는 동물의 고유한 권리를 주장하며 동물의 생명을 침해해서는 안 된다고 주장하고 있다. 이에 비해 이 글의 필자는 동물의 권리를 인정하면서도 어쩔 수 없이 동물을 죽일 수밖에 없다면 고통을 최소화해야 한다고 주장하고 있다. 따라서 〈보기〉의 관점에서 이 글의 필자에게 고통을 최소화하더라도 동물을 죽이는 것은 생명 침해라고 비판할 수 있다.

| 오답 풀이 | ① 이 글에서 필자는 동물 복지와 동물의 권리를 인정하고 있으므로, 적절한 반응이 아니다.

② 이 글에서 필자도 동물도 인간처럼 고통과 쾌락을 느낄 수 있는 존재로 보고 있으므로, 적절한 반응이 아니다.

③ 〈보기〉에서는 동물을 사육하면 야생성이 약화된다는 내용이 나타나 있지 않으므로, 적절한 반응이 아니다.

⑤ 〈보기〉에서는 동물과 인간이 동일한 감정을 공유하는 것은 인간 중심주의적 시각이라는 내용은 나타나 있지 않으므로, 적절한 반응이 아니다.

14. ㉡ 동물에 대한 전통적 견해를 지닌 사람들은 인간은 어떠한 제한도 받지 않고 동물을 이용할 수 있다고 생각하며, 동물의 도덕적 지위를 인정하지 않는다. 따라서 이들은 동물이 쾌락과 고통을 느낀다는 사실 자체를 부정하며, 설령 그 사실이 입증되더라도 동물의 권리를 인정하지는 않을 것이다.

| 오답 풀이 | ① ㉠ 동물 권리 운동가들은 동물 학대를 반대하는데 이는 동물도 도덕적 지위를 지닌다는 믿음에 근거한 것이다. 따라서 그들은 동물에 대해서도 도덕적 관점을 적용해야 한다고 주장할 것이다.

② ㉠ 동물 권리 운동가들은 동물도 복지를 누릴 권리가 있다고 생각할 것이며, 이 글에 따르면 사람이 관리하는 동물이라면 생명의 종말이 마땅히 배려되어야 한다고 서술하고 있으므로, 동물에게도 고통을 최소화하며 죽을 권리가 있다고 주장할 것이다.

③ ㉡ 동물에 대한 전통적 견해를 지닌 사람들은 인간은 어떠한 제한도 받지 않고 동물을 이용할 수 있다고 생각하지만, ㉠ 동물 권리 운동가들은 이들의 생각과 충돌한다고 했다. 따라서 ㉠ 동물 권리 운동가들은 인간이 아무런 제약 없이 동물을 이용하면 안 된다고 주장할 것이다.

④ ㉡ 동물에 대한 전통적 견해를 지닌 사람들은 인간은 어떠한 제한도 받지 않고 동물을 이용할 수 있다는 생각하므로 동물에게 해서는 안 되는 일이 있다는 사회적 합의에 동의하지 않을 것이다.

15. (가)의 필자는 인간은 동물의 복지를 책임져야 한다고 주장하고 있으며, (나)의 필자는 종 우월주의는 동물 복지를 외면하는 관점이어서 극복해야 한다고 주장하고 있다. 따라서 두

글의 필자 모두 인간이 동물 복지를 위해 더욱 노력해야 한다고 생각하고 있음을 알 수 있다.

16. (나)의 필자는 종 우월주의는 동물 복지를 외면하게 하는 관점이므로 극복되어야 한다고 주장한다. ㉠에서 '사람을 위하여 필요한 경우'라는 말에는 동물의 복지를 생각하면서도 기본적으로는 동물이 인간을 위해 희생될 수 있다는 생각이 전제되어 있는 것이며, 이는 (나)의 필자의 입장에서 보면 종 우월주의에 해당한다.

| 오답 풀이 | ① ㉠은 동물 복지를 위한 주장이지, 과잉 소비를 정당화하는 것과는 관련 없다.

② ㉠에서 생물 다양성 유지를 위한 노력은 확인할 수 없다.

③ (나)의 필자의 관점에 따르면 ㉠은 종 우월주의에 해당한다.

⑤ (나)의 필자의 관점에 따르면 ㉠은 종 우월주의에 해당하므로, 인간과 동물이 동등하다는 관점은 드러나 있지 않다.

17. (나)에서 인간은 스스로를 자연의 일부로 간주하지 않는 오만한 태도를 지니고 있으며, 이와 관련하여 '자신이 사는~큰 뇌의 포유동물'이라고 서술하고 있다.

| 서술형 평가 기준 |

제시된 두 조건을 모두 충족하며 예시 답과 유사하게 서술한 경우	상
내용은 적절하나, (나)에 있는 해당 부분에서 찾아 서술하지 않거나 맞춤법이 틀린 경우	중
중심 내용은 포함되어 있으나, (나)에 있는 해당 부분에서 찾아 서술하지 않거나 문장이 장황하거나 어색한 경우	하

18. ⓐ와 ②의 '이르다'는 모두 '어떤 정도나 범위에 미치다.'라는 의미로 사용되었다.

| 오답 풀이 | ① '대중이나 기준을 잡은 때보다 앞서거나 빠르다.'의 의미로 사용되었다.

③ '무엇이라고 말하다.'라는 의미로 사용되었다.

④ '타이르다'의 의미로 사용되었다.

⑤ '책이나 속담 따위에 예부터 말하여지다.'의 의미로 사용되었다.

19. (가)는 자연물인 '별'을 소재로 인연의 소중함에 대한 생각을 드러내고 있고, (나) 역시 자연물인 '별'을 활용하여 그리움의 대상을 떠올리고 있다.

20. 〈보기〉에서 '저녁 별은 밤이 되면 사라지고 나도 또한 그럴 운명'이라고 말하고 있는데, 이는 별과 나의 이별을 운명적으로 받아들인 것으로 볼 수 있다. 따라서 이를 운명을 거스르려는 몸부림으로 이해하는 것은 적절하지 않다.

| 오답 풀이 | ①, ② 〈보기〉에서 별과 내가 마주 보는 것을 '기적 같은 일', '소중한 만남과 관계'라고 말하고 있다.

④ 〈보기〉에서 인연을 '뭉치로 계산하지 말고' 시인이 하듯 '하나씩 하나씩 너 하나, 나 하나' 이렇게 따져 보라고 말하고 있다. 이는 각각의 인연이 그만큼 소중하다는 것을 나타낸 것으로 볼 수 있다.

⑤ 〈보기〉에서 '어디서 무엇이 되어 다시 만나게 될지, 벅차지 않은가'라고 말하고 있다. 이 표현에는 소중한 사람과의 재회를 소망하는 화자의 마음이 담겨 있는 것으로 볼 수 있다.

21. [A]에서 화자는 '소학교 때 책상을 같이했던 아이들의 이름과 패, 경, 옥, 이런 이국 소녀들의 이름과 벌써 아기 어머니 된 계집애들의 이름'을 불러 보며 어린 시절을 함께했던 친구들에 대한 그리움을 드러내고 있다.

| 오답 풀이 | ②~⑤ [A]에서 화자는 어머니에 대한 그리움에서 시작하여 소학교 때 친구들, 비둘기, 노루 따위를 거쳐 릴케에 이르기까지 잊고 있던 수많은 이름들을 부르며 그리워하고 있다. 그러나 [A]에서 자아 성찰이나 현실 극복 의지, 소명 의식이나 희생정신, 식민지 지식인으로서의 자신에 대한 부끄러움 등은 확인할 수 없다.

22. ⓐ '별'은 잊고 있었던 수많은 고맙고 그리운 존재를 의미한다. 그러나 화자가 그리운 대상들을 직접 만나는 소망의 실현은 나타나 있지 않으므로, 별이 꿈을 실현시키는 촉매 역할을 한다는 진술은 적절하지 않다.

| 오답 풀이 | ① ⓐ '별'은 화자가 하나하나 이름을 붙이며 헤아리는 대상으로, 화자가 잊고 있던 수많은 고맙고 그리운 존재들을 의미한다.

③ ⓑ '별'은 '나'와 주인집 아가씨가 대화하게 되는 소재로, '나'와 주인집 아가씨를 연결해 주는 매개체 역할을 한다.

④ (라)에서 '가장 예쁘고 아름답게 빛나는 별 하나가 길을 잃고 내 어깨에 기대어 잠들어 있'다고 서술한 것으로 보아, ⓑ'별'은 '나'가 흠모하는 주인집 아가씨로 볼 수 있다.

⑤ ⓐ '별'과 ⓑ '별'은 모두 순수하고 깨끗한 이미지를 지닌 것으로, 순수하고 서정적인 분위기를 만드는 데 기여하고 있다.

23. (나)에서 '어머니'를 떠올리기 이전에는 '멋과 여유 마저 느낄' 정도로 느린 호흡으로 시상이 전개되나 '어머니'를 떠올린 이후 호흡이 빨라지고 시행이 길어지고 있다. 따라서 '어머니'는 시상이 전환되는 계기가 되고 있다고 볼 수 있다.

| 서술형 평가 기준 |

예시 답과 유사하게 시어의 역할(시상 전환의 계기)을 서술한 경우	상
내용은 적절하나 문장이 어색하거나 맞춤법이 틀린 경우	중
중심 내용은 포함되어 있으나 문장이 장황한 경우	하

24. 이 글에서 필자는 꿈과 직업을 꼭 연결시킬 필요는 없다며 현실에서 잘할 수 있는 일, 해야 할 일을 직업으로 선택하는

것이 바람직하다고 말하고 있다.

| 오답 풀이 | ① 필자는 직업을 수시로 바꾸는 사람들의 문제가 아니라 꿈과 관련 있는 직업을 갖지 못한 사람들이 현재의 직업에 충실하지 못한 세태에 대해 비판적 시각을 보이고 있다.

② 필자는 누구나 가슴 뛰는 직업을 가질 수는 없다는 것을 강조하고 있으나, 누구에게나 똑같이 가슴 뛰는 직업은 없다는 것에 대해서는 언급하고 있지 않다.

③ 이 글에서 남에게 도움이 되는 일이 곧 자신의 꿈을 이루는 일이라는 내용은 드러나 있지 않다. 다만 직업은 적어도 남에게 도움이 되는 일을 하는 것이 맞다고 하고 있다.

④ 필자는 꿈과 직업을 반드시 연결할 필요가 없다고 주장하고 있다.

25. 이 글의 필자는 '꼭 꿈을 직업으로만 이루어야 하는 걸까'라는 질문을 던지고, '직업이란 '내'가 아니라 '남'에게 도움이 되는 일을 하고 합당한 대가를 받는 일이라는 데 생각이 미친다. 그리고 나서 자기가 잘할 수 있는 일을 하는 것이 바람직하다고 주장하고 있다. 해야 하는 일을 좋아하기 때문에 행복하다는 것(ㄱ)과 사람들에게 필요하고 도움을 주는 일이기 때문에 직업을 선택했다는 것(ㄷ)은 이 글의 필자와 유사한 견해로 볼 수 있다.

| 오답 풀이 | ㄴ. 자신의 꿈을 성취할 수 있는 일을 찾아야 한다는 것과 ㄹ. 자신이 하고 싶은 일을 하면서 살아야 한다는 것은 이 글의 필자의 견해와 다르다.

26. (라)에서 필자는 좋아하는 일과 잘하는 일 중에, 잘하는 일을 선택하는 것이 낫다며, 잘하는 일을 계속하면 더 많은 기회를 얻게 되고, 그 일을 좋아하게 될 수도 있다고 말하고 있다. 그러나 좋아하는 일을 하면 그 일을 잘하게 될 수도 있다는 내용은 이 글에서 확인할 수 없다.

| 오답 풀이 | ① (나)와 (마)에서 직업을 꿈과 연결해 내가 하고 싶은 일, 가슴 뛰는 일을 하지 않으면 실패자로 생각하는 요즘 세태를 생각하며 필자는 자신의 꿈을 직업으로 이루지 못했다 하더라도 좌절할 필요가 없다고 말하고 있으므로, 적절한 반응이다.

② (가)에서 '실제 자신의 꿈을 직업으로 이룬 사람은 많지 않'으며 또 꿈을 직업으로 이루었다고 꼭 행복해지는 것도 아니라고 서술한 부분을 고려할 때, 적절한 반응이다.

③ (마)의 '꿈이 이루어진 이후에도 삶은 계속된다. ~ 인간은 꿈을 이룰 때 행복한 것이 아니라, 어쩌면 꿈꿀 수 있을 때 행복한 것인지도 모르겠다.'를 고려할 때, 적절한 반응이다.

⑤ (나)에서 '직업을 꿈과 연결해 내가 하고 싶은 일, 가슴 뛰는 일을 하지 않으면 마치 실패자인 것처럼 좌절하게 만드는 요즘 세태'라고 서술한 부분을 고려할 때, 적절한 반응이다.

27. 이 글에서 필자는 직업을 선택할 때 하고 싶은 일보다는 해야 할 일, 남에게 도움이 되는 일을 선택하는 것이 바람직하다고 말하고 있다. 〈보기〉에서 앤은 하고 싶은 일인 대학에 가서 공부하는 것과 해야 할 일인 마릴라를 곁에서 보살피는 것 사이에서 갈등하고 있다. 따라서 앤은 필자에게 자신이 어떤 일을 선택해야 할지에 대해 질문할 것이라고 추측할 수 있다.

| 서술형 평가 기준 |

기준	등급
예시 답과 유사하게(대학에 가는 것과 고향에 남는 것) 서술한 경우	상
내용은 적절하나 문장이 어색하거나 맞춤법이 틀린 경우	중
중심 내용은 포함되어 있으나 문장이 장황한 경우	하

28. (가)에서 필자는 잔인하다는 평판을 피하려고 자비롭게 통치한 체사레 보르자와 피렌체인들의 사례를 제시하여 현명한 군주는 잔인하다는 비난을 받는 것을 걱정하면 안 된다는 주장을 펼치고 있다.

| 오답 풀이 | ① 개념의 차이를 부각하고 있지 않다.

③ 당시 시대의 변화를 언급하고 있지 않다.

④ 군주의 지위에 걸맞은 통치 방식에 대한 생각을 펼치고 있으나 사안의 중대성을 환기하고 있지는 않다.

⑤ 군주는 신민들에게 사랑보다는 두려움을 느끼게 하는 통치를 해야 한다고 주장하고 있으나, 이러한 주장에 대해 예상되는 반증 사례는 제시되어 있지 않다.

29. (나)에서 군주는 적절하게 신중하고 자애롭게 행동해야 한다고 말하고 있으나, (다)에서 인간은 군주가 은혜를 베푸는 동안은 충성을 바치지만, 정작 필요할 때는 자신의 이익에 따라 등을 돌린다고 말하고 있다. 그리고 두려움은 항상 효과적인 처벌에 대한 공포로써 유지되며, 실패하는 경우가 결코 없다고 말하고 있다. 따라서 군주가 신민의 말을 신뢰해야 한다는 것은 필자의 생각으로 적절하지 않다.

| 오답 풀이 | ② (나)의 '제 견해는 사랑을 느끼게 하는 동시에 두려움도 느끼게 하는 것이 바람직하다는 것입니다.'에서 확인할 수 있다.

③ (나)의 지나치게 우유부단해서는 안 되고, 지나친 자신감으로 인해서 경솔하게 처신하는 일이 없도록 해야 한다고 말한 부분에서 확인할 수 있다.

④ (나)의 '군주는 참소를 믿고 사람들에게 적대적인 행동을 취할 때는 신중해야 합니다'에서 확인할 수 있다.

⑤ (가)에서 잔인하다는 평판을 피하려고 자비를 베풀었다가 실패한 피렌체인들의 사례를 들어 잔인하다는 비난을 받는 것을 걱정하면 안 된다고 서술한 부분에서 확인할 수 있다.

30. ㉠과 ㉡을 연결 지어 이해하면, 그 내용은 자신에게 이익이

되면 충성을 바치다가 이익이 되지 않으면 등을 돌리는 신민의 아첨하는 태도와 이중적인 속성을 표현한 것으로 볼 수 있다. ④의 '부화뇌동'은 '줏대 없이 남의 의견에 따라 움직임.'을 뜻하는 한자 성어로, 신민들의 이중적인 태도와 속성과는 관련이 없다.

| 오답 풀이 | ① '교언영색'은 '아첨하는 말과 알랑거리는 태도'라는 뜻이다.

② '구밀복검'은 '입에는 꿀이 있고 배 속에는 칼이 있다는 뜻으로, 말로는 친한 듯하나 속으로는 해칠 생각이 있음을 이르는 말'이다.

③ '면종복배'는 '겉으로는 복종하는 체하면서 내심으로는 배반함.'이라는 뜻이다.

⑤ '표리부동'은 '겉으로 드러나는 언행과 속으로 가지는 생각이 다름.'이라는 뜻이다.

31. (나)에서 필자는 '동시에 둘 다 얻기는 어려우므로 굳이 둘 중에서 어느 하나를 포기해야 한다면, 저는 사랑을 느끼게 하는 것보다는 두려움을 느끼게 하는 것이 훨씬 더 안전하다고 생각한다'고 했으며, (다)에서 '두려움은 항상 효과적인 처벌에 대한 공포로써 유지되며, 실패하는 경우가 결코 없'다는 것을 그 근거로 제시하고 있다.

| 서술형 평가 기준 |

예시 답과 유사한 근거를 들어 서술한 경우	상
내용은 적절하나 문장이 어색하거나 맞춤법이 틀린 경우	중
중심 내용은 포함되어 있으나 제시문에서 구절을 인용하지 않았거나 문장이 장황한 경우	하

32. (나)에서 필자는 수령 자신이 바르면 백성도 바르지 않을 수 없다며 수령이 백성에게 모범을 보일 것을 강조하고 있으나, (가)에서는 이와 같은 내용을 확인할 수 없다.

| 오답 풀이 | ① (가)에서 '인간이란 어버이의 죽음은 쉽게 잊어도 재산의 상실은 좀처럼 잊지 못한다'고 하여 군주가 신민들의 재산과 그들의 부녀자들에게 손을 대는 일을 삼가야 한다고 말하고 있다.

② (가)의 '사랑을 받지는 못하더라도 미움을 받는 일은 피해야 합니다.'에서 확인할 수 있다.

③ (나)의 '한 국가를 다스리는 것이 한 가정을 다스리는 것과 마찬가지인데, 하물며 한 고을에 있어서랴.'에서 확인할 수 있다.

④ (나)에서 가장이 '날마다 꾸짖고 성내'면서 집안을 다스릴 경우 '자제들의 눈속임은 더욱 심하고 노비들의 도둑질도 더욱 늘어 간다. 온 집안이 모여 비방하며 오직 잡힐까 겁내어 상하가 서로 농간질하면서 가장을 속인다.'라고 하여 형벌에 의한 통치의 부작용을 언급하고 있으나, (가)에는 신민들이 두려움을 느끼게 해야 한다고 할 뿐 그와 같은 통치의 부작용을 언급하고 있지 않다.

33. 〈보기〉에서 '군신 관계를 포함한 모든 인간 관계가 충효와 같은 도덕적 관념이 아니라 단순히 이익에 의해 맺어져 있다고 보았다'라고 했으므로, 이는 적절한 진술이 아니다.

| 오답 풀이 | ① (가)에서 '인간이란 어버이의 죽음은 쉽게 잊어도 재산의 상실은 좀처럼 잊지 못한다'고 했으며, 〈보기〉에서 '인간의 본성이 이기적이라고 본 점에서는 순자와 같은 입장'이라고 서술하고 있다.

② (가)에서 '현명한 군주는 자신을 두려운 존재로 만들어야 한다'고 했으며, 〈보기〉에서 '법을 엄격히 적용하는 것이 필요하다고 강조하였다'라고 서술하고 있다.

④ (나)에서 '수령이 자신을 단속하고 법을 받들어 엄정하게 임하면 백성이 죄를 범하지 않을 것'이라고 했는데, 〈보기〉에서는 '본성을 교화할 수 없다고 하였다'라고 서술하고 있다.

⑤ 〈보기〉에서 '사람들이 자발적으로 선을 행할 것을 기대하기보다는 법을 엄격히 적용하는 것이 필요하다'고 했는데, (나)에서는 '수령 자신이 바르면 백성도 바르지 않을 수 없고'라고 서술하고 있다.

34. ㉤의 '내리다'는 '윗사람으로부터 아랫사람에게 상이나 벌 따위가 주어지다.'의 뜻으로 사용되었으며, ⑤에서도 이와 같은 의미로 사용되었다.

| 오답 풀이 | ① ㉠의 '따르다'는 '어떤 경우, 사실이나 기준 따위에 의거하다.'의 뜻으로 쓰였으나, ①에서는 '앞선 것을 좇아 같은 수준에 이르다.'의 뜻으로 사용되었다.

② ㉡의 '받다'는 '다른 사람이나 대상이 가하는 행동, 심리적인 작용 따위를 당하거나 입다.'의 뜻으로 쓰였으나, ②에서는 '사람을 맞아들이다.'의 뜻으로 사용되었다.

③ ㉢의 '받들다'는 '가르침이나 명령, 의도 따위를 소중히 여기고 마음속으로 따르다.'의 뜻으로 쓰였으나, ③에서는 '소중히 대하다.'의 뜻으로 사용되었다.

④ ㉣의 '치다'는 '손이나 손에 든 물건으로 세게 부딪게 하다.'의 뜻으로 쓰였으나, ④에서는 '손이나 물건 따위를 부딪쳐 소리 나게 하다.'의 뜻으로 사용되었다.

35. (가)는 정선의 말을 인용하여 수령이 무고한 백성에게 형벌을 가하면 안 된다는 주장을 설득력 있게 전달하고 있으며, (나)는 소설의 내용을 인용하여 지도자는 구성원을 섬겨야 한다는 주장의 설득력을 높이고 있다.

36. (나)에서 필자는 위대한 지도자는 먼저 하인으로 보여야 한다고 주장하며, 구성원을 섬길 것을 강조하고 있으나, 구성원에게 권한을 위임해야 한다고 주장하고 있지는 않다.

| 오답 풀이 | ① (가)에서 필자는 가장이 먼저 솔선하여 부지런하고 검소하며 공소하고 청렴하면 자제와 노복이 본받게 된다

고 하여, 지도자가 먼저 솔선수범해야 함을 주장하고 있다.
② (가)에서 필자는 '정선'의 말을 인용하여 자기 감정에 휩쓸려 무고한 백성이 형벌을 받게 하면 안 된다고 주장하고 있다.
③ (나)에서 필자는 지도자가 다른 사람을 이끄는 과정은 먼저 다른 사람을 섬기는 과정이 되어야 한다고 주장하고 있다.
⑤ (가)는 백성을 형벌로 다스리지 말고 지도자가 솔선수범해야 함을, (나)는 지도자가 구성원을 섬겨야 함을 주장하고 있다. 이를 통해 (가)와 (나) 모두 지도자가 구성원을 사랑으로 대해야 한다고 생각함을 알 수 있다.

Ⅲ. 다양한 분야의 글 읽기

p. 352

1. ④ **2.** ⑤ **3.** 집단이 개인을 근거없이 무차별적으로 공격한다는 점에서 마녀사냥이라 할 수 있다. **4.** ⑤ **5.** ④ **6.** ① **7.** 마녀사냥의 희생자, 유대인과 공산주의자, 조선인들은 모두 사건을 일으킨 사람들의 입장에서 사회에 위협적인 존재로 여겨졌다. **8.** ③ **9.** ③ **10.** ③ **11.** 눈에 가득 보이는 것이라고는 귀가 없는 사실적인 얼굴 표현뿐인데 그 시선은 정면을 뚫어져라 응시하고 있기 때문이다. **12.** ④ **13.** ③ **14.** ① **15.** ⑤ **16.** 법은 지켜져야 한다. **17.** ① **18.** ⑤ **19.** ④ **20.** ② **21.** ① **22.** ④ **23.** ⑤ **24.** ④ **25.** ① **26.** ④ **27.** ④ **28.** ① **29.** ① **30.** ③ **31.** ④ **32.** ⑤ **33.** ① **34.** ③ **35.** 상식과 어긋나는 역설을 의미한다.

1. (라)에 따르면 정형화된 마녀 개념은 위기의 순간에 급조된 것이 아니라 오랜 기간을 두고 차츰 정형화되어 갔으며, 권력 당국이 가공의 개념을 만들어 어이없는 희생을 강요하였다고 보고 있다.
| 오답 풀이 | ① (가)의 '다산 숭배, 말하자면 농업적인 의식이라는 주장이다.'에서 알 수 있다.
② (나)의 '신학자, 종교 재판관, 정부 당국자들이 그들이 읽은 종교 서적의 내용을 가지고 차츰 하나의 정형화된 개념을 만들어서 그것으로 무고한 사람들을 옭아맸다는 것이다.'에서 알 수 있다.
③ (다)의 '과거로부터 전해 오는 이교 전통이 있었고, 이것을 권력 당국이 받아들여서 자신들의 생각대로 개념을 조작해서 일반 민중들을 공격했다.'에서 알 수 있다.
⑤ (라)의 '마녀 개념을 만들어서 죄 없는 사람을 잡아다가 고문하여 죄인을 만들고, 그 과정에서 재판관들이 확인했다고 하는 사실들을 가지고 다시 더 정교한 마녀 개념을 만들어 가는 악순환이 벌어졌다고 할 수 있다.'에서 알 수 있다.

2. '마녀사냥' 이라는 사건에 대한 연구자들의 연구를 바탕으로 마녀사냥이 일어난 이유를 종합하고 있다.

3. ㉠은 인터넷과 여론 매체의 의견을 무비판적으로 받아들여 상대방을 맹목적으로 비난함으로써 일어나는 것으로 현대판 마녀사냥이라 할 수 있다.

| 서술형 평가 기준 |

기준	등급
예시 답과 유사한 내용으로 서술한 경우	상
내용은 적절하나 문장이 어색하거나 맞춤법이 틀린 경우	중
중심 내용은 포함되어 있으나 문장이 장황한 경우	하

4. (마)에서는 사건과 관련하여 여론 매체의 의견이 사실인지 확인한 뒤 이성적, 비판적 판단을 해야 한다고 하였으며, 〈보기〉에서는 가짜 뉴스의 확산 속도가 빨라지고 있으므로 사실 확인의 규율이 필요하다고 하였다. 따라서 (마)와 〈보기〉를 참고하여 볼 때, 마녀사냥에 대한 대응 태도로는 사건과 관련된 정보의 진위를 확인하는 것이 적절하다.

5. 필자는 근대 국가는 '균질한 영혼'들이 국가 기구에 복종하도록 만들어야 했고, 마녀사냥이 결과적으로 이러한 역할을 했다고 서술하고 있다.
| 오답 풀이 | ① 필자는 마녀사냥이 중세적 배경을 가졌지만 본질적으로 근대적 현상이라고 보고 있으므로 적절하지 않다.
② 필자는 (마)에서 마녀사냥과 유사한 현상은 언제나 있었다고 서술하고 있다.
③ 마녀사냥은 민중들의 종교적, 정치적 에너지가 증가하는 근대에 주로 이루어졌다고 서술하고 있다. 따라서 왕권 교체와 관련 있다고 보기 어렵다.
⑤ 마녀사냥은 국민들을 균질한 영혼으로 만들어 복종하게 하는 역할을 했다고 서술하고 있다. 따라서 빈민의 일깨움과 관련 있다고 보기 어렵다.

6. ⓐ는 (다)에서 '그 시대 그 사회의 관점에서 보면 마녀사냥은 광기가 아니라 합리적인 행위였을 수 있다.'라고 하여 오늘날과 다른 관점의 해석도 제시하였다.
| 오답 풀이 | ② 〈보기〉의 '마녀사냥 중세를 지배하던 권력자들이 자신들의 권력을 계속 유지하려는 의도가 숨어 있다.'에서 알 수 있다.
③ 〈보기〉와 이 글의 필자는 모두 마녀사냥은 권력자들이 자신들의 권력 유지를 위해 했던 일이라고 하였다.
④ 〈보기〉에서는 「왕자와 거지」 이야기를 서술하면서 마녀의 누명을 벗겨 주었다고 하였다.
⑤ 이 글의 필자는 근대로 들어오면서 민중들이 정치적, 종교적으로 에너지를 띠게 되면서 이들을 복종시키기 위해 마녀사냥이 일어났다고 하였다. 마녀사냥의 희생자였던 계층을 억누르려 했다는 점을 부각하여 보고 있다고 할 수 있다.

7. 유대인과 공산주의자, 조선인은 모두 마녀사냥의 희생자이다. 사건을 일으킨 사람들의 입장에서 이들은 사회에 위협적인 존재였다.

| 서술형 평가 기준 |

예시 답과 유사한 내용으로 서술한 경우	상
내용은 적절하나 문장이 어색하거나 맞춤법이 틀린 경우	중
중심 내용은 포함되어 있으나 문장이 장황한 경우	하

8. 윤두서의 「자화상」이 극사실의 기법으로 그려졌다고 언급하였을 뿐, 그 이유는 제시되지 않았다.
| 오답 풀이 | ① (가)에서 「자화상」의 첫인상은 섬뜩한 공포감이라고 하였다.
② (다)에서 「자화상」은 미완성작이지만 마지막 손질이 더해지지 않은, 작가 자신에 대한 심오한 상념이 전개되는 과정, 그리고 생생한 자기 성찰의 흔적을 그대로 보여 주기 때문에 완벽하다고 하였다.
④ (라)에서 윤두서 「자화상」을 작가의 의도대로 감상하면 그려진 윤두서와 그린 윤두서의 내밀한 대화를 엿볼 수 있다고 하였다.
⑤ (나)에서 「자화상」은 좌우 대칭인데도 입체감이 있는 이유는 바깥으로 뻗어난 수염이 표정을 화면 위로 떠오르게 하고, 새까만 탕건 끝이 부드러운 곡선을 이루며 휘어져 있어 머리 전체의 볼륨을 요령 있게 시사하기 때문이라고 하였다.

9. (다)에서 「자화상」이 미완성작이지만 작가 자신에 대한 심오한 상념이 전개되는 과정, 그리고 생생한 자기 성찰의 흔적을 그대로 보여 준다고 하고 있고, (라)에서는 윤두서는 자신의 정신세계를 그림을 통해 드러내고 있다고 하였다. 따라서 (다)와 (라)에서 알 수 있는 예술의 존재 가치는 인간이 자아를 성찰한 결과물이라고 할 수 있다.

10. (라)에서는 작가의 의도에 따라 작품을 감상하고 있고, 〈보기〉에서는 반 고흐의 열정이 작품에 드러난다고 하였으므로, 둘 다 작가의 의도를 바탕으로 작품을 감상하고 있다고 볼 수 있다.
| 오답 풀이 | ① (라)와 〈보기〉 모두 작품뿐만 아니라 작가에 대해 서술하고 있다.
② (라)와 〈보기〉 모두 작가에 대해 언급하고 있으므로 작품의 외적 요소를 고려했다고 볼 수 있다.
④ (라)와 〈보기〉 모두 작품 감상자에 초점을 맞추고 있지는 않다.
⑤ (라)와 〈보기〉 모두 작품이 창작된 시대적 배경에 대해 구체적으로 서술하고 있지 않다.

11. 귀가 없는 사실적인 얼굴 표현과 정면을 뚫어져라 응시하는 시선으로 인해 무서운 느낌이 든다고 하였다.

| 서술형 평가 기준 |

예시 답과 유사한 내용으로 서술한 경우	상
내용은 적절하나 문장이 어색하거나 맞춤법이 틀린 경우	중
중심 내용은 포함되어 있으나 문장이 장황한 경우	하

12. 필자는 미완성작인 미켈란젤로의 작품이 걸작인 것과 유사하게 윤두서의 작품도 미완성작이지만 완벽하다고 주장하고 있다.

13. 독일 기본법 제정 당시 독일 국민들은 전쟁이 끝난 지 불과 몇 년밖에 지나지 않았을 뿐만 아니라 히틀러와 나치의 끔찍한 범죄를 충분히 깨닫고 있었기 때문에 기본법 제정에 환호하기보다는 기본법을 자신의 잘못을 반성하는 일기로 보았다.
| 오답 풀이 | ① (가)의 '독일 헌법에 제일 처음 나오는 이 내용은 가장 중요한 문장이기에 '기본권'이라 불린다.'에서 알 수 있다.
② (가)의 '헌법을 가리켜 모든 국민들을 위한 문집이라고 부르기도 한다.'에서 알 수 있다.
④ (다)의 '기본법은 모든 재판부에 이러한 원칙들이 제대로 지켜지는지 감시할 임무를 맡겼다. 그중에서 가장 큰 임무를 맡은 곳이 바로 헌법 재판소다.'에서 알 수 있다.
⑤ (가)의 '헌법은 국민이 국가에 쓰는 연애편지다. 국민은 이 편지에서 자신이 나라에 무엇을 바라고, 자신과 정부가 나라를 위해 무엇을 하고 싶고, 무엇을 해야 하는지를 적는다.'에서 알 수 있다.

14. (가)에서는 "인간의 존엄은 침범할 수 없다."는 '인간 존엄'을 다루고 있다.

15. (나)에서는 독일 기본법 제정 당시의 사회적 상황을 설명하면서, 독일 기본법이 미사여구로 치장된 것이 아니라 반성을 통해 모든 인간에게 똑같은 권리가 있다는 기본법의 핵심 내용을 제시하고 있다.

16. (다)와 〈보기〉에서는 법은 지켜야 한다는 내용을 다루고 있다.

| 서술형 평가 기준 |

예시 답과 유사한 내용으로 서술한 경우	상
내용은 적절하나 문장이 어색하거나 맞춤법이 틀린 경우	중
중심 내용은 포함되어 있으나 문장이 장황한 경우	하

17. (가)에서는 독일 기본법 제정의 경제성을 다루고 있지 않다. 독일 기본법이 미사여구 위주가 아니라 일기와 같이 반성적 성격이 강하다는 내용을 다루고 있다.

18. 서독인들은 자신들의 헌법이 보장한 기본권이 얼마나 소중한 보물인지 깨닫게 되기까지 20~30년이 걸렸다고 하였으므로 서독인들이 기본법의 우수성을 명문화했다는 반응은 적절하지 않다.
| 오답 풀이 | ① 우리나라 헌법의 제1조 ②는 국민의 권리에 대한 조항이다.
② (라)에 따르면 헌법이 길어지면 국민의 기본권이 제한할 수 있으며 이는 우리나라 헌법에도 적용된다고 볼 수 있다.

③ 우리나라 헌법 제4조에서 통일을 지향한다고 하였다.
④ 우리나라도 분단된 상황에서 헌법을 만들었고 이것이 헌법에 반영되어 있다.

19. 기본법은 국가 행정을 규정하는 법보다 보다 넓은 범위를 다루는 상위법이므로 문맥의 의미를 고려할 때 더 많은 것을 제공한다는 것은 '포괄적'이라고 해석할 수 있다.
| 오답 풀이 | ① '구체적'은 실제적이고 세밀한 부분까지 담고 있다는 의미이다.
② '직접적'은 중간에 제삼자나 매개물이 없이 바로 연결된다는 의미이다.
③ '선험적'은 경험하기 이전에 인간이 본질적으로 지니고 있어, 대상을 인식하는 근거가 되는 것을 의미한다.
⑤ '함축적'이라는 것은 말이나 글이 많은 뜻을 담고 있다는 의미이다.

20. 이 글은 시대의 흐름에 따라 '우산' 에 대한 사람들의 인식이 어떻게 변하고 있는지 제시하고 있으므로, 통시적 관점에서 대상에 대한 인식 변화 과정을 서술한다고 볼 수 있다.

21. (가)에서는 상류 계급에서의 우산 사용은 정치 권력과 밀접한 관련이 있다고 하였고, (나)에서는 서민들은 농경 문화의 영향으로 우산 사용을 꺼렸다고 함으로써 계급이나 계층에 따른 우산 사용의 차이를 부각하고 있다. 따라서 우산과 권력의 상관 관계를 서술한 소제목이 가장 적절하다.
| 오답 풀이 | ②, ③ (가)와 (나)에서는 우산과 농경 문화의 상관 관계를 알 수 있으며 농경 문화에서는 우산 사용을 꺼린다고 하였으므로, '문화를 꽃피우다'나 '문화를 계승하다'라는 소제목은 적절하지 않다.
④ 우리의 전통 농경 문화에서는 우산을 꺼리는 경향이 있으므로 '전통을 증명하다'라는 소제목은 적절하지 않다.
⑤ (가)와 (나)에서는 우산으로 인한 시대 변화가 드러나지 않으므로 '시대 변화를 선도하다'라는 소제목은 적절하지 않다.

22. 여학생들에게 검정 우산을 나누어 주며 학교 다니는 것을 장려하였다는 것으로 보아, 이 사건에서 여성들이 신학문을 배울 기회를 박탈하려 했다는 의도가 있었다는 것은 적절하지 않다.
| 오답 풀이 | ①, ② 여학생들이 얼굴을 드러내 놓고 외출하는 것을 꺼리는 사회 분위기가 있었다는 데서 짐작할 수 있다. 쓰개치마가 검정 우산으로 대체되었으나, 이 또한 이러한 사회 분위기를 알 수 있게 한다.
③ '이후 우산은 여학생은 물론 일반 여인들 사이에서도 널리 유행하였고'를 통해, ㉠의 사건 이전에는 우산의 사용이 널리 퍼져 있지 않았음을 짐작해 볼 수 있다.
⑤ 검정 우산이 쓰개치마 대용으로 사용되었다는 데서 알 수 있는 내용이다.

23. 필자는 서양에서 들어온 우산이 우리 사회에서 정착되는 과정은 우리 고유의 풍속과 서양 문물이 혼합되어 대중문화로 자리 잡는다고 설명하고 있다.

24. (다)에서 우산을 쓴 외국인이 몰매를 맞은 『독립신문』의 기록을 일화로 언급한 것에서 외국인들이 우산 도입 초기에 우산에 대한 사회적 거부 반응을 직접 경험했다는 것을 확인할 수 있다.
| 오답 풀이 | ① 산업 혁명으로 인해 사회가 발전되면서 경제적으로 일정한 수입이 생기고 근로 시간과 휴일이 제도적으로 정착되면서 야외 활동을 즐기게 되었으므로 여유 시간은 늘어났다고 볼 수 있다.
② 박쥐 모양의 우산을 선교사들이 일부러 도입했다는 내용은 찾아볼 수 없다.
③ 거꾸로 든 우산은 하늘에 대한 거역의 의미여서 금기의 대상이었다.
⑤ 우산은 그 모양이 박쥐와 비슷하여 '편복산'이라는 이름을 붙였고, '박쥐 복(蝠)' 자가 '행운 복(福)' 자와 음이 같아 경사와 행운의 의미를 지니게 되었다고 하였다.

25. (마)에서 우산을 '편복산'이라고 부른 이유는 모양이 박쥐와 비슷하기 때문이라 하였다. 그리고 박쥐가 오복의 상징이라고 하였으나 그 이유에 대한 설명은 찾을 수 없다.
| 오답 풀이 | ② (라)에서 우산과 관련된 새로운 금기 사항의 사례를 제시하고 있다.
③ (마)에서 우산의 모양이 박쥐와 비슷하여 '편복산'이라고 이름 붙였다고 하였다.
④ (가)에서 서구에서 우산이 일반화된 것은 산업 혁명을 통한 근대화로 인한 것이라고 하였다.
⑤ (마)에서 서양식 우산이 우리나라에 들어온 것은 18세기 중반 선교사들을 통해서라고 하였다.

26. 우산 때문에 몰매를 맞은 것은 농사를 중시하는 우리 문화와 우산이라는 이질 문화 사이의 갈등 양상이라고 할 수 있다.
| 오답 풀이 | ① 우산의 도입을 국가에서 주도했다는 내용은 찾을 수 없다.
② 우산의 도입과 관련하여 〈보기〉에 제시된 서로 다른 두 이질 문화 간의 갈등은 이 글에 드러나지 않는다.
③ '우산'은 서구식 우산이므로 외래 문화의 도입이라고 할 수 있다.
⑤ (마)에서 우산은 민간 신앙과 접목되어 새로운 풍습을 만들어 냈다고 하였으므로 전통 문화가 소외되었다고 보기 어렵다.

27. ㉠은 '(~을) 보이거나 통하지 못하도록 막다'의 의미이다.
| 오답 풀이 | ① '잘잘못이나 좋은 것과 나쁜 것 따위를 따져

서 분간하다.'라는 의미이다.
② '음식을 골라서 먹다.'라는 의미이다.
③ '자기 일을 알아서 스스로 처리하다.'라는 의미이다.
⑤ '여럿 가운데서 하나를 구별하여 고르다.'라는 의미이다.

28. 이 글은 톰슨의 원자 모형에서 보어의 원자 모형까지 원자 모형의 변천 과정과 각 이론별 한계에 대해 서술하고 있다.

29. ㉠ 톰슨의 원자 모형은 쿠키 속에 박힌 건포도와 같은 모습이며, ㉡ 러더퍼드의 원자 모형은 핵이 전자 구름 속에 박혀 있는데, 마치 종합 운동장 가운데 모래 한 알이 있는 것과 같다고 하였다.

30. (다)의 실험 결과에서 금으로 된 얇은 막에 충돌시킨 대부분의 알파선은 직진했지만, 큰 각도로 휘어지는 알파선이 몇 개 있다고 하였다. 이는 양전하가 원자 내부에 골고루 퍼져 있는 것이 아니라 원자핵이라는 중심부에 뭉쳐 있기 때문이라고 하였다. 이를 〈보기〉에 적용하면 α입자원에서 나온 빛의 대부분이 직진하지만 몇 개의 빛이 휘어지는 것은 양전하가 원자핵이라는 중심부에 뭉쳐 있기 때문이라고 추론할 수 있다.
| 오답 풀이 | ① 러더퍼드의 실험에 의하면 대부분의 알파선은 직진을 하였으므로 α입자원에서 나온 빛 중 대부분은 금박을 통과한다고 할 수 있다.
② α입자원에서 나온 빛은 알파선이므로 전자보다 8,000배가 더 무겁다고 할 수 있다.
④ 러더퍼드는 알파선을 이용한 실험으로 원자핵의 존재를 발견하였다.
⑤ 러더퍼드는 알파선이 휘어지는 실험 결과를 통해 톰슨 원자 모형의 한계를 발견하고 새로운 원자 모형을 만들었다.

31. 시대적 편견에 의한 혹독한 공격은 새로운 패러다임으로 전환하지 않으려는 상황에서 일어난다. 즉, 기존의 패러다임이 새로운 패러다임을 공격을 한다는 뜻이므로 기존의 패러다임에 해당하는 보어가 혹독한 공격을 받았다는 진술은 적절하지 않다.
| 오답 풀이 | ① 톰슨, 러더퍼드, 보어의 원자 모형은 각 시기를 대표하고 있으므로 패러다임이라고 할 수 있다.
② 실제로 각 원자 모형에는 한계가 발견되면서 새로운 원자 모형으로 이어졌다.
③ 하나의 원자 모형이 다른 원자 모형으로 대체되려면 실험과 검증의 과정을 거치므로 어렵고 복잡한 과정을 거친다고 볼 수 있다.
⑤ 가설을 세워 새 원자 모형을 만든 것은 기존의 패러다임이 새로운 패러다임으로 전환되는 과학 혁명이라 할 수 있다.

32. 〈보기〉에는 과학자의 가치관을 중심으로 한 과학 분야 글 읽기 방법은 제시되지 않았다.
| 오답 풀이 | ① 〈보기〉에서 과학 분야의 글을 읽을 때는 기본적으로 용어나 개념 정리를 정확하게 해야 한다고 하였다.
② 〈보기〉에서 잘 모르는 내용은 사전이나 전문 서적을 찾아 이해해야 한다고 하였다.
③ 〈보기〉에서 과학 분야의 글은 설명하는 글이므로 근거를 파악하며 읽어야 한다고 하였다.
④ 〈보기〉에서 과학 분야의 글은 과학적 타당성을 검토하며 읽어야 한다고 하였다.

33. 상대적 최적화의 값이 존재하는 것은 사람들의 이기심 때문이다. 그러므로 차가 막힐 때 이타적인 선택을 한다고 단정적으로 말할 수 없다.
| 오답 풀이 | ② (가)의 '그런데 신기하게도 이 둘을 한 가지 틀로 볼 수 있는데, 그 이유는 모두가 네트워크라는 공통점이 있기 때문이다.'에서 알 수 있다.
③ (가)의 '네트워크란 점과 선으로 연결된 형태를 말하는 것으로, 사회 네트워크에서는 개인들 하나가 점이 되고 그 개인의 사회관계가 선이 되어 선으로 연결된 네트워크가 된다'에서 알 수 있다.
④ (마)에서 시간을 단축시키기 위해 다리를 놓는다고 해서 교통 체증이 해소되는 것은 아님을 알 수 있다.
⑤ (바)의 '네트워크 이론을 잘 활용하면 이런 문제들을 현명하게 해결할 수 있다.'에서 알 수 있다.

34. 〈보기〉에 따르면 절대적 최적화는 수학적으로 가장 작은 값을 찾는 것이라고 하였으므로, [그림1]에서 고속도로와 지름길로 각기 5대씩 나누어 가면 절대적 최적화의 값은 75가 된다[(5대×10분)+(5대×5분)=75]. 또한 상대적 최적화는 이기적인 행동으로 개인의 만족도가 가장 높은 값을 찾는 것이라고 하였으므로 [그림1]에서 10대의 차가 모두 고속도로로 가면 상대적 최적화의 값은 100이 된다[(10대×10분)=100]. 절대적 최적화의 값이 75이고, 상대적 최적화의 값이 100이므로 피오에이는 100/75이다.

35. '브라에스 역설'은 상식과 어긋나는 역설을 의미한다.

| 서술형 평가 기준 |

기준	등급
예시 답과 유사한 내용으로 서술한 경우	상
내용은 적절하나 문장이 어색하거나 맞춤법이 틀린 경우	중
중심 내용은 포함되어 있으나 문장이 장황한 경우	하

Ⅳ. 다양한 특성의 글 읽기

p. 365

1. ⑤ 2. ③ 3. ① 4. ㉠ 사간원, ㉡ 임금, ㉢ 설득 5. ④ 6. ⑤ 7. ⑤ 8. ② 9. 침선(針線) 10. ④ 11. ④ 12. ④ 13. ② 14. ③ 15. (나)는 객관적인 지식과 정보를 전달하기 위한 목적으로 쓰여진 글이다. 16. ⑤ 17. ③ 18. ⑤ 19. ③ 20. ② 21. ④ 22. ④ 23. 동일한 구성 성분으로 이루어져 있다 24. ① 25. ④ 26. • 문제가 되는 용어를 재정리하라. • 가짜 뉴스의 위협을 과소평가하지 말라. 27. ② 28. ④ 29. ⑤ 30. ② 31. ④ 32. ④ 33. ② 34. ⑤

1. 필자는 임금께 올리는 상소문을 통해 신돈에 의해 국가 기강이 무너지고 있다고 주장하면서, 이를 해결하기 위해 그의 관직을 삭탈하거나 권력을 억눌러야 한다고 건의하고 있다.

2. 필자는 군신 간의 예법을 저버리고 교만에 빠져 있는 신돈이 관료 사회와 백성에게 미칠 부정적인 영향에 대해 우려하고 있을 뿐, 백성을 착취하고 있다고 언급하고 있지 않다.
| 오답 풀이 | ① 3문단의 '신돈에게 내린 '논도섭리공신(論道燮理功臣)'이라는 호가 과연 천지와 조종(祖宗)의 뜻에 합하는 것입니까.'를 통해 확인할 수 있다.
② 2문단의 '만일 전하께서 이 사람(신돈)을 공경하고 백성에게 재해도 없게 하려면, 그의 머리를 깎고 그의 옷을 물들이고 그의 벼슬을 삭탈(削奪)하여 절에다 두고서 공경해야 합니다.'를 통해 확인할 수 있다.
④ 1문단의 '이는 나라에 두 임금이 있는 것입니다.'를 통해 확인할 수 있다.
⑤ 2문단에서 인용한 사마광의 말을 통해 확인할 수 있다.

3. ①의 돼지꿈을 꾸었다는 사실을 근거로 복권 당첨이라는 결과를 추론하는 것은 근거와 주장 사이에 논리적 인과 관계가 결여된 것으로 볼 수 있다.
| 오답 풀이 | ② 단 한 번의 행위를 근거로 그 사람의 일반적 성격을 규정해 버리는 오류를 범하고 있다.
③ 사람이 의도하지 않은 행위를 의도한 행위로 판단하는 오류를 범하고 있다.
④ 인품이나 성격을 비난함으로써 의견이 잘못되었다고 하는 오류를 범하고 있다.
⑤ 군중 심리에 호소하면서 상대방의 동의나 선택을 이끌어 내려고 하는 오류를 범하고 있다.

4. [B]를 보면, 필자는 사간원의 관리이고, 예상 독자로 임금을 설정하고 있으며, 신돈의 문제를 해결할 것을 설득하고 있음을 알 수 있다.

5. '영결하노라'는 죽은 사람과 영원히 이별한다는 의미이다. 따라서 재회에 대한 화자의 기대가 반어적으로 표현된 것으로 볼 수 없다.
| 오답 풀이 | ① '유세차(維歲次)~고하노니'는 제문(祭文)에서 처음 시작할 때 관용적으로 쓰는 형식이다.
② '미망인'은 남편과 함께 죽어야 할 것을 아직 죽지 못하고 있는 사람이란 뜻으로, 과부가 스스로를 겸손하게 일컫는 말이다. 따라서 필자가 남편과 사별하여 외롭게 살아가는 처지임을 알 수 있다.
③ 시삼촌이 '동지상사'를 지낸 것은 필자의 시집이 지체 높은 가문임을 알 수 있다.
⑤ '오호통재(嗚呼痛哉)라'는 '슬프다'라는 뜻으로, 제문(祭文)에서 관습적으로 사용되는 말이다.

6. 필자는 '자식에게 지나고 비복에게 지나는지라.'라며 자신의 요구에 잘 응해 주었던 바늘이 자식보다 낫고 비복보다 더 낫다고 하였다. 따라서 자식만큼은 아니라도 너무나 사랑스러운 존재라는 진술은 적절하지 않다.

7. 5문단에서 '민첩하고 날래기는~듣는 듯한지라.'에서 직유와 은유를 사용하여 바늘의 재주와 솜씨를 예찬하고 있다. 따라서 '바늘'이 부러진 상황에 대한 화자의 안타까운 심정을 부각하고 있다는 진술은 적절하지 않다.
| 오답 풀이 | ① '바늘'을 '너'로 의인화하여 그 품질과 솜씨를 칭송하고 있다.
② 주로 대구법을 사용하여 리듬감을 살리고 있다.
③ '바늘'을 청자로 설정하여 바늘을 향해 말을 건네는 어법을 구사하고 있다.
④ '아깝다 바늘이여, 어여쁘다 바늘이여.'에서 영탄과 도치를 통해 화자의 고조된 정서를 효과적으로 표현하고 있다.

8. 이 글은 제문의 형식을 활용하기 위한 방법으로 의인화의 기법을 사용하고 있다. 제문이란 인간의 죽음을 추모하는 의식에서만 사용되므로 바늘을 의인화하는 과정이 반드시 필요했던 것이다. 그러나 이 글은 종교 의식과는 아무 관련이 없다.
| 오답 풀이 | 이 글은 부러진 바늘에 대한 애도와 추모라는 주제를 의인화에 의한 제문의 형식과 정서의 직접적 표출과 영탄법이라는 표현 기법을 활용하여 형상화함으로써 표현 효과를 극대화하고 있다.

9. 고유어인 '바느질'과 대응되는 한자어는 '침선(針線)'이다.

10. ㉣ '어여쁘다'는 글의 문맥으로 볼 때, '불쌍하다'라는 의미로 쓰인 단어이다.

11. (가)와 (나)는 모두 우주의 기원에 대한 내용을 서술하고 있으며, 우주의 진화 과정에 대한 내용은 언급하고 있지 않다.
| 오답 풀이 | ①, ⑤ (가)는 우주의 기원을 신화적 상상을 통해 서사의 흐름 속에 담아낸 글이며, (나)는 우주의 기원에 대한 과학적 탐구 내용을 인과 관계를 중심으로 설명한 글이다.
②, ③ (가), (나)는 우주의 기원에 대한 궁금증을 바탕으로

한 과학적 탐구 의식에서 출발하고 있다는 점에서 공통점을 찾을 수 있다. 그러나 (가)는 신의 창조 행위를 중심으로 하는 신화적 상상을 서사의 흐름 속에 담아낸 반면, (나)는 인과 관계를 중심으로 한 우주 탄생의 비밀을 과학적으로 설명하고 있다는 점에서 차이점을 찾을 수 있다.

12. ㉡은 시간이 지나면 초승달이 보름달이 되는 자연 현상을, ㉣은 가벼운 물질은 위에, 무거운 물질은 아래에 위치하는 자연 현상을 신화적 상상을 통해 형상화한 표현이다.

13. (나)를 보면, 우주 탄생 이전의 카오스 상태에서는 우주의 온도가 매우 높았으나, 우주 팽창과 함께 온도가 내려가면서 만유인력이 통합된 힘으로부터 분리되었고, 물질과 에너지를 균일하게 늘렸다고 하였다. 여기서 힘의 분리는 곧 카오스(혼돈)가 코스모스(질서)로 변화하면서 우주의 탄생이 시작되는 것을 의미한다.

14. (가)에서 신은 하늘로부터는 땅을, 땅으로부터는 물을, 무지근한 대기로부터는 맑은 하늘을 떼어 놓았다고 하였는데, 이와 동일한 상황을 (나)에서 '분리'라고 하였다.

15. (나)는 과학적인 지식과 정보를 객관적으로 전달하기 위해 쓴 글이다.

| 서술형 평가 기준 |

기준	등급
예시 답에 가까운 내용으로 〈조건〉에 맞게 서술한 경우	상
내용은 적절하나 문장의 호응 관계나 정서법에 어긋난 경우	중
중심 내용이 분명히 전달되지 않고 다소 모호하게 서술되었으며 40자 내외가 지켜지지 않은 경우	하

16. 이 글은 전기문 중의 하나인 자서전으로, 필자가 1인칭 화자로 등장하여 이야기를 전개하고 있다. 반면, 〈보기〉는 3인칭 화자인 필자가 주인공인 '박은식'의 삶의 행적에 대해 이야기를 전개하고 있다.

| 오답 풀이 | ① 이 글은 필자가 경험한 주요 사건을 중심으로 이야기가 전개되고 있는 반면, 〈보기〉는 한 인물의 행적을 따라가면서 이야기가 전개되고 있다.

② 이 글은 서술 주체인 필자가 서술 대상인 자기 자신의 경험을 서술하고 있는 반면, 〈보기〉는 서술 주체인 필자가 서술 대상인 박은식의 삶에 대해 서술하고 있다.

③ 이 글과 〈보기〉는 모두 사건의 시점은 과거이며, 서술 시점은 현재이다.

④ 이 글과 〈보기〉는 모두 내용이 거짓이면 객관성과 공신력이 떨어져 그 가치를 평가받을 수 없다.

17. [A]에서 필자는 반(反)인종주의를 표방한 '자유 헌장'을 관련 근거로 제시하며 혼혈인 지배인의 두려움이 기우에 불과함을 설득하고 있다.

18. 제시된 내용만으로는 아프리카 민족 회의와 범아프리카 의회가 긴밀한 협력 체계를 유지하고 있다는 사실을 알 수 없다. 오히려 범(汎)아프리카주의자 의회는 온건한 투쟁 전략을 채택한 아프리카 민족 회의와 달리 호전적인 투쟁 노선을 유지하고 있는 것으로 추정된다.

| 오답 풀이 | ① '그들은 범(汎)아프리카주의자 의회(PAC, Pan-Africanist Congress)가 대중에게 호소력을 갖게 되면서부터 더욱더 호전적인 형태의 투쟁이 필요하게 되었다고 주장했다.'를 통해 추론할 수 있다.

② '나는 우리가 국민들의 생명을 존중한다는 것을 국민들이 인식했기 때문에 우리의 운동에 대한 국민들의 신뢰가 증진되고 있다고 주장했다.'와 '나는 우리 국민들이 수동적 형태의 저항에 대해서는 점차 인내심을 잃어 가고 있다는 사실을 알면서도 무단결근 투쟁 전략을 옹호했다.'라는 두 문장을 통해 추론할 수 있다.

③ 아프리카 민족 회의(ANC, African National Congress) 전국 집행 위원회와 더반 지부 운영 위원들이 모이는 비밀회의에 참석하여 투쟁 방식에 대한 자신의 주장을 관철시키는 모습을 통해 추론할 수 있다.

④ '시위자들의 영웅주의가 샤프빌에서 적으로 하여금 우리 국민을 쏘아 죽이게 만들었다고 주장했다.'를 통해 추론할 수 있다.

19. 강경 투쟁 시 시위자들의 영웅주의에 의해 과격 시위가 발생함으로써 적에게 발포의 빌미를 제공하고, 이로 인해 국민들의 생명이 희생당하는 상황이 발생할 수 있다. 필자는 무단결근 투쟁이 이러한 상황의 발생을 야기하지 않는다고 말한 것이지, 시위자들의 영웅주의를 제어할 수 있다고 말한 것은 아니다.

| 오답 풀이 | ① '이미 효과가 인정된 전략을 포기해야 한다고 생각하지는 않았기 때문이다.'를 통해 확인할 수 있다.

② '포괄적인 계획도 없이 이미 효과가 인정된 전략을 포기해야 한다고 생각하지는 않았기 때문이다. 더욱이 우리에게는 그럴 만한 시간도 재원도 없었다.'를 통해 추론할 수 있다.

④ '시위자들의 영웅주의가 샤프빌에서 적으로 하여금 우리 국민을 쏘아 죽이게 만들었다고 주장했다.'를 통해 추론할 수 있다.

⑤ '무단결근 투쟁 전략은 적의 역습을 방지하면서 동시에 우리가 적을 공격할 수 있다는 장점이 있었다.'를 통해 확인할 수 있다.

20. '나는 우리가 국민들의 생명을~증진되고 있다고 주장했다.'에서 ⓐ를, '나는 우리 국민들이 수동적 형태의~시간도 재원도 없었다.'에서 ⓒ를 각각 추론할 수 있다.

| 오답 풀이 | ⓑ 강경 투쟁론자들과 치열한 토의 끝에 필자 자신의 주장을 관철시키고 있으므로 적절한 진술이 아니다.

ⓓ 강경 투쟁을 주장하는 국민들과 토의를 진행하는 것이 아니라, 회의에 참석한 아프리카 민족회의 회원들과 토의를 진행하고 있으므로 적절한 진술이 아니다.

21. 3문단에서 '레오나르도는 르네상스의 시대정신에 따라 회화에서 대지를 표현하는 것과 인간의 몸을 표현하는 것이 얼마나 유사한 것인지를 밝히고 있다.'라고 하였으며, 이러한 생각이 「모나리자」에서 어떤 방식으로 구현되었는지를 구체적으로 설명하고 있다.
| 오답 풀이 | ①, ② 2문단을 보면, '레오나르도는 르네상스의 화가들이 좋아했던 단선적 원근법을 버리고 그 자신이 '공기 중의 원근법'이라고 불렀던 독특한 투시법을 사용했다.'라고 하였다.
③ 5문단을 보면, '스푸마토' 기법은 레오나르도만의 독창적인 회화 방식이라고 하였다.
⑤ '스푸마토' 기법의 사용이 「모나리자」에 대한 사람들의 관심을 높이는 데 기여하였다는 언급은 나타나 있지 않다.

22. ⓒ는 5문단에 나타나 있는 것처럼 '스푸마토' 기법에 의한 특별한 명암법으로 인물과 배경(의자)의 경계를 없애는 방법으로 그린 결과이다. 그러나 ⓑ는 6문단에 나타나 있는 것처럼 눈이나 입 주변의 딱딱한 경계를 없애는 방법으로 그린 것이므로 배경과는 관련이 없다.
| 오답 풀이 | ①은 2문단을 통해, ②는 6문단을 통해, ③은 5문단을 통해, ⑤는 3문단을 통해 각각 확인할 수 있다.

23. '고대인들은 인간의 몸을 세계의 축소판이라고 불렀는데, 이는 매우 정확한 표현이다. 인간의 몸이 흙과 물, 공기 그리고 불로 이루어져 있는 이상 그것은 대지를 닮았다고 할 수 있다.'를 통해 ㉠과 ㉡이 흙과 물, 공기 그리고 불이라는 동일 성분으로 이루어져 있음을 알 수 있다.

| 서술형 평가 기준 |

예시 답과 유사한 내용으로 서술한 경우	상
내용을 적절하나 문장의 호응 관계나 정서법에 어긋난 경우	중
중심 내용이 분명히 전달되지 않고 다소 모호하게 서술된 경우	하

24. 1문단에서 '탈진실화' 현상은 2016년을 대표하는 현상으로 발표되었다고 하였으므로 ⓐ와는 관련이 없다.
| 오답 풀이 | ② 2문단을 보면, 한국 언론 학회와 한국 언론 진흥 재단 주최로 열린 토론회에서 가짜 뉴스를 정치·경제적 이익을 위해 의도적으로 언론 보도의 형식을 하고 유포된 거짓 정보라고 정의한 내용을 소개한 후 ⓐ와 ⓑ의 사례를 제시하고 있다. 따라서 ⓐ, ⓑ는 정치·경제적 이익이라는 목적을 위해 거짓 정보를 유통시킨 사례로 볼 수 있다.
③ 3, 4문단을 보면, ⓐ는 노래(동요)를 통해 유통 및 확산이 이루어졌으며, ⓑ는 인터넷 사이트나 누리 소통망과 같은 디지털 매체를 통해 유통 및 확산이 이루어졌다.
④ 4문단을 보면, '21세기형 가짜 뉴스'의 특징은 그 논란의 중심에 국제적인 정보 통신 기업이 있다고 하였다.
⑤ 4문단을 보면, ⓑ와 같은 가짜 뉴스가 쉽게 유통·확산된 것은 대중이 뉴스를 접하는 경로가 신문·방송 같은 전통적 매체에서 인터넷 사이트, 누리 소통망(SNS) 등 디지털 매체 쪽으로 옮겨 가면서 벌어진 일이라고 하였다.

25. 2문단에서 가짜 뉴스란 '정치·경제적 이익을 위해 의도적으로 언론 보도의 형식을 하고 유포된 거짓 정보'라고 하였다. 그런데 〈보기〉에 나타난 오보는 정치·경제적 목적을 위해 의도적으로 오보를 낸 것이 아니므로 가짜 뉴스로 볼 수 없다.
| 오답 풀이 | ① 2문단에 제시된 가짜 뉴스의 정의에 따르면, 전통적 매체에 의한 오보는 정치·경제적 목적을 위해 의도적으로 오보를 낸 것이 아니므로 가짜 뉴스로 볼 수 없다.
② 4문단을 보면, 최근 유행하는 가짜 뉴스는 주로 디지털 매체를 통해 쉽게 유통·확산이 이루어지고 있다. 따라서 〈보기〉의 언론 보도를 최근 유행하는 가짜 뉴스의 유통 과정과 흡사하다고 볼 수 없다.
③ 〈보기〉는 전통적 매체인 신문의 오보로서, 국제적인 정보 통신 기업을 이용하지 않았다고 해서 가짜 뉴스의 범주에 넣어서는 안 된다는 생각은 잘못된 것이다.
⑤ 〈보기〉를 보면, 해당 언론의 기사는 사실에 바탕을 둔 거짓된 정보가 아니라 명백한 오보이며, 해당 언론사도 이를 인정하고 사과 및 정정 보도까지 했다. 설사 사실에 바탕을 둔 정보라도 정치·경제적 목적 하에 이루어진 것이 아니라면 가짜 뉴스로 볼 수 없다. 그러나 이 글을 바탕으로 〈보기〉의 언론 기사를 국민의 알 권리와 연관 짓는 것은 적절하지 않다.

26. 제시된 글에서 필자는 가짜 뉴스의 위협에 대한 심각성을 전제로, '가짜 뉴스'라는 용어가 심각성을 제대로 반영하지 못한다는 점을 지적하고 있다.

| 서술형 평가 기준 |

두 가지의 내용을 예시 답과 유사하게 서술한 경우	상
두 가지의 내용을 예시 답과 유사하게 제시하였으나, 문장의 호응 관계나 정서법에 어긋난 경우	중
두 가지의 내용 중 한 가지만을 예시 답과 유사하게 서술한 경우	하

27. (가)는 1문단에서 한 언론의 분석에 따른 통계 자료를, 2문단에서 영국의 한 일간지가 조사한 통계 자료를, (나)는 언론 중재 위원회와 인터넷 신문 위원회의 통계 자료를 각각 인용하여 내용에 대한 신뢰성을 높이고 있다.
| 오답 풀이 | ① 두 글 모두 구체적인 수치를 제시하고 있으

나, 예상되는 반론을 원천 봉쇄하기 위한 것이 아니다.
⑤ 두 글 모두 '가짜 뉴스'와 '기사형 광고'라는 특정 현상에 대한 문제를 다루고 있으나, 사회 현상에 대한 다양한 관점을 제시하고 있지는 않다.

28. [B]에서는 가짜 뉴스를 만들어 내는 방법을 소개하고 있으나, [C]에서는 그러한 방법을 사용하게 된 사회·문화적 배경이 나타나 있지 않다.
| 오답 풀이 | ① [A]에서 한 언론의 분석을 인용하면서 가짜 뉴스의 유통 실태를 소개하고, [B], [C]에서는 벨레스에서 발생한 가짜 뉴스 생산의 실제 사례를 소개하고 있다.
② [A]에서 가짜 뉴스의 정체, 즉 가짜 뉴스가 어떤 것이고, 누가 왜 만들었는지에 대한 의문을 제기하고, [B], [C]에서는 벨레스의 사례를 통해 그러한 의문에 대한 답을 제시하고 있다.
③ [A]에서 한 언론의 분석을 인용하면서 가짜 뉴스가 범람하고 있는 현실에 문제를 제기하고, [C]에서는 교황의 사례를 들어 의도치 않은 피해자가 발생될 수 있음을 보여 주고 있다.
⑤ [B]에서 벨레스 청소년들의 사례를 통해 가짜 뉴스를 만들어 유포한 인물들의 행위를 보여 주고, [C]에서는 돈을 위해 가짜 뉴스를 만들어 유포한 벨레스 청소년들의 사례를 통해 이들이 가짜 뉴스를 만들어 유포하게 된 이유를 분석하고 있다.

29. ⓜ은 문맥상 '규칙으로 정함.'의 의미이다.

30. 글의 맥락을 고려할 때 ⓑ에는 '기사형 광고'가 들어가야 한다.

31. (가)와 (나)는 모두 정보 제공 업체에서 '정보 처리 규칙'에 의한 이용자 맞춤형 정보를 제공하는 과정에서 가짜 뉴스가 발생하며, 이러한 가짜 뉴스로 인해 개인적, 사회적 폐해가 발생한다는 사실을 설명하고 있다.
| 오답 풀이 | ① (가), (나)는 모두 가짜 뉴스의 발생 원인과 폐해를 설명하고 있다. 즉 (가)는 누리 소통망의 개인 맞춤형의 정보 처리 규칙을 발생 원인으로, 개인의 편견과 고정 관념 강화를 폐해로 지적하고 있으며, (나) 역시 개인 맞춤형의 정보 처리 규칙을 발생 원인으로, 개인의 편견과 고정 관념 강화, 더 나아가 민주주의 위협을 폐해로 지적하고 있다.
② (가)와 (나)에서는 가짜 뉴스의 출현 배경이나 해결 방안을 설명하고 있지 않다.
③ (가)는 '개인의 편견과 고정 관념 강화'라는 개인적 차원의 폐해에 중점을 두고, (나)는 전체 여론의 호도를 통한 민주주의 위협이라는 사회적 차원의 폐해에 중점을 두고 설명하고 있다.
⑤ (가)와 (나)는 모두 개인 맞춤형 정보를 제공하는 디지털 매체의 정보 처리 규칙을 가짜 뉴스 생성의 배경으로 지적하고 있으며, 이와 관련된 사회·문화적 배경을 설명하고 있지 않다.

32. 이 글에서는 정보 처리 규칙이 뉴스 제공 시에만 적용된다고 언급하고 있지 않으며, 필자는 주로 뉴스에 국한하여 그 문제점을 지적하고 있다.
| 오답 풀이 | ① (나)의 첫 문장 '개인 맞춤형의 정보 처리 규칙은~버블 현상을 극대화한다.'를 통해 확인할 수 있다.
② (가)의 '필터 버블' 현상에 대한 설명에서 확인할 수 있다.
③ (가)의 '정보는 일정한 단계를 거쳐 선별적으로 전달된다. 이때 정보 처리 규칙은 이용자가 좋아하고 자주 보는 것 위주로 보여 주는 방식을 통해 개인 맞춤형 정보를 제공한다.'에서 이용자가 좋아하고 자주 보는 것 위주로 보여 주려면 필연적으로 디지털 매체에 대한 이용자 개개인의 검색 기록 등 구체적인 이용 내역을 분석하는 작업이 선행되어야 한다.
⑤ (가)에서 정보 처리 규칙에 의해 개인 맞춤형 정보를 선별적으로 제공하는 과정에서 '필터 버블' 현상이 발생하게 되고, 이는 (나)에서 수용자의 확증 편향을 유발하게 된다고 하였다. 자신의 신념과 일치하는 정보만 받아들이게 되는 것이다. 이처럼 왜곡된 뉴스의 생산과 소비 과정에서 뉴스 소비자의 입맛에 맞는, 극단적 주장 등을 담은 가짜 뉴스가 확대 재생산될 수 있음을 추론할 수 있다.

33. '필터 버블 현상'이란 개인이 정보 제공 업체에 의해 필터링이 된 정보만을 접하게 되는 현상을 말한다. 따라서 개인이 특정 정보를 스스로 찾아 이용하는 현상으로 볼 수 없다.
| 오답 풀이 | ① (가)의 '~ 개인 맞춤형 정보를 제공한다. 문제는 이 과정에서 개인의 편견과 고정 관념 역시 강화된다는 점이다. 이른바 '필터 버블(Filter Bubble)' 현상이 일어나는 것이다.'에서 확인할 수 있다.
⑤ (나)에 따르면 정치·사회 분야의 뉴스를 자주 접하다 보면 '필터 버블' 현상이 극대화되고, 이에 따른 개인의 '확증 편향'이 작용하여 뉴스를 해석할 때도 편향적 결과를 낳아 전체 여론이 호도되는 상황을 야기할 수 있다.

34. 글의 맥락상 ⓔ는 민주주의를 위협하는 사회적 차원의 부정적 결과와 관련되어 있으므로 '전체 여론을 호도함'이 들어가야 한다.

중간·기말 고사 대비 문제 은행

1등급 완성 문제

Ⅰ. 독서의 본질과 태도

p. 377

1. ③ **2.** ④ **3.** 그의 용모에는 독서를 통해 형성된 매력이 있다. **4.** ④ **5.** ⑤ **6.** ⑤ **7.** ④ **8.** ④ **9.** ③ **10.** ② **11.** ① **12.** ⑤ **13.** 『허클베리 핀의 모험』이 『개인적인 체험』의 인물의 선택을 이해하는 데 도움을 준다고 생각하기 때문이다.

1. 이 글에서는 맹자와 사마천의 말을 언급하여 독서의 효용을, 황산곡의 말을 언급하여 독서의 목적에 대한 필자의 견해를 뒷받침하고 있다.
| 오답 풀이 | ① 이 글은 시간 순서에 따라 전개되고 있지 않다.
② 필자의 지난 독서 경험은 언급되어 있지 않다.
④ (가)~(다)에서 독서의 효용을 제시하고 있으나, 독서가 사회에 미치는 영향에 대해서는 서술하고 있지 않다.
⑤ (라)에서 구체적인 사례를 제시하여 잘못된 독서 방법을 언급하고 있으나, 그 부작용을 지적하고 있지는 않다.

2. (마)에서 독서는 인간의 용모에 매력을 더한다고 했으나, 이는 내적 매력을 더한다는 것으로, 외적 용모의 변화를 말하는 것은 아니다.
| 오답 풀이 | ① (라)에서 셰익스피어, 소포클레스 등을 읽어야만 한다고 하는 것은 의무적인 독서로, 이는 정신 향상을 생각하며 읽는 것이다. 이렇게 책을 읽으면 독서의 즐거움이 사라진다고 서술하고 있다.
② (라)에서 정신 향상을 목적으로 하는 독서를 하는 사람의 학식은 결코 깊어지지 않는다고 서술하고 있다.
③ (다)에서 책을 사랑하는 사람은 언제나 사색과 반성의 세계에 자유롭게 드나들 수가 있다고 서술하고 있다.
⑤ (가)에서 책을 읽기 시작하면 그 즉시 별천지에 드나들 수 있으며, 독자를 유도하여 먼 별천지의 아득한 옛날로 데리고 가서 고민을 덜어 주고, 독자가 미처 몰랐던 인생의 여러 모습을 이야기해 준다고 서술하고 있다.

3. 황산곡에 따르면 독서의 목적은 용모의 매력을 더하는 데 있고, 추해도 매력이 있는 얼굴이 있다고 서술하고 있다. 따라서 필자의 친구는 외모는 추해도 독서를 통해 형성된 매력이 있기 때문에 필자가 늘 호감이 간다고 표현한 것으로 볼 수 있다.

| 서술형 평가 기준 |

예시 답과 유사하게 필자의 생각을 적절하게 서술한 경우	상
내용은 적절하나 문장이 어색하거나 맞춤법이 틀린 경우	중
중심 내용은 포함되어 있으나 문장이 장황한 경우	하

4. (다)에서는 독서의 효용으로 사색과 반성의 시간을 갖게 해 준다고 서술하고 있으며, 사상을 책을 통해 접하는 간접 경험은 직접 보고 듣는 직접 경험과 달리 깊이 사색할 수 있음을 말하고 있다.
| 오답 풀이 | ① '세계 제일의 이야기꾼'은 '양서'를 의인화한 것으로 이와 만난다는 것은 양서를 읽는다는 것이며, 이는 독자의 고민을 덜어 주고 인생의 여러 모습을 이야기해 준다고 했으므로, 필자가 긍정적으로 생각하는 독서임을 알 수 있다.
② '육체적 감옥에 갇혀 있는 사람들'은 책을 즐겨 있는 사람들과 대비되는 사람들로, 책을 읽지 않아 그만큼 사고의 폭이 넓지 않은 사람들을 비유적으로 표현한 것이다.
③ 독서에 따른 심리적 변화가 여행과 같다는 것은 독서도 여행처럼 다른 세계를 경험하는 효과를 가지고 있기 때문으로 볼 수 있다.
⑤ 읽어야만 한다고 말한 것은 그만큼 의무감으로 독서하는 것을 의미하며, 이 사례는 정신 향상이라는 목적으로 의무적인 독서를 하는 것에 해당한다.

5. 이 글에서 필자는 정신 향상을 목적으로 하는 의무적 독서는 학식이 깊어지지 않는다고 했으며, 〈보기〉에서 필자는 시험 합격을 위한 독서에 대해 비판하고 있다.
| 오답 풀이 | ① 이 글의 필자는 다양한 분야의 독서를 해야 한다고 언급하고 있지 않다.
② 이 글의 필자는 정신 향상과 같은 특정 목적을 가지고 독서하는 것에 대해 비판적인 생각을 드러내고 있다.
③ 〈보기〉에서 필자는 명예를 위해 독서하는 행태에 대해 비판적인 입장을 보이고 있다.
④ 이 글의 필자와 〈보기〉의 필자 모두 독서와 개인의 삶의 질 향상의 관계에 대해 언급하고 있지 않다.

고난도 해결 포인트
제시문의 필자와 〈보기〉의 필자의 견해를 비교하는 문제이다. 독서에 대해 이 글의 필자와 〈보기〉의 필자가 어떤 지점에서 공통된 견해를 보이는지를 파악하여 정답과 오답을 분명히 구별하도록 한다.

6. 필자는 도시에 대한 수필이나 역사책을 읽는 데서 출발해 작가가 자신의 나라에 관해 쓴 책까지 읽게 되었다고 서술하고 있다. 그러나 이를 시작으로 평범한 일상을 다룬 책으로 독서 경험을 늘려 갔다는 내용은 언급되어 있지 않다.
| 오답 풀이 | ① (나)에서 '당시에 읽었던 책들을 펼쳐 보는 것만으로도 저는 제가 얼마나 여행에 깊이 빠져 있었는지 지금

도 느낄 수가 있습니다.'라고 서술하고 있다.

② (라)에서 필자는 일상을 뚫고 나오는 이야기에 귀를 기울여 보자고 하였는데, 천일 야화풍의 여행기는 이처럼 여행지의 숨겨진 이야기들이 담긴 여행기로 볼 수 있다.

③ (라)에서 '최고의 여행은 물리적 이동이 아니란 것, 결국은 정신의 여행이란 것, 그 깨달음은 제 여행기에도 영감을 주었습니다.'라고 서술하고 있으며, '결국 저는 '천일 야화풍의 여행기 목록'을 스스로 갖게 된 셈'이라고 하여 책 목록을 바꾸게 되었음을 서술하고 있다.

④ (가)에서 필자는 여행을 위한 책 목록 중 하나로 호텔, 식당 정보와 같은 실질적인 정보를 담은 책 목록을 가지고 있었다고 했으나, (다)에서 정신의 여행을 위해 실질적인 정보가 있는 책을 정리하였다고 서술하고 있다.

7. (라)에서 필자는 그리스 신화의 이야기에 빗대어 여행지나 여행지 사람들에게 숨겨진 이야기가 있으며, 좋은 여행기를 통해 그와 같은 이야기를 알 수 있다는 자신의 생각을 드러내고 있다.

8. 필자는 최고의 여행은 물리적 이동이 아니라 정신의 여행이라고 했으므로, 물리적 이동과 함께할 때 최고의 여행에 이른다는 진술은 적절하지 않다.

| 오답 풀이 | ① 필자는 '정신의 여행을 즐기기 위해서' 자신에게는 더 많은 관찰과 더 많은 책이 필요했다고 했으며, 이 때문에 실질적인 정보가 있는 책을 정리했다고 했다. 따라서 ㉠은 필자가 책의 목록을 정리하게 된 계기로 볼 수 있다.

② '정신의 여행을 즐기기 위해서'라는 것은 여행의 목적을 물리적 이동이 아닌 정신의 여행에 초점을 맞추고 있음을 알 수 있다.

③ 필자는 '정신의 여행을 즐기기 위해서' 실질적인 정보가 있는 책을 정리하고 이야기에 관심을 기울이게 되었다고 하였다.

⑤ '정신의 여행을 즐기기 위해서' 필자는 일상에 숨겨진 이야기에 관심을 기울이게 되었고 그와 관련 있는 책 목록을 갖게 되었다고 하였다. 따라서 필자는 자신의 관심사를 바탕으로 책 목록을 작성했음을 알 수 있다.

9. 〈보기〉에서 슬기는 선생님이 추천해 준 책을 일 년 동안 다 읽겠다고 했는데, 이 글의 필자는 책을 선택할 때 자신의 관심사를 고려하여 정하라고 하였다. 따라서 다른 사람이 추천해 준 책만 읽기보다 자기의 취미나 관심에 맞는 책을 읽으라고 말해 줄 수 있다.

| 오답 풀이 | ① 〈보기〉에서 슬기의 문제는 스스로 책을 선택하지 않고 다른 사람이 추천해 준 책을 읽겠다는 것이다. 이 글의 필자는 자신의 관심에 맞는 책을 스스로 선택하라고 말하고 있다. 그러나 책의 내면화에 대해서는 언급하고 있지 않다.

② 이 글의 필자는 자신의 지적 수준에 맞는 책을 읽어야 한다고 말하고 있지 않다.

④ 이 글의 필자는 실질적인 정보가 있는 책은 정리했다고 했으므로, 실제 생활에 유용한 서적을 중심으로 읽으라는 조언은 적절하지 않다.

⑤ 이 글의 필자는 완벽히 이해하기 위해 깊이 있는 독서를 해야 한다는 말을 하고 있지 않다.

고난도 해결 포인트

제시문의 필자가 〈보기〉의 상황에 대해 보일 수 있는 반응을 파악하는 문제이다. 〈보기〉에 제시된 사례의 문제점이 무엇인지 파악하고, 그 문제점이 제시문의 어떤 내용(필자의 견해)과 관련이 있는지를 따져 필자가 할 수 있는 말을 생각하여 정답과 오답을 찾을 수 있도록 한다.

10. (나)에서는 다른 책의 내용이 작가의 작품 저술에 영향을 미치고 있음을 보여 주고 있다. 그러나 작가의 실제 경험이 인물의 묘사에 영향을 미친다는 내용은 언급되어 있지 않다.

| 오답 풀이 | ① (가)에서 '사상과 체험이 걸작을 읽을 정도가 되지 않았을 때 걸작을 읽으면 나쁜 뒷맛이 남을 뿐이다.'라며 시기에 맞는 독서의 필요성을 강조하고 있다.

③ (다)에서 '좌절과 고통의 경험은 수천 년 전이나 지금이나 우리가 벗어날 수 없는 조건'이라고 했는데 이는 인간의 보편적 경험으로 볼 수 있으며, 이러한 내용이 「로미오와 줄리엣」과 같은 고전에 담겨 있다고 서술하고 있다.

④ (라)에서는 책에 따라 남에게 읽어 달라고 해도 좋은 책이 있으며, 발췌된 내용만 읽어도 좋은 책이 있다며 책의 종류에 따라 책을 읽는 방법이 달라진다고 서술하고 있다.

⑤ (마)에서 소설 독회를 통해 작가는 '자신조차 인식하지 못한 접근에 무릎 치며 동의를 보내기도' 하고, 독자는 '문장이 얼마나 고통스럽고 치열한 사유의 결과물이었는지 짐작하게 한다.'라고 서술하고 있다.

11. (가)에서 필자는 사상과 체험이 걸작을 읽을 정도가 되지 않았을 때 걸작을 읽으면 오히려 해가 될 수 있음을 말하고 있다. 따라서 올바른 독서를 하기 위해서는 자신의 지적 수준을 고려해야 함을 알 수 있다.

| 오답 풀이 | ② (나)에서 작가의 다른 책이나 작가가 영향을 받은 책을 읽으면 작가의 책을 이해하는 데 도움이 됨을 서술하고 있으나, 작가가 추천하는 책을 읽어야 한다는 내용은 언급되어 있지 않다.

③ (다)에서 「로미오와 줄리엣」을 보면 요즘 텔레비전 연속극의 주제 그대로'라고 서술하고 있다. 그러나 텔레비전이 더욱 비극적으로 묘사한다는 내용은 찾을 수 없다.

④ (라)에서 '중요하지 않은 내용이나 고상하지 않은 책의 경우에 한한다. 그렇지 않으면 개요만을 뽑은 책은 보통의 증류한 물과 같은 것으로서, 아무런 맛도 없는 법이다.'라며 중

요한 내용이나 고상한 내용을 담은 책을 발췌독하면 제대로 이해할 수 없다고 서술하고 있다.

⑤ (마)에서 '자신의 의도와 다른 작품 해석에 강하게 반박하기도 하고, 때로는 자신조차 인식하지 못한 접근에 무릎 치며 동의를 보내기도 한다.'라고 서술하고 있으므로 의무적으로 독자를 설득해야 하는 것은 아니다.

12. 〈보기〉의 '좋은 책'은 삶의 본질을 꿰뚫어 볼 수 있게 하는 책이다. ⓔ는 다른 사람이 시켜 읽어 달래도 좋고 발췌된 내용만 읽어도 좋은 책으로, 중요하지 않은 내용이나 고상하지 않은 책이라고 하였다. 이는 〈보기〉의 '좋은 책'에 해당하지 않는다.

| 오답 풀이 | ⓐ, ⓑ는 걸작으로 평가되는 고전이고, ⓒ는 다른 작가의 저작에 영향을 미치는 책으로 오랜 시간 널리 읽힌 책이며, ⓓ는 인간의 보편적 경험을 담고 있는 책이다.

13. 필자는 오에 겐자부로의 말을 인용하여 『허클베리 핀의 모험』이 『개인적인 체험』을 저술하는 데 영향을 미쳤음을 서술하고 있다. 따라서 『개인적인 체험』의 인물의 선택을 이해하기 위해 『허클베리 핀의 모험』을 다시 읽으려 함을 알 수 있다.

| 서술형 평가 기준 |

기준	등급
예시 답과 유사하게 ㉠의 이유를 서술한 경우	상
내용은 적절하나 문장이 어색하거나 맞춤법이 틀린 경우	중
중심 내용은 포함되어 있으나 문장이 장황한 경우	하

Ⅱ. 독서의 방법

p. 381

1. ④ **2.** ⑤ **3.** ① **4.** 건강하고 친자연적인 건물이라고 할 수 있다. **5.** ③ **6.** ⑤ **7.** ④ **8.** ② **9.** ⑤ **10.** 동물을 보호하는 것은 곧 인간을 위하는 것이다. **11.** ② **12.** ③ **13.** ③ **14.** ⑤ **15.** ② **16.** ② **17.** ③ **18.** ④ **19.** (나)는 유추의 방식을 활용하여 수령의 바람직한 자세에 대한 주장을 펼치고 있다.

1. 이 글에서는 통의 원리가 구현된 한옥 건축물에 대한 전문가의 견해를 인용하고 있지 않다.

2. (라)에서 한옥의 지붕 처마는 안마당에 형성된 공기 덩어리의 흐름에 영향을 주어 아직 데워지지 않은 찬 공기가 바로 빠져나가는 것을 막는다고 했으므로, 찬 공기와 더운 공기가 수시로 교환되도록 한다는 진술은 적절하지 않다.

| 오답 풀이 | ① (가)에서는 한옥은 여러 과학적 방식을 활용해서 집 안 가득 시원한 바람을 맞아들여 잘 흐르도록 한다며, 이를 통의 원리라고 서술하고 있다.

② (나)에서는 한옥에서 통의 원리를 구현하는 방식 중 하나로 계절 같은 큰 시간 단위를 기준으로 나타나는 거시 기후에 맞춰 바람길을 내는 것이라고 서술하고 있다.

③ (라)에서는 한옥의 지붕 처마가 안마당으로 흘러 들어온 찬바람을 오래 잡아 두는 역할을 한다고 서술하고 있다.

④ (다)에서는 한옥 주변의 숲과 산세, 지세와 물길 등에 따라 나타나는 미시 기후를 활용하여 한옥에서 마당을 비워 안마당에 찬 공기주머니를 만든다고 서술하고 있다.

3. (나)에서 '한옥에서는 여름에 부는 바람인 남동풍의 방위에 맞춰 남향, 혹은 남동향으로 바람이 드나드는 바람길을 냈다.'고 서술하고 있으며, 〈보기〉에서도 바람길을 낼 때는 주로 남쪽이 북쪽보다 간격이 더 넓은데, 이는 여름의 남동풍과 겨울의 북서풍을 고려한 것이라고 서술하고 있다.

| 오답 풀이 | ②, ④ 〈보기〉에서 여름의 남동풍은 건물 간격이 좁은 북쪽으로 가면서 속도가 빨라진다고 했으며, 겨울의 북서풍은 건물 간격이 넓은 남쪽으로 가면서 속도가 느려진다고 했으므로, 여름보다 겨울에 바람이 더 잘 순환된다거나 건축물 간 간격이 넓을수록 효과가 극대화되는 것은 아니다.

③ (나)에서 '한옥에서 바람길은 시원하고 통 크게 나 있어, 바람이 돌아 나가거나 머물거나 꺾어 가지 않도록 했다.'고 서술하고 있으므로, 바람길이 한옥과의 마찰을 통해 자유자재로 방향을 바꿀 수 있는 것은 아니다.

⑤ 〈보기〉에서 바람길은 시원한 바람을 얻기 위해 만들어 낸 것이라고 했으므로, 겨울에 따뜻한 공기를 한옥 내부로 들여보내는 것은 아니다.

4. 한옥은 통의 원리가 구현된 건강한 집이며, 자연의 원리를 잘 지키는 것이어서 자연적이라고 하였다. 이에 따라 여름철에 시원하게 지낼 수 있다고 서술하고 있다. 따라서 한옥은 자연을 거스르지 않으면서도 살기 편하게 지었기 때문에 건강하고 친자연적인 건물이라고 평가할 수 있다.

| 서술형 평가 기준 |

기준	등급
예시 답과 유사한 내용(건강하고 친자연적인 집)으로 서술한 경우	상
내용은 적절하나 문장이 어색하거나 맞춤법이 틀린 경우	중
중심 내용은 포함되어 있으나 문장이 장황한 경우	하

5. (가)에서 이기적인 사람은 공공재의 필요성을 인정하면서도 공공재 생산에 드는 비용 부담에서 벗어나기 위해 공공재가 필요하지 않다고도 말한다고 서술하고 있다. 따라서 무임승차가 가능하기 때문에 공공재의 필요성을 인정한다는 진술은 적절하지 않다.

| 오답 풀이 | ① (마)에서 현실의 인간은 경제학 교과서에 등장하는 호모 에코노미쿠스와 다르다며, 경제 이론과 경제 정책을 새로운 시각에서 검토해야 할 필요가 있다고 서술하고 있다. 이는 기존의 경제 이론이 현실의 경제 상황을 제대로 설명하지 못함을 의미한다.

②, ④ (마)에서 전통적 경제학은 합리적 인간인 호모 에코노미쿠스의 경제 행위를 분석 대상으로 삼았는데, 공공재에 관

한 실험은 현실의 인간은 호모 에코노미쿠스와 다르다고 서술하고 있다.

⑤ (가)에서 무임승차자들 때문에 시장이 공공재를 생산, 공급하는 일을 감당하지 못한다고 서술하고 있다. 따라서 공공재에 대한 무임승차를 완벽히 차단할 수 있다면 민간 기업도 공공재를 생산, 공급할 수 있음을 추론할 수 있다.

6. (나)에서 실험의 개요에 대해 설명하고 있으며, (다)에서는 이기적인 사람이 실험에 대해 보일 반응과 그 의미를 설명하고 있다. 또한 (라)에서는 이 실험의 결과 사람들이 무임승차를 하려는 경향이 의외로 약한 것으로 드러났다고 설명하고 있다. 이를 고려하면 이 실험은 사람들이 현실의 상황에서 무임승차를 하려는 경향을 어느 정도 보이는지를 확인하기 위한 것으로 볼 수 있다.

7. 공공재에 관한 실험 결과는 무임승차를 할 수 있는 상황임을 알면서도 사람들이 공공재 생산 비용에 자발적으로 기여하고 있음을 나타낸다. 이를 활용하여 필자가 마지막 문단에서 제기하고 있는 자신의 주장, 즉 기존의 경제 이론과 경제 정책을 새로운 시각에서 다시 검토해 볼 필요가 있다는 주장의 근거로 제시하는 것은 적절하다.

| 오답 풀이 | ① 전통적 경제학에서는 인간을 자신의 이익만을 추구하는 합리적 인간인 호모 에코노미쿠스로 보고 있으므로, 이는 이 실험 결과와 부합하지 않는다.

② 인간이 경제 활동을 할 때만 이기적인 존재라는 통념이 있음을 언급하고 있지 않다.

③ 경제 정책을 수립하고 실행하는 과정에서 의도적으로 사실을 왜곡한다는 내용은 나타나 있지 않다.

⑤ 논지 전개의 흐름으로 볼 때 실험 결과는 전통적 경제학에서 인간의 경제 행위에 대해 잘못 전제하고 있음을 지적하는 데 활용될 수 있다. 그러나 공공재에 대한 인간의 심리를 심층적으로 분석해야 한다는 주장은 이 글의 주된 논지로 볼 수 없다.

8. (가)에서 '비록 야생 동물의 자연적인 죽음이라고 해도 그것이 항상 고통이 없는 것은 아니다.'라며 야생 동물이나 사람이 관리하는 동물은 모두 죽음 앞에서 고통을 느낀다고 서술하고 있다.

| 오답 풀이 | ① (가)에서 동물의 욕구를 적극적 욕구와 소극적 욕구로 나누어 설명함으로써, 인간은 동물의 욕구를 충족하기 위해 동물 복지에 신경 써야 한다고 주장하고 있다.

③, ⑤ (나)에서 '예를 들어, 많은 종이 개체 과밀과 과다한 소비로 멸종에 이르렀던 것처럼 인류 역시 스스로 멸종을 초래할 수 있다.'라며 구체적인 예를 통해 종 우월주의의 문제점을 지적하고, 동물 복지를 외면할 때 나타날 수 있는 부작용을 경고하고 있다.

④ (나)에서 '종(種) 우월주의는 우리가 동물을 학대하고 상습적으로 그들의 요구를 무시하는 태도를 정당화하는 이론'이라며, 종 우월주의의 개념에 대한 정의를 통해 오만한 인간의 태도를 비판하고 있다.

9. (가)에서 필자는 '동물의 복지를 책임져야 하는 것은 바로 인간이며, 이는 인간을 보다 인간답게 하는 일이 될 것이다.'라고 말하고 있다. 이로 보아, 동물 복지는 인간을 위한 것이 아니라 순전히 동물의 관점에서 이야기하는 것이라는 진술은 적절하지 않다.

| 오답 풀이 | ① (가)에서 필자는 동물의 욕구를 적극적 욕구와 소극적 욕구로 나누어 설명하고 있다. 이는 모두 생존을 위한 기본적인 욕구로 볼 수 있다.

② (나)에서 필자는 인간은 스스로 자연의 일부로 간주하지 않는 오만한 태도로 동물을 대하며, 우리가 동물을 학대하고 상습적으로 그들의 요구를 무시하는 태도를 정당화한다고 말하고 있다.

③ (가)에서 필자는 '동물의 복지를 책임져야 하는 것은 바로 인간'이라며 '불필요한 고통은 배제하고 사람을 위하여 필요한 경우라도 고통을 최소화하기 위해 노력'해야 한다고 말하고 있다.

④ (나)에서 필자는 인간이 자연과 별개로 스스로 자연의 일부로 간주하지 않는 오만한 태도를 지니는데, 그것은 종 우월주의에서 비롯된 것이라고 말하고 있다. 즉 인간을 중심으로 두고 사고하는 것은 종 우월주의라는 것이다.

고난도 해결 포인트

제시문의 필자들의 관점을 비교하는 문제이다. 이러한 문제를 해결하기 위해서는 먼저 각 제시문에 드러난 필자의 견해를 파악하여 정리한다. 그리고 두 견해를 비교하여 공통점과 차이점을 파악하여 이를 선지에서 확인해야 한다.

10. (가)에서 필자는 동물의 복지를 책임져야 하는 것은 바로 인간이며, 이는 인간을 보다 인간답게 하는 일이 될 것이라고 말하고 있다. 〈보기〉에서 필자도 동물 보호야말로 인류 그 자체를 위한 것이라고 주장하고 있다.

| 서술형 평가 기준 |

기준	등급
예시 답과 유사한 내용으로 서술한 경우	상
내용은 적절하나 문장이 어색하거나 맞춤법이 틀린 경우	중
중심 내용은 포함되어 있으나 문장이 장황한 경우	하

11. (가)의 화자는 하늘에 떠 있는 별(원경)을 관찰하며 시상을 전개하고 있다. 그러나 시선이 근경에서 원경으로 확대되는 것은 아니다.

12. (가)는 수많은 사람들 중 하나인 '나'와 수많은 별 중 하나인 그 '별'과의 만남을 묘사하고 있으므로 ㉠은 화자가 소중하게 생각하는 '인연'을 상징한다고 할 수 있다. (나)는 '별'을 헤아리며 화자가 잊고 있던 수많은 고맙고 그리운 이들을 떠올리

는 것으로 보아, ㉡은 화자에게 '그리운 존재'를 상징한다고 할 수 있다.
| 오답 풀이 | ① ㉠은 화자가 영원히 함께하고 싶은 존재를 의미하나, ㉡은 그 자체가 화자를 둘러싼 현실을 함축하는 것은 아니다.
② ㉠은 화자가 직접 관찰하고 있는 대상으로, 관념 속 대상이 아니다.
④ (가)에서 화자의 외로움의 정서는 드러나지 않으며, (나)에서 화자의 인식이 별을 통해 전환되지도 않는다.
⑤ (가)에 화자의 심리적 갈등은 나타나 있지 않으며, (나)에서 화자의 체념적 태도도 드러나지 않는다.

13. (가)의 '어디서 무엇이 되어/다시 만나랴'는 대상과의 재회가 불가능한 현실에 대한 좌절이 아니라, 소중한 인연과 재회하기를 소망하는 마음을 드러낸 것으로 볼 수 있다.
| 오답 풀이 | ① (가)에서 '별은 밝음 속에 사라지고/나는 어둠 속에 사라진다'는 시간의 경과에 따라 별이 사라짐으로 인해 별과 내가 이별하는 상황, 즉 화자가 대상과 이별하는 상황을 형상화한 표현이다.
② (가)에서 '정다운'이라는 시어를 통해 대상과의 만남, 즉 인연에 대한 시인의 긍정적 인식을 엿볼 수 있으며, '너 하나 나 하나'라는 구절에는 각각의 인연, 즉 한 사람 한 사람의 인연이 모두 소중하다는 인식이 담겨 있다고 볼 수 있다.
④ (나)에서 추상적 관념을 나타내는 '추억', '사랑', '쓸쓸함', '동경'은 화자가 별을 보며 떠올린 관념으로 볼 수 있다.
⑤ (나)는 '어머니'를 전후로 시상이 전환되고 있는데, 어머니를 떠올리기 전에는 관념적인 대상을 떠올리며 느린 호흡으로 진행되고 있으나, 어머니를 떠올린 뒤부터는 소학교 때 친구들, 비둘기, 노루, 릴케 등 구체적인 대상에 대한 기억을 떠올리며 빠른 호흡으로 진행되고 있다.

14. 필자는 직업을 꿈과 반드시 연결 지을 필요는 없다고 말하고 있다. 그러나 꿈을 이룬 뒤에 해야 할 일을 다른 직업으로 선택해야 한다는 내용은 언급하고 있지 않다.
| 오답 풀이 | ① (다)에서 '나는 "너의 꿈을 너의 직업으로 이뤄라!" 같은 말은 하지 않을 생각이다.'라고 서술하고 있다.
② (다)에서 '본래 직업은 자아실현과 거리가 먼 셈'이라고 서술하고 있다.
③ (라)에서 꿈이 이루어진 후에도 삶은 계속되며, 삶보다 강한 꿈은 없다고 말하고 있는데, 이는 그만큼 현재의 삶이 중요하므로 현재의 직업에 최선을 다해야 함을 강조한 말이다.
④ (나)에서 '직업이란 '내'가 아니라 '남'에게 도움이 되는 일을 하고, 합당한 대가를 받는 일'이라고 서술하고 있다.

15. (가)에서 필자는 가장 중요한 일은 자기가 '해야' 하는 일에서 의미를 발견하고 그것을 좋아하려 노력하는 것이라고 말하고 있다. 따라서 필자가 존경하는 ㉠ '버티고 견디는 삶'은 현재의 일에서 의미를 발견하고 이를 좋아하기 위해 노력하는 것으로 볼 수 있다.

16. 〈보기〉에서는 인간의 속성에 대해 언급하고 있지 않다. 따라서 이에 대한 필자의 비판적 인식도 드러나지 않는다.
| 오답 풀이 | ① 이 글은 '나는 직업을 꿈과 연결해~요즘 세태를 생각했다.'에서 세태에 대한 필자의 문제의식이 드러나 있으나, 〈보기〉에서는 현실 세태에 대한 문제의식이 드러나 있지 않다.
③ 이 글은 직업 선택에 관한 우리 사회의 문제점을 제시하고, 이에 대한 필자 나름의 해결 방안(좋아하는 일보다는 해야 할 일, 잘하는 일을 선택해야 함.)을 제시하고 있다. 그러나 〈보기〉는 직업 선택과 관련한 문제의 해결 방안을 제시하고 있지 않다.
④ 이 글은 「빨간 머리 앤」의 이야기와 관련하여 직업 선택의 문제를 다루고 있으며, 〈보기〉는 「잃어버린 조각」의 내용과 관련하여 의미 있고 행복한 삶에 대해 이야기하고 있다.
⑤ 이 글은 '가장 중요한 일은~노력 그 자체가 아닐까?'에서 물음의 방식으로 필자의 견해를 드러내고 있으며, 〈보기〉는 '한 조각이 떨어져 나가서~더욱 의미 있고 행복할 수 있다는 메시지이다.'에서 비유적 표현을 활용하여 필자의 견해를 드러내고 있다.

고난도 해결 포인트
제시문과 〈보기〉의 서술 방식, 주제 의식 등을 비교하는 문제이다. 이 문제를 해결하기 위해서는 먼저 제시문과 〈보기〉의 핵심 내용, 서술 방식 등을 각각 파악해야 한다. 그리고 서로를 비교하며 공통점과 차이점을 파악하여 선지에서 해당하는 답을 찾는다.

17. (가)에서 필자는 군주의 통치 방식에 대해 서술하고 있으며, (나)에서 필자는 수령이 백성을 어떻게 다스려야 하는가에 대한 의견을 밝히고 있다. 따라서 두 글의 필자는 모두 지도자는 어떤 통치 방식을 취해야 하는가를 질문으로 상정했다고 볼 수 있다.
| 오답 풀이 | ① 두 글 모두 지도자의 선출 방식에 대해서는 언급하고 있지 않다.
② 두 글 모두 지도자의 평판에 대한 기준은 제시하고 있지 않다.
④ 두 글 모두 지도자와 백성이 어떤 관계를 맺고 유지해야 하는가에 대해 설명하고 있지 않다.
⑤ (나)에서 형벌은 사람을 바로잡는 일에 있어 말단이라고 말하고 있으며, 사용하는 이유에 대해서는 구체적으로 언급하고 있지 않다.

18. (나)에서 '수치가 될 만한 일이 있으면 숨겨서 드러내지 않다가 한가히 있을 때 하나씩 불러서 차근차근 경고하고 꾸짖는다.'라고 하였으므로, 백성이 잘못하더라도 질타하지 말아야 한다는 진술은 적절하지 않다.

| 오답 풀이 | ① (가)의 '인간이란~이익에 눈이 어둡습니다.'에서 필자가 인간의 본성을 부정적으로 인식하고 있음을 알 수 있다. 그러나 (나)의 필자는 인간의 본성을 부정적으로 보고 있지 않다.

②, ③ (가)에서 '사랑을 느끼게 하는 것보다는 두려움을 느끼게 하는 것이 훨씬 더 안전하다.'라고 서술하고 있다. 그러나 (나)는 형벌에 의한 통치보다 수령이 솔선수범하여 교화하는 통치를 바람직하다고 보고 있다.

⑤ (가)에서 군주는 적절하게 신중하고 자애롭게 행동해야 한다고 서술하고 있으며, (나)에서도 수령은 스스로 언행을 단정하고 신중하게 하는 솔선수범을 강조하고 있다. 또한 백성이 잘못을 저지르더라도 바로 꾸짖는 것이 아니라 한가히 있을 때 하나씩 불러 차근차근 경고하고 꾸짖어야 한다고 말하고 있다.

19. (나)는 한 가정을 다스리는 가장의 상황을 가정하고 이를 한 고을을 다스리는 수령에게 적용하고 있다. 따라서 유사한 상황에 빗대어 추론하는 유추를 활용하여 수령이 지녀야 할 바람직한 자세에 대한 필자의 주장을 펼치고 있다.

| 서술형 평가 기준 |

기준	등급
예시 답과 유사하게 (유추/수령의 바람직한 자세) 서술한 경우	상
내용은 적절하나 문장이 어색하거나 맞춤법이 틀린 경우	중
중심 내용은 포함되어 있으나 문장이 장황한 경우	하

Ⅲ. 다양한 분야의 글 읽기

p. 388

1. ③ **2.** ③ **3.** ④ **4.** ③ **5.** ⑤ **6.** ⑤ **7.** ③ **8.** ⑤ **9.** ① **10.** ㉠에서는 헌법을 국민의 입장에서 볼 때 국가에 대해 국민이 무엇을 바라고, 무엇을 할 것이며, 무엇을 해야 하는지 밝힌 연애편지라고 보는데 비해, ㉮에서는 헌법을 국가의 입장에서 국가의 기능과 형태를 밝히는 것이라고 보고 있다. **11.** ② **12.** ⑤ **13.** ① **14.** ⑤ **15.** ④ **16.** ④ **17.** 위아래로 각기 5대씩 나누어 가면 절대적 최적화 값이 75분, 상대적 최적화의 값도 75분이어서 피오에이가 1로 가장 좋은 방법이 되기 때문이다.

1. (다)에서 '마녀사냥'이 공동체 내에서 특정한 기능을 수행했다는 설명이 있기는 하지만 이것이 공동체 재건은 아니다.

2. 당대 사회의 지도적인 위치에 있는 사람들은 마녀사냥을 주도하면서 마녀사냥은 위험한 존재로부터 사회를 지키는 훌륭하고 합리적인 행위라고 생각했다.

| 오답 풀이 | ① 마녀 사냥을 주장하는 무리들은 사회의 권력층이므로 평등한 세상을 추구했다고 보기 어렵다.

② 위험한 존재로부터 사회를 지키기 위해 마녀 사냥이 필요하다고 생각하고 있으므로 이들이 사회 진보를 추구했다고 보기 어렵다.

④ 사회 구성원의 단합이라고 하기 보다는 그들의 복종을 요구하기 위해 마녀사냥을 하였다고 볼 수 있다.

⑤ 역사적 흐름의 필수 단계라기보다는 자신들의 필요에 의해 필요한 행위라고 합리화하였다고 할 수 있다.

3. 마녀사냥이 결과적으로 행한 역할을 보면 국가 기구에 균질한 영혼인 국민들이 복종하도록 해야 한다고 생각했으므로 국가의 질서가 전제되었다고 할 수 있다.

4. ㉢은 국가나 권력자들의 주도로 이루어졌지만, 오늘날의 ㉮는 일반인들 사이에서도 이루어지고 있다.

| 오답 풀이 | ① 이 글에서는 '부자들과 권력자들보다 여성, 빈민, 노인이 희생을 당했으리라'에서, 〈보기〉에서는 '집단이 개인을 상대로 근거 없이 무차별적으로 공격하는'에서 알 수 있다.

② 우리 사회에서 일어나는 일이므로 공동체 내에서 이루어지는 일이라고 볼 수 있다.

④ 이 글과 〈보기〉 모두 유사한 현상이 언제나 있었고, 오늘날에도 마녀사냥을 심심찮게 행해지고 있다고 하는 데서 추론할 수 있다.

⑤ 이 글에서는 '집단 광기가 숨어 있는 것은 아닌지 자문하게 된다.'에서, 〈보기〉에서는 '그 의견을 무비판적으로 받아들여'에서 알 수 있다.

5. 이 글에는 윤두서가 자아 성찰의 결과물인 「자화상」을 그린 계기가 서술되어 있지 않으므로 이 글을 읽는 독자가 확인할 수가 없다.

| 오답 풀이 | ① 윤두서가 윤두서에게 나지막하게 건네는 말에서 자신의 삶을 진지하게 성찰한 결과물임을 알 수 있다.

② 「자화상」은 인물의 모습을 정면에서 그린 사실적인 작품이다.

③ 「자화상」을 걸작이라고 보는 이유는 미완성작이지만 마지막 손질이 더해지지 않은, 작가 자신에 대한 심오한 상념이 전개되는 과정, 그리고 생생한 자기 성찰의 흔적을 그대로 보여 주기 때문이다.

④ 「자화상」과 미켈란젤로 「노예상」의 공통점은 미완성작이지만 뛰어난 작품이라는 점이다.

6. 이 글에서는 하나의 내용에 대해 상반된 의견이 제시된 부분은 찾을 수 없다.

| 오답 풀이 | ① (다)에서 『효경』을 인용하고 있다.

② 윤두서 「자화상」과 미켈란젤로 「노예상」의 공통점을 서술하고 있다.

③ (나)에서 '옥에 갇혀 칼을 쓴 인물처럼 '과 같은 비유적 표현을 사용하고 있다.

④ 눈매나 수염 등 작품의 부분 부분을 구체적으로 묘사하고 있다.

7. 이 글의 필자는 윤두서의 작품이 조선 선비의 미감이나 윤리 도덕과 맞아 떨어지지 않는다고 하였고, 〈보기〉에서는 조선 선비들의 미감과 윤리에 대해 언급하지 않았다.
| 오답 풀이 | ① 이 글과 〈보기〉 모두 윤두서의 작품이 사실적이라고 평가하고 있다.
② 이 글 전체와 〈보기〉의 '내면에 대한 냉엄한 성찰'에서 알 수 있다.
④ 이 글과 〈보기〉 모두 윤두서의 작품이 미완성작이라고 평가하고 있다.
⑤ 이 글과 〈보기〉 모두 귀와 같은 신체의 일부가 생략되어 있다고 서술하고 있다.

고난도 해결 포인트
제시문과 〈보기〉에서 동일한 작품에 대해 어떻게 평가를 하는지 분석하는 문제 유형이다. 이런 문제의 경우 두 평가의 공통점과 차이점을 정리한 뒤 문제에서 요구하는 답을 찾으면 된다.

8. ⓔ와 ⑤의 '감지(感知)'의 문맥적 의미는 '느끼어 앎'이다.
| 오답 풀이 | ① ⓐ의 '발산'은 '감정 따위를 밖으로 드러내어 해소함. 또는 분위기 따위를 한껏 드러냄.'이고, ①의 '발산'은 '냄새, 빛, 열 따위가 사방으로 퍼져 나감.'이라는 뜻이다.
② ⓑ의 '지정'은 '관공서, 학교, 회사, 개인 등이 어떤 것에 특정한 자격을 줌.'을 뜻하고, ②의 '지정'은 '가리키어 확실하게 정함.'이라는 의미이다.
③ ⓒ의 '근거'는 '어떤 일이나 의논, 의견에 그 근본이 됨. 또는 그런 까닭'이라는 뜻이고, ③의 '근거'는 '근본이 되는 거점'이라는 의미이다.
④ ⓓ의 '구도'는 '그림에서 모양, 색깔, 위치 따위의 짜임새'를 뜻하고, ④의 '구도'는 '진리나 종교적인 깨달음의 경지를 구함.'을 의미한다.

9. 이 글은 독일 기본법 제정 과정을 소개하고, 기본법이 길어지면 국민의 권리를 제한한다는 문제점을 제시하였으며, 좋은 헌법(독일 기본법)은 건강과 같이 소중한 것이라고 서술하며 글을 마무리하고 있다.

10. ㉠에서는 헌법은 국민의 입장에서 볼 때 국가에 대해 국민이 무엇을 바라고, 무엇을 할 것이며, 무엇을 해야 하는지 밝힌 연애편지라고 보고 있다. ㉮에서는 헌법이 국가의 입장에서 국가의 기능과 형태를 밝히는 것이라고 보고 있다.

| 서술형 평가 기준 |

기준	등급
예시 답과 유사한 내용으로 서술한 경우	상
내용은 적절하나 문장이 어색하거나 맞춤법이 틀린 경우	중
중심 내용은 포함되어 있으나 문장이 장황한 경우	하

11. 이 글은 서구의 우산이 도입된 과정을 시간의 흐름에 따라 서술하되, 고유 문화와 접목된 모습에 대해 설명하고 있다. 우산이 지배층에게는 정치 권력을 상징하였고, 서민들에게는 농경 문화의 영향으로 금기의 대상이었다고 설명하고 있다.

12. 조선 후기까지 서민들은 우산을 쓰지 않았으므로 금기가 구성원들 사이에서 은밀하게 구전되었다고 보기 어렵다.
| 오답 풀이 | ① 우산을 방 안에서 펴면 감옥을 간다는 속설은 금기의 일종이므로 어떤 대상을 꺼리거나 피하는 것과 관련이 있다.
② 벼락을 맞는다는 것은 금기를 위반하면 처벌을 받는다는 인식과 관련이 있다.
③ 우산과 관련된 금기 사항이 예전이나 후대에 모두 햇빛과 관련이 있으므로 세대 간 공동체의 체험 공유라고 볼 수 있다.
④ 우산과 관련된 금기 사항은 농사 관련 의미와 밀접하므로 대상이 환기하는 의미를 세대를 거쳐 전달한 것이라고 할 수 있다.

고난도 해결 포인트
지문과 관련된 이론을 〈보기〉에 제시한 뒤 지문 내용과 이론을 비교, 분석하는 문제 유형이다. 이런 문제의 경우 이론을 실제에 적용할 수 있도록 지문과 〈보기〉를 꼼꼼하게 대조하며 답을 찾아야 한다.

13. '귤화위지'는 '귤이 탱자가 된다.'는 의미이다. 서구의 우산이 우리나라에 도입될 때 민간 신앙과 접목이 된 것은 환경에 따라 변화한다는 의미이므로 '귤(서구의 우산)'이 탱자(민간 신앙과 접목된 우산, 즉 편복산)'가 된다와 의미가 통한다.
| 오답 풀이 | ② '조삼모사(朝三暮四)'는 간사한 꾀로 남을 속여 희롱함을 이르는 말이다.
③ '사면초가(四面楚歌)'는 아무에게도 도움을 받지 못하는, 외롭고 곤란한 지경에 빠진 형편을 이르는 말이다.
④ '전화위복(轉禍爲福)'은 재앙과 근심, 걱정이 바뀌어 오히려 복이 된다는 말이다.
⑤ '새옹지마(塞翁之馬)'는 인생의 길흉화복은 변화가 많아서 예측하기가 어렵다는 말이다.

14. (나)에 따르면 핵을 구성하는 기본 입자는 양성자와 중성자이며, 원자는 전기적으로 중성이다.
| 오답 풀이 | ① (가)의 '19세기에 돌턴은 물질은 더 이상 쪼갤 수 없는 입자들이 모여 이루어져 있다는 근대 원자설을 주장하면서'에서 알 수 있다.
②, ④ (나)의 '원자를 구성하는 입자들 중 가장 먼저 실체가 밝혀진 것은 질량이 가장 작은 전자였다'에서 알 수 있다.
③ (가)의 '데모크리토스는 물질은 아주 작고 단단하며 눈에 보이지 않는 알갱이들로 이루어져 있다고 보았고, 이 알갱이를 '원자'라고 불렀다.'에서 알 수 있다.

15. ㉮에서는 음극선이 (+) 극 쪽으로 휘어지고 있으므로 전자가 음전하를 띤다는 것을 알 수 있다.

| 오답 풀이 | ① 전자가 직진한다는 것은 음극선의 진로에 장애물을 설치하면 그림자가 생긴다는 실험 결과에서 밝혀졌다.
② 전자가 질량을 가진다는 것은 음극선의 진로에 바람개비를 설치하면 바람개비가 회전하는 것에서 알 수 있다.

고난도 해결 포인트
제시문에서 알 수 있는 정보를 〈보기〉의 실험에서 추론하는 문제이다. 이런 문제의 경우 지문에 나온 대상의 속성이 실험의 어느 단계에서 확인할 수 있는지 논리적으로 판단한 뒤 답안을 찾도록 해야 한다.

16. (라)에서 네트워크 이론가들이 최적의 경우를 찾기 위해 피오에이를 활용한다고 하였지만, 피오에이 이론을 검증한 학자와 그 근거에 대해서는 언급하고 있지 않다.
| 오답 풀이 | ③, ⑤ (라)에서 네트워크 이론을 잘 활용하면 교통 문제뿐만 아니라 전염병 확산 예방이나 신약 후보 물질을 찾거나, 기업 제품을 홍보할 때 등 우리 생활에서 많은 도움을 받을 수 있다고 하였다.

17. ㉠에서 피오에이가 1이면 효율과 개인의 만족도가 모두 충족된다고 하였다. 따라서 ㉮에서 위아래로 각기 5대씩 나누어 가면 절대적 최적화 값은 75분, 상대적 최적화의 값도 75분이어서 피오에이가 1이 된다.

| 서술형 평가 기준 |

예시 답과 같이 정확하게 서술한 경우	상
내용은 적절하나 문장이 어색하거나 맞춤법이 틀린 경우	중
중심 내용은 포함되어 있으나 문장이 장황한 경우	하

Ⅳ. 다양한 특성의 글 읽기 p. 396

1. ① **2.** ③ **3.** ⑤ **4.** 재상이 되어 명분과 지위가 정해졌기
5. ② **6.** ② **7.** ② **8.** ⑤ **9.** ⑤ **10.** ③ **11.** ④
12. ③ **13.** ② **14.** ⑤ **15.** ③ **16.** ③ **17.** ② **18.** '검은 별봄맞이꽃'이 다소 경멸적인 함의를 담아 붙인 별명이었다는 필자의 진술 내용을 이해하는 데 활용할 수 있다.

1. 이 글은 '신돈'이라는 인물의 예법에 어긋난 행위에 초점을 맞추어 서술하고 있을 뿐, 신돈의 정치적 소신에 대해서는 언급하고 있지 않다.
| 오답 풀이 | ② 필자가 문수회에 참석하여 직접 목도한 경험을 바탕으로 신돈의 행위와 관련된 문제 상황을 지적하고 있다.
③ 2문단에서 다양한 인물들의 행적을 소개하면서 이를 신돈에 대한 비판의 근거로 삼고 있다.
④ 임금을 예상 독자로 설정하여 말을 건네는 방식으로 전개하고 있다.
⑤ 신돈이 군신 간의 예법을 무시하고 무례한 행동을 일삼아 조정을 어지럽히는 상황은 필자의 가치 의식에 반하는 상황이라고 할 수 있으며, 이러한 상황 전개가 이 글의 집필 동기로 작용하고 있다.

2. 성인이 예법을 마련하시어 상하 명분을 엄격하게 하였다고 한 사실로 미루어 보아, 옛 성인이 정한 예법에 따른 상하 질서가 군신 간에만 적용되었다고 볼 수 없다.
| 오답 풀이 | ① 1문단을 보면, 궁궐에서 임금과 재상들이 참여하는 불교 법회인 문수회를 열었다.
② 2문단의 '영도첨의 판감찰로 임명되던 날에 예법으로서는 마땅히 조복(朝服)을 차리고 나아가 은혜를 사례해야 함'을 통해 확인할 수 있다.
④ 1문단의 '신돈이 재상 반열(班列)에 앉아 있지 않고 감히 전하와 더불어 나란히 앉았는데, 그 거리가 몇 자 되지 않아 온 나라 사람이 놀래어 인심이 술렁술렁하고 매우 소란스러웠습니다.'에서 확인할 수 있다.
⑤ 1문단의 '(신돈이 재상 반열(班列)에 앉아 있지 않고 감히 전하와 더불어 나란히 앉았는데, 그 거리가 몇 자 되지 않아) 온 나라 사람이 놀래어 인심이 술렁술렁하고 매우 소란스러웠습니다.'를 통해 신하들과 백성들 모두 군신 간에 예법을 지키는 것을 당연하게 여겼음을 추리할 수 있다.

고난도 해결 포인트
글에 반영된 사회 · 문화적 배경은 글의 의미 맥락 속에 숨겨져 있는 경우가 많으므로 주의 깊게 살피지 않으면 안 된다. 예를 들면, 이 글의 필자가 문수회에 참석하여 신돈의 무례한 행동을 목도하는 맥락이 나타나는데, 이때 문수회의 성격, 참석자들의 신분, 집회 장소, 시대 등을 의미 맥락을 통해 추리할 수 있다. 이를 통해, 고려 시대 공민왕 때는 궁중에서 문수회라는 불교 집회가 행해졌고, 이 집회에는 임금과 재상들이 참여했다는 사회 · 문화적 배경을 추리할 수 있다.

3. 이자겸은 인종의 외조부였지만 인조로부터 천륜의 예를 받지 않았는데, 이는 군신의 예법을 어긴다는 여론의 질타를 받을까 두려워서라고 하였다. 이는 당시 군신의 예법을 매우 중요시했던 사회 분위기의 반영이지, 군신의 명분이 본디부터 천륜보다 앞선다는 것을 강조하기 위한 것은 아니다.

4. '이젠 재상이 되어 명분과 지위가 정해졌는데 감히 예법을 잃고 윤리를 허물기를 이와 같이 할 수 있겠습니까.'를 통해 알 수 있다.

5. 바늘과의 이별을 '한 팔을 베어 낸 듯 한 다리를 베어 낸 듯'이라며 신체 감각에 빗대어 표현하고 있다.
| 오답 풀이 | ① 동음이의어를 활용한 언어유희를 통해 대상을 희화화한 표현이 나타나 있지 않다.
③ 청자에게 말을 건네는 상황을 설정하고 있지만, 자신의 지나온 삶을 회고하고 있지는 않다.

④ 우화적 기법이란 인격화한 동식물이나 기타 사물을 주인공으로 하여 그들의 행동을 통해 풍자와 교훈의 뜻을 나타내는 기법이다. 이 글은 바늘을 의인화하여 부러진 바늘에 대한 애도를 표현하고 있다.

⑤ 과거의 상황과 현재의 상황을 대비하고 있지 않다.

6. 백인이 나(왕도) 때문에 죽었다는 고사 내용은 이 글에서 바늘이 나(필자) 때문에 부러졌다는 내용과 대응된다. 따라서 필자가 고사를 인용한 의도는 바늘이 부러진 것은 자신의 탓이라는 자책감을 드러내기 위해서이다.

7. 이 글과 〈보기〉 모두 화자(필자)가 작중 상황의 당사자로서 정서의 주체로 기능하고 있으며, 객관적 관찰자로서 기능하고 있지 않다.

| 오답 풀이 | ① 이 글은 바늘의 부러짐(상실)이, 〈보기〉는 자식들의 죽음(상실)이 창작의 동기가 되고 있다.

③ 이 글은 '자끈동'이라는 음성 상징어(의태어)의 사용으로 인해, 〈보기〉는 '으스스'라는 음성 상징어(의태어)의 사용으로 인해 작중 상황의 분위기가 실감나게 전달되고 있다.

④ 이 글은 '오호애재라', '바늘이여', '놀라워라', '(두 동강이) 났구나' 등에서, 〈보기〉는 '(광릉) 땅이여', '(보고) 있구나' 등에서 영탄적 표현을 주로 사용하여 화자의 안타까운 심정을 직접적으로 표출하고 있다.

⑤ 이 글은 '마음을 빻아 내는 듯 두골을 깨쳐 내는 듯', '한 팔을 베어 낸 듯 한 다리를 베어 낸 듯'에서, 〈보기〉는 '1, 2구/5, 6구/7, 8구'에서 대구를 활용한 운문체의 표현으로 인해 고조된 정서가 효과적으로 부각되고 있다.

고난도 해결 포인트

두 글을 비교하여 공통점이나 차이점을 묻는 문제가 자주 출제되고 있다. 공통점이나 차이점은 형식, 내용, 필자, 표현 방법 등 다양한 측면에서 선지가 구성될 수 있기 때문에 상당한 난도가 있는 문제 유형으로 볼 수 있다. 이러한 유형의 문제를 해결하기 위해서는 선지의 내용을 파악하고, 이를 바탕으로 각 지문을 비교하며 문제를 풀어 나가야 한다. 이때 각 선지에 나타난 핵심 어휘를 지문에 대입하여 해당 여부를 판단하는 것이 문제를 빠르고 쉽게 해결할 수 있는 방법이다.

8 (가)는 천지 창조 과정에 나타난 신의 섭리를 중심으로 서사가 전개되고 있으며, 어떤 대립이나 갈등도 나타나 있지 않다. (나)는 대립과 갈등이 나타나 있으나 이야기의 흐름이 파국에 이르고 있지는 않다.

| 오답 풀이 | ③ (가)는 필자가 작품 밖에서 신에 의한 천지 창조의 과정을 서술하고 있는 반면, (나)는 필자가 작품 속에 '나'로 등장하여 자신의 경험을 서술하고 있다. 따라서 (가)는 작품 밖의 필자에 의해, (나)는 작품 속의 필자에 의해 서술되고 있다.

9. 이 글에서는 대지가 인간을 그 품안에 거느리게 되었다고 말함으로써 우주 탄생 시기에 인간이 대지에서 살게 된 상황을 제시하고 있다. 인간 스스로 거처를 개척했다는 언급은 나타나 있지 않다.

10. (나)에는 아내와 가족에 대한 그리움과 외로움만 토로하고 있을 뿐, 아내와 가족의 소중함을 새삼 뼈저리게 깨닫게 되는 시간이 되었다는 내용은 나타나 있지 않다.

11. 아프리카인 경찰들이 운전사 차림으로 변장한 필자를 쉽게 알아보고, '아프리카 민족 회의'의 건승을 비는 몸짓과 표정에서 이들이 '아프리카 민족 회의'의 활동에 대해 충분히 인지하고 있음을 알 수 있다.

| 오답 풀이 | ① 아프리카인 경찰들이 운전사 차림으로 변장한 필자를 알아보고, '아프리카 민족 회의'의 건승을 비는 제스처를 하는 모습에서 필자가 '아프리카 민족 회의'라는 정치 조직의 구성원으로 활동하고 있음을 알 수 있다.

② 필자의 아내에게 필자의 체포와 관련한 경찰의 동향을 몰래 알려 주던 흑인 경사의 이야기를 통해 아프리카인 경찰들의 암묵적인 지지가 필자의 도피 생활에 많은 도움이 되었음을 추리할 수 있다.

③ '아프리카 민족 회의'의 구성원인 필자의 활동이 지명 수배의 명분이 되고 있는 점으로 보아 '아프리카 민족 회의'가 정부에 의해 주도되는 인종 정책에 위배되는 활동을 하고 있음을 알 수 있다.

⑤ 필자가 신문 기자들에게 공중전화를 걸어 무엇을 계획하고 있는지를 알린다거나 경찰이 얼마나 무능한가를 이야기하는 등 경찰을 교란시키는 행동을 하는 모습에서 이를 확인할 수 있다.

12. '동에 번쩍 서에 번쩍'하는 만델라의 행동은 '신출귀몰(神出鬼沒)'로 표현할 수 있다. '신출귀몰(神出鬼沒)'은 귀신처럼 자유자재로 나타나기도 하고, 숨기도 한다는 뜻으로, 날쌔게 나타났다 숨었다 하는 모양을 이르는 말이다.

| 오답 풀이 | ① '배를 그러안고 넘어질 정도로 몹시 웃음.'을 이르는 말이다.

② '동쪽으로 뛰고 서쪽으로 뛴다.'는 뜻으로, 사방으로 이리저리 몹시 바쁘게 돌아다님을 이르는 말이다.

④ '낮에는 농사짓고, 밤에는 글을 읽는다.'는 뜻으로, 어려운 여건 속에서도 꿋꿋이 공부함을 이르는 말이다.

⑤ '주사위를 던져 승패를 건다.'는 뜻으로, 운명을 걸고 단판걸이로 승부를 겨룸을 이르는 말이다.

13. 남아프리카공화국의 흑인 경찰들은 지하 생활을 하는 필자를 신분상 드러내 놓고 응원할 수는 없어 숨어서 지지하고 있다(ㄱ). 정부의 감시를 피하기 위해 도피 생활을 하는 필자에게 아프리카 민족 회의의 건승을 의미하는 표시를 보내는 흑인 경찰의 모습을 통해 남아프리카공화국의 인종 차별 정책에 저항하기 위해 아프리카 민족 회의가 창립되었음을 추론할 수 있다(ㄹ).

14. ㉮의 의문은 「모나리자」를 처음 본 사람들의 반응이며, 어떤 근거를 통해 나타난 것이 아니다. 뒤에 이어지는 내용은 필자가 이에 대한 이유를 추론하는 과정을 보여 주고 있다.

| 오답 풀이 | ① (가)의 2문단을 보면, ㉯를 근거로 ㉮에 나타난 「모나리자」의 크기가 작은 이유를 추론하고 있다.

② ㉯를 근거로 ㉱에 나타난 내용, 즉 액자 제작 과정에서 크기가 작아졌을 것이라는 내용을 추론하고 있다.

③ ㉰에 나타난 영향 관계로 인해 「모나리자」 역시 인물 양쪽으로 기둥이 서 있었다는 ㉯의 옛 기록에 대한 신빙성이 높아지고 있다.

④ ㉰에 나타난 영향 관계로 인해 「모나리자」 역시 인물 양쪽으로 기둥이 서 있었으며, 이를 액자 제작자가 잘라냈을 것이라는 ㉱의 내용에 대한 신뢰성을 강화하고 있다.

고난도 해결 포인트

제시된 지문에 나타난 추론 내용을 분석적으로 이해할 줄 아는지를 평가하는 유형의 문제로, 비교적 빈번하게 출제되는 유형이기도 하다. 이러한 유형의 문제를 해결하기 위해서는 필자의 추론에 나타난 주장의 근거를 정확히 파악해야 한다. 논리적인 글에서는 반드시 적절하고 타당한 근거를 제시하면서 추론을 전개한다는 사실을 알고, 필자의 주장이나 설명에 나타난 논리적 근거를 파악하면서 글을 읽어야 한다. 그렇게 함으로써 선지에 나타난 정보 간의 관계를 쉽게 파악할 수 있다.

15. 「모나리자」에 나타난 원근감은 '공기 중의 원근법'에 의해 형성된 것이며, '공기 중의 원근법'은 경계선을 흐릿하게 하고, 밝은색을 사용한다고 하였다. 그리고 이는 인물과 풍경이 하나가 되게 하는 효과로 나타난다고 하였다. '공기 중의 원근법'에 의해 그림을 그리는 과정을 보면, 경계선을 흐릿하게 처리하는 과정에서 풍경에 나타난 색채의 명암이 점차적으로 밝아지도록(옅어지도록) 처리되기 때문에 인물과 풍경 간의 색채의 명암이 분명히 대비되지 않고 명암의 차이 또한 크지 않게 나타나게 된다. 이를 통해 자연스럽게 원근감과 공간감이 나타나게 된다. 따라서 ⓐ와 ⓑ를 색채의 명암이 분명히 대비되도록 처리함으로써 원근감이 느껴지고 있다는 진술은 적절하지 않다. ⓐ와 ⓑ의 색채의 명암이 분명히 대비된다는 것은 곧 두 대상이 하나로 보이게 하는 효과보다는 분리되어 보이게 하는 효과로 나타나기 때문이다.

16. (가)에는 '과정이야 어떻든 이윤만 내면 성공이라는 가짜 뉴스 생산자들의 행태가 나타나 있으나, (나)에는 결과보다 과정을 중시하는 상황이 나타나 있지 않다.

| 오답 풀이 | ① (가)는 '도대체 왜 가짜 뉴스가 돈이 되는 걸까?'라는 물음과 이에 대한 대답을 스스로 하는 자문자답의 방식을 활용하여 가짜 뉴스의 발생 원인과 폐해라는 중심 화제에 접근하고 있다.

② '지도자들은 대개 남의 눈에 띄기를 갈망한다. 그러나 범법자는 정반대를 원한다.'라는 대조의 방식을 통해 필자 자신이 처한 지하 생활의 어려움을 인상 깊게 설명하고 있다.

④ (가)는 가짜 뉴스의 발생 원인을 경제적 요인(돈)에서 찾고 있다. 한편 (나)에는 남아프리카공화국 정부의 인종 차별 정책에 저항하는 필자의 투쟁 활동이 나타나 있다.

⑤ (가)는 필자를 둘러싼 사회 현상, 즉 가짜 뉴스의 범람 현상이 서술 대상이 되고 있으나, (나)는 자서전으로서, 인종 차별 정책에 의해 흑인들이 차별을 당하는 사회적 상황 속의 필자 자신이 서술 대상이 되고 있다.

17. 높은 광고 수익을 올리는 당사자는 가짜 뉴스 생산자이다. 광고 중개 서비스 업체는 광고주의 의뢰를 받아 정보 검색 업체나 누리 소통망 등에 광고를 배치하는 역할을 한다.

| 오답 풀이 | ① '높은 조회 수가 나오는 사이트일수록 높은 금액의 광고를 배치하는 식이다.'에서 확인할 수 있다.

③ '가짜 뉴스는 어떤 식으로든 눈에 띄어 '돈'이 되기 위해 자극적인 요소들을 포함하면서 소비자를 치밀하게 속인다.'에서 확인할 수 있다.

④ '과정이야 어떻든 이윤만 내면 성공이기 때문이다. 이런 이유로 인해 대체로 혐오나 선동과 같은 자극적인 요소를 담아 만든 가짜 뉴스가 판을 치게 ~'에서 확인할 수 있다.

⑤ '가짜 뉴스는 어떤 식으로든 눈에 띄어 '돈'이 되기 위해 자극적인 요소들을 포함하면서 소비자를 치밀하게 속인다.'를 통해 가짜 뉴스의 발생을 막으려면 바쁜 생활 속에서도 자극적인 뉴스에 현혹되지 않고 올바른 뉴스를 선택하여 수용하려는 의지가 필요하다는 결론을 추론할 수 있다.

고난도 해결 포인트

제시된 지문에 나타난 정보의 전체적 맥락을 통합적으로 이해함으로써 문제를 해결해야 하는 유형이다. 이러한 문제를 해결하기 위해서는 맥락 속에 다양한 방식으로 얽혀 있는 정보의 논리적 인과 관계를 파악해야 한다. 이때 가장 중요한 이해의 포인트는 핵심 키워드를 재빨리 파악하는 일이다. 즉 이들 핵심 키워드들 간의 관계를 이해해야만 세부적인 정보 간의 관계를 쉽게 이해할 수 있기 때문이다.

18. 〈보기〉의 설명을 참조할 때, '검은 별봄맞이꽃'에서 '검은'은 유표화의 예로, 흑인에 대한 경멸적인 의미를 담고 있는 말이다. 이는 주류인 백인들에 의해 주체로서 대우 받지 못하는 흑인들의 정체성을 함축하고 있다. 따라서 〈보기〉의 설명은 '검은 별봄맞이꽃'이 다소 경멸적인 함의를 담아 붙인 별명이었다는 필자의 진술 내용을 이해하는 데 활용할 수 있다.

| 서술형 평가 기준 |

기준	등급
예시 답과 유사한 내용으로 서술한 경우	상
중심 내용은 적절하나 문장의 호응 관계나 정서법에 어긋난 경우	중
중심 내용이 분명히 전달되지 않고 다소 모호하게 서술된 경우	하